Лев
Данилкин

ЛЕНИН

ПАНТОКРАТОР
СОЛНЕЧНЫХ
ПЫЛИНОК

Лев
Данилкин

ЛЕНИН

ПАНТОКРАТОР СОЛНЕЧНЫХ ПЫЛИНОК

МОСКВА
МОЛОДАЯ ГВАРДИЯ
2017

УДК 94(47)(092)"18/19"
ББК 63.3(2)53-8
    Д 18

ISBN 978-5-235-03985-8

роль пыли
(в солнечном луче)
в древней философии

О душе пифагорейцы думали
«die Seele sei: die Sonnenstäubchen»*
(=пылинка, атом)

* *«душа есть солнечные пылинки» (нем.)*

В. И. Ленин, Полное собрание сочинений, том 29.
«Философские тетради»
(Конспект книги Гегеля «Лекции по истории философии»)

Симбирск
1870–1887

Надежда Константиновна Ульянова, умевшая изобразить кого угодно, божилась, что ее муж «никак и никогда ничего не рисовал»; тем более таинственным и многообещающим выглядит плотно зататуированный пиктограммами и снабженный инскриптом берестяной прямоугольник.

14 легко читающихся кириллических букв настраивают на легкую победу; гипотетический Шерлок Холмс, впрочем, заметил бы, что нейтральнее было бы не «ПИСЬМО ТОТЕМАМИ», как тут, а «ТОТЕМНОЕ ПИСЬМО». Пожалуй, это нечастый в русской речи гендиадис: два существительных вместо существительного с прилагательным; фигура, характерная для латыни.

Центральная серия рисунков напоминает древнеегипетские росписи на стенах гробниц, другая, с геометрическими фигурами охотников, — наскальную живопись, третья — лубочные картинки из азбуки.

Цветные иконки — Самовар, Рак, Аист, Змейка, Лягушка, Свинья — прорисованы с впечатляющей аккуратностью, но без лишних анатомических подробностей; возможно, иллюстрации скопированы с некоего оригинала.

Автором этого кодекса был 12-летний гимназист, криптограф и любитель мертвых языков; уж конечно, он знал про фигуру «hen dia dyoin» («одно посредством двух»): в мае 1887-го этот самый гендиадис даже попадется ему в билете на выпускном экзамене.

Документ, хранившийся в архиве документов Ленина в Центральном партийном архиве Института марксизма-ленинизма при ЦК КПСС под номером 1, не включали ни в собрания сочинений, ни в «Ленинские сборники» и опубликовали лишь в 1958 году; возможно, кому-то казались неподобающими ассоциации письма со словом «вождь» («вождь краснокожих», «вождь красных»); скорее всего, дело в том, что «Письмо тотемами» не расшифровано: версия, будто это стилизованный отчет о проведенном лете, неубедительна.

Адресат письма — Борис Фармаковский, ровесник и приятель Владимира Ильича; он станет археологом и будет раскапывать греческую колонию Ольвию. В начале 1880-х он с родителями переехал из Симбирска в Оренбург, и в январе 1882-го — самое подходящее время, чтоб отчитаться о лете, — Илья Николаевич Ульянов привез ему послание от сына-третьеклассника. Ответил ли Фармаковский — и если да, то как, — неизвестно.

Письмо квалифицируется как «индейское»: его элементы имитируют графическую манеру и смысловое содержание известного «прошения индейских племен Конгрессу Соединенных Штатов». Вместо названий племен там нарисованы их тотемы — животные; в тело каждого вживлено сердечко, от которого — так же как в послании ВИ, — вьется веревочка к президенту: разреши нам переселение.

О чем Аист или Самовар могут просить Бородатого Купальщика?

Самовары и индейцы? Может ли быть, например, Самовар — рифмованным, как в кокни, искажением названия индейского племени «делавары»? Известно, что ВИ и его сестра Ольга, начитавшись Купера и Майн Рида, тайно от родителей соорудили вигвам из хвороста с полом, устланным травой; пока Ольга оставалась у игрушечного костра присматривать за хозяйством, ВИ с луком уходил на охоту, откуда приносил «убитую» корягу и рассказывал, как белые люди мешали ему и сами едва не поймали его арканом.

Число «шесть» присутствует сразу в нескольких сериях, и можно предположить, что речь идет о младшем поколении Ульяновых: Анна, Александр, Владимир, Ольга, Дмитрий, Мария.

Тогда кто из них — ВИ? Какой объект — тотем Ленина? Какое свойство в Ленине — главное? Кусачий, как рак? Горячий? Склизкий? Ядовитый? Всеядный?

Если читать шестичленную криптограмму слева направо, «третьим ребенком» окажется Аист. Символ Гермеса, покровитель путешественников.

Если справа налево — Змейка; символ хтонических сил земли.

Аист пожирает лягушек.

Лягушек часто потрошил в ходе своих опытов Александр; лягушка, как и Бородатый, живет в озере; в одноименной пьесе Аристофана они обитают в одном из водоемов Аида. Подполье? Подпольная партия?

Шифрованное приглашение вступить в тайное общество?

Карта с маршрутом к чему-то припрятанному?

Молитва, адресованная духу страны вечной охоты?

Сюрреалистически выглядящий Спящий Человек в правом верхнем углу напоминает о Ленине, который в 1915-м, вернувшись после Циммервальдской конференции, полез на гору Ротхорн и, добравшись до вершины, вдруг рухнул на землю, прямо на снег, и заснул — как убитый.

В правой нижней части, в чьем-то еще сне, находим Царство Снеди: Кувшин с молоком, разрезанную надвое колбасу, соединенную путаницей из бечевок и чем-то вроде пары очков, Знак

Вопроса. Усы и бородки лиц, обращенных к пище, делают их похожими на маски Гая Фокса.

Ленинская береста обескураживает биографа: античные символы, галлюцинации, бездонные озера, индейцы, таинственные связи между предметами и явлениями, визуальные метафоры, серии двойников, самовары, которые не то, чем кажутся. Поле щедро усеяно ключами — но ни один из них ничего не открывает; Фестский диск — и то понятнее. Документ Номер Один отбрасывает длинную тень на все прочие — и не сулит легкой разгадки. Ленин был профессиональным шифровальщиком; мемуаристы приписывали ему умение незаметно перемещаться, быстро исчезать и другие «индейские» следопытские способности. Есть апокрифические рассказы, как он ориентировался в лесу по звездам, а в лугах — по маршрутам полета пчел. Да что там в лесу — он даже и по комнате-то, сочиняя статьи, вышагивал, как индейцы у Купера — бесшумно, не наступая на пятки. Засечь — и сцапать его в кулак: попался! — не получится.

Но так было не всегда.

При ходьбе «голова его перевешивала» туловище; раз за разом, падая, он ударялся головой, «возбуждая в родителях опасения, что это отразится на его умственных способностях». «Треск раздавался такой основательный», — Анна Ильинична Ульянова описывает едва вставшего на ноги младшего брата с некоторым ироническим изумлением, будто ей довелось оказаться сестрой механической человекоподобной куклы, — что «я боялась, что он совсем дурачком будет». Соседи снизу, так и не сумевшие привыкнуть к жизни под этой дорожкой для боулинга, тоже сочли нужным высказать свою озабоченность: «либо очень умный, либо очень глупый он у них выйдет!» Способность брата использовать голову на манер тарана или молота вызывает у Анны Ильиничны нечто вроде гордости: «Эти частые падения и очень болезненные удары не делали Володю осторожнее» — «он бросался вперед всё с той же стремительностью».

В четыре года Карлик Нос превращается в очаровательного аморетто «с золотистыми кудерками и бойкими, веселыми, карими глазами», а затем, сезон за сезоном, утрачивает «ульяновские» припухлости и обретает «ленинскую» монументальность, которая так чувствуется практически на всех поздних фотографиях, где «харизма» вождя полностью компенсирует физиологические изъяны: рост ниже среднего, всегдашние мешки под глазами, дистрофичные волосы по бокам очага алопеции. Что касается промежуточных лет, то многие мемуаристы, даже из адептов большевизма, не считали нужным фокусироваться исключительно на ангелических параметрах ленинской внешности. Сильвин, знакомый с Ульяновым с середины 1890-х, назвал его наружность

«некрасивой»; одноклассник ВИ, Наумов, вспоминает «неправильные — я бы сказал некрасивые — черты лица» и «рот, с желтыми, редко расставленными, зубами»; в вину также ставится — на
всех не угодишь, — что юный ВИ был «совершенно безбровый, покрытый сплошь веснушками». Другие отмечали «калмыцкие глаза
со скулами, торчащие уши, бедную рыжую растительность», суту-
лость, «неинтеллигентную физиономию и вид не то приказчика,
не то волостного писарька»; «малопрезентабельный», «определенно похож на среднего петербургского мещанина». Странным
образом, очевидная ахиллесова пята по этой части — лысина —
если и провоцировала подтрунивания, то необидные; так, издательница Калмыкова в письмах именовала Ленина «наш златокудрый Аполлон». Рабочим в марксистских кружках, которые вел
«Николай Петрович», плешь казалась признаком ума: так много
думает, что аж волосы вылезли. Сам Ленин, похоже, склонен был
разделять это мнение. Оставленный однажды приглядывать за пятилетней дочкой Лепешинского, он устроил для нее в тазу озеро,
запустил кораблики из ореховых скорлупок, но надолго это не сработало; девочка заскучала и принялась изучать наружность своего
бебиситтера — он вынужден был отвечать на каверзный вопрос:
«Ленин, а Ленин, отчего у тебя на голове два лица?» «Оттого, — ответил, «погмыкав», озадаченный ВИ, — что я очень много думаю».

Луначарский находил, что у Ленина сократовский череп —
«действительно восхитительный»; в «контуре колоссального ку-
пола лба» нельзя не заметить «какое-то физическое излучение
света от его поверхности...».

Строением черепа — это видно по фотографиям, и младшая
сестра об этом пишет — ВИ весьма походил на отца; и не только
черепа. Рост, конституция, большой лоб, «несколько монголь-
ский разрез глаз», картавость, смешение холерического с сангви-
ническим темпераментов, «заразительный, часто до слез» смех,
предрасположенность к инсультам; оба умерли примерно от одной и той же болезни практически в одном возрасте.

На момент рождения ВИ Илье Николаевичу было 39 лет.

Для сына портного ему удалось сделать феноменальную карьеру; брат, астраханский мещанин, устроил его в гимназию, где
он показал себя с лучшей стороны: окончил курс с серебряной
медалью и поступил в Казанский университет. Учился у математи-
ка Лобачевского; о склонности ИН увязывать академическую
науку с реальной жизнью можно судить по тому, что в дипломной
работе он описал способы расчета параболической траектории
С/1853 L1 — кометы Клинкерфюса, которая впервые появилась
у Земли лишь в прошлом, 1853 году. Помимо исследований апе-
риодичных небесных тел, ИН несколько лет в Пензе и Нижнем
вел систематические метеорологические наблюдения и разра-

зился научной работой «О грозе и громоотводах». Обратив взоры на землю, он женился и, за год до рождения второго сына, перешел с должности преподавателя физики и математики на административную работу, сделавшись сначала инспектором, а через пять лет и директором народных училищ. Карьерный взлет сопровождался боковым смещением — из Нижнего в гораздо более провинциальный Симбирск, незнакомый для недавно созданной семьи город, столицу губернии размером со Швейцарию, где ИН предстояло руководить всеми народными училищами.

Больше прочих его интересовали три области: просвещение малых народов, литература и шахматы. Бешеный путешественник (в его ведении находилось более 430 народных училищ; младшие Ульяновы даже в крокет будут играть, оперируя отцовскими «командировочными» терминами: «шар отправился в уезд», «угнать этот шар подальше в губернию»), ИН воспринимал должность как «хождение в народ» — и посвящал огромную часть своего времени летучим ревизиям, цель которых было распространение начального образования (желательно в земских, народных, а не церковно-приходских школах) и спасение детей от розги и зубрежки. Прогрессивному директору народных училищ, одержимому идеей духовной модернизации общества, деятельность внутри системы просвещения представлялась бесконечной битвой с реакционным левиафаном; известна его ироническая жалоба на то, что вместо народного просвещения государство занимается «затемнением». Возможно, антагонизм ИН и государства обычно преувеличивается: пореформенная крестьянская Россия объективно нуждалась в грамотных «новых людях», способных управлять машинами — и в индустрии, и в сельском хозяйстве; и администраторы, способные вырастить это новое поколение, ценились и активно вовлекались в государственную деятельность.

Помимо лысины, бакенбардов и золотого сердца, у ИН была некоторая склонность к острословию (сохранилась его шутка про то, что «немец идет к немцу, а русский к Рузскому» — при выборе, в какую пойти купальню), которую он мог реализовать в небольшом клубе интеллигентных зануд, любителей шахмат, латинских спряжений и лирики Некрасова. Одноклассник Ленина запомнил ИН как «старичка елейного типа, небольшого роста, худенького, с небольшой, седенькой, жиденькой бородкой, в вицмундире Министерства народного просвещения с Владимиром на шее...». Одержимость своим делом принесла ему в 1878 году чин действительного статского советника, в 1882-м — орден Владимира 3-й степени и потомственное дворянство.

Д. Е. Галковский, проницательный читатель Ленина, подметил, что «в опубликованной переписке нет упоминаний об отце и старшем брате Александре»: возможно, «Илья Николаевич умер во время или сразу после очередной ссоры с сыном, и фигура умолчания в переписке объясняется подавленным чувством вины». Это не такое уж голословное предположение: дело в том, что смерть отца совпадает с моментом вступления ВИ в переходный возраст — и изменения в его характере фиксируют многие свидетели.

Жизнеописания симбирского периода строятся по известному агиографическому канону: будущий духовный лидер обретался в сладкой неге, любви и семейном согласии; с головой погруженный в литературу, философию, шахматную игру, спорт, алгебру, древние и иностранные языки, он обгонял сверстников в развитии; в этом смысле слово «Преуспевающему», вытравленное на золотой медали Ульянова, кажется не столько намеком на «из латыни пять, из греческого пять», сколько переведенным на русский именем «Сиддхартха» в дательном падеже.

Сестре ВИ ребенок запомнился декламирующим «Где гнутся над омутом лозы» А. К. Толстого: про мальчика, у которого заснула на берегу водоема мать и которого вот-вот увлекут на дно обещающие блаженство полета стрекозы с бирюзовыми спинками. Эта романтическая — или даже буддистская — баллада как нельзя лучше описывает ту нарушаемую лишь согласным гуденьем насекомых нирвану, в которой можно пренебречь всеми намеками на смерть, старость, болезнь, насилие и страдание — и оставаться под материнской опекой.

С пятнадцати-шестнадцати лет, однако, принц Гаутама преображается в мантикору со скорпионьим жалом и чьей-то откушенной рукой в зубастой пасти. У ВИ появляется привычка высмеивать собеседников, отвечать «резко и зло»; раньше просто «бойкий и самоуверенный», теперь он становится «задирчив» и «заносчив»; и даже мать делается мишенью для его насмешливости. Двоюродный брат обратил внимание на то, что если раньше ВИ добродушно иронизировал над собеседником, сморозившим какую-то глупость или трюизм («Вот если бы все согласились не придавать значения золоту, так и лучше было бы жить!» — «А если бы все зрители в театре чихнули враз, то, пожалуй, и стены рухнули бы! Но как это сделать?»), то теперь он, прищурившись, процеживал: «Правильное суждение вы в мыслях своих иметь изволите». Старший брат, которому выпала возможность несколько месяцев наблюдать за ним после смерти отца, на вопрос сестры о нем ответил: «Мы с ним не сходимся»*.

---

* В доме-музее в Ульяновске показывают странный артефакт, оставшийся от Александра Ульянова, — выпиленную им лобзиком круглую деревянную ажурную дощечку для хлеба. В центре — крупные литеры, составляющие слово BROD — «хлеб». Да, как в слове «бутерброд», но на самом деле ни в одном европейском языке «хлеб» так не пишется: по-немецки BROT, по-шведски и датски — с умляутом, «брёд». Ошибка выглядит слишком нарочитой, будто сигналом, зашифрованным завещанием, чтобы привлечь внимание к чему-то или кому-то? Брат?

Возможно (хотя и крайне маловероятно), что 15-летний ВИ испытывал к отцу что-то вроде подросткового презрения: для него обладатель генеральского чина, титуловавшийся «ваше превосходительство», мог казаться представителем государственной машины насилия, бюрократии, аппарата, того самого, который Ленин впоследствии так будет жаждать «разбить».

Анна Ильинична упоминает о «некоторой вспыльчивости отца», унаследованной его средним сыном; она также отмечает, что оба ее «родителя были скромны и застенчивы, мать даже жаловалась, что это вредило ей в жизни» — и единственным, по ее словам, исключением из семейной несклонности к выказыванию чувств и нарушению общественного спокойствия был как раз ВИ: тот кричал, когда считал нужным. Когда во время поездки на пароходе мать поставила ему на вид излишнюю шумность: «На пароходе нельзя так громко кричать» — он резонно заметил — точнее, заорал: «А пароход-то ведь сам громко кричит!»

Профессиональный педагог, ИН точно не был домашним деспотом, детей не лупил и позволял себе лишь самые безобидные эксперименты в сфере стимулирующих наказаний: провинившихся в семье Ульяновых сажали на черное «клеенчатое кресло».

ВИ был там завсегдатаем.

Наиболее темпераментный из всех шестерых младших Ульяновых и до поры до времени лишенный возможности канализировать свою энергию в какую-то полезную деятельность, ВИ представлял собой грозную силу, с которой не в состоянии были справиться родители и которая вызывала у его братьев и сестер приступы отчаяния. Его манера при любой возможности швыряться калошами по живым мишеням запомнилась жертвам на десятилетия. Идея, дождавшись, пока родители в темное время суток уйдут из дому, изображать «брыкаску» — закутываться с головой в меховой тулуп, прятаться под диваном в темной комнате и хватать за ноги, кусать и щипать всех, кто попадется, а затем еще и выползать оттуда на четвереньках с диким рычанием — доводила напуганных братьев и сестер скорее до заикания, чем до смеха. Список детских грехов ВИ так велик, что их не откупить никакими индульгенциями: помимо склонности к обувному терроризму, в верхних строчках значатся украденная со стола яблочная шелуха (которую запрещено было есть — но он все же съел ее, в кустах), измывательства над младшим братом (который не мог сдержать слез, когда слышал финал песенки про «Жил-был у бабушки серенький козлик», — но вынужден был по несколько раз выслушивать крики «рожки да ножки», сопровождающиеся сатанинским хохотом); демонстрация вырванных с корнем растений

13

перед старшей сестрой (которая, как подметил ВИ, страдает от некой фобии относительно подвергшейся такому обращению флоре); разодранная в клочья и растоптанная коллекция театральных афиш (которые годами собирал старший брат); издевательства над средней сестрой (которая отказывалась вовремя ложиться спать и драматически выла, резко выворачивая ручку настройки громкости вправо в те моменты, когда ее передразнивали); наконец, манера тотчас крушить все сколько-нибудь сложно устроенные игрушки: на то, чтобы отломать все ноги от полученной в подарок тройки лошадей, уходили считаные минуты.

Характер происходившего в доме Ульяновых можно уяснить, косвенно, по свидетельствам родителей, чьим детям время от времени составлял компанию уже взрослый ВИ. Практически все отмечали, что, согласившись сыграть во что-либо, Ленин превращался в сущего берсерка, переворачивал все в доме вверх дном, выполнял любые прихоти детей и отказывался соблюдать даже разумные ограничения, налагаемые родителями. В доме у своей сестры весной 1917-го вместе с ее приемным сыном он устраивал погони в духе «Тома и Джерри» — и однажды опрокинул обеденный стол с графином. В Швейцарии с зиновьевским сыном Степой проводил непосредственно в квартире футбольные матчи. В Париже с сыном Семашко — шуточные боксерские поединки: «Ну, Сергей, засучивай рукава, давай драться». С пятилетней дочкой своих знакомых Чеботаревых в середине 1890-х ВИ имел обыкновение заваливаться на кушетку, предварительно затащив на нее с пола ковер, а затем с криком «поворотишься, на пол скотишься!» скатываться, обнявшись, на пол.

О педагогических талантах самого Ленина обычно судят по неуклюжему апокрифу Бонч-Бруевича «Общество чистых тарелок», где Ленин угрожает перекрыть детям, систематически отказывающимся от предложенной пищи, возможность попасть в мистическое Общество. Учитывая интересы Бонч-Бруевича, речь идет скорее о секте; заинтересовавшись членством, дети, по совету Ленина, пишут заявления о вступлении — и тот, исправив ошибки, ставит резолюцию: «Надо принять»; рассказ больше похож на притчу о перспективах загробного существования и опасностях спиритуальных диет.

Несколько более приземленным выглядит анекдот о том, как в Париже Ленин наткнулся на улице на плачущую четырехлетнюю девочку, познакомился с ней — и, к изумлению своих товарищей, добился того, что уже через пять минут ребенок пел и танцевал; подоспевшая мамаша, узнав, что педагогом оказался русский революционер, едва не принялась плясать карманьолу и на прощание сказала ВИ: «Вы великолепны!» «Я не выдержал и рассмеялся, — рассказывал потом Луначарскому Ленин. — Думаю: вот бы услышали ее меньшевики, то-то была б для них радость! Какой визг и вой подняли бы они о том, что Ленин, подобно средневековому тирану из династии Медичи, Лоренцо Великолепному, решил и себе присвоить титул — "великолепный"».

С годами, впрочем, педагогические методы Ленина претерпели некоторые изменения, о характере которых красноречиво свидетельствует записка, полученная 3 июня 1918 года его секретарем Фотиевой: «Если Вы и Горбунов будете болтать на заседании, я вас поставлю в угол *обоих*».

Хотя Ленин и провел в симбирском углу почти треть жизни, больше чем во всей эмиграции, он никогда не выстраивал свою идентичность — даже иронически, как Плеханов: «тамбовский дворянин», — через отсылку к месту рождения. Да и чувств особых к Симбирску не выказывал — разве что на сентябрьскую телеграмму 1918 года о том, что, мол, город ваш отбит у белых, вежливо ответил, что это лучшая повязка на его рану. Когда в 1922 году Крупская показала мужу снимки оформления сцены симбирского театра, где давали «Павла I» и «Юлия Цезаря», Ленин, поворчав насчет недостаточной революционности репертуара, принялся припоминать, как в детстве ходил туда — и даже «прибавил, что, как только ему станет лучше, они выберут свободную минутку и обязательно съездят в Симбирск». Возможно, решение отложить визит на неопределенное будущее имело свои резоны: Симбирская губерния была одним из эпицентров голода 1921 года, и для того, кто захотел бы связать эту отчасти искусственного происхождения социальную катастрофу с политической деятельностью ВИ, открылись бы довольно широкие возможности.

Симбирск не был родовым гнездом ни Ульяновых, ни Бланков; до того обе семьи скорее дрейфовали вдоль оси Нижний Новгород — Казань — Самара — Астрахань; Симбирск подвернулся родителям ВИ в нагрузку к должности.

Всего за 200 лет до рождения Ленина, в допетровской России, Симбирск был окраиной, гарнизонным городком в Большой Засечной черте — насыпи от Днепра до Волги, отделявшей коренную Россию от дикой Степи, как Адрианов вал — Англию от Шотландии. Благодаря своему господствующему географическому положению — берег там был выше, чем в других волжских городах — Симбирск стал важной крепостью, чем-то вроде Ньюкасла или Карлайла. Идем, по пословице, семь дён — Симбирск видён. (Сейчас бы эти идущие, надо полагать, увидели 23-этажную гостиницу «Венец», плюнули и больше бы не оглядывались.)

Пограничный статус города вынуждал государство демонстрировать здесь свою силу в полном объеме, щедро расставляя знаки своего присутствия. В этом смысле нынешний Симбирск транслирует то же ощущение; только сейчас здесь доминируют громоздкие советские административные комплексы, а в детстве ВИ — духовная архитектура: массивные, помпезные, напоминающие Казанский и Исаакиевский, без особых скидок на провинциальные масштабы соборы, стертые с лица земли в 1930-е.

За два века существования, растеряв военное значение, город сумел поразительно быстро «облагородиться» — успешно конкурируя в качестве «волжских Афин» если не с Казанью и Саратовом, то с Астраханью и Самарой: обзавелся собственного стиля архитектурой и слоем интеллигенции — достаточно плотным, чтобы родить, вскормить и экспортировать в петербургско-московские эмпиреи целую плеяду выдающихся личностей: Карамзина, Языкова, Гончарова — и Ленина, Керенского, Протопопова (последний министр внутренних дел царской России; как раз его нерешительность не сумела остановить февраль 17-го).

Для Ленина-экономиста, исследовавшего капиталистические перспективы разных местностей, Симбирск не представлял собой ничего особенного — типичная отсталая по части капитализма губерния: крупных предприятий нет, «феодальные» классы явно преобладают над буржуазией; три тысячи потомственных дворян, чуть меньше личных, 13 тысяч духовенства; потенциал роста населения исчерпан; железной дороги нет; навигация с апреля по октябрь, зимой экономическая жизнь замирает; ближайшая ж. д. станция — Сызрань, полтораста километров. Сонное царство — в этом смысле водруженный на центральной площади Ульяновска нелепый «обломовский диван» выглядит уместно, как скамейка запасных Российской империи; впрочем, даже и при своих размерах он вряд ли смог бы вместить всех симбирских тюрюков и байбаков. Ленин, несомненно, предпочел бы поставить памятник Штольцу — однако деятельность этого персонажа явно противоречит как житейскому, так и историческому опыту большинства жителей Симбирска и Ульяновска. Раннего ВИ, кажется, тоже — его сон был так глубок, что, похоже, окончательно стряхнуть его удалось лишь со второго звонка будильника — смерти брата.

Тем не менее в конце 1870-х город уже наслаждался всеми преимуществами недавно принявшихся на культурной ниве институций — и еще не стал деградировать из-за эффекта отсутствия железной дороги. Особи, склонные к активному пользованию «социальными лифтами», чувствовали, что могут позволить себе устроить здесь на несколько лет передышку. Интеллигентная семья, благословленная талантливыми детьми, могла прожить здесь пару десятков лет, не задыхаясь от провинциальной духоты и обеспечив потомству основательное классическое образование; среда при этом оставалась достаточно провинциальной, чтобы «прогрессивные» идеи усваивались почти как религиозные, с некоторой долей экзальтации и без столичного ироничного скепсиса по отношению к ним: в семье Ульяновых словосочетание «революционный демократ» произносили без привставаний на носки и рисования пальцами знаков «кавычек».

Нынешний Ульяновск не слишком похож на Симбирск — однако посреди города, между улицами Железной Дивизии, Льва Толстого, 12 Сентября и Энгельса — можно с головой провалиться в архаический слой: полторы сотни заботливо пересыпанных нафталином деревянных строений, сквозь которые не смог пробиться ни единый росток современности. Через центр этого пожароопасного прямоугольника пролегает улица Понятно Кого; на ней и стоит Дом Ульяновых. «Симбирск, Московская улица, собственный дом», как писал Александр Ульянов на адресованных родителям конвертах. Дом, которым Ульяновы владели с 1878 года на протяжении почти десятилетия, был реквизирован и национализирован еще при жизни Ленина, в 1923-м, и послужил закладным камнем будущего заповедника; по-настоящему «в опричнину», со всеми прилегающими пейзажами, район был выделен к столетию ВИ, в 1970-м.

Дом Ульяновых, с определенным артиклем, — городской коттедж средних размеров — точно не больше ста квадратов. Он «конспиративно» устроен: чтобы оказаться внутри, нужно пройти из соседнего здания через подземную галерею; с улицы дом кажется одноэтажным, зато со двора в нем появляется уютная антресоль — где располагались как раз три детские комнатки с огорчительно низкими потолками. Из экспонатов — рояль, гардины, наволочки с вышивками, географические карты, лампы, зеркала, сундук няни, переплетенные литературные журналы и собрания сочинений «революционных демократов».

Было бы любопытно совершить экскурсию на чердак, где Ульяновы прятались друг от друга и играли в индейцев, или в подпол, где сохранялись припасы, но эта часть дома исключена из маршрута осмотра.

В семье, похоже, разговаривали цитатами из Писарева, Добролюбова, Некрасова и Щедрина — как сто лет спустя из «Двенадцати стульев» и «Бриллиантовой руки»; например, когда няня начинала бубнить интенсивнее обычного, дети отмахивались: «Смолкни ты, няня, созданье ворчливое. Не надрывай мое сердце пугливое...» и т. п. Кем-то вроде тогдашнего Пелевина — всеобщим увлечением, образчиком остроумия и автором книг-которые-всё-объясняют — был для поколения 1870—1880-х Чернышевский.

Мария Александровна пользовалась в семье репутацией «хорошей музыкантши»— и пыталась научить играть на рояле ВИ. Тот поиграл, но, поступив в гимназию, бросил; зато в 14 лет освоил подаренную младшему брату гармошку — и сам подбирал на ней мелодии тогдашних шлягеров, вроде «Вот мчится тройка удалая вдоль по дорожке столбовой».

Игра в четыре руки и слушание музыки, видимо, были объединяющими, очищающими и целительными ритуалами, духовно цементировавшими семью.

Наиболее диковинным экспонатом кажется пустая шуба в стеклянном кубе, пародийно напоминающем мавзолейный саркофаг, — подлинная, отцовская, вдоволь нагулявшаяся по горам и по долам; именно она приехала к Ленину в Шушенское и провела с ним три года.

Сзади ко двору с хозяйственными постройками (своего выезда у Ульяновых не было, отцу полагались казенные лошади — и в каретном сарае ВИ с Ольгой пытались ходить по натянутому канату, а Александр Ильич оборудовал, «чтобы не отравлять воздух домашним», химическую лабораторию; ВИ иногда принимал в опытах с реактивами участие) примыкает тянувшийся аж до следующей, Покровской, улицы фруктовый сад, скрытый от внешнего мира домом; здесь мать выращивала яблони, малину, клубнику и крыжовник. Несмотря на то что стихийное поедание урожая воспрещалось, «в этих ягодных кустах», припоминает младшая сестра, «мелькала иногда фигура Владимира Ильича. Помню и чаепития в беседке посреди сада, куда собиралась после обеда вся семья». Летом дети спали прямо там, на матрасах.

В целом дом Ульяновых совсем не похож на «чертово гнездо» — зато очень напоминает воплотившуюся мечту любой буржуазной семьи второй половины XIX века; и есть определенная ирония в том, что дом у этой «шайки революционеров» купил (за шесть тысяч рублей) не кто-нибудь, а полицеймейстер.

Судя по тому, что как только глава семейства скоропостижно скончался, Ульяновы тотчас вывесили объявление о продаже дома, они не слишком глубоко ушли корнями в тамошнюю почву; видимо, в городе их удерживала прежде всего работа ИН.

Подрастерявший былой магнетизм и уже неспособный притягивать орды туристов, Дом окружен разными квазистаринными объектами — вроде «Музея Почты», «Мелочной лавки» и т. п., которые в комплексе представляют собой интерес как фрагмент «старинного русского города», где, по странному стечению обстоятельств, дерево оказалось прочнее камня. Заповедник весь музеефицирован, но здесь нет ощущения, что вы провалились в пятидесятипятитомник; живописные дрова в изобилии, но атмосферы «Ленинлэнда» — как в диккенсовском Лондоне или даже валландеровском Истаде — не возникает.

Есть, по сути, лишь одна категория нынешних жителей Симбирска, которые по-прежнему испытывают к этой семье по-настоящему теплые чувства. Для отца Ленина Симбирск был еще и факторией, где русские взаимодействовали с чувашами, и поэтому он всячески опекал чувашские школы; он приятельствовал с чувашским просветителем Иваном Яковлевым, который основал учительскую школу.

Весной 1918-го Ленин улучил момент осведомиться телеграммой относительно судьбы отцовского коллеги, который «50 лет работал над национальным подъемом чуваш и претерпел ряд гонений от царизма» — с рекомендацией: «Яковлева надо не отрывать от дела его жизни». В ответной телеграмме Симбирский совдеп сухо уведомил ВИ, что кандидатура Яковлева на пост председателя Чувашской учительской семинарии не прошла, и он остался всего лишь председателем женских курсов.

Особое внимание, которое ИН уделял именно «национальному» аспекту своей деятельности, произвело на ВИ такое впечатление, что в седьмом классе он в течение года бесплатно работал репетитором одного взрослого и стесненного в средствах чуваша, который собирался поступать в университет.

После революции Ленин с недоумением наблюдал за тем, как руководство советского Симбирска — точнее, чуваши Симбирской губернии месяц за месяцем упускали возможность выгородить себе автономию, как это сделали татары в Казани и башкиры в Уфе; в июне 1920-го Политбюро само приняло резолюцию о создании автономии, но тогда дело забуксовало, а после смерти Ленина и вовсе заглохло: Симбирск — потенциальная столица Чувашии — в состав республики не вошел.

До Свияги от Дома — километр, десять минут пешком; до Волги — два километра. Обе эти реки протекали через город, но — в противоположные стороны, как бы для запасного выхода; удобство, всегда являвшееся для Ленина-арендатора огромным плюсом при выборе недвижимости. Интересное свойство двух рек позволяло ВИ и его братьям устраивать на лодочках-пирогах небольшие «кругосветки»: сначала спуститься по Свияге, а потом вернуться обратно домой по Волге. Такие лодки назывались «душегубки». Несколько раз ВИ под присмотром старшего брата участвовал в сплавах по Волге: в складчину покупалась лодка с парусом и веслами; ночевали в стогах. Через неделю лодку продавали — и возвращались назад на пароходе.

Троцкий, несколько преувеличивая в 1918 году успехи Красной армии, обещал, что после того, как от белых очистят Сызрань и Самару, «Волга станет тем, чем ей полагается быть, — честной советской рекой». Все течет, все изменяется, и вот уже мэр Ульяновска требует «смыть с берегов» Волги большевистскую фамилию — надеясь на превращение реки теперь уже в «честную антисоветскую»; а в мультипликационном проекте «Гора самоцветов», где перед каждой сказкой вкратце излагается история места или народа, откуда она пошла, в серии про Ульяновск упоминаются доисторическое море с аммонитами, сокровища Разина, Гончаров, Карамзин... Кто угодно — но не Ленин. (Проблема начинается в тот момент, когда оказывается, что симбирская сказка — это «Колобок»: как назло, лысый и шарообразный.)

Тем не менее ключевую позицию в городе занимает здание, которое расположено на высоком правом берегу; именно на него возложена функция представлять Симбирск советским Вифлеемом на Волге-Иордане — и непохоже, что в ближайшее время найдется стихия, которая окажется в состоянии уничтожить эту твердыню. Ленинский мемориал, ради которого снесли «надволжскую» улицу Стрелецкую, где родился ВИ, представляет собой плод запретной любви Чаушеску и Фидия Праксителя: на выстеленной скользкими мраморными плитами площадке приподнят на колоннах-сваях сплющенный сверху и снизу бетонно-мраморный куб с квадратными навершиями. Вдвое-втрое больше храма Зевса в Олимпии, мемориал должен внушать величие и трепет, как городская доминанта. Многие уродливые здания со временем приобретают статус «иконических», но у мемориала, эрзац-купола которого выглядят особенно безобразно, едва ли есть шансы попасть в их разряд, даже если все остальные постройки на планете будут разрушены атомной бомбардировкой; да и в качестве памятника позднесоветскому маразму и творческому бесплодию он слишком компромиссный и эклектично-обыденный: так может выглядеть и АЭС, и Дом пионеров, и НИИ, и Дворец съездов правящей партии, и увеличенная заправочная станция.

Для нас интересно, что под ним — буквально как под дамокловым мечом: рухнет на них этот бетонный слон или нет — и рядом с ним запаркованы несколько «старинных» мещанских домиков, оставшихся от улицы Стрелецкая; один из них — «пещера рождества», где родился ВИ, в двух других Ульяновы жили какое-то время после его рождения; никаких особенных причин задерживаться внутри хотя бы одной из этих «ненамоленных», пустоватых коробок не обнаруживается. Какие сны видела Мать перед Рождением Сына? Нет, здесь этого точно не поймешь.

По правде сказать, сохранившихся «домов Ульяновых» в городе так много — три здесь, еще несколько в заповеднике, — что поневоле вспоминаются сказки про помеченные крестиком, чтобы сбить преступников с толку, дома. Действительно, в первые восемь лет жизни ВИ Ульяновы постоянно меняли квартиры, словно бежали от какого-то Ирода, гнавшегося за их младенцами. Этой скачке есть рациональное объяснение — после пожара 1864 года в Симбирске было мало сдающихся в аренду квартир, где могла бы разместиться большая семья с шестью маленькими детьми, поэтому методом проб и ошибок приходилось выискивать что-нибудь приемлемое. Видимо, поэтому всем Ульяновым — и ВИ в первую очередь — было свойственно номадическое сознание, привычка легко переезжать с места на место, даже не задумываться о приобретении недвижимости, и жить в кое-как обставленных чужими людьми квартирах; «невлипание», способность легко переносить вечную неприкаянность.

Внутри мемориала неуютно, как в крематории: помимо дежурной диорамы Стрелецкой улицы, здесь покоится электрифицированная карта «Триумфальное шествие советской власти», созданная из кусочков того же рубинового стекла, что и звезды кремлевских башен. Пустой «Торжественный зал» с геометрическим мозаичным узором из цветной смальты укомплектован, впрочем, огромной статуей из уральского мрамора; высота этой церкви-в-церкви — 17 метров — «по замыслу архитекторов символизирует величие революции 1917 года»; а белизна кумира — надо полагать, непогрешимость того, кому следует возносить здесь молитвы. Несмотря на просчитанную научными методами акустику, голос экскурсовода едва слышен: фигура Ленина отражает звуковые волны, источник которых находится в соседних залах, где расположилась «выставка динозавров», откочевавших сюда, чтобы поселиться под защитой коммунистического тирекса.

Антидот от безобразия мемориала — городской пейзаж со зданием Симбирской гимназии. Сохранившее внешний аристократизм, в классическом духе, белое в высоких два этажа, построенное в XVIII веке и реконструированное в 1840 году по проекту деда одноклассника Ленина М. Коринфского — по крайней мере снаружи оно не имеет ничего общего с тоталитарной фабрикой ужасов. Музеефицированное лишь частично — нетронутыми остались актовый зал, физический кабинет, классная комната и «шинельная», — оно выглядит нарядно и обихоженно; там полно детей, куча родителей, ни одной сонной мухи, и, пожалуй, это наиболее приятное и живое из всех «ленинских» мест Ульяновска; даже если дух Ленина ассоциируется у вас исключительно с запахом серы, конкретно это место выглядит достаточно привлекательным — историческим и современным разом, чтобы можно было послать сюда учиться своего ребенка, не тревожась, что из обломова здесь начнут лепить штольца, а из штольца — обломова.

Строчка «выпускник классической гимназии» в анкете несколько компрометировала Ленина в глазах пролетарских историков: для человека, чья гвардия «рвала на портянки гобелены Зимнего дворца», у него чересчур много познаний в «культуре мертвых эпох».

Именно поэтому в «официальной» литературе о Ленине принято было представлять «царскую гимназию» чем-то вроде аракчеевских военных поселений, где систематически нарушались все права ребенка, а годы, проведенные там Лениным, — чем-то вроде первого тюремного срока.

Живи ВИ в городе покрупнее, у него был бы выбор — пойти учиться в классическую гимназию или реальное училище; в программе первых было больше древних языков, вторых — задач на учет векселей и схем строения дождевых червей. И там и там надо было платить за обучение и являться на занятия в форме; таким образом отсекались представители низших каст (из 368 человек, учившихся в гимназии в 1879 году, примерно 40 процентов — дворянского происхождения). Классическая гимназия давала доступ в университет; однако чтобы окончить восемь классов и получить диплом, следовало попотеть; в следующий класс обычно переходила лишь половина учеников, а остальные оставались на второй год или вообще отсеивались. Из 55 мальчиков, поступивших с ВИ в 1879/80-м, сдавали выпускные экзамены восемь; остальную часть класса составляли великовозрастные дылды.

«Храбрость наших воинов внушает неприятелю страх»; «Никто, если бы не любил отечества, не обрекал бы себя на смерть ради спасения его»; «Никого не ставлю я выше моего друга по честности, твердости, величию духа, по любви к отечеству»; «Отечество дороже жизни для хороших граждан»; «Часто Марсом пощаженный погибает от друзей»; «Сам ли ты, Федон, находился при Сократе в тот день, в который он выпил яд, или ты слышал о его смерти от кого-нибудь другого?»; «У ленивых всегда праздник». «Я считаю погибшим того, у кого погиб стыд» — за всеми этими изречениями, историческими анекдотами, пословицами и легендами про магов-самозванцев стоял не только набор лингвистических правил, но и система ценностей, этическая задача: воспитание «нравственной осанки», подготовка яркой — нацеленной на интеграцию в разумно устроенное, стремящееся к четко обозначенным идеалам общество — личности, для которой пожертвовать собой на благо родины, товарищей, старших, коллектива, семьи — не только обязанность, но и привилегия. Сколько тысяч, десятков тысяч таких фраз перевел Ленин с латыни на русский и обратно?

На протяжении восьми лет его интеллект систематически (латинского и греческого было по шесть-семь уроков в неделю, в полтора раза больше, чем русского и математики) заставляли проделывать изощренную языковую гимнастику; формальный строй древних языков и стелющийся за соответствующим дискурсом идеологический шлейф, система ценностей оказались вшиты в сознание Ленина. Именно в гимназии Ленину была привита филологическая культура, умение комментировать тексты (а уж дальше вы сами решали, чей корпус вас привлекает — Гомера или Маркса), чувство языка, риторическая компетенция — способность отбирать из по-разному звучащих формулировок наиболее емкие, ритмически соответствующие внутреннему лингвистическому камертону варианты; подыскивать оптимальный баланс формы и содержания. Древние языки не вызывали у него ни скуки, ни отвращения — ни в гимназические, ни во взрослые годы; так же как коньки и шахматы, это доставляло ему удовольствие.

В гимназиях запрещалось пользоваться готовыми переводами — и таким образом поощрялась вовсе не «бессмысленная зубрежка», а творческий подход к овладению классикой. Латынь ВИ преподавали несколько учителей, среди которых одно время был даже его двоюродный брат, А. И. Веретенников. Один из главных латинистов, харизматичный учитель по фамилии Моржов, желая внушить своим ученикам понимание красоты латинских текстов, зачитывал кое-какие фрагменты «с выражением» — и поощрял в учениках театральность. Одноклассники запомнили, как после драматичной декламации Ульяновым речи Цицерона — «До каких пор, Катилина, ты будешь злоупотреблять нашим терпением?» — потрясенный латинист подошел к нему и обнял с чувством: «Спасибо тебе, мальчик!»

Эйхенбаум полагал, что Ленин намеренно выстраивал фразу на латинский манер (хороший пример — ленинская *contra* против кадетов: «Вы зовете себя партией народной свободы? Подите вы! Вы — партия мещанского обмана народной свободы, партия мещанских иллюзий насчет народной свободы, ибо вы хотите подчинить свободу монарху и верхней, помещичьей палате» — действительно, производит впечатление «цицероновской»). Степень сознательности и намеренности копирования Лениным синтаксических структур латинского языка остается под вопросом, и вряд ли можно сказать, что глубокое изучение древних наделило его способностью чеканить запоминающиеся лозунги и генерировать удачные названия; однако факт, что как литератор Ленин был сформирован в рамках «классической» матрицы — и именно поэтому многие лозунги или фрагменты «революционного дискурса» Ленина оказываются «криптолатинизмами» — все эти «Шаг вперед, два шага назад»; «Всякая революция лишь тогда чего-нибудь стоит, если она умеет защищаться»; «Честность в политике есть результат силы, лицемерие — результат слабости»; «Учение Маркса всесильно, потому что оно верно», — появись эти фразы в учебнике латыни в качестве заданий для обратного перевода, они не показались бы особенно чужеродными; они рождены в рамках той же культуры, родственны ей, находятся в том же стилистическом регистре.

Классическое образование не только позволило Ленину изъясняться эффектными парафразами латинских фраз («Salus revolutionis suprema lex») и уснащать речь примерами из античной истории; оно организовало природный ум Ленина, включило в круг его повседневных интересов историю общества и философию: хорошо сформулированная «мысль» может быть использована как оружие — даже и в повседневной жизни; он осознал, что достаточно научиться подвергать феномены разностороннему анализу и обнаруживать присущие им противоречия, чтобы манипулировать ими в своих интересах. Самые «лучшие», «бесспорные» слова, и те могут быть подвергнуты сомнению; так, в 1918-м, оправдывая свою атаку на Учредительное собрание, Ленин упорно апеллировал к одному и тому же доводу: да, демократия — но для кого? В Древней Греции тоже была демократия; но демократия для кого? Правильно — для свободных афинян; демократии, однако, не было для рабов; что ж, для пролетариата демократия оставалась демократией и без Учредительного; ну а для буржуазии — уж извините.

В шестом классе 100 уроков посвящалось «Илиаде», в седьмом еще 100 — «Одиссее», и хороший гимназист по результатам этих масштабных археологических раскопок мог в деталях реконструировать любой фрагмент гомеровского мира и описать его эволюцию от более архаических форм в «Илиаде» к более современным в «Одиссее»; тема работы семиклассника могла звучать, например, как «Собака у Гомера». В топ-10 текстов, к которым обращались чаще прочего, входили «Анабасис», «Киропедия», «История Пелопоннесской войны», «Антигона» и «Эдип-царь». Ленин определенно лучше был знаком с историей, которая представлена в виде трагедии, — и испытывал неприязнь к повторению в виде фарса. Литература на всю жизнь осталась для него не менее адекватным способом «расшифровки» действительности, чем естественные науки; и если старший брат изучал мир, исследуя под микроскопом повадки кольчатых червей, то младший готов был реконструировать мировое устройство, копаясь в образах и символах сначала «Илиады» и «Одиссеи», а затем Чернышевского и Толстого; первые навыки расшифровывать литературу и обнаруживать в ней признаки социальных кризисов ВИ получил именно в гимназии.

За курс обучения — рассчитанный на среднестатистического ученика и слишком затянутый для ВИ (сам он впоследствии говорил, что 80-месячный курс обучения, при «сознательности», можно пройти за два года) — гимназисты должны были представить около ста сочинений; старшеклассники сдавали домашние композиции раз в месяц, и судя по тому, что после 1917 года Ленин всегда писал в анкетной графе «профессия» — «литератор», эта практика не была для него мучительной. Уроки литературы вел — по необъяснимому совпадению — отец будущего премьера Временного правительства России в 1917 году — Ф. Керенский, о котором Ленин «отзывался очень хорошо» (Н. Валентинов); вряд ли они обсуждали на уроках «Что делать?», но классику — Пушкина и окрестности, до Толстого — разбирали всерьез. Ни одного письменного школьного сочинения Ленина не сохранилось, но известно, что ему приходилось резюмировать свою жизнь в форме письма товарищу, размышлять о наводнениях, формах выражения любви детей к родителям, зимних вечерах, быте рыцарей и Волге в осеннюю пору; тестировать распространенные рекомендации вроде «не всякому слуху верь», «конь узнается при горе, а друг при беде» и «жалок тот, в ком совесть нечиста»; сравнивать зиму и старость, глушь и пустыню, птицу и рыбу, скупость и расточительность; поощрялось умение абстрагироваться от деталей и выйти на более широкие обобщения даже в сугубо «утилитарных» темах: польза ветра, польза гор, польза, приносимая человеку лошадью, польза путешествий, польза земледелия, польза изобретения письменности.

Сочинения о годах, проведенных в Симбирской гимназии под сенью великого одноклассника, оставили сразу несколько соучеников ВИ — и все характеризуют его как некоторым образом достопримечательность 1880-х годов: особенного типа, задававшего интеллектуальную планку для всех прочих учеников потока; иногда так и буквально — учитель латыни «обычно говорил в конце урока: "Ульянов, переведите дальше"», и что тот успевал перевести экспромтом, с листа, «то и было заданием всему классу». Культ первой скрипки, харизматичной личности — более упорной, прилежной, дисциплинированной, настойчивой, чем масса, — был знаком ВИ со школы; неудивительно, что на него такое впечатление произвело «Что делать?» и, в частности, фигура Рахметова — ведь сам он оказывался идеальным кандидатом на эту вакансию в реальной жизни.

Одноклассники рассказали о том, как ВИ, начитавшись «книги про жизнь насекомых», водил приятелей раскапывать норы навозных жуков — и устраивал мини-лекции о роли скарабеев в Древнем Египте; как, вооружившись запасом свечных огарков и веревок, посвятил несколько дней исследованиям подвалов под домом школьных воспитателей, где когда-то содержали пленного Пугачева, — в поисках подземного хода, выкопанного для побега; как лазил по деревьям за новыми экспонатами для своей коллекции птичьих яиц; как ходил на пристань и расспрашивал грузчиков из Персии о секретах разведения шелковичного червя; как ездил, под впечатлением от гончаровского «Обрыва», в Киндяковскую рощу, описанную в романе.

Среди одноклассников ВИ выделяются двое; оба оставили кое-какой след в отечественной истории: писатель, фольклорист и поэт Аполлон Коринфский (его дед, на самом деле Варенцов, был архитектором; увидев один из его проектов — здания Казанского университета, восхищенный Николай Первый воскликнул: да какой же это Варенцов, это какой-то Коринфский! Последовавшая смена фамилии вряд ли принесла счастье ее обладателям в Советской России, но в классической гимназии была как нельзя более уместной) и последний министр земледелия николаевской России А. Наумов, у которого в силу исторических обстоятельств немного поводов вспоминать Ульянова добрым словом. Тем не менее Наумов уверенно квалифицирует ВИ как «центральную фигуру» в классе, признаёт, что при «невзрачной внешности» глаза у того были «удивительные, сверкавшие недюжинным умом и энергией», — и отмечает несколько «резких» отличий ВИ от всех прочих. Он не принимал участия в забавах и шалостях, все время что-то читая, записывая или играя в шахматы (всегда выигрывал, даже когда играл с несколькими противниками). Ни с кем не дружил — но со всеми поддерживал ровные отношения; со всеми на «вы». «Отличался... необычайной работоспособностью»; «я не знаю случая, когда Володя Ульянов не смог бы найти точного и исчерпывающего ответа на какой-либо вопрос по любому предмету. Воистину, это была ходячая энциклопедия, полезно-справочная для его товарищей и служившая всеобщей гордостью для его учителей. Как только Ульянов появлялся в классе, тотчас же его обычно окружали со всех сторон товарищи, прося то перевести, то решить задачку. Ульянов охотно помогал всем, но насколько мне тогда казалось, он всё же недолюбливал таких господ, норовивших жить и учиться за чужой труд и ум». Знал о своем интеллектуальном превосходстве над товарищами — но никогда не подчеркивал его. Принимал участие в гимназических благотворительных балах — но, не любя танцевать, брал на себя должность «распорядителя», организатора концерта.

Все это выглядит слишком хорошо, чтоб не вызывать подозрений: неужели он в самом деле все восемь лет был шелковым — и даже не попытался швырнуть пару раз в своих одноклассников калошами? Или продемонстрировать кому-либо то, что в политике позже обозначал метафорой: «рукой за горло и коленкой на грудь»? Об этом мемуаристы помалкивают; нам не известно ни одного серьезного конфликта — ни с учителями, ни с одноклассниками, ни с родителями, ни с братьями-сестрами, ни с соседями, ни с какими-то женщинами. Разве что — состоявшийся то ли в 1885-м, то ли в 1886 году, еще при живом отце, отказ от религии (мы знаем об этом эпизоде в изложении Крупской). Во всем прочем — «сын чиновника», «добрые плоды домашнего воспитания», «особенное увлечение древними языками» — безупречный фундамент для успешного, готового к сотрудничеству члена общества. «Ни в гимназии, ни вне ее, — это уже Керенский, — не было замечено за Ульяновым ни одного случая, когда бы он словом или делом вызвал... непохвальное о себе мнение».

Анабасис в страну классической филологии подходил к концу, и ВИ уже тренировал голосовые связки, чтобы погромче выкрикнуть «Талатта, талатта!», но тут — в марте 1887-го — произошло нечто такое, что заставило его оторваться от античных текстов. Старший брат арестован в Петербурге; мать уезжает к нему, чтобы чем-то помочь; ВИ остается в семье за старшего; а в мае, ровно в момент выпускных экзаменов, оказалось, что попытки матери спасти брата от казни не увенчались результатом; он повешен.

Роль Керенского в судьбе ВИ обычно сводят к выдаче весьма похвальной характеристики (драматически контрастирующей как с той, которой он сподобится буквально через несколько месяцев, в университете: «скрытный, невнимательный, невежливый», так даже и с сестринской: «самоуверенный, резвый и проказливый мальчик») в тот момент, когда он оказался братом государственного преступника, в крайне слабой позиции. На деле роль эта еще больше.

Энергичный и добросовестный директор Керенский превратил Симбирскую гимназию из действующего десять месяцев в году фестиваля провинциальных эксцентриков со странными наклонностями в образцовое для своего времени, регулярно проветриваемое заведение, где состав преподавателей, атмосфера и оборудование (в физическом кабинете стояли дорогая «электрическая машина» и фонограф, впервые, надо полагать, записавший голос Ульянова) были на уровне столичных.

Несмотря на то что старший брат отсоветовал отдавать ВИ в подготовительный класс, чтобы тот не сразу угодил в лапы гимназических церберов, непохоже, что учеба и учителя как-либо досаждали ему. Некоторые, наоборот, вызывали восхищение — среди них «классный наставник», преподаватель физики Федотченко, который считался лучшим конькобежцем в Симбирске и зимой устраивал показательные выступления: выписывал на льду свою фамилию; присев на одной ноге, крутился волчком. «Ульянов искренне говорил, что ему завидует», — вспоминает один из одноклассников. Сам Керенский, которому чин действительного статского советника едва ли позволял проделывать столь же впечатляющие трюки, тем не менее оставил по себе самую добрую память, и даже советские историки вынуждены были зачехлить свои лупы, не обнаружив ничего такого, что можно было бы поставить на вид отцу премьера, которого Ленину придется выкуривать из Зимнего в октябре 1917-го; кроме разве что «четверки» по логике, которую тот влепил-таки ВИ, несколько подпортив ему диплом. Ленину, безусловно, повезло с Керенским — в своей гимназии он увидел, как государственный аппарат может действовать разумно, стремиться к самообновлению и приносить общественную пользу. Возможно, это ощущение стало антидотом от идеи устроить на него прямую террористическую атаку.

Большевизм, однако ж, предполагал не обязательно мгновенную, но все же тотальную ревизию всех основ старого режима, и инерция предпринятого осенью 1917-го движения влево подталкивала Ленина к идее, что «очень многое придется совсем перевернуть, перекроить, пустить по новым путям» — как туманно заявил он Луначарскому, когда вводил его в круг обязанностей наркома просвещения, признавшись, правда, по ходу: «...не могу сказать, чтобы у меня была какая-нибудь совершенно продуманная система мыслей относительно первых шагов революции в просвещенском деле».

Разумеется, у Ленина было достаточно оснований полагать, что гимназия как институция представляет собой часть старого, буржуазного аппарата, оплот консерватизма и «реакции» в обществе. Никто в Симбирской классической и не собирался скрывать того, что идея посвящать изучению древних языков 40 процентов времени учащихся была связана со стремлением использовать античную систему ценностей как официально запатентованное «средство против юношеского материализма, нигилизма». В той же функции — как страховка от антигосударственных ересей — использовалась религия, интегрированная и в собственно учебные дисциплины, и в повседневные ритуалы, вроде общих молитв и совместных литургий в праздничные дни. О том, до какой степени серьезной дисциплиной считался Закон Божий, можно понять по составу вопросов в билете ВИ на экзамене по богословию: «О пятом члене Символа веры», «О VI и VII Вселенских соборах», «Приготовление верующих к причащению. Причащение священнодействующих и мирян», «О шестом прошении Молитвы Господней», «Краткое объяснение Деяний Святых Апостолов»; чтобы внятно ответить сейчас хотя бы на один из этих вопросов, нужно быть выпускником семинарии.

Неудивительно, что после 1917-го Ленин задумался о превращении школы из «орудия классового господства буржуазии»«в орудие разрушения этого господства» — то есть в орудие диктатуры пролетариата. В переводе это означало, что в покое гимназии не оставят и изгнанием духовенства из зданий дело не ограничится.

Что касается именно «античной культуры», то тут личный опыт не мог подсказать ему однозначного решения. Да, Сократ, Солон и Фемистокл, несомненно, могли послужить достойными образцами и для пролетариев тоже; да, «пролетариат — наследник буржуазной культуры», и никто не позволит левакам вышвыривать из школ Гомера, Пушкина и Шекспира; но нужно ли пролетарию, пусть даже готовому принять все это блаженное наследство, заучивать наизусть отрывки из Корнелия Непота и различать супинум, герундий и герундив?

К шагам влево в этой области Ленина подталкивало и то, что он был женат на профессиональном педагоге, эксперте по истории педагогики, и эксперт этот полагал существовавшую до 1917 года систему образования никуда не годной. И если сам Ленин, возможно, и ограничился бы декретом о бесплатном и обязательном общем и политехническом образовании для детей до 16 лет, отменой школьной формы, внесением в список школьных табу, наряду с табаком и алкоголем, религии, и смешиванием мальчиковых классов с девичьими, то участие НК в кабинете реформаторов привело к тому, что детям обещали, кроме букваря, еще и знакомство в теории и на практике «со всеми главными отраслями производства». Процесс обучения планировалось крепко увязать с «детским общественно-производительным трудом».

Надежда Константиновна впоследствии была демонизирована интеллигенцией и преподносилась как образец горе-педагога, от которого надо держать своих детей подальше; меж тем среди ее учеников был, например, рабочий И. В. Бабушкин — продукт настолько безупречный, что о некомпетентности Крупской-учительницы говорить просто нелепо. Можно не сомневаться, что, трансформируя школы в трудовые коммуны, эта тонкая, остроумная и совестливая женщина искренне желала добра и сама, будучи трудоголиком — и фетишизируя работу как таковую, — хотела привить это небесполезное свойство и детям*.

Несмотря на отсутствие опыта общественно-полезного труда в собственном детстве, Ленин, кажется, с сочувствием относился к идеям своей жены в сфере интеграции школьного и профессионального образования — и экспериментам не препятствовал: жизнь покажет, что сломать, а что оставить. При всем уважении к просветительству в целом и деятельности «народного учителя» в частности (Ленина чуть не стошнило, когда он узнал, что их, в духе начала 1920-х, называют «шкрабы» — школьные работники, и запретил эту практику; наставляя хозяйственника М. Владимирова, что органы власти должны сами зарабатывать, а не требовать деньги из бюджета, он произнес: «Лишь для жалованья учителям не будьте скопидомом»), Ленин верил и в «фабричный котел»; жизнь — среда, работа, невыносимые условия — учит быстрее и эффективнее, чем университеты; трудясь, пролетарии обретают как полезную информацию об устройстве окружающей материи, так и классовое самосознание. Все это привело к тому, что уже в 1918-м, порешив, что в изучении Античности нет особенной

---

* О том, что Ленин с женой сами не стали заводить детей сознательно — «чтоб не мешали работать» или «чтоб не увеличивать нагрузку на и так перенаселенную планету», — не может быть и речи; он всегда в открытую выступал против модного тогда мальтузианства, а НК много раз с горечью сетовала на бездетность. Т. Алексинская пересказывает свой разговор с матерью Крупской: «Если бы вы знали, как Наде хотелось иметь ребенка! Да вот не суждено, нет у них детей! Это не ее вина! Владимир Ильич много занят умственной работой. Ну, Надя себя утешает, когда-нибудь Россия будет свободной, тогда она будет заниматься народными детьми как своими...»

практической необходимости, большевики изгнали древние языки из школ в качестве обязательных предметов и в рамках пролетарской борьбы с буржуазной галиматьей трансформировали классические гимназии в заведения более общего профиля; латинистам было предложено посвятить освободившееся время ликвидации неграмотности.

Ульяновы образца середины 1880-х выглядят как семья из рекламы стирального порошка: лучащиеся счастьем родители шестерых детей — один другого краше, с карманами, набитыми золотыми медалями; свой коттедж, собака, добрая няня; отец, правда, многовато работает, но зато в генеральском чине, действительный статский советник; мать никуда не отлучается от детей; совместные вылазки в фотоателье и летние поездки в деревню позволяют семье чувствовать себя счастливыми. Глядя на них, другие семьи видели, чего могут добиться «обычные простые люди» в меритократическом обществе, имея талант и охоту к работе; это вызывало уважение, которое не могли поколебать даже известия о том, что в семье обнаружился государственный преступник.

Духовное благополучие, однако, не сумело обручиться с материальным. Илья Николаевич был не тот человек, который вывозил семью за границу в парки аттракционов или в Гран-тур по Европе. «Помню, — пишет АИ, — отец, большой домосед, говорил: "Зачем нам в театр ходить? У нас дома каждый день свой спектакль"». Домоседство объяснялось постоянной стесненностью в деньгах. На не бог весть какое жалованье ИН содержал жену, шестерых детей, няню и прислугу. В 1878-м ВИ заболел малярией, доктора посоветовали вывезти его на лечение в Италию, но денег не было не то что на Италию или на Крым, но даже на вояж к теткам под Казань — надо было покупать дом, и семья осталась летом в городе. Даже и в 1880-е, когда ИН предложил однажды старшим детям свозить их в Москву на промышленную выставку, те, ощущая себя сознательными личностями, отказались, понимая, что их семейный бюджет не рассчитан на такого рода путешествия. Единственным туристическим направлением, которое оставалось доступным для Ульяновых, была Казанская губерния.

Кокушкино (татарское название Янасалы), бывшее гнездо дворян Веригиных, было усадьбой словно из старинной беллетристики: с барским домом, флигелем, людской, конюшней, каретным сараем. Хозяйство — 500 гектаров «угодий» и при них четыре десятка взрослых крепостных душ мужского пола (женщин и детей, как помним из Гоголя, в счет не брали) — поменяло владельцев в середине XIX века; Александр Дмитриевич Бланк заплатил по 240 рублей за душу и управлял ими еще лет десять, сбросив это бремя в 1861-м. Чтобы обеспечивать дочерям приданое, помещику приходилось потихоньку распродавать отдельные куски территории; часть ушла крестьянам при Освобождении; к тому моменту под контролем Бланка осталось уже около 200 гектаров, примерно как территория княжества Монако; эта земля продержалась в руках клана Бланков почти полстолетия.

Если верить ленинскому знакомому и биографу Валентинову, Ленин однажды принял его сторону в споре с Ольминским о ценности старорежимной помещичьей культуры: «Я тоже живал в помещичьей усадьбе, принадлежащей моему деду. В некотором роде, я тоже помещичье дитя. С тех пор много прошло лет, а я всё еще не забыл приятных сторон жизни в этом имении, не забыл ни его лип, ни цветов. Казните меня. Я с удовольствием вспоминаю, как валялся на копнах скошенного сена, однако не я его косил: ел с грядок землянику (при всей своей хорошей памяти, Валентинов ошибается: Ленин никогда не ел землянику, была у него такая пищевая идиосинкразия. — *Л. Д.*) и малину, но я их не сажал; пил парное молоко, не я доил коров».

Есть определенная политическая пикантность в том, что «директором» пролетариата и крестьянства стал потомственный — и по матери, и по отцу — дворянин, «помещичье дитя», никогда не занимавшееся физическим трудом и лишь наблюдавшее за своими подопечными в качестве журналиста, литератора, экономиста, социолога.

«Помещичье» детство могло внушить Ленину ощущение собственной исторической обреченности и, как следствие, необходимость в быстрой модернизации общества, потребность опереться на какую-то внешнюю силу, чтобы обеспечить собственное выживание.

Еще более жестокая ирония — демонстрирующая наличие некой внутренней структурной закономерности, которую иногда еще называют «судьба», — состоит в том, что «помещичье дитя» и окончило жизнь в помещичьей усадьбе; однако вряд ли стоит преувеличивать этот момент — жизнь в Горках протекала в помещичьих декорациях, но скорее то был закрытый санаторий, чем собственно помещичье хозяйство: другая экономика и другая идеология.

Видимо, в силу недостаточной компетентности Александра Дмитриевича в качестве агропромышленника экономическая сторона этого приобретения никогда не казалась блестящей — в качестве бесперебойного источника доходов имение работало плохо. На пахотной земле сеяли овес, горох и гречу, но много лучше в этом месте произрастали ученость и интеллигентность.

Для младшего поколения Ульяновых Кокушкино было территорией матери — которая прожила здесь с 12 до 28 лет. Мария Александровна, пожалуй, — наиболее загадочная в этой семье фигура: она выглядит «обыкновенной» интеллигентной женщиной и разве что в пожилом возрасте несколько напоминает иллюстрации к «Пиковой даме». Похоже, ее не слишком смущало, что из пятерых доживших до взрослого возраста детей один оказался без пяти минут цареубийцей, второй — вождем полулегальной политической партии и еще трое — профессиональными, готовыми к тюрьме революционерами. После смерти она была канонизирована советской историографией и демонизирована, за свою еврейскую кровь, — антисоветской; если верить Солоухину, именно она, МА, научила ВИ «ненавидеть все русское». Никаких подтверждений этому в письмах нет; наоборот, она много читает русских книг, ей нравится русская природа; наконец, несомненно в пользу МА свидетельствует тот факт, что однажды она «набрала несколько книг "Жизнь замечательных людей", прочла их с удовольствием». Ленин называл ее за глаза «святой», в письмах — «дорогая мамочка», а на конвертах писал — «Ее превосходительству — М. А. Ульяновой»; судя по сохранившейся переписке (около 170 писем ВИ), мать была его кумиром, другом и в целом наиболее близким, видимо, за всю его жизнь человеком.

Она родилась в Петербурге еще при Пушкине, в 1835 году, в доме на Английской набережной, и прожила долгую жизнь, достигнув почти восьмидесятилетия. Ребенком она переехала с отцом, врачом, на Урал, затем много лет — отец не отпустил ее получить образование в Санкт-Петербурге — провела в Кокушкине, среди книг, в доме с большой библиотекой.

У нее было много сестер, все замужние, с большими семьями, — и довольно широкий круг общения. При посредничестве одной из сестер она познакомилась со своим будущим мужем, для которого оказалась интересной не только в финансовом, но и в культурном отношении партией.

За семь лет до рождения ВИ Мария Александровна сдала экстерном экзамены и получила лицензию на работу гувернанткой. До своего вдовства она никогда не была за границей, и все ее перемещения совершались в околоволжском регионе: Пенза, Нижний, Казань, Самара, Ставрополь-Самарский, Симбирск. От своей матери, наполовину немки, наполовину шведки, МА унаследовала интерес к иностранным языкам и некоторые лингвистические таланты, позже подкрепленные домашним образованием. Представления о том, что дом Ульяновых был чем-то вроде школы полиглотов, где все в свободной форме обсуждали повестку дня в понедельник по-английски, во вторник по-немецки, в среду по-французски и т. д., видимо, относятся к области мифологии; попав за границу, даже Ленин — с его большим талантом к иностранным языкам и опытом перевода книг — поначалу плохо понимал собеседников и постоянно жаловался на это в письмах; то же и его сестры.

Мать шестерых детей, МА сумела организовать их жизнь таким образом, чтобы дом не превращался в ад и бардак. Крупская говорит, что талант организатора ее муж унаследовал именно от своей матери.

После продажи всей семейной недвижимости в ее руках аккумулировался капитал, который исследователи семьи Ульяновых оценивают примерно в 15 тысяч рублей. Она жила на пенсию от мужа и как рантье; к 1916-му, году ее смерти, запас этот практически исчерпался. Что касается Кокушкина, то после смерти А. Д. Бланка собственность несколько раз делилась между его пятью дочерьми (доля каждой оценивалась в три тысячи рублей), их мужьями и детьми; уже заложенное-перезаложенное, на короткое время Кокушкино задержалось ненадолго в руках как раз Марии Александровны, пока в 1898-м не было продано местному крестьянину-кулаку (которому, как сказано в «письме крестьян деревни Кокушкино нашему односельчанину В. И. Ленину», в 1917-м «дали по шапке»).

Бросающимися в глаза особенностями истории Ульяновых являются, во-первых, удачливость в плане продвижения по сословной лестнице (за два поколения — путь от крепостных крестьян — к чину статского советника и потомственному дворянству); во-вторых, преждевременные смерти (двоюродного деда выбросили из окна, дядя покончил жизнь самоубийством, старшего брата повесили, младшая сестра умерла в 16 лет); в-третьих, выморочность. У деда Ленина было шестеро детей, а у самого ВИ — 33 двоюродных кузена и кузин: Веретенниковы, Ардашевы, Пономаревы, Лавровы, Залежские. Ульяновская ветка, однако, резко хиреет — причем именно в его, ВИ, поколении. Из четырех доживших до детородного возраста потомство было только у Дмитрия Ульянова. Возможно, принадлежность к вымирающему виду заставляла ВИ преобразовывать окружающий мир интенсивнее, чем «обычные революционеры».

Ленино-Кокушкино — странное чирикающее название; крестьяне сменили вывеску еще в 1922-м, о чем и уведомили бывшего соседа, с присовокуплением просьбы купить им лошадей: «Отныне деревня Кокушкино зовется твоим, тов. Ленин, именем».

Туда из Казани ходит автобус — 40 верст, полтора часа. С указателями швах — непохоже, что усадьба Бланков представляет собой предмет особой гордости местных жителей. Если двинуть вбок от села, вдоль речки Ушни — еще одного водоема из ленинской «Книги воды», — после коттеджей и дачек наметится пустырь, потом не то сад, не то парк: березы, липы... Где-то неподалеку должны находиться Приток Зеленых Роз (куда устраивались ботанические экспедиции — смотреть на причудливые болотные растения), таинственная Магнитная Гора (курган из золы) и Черемышевский сосновый бор, формой напоминавший жителям усадьбы шляпу — круглую, с высокой тульей; он так и назывался: Шляпа. Там — зимой не пройти — находится место, где в 1870-е зверски убили лесника. Дети опасались привидения и боялись ходить туда за водой, к ключу; ВИ, впрочем, отметал суеверия: «Гиль! Чего мертвого бояться?» «Гиль» — ерунда — якобы было его любимым словечком; оно заново войдет в его лексикон после октября 1917-го с совсем иного входа — странным образом так будут звать личного шофера Ленина, поляка: Степан Гиль, тот самый, который видел, как стреляла в Ленина Каплан, и, возможно, не дал ей добить его.

Среди лип («самое, самое любимое мною дерево», — признался Ленин однажды Валентинову) — бюстик Ульянова: курс правильный. Сюда приезжаешь, чтобы увидеть «материнский капитал» и «территорию детства» ВИ; должно быть, эти пейзажи больше других трогали его сердце: именно здесь венчались его родители, тут шутник дед подавал матери в день именин тарелку белого снега вместо обещанных взбитых сливок, здесь ВИ проводил летние месяцы в обществе своих кузин и кузенов: купания, костры на семейных пикниках, крокет... «Гимнастическими упражнениями Володя не увлекался. Он отличался только в ходьбе на ходулях, да и то мало занимался этим, говоря, что в Кокушкине нужно пользоваться тем, чего нет в Симбирске».

Вокруг ни души, но снег расчищен, и даже если бы сюда явился сам Ленин, у него вряд ли нашелся бы повод для ворчания. Туристов ноль, не сезон, но открыто. Женщина-смотрительница очень любезно — будто сельский храм — показывает усадебку из нескольких зданий и небольшого парка. Главное здание — основной «бланковский» дом, и пятикомнатный «ульяновский» флигель с балконом-террасой и мезонином восстали из пепла в конце 1930-х по мемуарам и чертежам Ульяновых, Веретенниковых и Ардашевых. Это едва ли не единственная условно уцелевшая дворянская усадьба в Татарстане; хорошая иллюстрация к интенсивности событий XX века в России.

Экспонатов, конечно, раз-два и обчелся: в основном доме одни портреты, а во флигеле стандартный ульяновский «алфавит с предметами»: Р — рояль, З — зеркало, Ш — шахматы.

Чего нет, так это знаменитого бильярдного стола; Александр Ильич в последний приезд развлекал здесь родственников тем, что одновременно играл с одним человеком в бильярд и с другим — в «воображаемые шахматы» — причем «с игроком, которому тогдашняя первая категория в Казани давала ладью вперед».

Дефицит реквизита, однако, не ощущается; никакого «хюгге», зато место «атмосферное», а если вы в детстве держали в руках классические воспоминания двоюродного брата ВИ — Н. Веретенникова — о Кокушкине, то почувствуете и «дух» этого персонального эдема Ленина, а возможно, и найдете в одной из здешних рощ родовое древо — или, пожалуй, тотемный столб — этой семьи.

Столб этот, надо сказать, представляет собой в высшей степени неординарное явление.

Среди его основных элементов обнаруживаются существа, не менее разномастные, чем Самовар, Рак и Лягушка, — и знаменующие собой экзотический союз племен, конфессий и рас.

Слухи о метисном происхождении Ленина появились только после его смерти, но на протяжении всего советского периода тема упорно замалчивалась; и даже комментаторы «Ленинских сборников», которые при желании могли найти иголку в стоге сена, обнаруживая в письмах Ленина даже самое невинное указание вроде: «Пришлите адрес еврея» (в письме Алексинскому 1908 года), — тут же делали каменное лицо и устремляли взгляд вдаль с отсутствующим видом: «О ком идет речь, установить не удалось».

Первым, в ком учуяли крамолу, стал дед Ленина, владелец Кокушкина Александр Дмитриевич Бланк, который — как один за другим обнаруживали все те, кто протыкал носом нарисованный очаг, — до 1820 года звался Израиль Мойшевич Бланк (Александр — имя крестного отца, графа Апраксина, Дмитрий — имя второго восприемника, сенатора Баранова).

По правде сказать, сомнительно, что, проведя столько времени в Кокушкине, Ленин не знал о еврейском происхождении деда, умершего в год его рождения на исходе своего седьмого десятка; скорее всего, этническая принадлежность к инородцам просто не воспринималась ни как проблема, ни как сенсация — и в России в целом, и в Поволжском регионе всячески поощрялся переход представителей иных конфессий в православие, и после крещения неудобство, по сути, автоматически аннулировалось. До 1924 года принадлежность Ленина к великороссам не вызывала сомнения даже у самых отъявленных борцов за расовую чистоту — особенно на фоне «явных» евреев, поляков, латышей и кавказцев, которых действительно было в его окружении немало: естественное следствие того, что в оппозиционную партию часто рекрутировались кадры из угнетаемых в империи народов.

«Проблемная» информация о том, что дед Ленина по матери был крещеным евреем, женившимся на полунемке-полушведке, а мать Ленина вышла замуж за мужчину, в жилах которого текла, с одной стороны, предположительно калмыцкая, а с другой — не то русская, не то чувашская, не то мордвинская кровь, после 1991 года не является ни тайной, ни сенсацией, ни платформой для каких-либо умозаключений. Однако «тревога» обывателей относительно происхождения Ленина сохраняется на стабильно высоком уровне: не является ли сам химический состав этнической смеси заведомо взрывоопасным? Дозволительно ли экспериментировать с общепринятой рецептурой смешивания кровей столь безответственно? Получается, что во главе России оказался «как-бы-иностранец»; экземпляр, в котором «слишком мало» генов титульной нации. Наиболее раздражающим фактором является, похоже, ономастика — имена «материнских» предков звучат «слишком» еврейскими: Мошке Ицкович, Израиль Мошкович; расистам, полагающим еврейские гены по умолчанию «стыдными», неприемлемыми и в любом случае опасными для руководителя такой страны, как Россия, все это напоминает, надо полагать, сюжет из неполиткорректного анекдота про негра, читающего в трамвае еврейскую газету — «тебе что, мало, что ты негр?».

Безусловно, в самом наборе национальностей, слившихся в крови Ленина, чувствуется нечто пикантное, не столько снимающее или преодолевающее, сколько усугубляющее объективно существующий русско-еврейский антагонизм, отражающий конкуренцию за одни и те же ресурсы между склонными к доминированию народами; масла в огонь подливают несколько растиражированных бронебойных цитат из Ленина про «русский умник почти всегда еврей» и т. п. Исторически сложилось, что в русской революции участвовало очень много евреев, однако Ленин, потомственный дворянин и по отцу, и по матери, пусть и из недавних, пришел в протестное движение не по «национальной квоте», а по «научной», восприняв марксизм как учение о рациональном переустройстве общества.

Если наружность у самого Ленина — вполне русская, «славянско-монгольская», почему и в кино его так легко было играть разным русским актерам — в диапазоне от Смоктуновского до Сухорукова, то родственники его выглядят экзотичнее и колоритнее: фотографии безбородого Ильи Николаевича наводят на мысли о второстепенных персонажах викторианской литературной готики, младший брат, пожалуй, соответствует стереотипным представлениям о еврейской внешности, а в облике младшей сестры можно углядеть нечто заволжско-калмыцкое... Все это, разумеется, шарлатанская антропология, но, похоже, Ленин представляет собой наиболее счастливое, смешавшееся в удачных пропорциях сочетание всех этих разных кровей (и не уникальное для этой семьи — его рано умершая сестра Ольга была замечательно хороша собой). Заканчивая с псевдоантропологией, можно констатировать, что «дефицит» «титульной» крови оказался удачным фактором для политика в амплуа разрушителя (и созидателя) империи.

Наиболее колоритной фигурой из пантеона предков Ленина, несомненно, является прадед, Мойше Ицкович (с 1844-го — Дмитрий Иванович) Бланк, шинкарь, агропромышленник, торговец, сутяга и крамольник, в чьей биографии обнаруживаются многолетняя распря с соплеменниками из города Староконстантинова на Волыни (ныне Хмельницкая область Украины), обвинения в доносительстве, блудодеяниях и поджоге чужого имущества, юридически оформленный конфликт с кагалом, закончившаяся годовым пребыванием в тюрьме ссора с сыном, переход в другую конфессию и, на старости лет, авторство ряда наполненных свежими идеями писем на имя императора Николая I, в которых содержались призывы проводить христианизацию российских евреев с большей интенсивностью и предлагались конкретные рецепты. Этот джентльмен был склочным, как уличные юристы из романов Гришэма, мстительным, как граф Монте-Кристо, и предприимчивым, как Цукерберг, — хотя успел добиться в жизни меньше, чем мог бы обладатель такого букета достоинств. Дошедшая до нас информация о его длившихся десятилетиями ссорах с ближайшим окружением в самом деле наводит на мысль о том, что некоторые качества передаются по наследству через поколения — например, конфликтный характер, склонность к нарушению принятых в узком кругу норм и традиций, страсть к интриганству, расколам и крючкотворству; «вот так начнешь изучать фамильные портреты и, пожалуй, уверуешь в переселение душ»: Ленин похож на Мойше Ицковича, как Стэплтон на Гуго Баскервиля.

Если происхождение Ленина представляет собой генеалогический детектив, то твидовый шлем, скрипка и шприц с морфием достаются блестящему исследователю М. Штейну (1933–2009), который словно бы изобрел микроскоп, позволяющий разглядывать историю рода Ленина в таких деталях, о которых раньше никто и помыслить не мог. В своей книге, поражающей плотностью изложения и густонаселенностью, он умудрился отследить, кажется, каждый листик, когда-либо выраставший на родословном древе Ленина; и то, что самому ВИ, видимо, казалось небольшим фикусом, в ходе штейновских изысканий превратилось в настоящий баобаб.

Упаковать этот крупномер в компактный цветочный горшок никак не получится; заметим лишь, что в разделе «дальние родственники» особенно впечатляюще выглядят немецкие ветки — где есть персонажи в диапазоне от археологов, откопавших храм Зевса в Олимпии, до президента Германии, и от создателя и директора Египетского музея в Берлине до писателей Маннов; что до раздела «предки Ленина», то наиболее яркие истории обнаруживаются, судя по расследованиям М. Штейна, в шведском — материнском — сегменте. В рейтинге профессий верхние строчки здесь занимают шляпники, перчаточники и ювелиры; есть священник, который в детстве помогал отцу шляпнику в работе, отравился парами ртути и заболел душевной болезнью с галлюцинациями; среди прочего, он вообразил себя внебрачным сыном короля Карла XII и выразил желание жениться на дочери Петра I императрице Елизавете Петровне. Другой шляпник, Карл Магнус, вынужден был сбежать из Швеции — на угнанной лошади и заложив наряды жены — после того, как соседи застали его в постели с тещей. В 1769-м он открыл в Петербурге шляпную мастерскую, а умер в 1805-м в Москве; в 1800-м крестным отцом одного из его сыновей — Густава Адольфа — стал посетивший с визитом Петербург шведский король Густав IV Адольф.

Механизм генетического наследования склонности к чему-либо до конца не изучен, но нельзя не обратить внимания на возможную связь между наличием в роду Ленина нескольких профессиональных шляпников и прослеживающимся на протяжении всей его жизни обостренным интересом к головным уборам; не исключено, впрочем, что это связано с особенностями строения его черепа и дефицитом волосяного покрова. Так или эдак, ВИ активно экспериментирует в этой области — далеко не ограничиваясь хрестоматийной тиарой пролетарского вождя (которая, вопреки слухам о том, что он впервые приобрел нечто подобное в Стокгольмском универмаге в апреле 1917-го перед въездом в Россию, появилась на его голове много раньше; Тыркова-Вильямс, подруга Крупской и затем деятельница кадетской партии, ненавидевшая Ленина и сподобившаяся его шутливого обещания вешать таких, как она, на фонарях, вспоминает, что однажды в 1904 году в Женеве он провожал ее к трамваю и перед выходом из дома надел потертую рабочую кепку). Видимо, пользуясь этим типом головного убора много лет, Ленин составил для себя некую таблицу уместности использования того или иного его подвида в разных ситуациях — и менял его в зависимости от конкретных обстоятельств, превратившись к концу жизни в виртуоза по этой части. Так, один из спутников Ленина на конгрессе III Интернационала обратил внимание, что, направляясь в Смольный, на выходе из подъезда Таврического дворца, «В. И. быстро снял с головы черную кепку и одновременно вытащил из кармана — надел белую. Все это он проделал в один момент. Мало кто это и заметил. Тут я подумал, вот конспиратор».

В 1890-е в Петербурге, вспоминает неплохо знавший адвоката Ульянова Сильвин, тот обычно носил темную фетровую шляпу, но пару раз позволил увидеть себя в котелке (и, в пандан, — с тростью), раз — в меховой шапке. Рабочий Князев, занимавшийся у Ульянова — «Николая Петровича» — в подпольном кружке, описывает случай, когда, получив некое наследство, он отправился по совету знакомых в Большой Казачий переулок на квартиру к хорошему недорогому адвокату — каковым, к его удивлению, оказался «Николай Петрович». Князеву пришлось какое-то время подождать хозяина, и когда тот вошел, мемуарист даже не сразу узнал его, поскольку тот был в цилиндре (трогательное примечание составителей советского сборника воспоминаний о Ленине: «Конечно, для конспирации»). Другой социал-демократ, Шестернин, припоминает его «черную мерлушковую шапку на уши». Горев рассказывает, что в Лондоне Ленин отвел его в проверенный шляпный магазин и помог выбрать себе котелок и дорожную кепку. Т. Алексинская припоминает, как в 1906-м на каком-то митинге, когда толпа бросилась врассыпную от казаков, Ленин уронил свой «нелепый котелок» — такой же, по-видимому, какой виден на знаменитой каприйской фотографии, где Ленин — при полном параде, в темном костюме-тройке и шикарном головном уборе — играет в шахматы с простоволосым и затрапезно одетым Богдановым; попавшая в кадр группа наблюдателей (Горький, Базаров и др.) также выглядит экипированной гораздо менее формально, чем Ленин; пожалуй, последний казался окружающим несколько *overdressed* (что, возможно, объясняет зафиксированный Горьким интерес Ленина к книге «История костюма», которую ему нравилось проглядывать на отдыхе). Недоумение примерно того же свойства — и даже насмешки — Ленин вызвал в Польских Татрах, явившись на сбор компании альпинистов-любителей, одетых по-туристски, «в своем обычном городском костюме и ... с зонтиком». Тогда он отшутился, что пойдет-де дождь и они все еще к нему сами запросятся. Видимо, имея время приглядеться к своим товарищам, носившим традиционные укороченные брюки, шерстяные гольфы и горные палки-посохи с железными набалдашниками и ручками в форме топорика, он является через некоторое время перед следующей партией зрителей преобразившимся: «На голове высокая соломенная панама, серый люстриновый пиджак, белая рубашка, вельветовые зеленоватые в рубчик штаны (гольфы) с застежкой под коленом, чулки и ботинки на гвоздях с большими головками... К раме велосипеда была привязана тросточка с топориком вместо рукоятки». Некое подобие гибрида панамы и банной войлочной шапки мы видим на известной фотографии «Ленин в Закопане». На социалистический конгресс в Копенгаген Ленин приехал из Германии в «панаме с невероятно широкими полями», объяснив выразившему свое недоумение Кобецкому, что оделся таким образом, «чтоб выглядеть незаметно»; по мнению Кобецкого — чья обеспокоенность наружностью Ленина переросла в дурные предчувствия в тот момент, когда он увидел своего товарища не только облаченным в эту шляпу, но еще и с подвязанной щекой: «у него зубы разболелись», — наоборот, «эта панама должна была выделить его и привлечь сразу же внимание полиции». Ленина «в костюме странных сочетаний» застают и участники межпартийной социалистической конференции в Териоках, куда вождь большевиков явился «в каком-то потертом пиджаке горохового цвета, с короткими рукавами, в облезлой котиковой шапке... на шее у него был большой серый шарф, один конец которого свисал по груди, на ногах были большие резиновые ботики»; «и вот, говоря о близкой победе (пролетариата), он вдруг воскликнул, с едва заметной улыбкой:

— Вы посмотрите на меня! — и он юмористически сложил руки на груди. — Ну, разве я похож на победителя!».

После победы Октября интерес Ленина к экспериментам с головными уборами и вообще с гардеробом несколько остывает, и если раньше он время от времени казался своим знакомым одетым чересчур нарядно, то теперь скорее работает на аудиторию ценителей стиля «шебби-шик». Подсчет дыр на его подметках, костюмах и шубах становится распространенным хобби большевистских астрономов: чтобы заставить Ленина сшить себе новый костюм, приходится устраивать едва ли не спецоперацию с участием Дзержинского. Пик потертости приходится как раз на 1920-й, когда сразу несколько свидетелей описывают не просто отдельные стилистические эксцентриады Ленина, вроде манеры никогда не изменять фирменному галстуку в горошек и заправлять костюмные брючины в валенки, — но настоящие катастрофы по части туалета. На конгресс Коминтерна в Петроград — «а ведь дело-то было в июле, стояла жара» — Ленин прибывает в «старом, изношенном, разорванном около воротника и вдобавок ватном» пальто, которое «обращало, действительно, на себя внимание». В ноябре того же года он приезжает на открытие электростанции в Кашино «в простом меховом пальто и в разорванной галоше на правой ноге».

Никто, однако ж, никогда не видел Ленина в чем-то похожем на ермолку. Так, в самом деле, было ли поведение Ленина-политика (и человека) в какой-то степени детерминировано национальной принадлежностью его предков? Нельзя ли обнаружить в его поступках манеры, свойственные — или по крайней мере приписываемые — представителям той или иной национальности?

На оба вопроса, надо полагать, можно ответить утвердительно, но при малейшей попытке конкретизировать эти корреспонденции мы спотыкаемся. Ленин — ... как все евреи? Ленин — ... как все шведы / немцы / калмыки? Но что — ...? Прагматичный? Властолюбивый? Изворотливый? Космополитичный? Нецивилизованный? Черствый? Хитрый? И может быть, всё же не как все, а как многие? Или даже — некоторые?

Что, собственно, может быть «запрограммировано генами», национальной принадлежностью? Жестокость? Интерес к путешествиям? Пристрастие к тем или иным деликатесам? Мы точно знаем, что Ленину нравились балык, пиво и острые бифштексы — и, наверное, он не любил личинки, собачатину и тухлые яйца; «генная предрасположенность»?

Ленин был продукт смешения нескольких «рас», но сам себя не воспринимал таким образом; он говорил по-русски, считал себя русским, родился и умер в России, любил и хорошо чувствовал русскую природу и русскую культуру, с удовольствием общался с русскими людьми; его предки и он сам пытались сделать Россию лучше — в сущности, этого вполне достаточно, чтобы покончить с его «тайнами происхождения». Исчерпывающий диалог на эту тему есть в фильме «На одной планете», где к Ленину-Смоктуновскому на одном из выступлений, в конце 1917-го, начинает докапываться один контрреволюционно настроенный тип: «А вот тебе можно задать один вопрос? Ты православный?» Смоктуновский: «В каком смысле? Если вы хотите узнать, верующий ли я, то нет, я не верующий, я атеист». Тип (торжествует): «Слыхали?! Стало быть, ты не русский?» Смоктуновский (с вызовом): «Я русский. Хотя я не понимаю, какое это имеет значение. Я не православный, а русский! Вся моя семья была русская. Мой отец был инспектором русских училищ в Симбирской губернии. Мой брат Александр был казнен за революционную деятельность русским царем».

Анна Ильинична однажды устроила «анкету» — «в каком порядке каждый из нас любит друг друга». Выяснилось, что ВИ «больше всех любит Сашу и Маню». «Как Саша», — отвечал, веселя домашних, ВИ уже лет в шесть-семь на все вопросы, касающиеся выбора.

Александр Ильич Ульянов на своих подростковых фотографиях похож на смышленого мальчика из «Ералаша» — взъерошенный, скуластый, с резкими чертами лица, излучающего доброжелательность даже полтора века спустя; у ВИ по сравнению с ним обычное, «расквашенное», без заострений лицо. Несколько лет братья проучились в Симбирской классической вместе: младший пошел в первый класс, старший — в пятый. Затем АИ уехал учиться в Петербургском университете (где, занимаясь экономическими штудиями, террористической деятельностью и просвещением рабочего класса, вращался в кругу, включающем в себя таких плохо представляемых в одном кадре лиц, как В. Вернадский, П. Столыпин и Б. Пилсудский (старший брат Юзефа). Даже и там старший брат оставался для ВИ чем-то вроде ролевой модели; зная, что тот зачитывается Марксом, ВИ даже пытался с товарищем переводить первые страницы «Капитала»; оказалось сложно. Узнав, однако, что темой диплома брата стало «Исследование строения сегментарных органов пресноводных Annulata (кольчатых червей)», ВИ, если верить Крупской, объявил с нотками разочарования в голосе, что революционера из исследователя кольчатых червей не выйдет. ВИ не знал, что среди объектов, интересовавших старшего брата, числились и хордовые позвоночные млекопитающие. Именно Александр, между прочим, первым в этой семье получил прозвище «Ильич» — возможно, сначала среди рабочих, для которых вел пропагандистские кружки; возможно, в среде товарищей из дружественных землячеств («у донцов и кубанцев была привычка называть друг друга по отчеству»). Приклеилась ли эта «кличка» к ВИ потому, что он был братом Александра, или он обзавелся ею независимо от брата, или сам инициировал манеру называть себя таким образом — неизвестно; мы знаем только, что такое обращение не казалось ему фамильярным и в сочетании с обращением на «вы» представлялось вполне приемлемым в товарищеской среде. Это имечко широко распространилось затем и «в народе» и впоследствии циркулировало даже в составе фразеологических единиц вроде «спасибо Ильичу — электричеством свечу».

Александр Ильич имел свойство вызывать к себе всеобщую искреннюю приязнь, и известие о том, что он собирался превратить первое лицо в государстве в груду кровавых ошметков, и последовавшая затем жестокая казнь стали для герметичного компактного Симбирска чем-то вроде смерти Лоры Палмер для Твин-Пикса: непостижимым, трагическим и глубоко потрясшим общество событием. Семья Ульяновых, как водится, начала набирать, что называется, количество просмотров — но не комментарии негативного характера; Марии Александровне скорее сочувствовали.

Единственный, кажется, кто отнесся к этому идеальному во всех отношениях юноше со злобным скепсисом, был царь, на которого АИ готовил покушение — вполне осознавая все опасности затеи («Я хотел убить человека,— значит, и меня могут убить», — сказал он матери на свидании). Александр III сам отклонил прошение АИ о помиловании; стиль этого обращения свидетельствует о благородстве пишущего: «Я вполне сознаю, что характер и свойства совершенного мною деяния и мое отношение к нему не дают мне ни права, ни нравственного основания обращаться к Вашему Величеству с просьбой о снисхождении в видах облегчения моей участи. Но у меня есть мать, здоровье которой сильно пошатнулось в последние дни и исполнение надо мною смертного приговора подвергнет ее жизнь самой серьезной опасности. Во имя моей матери и малолетних братьев и сестер, которые, не имея отца, находят в ней свою единственную опору, я решаюсь просить Ваше Величество о замене мне смертной казни каким-либо иным наказанием». Это прошение похоже на «развилку русской истории»: если б ему был дан ход, возможно... Впрочем, не менее вероятно, что АИ и ВИ стали бы врагами и Ленину пришлось бы «перемолоть» придающего слишком много значения вопросам морали Ульянова. В целом сравнения этих двух обычно были не в пользу младшего брата; у некоторых ВИ будет вызывать ненависть и отвращение как раз по контрасту.

Казнь старшего брата — безусловно, та психотравма, которая могла стать для ВИ причиной морального заикания и невроза на всю оставшуюся жизнь. Похоже, что май 1887-го — как раз и есть для ВИ то самое событие-которое-всё-объясняет, ключ ко всем его дальнейшим мотивировкам. И то, что сам он даже не подозревал, пока все не вскрылось, что брат участвовал в террористической организации, усугубило шок. Проблема в том, что документа, подтверждающего, что вся последующая деятельность Ленина — род «мести за Сашу», не существует.

Семья в значительной мере сформировала Ленина и на протяжении всей жизни оставалась его естественной средой, с наиболее приемлемой для него атмосферой. Единственные люди, имевшие пропуск в его *Privatsache*, «частную сферу», были мать, сестры, брат, жена, теща и Инесса Федоровна Арманд, с которой ВИ дружил как с сестрой и о которой заботился как о члене своей семьи.

В семье Ленину был привит культ просвещения и либеральных ценностей. Наличие брата-мученика гарантировало ему в революционных кругах уважение и обеспечивало иммунитет от подозрений в сотрудничестве с охранкой.

Однако не семья была двигателем его карьеры; он был сэлф-мэйд премьер-министром. Роль матери и сестер сводилась к тому, что они обеспечивали ему душевное спокойствие, бытовой комфорт и невеликую, но постоянную поддержку, даже в худшие годы не позволяя опускаться до нищенства, вполне естественного в эмигрантских обстоятельствах; по крайней мере со шляпами у Ленина — а ведь у других и штанов-то часто не оказывалось — никогда проблем не было.

10 мая 1887 года Ленин генерирует свой первый мем: «Мы пойдем другим путем»; «преуспевший», подразумевается, наконец «проснулся» — и готов использовать всю накопленную энергию, чтобы выпрыгнуть и нанести сильнейший за 17 лет удар головой. Однако искусство и жизнь редко совпадают друг с другом. В оригинале — сестринских воспоминаниях — утешая мать, ВИ не столько вытягивает руку вперед, сколько качает головой и пощипывает себя за кончик носа: «Нет, мы пойдем не таким путем. Не таким путем надо идти»; никакого конкретного маршрута у него пока нет — а кроме того, это совсем не те «мы», что на картине Белоусова.

Единственная карта, по которой он мог куда-то идти, выглядела как индейский набор символов. Единственное сообщество, к которому он в тот момент принадлежал, были семья, род, «мы, Ульяновы». Самовар, Рак, Аист, Змейка, Лягушка, Свинья. Шесть минус один.

Казань
1887–1889

Сетчатка глаз жителя бывшего СССР устроена таким образом, что когда на нее проецируются монументальные образы, связанные с Лениным, фоторецепторы автоматически отключаются: даже если напарываешься на что-нибудь экзотическое — как в Казани на Карла Маркса, 40/60: «БУ ЙОРТТА ШАХМАТ КЛУБЫНДА 1888–1889 ЕЛЛАРЫНЫН КЫШЫНДА БЕРНИЧЭ ТАПКЫР ВЛАДИМИР ИЛЬИЧ УЛЬЯНОВ (ЛЕНИН) БУЛГАН», — не реагируешь; булган, не булган — фиолетово.

И хотя казанцы точно не выстраивают свою идентичность через связь с Лениным, Казань — место, где Владимир Ульянов совершил странный — не иррациональный, но крайне нерасчетливый — поступок, сломавший его жизнь. Там из обычного юноши он сделался врагом государства; возможно, просто умудрился оказаться в неправильном месте в неправильное время — но, возможно, то было запрограммированное судьбой «обращение» из Савла в Павла. И если поступки человека хоть сколько-нибудь детерминированы средой, то, не исключено, ключ к разгадке ленинского поведения следует искать в самом городе, история которого была обусловлена диалектическим противоречием между интересами центра империи и этнически маркированной периферии. Казань дала Ульянову важный опыт, значение которого прояснится лишь после революции — когда ему придется столкнуться с обусловленной как политикой, так и географией необходимостью заново восстанавливать развалившуюся империю на новом идеологическом базисе.

18 июня 1887 года Мария Александровна Ульянова подала в Симбирский городской общественный банк заявление с просьбой выдать ей две тысячи рублей со счета покойного мужа. Странным образом, чтобы получить свои же деньги с депозита, требовалось объяснить, какие предполагаются траты; опекунша нескольких несовершеннолетних детей, она указала расходы на экипировку сына при поступлении в университет и переезд в Казань.

Из Симбирска до Казани — километров двести вверх по Волге. Не слишком обременительный, немного меньше суток плавания на пароходе и изобилующий живописными ландшафтами путь, хорошо знакомый Ульяновым: они проделывали его почти каждое лето по дороге в Кокушкино. Это было перемещение внутри «домашнего» — огромного, в девять губерний, в две с половиной Германии-Франции — Волжско-Камского региона; в конце XIX века в тамошних девяти губерниях обитали 20 миллионов человек.

Несмотря на перспективы, открывающиеся для будущего студента, едва ли ВИ приехал в Казань в приподнятом настроении: семья потеряла обоих кормильцев; старшая сестра жила закупоренной в ссылке; деньги с материнского депозита и то не хотели выдавать на протяжении нескольких месяцев. Однако ж и эпизодом из нуар-романа — «появление чужака и отверженного в большом незнакомом городе» — въезд в Казань тоже не назовешь. В Казани остались связи — от отца, который учился тут в 1850-х в университете, а затем бывал по служебным делам: Нижний Новгород и Симбирск входили в Казанский учебный округ. Там жила семья старшей сестры Марии Александровны — А. А. Веретенниковой; в ее восьмикомнатной квартире, что в Профессорском переулке, поначалу Ульяновы и остановились. Профессорский переулок не поменял название, но сейчас это по сути двор-карман, примыкающий к улице Щапова, почти сразу перегороженный шлагбаумом. Никаких намеков на здания старше 2000-х годов — да и вообще на что-то деревянное; только высотное «элитное жилье» из бетона и стекла — «чикаго». За последние 500 лет Казань лишь дважды становилась местом открытых боестолкновений (при Пугачеве в 1774-м и в Гражданскую в 1918-м) и несколько раз горела, как все города; теоретически должно было сохраниться довольно много, но на практике старые деревянные дома сносят здесь кварталами, чтобы вкатить отделанные кирпичом, под викторианскую ленточную застройку, жилые комплексы. Из будки высовывается охранник: кого ищете? Не скажешь же: дом родственников Ленина, где восьмилетний ВИ разбил графин тетки и, побоявшись сразу признаться в содеянном, несколько месяцев мучился угрызениями совести, пока не добился, уже в Симбирске, чтобы мать написала сестре письмо с извинениями. На месте того самого дома стоит трехэтажное здание из красного кирпича — «Спортивно-оздоровительный центр»; вторая вывеска — поменьше, черная, интригующего дизайна — извещает, что здесь устраиваются квесты проекта «Выйти из комнаты».

Возможности получить в России высшее образование были весьма ограниченны: Петербург, Москва, Дерпт («северные» университеты), Киев, Харьков, Одесса («южные»); в 1804 году

Александр I учредил университет в Казани — с тем, чтобы он стал идеологическими, так сказать, воротами России в Азию.

Понятно, почему 17 из 28 одноклассников Ульянова оказались в Казани, которая была не такой блестящей, как Петербург или Одесса, не такой стремительно индустриализующейся, как Киев и Харьков, не такой богатой, как Нижний Новгород. Однако это был единственный университетский город на востоке всей империи, «горло» для всей российской Азии; дальше хоть три года скачи, никаких цивилизационных центров не было, и уже поэтому в университете неизбежно должны были сконцентрироваться значительные интеллектуальные силы. Менее всего Казань воспринималась как провинциальный город для неудачников, которые почему-то не смогли попасть в Петербург.

Разлапистый, некомпактный, населенный 140 тысячами людей — достаточно, чтобы не привлекать лишнего внимания к родственнику только что повешенного — город расположился вокруг впадения Казанки в Волгу. На холмах, поближе к Кремлю, соборам, университету и госучреждениям, селились аристократы или представители буржуазии — русской, реже мусульманской: владельцы мыловаренных, кожевенных и текстильных предприятий, с претензиями. Татарские слободы начинались ниже, за Проломной (теперешним казанским Арбатом — улицей Баумана) и особенно за городской протокой Булак (сейчас это канал с бетонными набережными и фигурного литья оградой — из него даже кое-где бьют вверх фонтаны) и за озером Кабан. Там и сейчас ощущается ориентальный колорит: уютные, не чета Дубаю и Абу-Даби, мечети с минаретами; тамошние муллы принимают иноверцев с радушием, какое в Москве встретишь разве что в дорогом автосалоне.

К 1830-м в верхней части города возвели комплекс зданий в духе отечественного классицизма, с колоннадами и желтыми фасадами: главный корпус, библиотека, химическая лаборатория, анатомический театр, астрономическая обсерватория. Здесь была создана первая в России кафедра китайского языка, здесь работали Лобачевский, Бутлеров, Бехтерев, Лесгафт. Кембридж не Кембридж, но к 1887-му Казанский университет был заведением с традициями, лестницей, способной привести весьма высоко наверх не только ученых и карьеристов из аристократов, но и тянущихся к образованию людей из народа.

Почему юридический? Директор Симбирской гимназии Керенский-старший советовал Ульянову, при его способностях, подавать на ист-фил, но именно в Казани на этом факультете было очень много классической филологии: пожалуй, гимназических знаний ВИ было достаточно. Медицинский же и юридический факультеты в Казани пользовались безупречной репутацией. Двоюродный брат ВИ — Н. Веретенников — походя замечает, что на юридический «шли юноши, не имевшие влечения ни к какой отрасли наук»; и правда, на юрфак подавали десять одноклассников Ульянова, в том числе обладатель другой золотой медали Наумов; из них пятеро — в Казань. Сохранился, впрочем, ответ ВИ, который, обосновывая выбор факультета, туманно сослался на «времена, когда ценнее всего становится знание наук права и политической экономии» — что бы это ни значило. Он понимал, что на госслужбу ему путь закрыт из-за брата. Наверное, «план А» выглядел так: оказавшись после постигшего их несчастья в другом городе — близко к месту ссылки Анны Ильиничны, Ульяновы начинают новую жизнь. Владимир получает университетский диплом, порядочно экономя на обучении за счет предоставления официального свидетельства о бедности (семья без работающих мужчин), характеристики из гимназии и золотой медали, устраивается в адвокатуру или получает работу присяжным поверенным в частной конторе.

Жизнь, однако, распорядилась иначе. Вступительные экзамены Ульянову сдавать было не нужно, а вот прошение об освобождении от уплаты взноса за обучение не сработало: Петербург не дал добро. За брата пришлось платить и в буквальном смысле тоже: по 50 рублей в год за курс в целом плюс по рублю за каждое занятие иностранным языком.

На курсе Ульянова было 60 человек: самому старшему — 22 года, самому младшему — 17. Круг занятий Ульянова — он и был этим юниором — на протяжении казанского студенчества изучен плохо. Он занимался, конечно, но без особого рвения; в отчете о посещаемости за ноябрь 1887-го против фамилии Ульянова написано: «НЕЧАСТО»; далее следуют конкретные даты: хорошо, если дней десять за весь месяц набегало. То ли влюбился в кого-то и гулял; то ли пытался заработать себе на карманные расходы частными уроками, как брат; то ли — наиболее правдоподобная версия — полагал лекции тратой времени и мариновался в библиотеке, больше симбирской; доступ к книжному изобилию всегда действовал на него как Монте-Карло на азартных игроков. Н. Валентинов в Женеве, нередко беседовавший с Лениным на спортивные темы, выцыганит у него воспоминание, будто тот «когда-то в Казани ходил в цирк специально, чтобы видеть атлетические номера, и потерял к ним всякое уважение, случайно узнав за кулисами цирка, что гири атлетов дутые, пустые и потому совсем не тяжелые». Часто бывал в принадлежавшей землячеству подпольной кухмистерской. Играл в шахматы — и запомнился однокурсникам тем, что мог вести партии одновременно с несколькими противниками, причем всегда выходил победителем.

Из-за того, что единственный аспект казанского быта Ульянова, который сколько-нибудь известен, — это политический, возникает впечатление, что центральным моментом в процессе обучения были не собственно лекционные курсы и семинары (записался он на лекции по богословию, истории русского права, римского права, энциклопедии права и — чуя, видимо, куда ветер дует, — на английский язык), а возможность инфицировать себя идеологическим вирусом. В 1880-х здесь обучалось под тысячу студентов — далеко не только дворян и далеко не только из Поволжья; в 80-е в Казань ссылали студентов за участие в революционных кружках в Петербурге, Москве, Варшаве, Киеве и Харькове. Университет давал некоторым образом лицензию на вольнодумство, и поэтому всякое покушение на права и свободы — даже если это всего лишь право гонять чаи в компании — воспринималось крайне болезненно. Что уж говорить об утверждении нового университетского устава, случившемся как раз в год поступления Ульянова: в глазах студентов это событие приобрело апокалиптический масштаб.

Через два года после назначения профильным министром махрового реакционера И. Д. Делянова, который, по выражению писателя Короленко, лежал «гнилой колодой поперек дороги народного образования» (до того государство пыталось найти компромисс между своей необходимостью в квалифицированном образованном персонале и стремлением студентов защитить свои свободы), в 1884-м, университеты были лишены автономии: от обучения отсекались «кухаркины дети», представители «недостаточных» (в переводе на современный русский: малоимущих) семей; запрещалось объединяться в землячества, устраивать читальни, кассы взаимопомощи, кухмистерские. Любые собрания неофициального характера объявлялись незаконными — за этим следили или даже шпионили инспекторы и надзиратели; мания всё контролировать привела к тому, что идеологический облик студента интересовал начальство явно больше, чем его академический потенциал. Попытки воспрепятствовать распространению крамольных идей за счет отсечения подростков из бедных семей были заведомо неэффективными: известно, что очень многие народовольцы рекрутировались из дворян. Организация прекратила свое существование лишь в марте 1887-го, и в Казани в начале 1880-х она распространяла напечатанные в частных типографиях и на гектографе воззвания, брошюры, листки; до терактов не доходило, но университет был идеальным местом для выброса протестной магмы.

Фантомная ностальгия по «России-которую-мы-потеряли» и акунинская беллетристика превратили царскую Россию 1880-х в сознании современного обывателя едва ли не в утопию: «русское викторианство». На самом деле Россия после убийства Александра Второго представляла собой организм, страдающий от невроза, полученного в результате психотравмы 1861 года.

Процессы концентрации капитала и расслоение общества шли быстрее, чем когда-либо ранее; миллионы «освободившихся» крестьян разорялись — и, словно пылесосом, затягивались в фабрики, заинтересованные в дешевой (в Поволжье в особенности — за счет искусственной маргинализации нерусского населения) рабочей силе. Террор народовольцев был отложенной реакцией общества на слишком позднее по сравнению с Западной Европой и Америкой пришествие капитализма. Половинчатые реформы запустили процесс ферментации быстро растущей, романтически восприимчивой к чернышевско-писаревским либеральным ересям интеллигенции. Быстро распространялись новые технологии, менявшие привычный уклад, ускорявшие темп жизни: в той же Казани уже в 1882 году впервые зазвонил телефон, а в 1888-м, пока Ульянов маялся в Кокушкине, заработала целая телефонная сеть, по крайней мере в основных госучреждениях.

Посторонним гулять по кампусу Приволжского федерального университета не возбраняется. Здесь невольно возникает ощущение, что попал куда-то в Петербург; при желании казанским «декабристам» было, наверно, не слишком сложно соотнести это пространство с Сенатской площадью. Одно из самых примечательных зданий комплекса — анатомический театр с ротондой из восьми колонн. Светящаяся золотом на фризе зловещая надпись не сулит ничего хорошего: «Hic locus est, ubi mors gaudet succurrere vitae» — «Тут смерть рада помочь жизни». Мало кому известна история, раскопанная недавно казанской исследовательницей С. Ю. Малышевой: в январе 1850-го в распоряжении студентов-медиков оказался труп дяди Ленина, единственного сына А. Д. Бланка и брата Марии Александровны, который, будучи студентом второго курса юрфака, покончил с собой — отравился стрихнином. Конкретная причина самоубийства не названа, однако в отчете медфакультета было упомянуто, что студент Бланк страдал «болезненными припадками».

Площадка перед главным входом в Приволжский университет известна как «Сковородка»; здесь встречается молодняк, и здесь же стоит памятник молодому Ульянову — не единственный в мире, но редкость; попробуйте-ка припомнить, где вы видели в бронзе или камне Ленина моложе пятидесяти? «Некрасивый сутуловатый юноша с рыжими вихрами и калмыцкими глазками»? Скульптор предпочел пропустить мимо ушей описание, сделанное однокурсником Ульянова; не Адонис, конечно, но когда студенты — хотя бы и иронически — называют своего Ленина «ди Каприо», не удивляешься.

Сегодняшние студенты в массе больше похожи на своих предшественников второй половины 1910-х годов, которые ненавидели «варварский» большевизм и устраивали наркому Луначарскому — который пытался революционизировать их — «химические обструкции» с банками сероводорода. И тем, и другим вряд ли понятны мессианские настроения интеллигенции 1870—1880-х. Кто, курам на смех, будет теперь препятствовать созданию общей библиотеки — если только вы не распространяете ваххабитскую литературу?

Резкое сгущение протестной энергии в социуме — такое же таинственное, требующее математического моделирования явление, как образование автомобильных пробок. Двигались-двигались, учились-учились — и вдруг застопорилось: почему?

Мы сейчас плохо понимаем, в чем проблема тогдашних молодых людей — что, собственно, им нужно было, они, что ли, не хотели учиться? Хотели, в том-то и дело. Студенты протестовали потому, что в обычной жизни они были нормальными взрослыми мужчинами — им разрешалось вступать в брак, командовать воинскими подразделениями; но вот в стенах университета они оказывались словно бы детьми, без прав. Им запрещалось все; любые формы организованного товарищества — в котором многие нуждались просто потому, что то был для них единственный способ выжить в годы учебы; то есть лишение студентов возможности помогать друг другу фактически означало для тех, кто попал в университет из низших сословий, запрет на учебу.

На 1887 год в Казанском университете насчитывалось двадцать нелегальных землячеств; то были не только клубы по интересам, обеспечивавшие неподцензурное общение участников, но и субъекты подпольной экономики: у землячества были свое имущество и свои механизмы добывания средств, прежде всего взносы участников в кассу взаимопомощи, а кроме того, они предполагали организацию разного рода полулегальных мероприятий, вроде вечеринок с танцами, подлинной целью которых был сбор средств для поддержки изгнанных, малоимущих или просто страдающих от конфликта с властями студентов; у кого следовало хранилась катакомбная библиотека — и даже гектограф, запасы необходимого для гектографирования желатина и сундуки со шрифтом.

Землячества могли серьезно осложнить жизнь как студентов, так и преподавателей. «Реакционных» профессоров засвистывали, «захлопывали» — начинали аплодировать в начале лекции и не давали говорить — или бойкотировали, сговорившись не являться на занятия; могли швырнуть в спину моченым яблоком; студентов-предателей подвергали подпольному студенческому суду, а затем стучали по ночам в дверь и лупили. Тех, кто не открывал, выживали из университета другими способами.

Членство в этих организациях воспринималось очень серьезно — как самими «земляками», так и надзорными органами. При поступлении Ульянов подписал официальный документ, где русским языком было сказано: обязуюсь не состоять ни в каких сообществах; и, разумеется, первое, что он сделал в университете, — вступил в самарско-симбирское землячество. Не так уж удивительно, что он продержался в университете всего три месяца; а при том, что он был братом только что казненного последнего народовольца, товарищи, надо полагать, возлагали на него определенные надежды. В этом смысле старший брат запрограммировал судьбу младшего.

О приближении кризиса свидетельствовали события 5 ноября 1887-го. В эту дату традиционно проводился торжественный акт — формально собрание, посвященное дню основания Казанского университета; по сути — публичная демонстрация лояльности, присяга. Студенты договорились бойкотировать — из протеста против нового устава — как само мероприятие, так и текущие лекции: именно поэтому В. И. Ульянов так и не узнал от профессора Бердникова о «Форме заключения брака у европейских народов в ее историческом развитии». Тот зря старался на кафедре — даже те немногие, кто всё же явился к нему в аудиторию, время от времени свистели с галерки. Чтобы время не пропадало зря, «скубенты» шатались по городу, буянили в портерных (пивных), побили окна какому-то профессору, раздавали прохожим отгектографированные листовки и орали «Виват демократия!» — ничего такого, чтобы начальство слишком насторожилось. Отказавшись получать информацию о правовых нюансах бракосочетаний, Ульянов — предсказуемо — принял участие в студенческом танцевальном вечере, куда, среди прочих, были приглашены ученицы повивального института при университете. То была местная «фабрика невест»; не единственная — пару можно было подыскать и на Высших женских курсах, которые, кстати, прикрыли после декабрьских событий. Вместо — или по крайней мере помимо — танцев на этих вечерах произошли выступления соответствующей направленности; сохранилась ерническая «Ода русскому царю» одного из «вальсировавших» — Е. Чирикова: «Стреляй и вешай нигилистов, / Социалистов, атеистов... / Терзай безжалостно, пытай!.. / О царь! Врагам твоим кара: / Всем — петля, пуля — всем... Уррра!!!» Серия танцевальных вечеров продолжилась 22 ноября, когда в квартире вдовы Поповой слушательницы фельдшерских курсов А. Амбарова, Л. Балль и А. Блонова устроили суаре с участием студентов юрфака в пользу фельдшериц. (В той же «Оде» есть и «женская» часть — также сочащаяся иронией: «Чтобы наши будущие жены / Умели сшить нам панталоны, / Чтобы не с книгой и пером / Они сидели перед нами, / А с кочергой иль со штанами!!!»; неудивительно, что в 1920 году автор этих виршей получил от Ленина записку, в которой чувствуются не только политические, но и эстетические разногласия между бывшими однокурсниками: «Евгений Николаевич, уезжайте. Уважаю Ваш талант, но Вы мне мешаете. Я вынужден Вас арестовать, если Вы не уедете».)

В ноябре 1887-го Ульянов почти перестал посещать факультет: шел, выражаясь языком советских официальных биографий Ленина, процесс объединения революционных сил.

Однако по-настоящему сдетонировала Казань на Москву. Там все началось с того, что 22 ноября один студент Московского университета непосредственно в зале Московского дворянского собрания съездил по лицу инспектору Брызгалову. (Это становилось подобием традиции: в 1881-м так же врезали министру просвещения А. А. Сабурову в Петербургском университете — причем не какой-то психопат, а представитель студенческого совета, на которого указал добровольно брошенный жребий.) Атакующего арестовали; в его защиту стали устраивать сходки, выходить на улицу митинговать; митинги превратились в открытый бунт; полиция и казаки разгоняли толпу шашками и нагайками; двое студентов получили смертельные ранения. Сам Брызгалов, потрясенный инцидентом, заболел, уволился и через три месяца умер.

Сходку — то есть «майдан», открытое выражение протеста — тщательно готовили. Само мероприятие должно было продлиться всего несколько часов — но, по сути, это было карьерное самоубийство; камикадзе знали, что за эти несколько часов диск с их предшествовавшей жизнью будет отформатирован: либо тюрьма, либо ссылка и стопроцентно исключение с волчьим билетом (никуда больше не поступишь, на госслужбу не возьмут).

Позже их с горькой иронией стали называть «декабристами» — но у тех декабристов, 1825 года, шансы на успех были гораздо выше, чем у их казанских наследников. Как выглядел ульяновский «план Б», или «идеальный сценарий», в случае «успеха» выступления? Неизвестно. Похоже, никак.

Однако оставлять московские убийства без ответа было сочтено невозможным. Поэтому студенты заранее раздавали книги, прощались с приятелями и возлюбленными, позволяли себе «дембельские» поступки. Казанская сходка, а не казнь брата, — точка невозврата ульяновской карьеры. У Ульянова был выбор, абсолютно свободный, — и он выбрал.

Мог ли выбрать себе судьбу город, где все это происходило? Был ли шанс у Казани — где, в принципе, к началу XX века был нащупан баланс в отношениях богатых и бедных, великороссов и инородцев — остаться в годы смуты «тихой гаванью»? Сто лет назад, в первые послереволюционные годы, Казань представляла собой территорию хаоса — один в один карликовое княжество из сорокинской «Теллурии». Жители кварталов за городской протокой — территория меньше Ватикана — объявляют себя независимой «Забулачной республикой» и выходят из состава России; ликвидировать это государство пришлось морякам Балтфлота, присланным по указу Ленина; татарские националисты, заручившись силовой поддержкой чехословаков, штурмуют мечети, украшенные кумачовыми лозунгами «За советскую власть, за шариат!». После февраля 1917-го губерния сделала то, что и должна была, — заявила об интересе к суверенитету и желании проводить независимую политику на основе местного конфессионального уклада.

В ноябре 1917-го большевики, готовые на любые меры ради нейтрализации враждебных сил и сохранения ресурсных плацдармов здесь и сейчас, санкционировали наделение малых наций политическим суверенитетом: подписанное Лениным ноябрьское «Обращение ко всем трудящимся мусульманам России и Востока» объясняет, что при царизме страна была тюрьмой народов, мечети разрушались, а теперь «ваши верования и культурные учреждения объявляются свободными и неприкосновенными», а «ваши права... охраняются всей мощью революции и ее органов». Ленин, который в повседневной речи нередко использовал выражение «это только аллах ведает» в смысле «информации нет и быть не может», знал тем не менее, как ценятся на Востоке символические жесты, и приказал вернуть — «выдать немедленно»! — верующим хранившийся в Публичной библиотеке Коран Османа — бесценную, одну из древнейших в мире рукопись Корана, добытую русскими войсками при оккупации Самарканда.

В Казани — также в знак уважения к богобоязненным трудящимся Востока — вернули и проштемпелевали полумесяцем семиярусную «падающую» башню Сююмбике, напоминающую разом кремлевскую Боровицкую и московский же Казанский вокзал. В ответ на авансы Центра на территории Казанской, Уфимской и Оренбургской губерний был провозглашен тюрко-татарский Штат Идель-Урал — со своим мусульманским ополчением и газетами на татарском. Ориентированные на защиту «прав коренного населения» «Харби Шуро» (военный совет) и «Милли Шуро» (национальный совет) пытались уберечь владельцев промпредприятий от стихийной национализации, а городскую буржуазию от квартирного уплотнения.

Но уже весной большевики, которым Казань нужна была как плацдарм советской власти в Поволжье и которые столкнулись с гражданской войной и интервенцией, разогнали Идель-Урал, в том числе военизированные формирования (мусульманскую Красную армию) и медиа. Вместо этого учредили Татаро-Башкирскую Советскую республику — формально автономную, но за счет доминирования большевиков в Советах депутатов идеологически и экономически подчиненную центру; национальный суверенитет был не то что отменен совсем, но поставлен на режим ожидания.

Тем не менее большевики с демонстративным уважением относились даже к религиозно окрашенным силам, если те не пытались воевать с Москвой.

В июне 1918 года в Казань съезжаются «коммунисты-мусульмане», учредившие было Российскую мусульманскую коммунистическую партию, при которой функционировали даже свои отделения юных социалистов-мусульман. Однако уже осенью, под давлением Москвы, не желавшей терпеть партии-клоны, они влились в РКП(б) на правах мусульманских организаций. Политические мутации Татарии в первые послереволюционные годы показательны — по реакции Ленина и его партии можно понять, как менялись их взгляды на государственное устройство России и как именно эти взгляды реализовались в конкретных исторических обстоятельствах.

Из 2850 тысяч жителей Казанской губернии 1742 тысячи относились к нерусским национальностям. Когда страна, по сути, распалась и все замороженные конфликты, исторические обиды, пограничные споры ожили, ребром встал «национальный вопрос»; неспособность прежнего режима ответить на вызов национальной буржуазии и стала одной из причин революции.

Да, татарский «национальный вопрос» был не таким болезненным, как, скажем, польский — там ненависть к царизму переносилась и на русских и задолго до революции политически оформилось течение, целью которого была как минимум тотальная ревизия сложившихся в империи отношений и уж точно культурная автономия. Но стратегия социал-демократов по отношению к польским националистам разрабатывалась десятилетиями; а вот в случае с Поволжьем экспромтом действовали обе стороны. Да, «малые нации», которые Россия подвергла «внутренней колонизации», ничем не хуже «больших» — но вообще-то смысл революции состоит не только в том, чтобы вывести некий малый народ из-под эксплуатации каким-то более крупным — но и в том, чтобы объединить пролетариат обоих народов, сообща строить социализм; не «русские, татары, поляки и готтентоты, соединяйтесь», а «пролетарии всех стран, соединяйтесь». К проблеме национального угнетения, таким образом, в идеале следовало подходить с классовой точки зрения; сразу после того (одновременно!), как малая нация освободилась, нужно было не бросать ее, а втягивать в орбиту той, где пролетариат сильнее, — иначе нация-то освободится, но пролетариат окажется, возможно, в худших условиях, чем раньше.

По сути, Ленину пришлось столкнуться с подмеченным еще Марксом парадоксом: нет большего несчастья для нации, чем покорить другую нацию. В его зоне ответственности проклюнулась своего рода «страна внутри страны» — со своей претендующей на гегемонию партией (Российская мусульманская компартия), с курьезными властными институциями (например, в 1917-м, помимо обычных большевистских организаций, в которых участвовали в основном этнические русские, в Казани возник Мусульманский социалистический комитет — тоже марксистский, но этнически маркированный, объединявший рабочие комитеты именно татар); и надо было придумывать, что делать с этим птенцом, способным навредить и себе самому, и окружающим. Хорошо, суверенитет. Ну а что если они там захотят сохранить частную собственность на землю? А если начнут выбирать свой заведомо буржуазный парламент — как украинцы с Радой? Давать свои паспорта? А практиковать колдовство? А устраивать показательные казни «прислужников шайтана»? Попробуем экстраполировать условия этой задачи на сегодняшние реалии — поддержал бы Ленин, допустим, в Сирии ИГИЛ и другие исламистские группировки только потому, что они сражаются, предположим, с реакционным режимом Асада и/или западными интервентами? Скорее нет, чем да — и не из буржуазного опасения любого радикализма, а потому, что у задачи есть и исторический аспект: ИГИЛ очевидно гораздо более реакционная организация, чем те, с кем они воюют.

Как далеко можно пойти, отпустив поводья? Что если доминировать в политике будет не партия, а муфтият? Что если они примутся преследовать русское население? Что если местный пролетариат, который возьмет власть в свои руки, захочет отделиться от коренной России и установить свою государственность? Стоит ли чинить ему препятствия? А если решит остаться, но в силу каких-то национальных традиций (в 1918-м у столичных пропагандистов возникали затруднения самого курьезного характера; например, выяснилось, что на татарском языке не было слова «свобода»: приходилось брать с арабского и переводить словом «простор») на каких-то особых условиях? На что можно согласиться, а что окажется неприемлемо? Должны ли иметь национальные элементы какие-то привилегии: экономические (налоговые, например) и политические, возможно, какие-то квоты в представительных органах? Наконец, как быть с тем озадачивающим обстоятельством, что, например, среди этнических татар большевиков в принципе гораздо меньше, чем среди этнических русских? Можно ли передать этим немногим в самостоятельное управление огромную территорию?

Как Ленин должен был решать весь этот комплекс проблем, который, разумеется, возникал не только в случае с Казанской губернией, а со всеми прочими «окраинами»?

Понятно — и до революции именно из этого и исходил Ленин, когда формулировал взгляды партии на национальный вопрос, — что вообще-то «централизованное крупное государство есть громадный исторический шаг вперед от средневековой раздробленности к будущему социалистическому единству всего мира...»; за ним и будущее: в таком гораздо вероятнее построить социализм, чем в феодальном княжестве средневекового типа. В целом до 1917-го программой РСДРП предполагалось, что после революции на территории России и будет функционировать унитарное государство, а тем малым народам, которые захотят остаться с русскими, будет предоставлена «широкая автономия» (в том числе законы, гарантирующие территориальные права, свободы меньшинств, право на самоопределение, вплоть до отделения).

Тут надо понимать, что практика в этот момент сильно отставала от теории. Наркомом по делам национальностей уже осенью 1917-го назначен Сталин — но ему даже поначалу не выделили в Смольном отдельного помещения, и он безропотно занимался делами своего комиссариата в комнате у Ленина. По чистой случайности один из прибившихся к нему большевиков нашел ему комнату, где заседала комиссия по вещевому снабжению Красной гвардии. «Переходи к нам в Народный комиссариат национальностей», — предложил мемуарист своему приятелю; тот согласился — и так в его комнате появились столик и два стула: «Готов комиссариат!» «Невозмутимый Сталин», не проявив ни малейших признаков удивления, «издал какой-то неопределенный звук, выражающий не то одобрение, не то недовольство», — и тут же «переехал», велев расплатиться за только что заказанные бланки и печати для своей «канцелярии» тремя тысячами, занятыми у Троцкого: «У него деньги есть, он нашел их в бывшем Министерстве иностранных дел». Заем этот так никогда и не был погашен; зато расчистка царской «тюрьмы народов» согласно ленинскому плану пошла быстрее.

Ленину, остро чувствовавшему момент, становится ясно, что успех революции, исход Гражданской войны в России и перспективы мировой экспансии (а Казань представляла собой потенциальный мусульманско-большевистский плацдарм для деколонизации «угнетенных стран Востока»: Индии, Туркестана, Персии, Афганистана) зависят от того, смогут ли большевики декларировать и проводить умную и чуткую к запросам меньшинств (например, мусульманских — а мусульман в России уже тогда было около 14 миллионов) политику: завоевать их расположение и дать им возможность реализовать (фантомную) мечту о суверенитете и собственной государственности. Ленин, которому пришлось-таки на старости лет самому добиваться правды о формах заключения политического брака у европейских народов, «подвинулся» в своих взглядах сильно влево и объявил, что Советская Россия должна быть федеративной республикой — со своими, конечно, нюансами; «братским союзом всех народов»; а народы эти «оформлялись» по национальному признаку и в исторически сложившихся границах. То было демонстративное дистанцирование от имперского порядка: видите? мы предлагаем начать совместную жизнь с чистого листа, и условия брачного контракта вы пропишете сами — а мы взамен гарантируем вам ликвидацию национального угнетения. Такой подход должен был привлечь к коренной России больше народов, чем искусственные узы. Берите столько суверенитета, сколько хотите, вводите самоуправление; Советская Россия — союз свободных и равноправных республик.

Применительно к Казанской губернии это выглядело следующим образом. В мае 1920-го, после визита делегации руководителей региона к Ленину в Кремль, декретом была создана Татарская Автономная Социалистическая Советская республика. Республика автономная, татарский язык объявлен государственным (наравне с русским), но она часть РСФСР; весь госаппарат формируется из местных депутатских Советов, но из сферы их компетенции выведены иностранные дела, внешняя торговля, оборона — все осталось у центра. Школы попали в татарский Комиссариат народного просвещения, а вот Казанский университет остался в федеральном подчинении...

...Поначалу 4 декабря 1887-го не происходило ничего примечательного. Лишь после полудня в коридорах вдруг раздались свистки, а в аудитории стали просовываться горячие головы и кричать: «На сходку!» Судя по тому, что особого удивления эти подстрекательства не вызвали, учащиеся знали о существовании некоего плана бунта. Те, кто хотел бунтовать, ринулись в актовый зал: «словно прорвавшая плотину волна», по выражению одного из участников. Зал был заперт, но замок долго не продержался. Попечитель впоследствии жаловался, что Владимир Ульянов «бросился в актовый зал в первой партии и вместе с Полянским первыми неслись с криком по коридору 2 этажа, махая руками, как бы желая этим воодушевить других».

Чтобы проникнуть в актовый зал сейчас, не надо ломать замок — достаточно сказать, что вы хотите посетить университетский музей, и вахтер смилостивится. Юрфак выглядит весьма ухоженно — сюда было бы не стыдно привести хоть Д. А. Медведева, хоть Джона Гришэма, — да и мраморные доски висят везде, где положено: вот тут Ульянов бежал по лестнице, тут мемориальная аудитория, где он слушал лекции по римскому праву.

В актовом зале сдавал вступительные экзамены Л. Н. Толстой, читали стихи Маяковский и Евтушенко; в советское время он был декорирован исключительно советской символикой; сейчас восстановлен «исторический облик»; парадный портрет Александра Первого придает своим соседям, бородатым деятелям науки, еще большую солидность.

В зал набилось человек 150—200 самых буйных — в основном медиков, которые призывали к учреждению всех возможных свобод, вопили: «Долой самодержавие!» На срыв занятий отреагировали инспекторы и «педеля» (надзиратели), в том числе особенно ненавистный студентам тип по фамилии Потапов. Похожий на гибрид Бармалея и Карабаса-Барабаса, с бородищей, он увещевал, угрожал, топал ногами — «Требую разойтись, негодяи!», — но то был не его день: студенты сначала принялись напирать на него, затем, после обмена словесными оскорблениями, кто-то крикнул: «Бей!» — и однокурсник Ульянова по юрфаку, студент Константин Алексеев, обер-офицерский сын, родом из Уфы, ударил Потапова по лицу. Затем «была чистая свалка: несколько человек бросились на инспектора, ему нанесли несколько ударов. Потапов оказался крепким орешком — в ход пошли ножки от сломанных стульев... Тут на защиту начальства бросился помощник инспектора Войцехович и, повредив руку, отвел удар. Потапов ретировался жив и невредим».

Детали той сходки с большим энтузиазмом описываются экскурсоводами — из преподавателей юрфака; теоретически эти преподаватели встроены в систему, формально очень похожую на ту, против которой бунтовал 17-летний Ульянов; если вдолбить студентам культ того события, почему бы им однажды не повторить что-то подобное? Но атмосфера изменилась — студенты, даже воспринимающие бунт своих предшественников как романтическое и героическое событие, теперь более снулые; общественное благо интересует их сильно меньше, чем личное. Трудно представить в нынешнем университете дубль сходки 1887 года — даже как эхо событий на Болотной и Сахарова; кто будет сейчас распевать «Хвала тому, готов кто к бою! / За раз созданный идеал, / Кто ради ложного покоя / Его за грош не продавал...»?

Директор Симбирской гимназии — пятеро выпускников которой приняли участие в бунте — Ф. М. Керенский написал попечителю Казанского учебного округа объяснение о своей системе воспитания учеников: образцовые ежовые рукавицы. Каким образом мог выскользнуть из них Ульянов? «Мог впасть в умоисступление вследствие роковой катастрофы, потрясшей несчастное семейство и, вероятно, губительно повлиявшей на впечатлительного юношу». Вполне возможно, что превращение обычного юноши в государственного преступника произошло вследствие не только внутренних и сугубо семейных причин, но и внешних факторов.

Казань — непростое место. Возможно, в силу историко-географических причин — Евразия, Орда, Восток — нравы здесь всегда царили жестокие. Здесь в 1840-е орудовали банды Быкова и Чайкина (после поимки их засекли шпицрутенами, а скелеты передали в Анатомический театр), а в 1970-е весь город — и представителей правопорядка, и обычных граждан — терроризировала банда «Тяп-Ляп» (от названного по предприятию «Теплоконтроль» района, где обитали участники группировки), устраивавшая массовые избиения на улицах — так называемые пробеги — и даже обстрелы общественного транспорта из огнестрельного оружия. Никто так и не объяснил этот всплеск психопатического, немотивированного насилия; по-видимому, несмотря на витринное благополучие, в городе живет дух насилия и агрессии. И в 1880-е тоже наверняка за те 25 минут, что идти пешком от Первой горы до университета, много чего с 17-летним юношей могло произойти на улице и много чему эта улица могла научить его.

...Хорошо, что в избиении «педеля» не принял участие сам Ульянов: студента Алексеева отдали на три года в солдаты, в дисциплинарный батальон. Поскольку инспекторы не справились, пришлось выпускать тяжелую артиллерию — ректора Кремлева. Тот не вызывал такой ненависти, как Потапов и К°, и его душеспасительные беседы с бунтовщиками о том, что дело студентов — наука, а не предъявление политических требований, длились долго: три с половиной часа. Студенты требовали убрать Потапова, видимо крепко их допекшего, и — чтоб уж два раза не вставать — отмены университетского устава, возвращения недавно исключенных, разрешения легально объединяться в землячества, устраивать вспомогательные кассы и кухмистерские — и плюс к этому гарантий амнистии за сегодняшний бунт. Среди мятежников циркулировало заранее отгектографированное неизвестными лицами воззвание, где «представители молодой интеллигентной мысли» заявляли решительный протест против «шпионствующей инспекции», напоминали об указе про «кухаркиных детей» и апеллировали к ноябрьским событиям в Московском университете: «позорное оскорбление всей русской интеллигентной молодежи». В какой-то момент в актовый зал подтянулись и либерально настроенные профессора — продемонстрировать солидарность: да, университет действительно из места, где свободные люди занимаются наукой, превратился в казарму. Произнес речь и Ульянов — насчет «царского гнета».

Один из участников сходки использует для описания происходившего слово «экстаз»: «Пропала логика разума, осталась только логика сердца». Они клялись принести себя в жертву, не предавать друг друга, отстаивать требования... «Вся душа трепетала под наплывом особого гражданского чувства и пылала жаждой гражданского подвига. Войди в зал солдаты и потребуй, под угрозами пуль, оставить зал, — мы не моргнули бы глазом и остались!» Они и вошли — почти. Центром контрстуденческой операции стало городское полицейское управление, располагавшееся неподалеку от университета. Там, помимо полицейских сотрудников, разместился батальон 7-го пехотного Ревельского полка — с винтовками, заряженными боевыми патронами. Их задачей было пресечь разрастание бунта и не допустить столкновений студентов с горожанами из нижних слоев мещанства, которые студентов-бунтовщиков на дух не переносили.

Угроза ректора пропустить в университет войска, а может, и голод подействовали: около четырех часов актовый зал стал пустеть. 99 человек — и Ульянов тоже — на выходе в знак протеста оставили инспекции билеты; вторая половина бунтовщиков на словах присоединилась к товарищам, но ограничилась рассеянным похлопыванием по карманам.

Избавившись разом и от студенческого билета, и от перспектив сделать карьеру на службе государству, ВИ побрел к себе на съемную квартиру на Новокомиссариатской, 15, — это одноэтажная с антресольным этажом деревянная постройка, «дом Соловьевой», где Ульяновы жили осенью 1887-го: они внизу, сверху хозяева. И пока те, кто не участвовал в сходке, запасались свидетельствами квартирных хозяек — что провели день дома, Ульянов, у которого алиби не было, успел написать прошение «об изъятии из числа студентов». На что он рассчитывал — ну ладно еще утром, когда «бежал и размахивал руками» в толпе, — а вечером-то, когда неизбежно должен был почувствовать похмелье? Даже советские биографы Ленина пожимают плечами в недоумении: загадка; тогда ведь еще и Маркса не прочел.

...Участие Ульянова в бунте — странный момент, пример не то что недальновидного, но иррационального по сути поведения человека с «шахматным» складом ума; только-только поступил в университет, куда и взяли-то его, брата государственного преступника, со скрипом. Мало того, через четыре года он должен был тянуть жребий на предмет отбывания воинской повинности — раз уж не воспользовался студенческой «броней».

Ночью раздался стук в дверь — и состоялся хрестоматийный — не сказать «пинкфлойдовский»: та же метафора, те же смыслы: бунт, отчуждение, взросление, образование — диалог про Стену: жандарм упрекнул студента, куда ж вы, мол, молодой человек, бунтовать — стена ведь, броня! Ульянов поджал губы: «Стена, да гнилая — ткни, и развалится».

Метафорическое пророчество про недоброкачественные стройматериалы определило судьбу места, где оно было отчеканено. Долгое время дом номер 15 — место первого ареста Ленина — охранялся государством как памятник союзного значения. В 1970-х здесь открыли районную библиотеку, в 2008-м спалили ее фонды на заднем дворе; мраморная доска с профилем ВИ исчезла. Пустое здание полыхнуло; на пепелище был обнаружен обгоревший труп. Сейчас на месте дома на Муштари, 15, — новостройка под номером 19: и если ее стены могут сойти за метафору политического режима, то режим этот очень устойчив. Дом номер 15 тоже есть, но другой, глубже, во дворе; о связи с Лениным напоминает только монументальное граффити — серп и молот и три буквы: НБП.

Казань в Гражданскую — ключ к Волге, верхней и нижней; коридор к сибирским хлеборобным губерниям; здесь хранилась эвакуированная Временным правительством бóльшая часть золотого запаса Российской империи (650 из 1101 миллиона золотых рублей); отсюда лежал прямой путь на Москву с Урала. Советская власть натурализовалась здесь с приключениями: летом—осенью 1918-го красные были вынуждены отбивать захваченную белочехами — к радости большинства студентов и преподавателей, радикально поправевших по сравнению с университетским контингентом образца 1880-х, — Казань приступом; для этого пришлось провести к Волге по Мариинской системе три миноносца с Балтфлота, которые, став ядром Волжской военной флотилии, в ночь на 31 августа прорвались мимо белых батарей — в стиле марин Рафаэля Сабатини — за Верхний Услон, обстреляли базу и спровоцировали пожар на пароходах и баржах. 10 сентября Ленин, едва оправившийся после выстрелов Каплан, посылает Троцкому телеграмму, поощряющую немедленную атаку на Казань с использованием артиллерии: «По-моему, нельзя жалеть города, и откладывать дольше, ибо необходимо беспощадное истребление, раз только верно, что Казань в железном кольце».

В Свияжске — островном, похожем на пушкинский Буян, городке на Волге рядом с Казанью, — Троцкому даже пришлось однажды пригрозить для устрашения децимацией — и затем оправдываться перед Москвой в излишней мягкости (расстреляли «всего» 20 человек: начальство Петроградского рабочего полка и 18 рядовых). Свияжским событиям посвящен очерк — поэма в прозе — Ларисы Рейснер: один из лучших текстов, когда-либо написанных на русском языке: о том, как красных выбили из Казани, но они зацепились за Свияжск — и чудом не сдавали его, благодаря установившейся там с прибытием бронепоезда Троцкого атмосфере.

По этому тексту ясно, что Казань, в широком смысле, была местом рождения Красной армии.

...Натерпевшийся страху и нахвативший шишек, однако оставшийся в здравом уме и трезвой памяти Потапов составил проскрипции из 153 участников. Начальство догадывалось, что невозможно выгнать сразу 20 процентов студентов — это скандал даже по тем временам; поэтому в центр посылались разъяснения, что «сторонниками беспорядков было только меньшинство, причем и из этого меньшинства многие действовали под давлением товарищей». Это не помогло Ульянову — «очень возбужденного, чуть ли не со сжатыми кулаками», его запомнили и отметили особой галочкой; «скрытный, невнимательный и даже невежливый, что очень поражало ввиду того, что он при окончании курса в гимназии получил золотую медаль», он показался начальству «вполне способным к различного рода противозаконным и даже преступным демонстрациям». Всего таких особо неблагонадежных наскреблось 39 душ. Любопытно, что первокурсников среди них всего трое; ВИ — единственный 1870 года рождения, самый младший; основная часть бунтарей были ровесниками Александра Ильича, 1865—1866 годов рождения.

Прошлись и по ветеринарам: 17 выставили с волчьим билетом, а троих, наиболее активно участвовавших в подаче петиции, взяли за воротник — чтобы затем отправить по месту прописки. Учебный процесс был заморожен на несколько дней. Входы и выходы из здания охраняла полиция. К самым одиозным инспекторам были приставлены телохранители. В портерные, кухмистерские и частные дома, про которые известно было, что там кучковались студенты, стала превентивным образом наведываться полиция. Из Петербурга отстучал историческую телеграмму министр Делянов: «Для спасения благомыслящих не щадите негодяев!» (теоретически он мог послать ее и студентам 4 декабря).

Трое суток Ульянова промариновали в предвариловке — в пересыльном каземате под крепостью, а первый день — даже в арестантском халате. Затем его выставили, и не только из университета, но и из города; местом ссылки было назначено Кокушкино. Специальный пристав следил, чтоб он убрался именно восвояси, а не абы куда.

При всех катастрофических последствиях «сходка» не была бессмысленным актом, жестом отчаяния. На несколько дней все университеты страны были парализованы. Пошла цепная реакция — за казанцев впряглись Киев и Одесса. Дело получило известность за границей — в Париже и то русские студенты митинговали в знак солидарности с Казанью.

Сочувствовало репрессированным и казанское общество: сосланных провожали едва ли не с духовым оркестром. Жертвы, в свою очередь, успели сочинить и распространить еще одну листовку, в элегических строках которой чувствуется перо кого угодно, но не Ульянова: «Прощай, Казань!.. Прощай, университет!.. Жутко и холодно стало нам... Наша молодая кровь, наше молодое сердце заставило искать выхода... Мы уезжаем из Казани с глубокой верой в правду нашего дела!..»

Уехали далеко не все — и те, кто остался в насильно замиренном городе, взяли на себя миссию отомстить реакционерам. Особенно несладкой сделалась жизнь инспекторов и попечителей — они получали письма с угрозами расправы от неизвестных лиц; один из затерроризированных такого рода почтой, помощник попечителя Малиновский, испытал 29 декабря 1887 года особенный страх еще и потому, что в этот день у него в квартире треснуло зеркало — и явившийся решать проблему дворник, в ответ на жалобу, зевнул: «Покойник будет». «Дворник, — констатирует очеркист 1920-х годов, — не ошибся: покойник готовился, но только в царской, униженной и оскорбленной Руси. Это сама Русь, самодержавная и православная, начала трескаться по всем швам».

В декабре 1887-го в кокушкинском доме обретались сразу двое политических ссыльных: брат и сестра. Анна Ильинична — по делу Александра Ульянова; ей повезло — изначально ей светило пять лет в Сибири.

Один из первых лениноведов, некий «тов. Табейко», еще в 1923 году описал картину жизни брата и сестры в Кокушкине: затравленные, «в вечном страхе за завтрашний день — царское правительство мстило жестоко», те постоянно подвергались «облавам», от которых Анна Ильинична, «вся бледная от испуга, бежала задами, по крапиве, в одних чулочках». Эта смелая фантазия вызвала гнев главной героини, которая уличила «тов. Табейко» в некомпетентности.

Облав не было, но вряд ли у брата и сестры было хоть сколько-нибудь хорошее настроение: мороз, бураны, скука, переписка под контролем, душу не отведешь; на отцовскую пенсию с волчьим билетом далеко не уедешь, загранпаспорта нет, на службу не поступишь, даже и уроки детям давать никто тебя не наймет. Либо гуляй себе в радиусе 15 верст (но ведь и соседей никаких не было), либо смотри на звезды (Коллонтай утверждала, что Ленин проявлял большой интерес к астрономии и в ранней юности знал все созвездия), либо — практикуйся целыми днями на бильярде.

Между Бланками и их бывшими крепостными не было конфликтов; в целом крестьяне хорошо относились к Марии Александровне — она дольше других сестер прожила в деревне, венчалась там, иногда помогала медикаментами. Неизвестно, называли ли ВИ «молодым барином», но у него были знакомые в деревне; среди прочих — мужик Карпей, обладатель колоритной внешности, мастер художественного слова и, возможно, первый учитель философии ВИ; Илья Николаевич в свое время аттестовал его как деревенского Сократа. ВИ всегда хорошо сходился с «простыми людьми» — похоже, с молодости; тому существует несколько свидетельств. Ямщики запомнили его как «забавника», у которого на всякий случай сыщутся в кармане шутки-прибаутки в духе: «А что, дядя Ефим, был бы кнут, а лошади пойдут?» В письме 1922 года жителей Кокушкина председателю Совнаркома — с товарищеским приветом от «старожилов, хорошо помнящих и знающих тебя по играм с нами в бабки, горелки и по ночевкам в лесу с лошадьми», — содержалась просьба выдать безлошадникам этих самых лошадей в кредит. В рамках темы «ночевки с лошадьми» остается отметить, что несколько раз Ульянов нелегально, в темное время суток, по предварительному сговору с ямщиками-татарами, ездил — шерше ля фам? — в Казань; не самая простая операция, если вы планируете вернуться до рассвета и в любой момент быть готовым предстать перед надзирающим за ссыльными становым приставом.

Неделю, месяц — куда ни шло; но прожить так несколько лет — и поневоле полезешь на стенку; да и новости доходили удручающие. В Казани погнали вторую волну репрессий — только 12 января 1888 года из университета выставили еще семь десятков «несогласных» — уже даже не за сходку, а за то, что осмелились вступить в нелегальные землячества. Затем всё вроде бы подустаканилось; бессобытийная кокушкинская жизнь также способствовала выходу из умоисступления; и теоретически, при условии проявления известной гибкости, вставив в прошение слова «раскаяние» и «покорнейше», можно было рассчитывать на некое помилование — поэтому имело смысл продолжать подготовку для учебы в каком-то еще университете. И вот через полгода после сходки, 9 мая 1888-го, ВИ пишет прошение министру народного просвещения Делянову — касательно возможности «обратного приема» в Казанский университет. Мария Александровна одновременно просит еще и директора Департамента полиции о смягчении наказания. Похоже, именно в Кокушкине жизнь преподнесла Ульянову первый урок прагматизма и конструктивного мышления: да, в том, чтобы «умереть по-шляхетски», «с честью», есть своя правда, но если хочешь делать дело, то надо уметь идти на компромиссы.

Позже Ленин вспоминал, что никогда в жизни, даже в петербургской одиночке, даже в Шушенском до приезда Крупской, не читал столько, сколько там. Добролюбов, Писарев — томами, полными собраниями; однако его Библией стала «Что делать?» — динамичная, остроумная, вдохновляющая и озадачивающая книга. Младшие современники Ленина уже не понимали, что такого особенного в этом тексте; он казался старомодным и изобилующим нелепостями; теперь, когда действие ядов, впрыснутых в роман и саму фигуру Чернышевского Набоковым, прекратилось, этот эффект воспринимается не как изъян, а как достоинство; в стиле, которым написано «Что делать?», всех этих сентенциях, ерничестве, сюрреалистических снах, деревянных диалогах — есть своя магия, которая вновь, кто бы мог подумать, стала ощущаться. «Отлично дурно, следовательно, отлично», как сказано в самом романе. Наверняка Ульянову приходило в голову, что он лучше кого-либо подходит для вакансии Рахметова, «особенного человека». Можно не сомневаться, что у него были методично выполнявшаяся программа гимнастических упражнений, четкий список для чтения и, возможно, даже упорядоченный пищевой рацион. В какой-то момент Ульянов решил написать письмо ссыльному Чернышевскому; тот получал корреспонденцию такого рода мешками — иногда просьбы о благословении, иногда проклятия и угрозы — и отвечал редко; делать далеко идущие выводы из его молчания — «Чернышевский не ответил Ленину!» — не стоит.

Хуже были лаконичные ответы из официальных инстанций: «отклонено», «отклонено». 31 августа — последний шанс успеть на курс, не в Казань, так в Москву, Киев, Харьков или Дерпт. В тот момент в Казани присутствовал министр Делянов. Мария Александровна поехала к нему и вручила прошение лично. «В казанских студентах, — покачал головой чиновник, — до сих пор играет пугачевская кровь».

Помимо исправника время от времени наезжали двоюродные братья. В какой-то момент здесь появляется новая важная фигура — жених Анны Ильиничны Марк Елизаров, добрый гений семьи. Компания ведет жизнь чеховских интеллигентов-дачников: самообразование, рыбалка, пикники. При посредничестве Марка Елизарова Ульяновы начинают закидывать удочки касательно ситуации на рынке заграничного образования: в каком университете лучше учат, сколько это может стоить, потянет ли семья и как получить под это загранпаспорт. Анна Ильинична в одном из писем сентября 1888 года проговаривается, что «брат... очень рвется за границу, но маме очень не хочется пускать его туда». Забегая вперед скажем, что в апреле 1889-го авторитетная комиссия, состоящая из профессора медицинского факультета Казанского университета и городского врача, выпишет Ульянову справку о том, что тот страдает болезнью желудка и идеальный способ исцеления — пользование щелочными водами; лучше всего водами *Vichy* (Франция). 6 сентября ВИ в письме на имя министра внутренних дел ссылается на «надобность в получении высшего образования» и просит — «не имея возможности получить его в России» — «разрешить мне отъезд за границу для поступления в заграничный университет»...

Отклонено; если больной — так езжай в Ессентуки, здраво рассудили в Министерстве образования. Каким же все-таки образом Ульянов получил свой второй шанс? Весьма вероятно (судя по сохранившимся письмам Марии Александровны: «Ваше Превосходительство... добрейший Николай Иванович... так участливо отнеслись ко мне... по сердечной доброте Вашей и в память покойного Ильи Николаевича...»), что Н. И. Ильминский — христианизатор татарских школ и товарищ Ильи Николаевича — как раз и был тем человеком, чье любезное вмешательство позволило Владимиру Ульянову получить высшее образование хотя бы и заочно, экстерном. Дело в том, что среди друзей Ильминского фигурировал не только И. Н. Ульянов, но и, ни много ни мало, обер-прокурор Синода Победоносцев. Они переписывались и очень ценили друг друга; одиозный «Великий Инквизитор» отзывался об Ильминском с колоссальным уважением и сравнивал его со Стефаном Пермским, Трифоном Печенгским и Гурием Казанским (в 2015 году Казанская епархия РПЦ начала сбор материалов для канонизации Ильминского в лике местночтимых святых). Ильминский, через посредничество Победоносцева, мог оказать давление на ведавшего вопросами зачисления студентов министра просвещения — раз уж прямые ходатайства самого Ульянова и его матери не смогли растрогать сердце Делянова.

Правда это или неправда, но 12 сентября пришел первый положительный ответ на ходатайства Марии Александровны: Ульяновым — причем не только Владимиру, но и Анне — разрешили вернуться в Казань. И пусть студенческий сюртук пришлось сменить на пиджак и рубашку со шнурками-кисточками вместо галстука, наверняка это воспринималось как возвращение в столицу: Париж после Эльбы.

Нынешняя Казань с ее миллионом двумястами тысячами жителей и есть без пяти минут столица: витринный город «путинского процветания» нулевых — десятых, сумевший обеспечить себе постоянное присутствие в медиапространстве. На круг Казань выиграла от передряг XX и особенно XXI века больше, чем любой другой поволжский город; видно, что живет она не только «оборонкой», как соседняя Самара, а еще и нефтью, сельским хозяйством, перерабатывающими производствами, в перспективе, может быть, даже туризмом. Три местных университета фигурируют в списке «топ-150» учебных заведений Восточной Европы и Азии. В 1990-е татары превратились в грозную политическую силу: открытый бунт резко исламизировавшегося — с национальным сознанием на стероидах — Татарстана стал самым страшным сном федерального правительства.

Район Первая гора был «тихим центром» и при Ульянове, и при Ленине, и при Шаймиеве — и сейчас. Именно здесь Мария Александровна и нашла дом, который в советское время превратили в казанский музей Ленина. Хозяева заломили 40 рублей в месяц — 40 процентов от доходов семьи (вся пенсия за отца составляла 1200 рублей в год), но Ульяновы вынуждены были согласиться: тепло, светло и минут двадцать пешком до университета — если бы ВИ вдруг приняли обратно. Наиболее похожее на дом-музей строение на улице Ульянова-Ленина оказывается избой, в которой угнездился Центр бахаизма; а вот правее, в глубине, находится двухэтажный дом, выкрашенный в цвет запекшейся крови (такой любят в Швеции), будто коттедж Петсона и Финдуса.

Внутрь удается попасть с третьей попытки: в первые два визита автора в Казань дом «вот-вот» должен был открыться, но все ремонтировался и ремонтировался. Приходилось довольствоваться прогулкой по району; скорость его трансформации позволяет предположить, что раньше здешние строители работали механиками на «Формуле-1»; вместо старых особняков за считаные недели встают красного кирпича коттеджи и «жилые комплексы». Едва ли не единственный, кроме ульяновского, нетронутый старый дом здесь — жемчужина Казани, фамильное гнездо академиков Арбузовых, идеальная советская городская дача.

Открывшийся, наконец, музей производит впечатление учреждения, которое планирует делать бизнес не столько на оригинальном контенте (хотя дом-то правда оригинальный), сколько на очень «серьезном виде»: с недоумением взирающие на явившегося без группы китайцев посетителя экскурсоводы, костюмированные экскурсии, в ходе которых «хозяйка усадьбы», «госпожа Елизавета Ивановна Орлова» (на рекламной фотографии изображена доминатрикс в ярко-синем платье и шляпе а-ля «Трое в лодке»), рассказывает о своих «в будущем знаменитых постояльцах» «с использованием исторической лексики, дореволюционных манер светского салона и интерактивных приемов». Какой разительный контраст с Кокушкином, где служительницы, в голодные и злые на Ленина 1990-е ухаживавшие за ленинским домом бесплатно, как за храмом, и сами спасшие его от разорения, искренне радуются забредшим к ним душам. На заднем дворе, у сарайчика, припаркован велосипед-костотряс — с огромным передним и микроскопическим задним колесами. Для антуража; известно, что Ленин впервые сел на велосипед лишь в 1894-м, в Москве.

В комнаты можно лишь заглянуть, но даже и в бахилах не пройти полюбоваться, например, видом с балкона: затянуто канатами, будто здесь только что произошло массовое убийство. Интерьер «максимально приближен к оригиналу», что в переводе на русский язык означает комбинацию ламината и обоев, подозрительно напоминающих ассортимент «Леруа Мерлен», со старинными чернильницами, зеркалами и рукомойниками; шахматный столик, микроскоп, термометр, фаянсовая сахарница, студенческая тужурка, форма городового, копии выписок из документов и «рукодельные работы Маняши» также на месте; дополняют экспозицию несколько картин маслом с хэштегом «лениниана». На первом этаже хранится — за тройным стеклом, будто это «Джоконда», — монументальная «Сходка в казанском университете»; подтянутый Ульянов кочетом наскакивает на даже визуально «реакционных», жалких — видно, что они *on the wrong side of the history* — преподавателей... а больше и не рассмотришь ничего.

Чем, собственно, занимался ВИ сезон 1888/89 года? Известно, что он посетил однажды оперный театр и ходил в шахматный клуб (странное заведение, посетители которого по большей части предпочитали резаться в карты); играл по переписке со своим будущим патроном, самарским юристом Хардиным. Круг его знакомств практически неизвестен — хотя в городе обретались сразу несколько исторических личностей. Здесь как раз заканчивал гимназию Бауман, который уже тогда имел связи в рабочих слободах и по вечерам ходил туда соблазнять пролетариат марксизмом. После того как их выставили из Петербургского технологического, наведывались в Казань — и добровольно, и как ссыльные — братья Красины: Герман и Леонид. Наконец, ровно в это время в Казани обретался Горький — одна из самых знаменитых жертв закона о «кухаркиных детях»; он так стремился в университет — да вот не судьба. Занятно, что 12 декабря 1887-го, через неделю после разогнанной «сходки», Горький попытался покончить жизнь самоубийством: не то из-за несчастной любви, не то в связи с невыносимой для будущего художника атмосферой реакции, установившейся в Казани. Выжил — и, работая булочником в пекарне, помогал студентам обмениваться нелегальной литературой. Теоретически Ленин уже тогда мог угощаться горьковскими кренделями; однако позже оба утверждали, что не были знакомы в Казани и обнаружили курьезный факт пребывания в одном месте в одно время лишь в апреле 1908-го, на Капри; надо полагать, у них нашлись общие косточки для перемывания.

И все же в какой момент он всерьез задумался не абстрактно о возможности революции, а о том, чтобы самому стать профессиональным революционером? Осенью 1887-го, в университете? В Кокушкине, когда глотал тома Чернышевского и Писарева? Во «второй Казани» — начитавшись «Капитала»?

По соседству с домом на Первой горе, в дешевых хазах в районе Собачьего переулка («собачий» потому, что рядом был рыбный рынок, а на эту улицу кости выбрасывали — отсюда и стаи собак; теперь это в высшей степени респектабельная улица Некрасова), в студенческих квартирах собирались компании вольнодумцев. Мориарти диссидентской Казани в тот момент был 17-летний, на год младше Ульянова, Николай Федосеев («Они оба вышли, так сказать, с утра одновременно на дорогу», по выражению авторов предисловия к сборнику мемуаров о нем), которого 5 декабря 1887 года вытурили даже не из университета, а из гимназии; тогда же он открыл для себя сочинения Маркса и Энгельса. Федосеев развил необыкновенно энергичную деятельность, благодаря которой Казань в 1888 году стала меккой российского марксизма, далеко опередив Петербург и Москву, где деятельность марксистских кружков была временно заморожена. Федосеев обладал выдающимися коммуникативными способностями; у него была мания организовывать формировавшиеся вокруг самодеятельных библиотек кружки самообразования, нацеленные на распространение революционной литературы; причем дело было поставлено ультраконспиративным образом: в формуляр записывалось не имя читателя, а его номер: номер 15 читает первую главу «Капитала» (в списках, конечно), номер 42 — «Примечания» Чернышевского, номер 6 — «Наши разногласия» Плеханова. Члены кружков плохо представляли, кто руководит ими и какова общая структура организации — как впоследствии выяснилось, Ульянов и Федосеев умудрились ни разу не встретиться друг с другом, хотя Ульянов участвовал в одном из этих кружков и в дальнейшем использовал составленную Федосеевым «специальную программу теоретической подготовки марксистов». Проблема в том, что никто не знает, в каком именно кружке и чем конкретно Ульянов занимался: переводил с немецкого Каутского, гектографировал «Развитие научного социализма» Энгельса, пытался агитировать рабочих? Мы даже не знаем, были ли эти кружки с самого начала марксистскими или постепенно эволюционировали в этом направлении, изначально будучи скорее народническими. Разумеется, юноши были как минимум наслышаны друг о друге (Мартов в мемуарах утверждает, будто Федосеев сам говорил ему, что встречался в Казани с Ульяновым), но в 1922 году Ленин — так получилось, что Федосеев стал героем одной из самых последних его статей, — упорно настаивал, что очного знакомства не было; странная «невстреча». Все полицейские дела, из которых можно было бы узнать подробности, оказались утрачены еще до революции.

Так или иначе, казанская фабрика марксизма действовала недолго. Федосеева арестовали в июле 1889-го и таки сломали ему судьбу: следствие по его делу длилось несколько лет, ему и подельникам пытались припаять создание террористической подпольной организации народовольческого толка; год он провел в одиночке, еще два промыкался по судам и тюрьмам; невеста, с которой его взяли, вышла замуж за другого... А вот Ульянова в городе уже не было; в самом начале мая мать, осознававшая, что добром эта подпольная — с танцевально-музыкальными вечерами, шахматной клубындой и библиотечными абонементами — деятельность не кончится, увезла ВИ в деревню Алакаевку Самарской губернии.

В Казани с тех пор ВИ был только проездом, но по-настоящему никогда не возвращался — только уже, как говорится, памятником; но город и после Гражданской войны продолжал посылать ему важные сигналы. Так, в мае 1921-го Ленин, наблюдавший в тот момент из окна своего кремлевского кабинета за строительством Шуховской башни на Шаболовке, прочел в газетах, что «в Казани испытан (и дал прекрасный результат) рупор, усиливающий телефон и говорящий толпе», — и тотчас заерзал: что? что? вот! вот! Впрочем, больше, чем собственно прогресс радиотехники, Ленина интересовали возможности, открывающиеся для пропаганды: его завораживала идея «устной газеты» — «без бумаги и без расстояний», которую кто-то с надлежащим выражением декламирует в Москве, и в тот же момент ее «читают» слушатели в той же Казани.

В Казани, где ВИ впервые наткнулся на настоящую, первую в своей жизни стену — и обнаружил, что неприступная, казалось бы, материя содержит в себе возможность перехода в свою диалектическую противоположность. Более того, существуют наука и технология, позволяющие форсировать этот процесс.

Не «толкни, и развалится» — а именно «ткни». Надо знать куда, точное место.

Самара
1889—1893

Главной проблемой чехословацкого лениноведения считалась так называемая «проблема кнедликов со сливами». Дело в том, что в 1920 году Ленин, беседуя с одним чехом, делегатом Коминтерновского съезда, неосторожно спросил его — а что, по-прежнему ли в Чехии едят кнедлики со сливами? Вопрос как вопрос; задал, наверно, из вежливости или чтобы разнообразить разговор о нюансах политического быта государств, образовавшихся при распаде Австро-Венгрии. Однако, потерев виски, дотошные исследователи обратили внимание на то, что кнедлики со сливами — блюдо, которое в Чехии зимой подавать никак не могут, тогда как Ленин, считается, заезжал в Прагу: а) в феврале 1901-го, для организации ожидаемого приезда Надежды Константиновны; и б) в январе 1912-го, на Пражскую партконференцию. Не является ли — указательный палец вверх — этот вопрос косвенным свидетельством в пользу того, что была и третья — не зафиксированная в Биохронике — поездка Ленина в Прагу — состоявшаяся, с учетом сезонного графика чешской кулинарии, осенью? Расследованию этой загадки века — и попыткам откопать мнимых или подлинных свидетелей фантомного визита — и посвящало себя чешское лениноведение вплоть до бархатного 1989-го, когда все вопросы снялись сами собой.

По нынешним временам проблема «ленинских кнедликов» кажется смехотворной: какая, в сущности, разница, был или не был.

Насколько вообще глубоко сейчас имеет смысл влезать в биографию Ленина? Может быть, достаточно изложить ее на пяти страничках? Нужно ли, к примеру, подробно рассказывать о самарском периоде жизни Ленина?

В конце концов, в начале 1890-х с ним «ничего такого не происходило»: ну, изучал Маркса, ну, спорил с народниками, ну, работал юристом.

С той же легкостью, надо полагать, можно вычеркнуть из истории и сам этот период, контекст ленинской жизни. В конце концов, что такое начало 1890-х? Не 1905-й ведь и не 1917-й, ничего особенного.

Ничего?

В 1890 году в Англии случился банковский кризис — до такой степени серьезный, что вся финансовая система страны — в том числе сам *Bank of England* — оказалась на грани катастрофы; чтобы спасти ее и не объявлять дефолт, англичане заключили ряд закулисных договоренностей со своими финансовыми контрагентами, в частности с французами и русскими, о том, что те не станут изымать золото из Английского банка — и в обмен на это одолжение Франция получит ряд привилегий, в том числе негласное разрешение заложить для России — которая очень нуждалась в технологиях для модернизации армии и флота, но, после Крымской войны, искусственно сдерживалась Англией — верфи на Черном море, в Николаеве. Чтобы понятно было, о каких масштабах идет речь: в Николаеве были построены корабли от броненосца «Потемкин» до авианосца «Адмирал Кузнецов».

По сути, именно ход этого «забытого» (и воскрешенного только в романе Иэна Пирса «Падение Стоуна») кризиса предопределил очертания будущей Антанты — и на его последствиях сложился весь военно-политический дизайн Европы начала XX века, приведший к мировой войне и революциям.

Что касается России, то в 1891–1892 годах здесь разразился голод, затронувший 36 миллионов человек, особенно в Поволжье, в том числе в Самарской губернии; причинами этого кризиса тоже были не только климат — засуха и суровая зима, но и отсталость агропромышленных технологий, неэффективность общинного управления, а также финансово-экономическая политика правительства, которое было одержимо модернизацией — и очень нуждалось в золоте, поэтому остервенело экспортировало хлеб под лозунгом, сформулированным министром финансов Вышнеградским: «Недоедим, но вывезем»; именно Вышнеградский занимался банковскими гарантиями от России для Англии и переговорами с Ротшильдами, чей банк, видимо, и инициировал кризис 1890-го. Голод спровоцировал и кризис идеологический: «марксисты» вошли в боестолкновение с «народниками»; именно в ходе этого конфликта и будут формироваться «политическая физиономия» Ленина, его стиль и идеологический арсенал.

Кризис 1890–1892 годов, как и было обещано Марксом, продублируется в России через несколько лет — в более затяжном варианте, в 1899–1909 годах; относительно событий этих лет вряд ли у кого-то возникнет сомнение в том, существенны ли они для жизни Ленина.

Таким образом, мы вновь возвращаемся к вопросу — где проходит грань между важным и неважным событием? Сколько «проблем кнедликов» нужно проигнорировать как нелепые и никчемные, чтобы биография Ленина свелась к цифрам 1870–1924? Сколько «периодов» ленинской биографии нужно вырезать, чтобы почувствовать себя в комфортной обстановке общепринятой сегодня поп-истории, в рамках которой Ленин вообще не является актуальной исторической фигурой — и поэтому может быть забыт, за ненадобностью?

Занятно, что в софистике этот парадокс называется «парадокс лысого» — разумеется, известный Ленину, что и зафиксировано в «Философских тетрадях»: «По поводу софизмов "куча" и "лысый" Гегель повторяет переход количества в качество и обратно: диалектика». Поставьте в ряд множество людей с разной степенью облысения — так, чтоб у каждого следующего было на волос меньше, чем у предыдущего; первый, с шевелюрой, — точно не лысый, и следующий за ним, и следующий — не делает ведь погоды один волосок. Но тогда — раз грани нет — получается, что когда мы дойдем до того, у кого на голове ничего нет, то и он тоже НЕ лысый. Что автоматически приводит нас к необходимости признать, что все лысые — на самом деле таковыми вовсе не являются; и вот тут, похоже, самое время вернуться к конкретному Ленину — чья фотография самарского периода как раз подтверждает вывод этого дикого софизма — ну и заодно иллюстрирует собой закон отрицания отрицания.

* * *

Диалектика Самары состоит в том, что, с одной стороны, то был провинциальный город на восточном краю Европы, а с другой — такая же часть глобальной сети, уже сложившейся к 1890-му, и, следовательно, такой же центр мирового водоворота, как Лондон, Прага или Петербург. «Матчасть» здесь принадлежала к XIX веку, и люди носили костюмы, как в пьесах Островского и рассказах Чехова, — но в идеологической сфере уже начался век XX, и в марксистах уже можно разглядеть будущих «большевиков» и «меньшевиков», в народниках — эсеров, а в едва-едва получившем статус губернского городе — «запасную столицу» СССР.

Нуворишеский город относился к категории «динамично развивающихся»; здесь выходили четыре местные газеты, функционировали гимназии и театр, библиотеки были укомплектованы новинками. Низкий культурный уровень низов общества, за счет которых нагуливали жир хлебные короли, — именно они задавали тон в городе, — был оборотной стороной свежеприобретенного благополучия; новая буржуазия сотнями тысяч гектаров хапала — у дворян, у башкир, у татар — землю, в хвост и в гриву ее эксплуатировала, нанимала сотнями и тысячами рабочих на сезон — а затем избавлялась от изнасилованной земли и выставляла людей на улицу, точнее, на пристань, где те и слонялись в поисках вакансий на одной из пяти паровых мельниц или каком-нибудь из десяти заводов. Эти жертвы капитализма имели больше общего с уличной гопотой, чем с дисциплинированными марксовскими пролетариями. Пристани и дебаркадеры на Волге кипели страстями — и пузырились бедностью; в центре было тихо, и, возможно, единственным праведником, который не позволял Самаре рухнуть в мальстрём варварства, был городской гигиенист Португалов, который во время летних пыльных бурь имел обыкновение шокировать публику своим театральным видом — появляясь на улице в белом балахоне, с белым зонтом и в очках с защитными сетками; ВИ знал его сына, который в Казани, на той самой сходке, запустил в того самого Потапова не то стулом, не то подушкой от кресла. Университета, однако ж, в Самаре не было — и потому чувствовался дефицит молодежи, у которой плохо вырабатывался иммунитет против «революционной бациллы».

Идея переезда именно в Самару возникла с подачи Марка Елизарова; выхлопотав в МВД разрешение на переезд молодой жены, Анны Ильиничны, он загорелся идеей перетащить сюда всех Ульяновых.

Приемлемую квартиру нашли лишь в мае 1890-го — после трех неудачных попыток, включавших в себя встречи с плохими соседями и лихорадковыми миазмами. Район, правда, считался окраинным и имел дурную славу, а в первом этаже ульяновского дома, на углу Почтовой и Сокольничьей, в лавке купца Рытикова, продавали алкоголь — однако как один из колониальных товаров, дорогой и экзотический, и поэтому «контингент» предпочитал лечиться амбулаторно — не в ближайшей подворотне. Однажды, впрочем, злоумышленники ограбили рытиковский подвал, наказав купца на 300 целковых.

Улица с домом-музеем явно доживает последние дни — старые деревянные дома выкорчевываются на глазах, над деревянными могиканами нависают высотные «жилые комплексы»; очевидно, что магия имени Ленина здесь не действует — по крайней мере в качестве охранной грамоты.

Что касается начинки дома, то тут, пожалуй, остаются в памяти разве что стенды с «занимательными» викторинными вопросами для школьников: семья Ульяновых прибыла в Самару: а) на поезде, б) на самолете, в) на лошадях, г) на автомобиле, д) на корабле (странным образом, правильный ответ — не только «д», но и «б», потому как пассажирский, с двумя гребными колесами, пароход, на котором в начале мая 1889-го приплыли в Самару Ульяновы, в просторечии назывался «самолет» — в силу принадлежности обществу «Самолет», которое в 1918 году, как и все прочие коммерческие пароходства, было национализировано особым декретом Ленина).

Обнаружить «следы Ленина» в Самаре не штука — сохранились десятки зданий, где он живал-бывал; многие обременены мраморными досками и числятся памятниками федерального значения; названия улиц написаны на домах «на двух языках» — в двух версиях, советской и «старорежимной». Аппарансы то есть соблюдены, но здания эти иллюстрируют не столько сюжет «Самара дореволюционная», сколько «Самара перестроечная»: ветхие строения завешаны рекламой — «чиллеры, фанкойлы, очистители, увлажнители», «деловой английский», фотомастерская «Дядя Федор»; старые фасады залеплены тарелками и кондиционерами.

Дворянско-купеческо-разночинная Самара, среда, в которой существовал Ульянов, вытравлена и заселена заново, причем не один раз. Образы «ленинской эпохи», которые сначала естественно, потом искусственно удерживались в коллективной памяти, постепенно выцветают, изглаживаются, затушевываются — как выращенный из деревьев в Пискалинском взвозе — деревне на левом берегу Волги, недалеко от Самары, — гигантский геоглиф: «Ленину 100 лет»; и со спутника-то едва разглядишь.

Самара на самом деле — не столько место, где ВИ проживал свое «дистанционное» студенчество, и не столько поприще его интенсивной юридической деятельности, и даже не столько шахматная столица Ленинлэнда (где он регулярно играл с юристом Хардиным), сколько территория, где через него пророс марксизм; и в этом смысле в советские годы логичнее было бы переименовывать Самару не в Куйбышев, а, вместо соседнего Екатеринограда, как раз в Маркс.

Соответственно, главным уцелевшим артефактом этого периода, пожалуй, следует признать фотографию Маркса, которую ВИ откуда-то раздобыл и держал у себя в альбоме — фотографию с оттиском подписи и пожелания: «Salut et fraternite. Karl Marx. London. 27 juni 1880» — не ему, Ульянову, конечно, но всё же — то был автограф самого Основоположника. (Гротескным образом, к марксовской прибавилась инскрипция других братьев — космических — с фамилиями Комаров, Егоров и Феоктистов; в 1964 году эта открытка побывала на орбите.)

Что касается Грааля марксистов, то он, как и полагается такого рода святыням, утрачен: и это, конечно же, «Манифест коммунистической партии», переведенный самим Лениным.

Мы можем только воображать, как на ВИ, находящегося в состоянии философского поиска, в девятнадцать-двадцать лет действовал марксизм: вряд ли слово «наркотически» будет гиперболой. То была Окончательная Теория, объяснившая ему, по каким историческим законам развивается общество — и как его можно изменить, спрямить то есть, кривую и долгую дорогу из пункта А в пункт Б. Для этого не надо медленно ждать, довольствуясь «малыми делами»; марксизм давал рычаг, способный изменить мир быстро, при жизни, и воспользоваться плодами революции, — и, кстати, то был еще и род софистики, теоретическая база, позволяющая побеждать в любом споре — социологическом, политическом, философском, историческом.

Ленин точно усвоил, что марксизм — учение об объективно существующих в обществе противоречиях и способах их снятия: такая же наука, как география, имеющая в своей основе представление о Земле как о шаре, или классическая физика, строящаяся на законах, открытых Ньютоном. Именно поэтому кто угодно может сказать, что «Маркс устарел», что «Маркс неприменим к России», что «марксизм скомпрометирован большевизмом», что «марксизм — завуалированная еврейско-масонская идеология», что капитализм оказался гораздо более жизнеспособным, чем представлялось и Марксу, и Ленину, и способен порождать не только Рокфеллеров, но и Кейнсов (общество всеобщего благосостояния), Гейтсов и Баффетов (с их программами благотворительности) и Джобсов (икон буржуазии, которая способна навязывать пролетариату опиумный культ технологий и дизайна), что капитализм может коррумпировать и соблазнять пролетариат более тонко, чем простым увеличением цифр в зарплате, и предлагать ему привлекательный образ будущего, которое выглядит достижимым с меньшими затратами и кризисами, чем казалось в XIX веке. Даже если и так, Волга впадает в Каспийское море, а дважды два — четыре: развитие производительных сил определяет собой развитие производственных отношений — и развитие общества (или, в переводе: технологический прогресс ведет к ревизиям итогов приватизации и перетряхивает отношения классов внутри общества; сначала богаче всех были Рокфеллер и Форд, теперь Гейтс и Цукерберг; богатство перераспределилось — но классовая структура, неравенство и несправедливость остались).

Ленин был настоящим знатоком Маркса, одержимым талмудистом; сочинения Основоположника — от «Манифеста Коммунистической партии» до четырехтомной переписки, которую он сам законспектировал, — были его коньком.

Самые очевидные текстовые памятники этому увлечению — популяризаторские тексты о Марксе: статья «Карл Маркс» для энциклопедического словаря Граната, «Исторические судьбы учения Карла Маркса», «Три источника и три составные части марксизма». Эти тексты, вкупе со списком исторических деяний Ленина, позволяют использовать формулу «Ленин — это Маркс на стероидах», подразумевающую как раз то, что Ленин не только объяснил мир, но и изменил его, реализовав известный фейербаховский тезис.

Что остается в этих текстах за кадром, так это что Маркс на протяжении жизни претерпевал разного рода эволюции — и склонялся в некоторых вопросах, например, о роли демократии, о том, считать ли крестьянство революционным классом, прогрессивна ли национально-освободительная борьба некоторых народов, то на одну, то на другую сторону; соответственно, сочинения Маркса и Энгельса давали его великим апостолам — Бебелю, Либкнехту, Бернштейну, Каутскому, Люксембург, Плеханову, Ленину, Троцкому, Богданову — множество материала, который можно было толковать и трактовать, исходя из собственных представлений о том, что сейчас правильно; выдвигая вперед одни соображения и пропуская мимо ушей другие, применяя их к конкретным политическим ситуациям — периодам голода, обострения классовой борьбы, реакции, прочитывая Маркса с помощью разных кодов, вы как бы адаптировали эту операционную среду под себя; и получалось так, что ваша версия марксизма могла сильно отличаться от той, что была установлена в голове вашего товарища.

Из Маркса (который был, например, «историческим расистом» и рассматривал славян как революционный материал неважного качества) можно вычитать, что в России никак нельзя совершить пролетарскую революцию до того, как она произойдет в Европе; а можно и наоборот — что как раз здесь крестьянство должно дать такую вторую волну революции, что движение к коммунизму окажется сильнее и необратимее, чем в Европе. Из Маркса можно было извлечь и довольно разные представления о том, как, собственно, выглядит точный рецепт преодоления капитализма в той стадии, когда он перешел в загнивающую стадию; а также на что именно похож конец истории — коммунизм; поскольку тома «Капитала» — аналогичного «Незнайке в Солнечном городе» — не существует, вы можете предлагать свои варианты.

Оглянитесь вокруг (можете представить себя в 1891-м, или в 1916-м, или сегодня): созрели предпосылки для революции или нет? Актуальна эта идея? Как посмотреть: чтобы ответить «да» или «нет», вы можете апеллировать к одним статистическим данным или к другим, или к здравому смыслу, или к «ощущениям» — или к открытым Марксом (или кем-то еще) историческим законам, сулящим реализацию того или иного исторического варианта.

В целом, используя хэштег «#Маркс», мы подразумеваем пятьдесят других «знаковых» слов и словосочетаний (социализм, классовая борьба, прибавочная стоимость, диалектический материализм, диктатура пролетариата), естественно, осознавая, что «Маркс» этим поп-набором «кубиков марксизма» не исчерпывается. В зависимости от ситуации вы можете выбирать то, что вам представляется в марксизме важным именно сейчас: положение о ключевой исторической роли пролетариата, или учение о прибавочной стоимости, или тезис о концентрации средств производства, или развернутое объяснение значения и принципов функционирования денег в обществе. Очень грубо говоря, для революционеров эти идеологемы — нечто вроде энергетических сгустков, какими обмениваются герои комиксов; эти «допинговые препараты» дают вам силу «прокручивать» историю быстрее, чем она движется естественно.

Если налепить Ленину на спину ярлык «Шахматист», можно сказать, что философская система «Маркс» была для него чемто вроде шахматного набора: правил игры, фигур, обладающих разными возможностями, учебника шахматной игры, позволяющего выстраивать те или иные выигрышные комбинации; научившись азам этой новой для себя «игры» на рубеже 80—90-х, Ленин иногда играл так, иногда сяк; иногда без коней и даже без ферзя — но в рамках «шахмат марксизма» как системы теории и практики. Присутствует ли за шахматными правилами идеология? Неочевидно; и ровно поэтому получается, что и «экспроприация экспроприаторов», и «учитесь торговать» — марксизм: во-первых, потому что из явления «обмен товаров» вырастает все капиталистическое общество с его противоречиями; во-вторых, потому что абстрактной истины нет, истина всегда конкретна. Над этим парадоксом иронизировал в свое время Радек: «Ленин, как истый марксист, принимает решения на основании фактов, а уже только потом строит теорию, объясняющую эти решения»; если это ирония, конечно.

Важно, что отношения Ленина и Маркса представляют собой вовсе не застывшую раз навсегда в 1889—1890 годах скульптурную композицию в духе сталинских монументов, но сложную драму, участники которой находились в запутанных отношениях друг с другом; мы намеренно говорим о Марксе как о живом участнике этих отношений.

По сути, то, что называется «Маркс», — это такой Солярис, мыслящий океан, приглашающий к общению, но не гарантирующий того, что каждый выловит из него один и тот же набор для своей идеологической паэльи.

Ленин восхищался этим океаном, эксплуатировал его ресурсы — и всю жизнь пытался извлечь оттуда новые идеи, с помощью которых можно было верно — для взятия и удержания власти — проанализировать текущую ситуацию (и расправиться с конкурентами) как не только сиюминутную, но историческую — и наполненную живыми противоречиями.

В этом смысле одна из версий идеальной биографии Ленина — это описания его сеансов купаний в этом океане, хроника коммуникации между ним и этим живым организмом, попытки распорядиться своим уловом с максимальной выгодой.

Поскольку Маркс — «живой», то крайне важным становится вопрос о доступе к этому «Солярису». Ленин часто декларативно говорил о запрете на любые ревизии Маркса. Естественно — подставляясь под обвинения в «гелертерстве»: что он якобы даже и не понимает, где проходит грань между ревизионизмом и творческим осмыслением, следованием курсу — и рабским копированием, начетничеством. Разумеется, Ленин прекрасно осознавал серьезность таких обвинений, однако монополия — удобная вещь для того, кто ею владеет, и если вы даете слабину, то ваш конкурент может выловить из этого мыслящего океана что-то такое, что наведет людей на предположение, что вручить власть лучше не вам, а ему.

Среди прочего, это означает, что мы, конечно, можем попытаться прочесть Маркса «по-ленински», «глазами Ленина», но штука в том, что опыт этот принципиально неповторим.

Ленин читал Маркса неодинаково, пользуясь для расшифровки разными кодами — и сообразуя свои толкования с разными внешними обстоятельствами. В 1914—1915 годах Ленин, к примеру, приходит к мысли, что читать «Капитал», не пользуясь кодом Гегеля, гегелевской философии, — значит вульгаризовать Маркса. «Нельзя вполне понять "Капитал" Маркса, и особенно его I главы, не проштудировав и не поняв всей Логики Гегеля. Следовательно, никто из марксистов не понял Маркса $1/2$ века спустя!!» Публиковать свое открытие он не стал, но сама формулировка примечательна: получается, первые двадцать пять лет сам Ленин понимал Маркса неправильно.

* * *

Теория марксистов привлекала к себе неофитов, по-видимому, не только как научная, но и как нигилистическая, позволяющая расплеваться с прошлым. Не зря многие мемуаристы, рассказывая о своих первых шагах в марксистских кружках, упоминают «нигилистский» вид будущих большевиков: косоворотка, студенческая фуражка, синие очки, волосы до плеч; впрочем, сколько ни обвиняй молодого Ленина в «ткачевщине» и «нечаевщине», копированием внешних атрибутов этой публики он точно не злоупотреблял.

Возраст «самарского» Ленина — между Вертером (вначале) и Евгением Онегиным (перед отъездом), и все это время он то и дело демонстрирует то свою «шершавую оригигальность» (копирайт В. Засулич), то вкусы и манеры «особенного человека» из Чернышевского, не вписываясь ни в один из известных типажей.

Единственный не имеющий отношения к семье персонаж женского пола, к которому можно — без особых оснований — привязать Ленина в самарский период, — это пламенная, изначально из группы «русских якобинцев-бланкистов» революционерка Мария Яснева-Голубева, на девять лет старше Ленина, высланная из столиц за народническую деятельность. Ульянов бывал в ее квартире в доме на Дворянской улице (дом сохранился, это бросающееся в глаза здание в псевдорусском стиле) — а она в доме его семьи; задним числом, поработав на доставке «Искры», а затем и в питерской ЧК, она опишет его как «невидного, выглядевшего старше своих лет молодого человека». Из мемуаров известно еще, что на одной костюмированной вечеринке ВИ сделал шутливое внушение двум кичившимся своей либеральностью девушкам, которые нарядились одна царицей, а другая рабыней («Что же это, слова у вас одни, а костюмы вам нравятся совсем другие?»), а на праздновании нового, 1892 года очень неуклюже танцевал кадриль: «давал руку чужой "даме", вместо своей, брал за талию вместо "дамы" случайно подвернувшегося кавалера из другой пары»; следующий раз мы застанем Ленина танцующим только в Женеве.

Если типажом эпохи был «вечный студент», то ВИ ему катастрофически не соответствовал: университет, куда он, наконец, записывается летом 1890-го, 20-летним, он успевает окончить со второй космической скоростью, схватив по книгам за полтора года то, чему обычные молодые люди, на лекциях и семинарах, выучивают за четыре. Когда он, собственно, был студентом? В Алакаевке и на сессиях в Петербурге, где сдавал, будто орешки щелкал, право — гражданское, уголовное, римское, финансовое, церковное, международное. Исследовательница Р. Поддубная обнаружила в журнале приемов Департамента полиции Петербурга от 1890 года запись о том, что Ульянов просил разрешения выехать за границу; причиной могло быть желание поступить в иностранный университет, поехать на лечение — или установить контакты с иностранными марксистами; возможно, всё вместе; но до 1895-го ВИ никуда так и не выпустят.

Эпопея с попытками получить высшее образование заняла на круг все же почти пять лет — но зато сразу после получения диплома, в начале 1892-го, ВИ утверждается в должности помощника присяжного поверенного — того самого Хардина, который еще в 1889-м был его партнером по игре в шахматы по переписке.

Сюжет «Ленин-юрист» кажется страшно перспективным: вот тот «гришэмовский» молодой человек, который сумел бы добиться оправдания Джека Потрошителя или спасти от электрического стула Рудольфа Абеля.

Тема «Юридическая деятельность помощника присяжного поверенного Ульянова» исследована вдоль и поперек; мы знаем, что он провел в Самарском суде 18 дел: 15 уголовных и 3 гражданских — и везде представлял чужие интересы бесплатно, был казенным адвокатом, то есть чем-то средним между собственно адвокатом и общественным правозащитником.

Самарские нравы напоминали скорее о Диком Западе, чем о крае дворянских гнезд; город и губерния кишели любителями поживиться за чужой счет. Основная клиентура ВИ была гротескно-мелкотравчатой, из уголовных, настоящий фестиваль «чеховских» злоумышленников: один украл валявшееся возле лавки купчихи чугунное колесо, другой позарился на мерзлое белье на веревке, третий с пьяных глаз матерно обругал сначала Богородицу, а потом и царя, четвертый недосмотрел за покатившейся дрезиной, пятый утащил у коллежского регистратора «потертый форменный сюртук, мешок и 3 горбушки хлеба»... Ни Робин Гуда, ни Ринальдо Ринальдини, ни Дрейфуса — никаких «резонансных» или «романтических» клиентов и, соответственно никаких громких триумфов, одна беспросветность; и неудивительно, что Ленин восхищался только что вышедшей «Палатой номер 6». Задним числом ВИ сам иронизировал над своими успехами в этой области — мол, не выиграл ни одного дела; поскольку вина подозреваемых во всех достававшихся ему делах не подлежала сомнению, ему приходилось просить не столько об оправдании, сколько о смягчении приговора, снисхождении, ввиду таких-то и таких-то обстоятельств. Несколько раз он отказывался вести защиту — например мужа, уличенного в избиении жены кнутом. Сам ВИ, впрочем, никогда не жаловался ни на мелочный характер деятельности, ни на значительные усилия, потраченные втуне; есть ощущение, что он занимался этим больше по надобности, чем по душевной склонности; так же инерционно, как облекался, чтобы идти в суд, в отцовский фрак. Самое знаменитое в ленинской юридической карьере дело, странным образом, было инициировано им самим: он подал в суд на жлоба-купца, который, полагая себя перевозчиком-монополистом на некоем участке Волги, остановил лодку, нанятую ВИ и Марком Елизаровым для переправы, и силой заставил пассажиров пересесть на свой транспорт. ВИ показал зубы, закатал рукава, трижды за свой счет ездил в Сызрань давать показания — и упек-таки обидчика за решетку на 30 суток, продемонстрировав если не характер, то упрямство. Часто представляясь в дальнейшем «доктором прав», особенно за границей, в Германии, Англии и Польше, он, похоже, основной профессией, «призванием» считал работу революционера и литератора; юриспруденция была чем-то вроде «ремесла». Он будет консультировать шушенских крестьян и уголовников в Новом Тарге, будет вести дело о наследстве Шмита и вызволении из тюрем большевиков, обвиненных в причастности к тифлисскому ограблению; безусловно, юридическое образование окажется значительным подспорьем в тот момент, когда он станет главой государства, в котором заново придется создавать законодательство. Но к профессии относился не без брезгливости, воспринимал ее, похоже, как классово маркированную — и в качестве эффективного средства борьбы против системы юриспруденцию не рассматривал: «Адвокатов надо брать в ежовые рукавицы... эта интеллигентская сволочь часто паскудничает...

Юристы самые реакционные люди, как говорил, кажется, Бебель... ты, либералишко...» и т. п.

То, что Ульянов в Самаре, даже получив солидную хлебную профессию и имя, продолжал курс на конфронтацию с системой, свидетельствовало, конечно, и о порочности системы — которая не смогла интегрировать талантливую заблудшую овцу в общество — и в конечном счете вытолкнула ее из страны в мир кнедликов со сливами, радикализовала и озлобила; с государственными чиновниками, по ВИ, есть один способ разговора: «рукой за горло и коленкой под грудь».

Узость круга «интеллектуалов» способствовала сплочению в «кружки» — куда шли, чтобы сбежать от вульгарности и беспросветности провинциальной жизни, наглотаться книжек, от которых мир вокруг становится светлее, — но, пока не распространился марксизм, ограничивались распитием чая, и не только чая, и кадрилями на благотворительных вечеринках в пользу политзаключенных. Самые отъявленные типы перепечатывали на гектографе романы Чернышевского и устраивали в турпоходах мобильные лектории, докладывая под плеск волжской волны свои воззрения на основы этического учения о благах. Чтобы составить представление об антураже этой нелегальной, щедро разбавленной жигулевским пивом деятельности, вы можете, оказавшись в Самаре, прийти — нет, не в знаменитую пивную «На дне», где тоже бывал ВИ, — а на Садовую, 154. Дом сейчас другой, но на старом фундаменте, да и мраморная доска придает этим дровам известное величие. Именно здесь, в месте обитания Алексея Скляренко, который затем на протяжении двадцати лет будет делать безупречную революционную карьеру, проходили собрания ленинского кружка и хранилась подпольная библиотека. Распропагандированный ВИ, хозяин квартиры перекрестился из народников в марксисты, а затем и в большевики; мы увидим его даже в Лондоне, на V съезде РСДРП, — куда он попал с паспортом на имя Скарловского, хотя до того был Бальбуционовским, но угодив раз на допрос к жандармам, выяснил, что на самом деле он внебрачный сын совсем не того человека, которого считал отцом, а другого. После этого он был вынужден — так полагалось — поменять отчество и фамилию — на «Попов», и уж затем стал Скляренко, по матери (хотя в «Правде» и «Просвещении» подписывался: «Босой»).

До появления ВИ в насыщенной ономастическими парадоксами интеллектуальной среде Самары доминировали так называемые «огарки»: политически расхристанные, помышляющие о народных тяготах и возможности революции между рюмкой водки и кружкой пива интеллигенты. Иногда это были аборигены, иногда вернувшиеся из Сибири после ссылки и осевшие в Самаре — с которой они познакомились по дороге на восток: здесь был этап — народники. «Огарки», по словам мемуариста Семенова, представляли собой компании субъектов, «часто опустившихся до потери человеческого облика» — и, судя по манере их лидеров расшибать гитары об печку (чтобы «лучше звучала»), представлявших собой аналог панков 1970-х. Квартиры их были щедро укомплектованы обсосанными раковыми панцирями, грязными половиками и пустыми чемоданами. Это были выродившиеся, деградировавшие достоевские бесы, по инерции считавшиеся народниками, но после общения с настоящим народом утратившие веру в его воскрешение. Скорее всего, они тоже пытались прочесть «Капитал», но «ломали зубы на первых десяти—двадцати страницах этой книги, в которых излагается диалектика стоимости» — и, во-первых, не вполне понимали, при чем здесь революция, а во-вторых, считали ниже своего достоинства переписываться в марксисты, полагая тех циничными падальщиками, которые готовы были принять крестьянство в качестве своей клиентуры лишь после того, как оно пролетаризуется.

Самарская атмосфера, видимо, действовала и на самого ВИ — который даже и в боевую стойку вскакивал здесь из положения «лежа». Его товарищи по марксистскому кружку вспоминают, что он являлся в гости, заваливался на хозяйскую постель (под ноги стелилась газета) и подавал голос лишь тогда, когда слышал от других участников посиделок явную ахинею; и вот когда на его «Ерунда!» обиженный начинал вскипать, ВИ вскакивал — и выливал на оппонента настоящий ушат критических помоев.

Поскольку ровесники Ульянова — разночинное поколение, родившееся в начале 1870-х, — уже не вполне понимали, в силу каких причин им нужно «идти платить долг народу», марксистские кружки весьма успешно конкурировали с народническими. И совершенно понятно, почему ВИ, прочитав Маркса, стал относиться к народникам с брезгливой неприязнью — которую мог выплеснуть на них в своих «рефератах»: так назывались лекции с последующей дискуссией для небольшого кружка; род нынешних «восьмидесятислайдовых презентаций»; именно из них вырастут его «Друзья народа».

Народники — во всех ипостасях: культурной, экономической, политической — не могли не раздражать ВИ — как любые люди, чья производительность труда ниже возможной: явление, с которым он боролся всю жизнь. Если уж они берутся улучшать общество — то почему делают это так кустарно? Что такое «теория малых дел», когда есть научный способ изменения мира? Что такое вся эта долгая работа с народными массами — агрономическая помощь и культурное просветительство: какой смысл инвестировать в крестьянина, если передовой класс — пролетариат, а история делается за счет классовой борьбы, «скачков», революций — а не медленного улучшения качества жизни и нравов? Как можно идеализировать «оазисы антикапитализма», общины и артели, если объективно эти институции только искусственно подмораживают существующие социальные отношения, а не становятся материалом для новых, более прогрессивных форм?

Кроме того, народники — которые, разумеется, делали благое дело, бескорыстно помогали и просвещали слабейших — раздражали ВИ потому, что орудием преобразований выступала неорганизованная интеллигенция, с ударением на первом слове. Если бы народническая интеллигенция по крайней мере в состоянии была явить себя в форме партии или законспирированной организации, члены которой действовали слаженно, подчинялись уставу и посвящали себя методичной борьбе с государством «за права народа» и за политические свободы, — тогда бы еще куда ни шло, к ним можно было бы относиться пусть не как к авангарду революционного движения, но хоть сколько-нибудь всерьез. Но времена титанов «Народной воли» прошли, а эпоха эсеров еще только брезжила.

На самом деле народники вовсе не были глупцами и, отрицая возможность развития в России «стандартного», как в Европе, капитализма, знали, о чем говорили.

Курьез в том, что после революции Ленин вынужден будет строить социализм в стране, которая явно еще не исчерпала прогрессивный ресурс капитализма, не прошла капиталистическую стадию развития. Но, чтобы не отдавать власть обратно буржуазии, которая могла бы, конечно, обустроить капитализм должным образом, Ленин, по сути, возвращается к «друзьям народа», которые полагали, что капитализм России не нужен; и то, что Ленин соглашается принять аграрную программу левых эсеров, формально подтверждает его превращение в народника (разумеется, если бы вы сказали об этом ему самому, он выцарапал бы вам глаза — как Богданову, который объяснил в 1909-м, что он, Ленин, истребитель меньшевиков, на самом деле и есть меньшевик). Как и его превращение после 1922-го в «крестьянского вождя»: пролетариата к этому моменту в России окажется слишком мало, чтобы опереться на него, — да и Кронштадт покажет его ненадежность. Так Ленин возвращается к тому, что ключевой класс в России, как ни крути, — крестьянство. Крестьянство, которое за счет кооперации и «смычки» с городом, с пролетариатом, могло стать не худшим локомотивом истории, чем пролетариат. Медленнее, конечно, — но в том же историческом направлении; тише едешь — дальше будешь.

И не надо думать, что марксисты с народниками в одной берлоге не уживаются — уживаются, и еще как. И то, что народник Преображенский с алакаевского хутора Шарнеля оказывается в 1923 году управляющим совхозом Горки, где медленно умирает Ленин, — тому свидетельство.

Теоретически удаление Ульяновых в Алакаевку — за 70 километров от Самары — тоже вписывалось в народническую модель поведения: интеллигентная семья обустраивается на земле; другое дело, что Ульяновы приехали сюда не столько для того, чтобы стать ближе к народу, сеять разумное, доброе, сколько с намерением построить там капиталистическое агропромышленное предприятие. В поместье имелись дом, 60—80 гектаров земли и мельница; судя по тому, что за них отдали большую часть того, что было у семьи за душой — семь с половиной тысяч рублей, — предполагалось эксплуатировать эти земельные ресурсы. Старшим мужчиной в семье был ВИ; он прочел множество книг о ведении сельского хозяйства, так что, получается, именно он и должен был сделаться сельским капиталистом.

Что из этого вышло на самом деле?

Главной достопримечательностью Алакаевки была бедность: здесь мыкались около двухсот человек. В каждом четвертом крестьянском хозяйстве не было лошади; у многих — особенно живших ближе к ульяновскому хутору — и земли-то не было вовсе: их освободили в 1861-м только с участком, на котором стоял дом, а собственно пахотную землю приходилось арендовать. Ни одного грамотного среди жителей деревни — что, впрочем, не помешало им в первый же «алакаевский» сезон, в 1889-м, украсть у европейски образованных Ульяновых лошадь, а потом и корову. Всеведущий биограф Ленина Волкогонов утверждает, что ВИ «даже подал в суд на соседских крестьян, чей скот забрел на посевы хутора», — и выиграл дело.

О «помещическом» периоде ВИ известно мало — лишь то, что в первый год Ульяновы посеяли подсолнечник и пшеницу, а потом, по рассказам самого Ленина жене, бросили это дело: «Нельзя, отношения с крестьянами ненормальными становятся». Земля была сдана в аренду — и всеми отношениями с арендаторами занимался некий Крушвиц, который то ли выплачивал Ульяновым фиксированную сумму, то ли забирал себе посреднический процент от денег, собираемых с крестьян. Ульяновы жили в Алакаевке летом, как на даче, а в зимний сезон перебирались в Самару, и, похоже, управление имением занимало в жизни ВИ еще меньше места, чем работа юриста.

Интересно, что Алакаевка была куплена у человека по имени Серебряков, который был капиталистом с идеями. Потерпев поражение при попытке вести в центре России хозяйство передовыми европейскими методами, он за год до появления здесь Ульяновых передал часть своей земли и технику в аренду тем, кто хотел продолжить эксперименты, но имел для этого лишь собственные силы, — изгнанным из университетов с волчьими билетами студентам и прочим разночинным энтузиастам народничества. Рядом с Алакаевкой находился хутор Шарнеля — знаменитое на всю Россию место, которое описано в художественной литературе и сделалось объектом паломничества крестьян-сектантов, поскольку жила там как раз та самая публика, которая полагала, что община, «мир» — это, по сути, коммунистическая ячейка, так что в коммунизм проще всего попасть с крестьянами, занимаясь честным хлебопашеством. ВИ много общался с колонистами, в особенности с А. А. Преображенским, который делился с ним своими проблемами (богатые крестьяне гнали пришлых «скубентов», предлагавших менять порядки, — угрожали им, избивали). Они обсуждали, что делать с оставшимися без помещиков и в общине крестьянами — тем «токсичным» классом, который явно не в состоянии гарантировать России конкурентоспособность в гонке со странами Запада. Уже тогда страх, что Россия станет колонией Запада, терзал патриотическую интеллигенцию. Одним из рецептов сопротивления было донести до крестьян, что община — это и есть социализм, ну или почти социализм, и раз так, крестьяне, сами того не осознавая, — ходячие бациллы социализма, так что никакая Европа им не нужна.

Более трезвомыслящий ВИ нашел в Преображенском партнера по исследованиям местного населения и устраивал через него анкетирование крестьян — за свой счет напечатав несколько сотен бланков, — чтобы подтвердить, что капитализм проникает в деревню.

Между Алакаевкой и Кокушкином — примерно 350 километров, Алакаевка сильно ниже по Волге; обе деревни в часе-полутора езды от городов — соответственно, от Самары и Казани. Из связи с Лениным Алакаевка извлекла много больше: село, где ленинская тема — центральная, выглядит очень ухоженным: кроме школы, большой библиотеки, ДК и парка, здесь есть даже хоккейный стадион — с прожекторами, словно где-то в Канаде или Финляндии; ВИ не вылезал бы оттуда ни днем ни ночью.

«Иконическое здание» Алакаевки, странным образом, — не гнездо Ульяновых (которое слишком похоже на обычный деревенский помещичий одноэтажный дом), а двухэтажный советский кирпичный дом с умопомрачительной мозаикой на торце: «Молодой Ленин»; ради нее одной сюда можно приехать не то что из Москвы — из Пекина. Главная изюминка ульяновского дома — экскурсовод, подходящий к своему делу творчески и сообщающий, среди прочего, что Ленин однажды не испугался провести ночь на местном «окаянном» месте — могиле девушки, которая из-за пристававшего к ней барина покончила жизнь самоубийством, и даже повесил там свою кепку — чтоб никто не боялся.

Если в деревне читали всё подряд, несистематически, без разбора — особенно всё околополитэкономическое (женевские издания группы «Освобождение труда», капитальные «Очерки нашего пореформенного общественного хозяйства» Н. Даниельсона, даже протоколы заседаний германского рейхстага), — то в городском кружке, который вел сам ВИ, дело было поставлено иначе. Работа велась в деловой, исключающей всякую мечтательность атмосфере; девизом занятий была «методичность и регулярность». В одни и те же дни и часы, по четко составленной программе: общие основы марксизма, связи между философскими и экономическими учениями, абсолютная прибавочная стоимость, концентрация и централизация производства, диалектика, исторический материализм, научный социализм, теория государства. В таком исполнении марксизм действовал на самарскую молодежь, как магнит на железные опилки. Схема: «капитализм — индустриализация — рождение пролетариата — рост сознательности — революция» выглядела настолько убедительной, что мало у кого находились оправдания морально разлагаться.

Самара, как и Симбирск, находится в местности с географическим «фортелем» — наводящей на мысли о преобразовании гидроресурсов в электричество и позволяющей совершать речные «кругосветные» путешествия: спускаешься по Волге мимо Жигулей, по излучине Самарская Лука, километров через семьдесят, у села Переволоки, перетаскиваешь на своем горбу лодку в речку Усу — и возвращаешься по ней обратно в Волгу, но уже выше, у Тольятти (бывшего Ставрополя); оттуда обратно в Самару; классический маршрут для дружных компаний, достаточно многочисленных, чтобы перетащить на плечах лодку. Сохранилось описание похода с участием ВИ 1890 года; в мемуарах мелькают словосочетания «лодка "Нимфа"» и «домашняя вишневка». Маршрут предполагал ночевку у утеса Стеньки Разина — того самого, «есть на Волге утес, диким мохом оброс» — и интервью у эха, которое сам ВИ и продемонстрировал всем, кто готов был выслушать этот сатирический диалог:

> К вам министры приезжали?
> Эхо отвечало: жали.
> Ваши нужды рассмотрели? ... ели
> Как же с ними поступили? ... пили.
> Вышнеградский у вас был? ... был.
> Все вопросы разобрал?... брал
> Чем с ним кончен разговор? ... вор!

Интересно, что ВИ — сразу несколько знакомых ссылаются на его рассказы — совершал это четырехдневное путешествие несколько раз и в одиночку, из спортивного интереса, а также ради изучения уклада. У Ульянова имелись высокопоставленные предшественники и последователи — здесь Репин писал этюды к «Бурлакам»; здесь в 1878 году десять дней под именем Маланьи Переваловой прожила Софья Перовская — поменяв платье и туфли генеральской дочери на сарафан и лапти; сюда в середине 1890-х плавал Горький, а Кржижановский еще до революции рыскал здесь в поисках возможности поставить большую электростанцию. В селах можно было познакомиться с сектантами. В Екатериновке, между прочим, даже стоит стела — напоминающая эфиопские, в Аксуме, — с табличкой про май 1890-го: «во время Жигулевской кругосветки» село посещал Владимир Ильич Ленин. Кругосветки популярны сейчас не меньше, чем в ульяновские времена, — и наслаждающиеся возможностями импортозамещения туристы, любуясь Змеиным затоном, вершиной Тип-Тяв, Царевым курганом и Жигулевскими горами, со значением пересказывают друг другу байки про то, что именно тут Стенька Разин закопал свои сокровища, припечатав ход в яму не только камнем, но и заклинанием: «а кто его отвалит, тот найдет много золота, исполнит главное желание, но сам весь облысеет и род его весь переведется»; текст, наводящий на мысли об альтернативных источниках финансирования большевистской прессы в 1917-м.

Как раз в самарские годы ВИ открыл для себя науку статистику — которая помогала опровергнуть интуитивное ощущение, что «какой там у нас капитализм»; он был уверен, что ключ к тому, что Маркс «применим» к России, — изучение земских сборников. Статистика помогала доказать, что никакого абстрактного «народа», как у народников, нет — а есть представляющие разные классы группы, которые уже роют могилы друг для друга и вот-вот вступят в борьбу.

В кружках он учил товарищей, как пользоваться этим материалом, читать цифры, избегать типичных ошибок (которые обычно совершали как раз народники): брать надо не среднюю цифру, а смотреть на группы и типы — и вот ими уже оперировать. Не крестьянство вообще — а с таким-то количеством лошадей и баранов.

Цифры, однако ж, можно было достать разные — и по-разному их интерпретировать. И нет ничего удивительного, что из-за них происходили такие же свары, как из-за литературы или истории; как писал Потресову Ф. Дан, «гнусно и противно до последней степени! Если бы опять-таки не "железная необходимость", то я давно уже плюнул бы на статистику. Чувствую себя, как будто сел в помойное ведро!».

ВИ, однако ж, наслаждался пребыванием в этом ведре — и особенно потому, что оно никогда не пустело. Сама жизнь подбрасывала материал, и не только «тенденции последних десятилетий», но и газетные новости: в кружках обсуждалось, как чудовищный голод 1891 года или кошмарная эпидемия холеры 1892-го повлияли на расслоение крестьянства. Если государство, убив брата и продемонстрировав свою некомпетентность в управлении, радикализовало его мнения, то Маркс сделал его толстокожим; и, пожалуй, если бы в Самаре выходил сатирический журнал вроде нынешнего «Charlie Hebdo», то ВИ посчитал бы политически правильным опубликовать карикатуру на голод; исповедуемый им символ веры вынуждал его защищать точку зрения, согласно которой голод — «по большому счету», «объективно» — благо, потому что разрушает сознание и привычный быт крестьян, выгоняет их — очень кстати разуверившихся в религии и общине — из деревни в город, где они «вывариваются в фабричном котле», превращаются в промышленный пролетариат, вырабатывают новое классовое сознание — и становятся могильщиками буржуазии. Прогресс так выглядит, нравится это кому-то или нет.

И поскольку в теории он знал про пролетариат все, ему оставалось лишь познакомиться с ним поближе, «живьем». И раз уж в поездках на сессии он успел неплохо освоить Петербург — именно туда, в том направлении, и следовало двигаться; теперь уже насовсем.

Петербург
1893–1897

Рассказывали, будто в Институте марксизма-ленинизма существовало целое здание, отведенное под производство монументальной Биохроники Ленина: лабиринт коридоров, где на дверях висели таблички вроде «1.07.1917 – 10.07.1917», «1898, 2-я пол.» и т. п. Если это правда, то синекурой, о которой мечтали все научные сотрудники этого мозгового центра, наверняка была должность заведующего кабинетом «1896»: год, про который мы знаем меньше, чем про какой-либо еще, — и крайне маловероятно, что сможем когда-либо узнать больше. Весь этот год Ленин, арестованный в ночь с 8 на 9 декабря 1895-го, как и его товарищи по «Союзу борьбы за освобождение рабочего класса», просидел в камере-одиночке номер 193 в доме предварительного заключения по адресу: Санкт-Петербург, Шпалерная, 25.

Сам он о своем замке Иф особо не вспоминал, проворчал только через 14 месяцев, не успев дописать книгу: «Жаль рано выпустили, надо бы еще немножко доработать». Надзиратель тоже мемуаров не оставил. Мать — сохранились письма — просила освободить его под поручительство, но безответно. Четыре раза его допрашивали. Два раза в неделю можно было видеться с родными: один раз лично — полчаса, второй на общем свидании, через решетку, — час. Чтобы увидеть «невесту» — Надежду Константиновну, ВИ убедил ее явиться в условленное время на Шпалерную и встать в том месте, где был виден в момент выхода на прогулку именно этот кусочек улицы.

Впервые будущие супруги взглянули друг другу в глаза в конце февраля 1894-го на квартире будущего руководителя Гидроторфа и создателя аппарата «торфосос» инженера Р. Классона — где, под видом празднования Масленицы, состоялся мини-съезд марксистского крем-де-ля-крем Петербурга. Празднование было фальшивым, а вот блины настоящими: жандармы иногда заявлялись на околополитические сборища и после того, как при разгоне одного такого в полицейских списках оказались самоназванные Николай Александрович Романов и Бином Ньютонович Гипербола, потребовали носить с собой на всякое суаре еще и паспорта — «Больше вам Гипербол не будет»; реквизит тоже приходилось предоставлять качественный — отсюда и блины.

Дом Первого свидания (в Биохронике — Большеохтинский пр., 99; потомок инженера, М. И. Классон, называет соседний — Панфилова, 26) не вошел в ленинскую мифологию; курьез в том, что это место находится ровно напротив — через Неву — от Смольного, где супруги Ульяновы поселятся 23 года спустя.

Больше, чем своим грядущим местом жительства, блинами и будущей женой — тогда учительницей Корниловских курсов и мелкой чиновницей Управления железных дорог, 24-летний ВИ интересовался другими гостями — П. Б. Струве и М. И. Туган-Барановским.

Политэкономы и, по мере необходимости, философы П. Струве и М. Туган-Барановский были, по выражению А. Тырковой-Вильямс, «два Аякса марксизма», которые «вместе давали битвы в полузакрытых собраниях Императорского Вольного экономического общества», «вместе составляли программы и манифесты, явные и тайные, вместе затевали и губили журналы, вместе шли приступом на народников».

ВИ увидел этих полубогов — ради знакомства с которыми отчасти и перекочевал из Самары в Петербург — живыми впервые, но не стушевался: если где-то рядом затевалась атака на народников, то он тоже мог предложить свои услуги — и для этого у него в портфеле лежало оружие, которое могло избавить Петербург от этой ереси так же верно, как стрихнин уничтожает крыс, а диалектика — либеральную глупость.

М. И. Туган-Барановский, приметливый экономист, дока по части объяснить, как связан промышленный подъем в России с голодными годами, ростом производства в Англии и падением товарооборота Нижегородской ярмарки в сравнении с Ирбитской и Полтавской (ничего сложного — просто есть устаревшая форма торговли, и новый транспорт убивает ее, как интернет-торговля — офлайн), чувствовал к В. Ульянову антипатию; особенно ощутимую по контрасту с его старшим братом, с которым они вместе занимались в биологическом кружке при Петербургском университете изучением пиявок — и даже установили, что у тех есть нечто вроде органов зрения. Что касается органов зрения самого Тугана, то они подвели его — и он разглядел в ВИ только какого-то крошку Цахеса; в предисловии к «Русской фабрике» приведены выдержки из писем Тугана по поводу ранних экономических статей Ульянова-Ильина: «Так хотелось сказать — "маленький ты мальчик, не горячись, будь спокойнее, то, что тебе кажется верным, вовсе не так верно — жизнь неизмеримо сложнее, глубже, таинственнее, чем ты это себе представляешь"».

Что касается П. Б. Струве, то он оказался более покладистым; возможно, этому поспособствовало то обстоятельство, что в ульяновском портфеле лежала, среди прочего, еще и гигантская — и весьма благосклонная — рецензия на последнюю книгу Струве; так или иначе, с того вечера пройдет совсем немного времени — и ВИ сделается добрым приятелем Петра Бернгардовича, а тот будет приглашать самарского юриста печататься в легальных марксистских сборниках и выступать на разного рода полулегальных марксистских ассамблеях со своим главным хитом.

«Друзья» («Что такое "Друзья народа" и как они воюют против социал-демократов?») были «цыганочкой с выходом» молодого, «дошушенского» Ленина — которую он исполнял в «салонах» и на разного рода молодежных собраниях не раз и не два. Именно благодаря «Друзьям» ВИ заработал себе эпатажную репутацию «рассерженного молодого человека», завтракающего живыми радетелями за крестьян и способного содрать позолоту с нимба на любой иконе. Впрочем, нимбы народников, засиявшие в народовольческие десятилетия, к середине 1890-х несколько поблекли — и идеология их, которую еще только предстояло переформатировать в эсеровскую, представляла легкую добычу для зубастых марксистских хищников, наслаждавшихся ощущением вседозволенности, которое давали им статистика и марксистская диалектика.

Как и большинство ленинских «шлягеров» такого рода, «Друзья» — полемика против идеологических двойников, псевдосоюзников, которые на деле хуже прямого врага — «честной буржуазии». Объект нападок номер один — «главарь» «Русского богатства» либеральный народник «г-н Н. Михайловский», искренне переживавший разорение русского крестьянства и усомнившийся в применимости марксовских теорий о капитализме к российской реальности.

Грубая вербальная атака с целью опорочить репутацию оппонента обычно включает в себя серию щелчков по носу, которые если и не квалифицируются формально как оскорбление личности, то звучат поразительно развязно по тону: «Поскребите "народного друга" — <...> и вы найдете буржуа»; «с мещанской пошлостью размазывает»; «разглагольствует»; «решительно отказываюсь понимать — если это полемист, то кто же после этого называется пустолайкой?!»; «но ведь пишет это не институтка, а профессор» и т. п.

Настоящий конек ВИ — недружественный, в духе энгельсовского «Анти-Дюринга», пересказ с язвительными комментариями: «это замечательное "но"! Это даже не "но", а то знаменитое "mais", которое в переводе на русский язык значит: "уши выше лба не растут"»; «С таким же успехом можно бы связать и г. Михайловского с китайским императором! Что отсюда следует, кроме того, что есть люди, которым доставляет удовольствие говорить вздор?!»; «Может быть, впрочем, он самостоятельно додумался до этого перевирания Маркса?»; «для грудных детей, что ли, рассказываете это Вы, г. Михайловский, что детопроизводство имеет физиологические корни!? Ну, что Вы зубы-то заговариваете?». В качестве мизерикордии ВИ пользуется классическими текстами; здесь — гётевским стихотвореньицем «Что такое филистер? Пустая кишка, полная трусости и надежды, что бог сжалится»; хороший довод в споре о том, изменит ли строительство фабрик в России, как в Англии, общество в лучшую сторону — или означает фактическое вымирание деревни.

Эта черта ВИ — ругаться, забывая о всякой мере, заливаясь, когда он слышит «чушь», злым смехом, — при первой же встрече врезалась в память будущей невесте, но не оттолкнула ее; чего не скажешь о большинстве других знакомых ВИ. Даже когда ему делали замечание, что его манера повторять последнюю фразу собеседника в сопровождении предуведомления «только подлецы и идиоты могут говорить, что...» не является основой для конструктивного общения, он все равно продолжал пользоваться этим приемчиком; Г. Соломону, который знавал ВИ не только по политическим, но и по семейным делам, он казался «полуненормальным».

Незнакомым, впрочем, это, скорее, нравилось. Анна Ильинична вспоминала, что приятельницы просили ее достать им почитать какой-нибудь из выпусков «Друзей» и на вопрос, какой именно, отвечали — а тот, где ее брат употребляет больше «крепких слов». Потом, правда, выяснилось, что под «выражениями уж очень недопустимыми» имелось в виду, например: «Михайловский сел в калошу»; но идея понятна, и хотя ВИ, возможно, и производил на народников и посторонних наблюдателей впечатление берсерка, на самом деле его язвительность точно дозирована и просчитана.

И хотя ленинский «ситком о народниках» безбожно растянут (а ведь сохранились только две из трех дошедших до нас частей — середина пропала); хотя Н. Михайловский — пусть даже и осмелившийся вступить в спор с Марксом и Энгельсом — едва ли заслуживал той шокирующей манеры, в духе «ах Моська знать она сильна...», которую ВИ избрал для его критики; и хотя уже во втором абзаце у самого автора начинает заплетаться язык («изложивши...», «излагающей...» в одном предложении; кто на ком стоял?), текст и сейчас можно вернуть к жизни — если как следует жахнуть его дефибриллятором.

Считается, меж тем, что именно «Друзья» изменили статус и общественное положение марксистов, на которых раньше «смотрели в лучшем случае как на чудаков, пренебрежительно похлопывали по плечу ("ах вы марксист эдакий") , насмешливо спрашивали о числе открытых кабаков» (намек на увлечения статистикой и фразу Струве про необходимость для России «пойти на выучку к капитализму»), то есть «травили как выродков в семье благородной русской интеллигенции» (Б. Горев). Ульянов, да, доминирует на поле боя, владеет мячом все сто процентов времени — и ставит галочки против всех пунктов в списке намеченных задач: «отповедь всем божкам народнической публицистики» — дал; «несостоятельность» их подхода в социологии, философии, экономике и политике — вскрыл; умение бить противника статическими выкладками — продемонстрировал; монополию марксистов на понимание диалектического метода — отстоял. Разумеется, все запомнили в «Друзьях» «припев» — хамские персональные атаки на лидеров народников и их идеологию; но важнее всего, пожалуй, тот абзац, где Ленин формулирует мысль совсем иного рода: что просто подначивать рабочих бороться за их политическую свободу есть трюк буржуазной интеллигенции, потому что пролетариат, да, вытащит для буржуазии каштаны из огня, но политическая свобода будет служить интересам буржуазии и облегчит рабочим не их положение, а условия борьбы с этой же буржуазией. Это может показаться пустословием — однако в этом предупреждении прописан — в 1894 году! — весь сценарий 1917 года. Характерно, что помимо предупреждения, автор формулирует настоящую задачу рабочих: не просто реализация стихийных революционных инстинктов, но организация социалистической рабочей партии. Ленину, еще раз заметим, 24 года.

Если осенью 1894-го Надежда Константиновна видела ВИ только в марксистских салонах, где тот размахивал своими «желтенькими тетрадками» с «Друзьями» — которые затем будут циркулировать в нелегальных кругах неподписанными, — то зимой 1894/95 года они знакомы «уже довольно близко», неопределенно поводит рукой в воздухе НК.

«Я жила в то время на Старо-Невском, в доме с проходным двором, и Владимир Ильич по воскресеньям, возвращаясь с занятий в кружке, обычно заходил ко мне, и у нас начинались бесконечные разговоры». 25-летняя НК была чувствительной женщиной — у нее даже кружилась голова от запаха табака, которым были пропитаны тетрадки ее учеников в Корниловской школе, где она, вместе с подругами, преподавала молодым рабочим с окрестных заводов географию (и, под ее видом, политэкономию), историю (с упором на классовую борьбу), математику (разрешались только четыре правила арифметики; полиция могла закрыть класс из-за того, что учат десятичным дробям: видимо, дроби пугали полицию потому, что революционеры зашифровывали свои письма как раз ими), литературу (Чернышевский и Писарев). Жизнь учительницы вечерней школы для рабочих была насыщена забавными происшествиями. Один из ее студентов пропал на две недели и объяснил свое отсутствие тем, что не мог оторваться от выданного ему романа «20 000 лье под водой» — пока, проглотив его несколько раз, едва не заучил наизусть. Другой — по фамилии Фунтиков (в пандан к другим ученикам НК — Бабушкину и Кроликову), одурев от чтения Некрасова, решил стать поэтом и, выступая на вечере промышленника, владельца бумажной фабрики Варгунина, продекламировал стихи, где были строки: «Ты эксплуатируй-то эксплуатируй, но помни свои задачи по отношению к рабочим». Варгунин хохотал; то был редкий тип честного отечественного капиталиста, некоторым образом конкурировавшего с социал-демократами. Понимая, что производительность труда обратно пропорциональна уровню пьянства — как среди его собственных рабочих, так и среди «соседских», он сначала учредил нечто вроде интеллигентского кружка, занимавшегося организацией досуга пролетариев, а в 1891-м выкупил у пивоваренного завода «Вена» часть территории и устроил там, с целью обеспечить рабочих «нравственным, трезвым и дешевым развлечением», народный парк — с театром, читальней и каруселями; собственно, он и основал ту самую Корниловскую школу, где НК проповедовала Белинского и Гоголя. «Вена» теперь принадлежит «Балтике», но пиво там больше не варят; варгунинский парк «Вена» — с вайфаем, картингом и веревочными «лазалками» — носит имя одного из учеников Крупской; на здании Корниловской школы, под мраморной доской с профилем Надежды Константиновны, намалевано: «Коммунизм — это молодость мира», и произведением вандалов это граффити не выглядит.

Дегустация кулинарных изделий Елизаветы Васильевны Крупской была скорее родом отдыха; чаще ВИ и НК вместе отъезжали по делам, и ВИ учил ее на своих семинарах, которые устраивал для интеллигентов и рабочих, методам ухода от «негласного надзора» — перескакивать с одного транспорта на другой, пользоваться проходными дворами, менять имена и туалеты — и искусству шифрования: для этого бралась какая-нибудь книжка, хоть тот же Некрасов, — и начинали шифровать тексты — и дробями, и через точки над буквами в книжках, и «химией».

Все это оказалось весьма кстати, когда ВИ оказался взаперти на Шпалерной, где все его письма, разумеется, просматривались; приходилось прибегать к разным уловкам.

НК выполнила просьбу «жениха» — и в течение нескольких дней приходила на указанную точку; но то ли неправильно что-то поняла, то ли еще что-то пошло не так — и в следующий раз они увиделись только в Шушенском. В качестве компенсации за эту «невстречу» ВИ мог наслаждаться ассортиментом тюремной библиотеки; мало того, в камеру разрешалось передавать книги с воли. Воспользовавшись случаем без помех погрузиться в запутанный статистический материал, Ленин договаривается с сестрами о поставках литературы — и энергично работает над «Развитием капитализма в России», дважды в неделю получая посылки. В перерывах между книгами он занимался гимнастикой, переписывался легально со знакомыми и нелегально, точками, через книги из тюремной библиотеки, с Мартовым, перестукивался через стенку со Старковым («ухитрялись даже играть в шахматы»), много ел (чтобы писать тайные послания молоком между строк писем и на книжных страницах, нужно было иметь «чернильницы»; ВИ приноровился лепить их из хлеба — и вынужден был отправлять их в рот всякий раз, когда щелкала форточка в двери; «Сегодня съел шесть чернильниц», — отчитывался он в письмах НК; будущая теща нашла его в феврале 1897-го несколько пополневшим), проявлял шифровки не на свечке, как принято было, а макая бумагу в горячий чай — имея последний в достатке («Чаем, например, с успехом мог бы открыть торговлю, но думаю, что не разрешили бы, потому что при конкуренции с здешней лавочкой победа осталась бы несомненно за мной»). Его веселое настроение разделяли далеко не все, кто пытался штурмовать питерское небо, — например, Потресов просидел пять месяцев из тринадцати не на Шпалерной, а в Петропавловке, где порядки в это время были таковы, что одна из заключенных, народоволка Ветрова, облилась керосином из лампы и сожгла себя заживо в знак протеста. Другой товарищ ВИ, студент-технолог Петр Запорожец, впал в одиночке в депрессию, связанную, не исключено, с тем, что ему дали срок ссылки на два года больше, чем всем, — якобы как главарю. Он проявлял беспокойство и подозрительность, его раздражало все, связанное с цифрой «два», — до такой степени, что он растоптал один из цветков, который невеста Ванеева принесла в тюрьму; уже после ссылки, сильно осложнив жизнь своим товарищам, он набросился на мать с ножом и умер в психбольнице.

ВИ, представитель совсем иного психотипа, сохранил здоровье душевное и уделял много внимания физическому.

Помимо книг и белья, он выписывал себе минеральную воду из аптеки, клистирную трубку и один раз зубного врача.

Видимо, лучшим биографом Ленина стал бы тот, кто сумел осмотреть его с раскрытым ртом и привязанными к стоматологическому креслу руками. Всю жизнь ВИ терзали зубные демоны — и он не только мучился от боли, появляясь с подвязанной нижней челюстью в самых неподходящих местах, но и использовал стоматологические образы в своей политической деятельности: «у партии имеются два флюса: флюс справа и флюс слева — ликвидаторы и отзовисты... партия сможет снова окрепнуть только в том случае, если она вскроет эти флюсы»; «ближе мы подходим к тому, чтобы окончательно вырвать последние испорченные зубы капиталистической эксплуатации, — строить наше экономическое здание».

Именно из-за зубных врачей — которых охотно брали как в подпольные политорганизации за удобство использования кабинетов в качестве нелегальных хабов, так и в полицию, по той же причине, — в конечном счете ВИ и оказался в тюрьме и ссылке: «Союз борьбы» выдал 24-летний дантист Михайлов. ВИ вычислил его только уже на Шпалерной — и написал об этом между строк книги «Сельскохозяйственные рабочие и организация за ними санитарного надзора в Херсонской губернии». Рабочие, оставшиеся без сэнсэя, собирались убить провокатора еще в 1896-м, но Михайлов ускользнул, а когда опасность рассосалась, вернулся к своей трикстерской деятельности: в 1902-м свел попа Гапона с Зубатовым и не смог пережить лишь лето 1906-го, когда его, тогда уже начальника сыскной полиции Севастополя, расстреляли на улице эсеры.

Опять же с подвязанными зубами Ленин — совпадение? — проследовал мимо Шпалерной вечером 24 октября 1917-го по дороге в Смольный, едва свернув с Литейного моста; как раз где-то на пятачке, который он указал в качестве места встречи своей невесте, стоял пикет пелевинских юнкеров в «Хрустальном мире». Такого рода здания редко меняют свое назначение, и неудивительно, что теперь там находится «следственный изолятор центрального подчинения» СИЗО-3 ФСИН России. На просьбу автора книги, отчаянно размахивавшего «официальным» письмом из издательства, разрешить с ознакомительными целями посещение камеры номер 193, которая в советское время пусть не была открытым музеем, но оставалась мемориальным помещением, по указанному на сайте телефону было сказано буквально следующее: «Там ремонт, ничего нет, ни музея, ничего, стены разбиты, самой той камеры больше не существует».

Не имея возможности заглянуть в это «великое ничто», мы можем, однако, реконструировать, как ВИ там очутился.

По приезде из Самары в его распоряжении имелись как деньги для аренды квартиры, так и рекомендательные письма, касающиеся и работы, и потенциальных единомышленников по части марксизма; статус помощника присяжного поверенного позволял ему попадать в весьма респектабельные места относительно свободно; ему не нужно было «завоевывать» столицу, как д'Артаньяну Париж, поэтому трансплантация из одной среды в другую прошла быстро, безболезненно и, сколько известно, без приключений.

Судя по отчетам мемуаристов, жизнедеятельность ВИ протекала в трех режимах. В адвокатской среде он был сын действительного статского советника И. Н. Ульянова и носил фрак с цилиндром. Выезжая на окраины, одевался самым непритязательным образом — сами рабочие и те удивлялись помоечному виду своего «Николая Петровича». Наконец, естественной средой для него была студенческо-интеллигентско-разночинная. К «Аяксам» и студентам-технологам ему даже не нужно было адаптироваться. С одной стороны, он был «брат повешенного». С другой — к отцу ВИ обращались «Ваше превосходительство»; и это тоже был элемент выигрышной комбинации, чтобы занять место среди «духовной аристократии» (Струве был сыном губернатора, Потресов — генерала, Калмыкова — женой сенатора, Мартов — из богатой буржуазной семьи); все участники этого кружка впоследствии сделали большие карьеры — академические и политические.

Естественно предположить, что Ульянов прибыл в Петербург, чтобы сделать карьеру, связанную с юриспруденцией; однако, судя по его поведению, непохоже, что продвижение по этой части всерьез интересовало его. Тем не менее он не пренебрегал и социальным камуфляжем — позволявшим отвлекать внимание от своей нелегальной деятельности. В начале сентября 1893 года по рекомендации самарского адвоката Хардина Ульянов зачислен помощником присяжного поверенного к петербургскому адвокату Михаилу Волькенштейну — который учился в одном классе с Чеховым и написал об этом воспоминания, однако не посчитал нужным рассказать потомкам о своем необычном подчиненном: досадная оплошность, учитывая, что в феврале 1917-го архивы окружного суда Петербурга сгорели и понять, какие именно дела вел Ульянов, невозможно. Косвенные свидетельства указывают на то, что ВИ сам выбирал себе дела — но не по громкости и прибыльности, а по социальному признаку: его интересовало все, связанное с рабочими. Обычно такого рода дела назначал адвокату суд; «хлебными» их точно назвать было нельзя — и, видимо, они позволяли лишь перебиваться из кулька в рогожку, с расчетом на пенсию матери. М. А. Сильвин пересказывает ответ Ульянова на вопрос, «как идет его юридическая работа»: «Работы, в сущности, никакой нет, что за год, если не считать обязательных выступлений в суде, он не заработал даже столько, сколько стоит помощнику присяжного поверенного выборка документов на ведение дел». Формально Ульянова отчислили из состава присяжных поверенных уже после суда, в 1898 году.

Содержать семью ему было не нужно, квартиры — судя по тому «гробу Раскольникова», что показывают сейчас в Большом Казачьем, где ВИ прожил с 14 февраля 1894-го по 25 апреля 1895-го, — он нанимал недорогие; доходят, правда, глухие слухи, что до знакомства с НК он якобы ухаживал не то за некой хористкой Мариинского театра, не то... однако все это сведения из серии «глухой слыхал, как немой сказал, что слепой видал». Разумеется, как все сообщества прогрессивных молодых людей, марксистские салоны, помимо прочего, выполняли еще и функцию клубов знакомств, где складывались сложные отношения между мужчинами и женщинами. Мартов, например, был влюблен в Любовь Барановскую, подпольная кличка которой, «Стихия», позволяет предположить наличие у нее соответствующего темперамента; она, однако ж, вышла не за него, а за будущего агента «Искры» Радченко. Струве был официально приемным сыном издательницы Калмыковой, но по факту в течение трех лет — ее любовником. Ульянову якобы нравилась Аполлинария Якубова, но она вышла за Тахтарева, и поэтому ВИ познакомился с ее подругой Надеждой Крупской... Астагфирулла, астагфирулла, астагфирулла — как говорили в таких случаях казанские приятели ВИ из мусульман.

В Петербурге Ленин живал, «по-крупному», трижды — с десятилетними примерно интервалами. Бо́льшую часть времени ему приходилось укрываться от кого-либо — поэтому знание местности, проходных дворов и переулков было критически важным; и когда в 1905-м и 1917-м он несколько раз просил «достать ему план города» — это не означает, что он совсем не ориентируется на местности: просто если придется уходить от преследований, надо знать больше, чем обычный человек. Для организатора и «маршрутизатора», любящего быстрое планирование, Петербург — сложно устроенный, разрезанный реками и мостами на сектора — представлял хорошее поле для игры. Ленин, по-видимому, не был особо привязан к этому городу — но кажется очень «питерским» типом.

Многому научившийся и в казанских федосеевских кружках, и в самарских разговорах с Хардиным, Ленин к середине 1890-х был настоящим магистром конспиративных искусств и своим даром ускользать от филеров, используя подвернувшиеся по ходу декорации, напоминал персонажей гайдаевских комедий. Он не только менял квартиры, чтобы хозяева не запоминали людей, которые к нему приходили, но и был выдающимся знатоком питерских подворотен, проходных дворов и прочих особенностей городского лабиринта; его манера «шмыгать» в случайно подвернувшиеся подъезды, комнаты швейцаров вызывала восхищение. «Кто-то спускается с лестницы и видит, что сидит в комнате швейцара неизвестный человек и покатывается со смеху», — воспроизводит один из таких кадров с точки зрения случайного прохожего мемуарист.

У Ленина, несомненно, был определенный театральный дар, позволявший ему выдавать себя то за русского рабочего, то за финского косца, то за мастера-англичанина, то за повара-финна; вкупе с его осторожностью это позволяло ему безболезненно перемещаться по районам, чья репутация никогда не была на высоте.

Как он выглядел, какое производил впечатление и что представляла собой его повседневная жизнь?

Все согласны в том, что 24-летний ВИ выглядел много старше своих лет — отсюда уже тогда прилипшая к нему кличка «Старик». Бабушкин в «Воспоминаниях» приклеивает лектору слово «Лысый», Мартов — «Тяпкин-Ляпкин» («На вопрос о происхождении второго прозвища товарищи мне разъяснили: он у нас до всего своим умом доходит»). Шелгунов замечает, что «волосы, усы, борода тоже были в каком-то беспорядке. Лицо было как будто в морщинах, так что он произвел на меня впечатление человека, которому было уже к сорока годам». Что касается режима дня, то Сильвин рассказывает, что ВИ в период проживания в Казачьем — это рядом с Гороховой, в общем, центр города — вставал в семь-восемь часов, работал дома, часам к одиннадцати шел в читальню газеты «Новости» на Большой Морской. Вторая половина дня, видимо, была посвящена нелегальщине.

«Ленинская» группа — «Старики», по внешности главаря — была одной как минимум из трех «банд» марксистов-практиков, занимавшихся на окраинах кружковой деятельностью; с ними в первой половине 1890-х конкурировали еще «Обезьяны» (тахтаревская группа) и «Петухи» (чернышёвская) — марксистов, готовых просвещать рабочих, было больше, чем потенциальных учеников. Все они были хорошо законспирированы и состояли из людей, которые вели двойную жизнь, все к 1895-му перешли от просвещенческой деятельности — за которой стоял поиск сознательных рабочих — к агитации: «сознательные» должны будут подтолкнуть своих коллег устраивать массовые беспорядки; опыт участия в бунтах, предполагалось, подготовит рабочих для вступления в массовую организацию. Интеллигентам, «профессиональным» марксистам нужно было подливать масла в огонь — чтобы стихийные экономические требования превращались в обдуманные политические.

И «Старики», и «Обезьяны», и «Петухи» рано или поздно проваливались — и оказывались за решеткой; таким образом, надо осознавать, что быть «нелегальным марксистом» в середине 1890-х означало не только принадлежать к прогрессивной интеллигенции и наслаждаться вниманием курсисток на студенческих вечеринках, но и состоять в «обреченном отряде»; хобби примерно такого же рода, что полеты на воздушном шаре.

Сегодняшние представления о кружковых занятиях интеллигентов с рабочими сводятся, пожалуй, к картинке в духе иллюстраций к ориенталистским книжкам: восседающий на ковре в позе лотоса мулла монотонным голосом зачитывает цитаты из Корана, и окружающие его ученики бьются лбами об пол. Ульяновские занятия выглядели скорее как гибрид лекций и дискуссий; ВИ читал «Капитал» и на примерах из жизни разъяснял, что все это значит; чтобы ученики усваивали материал, «Николай Петрович» обострял свои тезисы, переводил разговор на бытовые вопросы и даже на личности, вовлекал в спор, заставлял приводить оригинальные доводы: ведь из кружковцев должны были выйти агитаторы, способные сами растолковать рабочим, зачем им вступать в войну с хозяевами, которые могут их уволить или коррумпировать.

Взамен «Николай Петрович» требовал заполнять анкеты, состоящие из подробных вопросов об условиях жизни рабочих: дорого ли молоко? читают ли женщины? сколько процентов берут штрафов за опоздание? Это анкетирование было едва ли не самой серьезной частью кружковой деятельности: «студентам» объяснялось, что они должны отнестись к своей среде «научно», изучать свой завод, как сыщик — место преступления. Заглядывайте в соседние мастерские, в окна корпуса администрации, в чужие кастрюли — в общежитиях, и везде разговаривайте, и в особенности держите ушки на макушке, когда речь заходит о зарплатах, штрафах, трудовом графике, случаях, приведших к инвалидности, увольнениях, готовящихся стачках и произведенных арестах; бытовые условия, распорядок дня и диета рабочих — всё запоминайте, всё записывайте, потом об этом и потолкуем.

Дело не ограничивалось только «Капиталом» и «Манифестом коммунистической партии»; каждый лектор брал своим.

Кто-то описывал высокотехнологичный Небесный Иерусалим, куда еще немного и вступит пролетариат; мир, где все работают и всё общее, производил особенно сильное впечатление на питерских рабочих — которые в тамошнем климате и «достоевской» атмосфере, оторванные от деревенской жизни и затурканные на фабриках, становились нервными и мечтательными. Кто-то, как Г. Алексинский, показывал литографию с «Сотворения мира» Айвазовского: «Товарищи! Вы, наверно, все видели в музее Александра III картину Айвазовского "Сотворение мира"? Все не устроено, в беспорядке, в полутьме, но вдруг этот хаос озаряет луч света. Этот луч света вносит в среду пролетариата его рабочая партия». Туган-Барановский уверял, что уже через 30 лет пролетариат всё сметет, перестанут существовать частная собственность и государство, все будут свободны и все научатся летать — с помощью авиации. ВИ — «Николай Петрович» — работал совсем в другом режиме и стилистическом диапазоне — и выступал еще и в роли юрисконсульта со специализацией по трудовому праву, способного просветить не только касательно пресловутой прибавочной стоимости, но и насчет того, считать ли праздником запусты или пятницу масленичной недели, сколько именно длятся положенные для отдыха полдня сочельника, каково минимальное количество часов, которые рабочий может трудиться без перерыва на прием пищи, когда считать, что заканчиваются ночные часы — в 4 или в 5 утра, — и допускаются ли отступления от закона в случае внезапной порчи орудий, а также для вспомогательных работников, занимающихся уходом за котлами, обеспечением освещения и пожарной службы. Это создало ему недурную репутацию — и хотя он не расписывал, «как все будет в двадцатом веке», на его «семинарах» никогда не было пустых стульев.

Это только сейчас кажется, что нет ничего проще, чем разагитировать живущих в чудовищных условиях рабочих; на самом деле не такая уж податливая это была среда. М.Туган-Барановский вспоминает, как еще в 1880-х они с приятелями пытались агитировать крестьян — и тотчас столкнулись с криком: «На вилы их!»; и если бы не жандарм, то и некому было б писать мемуары. Многие рабочие не доверяли чужим и отбрыкивались: сами, дескать, с усами; у них была своя традиция «кучкования» — идущая от Степана Халтурина.

В 1890-е «смычка» между интеллигентами и пролетариатом стала более привычной, но не сразу. Всякая попытка протянуть руку чревата была последствиями — иногда комичными (когда работницы табачной фабрики Лаферм приняли одного агитатора за «нахального Дон-Жуана и чуть не избили»), иногда не очень — так, марксиста Тахтарева в 1894-м рабочие на Шлиссельбургском проспекте отлупили по-настоящему — просто за то, что он не снял шапку, проходя мимо церкви. Надо понимать, что он возвращался домой после того, как провел занятие в своем кружке, то есть выглядел, как они; «Если бы они заподозрили во мне "интеллигента" и "бунтаря", дело обошлось бы, по всей вероятности, еще хуже». Чтобы успешно общаться с рабочими, нужно было знать множество Dos&Donts: можно ругать правительство и попов, но — по крайней мере так было до 1905-го — ни в коем случае не царя: «Чашки бей, а самовара не трожь». Отсюда, собственно, озадачивающие лозунги, иногда выбрасывавшиеся самими рабочими: «Долой самодержавие, а царя оставить»; отсюда добровольное участие 50 тысяч рабочих — колоссальная цифра для 1902 года — в подношении венка к монументу Александру II в Москве. Неудивительно, что многие разочаровывались: если агитировать против монархии можно только под защитой полиции, то зачем такая агитация?

Марксистов в Петербурге было больше, чем щелей в том заборе, что отделял их от социального «материала», которым они собирались пробавляться. И раз работа с «массой» была невозможна, приходилось отыскивать и обучать азам марксизма отдельных сознательных рабочих, которые потом понесут идеи в массы, общаясь с ними на их языке: вы — сила, если сможете организоваться, вы можете не просто получать больше денег, но стать властью; слабо?

Люди с экстраординарными коммуникативными способностями всегда ценятся в обществе, но особенным дефицитом в 1890-е были те, кто имел контакты в разделенных условиями существования мирах: разночинном и пролетарском Петербургах.

Один из старейших членов «Союза борьбы за освобождение рабочего класса», счастливо избежавший в 1895-м ареста Василий Шелгунов, работал на Обуховском заводе и одновременно был «студентом» технолога Германа Красина, брата Леонида. Солидный человек, он увлекся марксизмом и активно пользовался своим природным талантом заводить знакомства; его записная книжка толщиной напоминала «Желтые страницы», и именно этот человек разогревал среду до той температуры, когда социальные атомы начинали активно двигаться; благодаря Шелгунову, который через несколько рукопожатий знал, кажется, всех рабочих Петербурга, пролетарский Петербург вошел в плотную смычку с интеллигентским. Когда осенью 1894-го Шелгунов пригласил нескольких социал-демократов поработать в кружках, при дележке города на районы Ульянову, Мартову и Кржижановскому достался Шлиссельбургский тракт — Невская застава.

Расположенная на юго-восточной окраине Петербурга Невская застава была огромная — самая, наверно, большая в дореволюционной России — промзона, больше чем на десять километров растянувшаяся вдоль Невы, особенно с той стороны, по которой идет Шлиссельбургский тракт — нынешний проспект Обуховской Обороны.

Невская застава была настоящей твердыней русского капитализма; ее называли «русским Манчестером» или «русским Сент-Антуанским предместьем». Там было около пяти десятков заводов и фабрик — военных, чугунолитейных, ткацких, бумагопрядильных, стеариновых, химических, пивных, писчебумажных; из них десяток настоящих монстров — таких как Обуховский или Семянниковский. Возможно, сейчас она в меньшей степени «на слуху» в качестве очага революционного движения Петербурга, чем Выборгский район, — потому, наверно, что в последнее десятилетие перед революцией дух бунта почему-то там подвыдохся; однако в 1890-е то было самое перспективное в России место, с самыми сознательными и взрывоопасными пролетариями, и неудивительно, что Ульянова, для которого каждая фабричная труба была тем же, что бобовый стебель для сказочного Джека, тянуло сюда магнитом. Это был одновременно книжно-романтический — но скорректированный практическим опытом общения трезвый, прагматичный интерес; судя по текстам, Ульянов не испытывал по отношению к рабочим религиозного благоговения (класс вряд ли самостоятельно справится с ролью спасителя мира от капиталистического апокалипсиса) и уже тогда, как и после, выступал против абсолютной самостоятельности рабочих организаций: они должны работать совместно с «учеными» социал-демократами, взаимодействовать — но не оставаться самостоятельными политическими единицами.

Чаще всего фабрики в России открывали те, у кого были технологии и машины, — англичане и немцы. Особенно удобно им было работать в Петербурге, где были дешевая рабочая сила и приемлемая бизнес-среда. Отсюда фабрика Торнтона, мануфактура Максвелла, Александро-Невская мануфактура Паля, Невская писчебумажная (Джон Гобберт + Александр Варгунин); да и Семянниковский завод основал в 1857 году человек по фамилии Томпсон.

К началу 1890-х Россия напоминала Китай (переставьте одну цифру) начала 1980-х: изобилие полезных ископаемых, почти неисчерпаемая дешевая рабочая сила — идеальный плацдарм для разворачивания капитализма, особенно любопытный для наблюдателя в силу многочисленных «но», тормозящих эксплуатацию всех этих естественных богатств: закрытая таможенная система, затруднительность иностранных инвестиций, а главное — «невысокое качество русского труда», то есть низкая производительность — которая была для марксистов такой же проблемой, как для самих капиталистов; именно поэтому, когда товарищ с возмущением рассказывал ВИ о диких нравах начальства на одной сапожной фабрике: «За все штраф! Каблук на сторону посадишь — сейчас штраф», — тот смеялся: «Ну, если каблук на сторону посадил, так штраф, пожалуй, и за дело».

«Несмотря на то, что русский рабочий получает гораздо меньше западноевропейского, труд в России обходится едва ли не дороже, чем на Западе. В Англии на 1000 веретен — 3 рабочих, в России, по расчету Менделеева, — 16,6. Поэтому получая в 4 раза высшую плату, английский рабочий обходится дешевле фабриканту, чем русский рабочий», — чеканит цифры политэконом М. Туган-Барановский. Низкая заработная плата, длинный рабочий день, полицейские запреты на любые виды протестов плюс невежество и безграмотность рабочих — вот те особенности, которые определили «физиономию» русской промышленности, обрекли ее на зависимость от иностранных технологий — и на тот сценарий, который реализовался после 1917 года, когда рабочие сами «национализировали» фабрики и заводы.

Трансформация сельской местности вокруг Петербурга в индустриальную зону, подразумевающая заселение ее людьми, оторвавшимися от почвы, началась еще при Петре, который, во-первых, переместил сюда ямщиков из Смоленской губернии — чтобы обслуживали Шлиссельбургский тракт, во-вторых, заложил здесь несколько кирпичных заводов, обеспечивающих Петербург стройматериалами. Основная масса заводов возникла уже в XIX веке — и комплектовалась мужчинами, которые поначалу приезжали из деревень только на зиму, подработать, а потом, вкусив городской жизни, перевозили в слободки семьи.

Петербург работал гигантским пылесосом, который на протяжении десятилетий высасывал рабочую силу из деревни, особенно из северных губерний — Вологодской, Псковской, Архангельской. Есть сведения, что к концу 1890-х «natural born», потомственными пролетариями были 89 процентов рабочих города. На Торнтоне, Обуховском, Путиловском, Балтийском можно было увидеть толпы людей, проработавших на одном месте по четверть века. Именно в этой среде и следовало искать грааль марксистов — «сознательных» рабочих, сверхчеловеков-мессий, которые и должны были самоорганизоваться в процессе буржуазной революции, а затем совершить свою. Всего в Питере были сконцентрированы около пяти процентов от всего тогдашнего российского пролетариата: примерно 150 тысяч «настоящих» фабрично-заводских рабочих (то есть исключая строителей, грузчиков, кустарей и т. д.).

Молодые марксисты, унаследовавшие от народников интерес к перспективным в научно-историческом смысле классовым контингентам, смотрели на этот процесс как на сжатие стальной пружины, обратный ход которой можно направлять, — и изучали этот новый антропологический вид, расу, которая должна была стать материалом для преобразования истории, с тем же усердием, с каким Дарвин исследовал своих зябликов, а Александр Ульянов — пиявок. По тому, как быстро развивались события, какой эффект оказывала на массы пропаганда, было ясно, что вопрос, подействует ли на пролетариев оживляющий порошок марксизма или нет, уже не стоит; вопрос стоял: как скоро?

Политическая жизнь носила отчетливо сезонный характер, и с цветением черемухи деятельность кружков сворачивалась, интеллигенция рассеивалась по дачам. В 1894-м ВИ выехал из Петербурга к середине июня — чтобы провести лето под Москвой, в Люблине, на даче у семьи сестры, Елизаровых. В парке в Кузьминках до сих пор стоит менгир, напоминающий, что Ленин не болтался в этой сельской атмосфере без дела, а работал над «Друзьями» и переводом «Эрфуртской программы» Каутского; было бы правильнее поставить памятник либо с печатной машинкой (потому что именно здесь ВИ впервые попытался научиться — без особого успеха — печатать), либо, еще лучше, с велосипедом: во-первых, потому, что это лучший символ для выражения политических и этических идей Ленина, а во-вторых, потому что именно в этих местах он научился кататься на велосипеде — чтобы затем на протяжении всей жизни оставаться страстным, как тогда говорили, «циклистом». Машина, на которой учился ездить ВИ (а также его младший брат, Дмитрий Ильич, и сосед Елизаровых по люблинской даче толстовец Павел Буланже), весила 53 фунта и принадлежала Марку Елизарову: он служил на железной дороге и мог себе позволить предоставлять родственникам и знакомым новинку для экспериментов.

В Европе в середине 1890-х был настоящий велосипедный бум; езду на велосипеде рекомендовали как средство физиологического и социального оздоровления. В одной России издавалось четыре профильных журнала («Циклист», «Велосипед», «Самокат», «Вестник Московского общества велосипедистов-любителей»), и решительно все учились кататься; даже 67-летний

Толстой, одновременно с Лениным. Август Бебель ввел моду на велосипед в среде европейской социал-демократии — воплощение демократичности, он, депутат рейхстага, прикатывал на нем на рабочие митинги в Берлине; и даже Плеханову, который считал следование моде ниже своего достоинства, пришлось, морща нос, дотронуться до руля и седла велосипеда, принадлежавшего сыну П. Аксельрода: «А что, хорош велосипед? Не прокатиться ли и мне на нем? Или неудобно тамбовскому дворянину ехать на стальном коне?» Ему в его светлом костюме, желтых ботинках и лайковых перчатках, видимо, представлялось, что это недостаточно элегантный для него аксессуар.

Ленин умел крутить восьмерки, чинить прямо на тротуаре проколотые и лопнувшие шины и именно что гонять, не обращая внимания на красный свет светофоров и другие предупреждающие сигналы; он постоянно попадал в аварии и, судя по отчетам тех, кто встречал его на улицах разных европейских городов, представлял собой на велосипеде что-то вроде колесницы Джаггернаута — готовый продемонстрировать всякому, кто не разделяет его взгляды, свои преимущества в скорости, ну или, в худшем случае, преподать самому себе урок диалектики: садишься на велосипед, а слезаешь с кучи металлолома.

Как и во многих прочих сферах, он посвящал себя не только практике, но и педагогической деятельности; сразу несколько мемуаристов, по странному совпадению женщины, рассказывают о своем опыте по этой части. Особенно запоминается — потому что вообще эта женщина ненавидела Ленина и сообщала об этом при любой возможности — свидетельство жены Г. Алексинского. Т. Алексинская никак не могла преодолеть страх и поехать одна, без поддержки; она угодила в ученицы Ленина летом 1907-го в Финляндии. «Вдруг, усмехнувшись, он подходит и говорит: "Запомните хорошенько одно: нужно только захотеть! И когда вы почувствуете, что желание охватило вас всецело, то смело в путь, все достигнете! А теперь, — он с силою толкнул мой велосипед, — de l'audace, encore de l'audace et toujours de l'audace!"». «Для победы нам нужна смелость, смелость и еще раз смелость» — пожалуй, дантоновская цитата сообщает этому символу Ленина еще одно измерение.

Летом 1895-го ВИ выбирается из города уже в конце апреля — намереваясь всерьез подлечить свой желудок и заодно наладить контакты с европейскими социал-демократами. Май он проводит в Швейцарии, июнь — в Париже, июль—август — в Берлине и опять в Швейцарии и в сентябре завершает свое турне в Прибалтике.

Побывав в Берлине и Париже (у Поля Лафарга, который охладил его энтузиазм касательно возможности вбить рабочим Маркса кружковыми, «книжными» чтениями: «Они ничего не понимают. У нас после 20 лет социалистического движения Маркса никто не понимает») и поправив, в обществе Аксельрода, здоровье на швейцарском горном курорте, ВИ едва не доехал до Лондона — но договориться о встрече с Энгельсом не удалось: 75-летний сагамор, находившийся при смерти, не пожелал принять молодого русского социалиста и тем же летом отправился в страну вечной охоты, так что еще и некролог пришлось с колес писать.

Европа завораживала 25-летнего адвоката прежде всего легальностью социализма: там можно было свободно посещать социал-демократические собрания, свободно выходили журналы, газеты для рабочих; ВИ набрасывался на этот тип потребления с жадностью. В Швейцарии состоялось его знакомство с будущими соредакторами по «Искре». Плеханов только что закончил книгу с сулящим увлекательное путешествие в мир марксистской философии названием «К вопросу о развитии монистического взгляда на историю»: тотальная ревизия истории, философии, экономики и, среди прочего, либерального народничества с марксистских позиций; и хотя Плеханова, полагавшего, что литературных талантов Ульянова едва ли хватит даже на создание инструкции, как пользоваться утюгом, прошиб бы холодный пот от одной лишь мысли об этом, однако если бы в типографии перепутались страницы «Монистического взгляда» и «Друзей», то никто бы этого не заметил.

ВИ нарисовался в Женеве и Цюрихе не просто как очередной марксист-самоучка, из тех, что съезжались к Плеханову и Аксельроду на манер китайских туристов, целыми группами. Отгектографированные «Друзья» добрались уже и до Плеханова с Аксельродом — которые очень нуждались в связях с организацией рабочих с конкретных предприятий, а не «русскими рабочими вообще»; такого рода организацию они могли бы представлять в Европе на конгрессах Интернационала, и поэтому Ульянов был интереснее им едва ли не больше, чем они ему. Совместное периодическое издание? Отлично. Манифест российской социал-демократии? Да хоть завтра. Устроить что-то вроде съезда делегатов от российских марксистских кружков? Устраиваем. Хотим создать партию по образцу немецких социал-демократов? Прекрасно, давайте оформлять, немедленно! И он уехал оформлять.

Относительно того, кем он видел себя в этой будущей партии, сведений нет; были люди и с бо́льшим опытом, и более начитанные, и с настоящим боевым прошлым — как Плеханов, как Струве, как Вера Засулич. Но Плеханов эмигрировал из России пятнадцать лет назад, Струве был на настоящей, с живыми рабочими, фабрике один раз, на экскурсии, а Вера Засулич к тому моменту была скорее литературным критиком, чем террористкой. Однако ж и ВИ до поры до времени не проявлял претензий на лидерство.

Плеханов связал Ленина с Вильгельмом Либкнехтом — «штудирен, пропагандирен, организирен» которого ВИ так кстати цитировал в «Друзьях народа», — и, видимо, как раз эти двое и помогли Ленину раздобыть главный трофей его поездки. То был чемодан с настолько хитроумно сделанными потайными внутренностями, что туда поместился целый мимеограф — недавно изобретенное Эдисоном устройство: металлический цилиндр с ручкой сбоку, который, проворачиваясь, копирует вложенную в него бумагу. По тем временам это было примерно то же, что ввезти в Москву 1970-х ксерокс: можно было делать 600—800 копий, в 15 раз больше, чем на гектографе. Таможенники или жандармы, похоже, обнаружили, что с чемоданом что-то не то, но не стали конфисковывать его — в надежде проследить за владельцем и выйти на всю банду. ВИ, однако, был готов к этому — и умудрился подменить заветный чемодан по заранее обговоренной с товарищами схеме на поддельный, который он демонстративно — якобы уходя от погони — зашвырнул в Екатерининский канал, заставив филеров искать его там с водолазами. Прибор проработал в «Союзе» еще несколько лет, пережив повальные обыски декабря 1895-го.

За ту пару лет, что ВИ «работал» в Петербурге, у него образовалось несколько групп в разных районах — на Нарвской заставе, Васильевском острове, Черной речке, и это только достоверно известные. Но поскольку особым вниманием ВИ пользовалась именно Невская застава, нет ничего удивительного в том, что когда конструкторы Ленинлэнда пришли к мысли увековечить героический пренатальный период РСДРП, из тех десятков адресов, где ВИ регулярно встречался с рабочими, преподавал в кружках или посещал собрания, выбран был «шелгуновский».

То, что сейчас называется «Домиком Шелгунова», на самом деле В. А. Шелгунову не принадлежало, и сам он был там сбоку припека — снимал жильцом комнату. Тем более никогда не жил там сам ВИ. И всё же многие местные жители уверены в обратном — и хотя они не правы, здесь обязательно надо побывать всем, кто «охотится» за «молодым Лениным» в Петербурге.

Между грязно-серыми, как из балабановских фильмов, пятиэтажками Новоалександровской улицы разбит скверик; к нему примыкает аллейка, радующая глаз набором небольших стелл-полуколонн, напоминающих не то о монолитах-радиоизлучателях из «Космической одиссеи», не то о столбиках-гномонах. Древние астрономические инструменты увенчаны бюстами: Крупская, Шелгунов, Шотман, Бабушкин... ну и Ленин, конечно. Сразу за ними, в самом центре оазиса, стоит аккуратный деревянный двухэтажный теремок, будто принесенный ураганом из Канзаса.

Этот коттеджец, принадлежавший хозяевам соседней Карточной фабрики, был рассчитан на четыре семьи рабочих; две верхние комнаты занимала семья Яковлевых — а еще одну они пересдали обуховцу Шелгунову (обычно рабочие старались снять у хозяев побольше, чтобы потом и самим что-то иметь от аренды), и уж тот принялся «водить» сюда Ленина.

Скорее всего, в 1890-е дом был обычным, хотя далеко не самым ужасным бараком, каких было понатыкано по округе десятки и сотни, целый лабиринт: халупа для рабочих с сортиром во дворе. Но сейчас теремок выглядит едва ли не романтично: сельская идиллия посреди спрута-города; совсем не похоже на бараки, как в романе «Мать» или в советских диорамах.

После блокады дом остался один в округе — все остальные деревянные строения сожгли: не хватало топлива для ТЭЦ; и сейчас это музей «Невская застава». Разумно, по нынешним временам, переформатировавшийся из политически ориентированного в краеведческий, он поддерживается в превосходном состоянии — и не только позволяет увидеть подлинную толстовку В. Шелгунова, но заставляет взглянуть другими глазами на весь район: а ведь в самом деле, прекрасно сохранилась и краснокирпичная Невская писчебумажная фабрика Варгуниных, где работали обитательницы дома Шелгунова; функционирует Александровский чугунолитейный, где в 1845-м был собран первый русский паровоз, — теперь это «Пролетарский», выпускает, к примеру, судовое оборудование. Действует и знаменитый Семянниковский — живущий, конечно, не паровозами и миноносцами, но машиностроением. Даже Императорская Карточная фабрика — хотя бы и скрывшаяся под блеклым псевдонимом Комбинат цветной печати — и то на месте; ее, правда, вот-вот перестроят под бизнес-центр — но цеха, замечательной красоты, остались, — и оказались в окружении современного жилого комплекса*.

Нынешняя Невская застава — это район вокруг проспекта Обуховской Обороны, станций метро «Пролетарская» и «Ломоносовская», Володарского моста, Парка имени Бабушкина — и на другом берегу Невы Сквера текстильщиков и Невской мануфак-

---

* Не менее причудливо сложилась и судьба мнимого хозяина домика. Василий Шелгунов продолжал терять зрение и году к 1910-му ослеп, что, впрочем, не помешало ему продолжить работу по партийной линии; словно Слепой Пью из «Острова сокровищ», он бродил по Петербургу под радарами полиции и казаков и налаживал контакты между партийными первичными организациями. В какой-то момент его все же арестовали — и нарочно посадили к уголовникам, которые жестоко издевались над ним: прятали одежду, убирали со стола тарелку, чтобы он промахивался, подкладывали вместо ложки щетку. Деятельность в РСДРП навела его на мысль организовать слепых и объединить их; так Шелгунов стал одним из патриархов ВОС — и даже организовал специальный журнал для инвалидов — «Жизнь слепых», в котором, по иронии судьбы, 40 лет спустя начал свою литературную карьеру писатель А. А. Проханов.

туры. Даже на метро путь неблизкий — хорошие полчаса из центра; а тогда? От Николаевского, нынешнего Московского, сюда ездила «дымопырка» — паровая конка с «империалом» — местами наверху; наверху было дешевле — три копейки против пяти в салоне. Потом, от Смольного, пустили «паровичок» — поезд из пяти-шести вагонов с паровозиком, вроде тех «игрушечных», что сейчас ездят по ВДНХ или Горкам Ленинским, — но на рельсах, гораздо более неуклюжий и страшно дымящий. Путешествия на «паровичках» 1890-х часто оказывались далекими от идиллических. Бабушкин рассказывает, как рабочие одного из заводов, устроившие бунт, разъярившись, нападали на поезд, бросали в него камни, барабанили по стеклам палками (машинист сползал с сиденья, увеличивал скорость и пытался не глядя проскочить сложный участок; пассажирам приходилось валиться на пол); проще всего было положить что-нибудь на рельсы, чтобы устроить крушение — боялись, что паровоз и поезд раздавят самих же рабочих. Стачки, романтизированные в советское время, были жестоким мероприятием; ближайший их современный аналог — майданные события в республиках бывшего СССР, когда неугодных запихивают в мусорные ящики и закатывают в горящие автомобильные покрышки. Посторонним — даже сочувствующим — в толпе такого рода может прийтись несладко.

Характер выступлений рабочих Невской заставы был далек от систематического. То собрались в лесу по случаю смерти Энгельса. То сплавали на пароходе «Тулон» — да так, что ради конспирации напоили команду и управляли судном сами. В случае более долгоиграющих бунтов начинали ползти слухи — которые, когда доходили до посторонних марксистов-интеллигентов, часто оказывались устаревшими. Разумеется, информация о том, что «масса сама заговорила о себе громким голосом» — когда мастерицы на табачной фабрике Лаферм, возмущенные снижением зарплаты, перебили в цехах окна и принялись крушить станки, была той музыкой, о которой мечтали уши Ульянова и его коллег по тайному обществу. А уж визит на фабрику градоначальника, который распорядился поливать работниц ледяной водой из пожарных кишок и ответил на доводы стачечниц относительно невозможности прожить на предлагаемые деньги знаменитым: «Можете дорабатывать на улице», — требовал немедленных действий: усугубить, перевести из экономической в политическую плоскость, возглавить. Фабрики, однако ж, были закрытыми корпорациями, куда посторонним особого хода не было; если там и происходило нечто необычное, то объявления на стену не вывешивалось и пресс-секретарь стачечников газеты не обзванивал. Для подтверждения того или иного слуха непременно требовался живой свидетель, с самой фабрики, — но где ж его было взять, да такого, чтобы пошел на контакт? Или, точнее, такую: там же женщины. Неудивительно, что в какой-то момент мы застаем крайне мало пьющего Ульянова в трактире за Невской заставой, за столиком, откуда хорошо слышны не только гудки фабричных труб, но и чужие разговоры; как ни странно, важной частью деятельности марксиста-практика было подслушивание, и не всегда продуктивное: в тот раз, разумеется, посетители заведения смаковали пикантный момент обливания женщин водой, тогда как о политике или хотя бы о требованиях табачных леди речь не заводили; их собственное мнение сводилось к разумной сентенции: «А потому не скандаль!»

По сути, первые попытки социал-демократов зацепиться своими зубьями за рабочую шестеренку были чем-то вроде социологических экспериментов; идеи «окончательной встряски» возникали самые экзотические. Так, однажды родился — и «встретил всеобщее одобрение» — план объявить на некой квартире большую сходку, стянуть туда как можно больше народу — с оружием, и одновременно отправить жандармам донос на самих себя. Смысл затеи состоял в том, чтобы принять бой — и хоть так, не мытьем так катаньем, «расшевелить» дремлющих обывателей, форсировать превращение стихийных экономических протестов в классово-политические. «Словом, получилось бы буквально одно из тех сектантских самосожжений, которые известны истории русского раскола».

Первая из сохранившихся листовок, сочиненных Ульяновым, обращена к рабочим Торнтона: вон она, мануфактура, торчит, на Октябрьской набережной, никуда не делась. Этот район — как и проспект Обуховской Обороны через Неву — не производит впечатления процветающего: у него неуютный, невзрачный, свидетельствующий о моральной изношенности вид; обычная вроде бы спальная полусоветская, полуноворусская окраина — но словно более усталая — и от бурного революционного прошлого, и от советской бетонной демьяновой ухи. Никакой джентрификации: трансформация краснокирпичных зданий мануфактур в редакции глянцевых журналов и лофты, как в Москве, еще не набрала популярность. Многие памятники, расставленные в советское время, украдены или выглядят гротескно и безобразно; еще одна волна «декоммунизации» — и от Невской заставы останутся только голые бетонные плиты непонятно какой эпохи. Однако если заменить помутневший от разрушенных ультрафиолетом XX века белковых структур хрусталик свежим протезом, серая стертая панорама вдруг наливается — хотя бы местами, фрагментарно — особой, токсичной красотой: граненые, украшенные «капителями» кирпичные трубы-колонны, кружевные багряно-бежевые, словно из шотландского замка водонапорные башенки, островерхие неоготические силуэты фабричных цехов превращают пейзаж в произведение искусства, реди-мейд сувенир из эпохи 1890-х, когда фабрики были территорией страдания, обителями, где гнездилось химически чистое, беспримесное зло.

До революции Торнтон — не лишенное элегантности пяти-этажное здание «индустриального дизайна» — был, пожалуй, одним из двух самых крупных предприятий на Невской заставе, наряду с Семянниковским (к рабочим которого, кстати, ВИ написал первую свою листовку вообще — так что теперь там, на территории, стоит каменный, что ли, факел — разлапистый, как елка, в полторы сажени шириной, — на котором написано, что это в честь той самой — не сохранившейся — листовки). Торнтон выпускал (да и сейчас, теоретически, выпускает; в советское время он назывался Комбинат тонких и технических сукон им. Э. Тельмана, а с 1992-го — АО «Невская мануфактура») шерстяные ткани: драп, фланель, шевиот.

Тысяча женщин и около девятисот мужчин, работавших на фабрике, выполняли тяжелую, однообразную работу в плохо пригодных для пребывания условиях, по 13—15 часов в день. У них была низкая производительность труда, и начальство с ними не церемонилось. Владельцами были англичане с гротескными именами Джеймс Данилович и Чарльз Данилович. Хозяева и высший менеджмент, обычно иностранцы, англичане, жили в деревянных виллах, разъезжали на автомобилях, у них была своя пристань — целый спектр возможностей быстро и с комфортом добраться до Невского. Для рабочих было построено пять домов, казарм: либо общие спальни, либо конурки для семейных; одна плита на десятки семей, хочешь, чтоб твой горшок со щами был поближе к огню — доплачивай кухарке по два рубля в месяц или ешь пищу полусырой. На одной кровати спали по несколько человек, мастера устраивали себе гаремы, могли избить своего рабочего кнутом за то, что тот покупает водку не в фабричной лавке (где обвешивают и заведомо завышают цены). Это была какая-то индийская — или африканская, эфиопская — бедность. У многих рабочих все имущество помещалось в небольшой мешок или сундучок. Маленькие дети без призора; повсюду грязь, блохи, клопы, вши; нет ни света, ни водопровода. Младенцев выхаживают так, что лучше даже не писать о том, как выглядела соска, чем их кормили и как предотвращали крик. У Торнтонов было даже свое кладбище — не такое уж редко посещаемое место, учитывая, что средняя продолжительность жизни в России составляла тридцать два — тридцать три года.

В ноябре 1895-го здесь вспыхнула забастовка — которой и попытался дирижировать «Союз борьбы за освобождение рабочего класса», подпольная социал-демократическая организация, созданная ВИ на основе марксистского кружка студентов Технологического института. Первую листовку — с изложением требований — сочинил Г. М. Кржижановский. Когда забастовка кончилась, за перо взялся Ульянов; текст сохранился. «Ткачи своим дружным отпором хозяйской прижимке доказали, что в нашей среде в трудную минуту еще находятся люди, умеющие постоять за наши общие рабочие интересы, что еще не удалось нашим добродетельным хозяевам превратить нас окончательно в жалких рабов их бездонного кошелька». После звучащей «по-пелевински» прижимки начинается «сорокинщина»: «В шерсть стали валить, без всяких оговорок ноллеса и кнопа, отчего странно замедлялась выработка товара, проволочки на получение основы, будто ненароком, увеличились, наконец, стали прямо сбавлять рабочие часы, а теперь вводят куски из 5 шмиц вместо 9, чтобы ткач почаще возился с хлопотами по получению и заправке основ, за которые, как известно, он не получает ни гроша». И заканчивалось все шестью требованиями с интонацией Ваньки Жукова — «чтобы в расценках не было обмана, чтобы они не были двойными» и т. п. («Например, бибер мы ткали по 4 р. 32 к., а урал всего за 4 р. 14 к., — а разве по работе это не одно и то же?»)

На самом деле, если знать контекст и понимать, о чем идет речь (бибер и урал — это сорта драпа), листовка не кажется такой уж забавной: ишь как изгаляется, чтоб за своего сойти; по правде сказать, в ней нет и вовсе ничего забавного. Это профессионально выполненная, адекватная, надо полагать, по языку вещь (у Ленина не так уж часто встретишь музыкально звучащую фразу, но ухо у него было довольно чуткое, и когда в графе «профессия» он указывал «литератор», то нисколько не преувеличивал). Да, многие фразы режут слух — но это «нишевая литература», рассчитанная на специфическую аудиторию. Да, по этому тексту пока не чувствуется специфическое ленинское искусство «социального гипнотизма» (термин социал-демократа Б. Горева) — умение «так воздействовать устной и печатной речью на разум и волю масс, что эта воля подчиняется воле вождя». В забастовке поучаствовали не все работники, около пятисот; она не переросла в вооруженное восстание. И все же листовки, по воспоминаниям многих участников событий, производили и на фабричных, и на заводских обитателей одинаковый эффект — сходный с магическим. Обычно их находили в «ретирадах» — отхожих местах. Туда принимались наведываться группами; начиналось кучкование, «праздничное оживление». В какой-то момент через сторожа или иное незаинтересованное лицо листовка отсылалась в дирекцию; там тоже начиналось движение; часто заранее — потому что сочинители листовок отсылали копии всем, вплоть до полиции. Начальство — мастера, управляющие, иногда хозяин — выходило к людям. На вопросы, что конкретно они требуют, толпа обычно кричала — мол, сами читайте, там все написано; более конкретные ответы давали таким образом, чтобы отвечающий был прикрыт толпой — иначе потом выгонят. Но самое любопытное, что листовки оказывали эффект как раз на хозяев: «На глазах у рабочих фабричная инспекция и жандармский полковник производили исследования, пробовали тухлую некипяченую воду в баках, вешали гири, проверяли весы, мерили куски... Настроение у рабочих было самое радостное, особенно когда после всей этой встряски уничтожались уже очень очевидные злоупотребления». В том, что какие-то листки могут вызвать уступки хозяев, которые никогда не реагируют ни на какие жалобы, ощущалось едва ли не колдовство; рабочие — слабая, по самоощущению, сторона — начинали осознавать, что «хулиганы» их побаиваются.

В результате каждую следующую листовку оказывалось распространить проще; репутация «Союза» росла как на дрожжах; марксистов приглашали на заводы — а сделайте нам такое!

Разумеется, листовки не Ульяновым придуманы; самопальные, 1880-х годов, обычно отличались краткостью и емкостью: «Кто завтра продолжит работать, тот получит...» Один мемуарист вспоминает знаменитое «объявление», подписанное: «руку приложил Павел Иванов»; «причем на листе действительно была приложена рука, т. е. отпечаток руки. Этот отпечаток был таких внушительных размеров, что можно было усомниться в существовании такой руки, если б для воспроизведения ее на бумаге можно было допустить какой-либо другой способ, а не действительное "рукоприкладство"» («Из рабочего движения за Невской заставой в 70-х и 80-х годах. Из воспоминаний старого рабочего»). Неудивительно, что последствиями таких листовок обычно становились драки с охраной и ломка машин, мало к чему приводившие.

Искусство написания самодельных листовок постепенно эволюционировало. В 1890-х рабочие могли прочесть, например, такое: «Господа рабочие товарищи! Обратите внимание и ваш взгляд на жизнь свою. Если бы вам пришлось встретить иностранца, по чину равного себе, то вы сразу сознаетесь, что вы против их дикари. Они также были угнетаемы своими хозяевами, но благодаря их острому понятию давно улучшили свое положение. Они по-нашему в часы отдыха не валяются в грязи, в рваной одежде около кабаков и трактиров, не относятся с ругательством и нередко с побоями к своим товарищам, как русский мужик, а собираются вместе и толкуют об улучшении, или же захочет развеселиться, то садится на велосипед и едет кататься и вместе с тем развивает свою мускульную силу». Живо — но по-прежнему мало конкретики; не попросишь же начальство перевести тебя в иностранцы.

Понимая, что малейшая фальшь в интонации убьет весь эффект от текста, ВИ и уделял так много времени анкетированию рабочих: это позволяло ему писать не просто «пролетарии всех стран, соединяйтесь», а предметно, с деталями, да, имитировать явно чужую речь, но не сбиваясь на пародию; как индейцы в романах Фенимора Купера подражали птичьим крикам.

Занятно, что «магия» листовок, работавшая в 1893–1895 годах, затем иссякла — но только потому, что рабочие и сами уже знали, чего могут добиться стачками, и устраивали их с пугающей полицию регулярностью; вырастая, в точности как было предсказано в марксистских сочинениях, они хотели уже литературы посерьезнее — периодики, газет. Всё это в конце концов приведет к ситуации 1905—1906 годов — «идеальному шторму».

Пожалуй, фигура, через посредничество которой о молодом Ленине можно узнать больше, чем как-либо еще, — это погибший в 1906 году тридцатитрехлетним рабочий Иван Бабушкин.

С Лениным его познакомил Шелгунов. Но то, что Бабушкин был уникумом, вычислила Крупская, у которой он учился в Корниловской школе; он был очень наивным, запомнила Крупская, — написал на уроке русского языка на доске: «У нас на заводе скоро будет стачка».

Бабушкин был рабочим-металлургом, заводским; это важно: ткачи и металлурги — «плебс» и «аристократия» пролетариата. Ульянова больше интересовали металлурги как наиболее сознательные рабочие — которые, в свою очередь, могли компетентно просветить и распропагандировать более темных ткачей. В случае с Бабушкиным эта схема сработала идеально — по заданию «Искры» он немало времени провел на фабриках в Иваново-Вознесенске, Шуе, Орехово-Зуеве — самых чудовищных анклавах российского капитализма. В возрасте около двадцати лет он на тринадцать месяцев попал в камеру-одиночку; потом не смог вернуться к прежней профессии — потому что никак не получалось пройти экзамен с напильником: за год мозоли, которые раньше покрывали его руки, сошли — и пытаясь обработать «контрольную» деталь в обозначенное время, он несколько раз стирал себе руки в кровь. В начале 1900-х Ленин придумал использовать его не только как агента «Искры» — распространителя газеты, но и как журналиста, создателя репортажных очерков о фабричной жизни. Когда Бабушкин приехал к нему в Лондон, Ленин предложил ему написать для «Искры» автобиографический текст; и даже сейчас, через сто с лишним лет, эта работа Ивана Бабушкина производит ошеломляющее впечатление.

О страшном, «диккенсовском» мире фабричного капитализма мы имеем довольно смутное представление. «Русская фабрика» Туган-Барановского, «Очерки» Тахтарева, «Развитие капитализма» Ленина — это всё же научные работы, но даже и по горьковскому роману «Мать» о нем трудно судить: там описано уже другое десятилетие, когда условия жизни рабочих сильно улучшились. Бабушкин, рожденный этим миром, — ключевая фигура для того, кто хотел бы увидеть ту среду, на трансформацию которой был направлен вектор усилий Ленина; понять, с какой стати Ленин с его талантами, применимыми в любой области, выбрал не просто занятия «академическим марксизмом», как его в каком-то смысле «двойник» Струве, или марксизм как просветительство, род интеллигентского хождения в народ (таких «двойников» — без счета), но активную, рискованную, опасную для жизни и здоровья деятельность.

Возможно, многие рабочие — ученики и товарищи ВИ — чувствовали то же самое, но только Бабушкин успел рассказать об этом. Его стостраничная автобиография — история жизни заведомо обреченного — принадлежностью к сословию, обстоятельствами рождения — человека, осознающего, что все его попытки изменить чудовищную среду вокруг себя оборачиваются страшными потерями; трагическое — и одновременно жизнеутверждающее произведение. При всей девальвации школьным советским курсом, добролюбовский образ луча света в темном царстве уместен для фигуры автора как никакой другой — луча, трагически рано угасшего, но оставившего о себе воспоминания и надежду.

Курьез еще и в том, что этот луч света был практиком, прагматиком, одинаково хорошо управлявшимся и с напильником, и с пером, и с браунингом, не терявшимся ни в Орехово-Зуеве, ни в Лондоне, ни в Чите, способным и шататься по фабричным слободкам под видом коробейника с образцами текстильной продукции — и «Искрой» на дне; и открыть слесарную мастерскую на дому; и навести порядок в лондонской коммуне интеллигентов-социал-демократов, погрязших в бытовом свинстве; и открыть кооперативную лавку на паях по торговле бакалеей; и бежать из тюрьмы, перепилив решетку (он носил в сапоге набор пилок для этого); и сочинить брошюру, которая станет классикой и будет годами циркулировать среди рабочих («Что такое социалист и государственный преступник»); и пробраться на конгресс английских тред-юнионов, чтобы — даже не зная языка — изучать культуру пролетариата, умеющего самоорганизовываться. У него все спорилось — и одновременно в нем была и «мечтательность», впечатлительность, *Sehnsucht*. Это позволило ему, меланхолику, транслировать ужасы капитализма в России так, как у Ленина — сангвиника и отчасти холерика, которого мы всё время видим сложившимся пополам от беззвучного хохота над глупостью оппонентов, — никогда не получалось.

Возможно, сегодня мы поневоле воспринимаем деятельность марксистов 1890-х с некоторым раздражением: как они настырно «лезут» к рабочим, «развращая» их своими «штудирен-пропагандирен». Бабушкин показывает, как все было на самом деле; особенно это видно, когда он описывает горькое чувство потери, которое ощущали рабочие, видя, что «их» интеллигентов одного за другим арестовывают. Он не только сожалеет, но и досадует: важная работа остается невыполненной, ведь сами рабочие были не в состоянии написать и отредактировать «листки», которые так ждали и они сами, и их товарищи. «Как несчастье после какого-либо обвала, засыпавшего людей, не позволяет долго обдумывать особых приспособлений для отрытия их, а заставляет скорее схватить лопату и рыть, рыть без устали, без конца, до тех пор, пока не удастся отрыть живых или мертвых тел, так точно и нам некогда было обсуждать наше положение, и нужно было по возможности скорее принимать наследство». Рыть, пока не удастся отрыть живых или мертвых тел, — вот на что была похожа революционная работа, вот почему они — и ВИ тоже — тратили столько времени и сил, вот почему так рисковали и торопились.

К Ленину за 54 года пришвартовывалось много хороших и очень хороших людей, но, возможно, лучшим из них был как раз Бабушкин; ни разу за последнее столетие не попавшая в разряд «модных» — в отличие от Богданова, Потресова, Струве, Троцкого, Дзержинского — фигура: просто рабочий со смешной фамилией, который в какой-то момент зачитался книжками и, вместо того чтобы продолжать вести нормальную жизнь, занялся просвещением и революцией — и расстрелян был, как собака, без следствия, суда и уведомления близких; тот ученик, за которого многое можно простить и учителю.

Согласно распространенному представлению, один из «грехов» Ленина состоит в том, что он, в рамках своего жестокого социального эксперимента, вывел на историческую авансцену «хама» — «шарикова», «чумазого», «манкурта», «гунна», варвара, класс недочеловеков, которых заведомо нельзя было допускать к власти, поскольку они представляют собой продукт дегенерации общества, антиподов самого понятия «культура». По бабушкинскому тексту — не говоря уж о бабушкинской биографии — понятно, что эти представления суть прикрытый ссылками на булгаковское остроумие социальный расизм. Рабочие были классом, попавшим в трагическое положение, в беду; класс-жертва объективных историко-экономических обстоятельств. И даже сам внешний вид пролетариев — склонность к алкоголю, агрессивность, вульгарность — есть навязанное им состояние, которое доставляло им самим страдание. Отвечая одному из либеральных публицистов «Русского богатства», который проехался по фабрикам Центральной России и сочинил «скептический» очерк о положении рабочих: много пьяных, обстановка свинская; поделом им, сами виноваты, — Бабушкин объясняет, откуда взялась эта обстановка: их рабочий день длится слишком долго для того, чтобы думать о чем-то еще; такой режим, да еще в сочетании с вечным, с младенчества до смерти, недоеданием, действовал на рабочих как седативное лекарство; и читать им было тяжело — над книжкой засыпали, и пьянели они со второй рюмки — не потому, что были морлоками-деградантами; просто с ними обращались, как со скотом. Рабочий цикл мог длиться, например, 60 часов — с перерывами только для приема пищи, и сам Бабушкин, участвовавший в таких марафонах, не мог читать книги не из отвращения к высокой культуре, а потому, что по дороге домой дремал на ходу «и просыпался от удара о фонарный столб»; и затем ему приходилось буквально обкрадывать самого себя — недоедать и недосыпать, чтобы чего-то прочесть в книгах и что-то узнать в Корниловской школе. В школе, где в коридорах, из-за общественных туалетов, стоял такой запах, что с ног валило: свинство? Свинство, да, но «свинство» также не является имманентным свойством пролетариата, и даже когда вы видите, что по улице рабочей слободки идет шатающийся, как пьяный, человек — он, вполне может быть не пьян, а голоден; особенно если это голодный год. Для России 1880—1890-х, как для Англии 1840-х, характерна была, в точности по Марксу, унтерменшизация человека, превращение его в придаток машины. Труд был не просто плохо оплачиваем, но мучителен, неизбежно приводил к разрушению организма и физическим увечьям; самими рабочими эта жизнь воспринималась как рабство (и неудивительно, что любимой книгой грамотных рабочих того времени становился «Спартак» Джованьоли — больно хорошо рифмовались обстоятельства и атмосфера). Именно здесь, на ткацких фабриках, случались совершенно «голливудские» происшествия, и женщины, чистившие ткацкий станок, подхваченные за волосы рваным ходовым ремнем, подброшенные под потолок и заживо оскальпированные, не были выдумкой. Как и полагается в антиутопиях, эти заведения кишели двенадцати-тринадцатилетними полурабами-детьми, заживо гнившими среди пыли, тьмы и ядовитых испарений от красителей для тканей. Условия жизни вели к физиологической и моральной деградации. Ужасы, которые Бабушкин — столичный все-таки рабочий, белая кость пролетариата — увидел на провинциальных ткацких фабриках, кажутся нынешнему читателю даже не просто неправдоподобными — «лавкрафтовскими», слишком страшными, чтобы воспроизводить их.

Сам Бабушкин был человеком, которого Ленин, не поспоришь, «улучшил»; вот уж действительно Эдмон Дантес, сформированный аббатом Фариа-Ульяновым. И да, слова, сказанные Лениным о Бабушкине (к сожалению, в некрологе): «благодаря таким рабочим пролетариат завоюет в России себе будущее» — кажутся не столько пророчеством, сколько обещанием.

Бабушкин — так скажем — есть воплощенная «совесть Ленина»; Ленина, которого всегда обвиняли, что у него «нет ничего святого»; и оценивая все дальнейшие действия ВИ — в том числе с позиции Горького, который, небезосновательно, называл Ленина «хладнокровным фокусником, не жалеющим ни чести, ни жизни пролетариата», — следует помнить, что какие бы фокусы Ленин ни выкидывал, у него была «совесть»; и пусть она не выставлена в Мавзолее, но достаточно набрать в поисковике «Воспоминания Ивана Васильевича Бабушкина» — и вы ее увидите.

Не то что бабушкинские тексты оправдывают «фокусы» Ленина — нет; но они объясняют, почему у Ленина было право на эксперимент и в каком состоянии изначально находились те, кто потом стали «жертвами» ленинского эксперимента (а сам Бабушкин демонстрирует, каким может быть результат эксперимента — пусть даже его не удалось запустить в «массовое производство»). И если уж на то пошло, Ленин никогда не скрывал от рабочих, что «экспериментирует». Им говорили — в открытую, — что они сформированы капитализмом, а теперь им предстоит построить новый мир, и поэтому — у А. Платонова есть хорошая формулировка — «мы должны бросить каждого в рассол социализма, чтоб с него слезла шкура капитализма и сердце обратило внимание на жар жизни вокруг костра классовой борьбы и произошел бы энтузиазм!...».

Это гротескное, не без ерничества, но, в сущности, правильное изложение ленинского плана, касающегося приучения рабочих к культуре труда и классовой борьбы; сам И. В. Бабушкин наверняка понял бы, о чем идет речь.

***

Невская застава раскачивалась года аж до 1894-го — а затем медленно, но верно начала выходить из берегов: то ли пропагандисты в самом деле раскачали рабочих, то ли локомотив капитализма достиг крейсерской скорости, однако тапер играл уже совсем другие мелодии. Если до 1893-го марксисты гонялись за любыми, какими ни есть рабочими, а в условном 1894-м — за интеллигентными, которым можно втолковать хотя бы первую главу «Капитала», то уже к 1895 году сами рабочие стали искать агитаторов, способных спровоцировать их на массовое выступление и перевести экономические требования в политические.

Первый из летевших в коммунизм рабочих кружков «Николая Петровича» перехватили в ноябре 1894-го; лектор уцелел — но зубной врач Михайлов продолжал сверлить дыры; горячий воздух из оболочки воздушного шара стравливался, и уже через год все, кто находился в той корзине, экипаж которой собирался выпустить первый номер газеты «Рабочее дело», шваркнулись об землю.

Десять тысяч часов в одиночной камере изменят психику кого угодно, и, выбравшись на три дня на волю перед ссылкой, ВИ, столько лет тянувший резину и дождавшийся того, что «невеста» сама угодила за решетку, пишет ей — «химией», разумеется — письмо, в котором — 14 февраля, как трогательно — признается в любви.

Шушенское
1897–1900

1 января 1918 года ленинский автомобиль, возвращавшийся в Смольный после выступления ВИ в Михайловском манеже, обстреляли. Нападение в стиле гангстерских боевиков произошло у нынешнего моста Белинского на Фонтанке; пара пуль попала в кузов, еще одна разбила ветровое стекло — и тут сидевший рядом с ВИ Фриц Платтен умудрился нагнуть товарищу голову и прикрыть своим корпусом: четвертой пулей самого швейцарца ранило в руку. По-настоящему спас Ленина, однако, другой человек — тот, кто должен был бросить в автомобиль бомбу. Его звали Герман Ушаков, он был демобилизованный в условиях перемирия подпоручик и решение не добивать Ленина принял после того, как увидел свою будущую мишень на митинге; живьем «немецкий шпион» произвел на него глубокое впечатление. Ленин расплатился за этот «заячий тулупчик» — после того как Ушаков и двое его товарищей, молодые георгиевские кавалеры, угодили-таки в ЧК, Ленин, ознакомившись с результатами расследования, впечатлениями, которые вынес из бесед с террористами Бонч-Бруевич, и написанным после его февральского воззвания «Социалистическое отечество в опасности» прошением отправить их на Псковский фронт, под немецкое наступление, — не дал их расстрелять и приказал отпустить. Ушаков участвовал в Гражданской войне на стороне красных, командовал бронепоездом; в январе 1924-го он вновь дернул за рукав Бонч-Бруевича — и попросил постоять немного у гроба человека, которого сначала ненавидел, а потом полюбил; Бонч запомнил его голос — «глухой, с надрывом» — и слезы в глазах. В 1927-м жизнь занесла Ушакова в Шушенское — где он увлекся идеей написать документальный очерк о пребывании там Ленина; он разыскал пятерых живых свидетелей — квартирного хозяина, прислугу, партнера по рыбалке и шахматам, партнера по охоте и соседа, долго беседовал с ними, чтобы реконструировать не только детали быта, но и атмосферу, в которую ВИ погружен был в течение трех без малого лет; с его эрнст-юнгеровской ясной серьезностью, журналистской дотошностью и тем чувством слова, которое было свойственно некоторым людям 20-х годов, Ушаков оказался одним из самых проницательных биографов ВИ; его

60 «шушенских» страничек многое объясняют и в «шушенском периоде», и в феномене Ленина в целом; сам факт «преображения», случившегося с автором под воздействием героя, и взаимное помилование, которое они предоставили друг другу, заставляет текст излучать особый внутренний свет и тепло*.

Мартов пишет, что все члены «Союза борьбы» готовы были к тому, что получат восемь—десять лет ссылки; три зимы были подарком судьбы — пусть даже в Восточной Сибири, в лучшем для мужчины возрасте. В результате годы эти словно выпали у ВИ из памяти; возможно, потому, что были спокойнее и счастливее многих других. Косвенным образом «лакунный» характер этого периода подтверждается данными из «Анкеты для перерегистрации членов московской организации РКП(б)» 1920 года, где на вопрос номер 13 — «Какие местности России хорошо знаете» — Ленин отвечает: «Жил только на Волге и в столицах». Возможно, впрочем, это связано с тем, что Сибирь тогда не воспринималась как вполне Россия; и даже письма, которые приходили из Москвы или Петербурга, квалифицировались адресатами как «почта из России».

Путь туда занял почти месяц; другим участникам протестных движений — декабристам, петрашевцам, народникам, мятежным полякам — тем, кого ссылали в Шушенское раньше, место это казалось еще более отдаленным: до 1895-го железнодорожного сообщения с Красноярском не существовало. Но и в 1897 году мост через Енисей еще не достроили — и в Красноярске ВИ пришлось перегружаться на пароход; «Святитель Николай» умудрился сесть на мель, не дойдя до Минусинска, и ВИ даже довелось поучаствовать в спасательной операции; он вскарабкался чуть ли не на отвесную гору, чтобы попасть в деревню, где можно было раздобыть хлеб для оголодавших пассажиров.

Чтобы оказаться в Шушенском сейчас, можно долететь либо до Абакана, либо до того же Красноярска — и затем от трех до десяти часов трястись на автобусе. Далековато; сильно восточнее Новосибирска; еще самую малость — Тува, Бурятия, Якутия, Приморье — и Тихий океан. Уже благодаря одному только расстоянию в воздухе будто сгущается магия; сами географические названия звучат почти сказочно: Енисейская губерния, Абаканская степь, Минусинская котловина, Хакасская равнина, Саянский хребет. «Шу-шу-шу — село недурное», — с ласковой иронией писал Владимир Ильич своей матери, — расположилось словно в центре всей этой экзотики.

---

* В советское время труд Ушакова не был известен, его не пропустила цензура НК — и он лежал в архиве Бонч-Бруевича. Автора, конечно, репрессировали — но текст сохранился и был опубликован уже в XXI веке.

К 1897-му Шушенское было не то чтобы землей обетованной — однако при том, что в целом переселения из Центральной России в Сибирь всячески поощрялись, именно в Шушенское абы кого брать перестали — за возможность присоединиться к общине, своего рода патент, требовалось заплатить под 100 рублей: заработок батрака чуть ли не за полгода. Ленину пришлось хлопотать о себе, чтобы попасть именно сюда; и если бы не липовая, наверное, справка о слабом здоровье, его закатали бы на север губернии, в Туруханский край; туда попал Мартов, чье еврейство сыграло как отягчающее обстоятельство.

Когда въезжаешь сюда — хоть со стороны Минусинска, хоть Саяногорска, — и не догадаешься, что скрывает нарядный, с проспектами и парками, городок, где пятиэтажки и частный сектор не воюют друг с другом, а — в кои-то веки — гармонируют. В советское время здесь были речной вокзал, аэропорт, автовокзал; в 70-е семейные пары, где муж работал на строительстве ГЭС, а жена — в музее Ленина, вызывали белую зависть. Шушенские пятиэтажки не кажутся архитектурными анахронизмами, скульптуры чебурашек из автомобильных покрышек в детских садах выглядят остроумными инсталляциями, а гигантская, напоминающая силуэт МиГа, парковая металлическая балалайка с подписью «беспилотник русского подсознания» — приятно озадачивает. Шушенское производит впечатление городка, который удачно воспользовался возможностями XX века — и не затеряется в XXI, обещающем рост туриндустрии.

Пограничная зона между прошлым, настоящим и будущим — площадь, которая могла бы украсить столицу какой-нибудь небольшой восточноевропейской страны с богатым коммунистическим прошлым. За административными зданиями и церковью открывается вход в историко-архитектурный заповедник — «Ссылка В. И. Ленина».

«Ссылка» устроена по тому же принципу, что стокгольмский «Скансен»: этнографический музей из характерных для национальной архитектуры построек под открытым небом. В некоторых — для фона и «атмосферы» — открыты «мастерские», укомплектованные экспертами по резьбе деревянных ложек, домоткачеству, гончарному ремеслу, плотницкому труду и прочему «народному творчеству». По правде сказать, три десятка домов за зеленым забором — с дворами, огородами и прилегающими улицами — не особо справляются с задачей транслировать зрителям образ седой старины; такой XIX век и сейчас встречается в немузеефицированных деревнях.

Шушенское появилось на картах со второй половины XVIII века, но долго пользовалось репутацией далекого от цивилизации места, куда можно выпихивать всех тех, за кем числятся уголовные или политические провинности. Особенности климата стали притягивать сюда рабочих с золотых приисков, добровольных переселенцев и искателей приключений из Центральной России и бывших каторжников, имевших обыкновение после освобождения практиковать освоенные в тюрьмах навыки общения. Село, изобиловавшее пассионарными личностями, так и не унифицировалось в социальном плане — и в революцию, замечает Ушаков, это проявилось особенно.

Можно предположить, что, когда ВИ въезжал сюда в 1897-м, Шушенское, располагавшееся, по сути, на восточном фронтире России, выглядело скорее как декорация спагетти-вестерна: зловеще поскрипывающие дома с зашторенными окнами, огнестрельное оружие в изобилии, всегда загруженный заказами гробовщик и группа подпирающих ограду распивочного заведения мужчин, коротающих время в ожидании не то работенки, не то свежего развлечения. Ни о чем подобном сейчас даже и говорить не приходится: в лучшем случае здесь можно было бы экранизировать «Шурик у дедушки» или «Любовь и голуби».

Те дома, где за три года успел поквартировать Ленин, открыты для организованных посетителей. Акцент на первое слово: что радикально отличает Шушенское от заповедников вроде «Скансена» — так это запрет гулять без экскурсовода; еще одно доказательство того, что принудительные способы гуртования населения не столько имеют отношение к марксизму, сколько свойственны российскому типу администрирования.

Маршрут начинают с крайней — в заповеднике — хаты крестьянина-середняка Зырянова. «В этом доме... вождь мирового пролетариата...» — беломраморное уведомление возвещает о пребывании Ленина с такой колокольной торжественностью, будто тот провел пятнадцать месяцев в собственных апартаментах в «Бурж-Калифа»; на самом деле это избушка — словно бы с иллюстрации к «Трем медведям»: почерневшие лиственничные бревнышки в обло, четыре окошка в стену, гераньки, резные ставенки. Это, впрочем, лишь верхняя часть айсберга — к дому прилеплены хозяйственные пристройки, в которых, похоже, и была главная сила владельца. Ушаков, познакомившийся с Аполлоном Долмантьевичем Зыряновым, характеризует его как энергичного, предприимчивого человека из тех, что должны были нравиться ВИ. Уже в 1890-е он был достаточно зажиточным, держал много скота (в 1920-е его даже придется поражать в гражданских правах как кулака — хотя он не был «кабальщиком»), пользовался у своих земляков уважением, избирался доверенным по питейному заведению; впрочем, беспрепятственный доступ к алкоголю попутает кого угодно — и прожившая с ним на протяжении нескольких недель под одной крышей НК уверенно свидетельствует, что их амфитрион со своими гостями «часто напивались пьяными».

Музеефикация деревни началась еще в 1920-м, сразу после того, как шушенцы осознали, что в Кремле обосновался тот самый, их Ульянов; уже в марте 1923-го они принялись чудить — и избрали его «почетным членом сельсовета». В 1924-м администрация реквизировала у хозяев имеющих отношение к Ленину домов мебель (кровать, конторку) и даже умудрилась выловить из потока времени несколько якобы подлинных «предметов»: барометр, полушубок, валенки. Валенки (точнее, сибирские пимы) и сейчас демонстрируются в одной из витрин; как раз в такие конспираторы и закладывали рукописи ленинских статей и письма, написанные шифром, — для отправки кому следует в Центральную Россию или Европу.

Иллюзия, будто вы окажетесь единственным «европейцем», добравшимся в постгорбачевскую эпоху до этих валенок, есть лишь неизбывный московский снобизм: народу здесь — труба нетолченая, в том числе из коренной России; может быть, не все они приехали сюда исключительно ради Ленина — однако никто здесь не требует показывать ему «только старину, а про Ленина ничего не надо». Летом стайки экскурсантов запускают внутрь чуть ли не с частотой поездов в метро — и хотя далеко не все посетители прочли «Развитие капитализма в России» и разобрались в нюансах различий между социал-демократами и революционными народниками, все они знают, что здесь несколько лет прочалился великий человек — и та оснастка, которая удерживала его, бытовые и метафизические якоря продолжают интриговать их.

О том, что первый год в ссылке дался ВИ сложнее остальных, свидетельствуют рассказы Зырянова Ушакову. Постоялец, едва освоившись на новом месте, заскучал: «лежит, ничего не делает» — и даже якобы признался, что «скучает по невесте, которую не пускают к нему».

В одном из писем ВИ сообщает, что пытался сочинить — кажется, единственный случай в его биографии — стихотворение, к которому быстро придумал хореическую первую строку: «В Шуше, у подножия Саяна...», а затем заглох; в другом просит прислать ему маленькие ножницы — потому что своих нет и приходится брать у хозяев, а у тех только овечьи. «Достоинство их — то, что всегда возбуждают смех и веселье»; судя по тому, что сказано это с поджатыми губами, представления Зырянова о юморе время от времени расходились с ульяновскими.

Однако едва ли Шушенское произвело на ВИ шокирующее впечатление; ничего радикально нового по сравнению с Кокушкиным или Алакаевкой: «большое, в несколько улиц, довольно грязных, пыльных — все как быть следует. Стоит в степи — садов и вообще растительности нет. Окружено село ... (многоточие предназначено для женского уха — это письмо младшей сестре. — *Л. Д.*) навозом, который здесь на поля не вывозят, а бросают прямо за селом, так что для того, чтобы выйти из села, надо всегда почти пройти через некоторое количество навоза. У самого села речонка Шушь, теперь совсем обмелевшая». Эта Шушь впадает в Енисей, который, однако, не выглядит здесь особенно величественным и едва ли наполняет грудные клетки жителей ощущением простора, как Нева или Волга; в ста километрах от гор, «вырвавшись» (здешние географы склонны драматизировать природные феномены) «на просторы Минусинско-Хакасской равнины», он, летом во всяком случае, сильно у́же Москвы-реки; ВИ замечает, что по сути это «масса островов и проток, так что к главному руслу Енисея подхода нет». Река и сейчас осталась на задворках — доступ застроен дачками, огородиками; тот, кто соберется исследовать ее берега, обнаружит там сразу два нехарактерных для Шушенского злачных заведения — «Станица» и «Хуторок», в 50 метрах друг от друга, несомненно конкурирующие; и там и там звучит громкая музыка, слышен стук бильярдных шаров и звон кружек, наполненных «Абаканским» и «Минусинским живым».

Можно только предполагать, какую досаду вызывали у 27-летнего ВИ, с его гиперактивностью, потеря времени и вытеснение на политическую периферию: год он просидел в камере, теперь на три оказался закупорен в глухой деревне, куда газеты приходили через месяц — и почуять суть момента было почти невозможно. ВИ всегда был зависимым форвардом, которого очень стимулировали информационные пасы. Здесь оказывалось, что он дистанционно участвовал в матчах, которые для всех давно закончились: так, он пару раз писал в Шушенском статьи в журналы, даже не зная, что те уже закрылись.

Летаргическая атмосфера Шушенского — в особенности неотменяемая продолжительность срока — не могла не влиять на ВИ. В тюрьме по крайней мере сама обстановка действовала закаляюще, там из графита под давлением рождался алмаз. Здесь присутствие государственной машины заключалось лишь в том, что утром и вечером к вам приходил надзиратель и вы расписывались в его книге: тут, никуда не делся; махровая, «чеховская» скука, от которой кто угодно мог бы «повзрослеть», отказаться от революционных фанаберий, начать заглядывать в чарочку, жениться на местной жительнице — как оба сосланных сюда декабриста, опроститься, уйти в чтение. НК рассказывает, что, кроме русской классики, марксистской литературы и книг по статистике, у ее мужа в Шушенском были «Фауст» и томик стихов Гейне на немецком, а еще он время от времени рассматривал альбом с фотопортретами политкаторжан, Герцена, Писарева. Между двумя фотографиями Чернышевского была вклеена карточка Золя, который как раз в те годы был звездой, выступив защитником в процессе Дрейфуса; да и «Жерминаль», идеальное беллетристическое сопровождение к «Капиталу», ВИ тоже очень любил.

К счастью, у ВИ не было аллергии на «идиотизм деревенской жизни», и он умел занимать себя не только письмом и чтением, но и спортом, гуляньями и общением, которое, надо полагать, воспринимал как возможность для полевого социолога изучить «уклад». Он относительно легко сходился с местными жителями и охотно участвовал в их обычных практиках.

Он отказался учить сына местного врача (очень витиевато: «Милостивый государь Семен Михеевич! Спешу уведомить Вас, согласно данному обещанию, о результатах переговоров моих с тем лицом, которому Вы хотели дать одно поручение. Как я и ожидал, это лицо отказалось точно так же от него, и придется, следовательно, обратиться к кому-либо другому. Готовый к услугам Владимир Ульянов»), зато для развлечения или с научными целями принялся работать в Шушенском кем-то вроде подпольного (официально ему запрещено было заниматься такого рода деятельностью) адвоката, помогая крестьянам, рабочим с приисков и товарищам-ссыльным. Сюжеты приходилось разбирать еще более экзотические, чем в Самаре: корова потравила чей-то чужой луг, зять не позвал на свадьбу. Одного крестьянина ложно обвинили в поджоге казенного леса; ВИ составил ему бумагу и предупредил, что если лесничий не примет ее, то надо будет отправить документ по почте; подзащитный, однако, вместо этого свернул из прошения кулек, чтобы насыпать в него фунт купленного на базаре сахара. Зырянов рассказывает, что ВИ был в страшном гневе, услышав эту историю, и заперся у себя в комнате, не пожелав выслушивать дальнейших оправданий крестьянина. У этой филантропической — денег ВИ не брал — деятельности были и другие неприятные аспекты; с одним из них НК пришлось столкнуться сразу же по прибытии в Шушенское. Пока они с матерью ждали возвращения ВИ с охоты, в дом Зырянова явились крестьяне — благодарить за успешно оказанную в каком-то деле помощь против мельника, а затем и сам мельник — разбираться с шибко грамотным юристом; его удалось выставить только матери НК.

Регулярная юридическая практика, безусловно, давала ВИ живейшее представление об устройстве деревенской общины — и крестьянских умов, задушенных отсутствием всякого образования.

Зырянов рассказывал Ушакову, что еще в мае 1897-го, едва разобрав чемоданы, ВИ согласился на его предложение на неделю съездить на пашню: там он, конечно, не ходил за сохой — но жил в стане из дернины, вместе с полевыми работниками, которые боронили и сеяли. Утром ВИ лазил по болотам с ружьем — за дичью, птицей, во второй половине дня наблюдал за работниками; или «уйдет, бывало, вон на те курганы и сидит там день-деньской. Сидит да на степь глядит. И чего, себе думаю, сидит он там?». Курганов здесь тьма; в Минусинском музее показывают могильные плиты, каменные бабы и разного рода железные предметы — наконечники стрел и копий, стремена.

В мемуарах НК — воспринявшая переезд в Сибирь с некоторой флегматичностью, без особого энтузиазма («Шушенка деревня как деревня», жует она губами; «если бы мне предложили сейчас выбрать, где лето провести — под Москвой или в Шуше, я бы, конечно, выбрала первое»), но и без излишнего драматизма — сочла нужным подробно описать экономику пребывания своего будущего мужа в доме у Зырянова; это едва ли не самый охотно цитируемый фрагмент ее мемуаров. Мы узнаем, что на восьмирублевое пособие ссыльного (НК, правда, не упоминает, что возможность получения пособия была привязана к обязательству не состоять ни в какой официальной должности) ВИ мог получить в Шушенском с тамошней «поразительной дешевизной»: «чистую комнату, кормежку, стирку и чинку белья — и то считалось, что дорого платит. Правда, обед и ужин был простоват — одну неделю для Владимира Ильича убивали барана, которым кормили его изо дня в день, пока всего не съест; как съест — покупали на неделю мяса, работница во дворе в корыте, где корм скоту заготовляли, рубила купленное мясо на котлеты для Владимира Ильича, тоже на целую неделю. Но молока и шанег было вдоволь и для Владимира Ильича, и для его собаки». Сама численность поголовья этой отары — 50, получается, баранов в год — оказывает на вульгаризаторов биографии Ленина тонизирующее воздействие. Обычно отмечается, что на всех картинах, посвященных Шушенскому и экспонируемых там (вспомнить хотя бы знаменитую жанровую сценку: «Наденька, мы теперь самые богатые!» — изможденная работой молодая пара Ульяновых разбирает присланную доброжелателями новую порцию книг), ВИ изображен чахоточным джентльменом с бородкой — нечто среднее между Феликсом Дзержинским и князем Мышкиным. Это, пожалуй, художественное преувеличение — как, впрочем, и у самого Ленина, который, подчеркивая достоинства холостяцкой кухни, иронично рассказывает, что его вот-вот перестанут узнавать знакомые. «Эк вас разнесло!» — всплеснула, однако ж, руками при первой встрече после разлуки без пяти минут теща.

Появление НК, несомненно, осчастливило ВИ — и позволило ему преодолеть меланхолию из-за неизбывности здешнего уклада, в котором много грубости нравов, варварства и азиатчины, и перенести оставшиеся полтора года с легкой душой; он смог делегировать все, что касается устройства быта, жене и теще, и не искать себе товарищей для развлечения, как в первый год, когда маялся без невесты.

Переписки между ВИ и НК, в которой они обсуждают условия своего будущего брака, не сохранилось; возможно, идею можно уловить по письму, которое написал перед отправкой в Сибирь революционер Ванеев (угодивший в соседнее с Шушенским Ермаковское за то, что копировал тексты Ленина на гектографе) своей невесте Ж. В. Труховской: «Если ты нашла в себе достаточно энергии, чтобы разбить семейные цепи, гнет которых тяготел на тебе с детства, то борьба с рабством общественным не может уже устрашить тебя. А это единственное требование, какое я ставлю подруге моей жизни». (Ванеев, к огорчению своих товарищей, угас в 1899-м от туберкулеза; Ленин оплакивал его.)

В соседнем доме проживал финн Оскар Энгберг — рабочий-путиловец, отправленный в Сибирь за «зуботычину» полицейскому на демонстрации. У них были ровные, приятельские отношения. Узнав, что финн учился ювелирному делу и мается в Шушенском без ремесла, ВИ попросил НК, чтобы она что-нибудь придумала — и та привезла корзину в два пуда весом, где оказались и маленькая наковальня, и набор инструментов, и ригель. Потрясенный такой любезностью, Энгберг выплавил Ульяновым — не то из медных пятаков, не то из наконечников бронзовых стрел, которые находили в полях крестьяне, — обручальные кольца. Официальными свидетелями на свадьбе записаны местные крестьяне. Добрые отношения между Ульяновыми и Энгбергом сохранились на десятилетия. В 1930-е Оскар Александрович даже приедет к НК в Москву повидаться, и они будут вспоминать, как та задавала ему задачки и приучала к систематическому чтению, а он, на память, сделал своей учительнице трогательную брошку в виде медной книжки — естественно, «Капитала».

Шушенскую Петропавловскую церковь, где венчались Ульяновы, на скорую руку разрушили в 1938 году; утрата этого сакрального, с какой стороны ни посмотри, монумента несколько озадачила тогдашнее начальство; по легенде, заминкой воспользовались минусинские священнослужители, которые написали куда следует бумагу, будто Ленин венчался именно у них, — и их церковь оставили-таки в покое.

Возможно, кому-то Шушенское может показаться не самым очевидным местом для проведения медового месяца, однако ж брак Ульяновых продержался столько, сколько нужно, и хотя потрескивал в 1910-е годы, сохранился до самого конца.

Сыграв тихую свадьбу, молодые люди переехали в «дом Петровой» на другом конце деревни, рядом с Шушью, — с двумя чудно́ выглядящими перед фасадом крестьянской избы колоннами: роковой намек на Горки. Теперь здесь стоит подлинная ленинская конторка, светится по вечерам зеленая лампа — та самая, подарок «невесты». Рядом с двумя кроватями буквой «Г» (гид охотно объясняет, почему две: «они ж дворяне — а тогда многие вообще спали в разных комнатах»; и ссылается на Надежду Константиновну, которая в 30-х годах «так нарисовала схему») висят ленинское (ну или почти ленинское — из той же серии, разница всего в 83 номера) ружье и коньки. Каток ВИ выгораживал и расчищал себе сам; затем инвентарь использовался не по прямому назначению: «метел, лопат навалит на лед и давай через них перескакивать». НК — которой «кресло было излажено, с креслом она и каталась» — рассказывает, что ее муж был чем-то вроде деревенской достопримечательности: на его сеансы фигурного катания собирались деревенские, кто-то пытался соревноваться с ним в беге по льду.

НК никогда не пыталась выдать себя за идеальную хранительницу домашнего очага, охотно иронизировала над тем, как она «воевала с русской печкой», и подтрунивать над ней не возбранялось даже в советское время: «Да-да, если б не твоя мамаша, мы бы давно варили суп из "Русской мысли" и закусывали бы статистическими сборниками Нижегородской губернии», — добродушно шутит над молодой женой Ленин в фильме «В начале века». Она, однако, была хорошим организатором — и нашла другую квартиру, устроила переезд, выгородила для ВИ с его книгами и конторскими счетами нечто вроде кабинета, заказала мебель, наняла девушку в прислугу — 16-летнюю Прасковью Мезину. Ушаков разыскал ее — и выяснил, что годы, проведенные в обществе Ульяновых, оказались самыми счастливыми в ее жизни. Ей платили 4 рубля в месяц, не позволили спать на полу и выделили отдельный закуток с кроватью; «прежде чем дать какую-нибудь работу, меня обыкновенно спрашивали, могу ли я это сделать, а если я говорила "нет", меня учили, как это делать». НК выучила ее грамоте, ВИ смешил своими шутками. Когда Ульяновы уезжали куда-нибудь, ей оставляли револьвер — еще одно свидетельство того, что идиллический характер шушенского «отшельничества» не стоит переоценивать.

Сердечные — НК запомнит эту семью навечно — отношения установились с соседями по флигелю, курляндскими немцами, говорившими по-русски с комическим акцентом: «фы туда ходийт». У них всё было «ётшенн плёхо», и, замученные бедностью и непосильным трудом, они не могли уделять много внимания своему четырехлетнему сыну, который целые дни проводил у Ульяновых. Однажды, вернувшись из Минусинска, ВИ объявил Мише, который играл со своей лошадкой — деревянной палочкой, что его конь убежал из конюшни, и предложил пойти поискать его, а когда мальчик возвратился ни с чем — сказал, что конь вернулся сам: вон он — сено ест. В «конюшне» стояла красивая деревянная лошадка — «настоящая».

Через год после отъезда своих благодетелей мальчик, всеобщий любимец и тоже ученик НК, умер от менингита; НК очень горевала по нему.

Вторым соседом был поляк Ян Проминский — обремененный шестью детьми шляпник, чьи произведения — НК уже тогда обладала замечательным чувством смешного — «иногда смахивали на валенки». Он много времени проводил в огороде, где выращивал махорку, которую ездил продавать на рынок.

Последнее, в чем можно было обвинить НК, — в лености: целыми днями она занималась перепиской и переводами, а еще ухаживала за участком, разбила цветник и присматривала за кухней. ВИ был не из тех мужей, которые готовы тратить время на что-либо, кроме варки яйца всмятку, и поэтому на кухне верховодила теща — славная женщина, выпускница Института благородных девиц, которая отважно поехала в Сибирь за дочерью — и, кажется, была очень довольна своим зятем и как главой семьи, и как партнером по играм в карты.

«Жизнь Владимира Ильича в Шушенском во вторую половину его ссылки, — пишет Герман Ушаков, — это жизнь обстоятельного деревенского семьянина, жизнь большой, дружной, согласной семьи со всеми обычными для деревенского интеллигента тех дней утехами: с охотой, прогулками, с катанием на лодке. Для Владимира Ильича это была пора напряженного труда, но труда регулярного, отлично организованного в рамке устроенной деревенской жизни, при сотрудничестве и помощи любимого человека».

В пожилом возрасте НК сделалась очень разборчива по части жизнеописаний ВИ, и ее, среди прочего, раздражали биографы, которые, описывая шушенские годы, напирали на то, что Ульяновы-де целыми днями сидели за столом, отрываясь от чернильницы только на общение с почтальоном. Однажды ей даже пришлось напомнить: «Ведь мы молодые тогда были, только что поженились, крепко любили друг друга, первое время для нас ничего не существовало. А он — "все только Веббов переводили"»; «Мы ведь молодожены были... То, что я не пишу об этом в воспоминаниях, вовсе не значит, что не было в нашей жизни ни поэзии, ни молодой страсти». Меж тем «пресная» компонента, несомненно, занимала в их жизни значительное место — судя по тому титаническому переводческому труду, который они проделали. «Теория и практика английского тред-юнионизма» Сиднея и Беатрис Вебб — видимо, окончательно уверивших ВИ в том, что рабочие сами не в состоянии выработать политическое сознание, только экономическое (повысьте мне зарплату, и я закрою глаза на то, что вы грабите колонии) — сложная, насыщенная специальной терминологией книга по социологии и экономике, очень толстая; чтобы перевести ее, нужно иметь перед собой множество словарей и терминологических справочников. Ульяновы умудрились в Шушенском перевести первый том целиком сами и отредактировать перевод второго; мало охотников найдется читать сейчас этот труд целиком, но если по крайней мере просмотреть его, то перевод кажется весьма приличным. Как они это сделали — имея об английском языке достаточно смутное представление? НК даже не знала правила произношения английских слов, полагая, что они подчиняются тем же, что французские; ВИ пришлось разочаровать ее. Однако и он, похоже, не был в те времена знатоком предмета. «Владимир Ильич слышал, как учительница английского языка учила его сестру Ольгу читать вслух по-английски. Впрочем, Ильич по части произношения тоже был не очень тверд», — разводила руками НК. «Вот нам с Володей с языками беда, оба плоховато их знаем, возимся с ними, возимся, а все знаем плохо. Опять принялись за английский. Который это уже раз!» Видимо, им в значительной степени помог перевод на немецкий — который оба знали гораздо лучше и с которым сверяли свой перевод с оригинала. Веббы, узнав после революции, кто был их переводчиками, очень гордились этим обстоятельством; в 1930-е через посла Майского они передали НК еще один свой двухтомный труд — «Soviet Communism».

В Шушенском на протяжении почти трех лет у ВИ была собака: сеттер Дженни или, по НК, «Женька». Охотничьи амбиции Ленина никогда не простирались дальше мелких животных: никаких медведей, только тетерева, куропатки и зайцы, которых «били» по осени на островах Енисея — иногда прямо прикладом, не тратя пуль; там «их масса, так что нам они быстро надоели»; тушки обрабатывала Прасковья и отдавала их затем Проминскому, а тот тачал из них шапки.

Сангвинический темперамент ВИ ободряюще действовал на его клиентелу: не только жена, но и Прасковья, и ссыльный финн запомнили его как человека очень жизнерадостного и смешливого. Ушаков записал историю о том, как ВИ, добыв на охоте тетерева, закрепил его на березе, чтобы к нему слетелись другие. Неожиданно из-за кустов показался Оскар Александрович — который тоже прогуливался с ружьем; заметив птицу, он выстрелил. Тетерев остался на месте — не вызвав подозрений: известно, что эти птицы могут не реагировать на промах. Энгберг выстрелил еще раз, и еще, и еще: «Раза четыре, говорили, стрелял — пока перья из косача не посыпались. Что такое, думает, что за притча такая. Подходит к косачу, а тут Владимир Ильич под кустом лежит, за живот от смеху держится. С охоты пришли — гром идет по комнатам от смеху. И сколь они потом этого косача поминали. — Ну-ка, — говорит, — Оскар Александрович, расскажи, как на тетеревов охотился...»

Оскар Александрович квартировал в доме относительно зажиточного (у него было четыре лошади и три пашни) крестьянина по имени Иван Осипатович Ермолаев, который плотно укоренился в окололенинском фольклоре как «Сосипатыч» — «щуплый, проворный, в треухе, худеньком зипунишке, с ружьем через плечо», заставлявший жену печь особые «политические» калачи: «Говорю, бывало, жене-то своей: — Ты напеки-ка "политических" калачей, мы с ВИ на охоту пойдем».

ВИ много охотился в его обществе, и, похоже, они были симпатичны друг другу. Ушаков говорит, что он стал для Ленина кем-то вроде Арины Родионовны для Пушкина — типичным представителем русского середняцкого крестьянства; и эта взаимная симпатия свидетельствует о том, что между Лениным и крестьянством не было того антагонизма, который легко выводится из его действий в 1918–1920 годах, когда Ленин пытался устроить в деревне гражданскую войну и лишал крестьянина еды и семян уже необязательной в 1920 году продразверсткой. Ушаков настаивает, что именно Шушенское дало Ленину хорошее знание крестьянства — и что «крупицы чего-то ермолаевского, конечно, увез с собой из Шушенского будущий организатор Октября».

Иван Осипатович говорил Ушакову, что ВИ был «легкий на ногу».

Шушенское — плоское, как Амстердам, и если соберетесь туда, берите с собой велосипед. Пешеходам, оказавшимся за пределами поселка, чтобы понять, где тут что, приходится действовать методом проб и ошибок: инфраструктуры для прогулок — круговых маршрутов, системы указателей, обозначенных тропинок — нет; вы просто перемещаетесь из левитановского пейзажа в саврасовский, потом в шишкинский; не обязательно именно в этой последовательности. Вдоль берегов Енисея и его притоков простираются джунгли не джунгли — но густые (заблудишься и не заметишь) сосновые боры. ВИ, перечисляя шушенские достопримечательности, объявляет расположенный в полутора верстах от деревни «бор» «преплохоньким, сильно повырубленным лесишком, в котором нет даже настоящей тени (зато много клубники!) и который не имеет ничего общего с Сибирской тайгой, о которой я пока только слыхал, но не бывал в ней (она отсюда не менее 30—40 верст). Горы... на счет этих гор я выразился очень неточно, ибо горы отсюда лежат верстах в 50, так что на них можно только глядеть, когда облака не закрывают их... точь в точь как из Женевы можно глядеть на Монблан... Поэтому на твой вопрос: "На какие я горы взбирался" — могу ответить лишь: на песчаные холмики, которые есть в так называемом "бору" — вообще здесь песку достаточно». Недурной ориентир для прогулки представляет расположенный в нескольких километрах от зыряновской избы, у озера Перово, ленинский шалаш: центральный объект в огороженной зоне, напоминающей языческое капище. Шалаш не такой, как в Разливе, и похож на землянку-блиндаж — с настилом из бревен. «Здесь, — гласит надпись, — во время охоты любил отдыхать В. И. Ленин». «Здесь» вместо «в нем» — потому, что, разумеется, не оригинал: «восстановлен по описаниям крестьян». Отсюда можно уйти к самым отдаленным участкам «Саянского кольца» — гигантского региона, в котором обнаруживаются следы жизнедеятельности представителей всех общественных формаций: хакасская Долина царей, Салбыкский курган с менгирами и петроглифами, заповедник «Казановка» с наскальными рисунками; а если направиться на юг, то там недалеко и Тува, Кызыл — географический центр Азии, место, где сливаются Большой и Малый Енисей, гора Хайракан...

У краеведов есть сведения, будто бы в 1897-м Ленин ходил с Мартьяновым — минусинским просветителем, организатором музея, энтузиастом науки и любителем бродить по местным глухоманям — на Саяны, и они поднимались на одну из пяти вершин хребта Борус. Якобы об этом походе написано в отчете Мартьянова; Ленин там прямо не упоминается, просто некий «экскурсант». Со склонностью ВИ при любой возможности участвовать в горных походах, вероятность того, что «экскурсант» — именно он, можно оценить как очень высокую. «На этих днях, — писал Ленин, — здесь была сильнейшая "погода", как говорят сибиряки, называя "погодой" ветер, дующий из-за Енисея, с запада, холодный и сильный, как вихрь. Весной всегда бывают здесь вихри, ломающие заборы, крыши и пр. Я был на охоте и ходил в эти дни по бору, — так при мне вихрь ломал громаднейшие березы и сосны». Тот, кто окажется около Саяно-Шушенской ГЭС, может перейти через Енисей по автомобильному мостику чуть ниже плотины — чтобы оказаться в Горном лесничестве Саяно-Шушенского заповедника и самолично убедиться в том, что хотя Саяны невысоки, однако гора, заросшая тайгой, — довольно существенное препятствие для путешественника. Десятикилометровая тропа «Экоборус» сдержанно квалифицируется в путеводителях как маршрут «средней категории сложности». Средней, да: вверх, вверх, вверх — час, другой, третий, по узкой, заросшей корнями стежке; двухкилометровые перепады рельефа здесь совсем не редкость. Некоторое однообразие пейзажей — 500-летние кедры, 400-летние кедры — компенсируется вкопанными там и сям уведомительными табличками: «Место обитания медведя. Уважаемые посетители! Во избежание встречи с медведем не оставляйте остатки пищи. Не рискуйте своей жизнью!» Идея оставлять кому-либо нечто съестное кажется в этой пустыне смехотворной. Обычная цель здешних походов — Венеция, небольшое озеро ледникового происхождения; оно расположено как бы в центре-воронке каменного цирка, между Малым Борусом и пиком Кошурникова. Довольно высоко — поэтому растительности вокруг уже нет, даже и средний пояс темнохвойной тайги здесь заканчивается — остаются одни камни-валуны. На них хорошо думается — и если вы размышляете, что делать с партией, которая только что устроила первый свой съезд, но не смогла ни принять общую программу, ни воспрепятствовать аресту всех его участников — то, возможно, вам в голову придут свежие идеи.

Непохоже, что ВИ переживал из-за того, что оказался в Шушенском один, без своей питерской социал-демократической компании. «Нет, уже лучше не желай мне товарищей в Шушу из интеллигентов!» — ворчит он; про опасность чрезмерно близких отношений с людьми, которые оказались товарищами по изоляции и бездействию, ему было известно. В этой среде нередко разражались настоящие психические эпидемии — когда люди, попавшие в ссылку по общему обвинению, начинали подозревать друг друга, искали провокаторов, травили жертв по самым нелепым поводам, обвиняли в нарушениях «ссыльной этики», устраивали «товарищеские суды» — на одном таком, где бывшие народовольцы в чем-то обвинили Кржижановского и Старкова, ВИ даже исполнил роль адвоката — и, судя по отзывам, хорошо справился, не дав товарищей в обиду ссыльной «аристократии». Зырянов рассказывает, что однажды его постоялец помогал в устройстве чьего-то побега из Минусинска.

С чьим-то другим делом — какого-то человека, который обменивался с ВИ письмами и неаккуратно держал в доме запрещенные издания, — связан хрестоматийный эпизод с обыском: его обожали пересказывать экскурсоводы и рисовать в виде жанровой сценки художники. ВИ, великий психолог, не растерявшись, любезно подставил царским тонтон-макутам табуретку — чтобы те закопались в складированных на верхних полках книжного шкафа скучных статистических ведомостях, а до низа — где хранились едва ли не секреты производства атомного оружия — не доехали: умаялись. Есть, впрочем, и другая версия, изложенная в книге «В борьбе за социализм»: согласно ей, запрещенная литература хранилось не просто на этажерке с книгами, а «в горшке из-под молока, заткнутом тряпкой», — который, да, стоял среди книг; сметливая теща, Елизавета Васильевна, вошла в комнату, на голубом глазу забрала горшок и, «разведя огонь на кухне» — под аплодисменты изумленных свидетелей: жандармского подполковника Николаева — помощника начальника Енисейского губернского жандармского управления по Минусинскому и Ачинскому округу и товарища прокурора Никитина — «немедленно сожгла все содержимое горшка». Как бы то ни было — хорошо, что ничего у Ульяновых не нашли, потому что если бы встреча закончилась в пользу жандармов, то ссылку бы продлили лет на пять — и перевели бы молодую семью из Шушенского в Туруханск; можно не сомневаться, что ВИ попытался бы сбежать через Дальний Восток в Америку — терять особо нечего; тогда многие так делали.

Несколько проще, конечно, ему было со «своими». Он никогда не прерывал общение с Кржижановскими, Старковым, Ленгником, Лепешинскими, Ванеевым. Время от времени они собирались компаниями — то в Минусинском, то в Ермакове, то в Тесинском, последний Новый год — в Шушенском, отмечали праздники. Приятели устраивали пикники, пели, болтали о философии, «гигантили» на коньках, играли в шахматы, боролись (деликатный Кржижановский припоминает, что «по утрам Владимир Ильич обыкновенно чувствовал необычайный прилив жизненных сил и энергии, весьма не прочь был побороться и повозиться, по какой причине и мне приходилось неоднократно вступать с ним в некоторое единоборство, пока он не уймется, при самом активном сопротивлении с моей стороны»; по этому отрывку и не скажешь, что его написал тот же человек, что так энергично перевел на русский «Вихри враждебные веют над нами» — «Варшавянку»), а в промежутках писали друг другу письма молоком и охотились за новостями из большого мира; они знали, конечно, про катастрофу с I съездом РСДРП.

Статус ссыльного, среди прочего, подразумевал почти полный запрет на несанкционированные перемещения. Однажды Ленин с Кржижановским добились от исправника разрешения посетить село Тесинское под предлогом исследований «интересной в геологическом отношении горы» — НК уверяет, что ВИ — «в шутку» — попросил отпустить для участия в научных изысканиях не только его, «но в помощь ему и жену». Апофеозом совместной политической деятельности стало подписание протестного письма — после того, как в руки ВИ попал некий документ, в котором излагались идеи «экономистов» — социал-демократов, возомнивших, что теперь, после разгрома радикального крыла «Союза борьбы за освобождение рабочего класса», они могут монополизировать марксизм в столицах и их единственная задача — «просто» помогать рабочим бороться за их повседневные требования — тогда как более глубокая «революционизация» произойдет «сама по себе». Коллективное письмо в риторике *contra* было хорошим способом напомнить о себе — и ВИ изо всех сил принялся вопить: «Волки! Волки!»; оппортунисты были прокляты в самых решительных выражениях, и стратегия сработала: письмо минусинской общины дошло даже до Европы и самого Плеханова.

Главным продуктом шушенского трехлетия, благодаря которому Ленин занял непоколебимую позицию в самом первом ряду русских марксистов, стала его книга про капитализм.

Третий том собрания сочинений Ленина очень увесистый; в нем 800 страниц — и 600 из них занимает один текст: «Развитие капитализма в России». Это настоящий айнтопф — очень плотно набитый цифрами, цитатами, чеканными формулировками и высказываниями резкого характера. Видно, что каждая страница обошлась автору в неделю работы. Из Сибири Ленин заставлял сестер охотиться на те или иные издания, которые представлялись ему абсолютно необходимыми: брошюры, журналы, монографии заказывались на складах, скупались у букинистов, иногда даже брались в столичных библиотеках — чтобы бандеролью переслать в Шушенское и затем вернуть обратно. Купили — не купили, послали — не послали, дошло — не дошло и когда все-таки дойдет; что там с «Русским богатством», почему не едет «Agrarfrage» Каутского; в переписке ВИ безжалостно эксплуатирует своих родственниц. В это трудно сейчас поверить, но, похоже, автор прочел *всю* литературу по экономике, которая на тот момент была доступна в России; собственно, «последний человек, который прочел всё» — вообще всё — был Кольридж, пусть не современник, но сосед Ленина по XIX веку.

Относительно «Развития капитализма в России» бытует мнение, будто это чемпион-супертяж, соперничающий по части скучности лишь с «Материализмом и эмпириокритицизмом»; само-де существование этой книги является курьезом, если о чем и свидетельствующим, то о высокой культуре книгоиздания в стране, которая может позволить себе выпускать такого рода произведения массовым тиражом. Действительно, наружные признаки «Развития капитализма» провоцируют на поверхностное — по диагонали — чтение: много таблиц, сплошные цифры, выписки из статистических сборников; структура отхожих промыслов в Калужской губернии за 1896 год, функционирование кустарной промышленности в Костромской за 1895-й. Идея и метод понятны еще до того, как начинаешь зевать, — таблица позволяет выделить данные о быстром росте безлошадных хозяйств, отсюда делается вывод о растущей эксплуатации крестьянства. Данные по заводам, которые гонят из картофеля самогон, инициируют запуск серии размышлений о механизме процесса трансформации кустарей в фабрикантов и перемещения капитала из торговли в промышленность. Стремление Ленина продемонстрировать изменения, происходящие по всей линии фронта, — где капитализм теснит феодальный уклад, превращает его книгу в удивительный фестиваль существительных, обозначающих представителей тех или иных профессий: среди персонажей «Развития» фигурируют башмачники, валяльщики, зеркальщики, рамочники, щеточники, скорняки, кожевенники, сусальщики, шляпники, рогожники, шпульники, сновальщики, ложкари, сундучники, ковали, лезевщики, черенщики, закальщики, личельщики, отделывальщики, направляльщики, клейменщики, загибальщики, рубачи, пенюгальщики... Со всеми — Ленин не устает щелкать костяшками на счетах: зарплата такая-то, продолжительность рабочего дня столько-то — происходят необратимые мутации.

Да, всё прочел, всё выписал — и всё ради того, чтобы встать на табуретку и громогласно объявить: Маркс был прав, и в Россию тоже пришел капитализм, аллилуйя? Еще одна — заведомо проигрывающая конкурентную борьбу с другими экономическими шлягерами тех лет: «Русской фабрикой» Туган-Барановского, «Критическими заметками к вопросу об экономическом развитии России» Струве и «Капитализмом и земледелием» С. Булгакова — весьма специальная, непролазная, быстро устаревшая книга?

Попробуем, однако, прочесть «Развитие капитализма» не как книжку по статистике и даже не как труд, в котором ВИ «перевел Маркса на язык русских фактов», а как очерк — где описывается Россия, по которой тяжело, медленно, грузно едет машина, сдирающая не просто эпидермис, но вторгающаяся лезвиями глубоко в мясо, перемалывающая в фарш целые пласты общества, населенные пункты, семьи, поколения.

Это крайне неприглядное зрелище — парад социальных уродств: вот работающие по 18 часов в день дети; вот женщины-кулаки; вот целый класс «мелких пиявок», наживающихся на посредничестве между производителями и торговцами: прасолы, шибаи, щетинники, маяки, иваши, булыни... Пиявки или благодетели — оценочные характеристики тут малосущественны: машина едет в любом случае, нравится это кому-то или нет. И раз так, показывает Ленин, следует иметь мужество признать, что от вторжения этой машины в Россию есть и кое-какая польза: лучше так, чем медленное гниение в полусне, как раньше; интенсификация эксплуатации и резкое ухудшение условий существования, помимо всего прочего, способствует пробуждению сознательности масс и сплочению их в коллективы нового типа. Из аморфной, привыкшей существовать в порочном симбиозе с помещиками массы эксплуатируемых выделяется перспективное, готовое к борьбе за свои права, ядро — пролетариат: чтобы обнаружить его, вовсе не надо ползать по карте страны с лупой.

Капитализм — это не только одетые как статисты в экранизации «Матери» рабочие на больших фабриках; капитализм — это еще и деревенские работники, какие-нибудь кружевницы или стригущие пух стрижевщицы, которые в глаза не видели никакой фабрики и всю жизнь сидят дома, в селе Кленове Подольского уезда. Но при этом они никакие не крестьяне, а тоже пролетариат — потому что тоже продают свой труд заказчикам, кустарям-шляпникам, и работают на них как проклятые.

Да, пока отечественный пролетариат еще не совершил ничего выдающегося — осознанно завоеванием и оформлением своих прав и свобод занимается либеральная буржуазия. Однако штука в том, что «этим завоеванием она, по выражению Бисмарка, выдавала вексель на будущее своему антиподу — рабочему классу».

Главная подоплека пришествия капитализма — и в «отсталой» России тоже, показывает Ленин, — технологическая революция, изменившая не просто тип потребления, но само общественное устройство. Мир вдруг сделался осязаемо маленьким: люди перестают землю пахать где-то под Воронежем (и устраиваются на работу куда-то еще) — потому что им нет смысла конкурировать с американскими фермерами. Изменения — не в книгах, а в жизни, здесь и сейчас: вы можете теперь продавать свой продукт и свой труд в несравнимо большем количестве мест — более того, вам просто приходится это делать, потому что все вокруг уже это делают; а если вы не станете, то окажетесь на обочине, на грани выживания; капитализм не любит шутить — это раз, а еще капитализму требуется, чтобы существовала постоянная армия безработных — резерв, позволяющий держать низкой заработную плату трудоустроенных и производить товары с максимальной эффективностью; ресурс, которым всегда можно заменить недовольных. Этот удивительно рациональный адамсмитовский спрут — функционирующий как часы и отлично пользующийся всеми своими невидимыми руками, то есть щупальцами, — вызывает у Ленина едва ли не восхищение.

Ленин азартно заглядывает под все камни, до которых может дотянуться, — и описывает устройство самых удивительных закоулков капитализма: сундучный промысел, ложкарное производство, арбузный бизнес. Ну что тут, казалось бы, может быть интересного? Однако ж выясняется, что до определенного момента арбузы в России — правильно, под Астраханью — выращивали скорее для личного потребления; промышленное производство началось лишь с конца 60-х годов — и не то чтоб расцветало: выращивали и продавали здесь же, в Поволжье. Однако в 1880-х производство вдруг скакнуло вверх в десять раз — с чего бы вдруг? А железную дорогу в столицы провели. Пошли сверхприбыли (150—200 рублей на десятину). Сначала крупные производители пытались сохранять монополию — да только куда там: производство расползлось. Арбузы стали сажать все кто ни попадя — например, под Царицыном сажали в 1884-м 20 десятин, а в 1896-м — уже 1500; полезли вверх и цены на землю. Чем кончилась арбузная лихорадка? Чем и должна была, по Марксу: кризисом перепроизводства в 1896-м. Как выходили из кризиса? Было объявлено о проекте превратить продукт «из предмета роскоши в предмет потребления для населения» — и пошли завоевывать новые рынки с помощью все тех же железных дорог. Поразительно, все как по нотам, все сходится: Россия на наших глазах разыгрывает стандарты, описанные в «Капитале». И это значит...

Перед нами записки охотника за сокровищами, замаскированные под бухгалтерский отчет; в сущности Ленин в конце 1890-х был кем-то вроде Малькольма Гладуэлла — журналистом, обнаружившим в повседневной, всем известной жизни удивительные парадоксы — и нашедший способ относительно увлекательно рассказать о них — с цифрами в руках, на курьезных примерах (краткая история ювелирного бизнеса в Костромской губернии, колонизация Башкирии, особенности процесса производства деревянных ложек), с акцентом на странные, неочевидные — «фрикономические» — связи между вещами и явлениями.

Этим и объясняется удивительный факт, что «Развитие капитализма» стало бестселлером — в считаные месяцы было продано 2500 экземпляров — очень много для книги, наполовину состоящей из цифр и формул. Этот успех — еще одно свидетельство того, что мы неправильно — не так, как современники, — воспринимаем жанр этой книги. Не скучное пособие по статистике, совсем нет: отстраненный взгляд на привычные, общеизвестные явления; экономика здесь понимается как наука, демонстрирующая, как устроен мир на самом деле, способ разобраться, почему в повседневной жизни люди поступают так, а не иначе, каковы их мотивы — и что означает изменение их поведения для общества в целом, какой сигнал они подают.

Самое зрелищное в момент публикации и самое неинтересное сейчас — полемический пафос: книга написана в пику недалеким и нечистоплотным экономистам, которые скрывали масштаб эпидемии капитализма. Метод Ленина-экономиста состоит в том, чтобы подвергать сомнению экспертные оценки тех «специалистов по народу», которые исходят в своих представлениях о мире из морали — то есть представлений об идеальном мире.

По сути, в «Развитии капитализма» ВИ продолжает, как когда-то в симбирском доме, швыряться калошами — в тех знакомых своего отца, которые приходили покалякать о том, что, да, кое-где в России укореняется «портящий» крестьян капитализм, однако есть оазис, куда спрут точно не просочится, — крестьянская община. Ленин же — марксистская Кали, размахивающая ожерельями из своих страшных статистических выкладок, — демонстрировал: какое там «не пройдет» — уже и нет никакой общины старого образца, уже расслоилась деревня. Психологические фотороботы «мужичков», которые демонстрируют народники, более не соответствуют действительности; капитализм переделывает и образ жизни их, и головы. «Крестьянство с громадной быстротой раскалывается на незначительную по численности, но сильную по своему экономическому положению сельскую буржуазию и на сельский пролетариат». Попытки не замечать капитализм только потому, что его просто не может быть в русской деревне, — не что иное, как научный саботаж: «Крупные хозяйства, где одновременно собирается по 500—1000 рабочих, могут смело быть приравнены к промышленным заведениям».

Кстати, изначально заповедник «Сибирская ссылка В. И. Ленина» создавался, по-видимому, еще и как музей «Развития капитализма в России»: наглядная иллюстрация к идеям, изложенным в этой книге. Вот изба зажиточного крестьянина, вот острог, вот сельская лавка, вот — с бочонком и полуштофами — кабак, а вот изба бедняка: над люлькой подвешена жутковатая самопальная погремушка из скотского мочевого пузыря, куда засыпан сухой горох.

Капитализм уже пришел в каждую избу, расслоение состоялось — и то, что кулак и сельский пролетарий по старинке состоят в одной общине, — формальность. (Собственно, в 1917—1918 годах все расчеты Ленина подтвердятся: в Шушенском будет своя микрогражданская война.)

И действительно, судя по экспонируемым в музее Шушенского интерьерам в домах зажиточных крестьян, середняков и бедняков — разница очень существенная. Избы представителей сельской буржуазии напоминают копии помещичьих усадеб — парадные скатерти, «дизайнерские» столы-угловики, нарядные занавески; жилища же деревенских мизераблей — лубочные картинки, иллюстрирующие понятия «мрак» и «беспросветность». В нынешнем музее, конечно, это уже почти не считается — посетителям демонстрируют этнографическое шоу в жанре «как жили наши предки». Новым поколениям посетителей верования крестьян интересны более, чем «Credo» оппортунистки Кусковой, и раз так, вам не обязательно описывать приступ негодования, охвативший шушенских социал-демократов, когда они ознакомились с манифестом «экономистов», — зато вам непременно скажут, что крестьяне носили пояса как оберег, потому что верили, что параллельно нашему существует еще один мир — мир духов, и пояс как раз отграничивает и защищает явь от нави (если только оттуда не выходит кто-то посерьезнее домового или лешего — например призрак коммунизма).

Начальный этап этой будущей трансформации деревни в город как раз и описан в «Развитии капитализма в России». Общинный тип хозяйствования — на уникальности которого так настаивали народники: «соединение земледелия с промыслами» — на самом деле «обыкновенный мелкобуржуазный уклад». Динамика изменений здесь та же, что в других слоях общества: «Превращение крестьянства в сельский пролетариат создает рынок главным образом на предметы потребления, а превращение его в сельскую буржуазию создает рынок главным образом на средства производства. Иначе говоря, в низших группах "крестьянства" мы наблюдаем превращение рабочей силы в товар, в высших — превращение средств производства в капитал. Оба эти превращения и дают именно тот процесс создания внутреннего рынка, который установлен теорией по отношению к капиталистическим странам вообще».

Собственно, это и был один из главных «гладуэлловских» парадоксов, отмеченных Лениным, — то, что «вопреки теориям, господствовавшим у нас в последние полвека, русское общинное крестьянство — не антагонист капитализма, а, напротив, самая глубокая и самая прочная основа его. Самая глубокая, — потому что именно здесь, вдали от каких бы то ни было "искусственных" воздействий и несмотря на учреждения, стесняющие развитие капитализма, мы видим постоянное образование элементов капитализма внутри самой "общины"».

Капитализм, показывал Ленин, пытался убить (сельских) пролетариев — однако когда не убивал, то делал их сильнее; он был еще и очень жестокой, но все же школой жизни. Раньше «земледелие было в России господским делом, барской затеей для одних, обязанностью, тяглом, для других» — а теперь «капитализм впервые порвал с сословностью земледелия, превратил землю в товар... К пореформенной России вполне приложимо то, что было сказано полвека тому назад о Западной Европе, именно, что земледельческий капитализм "был той движущей силой, которая втянула идиллию в историческое движение"».

Обратной стороной медали было то, что пролетариат в процессе этого «втягивания» оказался в далеко не идиллическом — чудовищном — положении; если при старом укладе систематическое измывательство над эксплуатируемыми было скорее исключением (случай психопатки Салтычихи), то теперь психопатична система, которая устроена таким образом, чтобы выжимать из человека все соки — именно система: ничего личного. В арсенале Ленина-публициста находятся на этот счет не только иронические замечания («У капитала есть все новейшие усовершенствования и способы не только для отделения сливок от молока, но и... отделения молока от детей крестьянской бедноты»), но и яркие примеры. «Мне встретился, — цитирует Ленин коллегу, — один из таких рабочих, работающий 6 лет у одних и те же тисков и простоявший своей голой левой ногой углубление больше, чем в полтолщины половой доски; он с горькой иронией говорил, что хозяин хочет прогнать его, когда он простоит доску насквозь». Тут Ленин нашел идеальный образ капитализма, иллюстрирующий, до какой степени тот рационален — все основано на эффективности и на добровольном договоре между хозяином и пролетарием, и до какой степени ужасен для последнего. Подобранные Лениным образы и цифры позволяют нынешнему читателю отчетливо представить картину положения пролетариата в России 1890-х: откуда он взялся, что собой представляет — и в каком чудовищном положении находится.

И вот, собственно, именно ради этого — а не ради того, чтобы увидеть, как Ленин наматывает на гусеницы народников, — и следует читать сейчас «Развитие капитализма»: чтобы уяснить, с какой стати и ради кого он, Ульянов, вообще стал всем этим заниматься, почему решил потратить свою жизнь на погоню за фантомом — при том, что происхождение и талант открывали перед ним двери, очевидно, более перспективные.

Почему? А потому что обнаружил кое-что такое, чего никто до него не замечал. Россия наполнилась фабриками, где вчерашние крестьяне работают в диких условиях — голые, при тридцатиградусной жаре, «в воздухе носится тонкая и нетонкая пыль, шерсть и всякая дрянь из нее». Потому что отношения между классами изменились, и все «человеческое» теперь выведено за рамки рабочих отношений в принципе: «опытные наниматели хорошо знают», что рабочие «поддаются» только тогда, когда съедят весь свой хлеб. «Один хозяин рассказывал, что, приехавши на базар нанимать рабочих... он стал ходить между их рядами и палкой ощупывать их котомки: у которого хлеб есть, то с теми рабочими и не разговаривает, а уходит с базара» и ждет, пока «не окажутся на базаре пустые котомки». Потому что капитализм сгоняет беднейших крестьян с земли — и они пешком, не имея средств на покупку железнодорожных билетов, «бредут за сотни и тысячи верст вдоль полотна железных дорог и берегов судоходных рек, любуясь красивыми картинами быстро летящих поездов и плавно плывущих пароходов... Путешествие продолжается дней 10—12, и ноги пешеходов от таких громадных переходов (иногда босиком по холодной весенней грязи) пухнут, покрываются мозолями и ссадинами. Около $1/10$ рабочих едет на дубах (большие, сколоченные из досок лодки, вмещающие 50—80 человек и набиваемые обыкновенно вплотную)... Не проходит и года без того, чтобы один, два, а то и больше переполненных дуба не пошли ко дну с их пассажирами». Из XXI века все это кажется беллетристикой, однако надо сказать, картины такого рода, увиденные вживую, производят очень сильное впечатление: автор этих строк наблюдал в йеменской пустыне группы полуголых голодных нищих из Сомали, которые нелегально, с риском для жизни, переплывают через Баб-эль-Мандебский пролив и по сорокаградусной жаре, умирая от голода, бредут в богатую Саудовскую Аравию в надежде получить там работу; кто они, как не миражные двойники тех русских крестьян? Все продолжается, капитализм никуда не делся; сейчас в химически чистом виде его редко можно встретить в России, но в 1890-х он попадался на каждом шагу; именно эту картинку проанализировал с помощью марксистского инструментария Ленин — и осознал, что обнаружил клондайк.

И поскольку в его распоряжении были не только результаты наблюдений, но и система эффективной интерпретации данных в динамике — марксистская диалектика, он не просто сочувствовал протоптавшему голой ногой пол кустарю (народники тоже искренне сочувствовали), но и понял, куда именно тот в конце концов провалится. *Обязательно* провалится. Книжки по статистике привели его к мысли, что финальный этап гонки в России уже начался, и позволили засечь лошадь, которая *точно* выиграет — лошадь по имени Пролетариат. Можно ли было поставить на нее свою жизнь?

Крайне неочевидная, на самом деле, ставка — ну так потому история Ульянова до сих пор и вызывает у нас восхищение: история «ботаника», который, вместо того чтобы пытаться разбогатеть, как все, совмещая приятное с полезным, — тратил все свои деньги на сборники с таблицами (столько-то коров, столько-то баранов), развил в себе способности предсказывать будущее и, воспользовавшись подмеченной слабостью своего врага (капитализм с его одержимостью эффективностью позволяет идеям распространяться с очень большой быстротой), завоевал мир.

В оригинале — пока не вмешались издатели — ленинская монография называлась менее броско: «Процесс образования внутреннего рынка для крупной промышленности». Нынешнее Шушенское, пожалуй, тоже подошло бы Ленину-экономисту в качестве иллюстрации именно этого процесса — если он согласился бы считать туризм крупной индустрией. Рынков здесь два, и они выглядят слишком живописно, чтобы пропустить их, даже если вы не испытываете потребности в приобретении чего-либо. Здесь торгуют исключительно пенсионеры — цветами, орехами тувинских кедров и, больше всего, помидорами. Ленин знал, что ему повезло с местом ссылки — и наверняка слышал, что Минусинский уезд называют — за континентальный климат с очень теплым летом и приемлемыми зимними температурами — «сибирской Италией». «Сибирь» и «помидоры» в одном предложении кажутся насмешкой над здравым смыслом — но только не в Шушенском и окрестностях Минусинска. Когда читаешь в мемуарах Крупской перечисление того, что за годы ссылки им с матерью удалось вырастить на огородике, кажется, что наткнулся на полный список действующих лиц «Чиполлино». Главный месяц для каждого обитателя этих мест — август, когда разворачивается выставка гигантских помидоров, и обыватели принимают участие в «томатном дефиле», а самый удачливый селекционер получает в качестве приза автомобиль. Того, кто пытается укрыться от гримас современности в храмах вечности, ожидает жестокое разочарование: в краеведческом музее Минусинска помидоры занимают гораздо больше места, чем Ленин, и даже плакаты эпохи Гражданской войны — «Красный страж не хочет крови, но стоит он наготове» — тоже воспринимаются как шарады на ту же плодоовощную тематику. Желание вырастить в Сибири помидоры — настойчивое, доходящее до обсессии, назло расхожим представлениям о климате — по-видимому, вписывается в общий местный тренд состязания с природой, постоянным спарринг-партнером. Помидоры, кстати, здесь произрастают особого сорта — совершенно не тяготеющие к форме шара, а напоминающие надувную карту России. Глядя на этот трехмерный муляж, поневоле задаешься вопросом — если эта земля в состоянии рождать колоссальные (и невероятно вкусные) плоды, почему бы ей было не напитать голову Ленина нетривиальными идеями?

«Мы склонны думать, — замечает Герман Ушаков, — что шушенские дни Ленина, ничем не замечательные извне, были днями крайне значительными для всего последующего политического творчества Ленина». Это правда; судя по той бешеной скорости, которую Ленин развивает сразу по возвращении из Шушенского, ему удалось скопить там колоссальные запасы энергии и придумать способ, как вырабатывать ее в промышленных масштабах — так, чтобы можно было пользоваться ею на протяжении многих лет.

Созерцание гротескно «коммунистического», полутораки-лограммового кумачового томата укрепляет в потребности покинуть Шушенское и доехать до еще одного места, связанного с Лениным,— пусть не буквально, но символически.

«Енисей» рифмуется с «Колизей»; представьте себе широкую горную реку, посреди которой, между двумя утесами, воткнули плотиной участок римского амфитеатра: выше, мощнее, плотнее оригинального. Это и есть Саяно-Шушенская ГЭС, одно из самых грандиозных строений советского человека, стимулированного, по-видимому, азартным желанием поквитаться по историческим долгам — царь запер Ленина в Шушенском, а СССР, выстроенный одержимым идеей электрификации Лениным, запер в Саянском коридоре Енисей. Плотина врезана в скальные берега на пятнадцатиметровую глубину — и представляет собой очень высокое — в полтора раза выше пирамиды Хеопса — полукруглое сооружение.

Архитектурно колизееподобная, стилистически Саяно-Шушенская рукотворная стена-скала отсылает все же не к Риму, а к Египту: нечто среднее между луксорским дворцом Хатшепсут в Долине Царей и нубийским Абу-Симбелом. Водоводы, по которым устремляется к турбинам вода, очертаниями напоминают не то рамзесоподобные изваяния, не то фермы космических ракет, не то контрфорсы минаретов, с которых транслируется застывший в камне азан индустриализации. Ни к Шушенскому, ни к реке Шушь плотина отношения не имеет, однако сказать, что название ГЭС привязало сооружение к Ленину искусственно, язык не поворачивается — «тот же самый дух, который строит железные дороги руками рабочих, строит философские системы в мозгу философов». И хотя не каждый вспомнит здесь эту марксовскую суру, каждому, кто приезжает сюда после зыряновского и петровского домов, непременно является в голову нехитрая метафора, что ГЭС и есть Ленин: бетонная стена, перегородившая поток истории, чтобы извлекать из этого потока столько энергии, что хватило бы на весь земной шар.

Мюнхен
1900–1902

«Искра. Эпизод 1» — классический сюжет в стиле «нуар»: герой-одиночка освобождается из тюрьмы, где досконально просчитывает головокружительную месть, — и, оказавшись в чужом городе, ведет жизнь маргинала, целиком отдаваясь своей одержимости; выбора у него нет: единственный способ обрести потерянную идентификацию — создать что-то, что потрясет мир.

* * *

«Искра» была изобретена и просчитана в идеологическом и финансовом отношении в Шушенском. Чтобы перевести потенциальную энергию марксистских литературных кружков и небольших комитетов сознательных рабочих на предприятиях в кинетическую, нужно было предложить им нечто большее, чем проект политического просвещения рабочих: «дело», инициацию, опасное и сложное испытание, которое позволит эволюционировать от клуба к политической нелегальной организации. Название газеты появилось сильно позже — и уже траченное, подзаезженное: да, строчка «Из искры возгорится пламя» принадлежит декабристу А. Одоевскому, хороший провенанс; но в 1860-е в России уже выходила «Искра» — сатирический либеральный журнал с карикатурами и пародиями, популярнее некуда; этот шлейф никогда не акцентировался, но присутствовал.

Издавать газету теоретически можно было и в России, использовав накопленный опыт нелегальных СМИ, — но то была заведомо суицидальная, мотылечная деятельность: полиция рано или поздно, причем скорее рано, доберется до редакции. Двойная защита — подполье + эмиграция — казалась Ульянову более перспективной: бизнес ведется в России, деньги поступают оттуда, а заграница — что-то вроде офшора, безопасного места, откуда, пользуясь системой фальшивых документов и подставных лиц, можно не платить политический налог государству. Безопасность, разумеется, можно было гарантировать только редакции. Штука была в том, чтобы не повторить ошибку Плеханова: легализовавшись в рамках европейского социалистического движения, не «оторваться» от России; надо было не просто источать сияние — но и мутить там воду: нет партийной программы — вот вам готовая; арестовали членов парткомитета — подберем новых, не знаете, как написать листовку для недовольных рабочих, — пришлем материалы.

Чтобы понять, чем была куплена эта возможность находиться в относительно безопасной точке, имеет смысл напомнить, как Ленин провел пять месяцев 1900 года — до того, как уехал за границу. Примерно за 150 дней Ленин молниеносными марш-бросками осваивает пространство от Восточной Сибири до Западной Европы: Шушенское — Красноярск — Москва — Подольск — Нижний Новгород — Петербург — Псков — Изборск — Рига — Петербург — Подольск — Нижний Новгород — Уфа — Самара — Сызрань — Подольск — Смоленск — Уфа — Подольск — Женева. Мы обнаруживаем его — дважды — на Урале, в Прибалтике, Поволжье, Петербурге, Москве, и так — до Женевы. Ленинская филеасфогговская энергичность — поразительная даже по нынешним временам — вошла в резонанс с индустриальным подъемом в России: за один только 1901 год в эксплуатацию были введены 3218 километров новых железнодорожных путей, и, похоже, Ленин протестировал многие отрезки в качестве первого пассажира. Нужно было не только организовать сеть поддержки газеты, но и обеспечить ее финансирование. Козырным тузом отцов-основателей «Искры» — позволявшим им просить знакомых и незнакомых людей вложить (скорее, впрочем, пожертвовать) деньги в «окончательную рабочую газету» — было «сотрудничество нескольких выдающихся представителей международной социал-демократии» — Г. В. Плеханова, П. Б. Аксельрода, В. И. Засулич.

Летом 1900-го в Пскове состоялось совещание венчурных предпринимателей — в интересной конфигурации: Ульянов, Потресов, Мартов, Струве, Стопани, Туган-Барановский. В состоянии, которое П. Лепешинскому удалось описать с помощью удачного образа «стоим, словно керосином облитые», любой объект окружающей действительности производит впечатление соблазнительно пожароопасного. У всех членов «литературной группы» было ощущение, что они и в самом деле наткнулись на клондайк: миллионная клиентура (помимо собственно рабочих, в России в 1900 году, согласно подсчетам, пусть даже и недостоверным, было около трех с половиной тысяч социал-демократов), куча потенциальных инвесторов и помощников; авторитет заработан книгами и статьями, репутация выстрадана в ссылке. У их затеи был и азартный аспект: кому быстрее удастся сделать газету для рабочих — им, «Рабочему делу», «Бунду» — или легальным профсоюзам под покровительством полицейского начальника Зубатова? А может быть, вообще другой партии — эс-эр, которая тоже совершенно не собиралась терять пролетарскую аудиторию?

Предместья Везена, Бельрив и и Корсье находятся на южном берегу Женевского озера — тогда это были самостоятельные деревни, теперь, пожалуй, уже и часть Женевы; Плеханов предложил вести переговоры там из соображений безопасности: у Ленина и Потресова был слишком заговорщический вид, притягивающий внимание царских шпионов. Конспираторы добирались в предместья из Женевы на катерке; сейчас туда проще доехать на велосипеде — наблюдая, как обычные дома уступают место паркам и ресторанам клубного типа, «с пленэром». Свернуть с набережной не так-то просто; жители не культивируют контакты с внешним миром. Если вы найдете способ нырнуть в дыру в стене, то окажетесь в поселковой агломерации в непосредственной близости от центра Женевы: скромные коттеджи с бассейнами, частные футбольные поля, крохотные остерии... Даже переулок, называющийся *La Californie*, не выглядит здесь пародией на Америку.

Как раз в американском стиле — ноги в сапогах на стол — Плеханов и вел переговоры с молодой порослью. Прекрасно осознававший, что им требовались от него не столько руководящие указания, сколько формальное подтверждение участия и связи с иностранными аксакалами социализма, он принялся выбивать для себя особые условия, давая понять, что никто не смеет смотреть ему в глаза и все обязаны исполнять любые его политические прихоти: захочет его левая нога — газета заключит союз со Струве, захочет правая — станет протаскивать в нее «экономическую ересь» (Плеханов продолжал поддерживать отношения с «русскими супругами Вебб» — Кусковой и Прокоповичем; несмотря на демонизацию этих последних ленинской группой, он как ни в чем не бывало демонстрировал им новую пару лайковых перчаток и поил их чаем у себя дома).

В тот момент, когда Плеханов услышал про идею печатать газету в Германии, из ушей и ноздрей у него повалил дым: что?!

Сейчас в Мюнхене находится редакция «Зюддойче цайтунг», оттуда можно запустить скандал с «The Panama Papers» — но в 1900-м этот город выглядел странным выбором для редакции главной подпольной российской газеты рабочей партии. Ленин угодил туда из-за Августа Бебеля — именно тот посоветовал русским этот город, не имевший — в отличие от Парижа, Женевы, Лондона или Брюсселя — репутации ни либеральной гавани, ни эмигрантского рассадника, и вообще экзотическое, в сущности, для тогдашнего русского человека место. Немцы знали, что такое подпольная газета — до 1890 года в Германии действовал закон против социалистов, и те выучились разным трюкам по части издания и распространения своей прессы. По сути, у немцев была целая индустрия — от досье на каждого работника «красной почты» до сетей мастерских, изготавливающих чемоданы с двойными стенками. Их контрразведка очень успешно боролась с провокаторами, выявляя их как среди партийцев, так и среди подписчиков и просто читателей; Либкнехт даже заявил однажды депутатам рейхстага: «Будьте уверены, мы имеем лучшую полицию, чем вы!» Эта методичность — вкупе с данными о легальных теперь тиражах с.-д. прессы, под 400 тысяч экземпляров — еще в 1895 году вызывала у Ленина неподдельный интерес.

Идея Ленина состояла в том, что «там никто искать не станет».

Столица католической Баварии не вписывалась в известный Ленину по Петербургу или Берлину стандарт крупного индустриального города; здесь было больше студентов, чем чиновников, и больше художников, чем рабочих, — да и те на майскую демонстрацию выходили с архаическими редьками в карманах; никаких заводских труб, скорее город-сад и город-кампус, изобилующий биргартенами с каштанами. В Мюнхене было сосредоточено 27 процентов всех немецких пивоварен — так что у Ленина была масса возможностей выяснить, какое количество промилле позволяло ему вести безопасную политическую деятельность. После бешеной пятимесячной гонки по России; после страшного попадания в полицию в Петербурге — в пяти минутах от возвращения в Восточную Сибирь, на годы; после душераздирающих переговоров с Плехановым Мюнхен, пожалуй, был местом, где можно было перевести дух — держа, впрочем, ухо востро; недаром на употребителя пива, забывшего в ресторане закрыть свою кружку картонкой, здесь набрасывались гуртом — и ставили одну кружку над другой, башней, сколько успевали; провинившийся должен был оплатить их наполнение за свой счет. Урок? Ни на секунду не оставлять свою кружку открытой.

Тот же Бебель, обещая помощь — через издательницу Калмыкову и Плеханова, — потребовал, чтобы конспирация соблюдалась неукоснительно: все должны думать, что редакция и типография находятся в каком-то другом городе, а то и стране. (Через двадцать лет роли поменяются, и уже Ленин будет указывать Цеткин и Мерингу, что им следует выступить в печати против, например, Каутского.) Тогда же он воспринял этот наказ, пожалуй, даже чересчур буквально — за что в апреле 1901-го получил нагоняй от собственной жены, которая, отбыв положенный срок в ссылке, явилась в Прагу и с грицацуевской энергичностью принялась искать своего уехавшего в прошлом году супруга — не понимая, что про Прагу и чехов он писал ей, оказывается, для конспирации, а сам в это время жил в другой стране; инцидент, который при тогдашней скудости средств коммуникации мог привести и к более серьезным для брака Ульяновых последствиям.

Заседание в пригороде Женевы выглядело как типичная редколлегия журнала, в редакции которого собралось слишком много эгоцентриков, а один из них не просто отстаивал свои вкусы, амбиции и деньги на транспорт, но еще и готов был угробить затею просто из вредности. «А если я не собираюсь переезжать в Мюнхен, если не хочу?!» — срывается на крик карикатурно-буржуазный Плеханов в советском фильме «В начале века».

Когда крах переговоров стал очевидностью, потребовалось объявить об этом Аксельроду и Засулич; за последнюю Ленин с Потресовым переживали больше, чем за себя. «Я боюсь даже, — кусал себе губы Потресов, — совершенно серьезно боюсь, что она покончит с собой». С момента выстрела в петербургского градоначальника Трепова к тому времени прошло уже 22 года — но Засулич, «невысокая седенькая старушка» (Вересаев), шокировавшая знакомых неприхотливостью своего быта, носившая платья-блузки самострок в стиле «Абу-Грейб» (мешок с вырезами для рук и головы) и выглядевшая иногда сущей бабой-ягой, не собиралась тем не менее оставаться в будущей редакции «Искры» исключительно предметом мебели; она, например, только что вернулась из многомесячной, авантюрной в ее обстоятельствах поездки инкогнито по России — и едва ли планировала лезть в петлю.

Текст «Как чуть не потухла "Искра"» был набросан Лениным в «Венском кафе» рядом с Центральным вокзалом Цюриха; Макдоналдс и Старбакс, которые заняли сейчас это место, могли бы скинуться на мраморную доску в честь того, что здесь создан самый поразительный письменный фрагмент, принадлежащий Ленину: где еще вы найдете у него фразу «До такой степени тяжело было, что ей-богу временами мне казалось, что я расплачусь...»? По сути это нечто вроде дневниковой записи, не предназначенной для публикации: только для себя и для жены. «Когда идешь за покойником, — расплакаться всего легче именно в том случае, если начинают говорить слова сожаления, отчаяния...»

Даже и первая фраза в этом ленинском рассказе рефреном и интонацией напоминает нечто тургеневское или бунинское: «Приехал я сначала в Цюрих, приехал один и не видевшись раньше с Арсеньевым (Потресовым)». Тем драматичнее контрастируют с этой задушевностью повествователя двуличность и мелочность антагониста.

Плеханов был гуру Ульянова — и персонажем его юношеских грез; младший брат рассказывает о том, как однажды, году еще в 1895-м, они сидели на Страстном бульваре, ели простоквашу — и вдруг ВИ сказал: «Видишь того человека? У него нижняя часть лица удивительно Плеханова напоминает». Эта политическая «влюбленность», с простоквашей на усах, не останется тайной для самого Плеханова — в 1903-м, на съезде, он даже позволит себе двусмысленную шутку: «У Наполеона была страстишка разводить своих маршалов с их женами; иные маршалы уступали ему, хотя и любили своих жен. Тов. Акимов в этом отношении похож на Наполеона — он во что бы то ни стало хочет развести меня с Лениным. Но я проявлю больше характера, чем наполеоновские маршалы; я не стану разводиться с Лениным и надеюсь, что и он не намерен разводиться со мной».

Развод и в самом деле мог обойтись Ленину недешево; у Плеханова была интересной не только нижняя часть лица, но и его статус; кроме того, не стоило преуменьшать те преимущества — и символические, и вполне осязаемые: деньги, связи, лояльность, — которые могли быть получены от «Освобождения труда» в процессе становления и функционирования газеты.

Для русских социал-демократов Плеханов был живым буддой, монопольным держателем марксистской истины в России, моральным авторитетом, присутствие, благословение и санкция на бренд которого гарантировали затем поддержку не желторотых студентиков с идейками, но серьезных интеллигентов, имевших представление о капитале не только по одноименному сочинению.

С другой стороны, именно в 1900 году влияние Плеханова и К° пошло на убыль — бернштейнианство и «экономизм» выглядели для молодежи более привлекательно, чем старомодный радикальный ортодоксализм «Освобождения труда». Поэтому — и поэтому тоже — предполагалось, что на деле редактировать газету будут Ульянов, Потресов и Мартов, тогда как Плеханов, Аксельрод и Засулич получат возможность пользоваться привилегиями членов редколлегии, однако, сообразно названию своей группы, будут освобождены от труда собственно редактировать ее.

Молодость и мобильность давали Ленину преимущества: он понимал, что политическая индустрия в связи с процессами, описанными в «Развитии капитализма», трансформируется с огромной скоростью, так что следовало рискнуть — и самим стать частью этой трансформации. Плеханова, по сути, больше интересовала не партия, а собственный печатный орган: скорее толстый альманах, чем газета, — где можно печатать длинные теоретические статьи; именно поэтому, кроме «Искры», та же группа будет издавать журнал «Заря»; то было формой дани «молодых» «старикам».

Плеханову — в список достоинств которого никогда не входила толерантность к чужим мнениям — вздумалось, однако, поторговаться, причем в крайне оскорбительной для своих контрагентов форме; даже Засулич, обычно размахивавшая на этих заседаниях оливковой ветвью, осознавала, что в моменты, когда «Жорж» раздувал свой красный зоб и принимался дефилировать перед собеседниками на своих марксистских лабутенах: «Я, милостивый государь, переписывался с автором "Капитала" еще до того, как ваши папенька и маменька успели познакомиться», он выглядел слишком чудовищно, чтобы можно было договориться с ним не то что о совместном издании газеты — но даже и о том, чтобы поужинать за одним столиком. Что касается Ленина, то он готов был признать доминирующий статус Плеханова и состоять в его группе хотя бы даже и бета-самцом; бета — но не омегой.

Второй участник переговоров, Потресов, в дальнейшем описывал переговоры с Плехановым как «нравственную баню». Вырвавшись в какой-то момент из парной на свежий воздух, отхлестанные приятели «ходили до позднего вечера из конца в конец нашей деревеньки, ночь была довольно темная, кругом ходили грозы и блистали молнии». Именно здесь, в Везена, — очень драматический момент, ничего смешного — Ленин осознает, что до идолов и в самом деле не стоит дотрагиваться — позолота остается на пальцах: «Мою "влюбленность" в Плеханова тоже как рукой сняло, и мне было обидно и горько до невероятной степени. Никогда, никогда в моей жизни я не относился ни к одному человеку с таким искренним уважением и почтением, veneration, ни перед кем я не держал себя с таким "смирением" — и никогда не испытывал такого грубого "пинка". А на деле вышло именно так, что мы получили пинок: нас припугнули, как детей, припугнули тем, что взрослые нас покинут и оставят одних, и, когда мы струсили (какой позор!), нас с невероятной бесцеремонностью отодвинули».

Потухла все же «Искра» или не потухла? Ленин с Потресовым недооценили объем плехановских легких — когда всё, казалось, было кончено, Плеханов дунул на окончательно черный уголек — и тот вновь затлел. Участники затеи сошлись на том, что редколлегия состоит из шести человек, но у Плеханова («склизкого и ершистого»: «так просто голыми руками не возьмешь») — два голоса, то есть в случае раскола пополам он оказывается арбитром. Печататься, однако, договорились в Германии — и таким образом тотальный контроль Плеханова за текстами в газете утвержден не был. Этот базарный торг, несомненно, не только доставил Ленину нравственные страдания — но научил его, как вести переговоры, которые — даже самые провальные на вид — при известной гибкости доминирующего участника всегда могут оказаться началом будущего соглашения. О том, хорошим ли переговорщиком стал Ленин в последние годы жизни, красноречиво свидетельствует карта СССР.

«Мюнхену» предстояло стать операционной системой для одновременного выполнения нескольких задач: написать книгу-манифест; сколотить партию и организовать съезд — таким образом, чтобы место в зале заняли правильные делегаты, а неправильные остались дома или застряли в лифте.

Ульянов бросает якорь в Мюнхене 6 сентября 1900 года. Пожалуй, из всей эмиграции следующие семь месяцев — период, наиболее глубоко погруженный в туман неизвестности: «глухие витки», как это называют ракетчики. Никогда больше — разве что в квартире Фофановой — он не будет до такой степени озабочен минимизацией контактов с внешним миром: только по почте, через сеть подставных лиц, иностранцев.

Постоянная угроза — обнаружат, выдадут — вынуждает его вести «жизнь с поднятым воротником»: доктор Верховцев из «Тайны Третьей планеты». Он отращивает себе «иностранные» усы, разговаривает загадками, делает вид, что он это вовсе не он, и круг знакомств у него тоже соответствующий: мужчины, скрывающиеся под подозрительно немужскими именами (Жозефина, Матрена, Нация), женщины — под еще более подозрительными (Эмбрион, Дяденька, Зверь, Абсолют, Велосипед); все они морочат голову полиции, родственникам, соседям — и выдают себя за тех, кем не являются: болгар, глухих, психопатов.

Такого Ленина — пронизанного тайными тревогами, очень зависимого от не контролируемой им ситуации, травмированного, расколотого, почти гротескного, немного романтичного авантюриста — мы обнаруживаем на протяжении его карьеры нечасто — потому что «обычно» он был скорее прагматичным, склонным к макиавеллическим практикам склочником, которому сложно симпатизировать; иногда, однако, он вдруг ставил все на одну карту — и, хочешь не хочешь, начинаешь болеть за него; так было осенью 17-го, когда он практически в одиночку уговорил партию взять власть, не дожидаясь Учредительного собрания, — и так было в 1900-м, с «Искрой».

Официально и неофициально «Искра» издавалась не то в Цюрихе, не то в Штутгарте, не то в Праге — то есть непонятно где, поэтому никакого потока посетителей — и мемуаристов, соответственно — там быть не могло. Засулич и Плеханов не оставили мемуаров, Потресов и Аксельрод время от времени цедили сквозь зубы кое-какие детали — но не любили вспоминать этот свой «роман» с Лениным. Полиция в первый год не смогла запеленговать деятельность Ленина в Мюнхене; впоследствии ей не хватило времени инфильтровать его окружение своими агентами. «Официальные» мемуары Крупской — которая пропустила первое действие и понятия не имела, где находится ее муж на протяжении более чем полугода, — едва ли не единственный источник. Деловая переписка в промышленных масштабах возникает, опять же, уже по приезде Крупской (которая умудрилась сохранить архив «Искры» — и это одни из самых увлекательных документов во всей истории русской революции). Остаются не слишком содержательные, с упором на метеорологические наблюдения, письма самого Ленина, в которых он плетет матери и сестрам всякую галиматью про Париж, пражские катки и поездки по Рейну — сам при этом находясь в совершенно другом месте и подразумевая, что письма перлюстрируются.

Немцы любезно снабдили Мейера — так теперь звали Ульянова — адресом человека, члена партии, у которого можно было снять комнату без лишних вопросов. Фамилия жильца, для пущей путаницы, почти дублировала фамилию хозяина: Риттмейер. Этот Риттмейер — «толстенный немец», если верить Крупской, — был социалистическим трактирщиком и держал на первом этаже своего дома пивную «У золотого дядюшки» — каким бы странным ни казалось это название для заведения, принадлежащего марксисту, который рекламирует его в газетах как зал для профсоюзных и партийных собраний. Время от времени поплавок дядюшки уходил под воду — и на его прикорм сплывались социал-демократы обсуждать свои вселенские проблемы — например, что в Мюнхене бедняков хоронят в братских могилах, а у богачей — свои склепы. Впрочем, среди немецких товарищей случались и более напряженные столкновения — так, «Мюнхенер пост» описывает состоявшиеся в начале октября дебаты на Любекском съезде следующим образом: «Эдуард Бернштейн был первым, кого потащили под душ и кому надлежащим образом намылили шею. Неожиданно для многих именно Бебель был тем человеком, который стал во главе притесняемых, вытащил из кармана туго сплетенную массажную щетку, которой он, поддержанный многими другими, до тех пор растирал "Эда" с ног до головы, пока партийный съезд почти единогласно не высказал свое одобрение по этому поводу».

Дом 46 по Кайзерштрассе — в районе которого на протяжении осени, зимы и половины весны зоркий наблюдатель мог заметить торчащую на поверхности трубочку ульяновского перископа — выглядит вызывающе буржуазно: псевдосредневековая башенка на углу вопиет о сытости и благополучии. Внизу, на ступеньках, — у «того самого» подъезда (между 1968 и 1970 годами над ним даже висела мемориальная доска, но с пяти попыток вандалам все же удалось разнести ее — взрывом бомбы) — выставлены, забирай даром, книги — в том числе, ирония истории, «Воспоминания» Хрущева на немецком; не наследство ли Риттмейера?

Гораздо любопытнее личности этого мюнхенского Бонасье был сам район, в котором было рекомендовано поселиться Ленину. Швабинг, где располагались эта и две другие квартиры Ленина, был недавно влившимся в состав Мюнхена и стремительно джентрифицирующимся предместьем, облюбованным богемой и буржуазией с меценатскими наклонностями одновременно; нечто среднее между нью-йоркским Гринвич-Виллиджем и барселонской Грасией. «Ленинская» Кайзерштрассе производит впечатление улицы, которая никогда уже не будет меняться, — настолько там всё на своем месте, причем видно, что в 1900 году большинство домов уже заняли свои позиции. Такие районы сейчас называют «хипстерскими»: в нижних этажах югендштильных домов размещаются салоны кундалини-йоги, энотеки, «биопиццерии» и «авторские» ювелирные студии; и даже это еще не сам потребительский рай, а лишь чистилище: параллельно идет настоящая швабингская улица бутиков — Гогенцоллернштрассе; но на ней обитал не Ленин, а Аксельрод.

Описывая мюнхенское житье-бытье, Крупская забыла рассказать о центральной архитектурной примечательности их района — только что построенной базилике Святой Урсулы: в духе флорентийского ренессанса с огромным куполом, арочным портиком, двумя украшенными золотыми мозаиками приделами и венецианской башней-кампанилой, как на Сан-Марко. Колокол функционирует — и каждые четверть часа замерзающие на паперти иммигранты в одеялах нервно вздрагивают.

В 1900 году в Швабинге свили гнездо Генрих и Томас Манны, Рильке — а еще плеяда русских художников, привлеченных блеском мюнхенской версии «Сецессиона»: мэтр Кандинский, Явленский, Марианна Верёвкина, Игорь Грабарь, Петров-Водкин. Последний, кстати, умудрился приехать в Мюнхен из Москвы на велосипеде — к немалой, надо полагать, зависти Ленина. Крупская вспоминает, что они часто совершали долгие променады; судя по беседам Ленина с одним баварским коммунистом в 1919 году, он очень хорошо знал не только Мюнхен, но и окрестности.

У нас нет практически никаких сведений о «горизонтальных» связях Ленина этого периода — но можно предположить, что они существовали: ведь здесь, на относительно небольшом пятачке, постепенно расселится вся колония «искровцев»: Засулич, Инна Смидович, наборщик Блюменфельд, Аксельрод, Мартов, Дан с женой В. Кожевниковой. Все они в случае неотложной нужды могли сбегать за солью к своим соседям-аборигенам: Карлу Леману (писателю и врачу, который только что издал репортажную книгу о своем путешествии по «Голодающей России», а теперь ходил на почту принимать набитые нелегальщиной подушки и по четвергам устраивал для русских чаепития), Израилю Гельфанду, Юлиану Мархлевскому (который летом 1901 года предпринял эпическое путешествие по Галиции вдоль австро-прусской границы на велосипеде с целью найти лазейки для чемоданов, а в 1920-м, в ходе наступления советских войск на Польшу, чуть не стал диктатором этой страны) и Адольфу Брауну — социал-демократам, ставшим «сталкерами» русских в Мюнхене.

Споры в кафе о том, аморальна ли собственность, часто перетекали в романы; как и обитателям других эталонных, описанных

Джейн Джейкобс в ее знаменитой книге «живых» районов, швабингцам нравилось жить тесной общиной, вступать в непрерывные коммуникации с соседями, наслаждаться преимуществами хаотического планирования и извлекать максимальные выгоды как из несколько обособленного расположения своего «города-для-жизни», так и от обилия спортивных учреждений и рекреационных зон. Неудивительно, что летом 1901-го Ленин и Крупская, вопреки своим обыкновениям, даже не стали уезжать из города: в шаговой доступности находилось сразу несколько зеленых оазисов — от малознакомого туристам замечательного Леопольд-парка до величественного Энглишер Гартен, Английского сада, кишевшего художниками и натурщицами (сейчас вместо тех и других — мало чем примечательные нудисты). Сам Ленин, уведомила Крупская, «никак и никогда ничего не рисовал» — однако, судя по тому, что все его три мюнхенские квартиры находились именно в Швабинге, испытывал некоторое удовлетворение от существования внутри этой насыщенной искусством атмосферы, хотя и не использовал в полной мере возможности Мюнхена как «Новых Афин».

Швабингского богемного буржуа в самом начале XX века можно было представить редактором скорее какого-нибудь художественного журнала, чем радикальной политической подпольной газеты; однако помимо артистической в этом месте происходила и политическая ферментация — и Швабинг потихоньку превращался не только в поселок художников, но и в любимый район нацистов. Эта эволюция заняла около сорока лет — и к 1930-м достигла своего апогея: Швабинг трансформировался в обитель зла, излюбленную досуговую площадку Гитлера и его окружения: здание «Völkischer Beobachter», кафе «Osteria», кофейня «Altschwabing», дом 50 по Шеллингштрассе, в котором Гитлер познакомился со своей будущей женой Евой Браун, ассистенткой в фотоателье, и где затем функционировал штаб национал-социалистической партии... До сих пор над воротами висит небольшой орел, символ Третьего рейха; конспирологи со злорадством тыкают пальцем в эту птичку — вот под чьим крылом уже тогда собирался пригреться ваш Ленин!

Сейчас Швабинг явно снова набрал иммунитет — и это просто богатый район, кишащий памятниками архитектурного модерна с захватывающей ресторанной сценой. Непохоже, что кто-то тут ведет подпольную жизнь — разве что папарацци иногда подлавливали в здешних кабачках тайные переговоры Пепа Гвардиолы и Басти Швайнштайгера. Кстати, самая главная достопримечательность нынешнего Швабинга — это, конечно, «Бавария»; и чествуют ее чемпионства тоже здесь, на главном проспекте, у Триумфальной арки, на которой высечено: «Посвященная победе, разрушенная войной, взывающая к миру». «Бавария», подозрительное совпадение, была создана студентами Мюнхенского университета ровно в момент приезда Ленина, да и образовалась очень «по-ленински», в результате раскола гимнастического союза. Штаб-квартира клуба располагалась чуть ли не у Ленина в квартире; собственно, «Бавария» и сейчас в Швабинге — идите от дома Ленина в сторону дома Парвуса, продолжайте следовать вдоль Английского сада — и окажетесь у всемирно знаменитого стадиона «Альянц-Арена». Об отношении Ленина к футболу можно судить разве что по тому, что однажды, году в 1919-м, он распорядился заменить тряпичный мячик, который гоняли кремлевские дети, на кожаный.

Играл ли он, в самом деле, в футбол с университетскими студентами? Познакомился ли с кем-нибудь — в парке, или в пивной, или в опере, или на карнавале, или в поезде по дороге в Лейпциг, или на мессе в соборе Святой Урсулы? Как он встретил Рождество, Новый год? Как переносил пресловутое «одиночество в большом городе»? Жизнь Ленина в Мюнхене — это жизнь подпольного паука, который забился в щель — и ткет, ткет, ткет свою паутину. Известно, что он едва не лишился рассудка «и ужаснулся, когда открыл большой ящик», — от возмущения, когда ему по ошибке прислали ящики не с его, родными, из Шушенского, книгами — а медицинские издания какой-то Анны Федуловой; а еще, едва поселившись в Мюнхене, он поступает на языковые курсы — не немецкого, а английского языка; что, по-видимому, свидетельствует о том, что с самого начала у него был «план Б» — Лондон.

Сам Ленин не разбил ради «Искры» своей копилки — в отличие, например, от Потресова, инвестировавшего в предприятие кровную тысячу; впрочем, Мартов писал, что «у Ульянова имелся на Волге знакомый фабрикант, обещавший снабдить его тысячей или двумя рублей». По две тысячи дали издательница Калмыкова, а также Дмитрий — «Золотой клоп» (*Goldene Wanze*, злая шутка про фамилию) — Жуковский, одноклассник Потресова, и Петр — «Золотой Теленок» — Струве. Разрыв со Струве — который, по-видимому, раздражал Ленина не только как либерал, маскирующийся под марксиста, но и как умный соперник в необъявленном конкурсе на вакансию «будущего наследника Плеханова» — произойдет в декабре 1900-го, в ходе визита Струве в Мюнхен. Разрыв этот означал не только объявление войны «легальным марксистам», но и финансовый голод: имя и репутация Струве, который еще совсем недавно создал ни много ни мало программу РСДРП, также нет-нет да и конвертировались в кое-какие пожертвования. И все же Ленин идет на это — и подвергает недавнего союзника ковровым бомбардировкам: если раньше о ренегатстве Струве дозволялось говорить только в узком кругу, то теперь информацию о том, что он предал пролетариат либеральной буржуазии, следовало донести до всего мира — чем и занялась «Искра». Подобная резкая перемена тона многим показалась, мягко говоря, неоправданной; Тахтарев, встретившись с Лениным, прямо спросил, осознает ли тот, что такого рода обвинения могут привести к «нежелательным последствиям». — "Какого рода?" — спросил меня Владимир Ильич. — "А что вы скажете, — ответил я ему, — если кто-нибудь из рабочих, фанатически преданных делу, увидев в Струве действительно изменника революционному делу, вдруг решится его убить?" — "Его и надо убить", — ответил мне Владимир Ильич в раздражении». В ответ на замечание Тахтарева относительно недопустимости некоторых полемических приемов против не заслуживавшего их Струве Ленин взъелся еще больше: «А что же, — ответил он мне, — по-вашему, я должен для расправы со Струве надевать замшевые рукавицы?»

В начале 1900-го Ленин, однако же, не считал замшевые перчатки ненужным аксессуаром: пусть и буржуазные, Струве и K° оставались марксистами; власть была совсем еще азиатской, а цайтгайст — уже «европейским»; люди верили в марксизм как науку, которая формально оправдывала капитализм, признавала его объективно лучшим на сегодняшний момент строем. Эта драматическая разница привлекала лучшие силы нации, и Ленин понимал, что этот огромный ресурс человеческого материала надо быстро использовать. «Искра» как раз и была их проектом.

Впоследствии «Искра» поддерживалась из самых разных источников — от доходов одного из редакторов Павла Аксельрода, чье кефирное заведение в Цюрихе позволяло ему не только сводить концы с концами, но и отчислять кое-что на дело революции, — до Саввы Морозова, который за свои регулярные измеряемые в числах с четырьмя нулями пожертвования умолял только об одном — чтобы его обругали «как можно ядовитее и сильнее», «для отвода глаз». Связующим звеном между «Искрой» и капиталистом Морозовым был Горький, чья жена, революционно настроенная артистка МХТ М. Андреева, снабжала своих товарищей всем, чем могла (не исключено также, что ее связывали некие особые отношения и с Морозовым).

Горький, представлявший собой, по выражению Лепешинского, «счастливую комбинацию, когда в одном и том же индивидууме окажется и такой плюс, как недурно набитый бумажник, и, с другой стороны — уважительное отношение к такому архиреволюционному органу, как "Искра"», сначала претендовал на то, чтобы указывать на своих визитках титул «генеральный спонсор "Искры"». Однако перечислять каждый месяц по три тысячи рублей оказалось неподъемным даже и для него, поэтому он пообещал давать по пять — но в год. На всякий случай, чтобы оправдать снятие со счетов таких значительных сумм, Горький сочинял своим корреспондентам фантастические отчеты о кутежах в Москве — якобы стоивших ему баснословных сумм.

Нерегулярные платежи поступали из самых неожиданных источников. Например, шурин Мартова Сергей-«Подушечка»-Кранихфельд, убежденный марксист, отдал «Искре» всё полученное им наследство — десять тысяч рублей. Предприимчивые Кржижановские вышли на саратовского графа А. Д. Нессельроде — который объявил себя марксистом и, в духе английских чудаков, согласился платить по 200 рублей за доставку ему каждого номера «Искры». Кое-какие пожертвования шли и от обычных читателей: об этом можно судить по рубрике «Почтовый ящик», наполненной многозначительными сообщениями вроде: «От скифов из Волыни пять».

Тем не менее «Искра» никогда не смогла стать полностью краудфандинговым проектом.

Помимо собственно накладных расходов редакции — закупки бумаги, приобретения шрифта, набора и печати, складского хранения — нужно было обеспечивать прожиточный минимум и оплачивать расходы пресловутых «профессиональных революционеров».

Мы не знаем, как осуществлялись проводки денег и как выглядела бухгалтерия предприятия — но по разным источникам можем предположить, что деньги перевозились в Германию наличными или поступали в виде почтовых переводов на подставных лиц.

«Искра» была мифологизирована как шедевр молодого, романтически верящего в будущее единой марксистской партии Ленина, однако современный читатель, в руках которого окажутся номера ленинской газеты, едва ли сможет увлечься содержанием этого раритета слишком надолго; вопреки названию, гораздо больше, чем на пламенную листовку, «Искра» была похожа на воскресную газету — пусть даже и претендующую на задиристость. Удручающее впечатление производит уже сама верстка — три столбца, под завязку забитых слепым — без электронного микроскопа лучше не подступаться — шрифтом; не продохнуть; наследие (или копия) немецкой «Vorwärts», у которой был позаимствован не только опыт конспирации, но и дизайн газеты.

Структура издания — в целом «искровцы» ориентировались на немецкую классику: «Новую Рейнскую газету» и «Социал-Демократа» — выглядит примерно так: передовица, рассчитанная как на сознательных партийцев, так и на массовую публику. Протестные хроники и фельетоны объясняли рабочим суть «зубатовщины»; отчеты о партийной жизни — что происходит в комитетах; заграничные хроники социалистического движения должны были дать русским марксистам образцы поведения. Время от времени, для разнообразия, «Искра» печатала и иллюстрированные приложения — с политическими карикатурами на царя и камарилью; они пользовались большей популярностью, чем тексты. Уже по набору форматов ясно, что целевая аудитория «Искры» — не столько рабочие, сколько партийцы-агитаторы, которые, пусть даже теряя драгоценное зрение, в духовном смысле растут с газетой, особенно чутко прислушиваясь к шумам из-за границы; газета помогает им растолковать менее сознательным товарищам, почему, к примеру, растет безработица — но, одновременно, диалектически, растет и сила пролетариата. Да потому что в Европе — финансовый кризис, Англия и Германия точат зубы друг на друга, отсюда дороговизна займов, нет кредитов, а значит, сокращается производство — и вот, пожалуйста, в России безработица; кризисная для рабочих ситуация — в которой, однако ж, как раз и способно оформиться и вырасти пролетарское сознание.

Роль Ленина, да и Мартова с Потресовым в газете не афишировалась.

В извещении о выходе первого номера «Искры» о ее инициаторах не упоминалось вообще — лишь то, что некие доброжелатели (то есть некие неназванные издатели газеты) собираются проводить линию подлинного марксизма — в надежде возобновить прерванную после I съезда деятельность партии.

Многое свидетельствует в пользу того, что Ленин был и главным редактором, и оформителем, и корректором, и основным автором первого номера; да и в дальнейшем именно он подбирал и заказывал материалы, причесывал стиль, взвешивал факты на весах правдоподобия, передавал рукописи в типографию, следил за набором и печатью. В один номер «Искры» влезало 80 страниц текста — 150 тысяч, плюс-минус, типографских знаков: не так уж много, однако более чем достаточно — если вы редактируете всё это в одиночку, если у вас нет настольной издательской системы — и если одновременно вы бегаете от полиции, подсчитываете убытки и барыши и пописываете в свободное время книги, брошюры и статьи. Есть очень большие основания полагать, что так, как в первый год «Искры», Ленину приходилось пахать только после октября 1917-го. И весьма вероятно, что, скрежеща зубами, он иногда подбадривал себя — к примеру, в феврале 1918-го: справился с «Искрой», справлюсь и с этим.

Если обойти — на это хватит часа-полутора — все три мюнхенских «ленинских» дома — у кого угодно возникнет вопрос: с какой, собственно, стати он с появлением жены моментально съезжает из прекрасного — *Wie ist das Leben doch so schon, Wie schmeckt das Bier so schon!* — дома на Кайзерштрассе — чтобы сначала промариноваться месяц-полтора в неказистой квартире на Шляйхсхаймерштрассе, а затем вернуться на соседнюю с Кайзерштрассе

Зигфридштрассе, которая, однако ж, Кайзерштрассе явно в подметки не годится? Немецкий биограф Ленина Хитцер связывает это с тем, что Ульянову нужно было «перестать» быть Мейером и «переродиться» в болгарина Иорданова. Весной 1901 года болгарские партнеры достали Ульянову паспорт на имя доктора юридических наук Иордана Иорданова — большая удача, ведь теперь можно было передвигаться по Германии и не юркать в первую же подворотню при встрече с полицейскими; лысоватому человеку «калмыцкой наружности» пришлось отпустить предположительно «болгарские» усы — и, как бы странно он при этом ни выглядел, по-видимому, они шли ему; во всяком случае, у него получалось долгое время выдавать себя за человека 1878 года рождения, то есть на восемь лет младше.

Эта метаморфоза, предполагает Хитцер, и заставила его исчезнуть из района на некоторое время; но правда ли, что за полтора месяца можно подзабыть кого-то? Есть, впрочем, и вторая версия: «Мейер», в духе сюжетов лимериков, поссорился с Риттмейером — у которого в этот момент возникли проблемы с бизнесом и личной жизнью: в июне 1901-го он развелся с женой: не самый обычный поступок для того времени. У Риттмейера, кстати, был сын, Фриц, который позже вспоминал, что однажды схлопотал от отца подзатыльник, когда в присутствии посторонних спросил у него о «дяде Мейере». Домашнее насилие? Темна вода во облацех.

«Света, побольше света!» — писал Ленин в «Искре». «Нам нужен громадный концерт; нам нужно выработать себе опыт, чтобы правильно распределить в нем роли, чтобы одному дать сентиментальную скрипку, другому свирепый контрабас, третьему вручить дирижерскую палочку». Как и всем «обычным» редакторам, Ленину приходилось придумывать темы, находить информповоды, собирать новости, сочинять подводки, редактировать большие тексты, организовывать сдачу в печать... Только вот целевая аудитория этих текстов физически находилась в другой стране — куда нужно было доставлять не раз-два, а регулярно тысячи экземпляров газеты — тяжелых и вызывавших пристальный интерес у органов внутренних дел. Доставка каждого экземпляра к адресатам была сопряжена почти со смертельной опасностью — поэтому 200 рублей, которые саратовский граф-чудак платил за доставку каждого номера, были, в сущности, справедливой ценой.

Разумеется, приступая к руководству нелегальной коммерческой структурой, Ленин мало что знал о том, как арендовать в приграничных российских городах складские помещения, договариваться с контрабандистами о переправке грузов. Налаживание логистических связей людьми, не имеющими навыков в международной торговле, и в стране с не самым лучшим на свете транспортом в эпоху, когда не существовало ни самолетов, ни автомобильных фур, было объективно каторжным трудом. Ему нужны были партнеры, причем много, и за пределами редакции: те, кто могли доставлять газету в Россию в больших количествах, быстро и регулярно (и не только газету, но и прочую «литературу»: обычно в партии было пять—семь тюков — около пяти тысяч экземпляров «нелегальщины»: номера «Искры», журнал «Заря», брошюра Ленина или книжка Крупской «Женщина-работница»); нужны были не чемоданы, а целые транспортные каналы. Позже «Искра», можно сказать, запатентовала такой способ нелегальной переправки газеты, как пересылка матриц — с которых потом перепечатывалась в подпольной типографии — Бакинской или Кишиневской.

Как ни странно, проще всего оказалось рекрутировать людей, готовых рисковать свободой и даже жизнью, не говоря уже о затратах времени, денег и сил — ради того, чтобы помочь рабочим самоорганизоваться. Костяк «искровцев» составили, во-первых, сибирские ссыльные, знакомые по петербургскому «Союзу борьбы» и Шушенскому, во-вторых, товарищи Потресова по ссылке в Вятку — куда попали Дан, Бауман, Инна Смидович, Вера Кожевникова, Воровский, Конкордия Захарова и др. К 1900 году все эти люди либо сбежали оттуда — как Бауман или Смидович, либо постепенно начинали легально возвращаться в центральные губернии; и все они били копытом в ожидании Настоящей Большой Работы; сочинительство листовок для рабочих казалось им уже не таким интересным — да и рабочие к тому времени требовали чего-то посерьезнее: настоящей прессы, газеты.

Ленину оставалось только воспользоваться энергией этих людей — и взамен создавать для них среду инновационного «первичного бульона», в котором интеллигенты чувствовали себя полезными, а представители сознательного пролетариата «доваривались» бы до интеллигентного состояния; удачным примером такого рода гастрономической эволюции оказался И. Бабушкин. Крупская, обычно деловитая и разве что позволяющая себе криптоироническое ворчание, проговаривается, что Мюнхен был лучшим периодом за всю эмиграцию — еще и потому, что — пока не переругались.

Первый, за декабрь 1900-го, номер «Искры» вышел в Лейпциге; для него была сочинена Лениным передовая — «Насущные задачи нашего движения»: «Надо подготовлять людей, посвящающих революции не одни только свободные вечера, а всю свою жизнь, надо подготовлять организацию». Столь строгий распорядок дня — не сказать режим — связан с тем, что «перед нами стоит во всей своей силе неприятельская крепость, из которой осыпают нас тучи ядер и пуль, уносящие лучших борцов. Мы должны взять эту крепость, и мы возьмем ее, если все силы пробуждающегося пролетариата соединим со всеми силами русских революционеров в одну партию, к которой потянется все, что есть в России живого и честного». Замечательно; только вот Ленин не предполагал, когда писал этот текст и мотался затем в Лейпциг, чтобы проследить за его печатью, что первый номер его газеты почти целиком застрянет на границе неприятельской крепости.

Газета «Искра» не была бесплатной; представление о расценках можно получить из письма Крупской Красикову в июне 1901-го: «Нам необходимо, чтобы окупалась перевозка, которая стоит очень дорого, поэтому даром давать литературу мы не можем, берите по 25—40 коп. за экз. "Искры" и от полутора до пяти рублей за экз. "Зари"». От агентов требовались отчеты — например, «распространили литературы на 1900 рублей». Бесплатными были только листовки. Местные российские социал-демократические организации выкупали часть тиража (правда, не всегда оплачивали свои приобретения).

Из переписки редакции «Искры» можно понять, что даже после того, как Крупская взяла дела в свои руки, неразбериха с деньгами, инвесторами и распространителями продолжалась. Нелегальные агенты то и дело попадали в самые фантастические переделки, возможно, потому, что за ними гонялась вся полиция Российской империи. Сеть работала в теории гораздо лучше, чем на практике. Ульянов щелкал на своих деревянных счетах круглые сутки — но даже он в точности не мог сказать, сколько экземпляров доходит до России, сколько удается собрать выручки, каковы на самом деле накладные расходы агентов. Расход только на содержание редакции и типографии, включая бумагу, составлял около 1500 марок в месяц. Летом 1901 года ежемесячный тираж «Искры» колебался между 6 и 8 тысячами экземпляров, «Зари» — которая выходила три-четыре раза в год — 3 тысячи.

Вообще, 1901 год — а это 13 номеров, четверть из тех, что были сделаны самим Лениным, пока Плеханов с Мартовым не «отжали» у него газету, — был с точки зрения распространения провальным. Эффективность партийной работы измерялась в чемоданах; в докладе «Искры» II съезду РСДРП указано, что с декабря 1900-го по февраль 1902 года редакция отправила в Россию около 60 штук; да, у каждого была своя, в питер-гринуэевском духе, история, но статистика все же не ахти — 60 почти за полтора года. Агенты хитрили, импровизировали, пытались не просто проскочить через границу с чемоданом-другим — но запустить ленту конвейера, как в аэропорту; тщетно. О характере проблем — и уровне координированности — можно судить по письмам Николая-«Грача» Баумана в редакцию: натыкаясь то на избыток литературы, доставленной кем-то еще, то на тотальный дефицит, он бесится: «Почему вы не сообщаете мне, куда, сколько и когда направляете товар, по крайней мере в моем районе?» (за каждым агентом был закреплен свой район: Гальперин — Баку, Бабушкин — Иваново, Крохмаль — Киев, К. Захарова — Одесса и т. д.). Крупская, по-видимому, не склонна была преувеличивать значения этих сочащихся обидой посланий: «через Грача, — напоминает она одному из своих адресатов, — никаких денег не передавать».

Обычно Ленин предпочитал играть в карты, плотно прижимая их к груди, но в случае с «Искрой» он счел целесообразным почти сразу — в 4-м номере — объявить, чего добивается: «Газета — не только коллективный пропагандист и коллективный агитатор, но также и коллективный организатор. В этом последнем отношении ее можно сравнить с лесами, которые строятся вокруг возводимого здания, намечают контуры постройки, облегчают сношения между отдельными строителями, помогают им распределять работу и обозревать общие результаты, достигнутые организованным трудом.

Как комитеты должны были влиться в будущую общероссийскую партию с ЦК, совпадающим с линией «Искры», так и разъездные распространители, закалившиеся в гнусных привокзальных буфетах и нетопленых лобби кишевших насекомыми гостиниц до состояния твердокаменных революционеров, превратятся, предполагалось, в ядро партии — то самое, которое само будет в состоянии принимать единственно верные решения в момент политических кризисов, как в 1905-м и 1917-м. «Искра» выращивала не просто буянов, бунтарей, готовых по первому свисту броситься жечь заводское начальство или даже идти к Зимнему, — но сознательных агитаторов, пропагандистов, причем стремящихся организоваться и готовых подчиняться приказам, исходящим от партии. Собственно, именно опыт управления «Искрой» привел Ленина к пресловутому «1-му параграфу» устава РСДРП — в котором прописано долженствование члена партии, моральная ОБЯЗАННОСТЬ. Членами партии должны быть такие люди, как агенты «Искры» — которые не просто сочувствовали и помогали, когда у них было настроение, а работали 7/24, без выходных.

В искровской организации работало — в зависимости от периода — 150—250 человек, но элитой, «суперагентами», были агенты «разъездные». Летучий агент «Искры» — не просто сочувствующий или время от времени набивающий свой саквояж газетами, но профессиональный революционер, не занимающийся ничем другим, живущий на нелегальном положении и выполняющий все задания редакции (и имеющий право рассчитывать на партийную зарплату — от 25 до 50 рублей, женщинам обычно меньше:

в среднем около 30, плюс накладные расходы и разъездные: билеты, почта, взятки, гостиницы, паспорта). Это была каторжная, физически и морально изматывающая, рискованная, опасная работа. Особенно сложным шататься по незнакомым городам с тяжелой тарой было для женщин — которые чаще всего таскали что-то сугубо нелегальное под платьем — и в момент разгрузки и выгрузки товара вынуждены были оказываться в неловком положении. Вместо мечей и железных доспехов у этих членов Лиги Справедливости были чемоданы с двойным дном, зеркальца с тайными щелями для ценных бумаг и ящики для перевоза животных. Впрочем, классический атрибут агента «Искры» — шляпная коробка: такая легкомысленно-буржуазная на вид, такая вместительная — если вы носите в ней газеты*.

Подлинная цель «Искры» не сводилась к подстрекательству рабочих и крестьян к бунту; для этого продуктивнее было использовать другие средства агитации.

План Ленина вполне заслуживает того, чтобы назвать его дьявольски хитрым. «Искра» — вовсе не только газета; газеты — наживка, заглотив которую разбросанные по всей стране марк-

---

* В советское время сделана была попытка преобразовать миф об «Искре» в оригинальную кинематографическую Вселенную. Попытка крайне робкая и неуклюжая, однако по некоторым фильмам всё же можно по крайней мере судить если не о подлинном величии агентов «Искры», то о их повседневной жизни. Выделяется картина 1967 года «Первый курьер» — где показан процесс доставки «Искры» из Варны в Одессу. Главную роль — девушки по имени Конкордия — играет Жанна Болотова, очень похожая на молодую Крупскую и даже заявленная в начале как «Иорданова» — хотя, разумеется, сама НК участвовала в нелегальной переправке газеты через Болгарию только опосредованно. Речь идет скорее о гибриде Крупской и Конкордии Захаровой. Партнер агентши — невероятно элегантный и прекрасно одетый болгарский винодел, больше времени посвящающий контрабанде нелегальной литературы, чем алкоголю. В фильме хорошо передана физическая опасность, которой подвергались агенты. Особенно выразительна сцена, где болгарин бегает по Одессе со шляпной коробкой, набитой «Искрой», не зная, куда ее пристроить. Кульминация фильма — история про безвыходную ситуацию — протагонисту надо ехать с партией газеты, но полиция предупреждена и, заведомо известно, возьмет курьера с поличным; и тогда болгарин придумывает план — взять в чемодан десяток экземпляров для отвода глаз, но настоящий большой груз везти — внимание! — в поддонах клеток с гусями. Из любопытного: предателем оказывается жених Конкордии — студент-словесник: интеллигент, конечно, не рабочий. В фильме есть сцена, где герой раздает «Искру» рабочим на каком-то заводе — раздает, будто листовку; ни о каких деньгах нет и речи — как и о реакции этих читателей на длинные аналитические статьи о разногласиях Бернштейна и Каутского. Кончается фильм намеком на то, кто стоит за всем этим: стучит на шпалах поезд Мюнхен — Варна.

систские кружки, ячейки и комитеты вовлекаются в совместную деятельность. «Искра» — как Иван Калита — должна была собрать русские земли. Пишите нам, пусть это будет и ваша газета; распространяя газету, мы беремся рассказать о вашей деятельности другим комитетам, а затем, когда вы проникнетесь ощущением полезности и эффективности, — коготок увяз — мы предложим вам признать «Искру» своим печатным органом, а ее редакцию — чем-то вроде ЦК, органом, представляющим партию, и не просто представляющим, а имеющим право командовать. Вы должны присягнуть нам. Зачем? Чтобы соблюсти формальности, аппарансы: делегировать сторонников «Искры» на Всероссийский съезд партии, который мы организуем — и на котором примут программу и устав партии, а также составят Центральный комитет; важнее всего, что делегаты для этого съезда должны иметь нужную политическую окраску — «искровскую».

Именно поэтому провалы по части распространения не были катастрофами: не менее важным, чем выполнение «технической задачи», было обеспечить работой исполнителей; в конце концов, даже и дошедшие до адресатов экземпляры «Искры» не провоцировали никаких особенных «волнений». Главной миссией «секты» было не снабдить рабочих свежей прессой, новостями и аналитикой, но обкатать в полевых условиях структуру, способную перехватывать власть во время кризиса.

Масштабы и ритм деятельности «Искры» впечатляют даже и по нынешним временам. Схемы доставочных маршрутов газеты — от Финляндии до Ирана — напоминают поле для настольной игры вроде «Ticket To Ride», построенной на маршрутизации, минимизации рисков и прогнозировании удачного стечения обстоятельств. Были развернуты несколько региональных «хабов» — в Пскове (Северо-Запад, Петербург), Самаре (Поволжье), Киеве, Кишиневе, Харькове, Саратове, Иванове; с Москвой всё никак не получалось — там рабочим движением дирижировала сама полиция. Сначала это должны были быть просто пункты приема товара, сейфы с деньгами (довольно значительными — четырехзначные числа не были для бухгалтеров «Искры» особенной редкостью), склады, переговорные комнаты для встреч агентов друг с другом и с профессиональными контрабандистами. Но со временем предполагалось развернуть на местах типографии, куда попадали бы из Европы готовые матрицы; такие удалось запустить в Кишиневе и Баку. Кроме того, связи были налажены с Нижней Волгой, Малороссией, Уралом, Прибалтикой, Кавказом, Смоленском и Вяткой.

В транспортировке в качестве добровольных помощников часто принимали участие религиозные сектанты и представители национальных окраин — финны, прибалты, кавказцы, поляки, евреи; то была — даже для обычных контрабандистов, которым платили по 100 рублей за пару чемоданов, 10 — за переправку человека, — одна из форм протестной деятельности против национальной политики русского правительства. Уже к 1903 году «Искра» была настоящей подпольной многонациональной империей — спрутом, *la piovra*; и когда Мартов десять лет спустя упрекал большевиков в том, что они превратились в каморру, он прекрасно знал, о чем говорил: «Искра» ведь тоже была историей о деятельности небольшой, высокопроизводительной, работающей в условиях вечного цейтнота команды, похожей на семью. Среди прочего, это означает, что изготовление газеты было не только надрывно-депрессивной, на разрыв аорты деятельностью — но и веселой, артельной работой, приключенческой — с шифрами и конспирацией. В том, чтобы создавать секретную организацию, определенно было нечто романтическое. Учитывая то, что на работу такого рода часто нанимались очень талантливые (и «пассионарные») люди — рано или поздно смесь неизбежно должна была «воспламениться».

Информация, печатавшаяся в «Искре», давно потеряла актуальность; синего пламени в этой газете максимум процентов 10, а остальные 90 — тоска зеленая. Однако 1900—1904 годы — эпоха, когда едва ли не каждый день с искровцами случалось бесконечное количество занимательных историй, в которых Ленин не участвовал самолично, но за которые косвенно был ответствен: от эпичных, в голливудском стиле, массовых побегов из тюрьмы до секс-скандалов. Все это требовало хоть какого-то, но участия; он, безусловно, представлял все те трудности, с которыми сталкивались его агенты. И даже при том, что вся последующая история искровцев будет наполнена склоками, расколами, предательствами, — можно ли за 17 лет разойтись дальше друг от друга, чем Ленин и Дан? — всё равно их будет объединять наличие общего героического прошлого, когда, набивая чемоданы и шляпные коробки нелегальщиной, они вместе сражались против более сильного врага — сражались с азартом и отчаянием людей, которые знают, что такое высшая красота. «Искра», выражаясь по-пелевински, была ленинской «золотой удачей» — моментом, когда «особый взлет свободной мысли дает возможность увидеть красоту жизни».

В РСДРП, ВКП(б) и КПСС состояло множество незаурядных личностей, участвовавших в самых разных исторических событиях, буквально делавших историю; были палачи с кровавыми руками и были мученики с нимбами; но никто и никогда не был окружен таким романтическим ореолом, как «агенты "Искры"». В большевистском героическом нарративе они превратились в аналогов рыцарей Круглого стола или супергероев из Вселенной *Marvel*: костюмированные секретные личности, обладающие сверхспособностями. Получив работу от Ленина, Бауман, Радченко, Сильвин, Бабушкин, Землячка, Конкордия Захарова, Ногин, Басовский, Литвинов, Дан и другие словно бы облучились некой энергией, которая впоследствии обеспечила им потенциально неисчерпаемый ресурс развития и мифологизации. У этой команды, состоящей исключительно из красивых, сильных, мужественных, несгибаемых персонажей, было множество замечательных офицеров, в том числе собственный гениальный технический директор, аналог бондовского Кью, — Л. Красин, однако именно автор «Что делать?» — если и не Король Артур, то кто-то вроде Гудвина, которого мало кто видел, но в чьем авторитете никто не сомневается — придавал их романтичному артельному труду смысл.

Ключом к объяснению феномена существования множества людей, готовых рисковать своей жизнью, молодостью, карьерой, могла быть только атмосфера эпохи, пресловутый «цайтгайст»: эпидемия «болезни чести» (рабочие не хуже всех прочих классов, и они в состоянии доказать это; vs. «болезнь совести» у народников). Обычно агентами «Искры» становились недавно примкнувшие к социал-демократам студенты, избавившиеся от «общедемократических иллюзий» — и поверившие в то, что марксовская наука позволит им изменить общество быстрее, чем револьвер и бомба.

На сегодняшний день они практически позабыты; лучшее — и горячо рекомендуемое — исследование об «Искре» и шифровальной культуре большевиков — «Шифры и революционеры России» А. В. Синельникова — остается неизданным (только в Интернете). Советской пропаганде удалось создать миф об «Искре» — но не превратить его в национальный эпос, как это произошло с героями Гражданской войны. «Искра» была колоссальная машина, построенная по немецким чертежам и технологиям, красиво и шумно работавшая — и крайне дорогая в обслуживании; но никто не рассказывает анекдоты о Баумане и Бабушкине.

По сути, агенты «Искры» оказались отрядом обреченных — просто потому, что полиция знала и умела гораздо больше, чем предполагалось. «Царская полиция, пройдя через кровавую борьбу с народовольчеством, имела к началу XX века огромный опыт по преследованию революционеров, — констатирует А. Синельников. — Против вчерашних студентов боролись матерые жандармы, талантливые сыщики и дешифровщики». Степень успешности проекта «Искра» была, по-видимому, сильно преувеличена впоследствии — просто потому, что иначе ленинские инвективы против «кустарничества» вошли бы в странное противоречие с данными о средней продолжительности политического существования разъездного агента «Искры» — два-три месяца, если верить одному из самых успешных, С. Радченко. Единственное, что позволяло функционировать искровской машине более-менее бесперебойно, — постоянный приток свежей крови. Провалились Ногин и Андропов — пришли Сильвин, Дан, Красиков, И. Радченко; карусель продолжала вращаться.

Помимо озадачивавшей новичков обязанности совмещать деятельность шерпы, контрабандиста, бухгалтера и екклесиаста, агенты «Искры» должны были уметь сами извлекать из походной чернильницы готовые тексты. Почти все искровцы, от Плеханова до Бабушкина, были как минимум небесталанными литераторами — и эта способность быстро переквалифицироваться и выполнять разные задачи тоже была залогом успеха предприятия: в небольших стартапах важно, когда все, в случае аврала, готовы тушить пожар, невзирая на затраты времени и сил: наборщик Блюменфельд в свободное от основной работы время возил тираж «Искры» в Россию, Ленин подсчитывал количество знаков в строчках, Бауман посещал студенческие демонстрации и транслировал свои впечатления в публицистических отчетах. Обязанность снабжать редакцию материалами с мест лежала на агентах потому, что «обыкновенные рабочие» не так уж часто усаживались, на манер репинских запорожцев, сочинять письма в «Искру» с отчетами о ситуации на своей фабрике. Кроме того, любые «инициативные» отклики с мест имели мало шансов просочиться через султанскую канцелярию: самотек формально поощрялся, но вступал в противоречие с требованиями конспирации. Даже если вы знали — что маловероятно, — как связаться с Лениным по «делу», вы не могли написать ему обычное письмо: вас заведомо приняли бы за провокатора или идиота и отвечать бы не стали.

Письмо — разумеется, не на Зигфридштрассе, 14, а, например, на адресок в окрестностях Штутгарта, где в уютном коттедже обитала со своим скандально юным мужем еще не познакомившаяся с Лениным Клара Цеткин, — следовало зашифровать. Масштабы этой одержимости искровцев криптографией поразительны — учитывая трудоемкость такого способа переписки. В идеале, чтобы сообщить кое-что важное по почте, вы должны были сфабриковать два текста: «скелет» — нечто бытовое на иностранном языке: это «внешнее письмо»; и уже в нем содержалось письмо основное — как правило, между строк, написанное «химией» (сложносоставным, требовавшим особых умений обращаться с ним раствором, который следовало проявить особым, тайным же способом) и зашифрованное. Шифровали через некий код — о котором договаривались заранее; собственно, гонка Ленина по России 1900 года связана была в том числе как раз с переговорами относительно содержания этих кодов.

Криптограммы искровцев выглядели как строки, исписанные дробями. В этих дробях числителем был номер строки, знаменателем — номер буквы в ней; ключами — некие известные только отправителю и адресату лично тексты. Например, для переписки с И. Радченко ключом было стихотворение Лермонтова

«Дума» — «Печально я гляжу на наше поколенье»: и тогда вы можете записать «а» как $^1/_4$, а «о» — как $^2/_3$ («Его грядущее иль пусто, иль темно»), непременно избегая записывать одни и те же буквы одним шифром — сразу расколют при помощи логического анализа частоты букв. Ключами могла быть и проза — например, какой-нибудь рассказик Горького или «Развитие капитализма» самого Ленина: номер страницы тогда можно было понять по первой дроби — в которой сумма или производное числителя и знаменателя указывали на номер страницы, по которой дальше нужно расшифровывать. Были и ключи «по случаю», сочинение, равно как и разгадывание которых были сродни решению шахматных этюдов. О степени конспирации, принятой в переписке — причем это почтовое отправление шло из Мюнхена даже не в Россию, а в Лондон, — можно судить по письму Ленина Ногину в январе 1901 года: «Мне сообщили фамилию того петербуржца, который делал (в провинции и довольно глухой) предложение издать перевод Каутского. Боюсь доверить фамилию почте — впрочем, передам Вам ее таким образом. Напишите имя, отчество (на русский лад) и фамилию Алексея и обозначьте все 23 буквы цифрами по их порядку. Тогда фамилия этого петербуржца составится из букв: 6-й, 22-й, 11-й, 22-й (вместо нее читайте следующую по азбуке букву), 5-й, 10-й и 13-й». Ключ придуман самим Лениным. «Алексей» — это Мартов, то есть Юлий Осипович Цедербаум. Попробуйте решить эту ленинскую загадку: должно получиться (если не забудете про твердые знаки после «Осиповича» и «Цедербаума») «Сминовъ» («перед цифрой 22 В. И. Ленин опустил цифру 18, которая означает "р"», любезно сообщают комментаторы 5-го тома ПСС), то есть — дело в шляпе: Смирнов, фамилия петербуржца, который намеревался заняться переводами Каутского.

Неудивительно, что после такого рода экзерсисов у Ленина нет-нет да и возникала идея проветрить голову. А вот что удивительно — так это то, что в Мюнхене существует и функционирует, не поменяв профиль, живое «ленинское место». Оно находится на Шеллингштрассе — в Швабинге, конечно, — и это кафе-ресторан «Шеллинг-салон»: вайцен по 3.60 кружка, столы для снукера, официантки подсаживают за чужие столики — толпа. Штука в том, что «Салон» находится во владении той же семьи, которая держала его и в 1872-м, и в 1900-м — и выписывала счета не только Ленину, но еще и Брехту, Гитлеру, Стефану Георге, Кандинскому, Рильке и Ибсену; когда разговариваешь с хозяйкой, испытываешь к представительнице этой рабочей династии уважение; она любезно не делает вид, что не знает, кто такой Ленин. При кафе, трудно поверить, есть даже свой музей, и если вы зайдете днем в воскресенье, то вам покажут там пару окололенинских стендов — да-да, в Мюнхене; хотя разумеется, этот музей посещают не так часто, как Пинакотеку и Фрауэн-Кирхе. Место атмосферное во всех смыслах; однако особенно насыщенным «историей» кажется, прости господи, туалет — путешествие туда начинается на обклеенной мемориальными газетными вырезками лесенке; на площадке между пролетами установлен явно работавший еще при Ленине и напоминающий дизайном машину времени из «Гостьи из будущего» столбик-аппарат для взвешивания, с табличкой «сколько должен весить нормальный человек» — например, 164 см — 63,4 кг. В туалете, известно, остались *те самые*, много чего повидавшие даже не писсуары, а настоящие саркофаги: каменные — какой там фаянс, некоторые с многозначительными трещинами. Хорошо, по крайней мере, что с этих монументальных артефактов не надо сдувать пыль истории; слова «немцы» и «гигиена» всегда были такими же абсолютными синонимами, как «бегемот» и «гиппопотам».

Внушающий благоговение «Шеллинг-салон» — хорошая отправная точка для небольшой экскурсии по широко понимаемому «ленинскому Мюнхену». На улице Кардинал-Фаульхабер можно увидеть место, где в 1919-м убили Курса Эйснера, премьер-министра независимой Баварии в 1918 году: мемориальная табличка и обведенный силуэт на асфальте выглядят очень красноречиво. На Крайтмайрштрассе, 7, тоже в десяти минутах ходьбы от Шеллинг-салона, — место, где в 1959-м агент КГБ Богдан Сташинский при помощи пистолета-шприца с цианистым калием убил Степана Бандеру. В начале самой Шеллинг-штрассе, рядом с корпусом Мюнхенского университета и Национальной Баварской библиотекой, где целыми днями похлопывал себя по лысине — не спать! — Ленин, видна стена, испещренная следами от пуль — не 1945-го, а 1919 года, от Баварской социалистической республики. В 1900-м Мюнхен готовился к множеству роковых и счастливых событий — но для Ленина он был небольшим и уютным: от «Шеллинг-салона» рукой подать и до Кайзерштрассе, 46, и до Шляйхсхаймерштрассе, 106, где Ульяновы провели пару месяцев весной 1901-го, да и до Зигфридштрассе, 14, какие-то двадцать минут.

Мюнхен был платоновской пещерой, в которой можно было судить о положении подпольщиков в России по теням теней, пляшущим на стенах. Сведения доходили не сразу и искаженными; и руководящим центром он мог считаться только условно — никто не избирал Ленина-редактора «Искры» ни на какую руководящую должность. Поэтому если кто-то из агентов начинал устраивать самодеятельность — например, вдруг затевал издание местной, посвященной локальным проблемам с.-д. газеты, — Ленину оставалось только кататься по полу с пеной, исходящей изо рта, — а что еще? Все искровцы рано или поздно ощущали себя персонажами авантюрных романов — такое поднимает настроение; проблема в том, что если вы хотите, чтобы персонажи не расползлись как тараканы и участвовали именно в вашем сюжете, нужно постоянно контролировать их — то есть часто снабжать их по почте руководящими указаниями. Эта переписка отнимала кучу сил — даже на то, чтобы просто прочесть письмо, которое сначала следовало «проявить», а потом расшифровать. Твиттерообразный слог в те годы еще не успел войти в моду — и даже подпольщики сочиняли длинные, обстоятельные письма, в которых обсуждались политические события, финансовые дела, оргвопросы. Таких писем в редакцию «Искры» поступало по несколько сотен в месяц — и Ульянову очень повезло, что в его распоряжении была настоящая «Энигма» — гениальная шифровальная машина: Надежда Константиновна

Вместо городов ставили имена, начинающиеся на ту же букву: Тверь — Терентий, Одесса — Осип. Популярная газета обозначалась словосочетанием «бумазейная кофта», «Искра» — «мех», нелегальная литература — «меховое платье»: «Коля пишет, что Старуха затевает шитье бумазейных кофт, недовольна мехом за непопулярность». Старуха — это Московский комитет, Николай Петрович — Петербургский, Фекла, она же Нестор, она же Иван — редакция Искры. «Носим мех, но с наступлением зимы понадобится его гораздо больше, не только на одну отделку, а на целую шубу. Немного укутали и Соню». Соня? Бюро! Даже и так, сообщения вроде: «Я в Соню был влюблен, и мне обидно за нее — одного она проворонила, продремлет и еще один» — представляются весьма и весьма загадочными.

Сейчас все эти предложения «содействовать работе Юрия, основанной на платоническом признании меховой кофточки в руководящей роли с поправкой "она недостаточно популярна"» (которые, из-за огромных гэпов во времени и пространстве, неизбежно вели к возникновению путаницы — и абсурдно-комичным переспрашиваниям, в духе реплик героинь Раневской: «Кто такой Цыпленок? Приехала ли Лэди?») кажутся анекдотическими — так разговаривают разве что персонажи в гайдаевских комедиях или романах В. Г. Сорокина.

Шифры применялись в переписке, а при личных встречах — пароли: ты ему: «Самовар» — он тебе: «Огурец». «Что прислала Frau Strasse вместо себя?» — «Зонтик!» — «Где вы последний раз видели Марью Захаровну?» — «У Ашунгер, и подари ей три розы».

В 1901 году перепутать самовар с огурцом означало провалить длинную цепочку. Часто человек, произносивший пароль, должен был соответствовать еще ряду параметров — например, не приходить в студенческой форме, иметь на голове цилиндр, а не котелок, — или быть только мужчиной. Дело в том, что визит на явку подразумевал возможность провала не только для совершившего ошибку, но и для его партнеров; и к перспективе провести ближайшие несколько лет в Восточной Сибири агенты относились со всей серьезностью; шутки в сторону. Единственное место, где шутки были уместны, — это «Искра» и «Заря», которым следовало поддерживать бодрость духа в своей пастве. Отсюда карикатуры на царя в иллюстрированных приложениях и сочиненный Мартовым под псевдонимом Нарцисс Тупорылов «Гимн новейшего русского социалиста», где на сатирический лад излагались взгляды либералов-«экономистов»; в мировой литературе найдется мало текстов, которые бы так забавляли Ленина — он цитировал его чуть ли не в каждой статье, явно получая от этого всё большее удовольствие:

> Грозные тучи нависли над нами,
> Темные силы в загривок нас бьют,
> Рабские спины покрыты рубцами,
> Хлещет неистово варварский кнут.
> Но, потираючи грешное тело,
> Мысля конкретно, посмотрим на дело.
> Кнут ведь истреплется, скажем народу;
> Лет через сто ты получишь свободу.
> Медленным шагом, робким зигзагом
> Тише вперед, рабочий народ!

Помимо умения не путать самовары с огурцами и знания лирики Нарцисса Тупорылова, всякий разъездной агент «Искры» — которых было не так уж много, десять—двадцать человек одновременно — должен был обладать чувством стиля (быстро перекрасить волосы в нужный цвет, подобрать к платью в меру элегантный зонт) и владеть шпионскими техниками, которые специально «воспитывались», так же как наблюдательность, умение владеть собой и физическая сила. Чтобы иметь возможность как ни в чем не бывало перемещаться пешком с тяжелым портфелем, агенты тренировались в переноске. Новичков заставляли, быстро отвернувшись, перечислить все предметы в комнате, объясняли, как держаться на допросах, и т. п. Адреса, явки, пароли зазубривались наизусть целыми записными книжками, десятками, сотнями. «Никогда не забуду, — пишет Зеликсон-Бобровская, — как мы с видом гимназисток, шагая из угла в угол, самым серьезным образом зазубривали: Кострома, Нижняя Дебря, дом Филатова, Марье Ивановне Степановой. Пароль: "Мы ласточки грядущей весны"». Или: Москва, Живодерка, Владимиро-Долгоруковская аптека, провизор Лейтман. Пароль: «Меня послали к вам птицы певчие». Ответ: «Добро пожаловать». Нужно было уметь законопатить экземпляры «Искры» внутрь книги, в переплет — причем так, чтобы после отделения склеенных листов друг от друга газета не испортилась и свободно читалась. Надо было уметь разослать газету по обычной почте — так, чтобы отправления не привлекали к себе внимания: Литвинов, например, не брезговал раскладывать газеты по конвертам разных цветов, а затем садился на велосипед и колесил по сельским почтам Швейцарии — чтобы конверты шли с разных адресов. Его коллеги в это время запихивали свою газету в невысохшие глиняные статуэтки, подушки, переплеты художественных альбомов... — количество экзотических способов околпачивания полиции не поддается учету. Между прочим, от агентов требовались не только «размах, смелость и предусмотрительность» (Литвинов), но и иногда цинизм: искровцы не скрывали, что им приходилось пользоваться «оказиями»: передавать за границей невинному человеку посылочку — баульчик, шляпную коробку, чемоданчик; о том, что внутри находится «Искра», благодетелю не сообщалось. Моральный аспект этого метода доставки остается под большим вопросом — потому что в полиции одинаково плохо приходилось и подлинному агенту «Искры», и подставному фраеру.

Особой статьей нелегальной деятельности были «носовые платки», они же «сапоги», они же «шкуры» — то есть паспорта: статья, сильно занимавшая в Мюнхене нелегала Ленина, который счастлив был в какой-то момент легализоваться хотя бы условно, «наполовину», по поддельному болгарскому паспорту. Революционерам, бывало, приходилось по полгода мариноваться где-нибудь в Женеве, чтобы получить пригодный для проживания в России паспорт, за ними очереди стояли; а ведь для разъездных агентов «Искры» паспорта требовалось менять чаще, чем платки настоящие. Они пользовались подлинными чужими паспортами, фальшивыми чужими (вписывали в чистый бланк чужие паспортные данные), паспортами умерших (вариант — эмигрировавших в Америку; тут главное не размахивать ими в городе, где квартировал покойник) и, наконец, паспортами фальшивыми насквозь, где липовыми были и бланк, и данные; это был самый рискованный вариант. В исключительных случаях в распоряжении революционеров могли оказываться даже и экзотические паспорта — поступавшие через посредничество Плеханова и князя Хилкова, помещика, раздавшего свою землю крестьянам, затем принявшегося пропагандировать среди них толстовство, а потом эмигранта-эсера, который по агентурным данным снабжал «отъезжающих в Россию преимущественно великобританскими паспортами, мотивируя это тем, что русские власти всего деликатнее относятся к англичанам, из опасения столкновений с великобританскими консулами». Британский паспорт был у Ленина в 1905 году.

Была еще и комбинация с настоящим бланком — но таким, с которого специально обученные революционеры-«прачки» смывали ненужный текст и затем заполняли новым. «Железным паспортом» считался полученный посредством подкупа посредников от только что скончавшегося покойника — чья смерть еще не была зарегистрирована. Родственникам отсутствие паспорта объясняли потерей — по-видимому, не всегда убедительно, потому что со временем большевикам пришлось организовать в Женеве целое «паспортное бюро», обладавшее значительным запасом реактивов, печатей, штемпелей и бланков.

Первые года полтора были для «Искры» крайне скудными, и дефицит бюджета не закрывался никогда. Ленин и Крупская всячески подстегивали корреспондентов — особенно оседлых, присматривавших за искровскими «хабами», — чтобы те искали спонсоров и использовали малейшую возможность заработать на газету. Студентам предлагалось устраивать благотворительные аукционы, лотереи, концерты в помощь неимущим сокурсникам — при этом союзные им работники типографий печатали больше билетов, чем было указано; мало того, на такого рода мероприятиях устраивались «буфеты», где под видом чая наливали коньяк, а вместо кипятка — водку; как и во всех подпольных барах, алкоголь оценивался здесь недешево. В январе 1903-го Красин, живший тогда в Баку и занимавшийся делами легендарной подпольной типографии «Нина» (которая обладала мощностями, достаточными, чтобы завалить «Искрой» всю Россию), умудрился устроить концерт В. Комиссаржевской в доме начальника полиции, который едва ли предполагал, что на его деньги будет финансироваться газета Ленина. Постоянная нужда в деньгах приводила к появлению разного рода светлых идей, связанных с возможностью легкого обогащения. В какой-то момент Ленин и Крупская всерьез ломали голову над предложением коллег самим открыть бизнес по торговле рыбой — чтобы одновременно в бочках возить и газету. Посмотрев друг другу в глаза, они вынуждены были признать бизнес-план остроумным; он не осуществился только потому, что у «Феклы» не оказалось полмиллиона на закупку собственно селедки.

Попытки превратить распространительскую деятельность в партстроительство часто оказывались еще более удручающими: многие социал-демократические организации, на которые нацеливалась «Искра», существовали только на бумаге, декларативно; комитеты оказывались не в состоянии конкурировать с зубатовскими, легальными, контролируемыми полицией организациями, вроде Московского союза механических рабочих. Осознание тотальной «прошпикованности» и невысокого КПД своей деятельности заставляло агентов то и дело впадать в депрессию — они чувствовали себя ненужными, брошенными, выполняющими заведомо провальную миссию. И Ленину с Крупской стоило немалого труда постоянно стимулировать этих сизифов письмами в мажорной тональности.

Возможно, силы для этого они продолжали черпать в насыщенной электричеством атмосфере Швабинга.

Что касается дома на Зигфридштрассе,14, куда Ульяновы переехали в конце весны 1901-го, где прожили почти год, где Ленин написал «Что делать?» и где состоялась серия совещаний с редакцией «Искры», в том числе со специально явившимся в Мюнхен Плехановым, то он в своей нынешней версии производит впечатление весьма скромного: никаких намеков на сецессионский модерн: дом как дом, ни рыба ни мясо. Впрочем, внизу там сейчас как раз именно что мясо, мясная лавка, *Metzgerei* и — как и в 1900-м, входящий в сеть пивных Пшорра — кабачок «Weinbauer's Metzgerei», с рибай-стейками по 37 евро. До того, кстати, там обреталось заведение «Das zimmer esszimmer», где на втором этаже в зале, у стены, между двух огромных крупноформатных картин, изображающих женщин в пестрых костюмах, стоял скромный бюстик Ленина: уж не из-за него ли и разорился ресторан?

Эта диспозиция — между двух женщин — хорошо отражает положение, установившееся за сто лет до того в соседней квартире, где Ленин в окружении жены и тещи лихорадочно сочинял «Что делать?» — свою самую «неудобную», целиком состоящую из мелких косточек, которыми так легко подавиться, — книжку.

Тем не менее целое поколение молодежи было рекрутировано в революцию благодаря ей. Революционеры на протяжении десятилетия разговаривали цитатами оттуда и пользовались ими в качестве паролей, по которым узнавали «своих». С этой «библией революционера» в руках марксисты-экспроприаторы в 1906—1907 годах будут грабить инкассаторские кареты и почтовые поезда; «библией» — потому что, подразумевается, Ленин обнародовал в ней «план построения боевой общерусской организации». Ее — как материальное воплощение эмбриона идей КПСС, авангарда рабочего класса, — прихватил с собой в космический полет Ю. А. Гагарин: изящное подведение черты под ленинским «заданием», которое, судя по названию, содержалось в книге. Недавно этим текстом по неизвестным причинам заинтересовался Джордж Буш-младший — который сообщил, что Ленин в нем «представил свой план организации коммунистической революции в России».

В том-то и дело, что нет! Репутация этой книги не вполне соответствует ее содержанию; «Что делать?» — не то, за что себя выдает.

Как почти все «монументальные» ленинские книги, «Что делать?» была прежде всего полемической бомбой — брошенной на этот раз в редакцию конкурирующего в тот момент с «Искрой» издания — «Рабочего дела», которое претендовало на то, чтобы быть голосом местных комитетов, соблюдать демократические процедуры, и имело не меньшие права и возможности собрать съезд партии, принять программу и организовать ЦК. Что делать? А вот что: не допустить ничего подобного. Собственно, уже эпиграф, из письма Лассаля Марксу, настраивает на то, что ответом на вопрос «Что делать?» будет: «Раскалываться»: «Партия укрепляется тем, что очищает себя»; это неслыханно — «очищает», при том, что партия, по сути, еще и не создана, без программы.

Если выкинуть из текста полемику, то окажется, что Ленин представил исторический очерк марксистского движения, проспект будущего (дайте нам заговорщическую организацию революционеров, вооруженную чемоданами, набитыми «Искрой», — и мы перевернем Россию). Идея, таким образом, состоит в том, что наваливаться на самодержавие надо не на раз-два-взяли, всеммиром, эх-ухнем, а — сначала сформировать профессиональное ядро, которое уже затем составит для массы алгоритм эффективных действий. В качестве копирайтера обновленной партии, Ленин «запустил» несколько сложных метафорических рядов, с которым отныне должна была ассоциироваться его организация в сознании потенциальных клиентов. Самый известный и очевидный: искра (классовой борьбы) — кузнечный мех (раздувающий народное возмущение) — пожар. Другие оказались чуть менее удачны. Один раз, объясняя соотношение легального и нелегального, кустарнического и профессионального, Ленин проваливается в ботаническо-сельскохозяйственную образность — да так глубоко, что едва выпутывается из этого репейника. Нам, пишет публицист, который впоследствии будет так часто менять свою программу по аграрному вопросу, что в какой-то момент кто-то неизбежно должен был усомниться в его компетентности в этой сфере, следует:

— не растить пшеницу в комнатных горшках (комнатным растениеводством занимаются Афанасии Иванычи с Пульхериями Ивановнами);

— бороться с плевелами, вырывать их;

— очищать почву для прорастания семян пшеницы;

— готовить жнецов — профессионалов и по части борьбы с сегодняшними плевелами и в жатве будущего урожая пшеницы (когда социализм сделается легальным, и «не провокаторы будут ловить социалистов, а социалисты будут ловить себе адептов»).

Собственно, именно в этом и заключался тот самый «план построения» партии.

Что ж, неудивительно, что кроме почитателей у книги нашлись и критики: это что — и есть ваш план? «Готовить жнецов»? «Библия революционера»?

В самом деле, разве не должен был попасть в эту «библию», к примеру, перечень конкретных рецептов — как повысить эффективность борьбы за освобождение рабочего класса? Или список, скажем, техник, с помощью которых можно продлить политическую жизнь революционера-агитатора, чтобы едва ли не весь наличный состав марксистов-практиков не приходилось обновлять раз в год?

Ленин, однако, предпочитает либо драть глотку в жанре манифеста («История поставила перед нами задачу...», «русский пролетариат — авангард международного революционного пролетариата...»), либо теоретизировать в вечнозеленом формате «о пользе всего хорошего и вреде всего плохого».

Обязательно ли пройти сначала стадию экономической борьбы, чтобы иметь возможность приступить к политагитации? (Не обязательно.) Следует ли рабочему классу бороться только за лучшие условия продажи рабочей силы — или сразу за уничтожение общественного строя, при котором неимущие должны продаваться богачам? (Сразу за уничтожение; и это при том, что степень охваченности России капитализмом, по-видимому, была Лениным заведомо преувеличена.) Лучше ли для успеха рабочего движения в самодержавной полицейской стране, если организация революционеров, представляющая его интересы, будет состоять из узкого круга профессионалов — или пусть в движении участвуют широким фронтом все сколько-нибудь сочувствующие пролетариату? (Лучше из узкого круга.) Правда ли, что демократизм рабочей организации вреден для нее самой в условиях полицейского произвола? (Правда.) В состоянии ли рабочий сам развить больше, чем тред-юнионистское, — классовое политическое, социал-демократическое сознание — или оно должно быть привнесено в него извне, профессионалами, членами социал-демократической организации? (Извне.)

Подлинный смысл «Что делать?» состоял, однако ж, вовсе не в том, чтобы объяснить недогадливым политическим огородникам технологию борьбы с сорняками, а также загадку, почему фултайм-агитаторы справляются со своей работой эффективнее, чем любители-полставочники.

Для Ленина этот текст был, прежде всего, камнем в огород так называемых «экономистов».

Собственно, именно поэтому Ленин, по сути, объясняет, что такое РСДРП, апофатически — это НЕ «Рабочее дело», НЕ экономизм. Кричевский, Мартынов, Акимов — суть тред-юнионисты, тогда как мы — настоящие с.-д. Мы прочли и поняли Маркса — а они его извратили. Это заговор, заговор оппортунистов, пытающихся отвлечь пролетариат от политической борьбы — и настроить его исключительно на экономическую. Отсюда возникает и «насущная задача нашего движения» — вовсе не объединить все марксистские группы в России, как кто-то мог бы подумать, но порвать с «некошерными» марксистами, окопавшимися в редакциях «Рабочей мысли» и «Рабочего дела».

Главный метод Ленина, как и всегда, — недружественный, с заведомыми искажениями и придирками, агрессивно-насмешливый пересказ чужих текстов. Заявив, что «искусство политика

179

заключается в том, чтобы ухватиться за правильное звенышко — и через него вытянуть всю цепь», он тренируется в этом искусстве, выхватывая фразы из чужого контекста — чтобы выставить автора идиотом, оппортунистом и врагом рабочего движения. ««Десяток умников легче выловить, чем сотню дураков, говорите вы» — хотя, разумеется, ничего подобного «экономисты» не говорили. Надо отдать ему должное: Ленин ерничает, ехидничает и глумится настолько энергично и иногда остроумно, что читателю — даже если он понимает, что жертва Ленина вовсе не такая глупая, какой тот ее представляет, — комфортнее болеть за Ленина: вряд ли может быть неправ такой энергичный публицист.

Что касается «экономистов» и «Рабочего дела», то, как бы искрометно ни разоблачал подоплеку их софизмов автор «Что делать?», они прекрасно понимали все достоинства подпольной деятельности в условиях самодержавного государства — и не хуже Ленина знали техники подпольной борьбы. Если уж на то пошло, на вопрос «Что делать?» гораздо более внятно отвечали несколько в практическом смысле очень ценных, содержащих реальные ноу-хау работ Акимова-Махновца — про шифры и про то, «как держать себя на допросах». Кроме того, постороннему наблюдателю могло показаться, что гораздо логичнее для настоящих рабочих было создать партию вокруг «Рабочего дела», обеспечивающего интересы именно их самих, а не кого-то «извне» — которому лучше знать. Тогда как позиция Ленина — отказывающегося обсуждать принципы кулинарии с котлетой — могла, пожалуй, показаться для пролетариата оскорбительной.

Ленин, по сути, шел ва-банк: разумеется, он прекрасно понимал, как легко вырождается революционное движение пролетариата, если подменяется интеллигентской кружковщиной; и за произнесенный вслух тезис про то, что революционное сознание можно внести в пролетариат только «извне», то есть что сами рабочие могут быть только материалом для политических манипуляций профессиональных революционеров, Ленину крепко влетит от товарищей на II съезде. Однако логика выбранной им стратегии партстроительства требовала такого, даже очевидно рискованного заявления: ведь «извне» в данном случае означало — от редакции «Искры», только оттуда, и ниоткуда больше; потому что «не извне» — значит, самостоятельно: клуб равноправных личностей, созданный на демократических принципах и действующий на основе совместно выработанных договоренностей.

Проблема была в том, что в таком случае им не нужна была централизованная, вертикально ориентированная, жестко структурированная партия — именно та организация, о которой грезил в 1901-м Ленин — Ленин, которого интересовало лидерство в партии, а не какие-то процедуры.

Именно поэтому «Что делать?» посвящено: а) демонизации «экономизма» и б) объяснению, почему, несмотря на то что марксизм и терроризм «Народной воли» — принципиально разные доктрины, нужно создать организацию профессиональных заговорщиков, которая будет направлять пролетариат, стоя вне его и над ним.

Пожалуй, самая знаменитая, вошедшая в историю риторическая фигура из «Что делать?» — про движение по краю обрыва: Ленин клонит к тому, что монополия вести рабочих к свободе есть только у тех, кто понял Маркса должным образом. «Свобода — великое слово, но под знаменем свободы промышленности велись самые разбойнические войны, под знаменем свободы труда — грабили трудящихся. Такая же внутренняя фальшь заключается в современном употреблении слова: "свобода критики". Люди, действительно убежденные в том, что они двинули вперед науку, требовали бы не свободы новых воззрений наряду с старыми, а замены последних первыми. А современные выкрикивания "да здравствует свобода критики!" слишком напоминают басню о пустой бочке. Мы идем тесной кучкой по обрывистому и трудному пути, крепко взявшись за руки. Мы окружены со всех сторон врагами, и нам приходится почти всегда идти под их огнем. Мы соединились, по свободно принятому решению, именно для того, чтобы бороться с врагами и не оступаться в соседнее болото, обитатели которого с самого начала порицали нас за то, что мы выделились в особую группу и выбрали путь борьбы, а не путь примирения. И вот некоторые из нас принимаются кричать: пойдемте в это болото! — а когда их начинают стыдить, они возражают: какие вы отсталые люди! и как вам не совестно отрицать за нами свободу звать вас на лучшую дорогу! — О да, господа, вы свободны не только звать, но и идти куда вам угодно, хотя бы в болото. Мы находим даже, что ваше настоящее место именно в болоте, и мы готовы оказать вам посильное содействие к вашему переселению туда. Но только оставьте тогда наши руки, не хватайтесь за нас и не пачкайте великого слова свобода, потому что мы ведь тоже "свободны" идти, куда мы хотим, свободны бороться не только с болотом, но и с теми, кто поворачивает к болоту!»

Что означает в переводе на человеческий язык вся эта аллегория о болоте?

Вот что.

1. Давайте не будем ждать, пока капитализм оккупирует феодальную Россию «окончательно» и страна, согласно марксовским законам истории, естественным образом дойдет до точки кипения. Я знаю способ, как срезать угол и добиться изменения жизни быстро.

2. Я собираюсь создать компанию и руководить ею; у меня уже есть «Искра»; и если вы поверите в мой стартап и станете финансировать его, то у меня найдутся политические ноу-хау для того, чтобы изменить режим в России.

3. Не инвестируйте деньги и надежды в другой, альтернативный общерусский политический печатный орган — особенно если он называется «Рабочее дело», — который тоже обещает наладить эффективное функционирование политической структуры: их утверждения, будто они отстаивают интересы рабочих, — блеф, с помощью которого они пытаются оттянуть к себе инвесторов (а затем предать рабочий класс буржуазии). Их руководители некомпетентны, их методы неэффективны и их попытки созвать общероссийские съезды и конференции рабочих неправомочны. Монополия на передовую теорию и на политическую оргдеятельность есть только у меня, у «Искры», и если — ради поддержания теоретической чистоты марксистского учения — надо будет окончательно расколоться с этими ложными революционерами, мы пойдем на это.

Что по-настоящему ценно сейчас в «Что делать?» — это цайтгайст, дух эпохи, когда в обществе возник спрос не на бунтаря-индивидуалиста, но на сильную революционную руку, способную схватить за шкирку, приструнить, вышколить любого либерального марксиста — и превратить его в члена организации профессиональных заговорщиков. И в этом смысле «Что делать?» можно назвать «живым руководством к действию».

Секрет феномена «Что делать?» — в литературе; это демагогическое, сводящееся к чистой суггестии и страдающее дефицитом конкретики произведение. Это чувствовала и Крупская: она со свойственной ей деловитой иронией докладывала одному из корреспондентов: «Мейер накатал уже три печатных листа, но дошел лишь до половины»; слишком много слов, а Ленин все никак не мог остановиться.

Ни до ни после Ленин не будет позволять себе «литературу», «фразу» в таких количествах; и единственное объяснение этого странного сдвига — швабингская «гринвич-виллиджская» атмосфера, в которой сочинялась эта книга: похоже, метафоры в этом мюнхенском предместье ценились выше, чем конкретные рецепты. Швабингский контекст объясняет и аберрацию сознания, которая заставила Ленина выступить защитником идеи о заведомом приоритете интеллигентных марксистов над «стихийными» защитниками своих пролетарских интересов. Идея, будто сам рабочий класс не может устроить революцию с политическими требованиями (и поэтому ему нужны марксисты, направляющие стихийную энергию массы), выглядела сомнительной уже в 1902-м — и не подтвердилась, по сути; жизнь — и прежде всего

1905 год — покажет, что рабочие вполне в состоянии вести стихийную революционную борьбу.

Тем не менее благодаря «литературе» «Искра» и «Что делать?» стали «культовыми проектами» — а вот комплект «Рабочего дела» в космос провезти никто и никогда не пытался.

От «Что делать?» Ленину то и дело приходилось отвлекаться на текущую газетную работу.

В обязанности агента «Искры» входило не только распространение литературы, но в не меньшей степени налаживание связей с местными комитетами, которые вовсе не спешили вступать в вассальные отношения с «Искрой»: с какой стати было терять независимость? Поэтому следовало не дергать их за фалды — а аккуратно, исподволь предлагать самостоятельный «выбор»: да, мы понимаем, что со стороны это выглядит так, будто «Искра» хочет всем командовать, но дело-то не в этом, а в том, что только так — а как иначе-то — можно будет создать реальную боевую партию.

Этот трюк с глазами Кота из «Шрека» действовал далеко не всегда. Рабочие не понимали, в чем суть разногласий между «искровцами» и «рабочедельцами», если и те и те — за пролетарскую революцию. И как ни бесновался Ленин, ему так и не удалось объяснить это малосознательным читателям; ничего удивительного, что в какой-то момент Бауман жалуется, что деньги, переданные на «Искру», попадают в редакцию «Рабочего дела»; можно только предположить, сколько тарелочных осколков вынесла на задний двор дома на Зигфридштрассе в день получения этого письма Крупская.

«Искру» охотнее читали интеллигенты; да и среди интеллигенции чисто технически распространить такую газету было легче — поэтому многие агенты «отбамбливались» до прибытия к главному пункту назначения — в фабричные и заводские комитеты. Самый частый вопрос об «Искре», на который Ленину приходилось отвечать самым разным людям, был: почему, раз они пролетарская партия и раз среди заявленных целей было превращение «Искры» в газету общепартийную и претендующую на массовое распространение, они делают не нормальную, понятную, народную газету для рабочих, «среди которых и безграмотность не диво», а нечто сложносочиненное, где слишком много внимания уделяется микроскопическим нюансам отношений в немецкой социал-демократии?

Самой кошмарной новостью из лагеря конкурентов для Ленина первых лет «Искры» было сообщение, что кто-то еще «затевает шитье бумазейных кофт». Популярная газета для рабочих в любой момент могла отбить у «Искры» клиентуру.

Агенты хорошо осознавали, что обычных рабочих трудно

было урезонить и обнадежить уверениями, что комитеты, начитавшись «Искры» и «Зари», в один прекрасный день смогут переварить, наконец, идеи оттуда и сами преподнесут их рабочим в более удобоваримом виде.

Ответ Ленина состоял в том, что разделять интеллигентское и рабочее марксистское движение нелепо и неправильно, а все предыдущие попытки писать газету языком рабочего класса выглядели скверно. Ленин перечислял проекты конкурентов, сопровождая их исчерпывающим комментарием: «Не беда, что все это — дермо, но зато массовое дермо». Никаких мягких знаков — только твердое «р». И особенно неприемлемым ему представлялось, что слишком много внимания там будет уделяться местным проблемам и вместо обсуждения общепартийных задач станут плодиться «особые, глубокие, казанские и харьковские теории».

Может быть, в таком случае ему следовало издавать две газеты — одну партийную, где можно никак не стеснять себя ни в темах, ни в стилистике, и другую для массового распространения?

Нет, нет и нет!

Научитесь, рявкал он на агентов, использовать то, что вам дают.

Далее следовала феерия оскорбительных контробвинений в некомпетентности: «увертка, отлыниванье, неуменье и вялость, желание получить прямо в рот жареных рябчиков». Ведь вам нужно, чтобы за вас всё разжевали и потом вам в рот положили? «Я разеваю рот, — а вы сыпьте: вот новая формула отношений "писателя" и "искряка"-практика!» Что? «Искру» просто невозможно связать с массами? Это вы не в состоянии дать нам отчет, как массы принимают «Искру»! Это вы, вместо того чтобы связывать писателей «Искры» и массы, плохо выполняете свою работу!

Все эти фома-опискинские истерики — не что иное, как разные варианты одного и того же «нет»; попытки завуалировать суть — которая может быть сформулирована двумя способами. Первый: Ленина не интересуют просвещение и агитация масс напрямую, а интересуют только элементы, из которых можно построить будущую партию, ради чего вся «Искра» и была затеяна. Второй: Ленин посчитал, что эффективнее давать массам не пережеванную «пищу», а «удочку» — идеологический инструментарий, посредством которого выходцы из масс сами могли себя в дальнейшем агитировать.

«Если бы я слушал потребителей, — сказал однажды Генри Форд, — я отправился бы на поиски более быстрых лошадей»; судя по дальнейшим событиям, стратегия Ленина — какой бы двуличной и абсурдной она ни казалась — в целом оправдалась. Ленинские «лошади», если уж на то пошло, находились на Кавказе — так назывался один из путей доставки «Искры» на территорию империи. Подлинные масштабы деятельности «Искры» стали ясны к концу второго года — когда, благодаря участию толковейших инженеров, в том числе Красина и Кржижановского, были налажены несколько каналов переправки литературы — которые в секретной переписке обычно именовались обиняками: путь через Пруссию назывался «кожей», через Швецию и Финляндию — «пиво» («Пиво начало вариться», «с пивом плохо»), через Архангельск — «рыба»; «лошадиным» звался путь через Баку. Об интернациональном размахе предприятия можно судить по особенностям «марсельского» пути: «Искрой» набивали резиновые мешки — которые затем, при помощи французских моряков из дружественных профсоюзов, привязывались в наружным частям парохода — и приходили в порты Черного моря под водой, невидимой поклажей.

Но расширение предприятия оборачивалось также и катастрофами — причем масштабы этих катастроф возрастали.

Основной причиной провалов были не ошибки людей, не провокации и не предательства, как позже (хотя кто, собственно, мог проверить человека, который приходил и предлагал свои услуги — не провокатор ли он?) — а, как ни странно, шифры — те самые, железные, нераскалываемые, персональные. Не надо было держать полицию за дураков. «Искра», трагикомическим образом, горела на литературе, на стихах; полиция сообразила, что чаще всего «искровцы» пользуются в качестве ключей хрестоматийными строчками из русской классики — Пушкина, Лермонтова, Крылова, Некрасова, Надсона — просто потому, что именно их все учили по школьной программе и их тексты были легко доступны по всей Европе. «Достаточно было, — пишет А. В. Синельников, — полицейским экспертам однажды выяснить, что для шифрования их конспиративных писем использовалось какое-нибудь стихотворение, как с очевидностью напрашивался вывод — все другие, не разобранные криптограммы, также могли быть перекрыты по произведениям того же автора! А объемы томов перечисленных поэтов не так уж велики — не более одной-двух книжек на каждого».

Именно знакомство с перепиской, по-видимому, и навело начальника московской охранки С. Зубатова в декабре 1901-го на тревожную мысль, что «ведь крупнее Ульянова сейчас в революции нет никого...». «Ожидают возвращения Владимира Ульянова, имеющего эту теоретическую формулу воплотить в кровь и плоть. Вот бы хлопнуть-то сего господина!»*

Полиция не понимала, как добраться до гнезда «Искры», мюнхенская прописка которого к осени 1901-го стала секретом

_____

* Красный Архив. 1934. Т. 1 (62).

Полишинеля — но, во-первых, с неослабевающим интересом отслеживала коммуникации этой «группы», во-вторых, ловила всякую мышь, пытавшуюся проскочить через границу с набитым нелегальщиной чемоданом, и, в-третьих, устраивала массовые «ликвидации»: повальные одновременные аресты. Настоящая варфоломеевская ночь случилась на 9 февраля 1902 года — в связи с тем, что между Мюнхеном и местными комитетами постепенно стал назревать конфликт. Комитеты раздражало, что за границей сидит некто и командует, кому что делать; спасибо, вежливо говорили марксисты с норовом: газету вашу мы почитаем, можем даже печатать ее с ваших матриц — но руководство ваше нас не интересует. Чтобы подавить эти бунты, в Киеве назначили совещание российских агентов «Искры» — сообща выработать тактику. Лучше всех оказалась готова к этому конклаву полиция — которая за несколько часов в одном Киеве накрыла около двухсот человек и еще несколько десятков в Одессе. Почти все рыцари искровского Круглого стола оказались арестованы. В том числе Николай Бауман.

Среди агентов «Искры» было немало выдающихся личностей, и про каждого можно было бы создать отдельную эпическую песнь. Но несомненным Ланселотом в этой компании был Николай-«Грач»-Бауман*, чья история слишком замечательна и характерна для агентов «Искры», чтобы не воспроизвести ее хотя бы и бегло.

Бауман — уроженец Казани, на три года младше Ленина, 22 месяца отсидел в одиночке — одна из ключевых фигур и в истории РСДРП, и, опосредованно, в биографии Ленина. В конце концов, именно его убийство в октябре 1905-го и его грандиозные похороны, возможно, спровоцировали декабрьские события в Москве. Однако и до своей смерти Бауман, друживший с Воровским, агитировавший рабочих Саввы Морозова за революцию — и скрывавшийся в квартире самого фабриканта, своего приятеля, сочинявший литературные очерки, делегированный на II съезд партии, успел совершить множество разных любопытных поступков. Впоследствии один из самых эффективных агентов, в первый год своей искровской деятельности он, по-

---

* Характерно, что в советском фильме «Побег» (1977) Баумана сыграл А. Абдулов — классический Ланселот из шварцевского «Дракона». Беда в том, что хотя и вторую главную роль, молодого Максима Литвинова, в фильме сыграл еще один секс-символ советского кино — Н. Еременко, режиссер умудрился загубить абсолютно голливудский, по сути, сюжет с побегом из тюрьмы; актеры явно сами не понимали, о чем идет речь, и воспринимали свои роли как отработку советской барщины. Наиболее анекдотической во всем фильме кажется сцена, где Еременко и Абдулов начинают пытать друг друга: а ты читал нового Ленина?

хоже, больше раздражал, чем радовал редакцию: ему по разным объективным причинам никак не удавалось завоевать Москву, куда его направили. Его упрекали, посылали на тот же участок других агентов — к великому негодованию «Грача», письменные истерики которого напоминают героев не столько Стэна Ли, сколько Достоевского или Зощенко. «А Вы до сих пор находили нужным снабжать скорее других, чем меня, кроме того, я пришел к тому заключению, что Вы не считаете нужным сообщать о делах организации и связях в моем районе, чем создаете громадное недоверие ко мне. Меня уже некоторые заподозревают в очень некрасивых вещах — в самозванстве самого скверного свойства. Напишите немедленно, считаете ли Вы меня своим представителем». Затем градус поднимается еще выше. «Сложа ручки не сижу ни минуты. В своих суждениях Вы уподобляетесь теперь вполне Dreck-Genoss’ам (дрянным товарищам. — Л. Д.), которые с высоты своего настоящего величия судят о меньшем своем брате. Вы уже, по-видимому, начинаете забывать условия, в которых жили года два тому назад... Ваши упреки вначале расстраивали меня, а теперь я смотрю на Вас как на Dreck-Genoss’ов», — пишет он Ленину и Крупской.

С Бауманом же связана одна из центральных легенд в мифологии «Искры» — удивительная, в духе «Графа Монте-Кристо», история с побегом из Лукьяновской тюрьмы в Киеве. Ленин никак не участвовал в ней — но косвенным образом она тоже способствовала укреплению мифа о сверхъестественных способностях Ленина: разве могло совершиться предприятие такого масштаба без содействия дистанционных колдовских сил? (Так байкальские рыбаки — если верить Крупской — будут рассказывать после Гражданской войны, что Ленин в разгар боя с белыми прилетел к ним на самолете и помог справиться с врагом.)

В феврале—марте 1902-го в «Лукьяновку» стали свозить всех арестованных после февральского разгрома «Искры» — чтобы устроить показательный процесс. Там оказались Сильвин, Бауман, Басовский, Гальперин, Крохмаль, наборщик «Искры» Блюменфельд, будущий советский дипломат Литвинов и еще несколько человек.

Главной проблемой этой тюрьмы — которая и сейчас охотно принимает в своих стенах политзаключенных (именно там, например, два раза сидела Юлия Тимошенко) — было то, что там «больно уж свободно было»; арестанты добились разрешения гулять во дворе не только днем, но и после захода солнца и едва ли не почитывали свежий номер «Искры» за завтраком. Сначала они хотели просто толпой прорваться через ворота — «кто уйдет, тот уйдет», но этот план был отвергнут как чересчур «молодеческий». Статистика, кстати, была против них — последний раз кому-то из политических удалось сбежать оттуда четверть века назад. Затем был принят план бежать из церкви со всенощной на Пасху — но Басовский сломал себе ногу, и решено было подождать, пока тот поправится. В итоге решили — авторство этого плана принадлежало Сильвину — бежать с прогулки. Запаслись деньгами, рублей по 100 на человека, паспортами, изготовили из простыней лестницы; с одной из передач умудрились получить в корзине с цветами, якобы на именины, железный якорь весом в полпуда («Искра» потом взахлеб писала: «Как последний очутился в руках бежавших — это, конечно, секрет организаторов побега») — который можно было использовать как «кошку», и алкоголь — напоить надзирателей. На каждой прогулке репетировали; на Днепре в условленном месте беглецов должны были дожидаться лодки. 18 августа, в день «именин», четверо, среди них «отличавшийся большой физической силой Бауман», напали на надзирателей (впрочем, с кляпом не вполне получилось — один успел заорать: «Ратуйте!»), четверо выстроили пирамиду — «на плечи двух залезает третий, на него — четвертый — он тогда находится почти на крыше, залезает, прикрепляет якорь»; на одну сторону шестиаршинной стены от якоря ведет лестница со ступеньками из ободьев венских стульев, на другую, вниз, — веревка. Погоня началась сразу же — в духе «Неуловимых мстителей», на лошадях, с факелами и пальбой из револьверов. Одни беглецы попрятались по тайным квартирам в городе, другие изображали из себя пьяных, шатались и требовали себе извозчиков, щедро расплачиваясь, третьи отправились в баню — просто чтобы скоротать время. Никого не поймали — и через несколько недель они праздновали удачу в Швейцарии, в ресторане у Рейнского водопада; оттуда же была отправлена триумфальная издевательская телеграмма начальнику тюрьмы Новицкому. Впрочем, за границей агенты просидели недолго (вообще, для многих заграница часто оказывалась пространством непонятным и трудноосваиваемым; путешествуя, отечественные марксисты совершали иногда ошибки анекдотического характера — Бабушкин вместо Лондона однажды чуть не угодил в Америку, «Шляпников заехал в первый раз вместо Женевы в Геную») — и вскоре вновь вернулись в Россию на нелегальную работу. Бауман меж тем поехал к Ленину — было что обсудить.

Было бы преувеличением сказать, что РСДРП раскололась на большевиков и меньшевиков из-за Баумана, однако именно он стал тем «испорченным яблоком», из-за которого потом Ленину с Мартовым пришлось перетряхивать всю партийную бочку, и как раз с того момента пути бывших друзей все больше и больше расходились. В редакции «Искры» зател конфликт — который, возможно, объясняет то, что впоследствии произошло на II съезде: подоплеку Большого Раскола. Радиоактивные следы этого происшествия будут заметны даже спустя четверть века, когда Крупская в своем первом очерке о Ленине вспоминает этот инцидент — чтобы заметить, что ее муж не любил вмешиваться в частную жизнь и проявлять к чужим делам «праздное любопытство».

Под «чужим делом» подразумевалось вот что.

В Вятской губернии, в городе Орлове (в советское время — город Халтурин Кировской области), на рубеже веков обитала колония ссыльных марксистов, среди которых были не только будущий член редколлегии «Искры» Потресов, советский дипломат Воровский (а в соседнем уезде проживал еще и Ф. Э. Дзержинский), но и некая Клавдия Приходькова. С января по октябрь 1899-го — до своего побега — на вятском небосклоне появилась комета по имени Бауман: высокий, хорошо сложенный, белокурый, с рыжеватой бородкой молодой человек. В скором времени девушка сделалась его близкой подругой; затем их отношения почему-то разладились — и она быстро вышла замуж за другого ссыльного, Митрова, и даже забеременела. Такого рода ее поведение вызвало недоумение Баумана — и тот вместе со своим приятелем Вацлавом Воровским принялся донимать женщину «двусмысленными» карикатурами — которые, однако ж, показались Приходьковой достаточно однозначными, чтобы покончить жизнь самоубийством: она отравилась. Орловская колония ссыльных потребовала привлечь сделавшихся нерукопожатными Баумана и Воровского к партийному суду, вдовец Митров, зная о нынешнем месте работы обидчика своей жены, явился в редакцию «Искры» — где слыхали об этой истории и даже напечатали, что вот, де, «в Орлове Вятской губернии окончила жизнь самоубийством Клавдия Николаевна Приходькова, сосланная на 4 года по социал-демократическому делу 1897 года в Петербурге». Явился он с письмом, где содержалось требование разобраться в деле. В октябре 1902-го — через несколько недель после героического побега искровцев из Киевской тюрьмы (организованного, кстати, молодой женой Баумана, Капитолиной Медведевой) и через несколько дней после того, как Бауман явился к Ленину в Лондон обсудить нечто, — состоялось заседание редакции об обвинении Баумана в аморальном поступке — и вот тут послышался чеховский звук лопнувшей струны. Засулич и Потресов потребовали осудить Баумана и как минимум выгнать его из агентов «Искры». Плеханов и Ленин, которым совершенно не хотелось терять ценного сотрудника, пришли к выводу, что их газете не следует влезать в личную жизнь своих сотрудников: Бауман не совершил ничего такого, что можно поставить ему на вид как члену подпольной организации. (Тем более что Бауман работал почти бесплатно и не только завязывал связи, но и умудрялся успешно торговать «Искрой» за живые деньги; недавно проинспектировавшая состояние искровских дел в России Инна Смидович заявила, что «из всех мест, где я была, лучше всего, разумнее всего и основательнее всего дело ведется и поставлено у Грача».) Мартов формально сохранил нейтралитет, но в глубине души оставался всецело на стороне покойной Приходьковой и на заседаниях «суда» не стал форсировать разбирательство только потому, что понимал, что раскол повредит всем. Цинизм Ленина, однако ж, произвел на него сильное — и крайне неприятное впечатление; психологическая травма эта в дальнейшем только усугубится.

Существует документ — написанный Лениным проект особого мнения по делу Баумана, в котором сказано, что это «чисто личное дело, возникшее при совершенно исключительных обстоятельствах. Оно не может и, по нашему твердому убеждению, не должно быть разбираемо никакой революционной организацией вообще. В частности же мы, со своей стороны, не видим в настоящее время решительно никаких оснований к возбуждению против члена Русской организации "Искры" Н. Э. Баумана обвинения в каком бы то ни было нравственно предосудительном поступке или поведении. Настоящее особое мнение мы сообщаем пока только всем членам редакции и администрации Лиги и Н. Э. Бауману». Затем это «мнение» было подкорректировано — и в результате истец Митров получил резолюцию, в которой сообщалось, что ввиду обнаружившихся разногласий по вопросу редакция не сочла возможным его обсуждать. Четверть века спустя Крупская заявила, что это «требование не заезжать в чужую личную душу усердными руками было проявлением именно настоящей чуткости».

Таким образом, конфликт о пресловутом «первом параграфе» на съезде станет еще и конфликтом о партийной этике. Если для Ленина член партии — тот, кто подчиняется и регулярно платит, то для Мартова — тот, кто помогает и ведет себя прилично.

Сам Мартов, переехавший в марте 1901-го в Мюнхен и поселившийся на Оккамштрассе, у Английского сада, едва ли мог сойти за эталон приличия. Он постоянно таскался к Ленину и изводил его безалаберностью и недисциплинированностью — располагался на кухне, читал газеты и болтал, болтал, болтал; собственно, Крупская наткнулась на него у мужа в квартире уже в момент появления в Мюнхене.

Парижский товарищ Ульяновых Алин рассказывает, со слов то ли Ленина, то ли Крупской, что те решили в Мюнхене «организовать быт на принципах коммуны». «Жизнь была тихая. Только рождалась партия. Не было фракционной борьбы». Надежда Константиновна ходила на рынок. Мужчины, Ленин, Мартов и наборщик Блюменфельд, помогали на кухне — и, среди прочего, мыли по очереди посуду. Ленин поддерживал такого рода распорядок скромно и без жалоб. Мартов также выполнял свои обязанности на совесть, но стенал и кряхтел — особенно когда мыл тарелки, — сетуя на «медлительность прогресса»; его мечтой было, что когда-нибудь изобретут посуду, которую не нужно будет мыть после каждого использования — люди просто будут ее выбрасывать. Ленин утешал Мартова и уверял его, что идеальная посуда такого рода однажды непременно появится. «Однако в настоящий момент, — резонно замечал он, — следует перестать жаловаться на медлительность прогресса и пользоваться той посудой, которая имеется в наличии».

В какой-то момент необходимость поддерживать эти глубокомысленные диалоги настолько допекла Ленина, что Крупской пришлось попросить Мартова ограничить свои визиты к Ульяновым. Однако же тот не выдерживал и приходил — пока в Мюнхене не поселился Дан, на которого можно было выплеснуть свои свежие идеи.

Мартов и Бауман были далеко не единственными знакомцами Ленина, чье поведение, по разным причинам, могло быть сочтено небезукоризненным. Вся мюнхенская жизнь газеты была связана с балансированием между разного рода влиятельными людьми — которые могли предоставить Ленину умные советы, репутацию, тексты, типографские мощности, кров и деньги. Нужно было перенять у немецких партнеров опыт нелегального распространения газеты — и не подпасть под их влияние, очарование, харизму и лапу, с тем чтобы выполнять намеченный заранее план, апофеозом которого станет обретение группой «Искры» лидерства в российской эс-дэ партии.

Самым любопытным «партнером» был Александр Львович — или, если угодно, Израиль Лазаревич — Гельфанд, он же «Парвус»: русский и немецкий социал-демократ (именно он первым стал соблазнять немцев идеей всеобщей забастовки), писатель, копирайтер (автор слогана 1905 года: «Без царя, а правительство — рабочее»), бизнесмен, политик авангардного толка, экономист, исследователь роли колоний для империализма и пролетариата, мошенник, спекулянт и бонвиван: «ренессансная» комбинация, представлявшаяся современникам не менее экстравагантной, чем нам. Он родился на три года раньше Ленина и часто производил на окружающих впечатление человека если не умнее, то точно остроумнее Ленина; в его записной книжке было много крайне полезных Ленину контактов — и он всегда мог дать ему оригинальный совет; он протежировал молодых русских политиков, вводил их в мир европейских социалистов, окормлял идеями и знакомствами; был одним из звеньев, связывающих псевдоболгарина с немецкими социалистическими вождями. Неудивительно, что находятся биографы (особенно из тех, кто полагает, будто ставший во время мировой войны агентом немецкого Генштаба Парвус как раз и договорился насчет «пломбированного вагона»), склонные думать, что Ленин в Мюнхене был едва ли не марионеткой этого джентльмена.

Роль Парвуса в «Искре» преуменьшается и преувеличивается одновременно. Парвус не числится среди отцов-основателей «Искры». Как и некоторые другие персонажи, компрометирующие своим соседством Ленина, — вроде Романа Малиновского, — он даже и в вегетарианские советские времена методично вычеркивался из истории; в «Биографической хронике» о нем нет ни слова. Тем не менее все эти полтора года в Мюнхене он постоянно был где-то рядом с Лениным. Парвус, несомненно, был автором многих передовиц «Искры» (анонимно, разумеется, или иногда под озадачивающим псевдонимом: «Молотов»), а кроме того, Ленин в период изготовления первых номеров купался — даже и буквально — в атмосфере общения с Парвусом.

Дом Парвуса на Унгерерштрассе, 80, — интересное местечко: Ленин часто бывал там, познакомился здесь с Розой Люксембург; в 1904-м тут живал Троцкий. Дом прекрасно сохранился: первый этаж занимает остерия с подходящим названием «Da Fausto»; во дворе микросадик с деревом, явно видавшим не то что Ленина, а чуть ли и не Юлия Цезаря. Оттуда примерно 20—30 минут ходьбы до ленинских квартир на Зигфрид- и Кайзерштрассе. Из окон дома хорошо просматривается расположенный через дорогу открытый парковый бассейн — точнее, несколько водоемов с естественно-неровными берегами. Там даже есть пара винтовых горок-лабиринтов, как в турецких отелях. Ленин, сначала сам по себе, потом вместе с Крупской, был их завсегдатаем: вполне приемлемый — и «по сравнительно не очень дорогой цене», выражаясь его словами — фитнес для редакционного служащего. Чтобы разглядеть фигуры пловцов из окна, Парвусу не нужны были никакие бинокли; хорошая позиция — и не только политическая.

Парвус — который и сам наверняка время от времени скатывался с водяной горки, обрызгивая своих русских друзей, — был склонен к авантюрам как в политике, так и в повседневной жизни. Участие в революции для него не предполагало отказа от коммерческой деятельности, но, наоборот, должно было войти в резонанс с ней. Именно он, бывший издатель «Саксонской рабочей газеты», должно быть, объяснил Ленину, что социал-демократическая газета могла стать не только благотворительным просвещенческим или чисто политическим проектом. При должном управлении ее можно было сделать весьма и весьма прибыльной; тираж эс-дэ прессы в одной Германии приближался к полумиллиону экземпляров. И вот то самое, описанное Лениным, «развитие капитализма в России» приводило к тому, что с каждым днем у этой газеты увеличивалось количество потенциальных читателей и клиентов; это был объективно растущий рынок. Парвус был одержим идеей издавать ежедневную европейскую газету на трех языках — и разбогатеть. Ленина если и интересовали деньги, то скорее на скромное личное потребление (съемное жилье, книги, пешие походы в горы), чем на товары класса «люкс»; но, разумеется, деньги позволяли расширить круг начинаний.

Вряд ли Ленин воспринимал Парвуса как сэнсэя — скорее как старшеклассника, который может научить полезным лайфхакам. «Поставить газету» означало, среди прочего, уметь распоряжаться чужими деньгами так, чтобы не просто потратить их с толком, но и воспользоваться ими как средством извлечения прибыли; и ни такого опыта, ни в целом «оборотистости» у Ленина не было.

Демонизация Парвуса — начавшаяся после его аферы с Горьким и достигшая апогея у Солженицына — имеет под собой определенные основания. Однако попытки представить Парвуса — со ссылками на доносы русской охранки — как едва ли не подлинного автора «Что делать?», искровского серого кардинала, редактора и вдохновителя, которому Ленин приносил по утрам тапочки, — не производят впечатление убедительных. В Берлине в 1950-х годах вышла книжка, авторы которой сообщали, что в квартире на Унгерерштрассе стоял копировальный станок (оборудованный шрёдерами, позволявшими в случае чего уничтожать компрометирующие материалы), на котором якобы отпечатаны восемь номеров «Искры». Крайне маловероятно, что Парвус держал у себя в гостиной улику, способную не только напечатать довольно многотиражную «Искру», но и утащить его в тюрьму на полжизни; сведения о допоборудовании в этом смысле показательны — именно такая, похожая на логово джеймс-бондовского злодея, и должна быть квартира у «негодяя» (ленинское слово) Парвуса. (На самом деле типография «Искры» находилась совсем в другом месте — у вокзала, в нынешнем злачном районе с гостиницами-клоповниками и салонами «Dance On Table» — на Зенефельдерштрассе, 4.)

Тем не менее Парвус — слишком левый для немецких эс-дэ со своей резкой критикой оппортунизма Берштейна (он раскачивал лодку до такой степени, что даже подбивал мюнхенских студентов на более активные политические выступления) — был в самый раз для русских — и потому ему благоволили и Плеханов, и Ленин; несомненно, сидя на заборе и свешивая ноги то в одну, то в другую сторону, он извлекал из своего положения посредника между немецкими и русскими эс-дэ известные выгоды; в 1905-м он совершит поразительный рейд в Россию, где вместе с Троцким «изобретет» Советы и в высшей степени успешно, под аплодисменты публики — буквально, — поруководит ими. После октября 1917-го он так же страстно желал попасть в Петроград —

и в качестве представителя ЦК немецкой социал-демократии явился в Стокгольм, чтобы попытаться выступить посредником между Россией и Германией, точнее, между социал-демократами: он предлагал организовать там — если правительство Германии откажется подписать мирный договор — всеобщую забастовку. Это был хороший, разумный — для начала 1918 года — план, и у Парвуса могли быть такие возможности — но Ленин опасался заключать сделки с немцами через этого человека; Парвус окончил жизнь, так и не попав в ленинскую Россию, в депрессии, чем-то вроде Березовского, «политическим банкротом».

Ближе к концу 1902-го — началу 1903 года до России стали доходить не только слухи о «Что делать?», но и экземпляры. Их прочли «на местах» — и стали осознавать, что за газетой стоит не только «Освобождение труда». Мейер-Иорданов превратился в «культовую фигуру».

Волна арестов 1902 года парадоксальным образом также способствовала росту популярности газеты — серьезность намерений, уровень ставок обеих сторон почувствовала и публика.

К осени 1902-го деятельность «Искры» вдруг вошла в резонанс с местными комитетами — которые, один за другим, устраивали собрания в жанре «клятва Горациев» — со свернутыми в трубочку экземплярами «Искры» вместо мечей. Самый несговорчивый петербургский «Союз борьбы» — и тот в конце концов все же присягнул «Искре». Между прочим, это означало не только признание руководящей роли «искровцев» в партии, но и обещание перечислять «Искре» сколько-то процентов своего бюджета — например, 30 или даже 50. Тон Ленина в ответах тем, кто призывает его «популяризовать» «Искру», становится резче. «Искра» перестает опасаться, что кто-то еще, не расположенный лить воду на мельницу Ленина, — например «Бунд» или «Заграничный союз», — объявит очередную Белостоцкую конференцию партийным съездом: руки коротки.

Таким образом, Ленин не просто сам сорвал джекпот со своей книгой — но еще и сильно помог своей газете; кляксы от слез — «Мы доведены теперь почти до нищенства, и для нас получение крупной суммы — вопрос жизни» — с 1902 года возникают в письмах всё реже и реже; Мюнхен перестал испытывать острую нужду в деньгах. Но, главное, весь марксистский мир знал теперь, что именно редакция этой газеты выбрала самую правильную из всех русских марксистов линию, что именно «Искра» — ортодокс, тогда как все прочие — еретики; правила игры можно было навязывать.

Установление связей с комитетами, разумеется, не означало выхода на пролетарские массы; массы не собирались слушать все эти комитеты — и прибегали к контакту с ними лишь в исключительных случаях: конфликты, забастовки и т. п. Но факт, что завоевание крупных эс-дэ организаций в России радикально увеличило длину скамейки запасных «Искры»; в ней возникло Бюро Русской организации. «Социалистическая почта» была налажена и худо-бедно заработала. Подготовка к созыву съезда РСДРП из утопии превратилась в насущный вопрос — теперь все знали, что делать. Включая полицию — у которой созрел свой план.

«Влетел со всем добром», «влопался здорово» — чтобы понимать, о чем идет речь в этой части искровской переписки, не надо быть криптографом. Около типографии начинают крутиться типы, расспрашивающие рабочих, не здесь ли печатается нечто с использованием русского шрифта. 12 апреля 1902 года «Искра» бросается врассыпную: Ульяновы в Лондон, Мартов в Цюрих; «в лавке» остается жена Дана В. Кожевникова — которая, к неудовольствию своего бдительного патрона, тут же умудрится проглядеть прямо под шапкой опечатку: «*апрела*». Сам Ленин — то есть не Ленин, а доктор Иорданов — превращается в доктора Рихтера.

«Искра» была могущественной тайной организацией, на которую работали суперагенты, преследующие высокую цель. Одновременно это был всего лишь стартап, — маленькая компания, созданная для поиска рентабельной, воспроизводимой и масштабируемой бизнес-модели. При всех своих провалах и личных недостатках Ленин, надо отдать ему должное, сумел в считаные месяцы сколотить из любителей-энтузиастов, коротающих время в ссылке за дружеским сексом и склоками, команду профессионалов, способных выполнять самые сложные задания в сложнейших условиях: наладить транспортную организацию, получить опыт координации подпольных групп, который так понадобится в 1905-м; создать Оргкомитет по созыву II съезда РСДРП. Вся дальнейшая ленинская практика управления и партстроительства до октября 1917-го сводилась к стремлению работать небольшой командой — ради этого он в конечном счете и провоцировал расколы; разумеется, у всех этих расколов были свои — политические — причины, однако в результате торжествовал излюбленный Лениным принцип: «Лучше маленькая рыбка, чем большой таракан! Лучше 2–3 энергичных и вполне преданных человека, чем десяток рохлей». Лучше маленький клуб самоубийц, чем широкий народный фронт из профсоюзов. Лучше лишний раз расколоться с недостаточно «чистыми» марксистами — чем дружить не с теми. Лучше меньше — да лучше. Пожалуй, можно сказать, что интуитивно Ленин пришел к сформулированному основателем *Amazon* Джеффом Безосом «Правилу Двух Пицц»: высокопроизводительные команды должны быть довольно небольшими — такими, чтобы их можно было накормить двумя пиццами. Такие команды похожи на семьи: они могут ссориться, распадаться, но в них четко понятно, кто лидер, кто бета-самец и т. д. Если бы первая редакция «Искры» — база будущей РСДРП — собралась вместе (утопия: за три года совместной работы она *ни разу* не собралась в полном составе!) и оказалась рядом с домом Парвуса, она могла бы зайти в «Da Fausto» — и действительно наесться там двумя пиццами.

Воспроизводимость — возможность многократно продать полученное решение — в случае «Искры» подразумевала создание организации, которая даже в период кризиса, например Корниловского мятежа, оставшись без руководителя, реализует без оглядок на мораль наиболее рациональный сценарий согласно возможностям и необходимостям текущего политического момента. «Искра» оказалась масштабируемой — и сумела вырасти в партию. В этом смысле скромный «домик Искры» в Пскове есть не что иное, как аналог того гаража в Лос-Альтосе, где Джобс и Возняк собрали первый компьютер *Apple* — и сумели продать его потребителям. Ленин, настоящий предприниматель-революционер, увидел рынок, на котором, благодаря полицейским ограничениям, был создан искусственный дефицит «нелегальной» литературы. Обнаружив спрос, он задался мыслью — как занять имеющуюся нишу, несмотря на высокие издержки (давление жандармов, конкуренция с другими изданиями подобного рода). Все другие организации, нацеленные на тот же рынок — табуированный, очень высокорискованный, как торговля наркотиками, где в правила игры входит вероятность больших потерь личного состава по ходу, — показали себя недостаточно эффективными; не потому что у них не было мотивации, а потому что не было современной теоретической базы. У нас же, заявил Ленин, будет и идеология, и практика. Мы воспользуемся немецким опытом организации «социалистической почты», мы закрепимся на верных марксистских позициях — и раз так, поставить Россию на уши становится вопросом времени. «Искра» была тайным обществом заговорщиков, торгующих информационным наркотиком, — и торговля эта велась соответствующим образом, со всеми издержками, сопутствующими занятиям (политической) контрабандой. (Политические) прибыли предполагались соответствующие.

РСДРП образовалась до «Искры» — и функционировала бы и без нее. В начале XX века ясно было, что рано или поздно антипартийные законы отменят и в России, как в Германии; и тогда нынешние подпольные организации легализуются; это было стимулом, и люди организовывались. Не Ленин, так Троцкий — а скорее всего, марксисты-бернштейнианцы из «Рабочего дела» —

наверняка провели бы II съезд эс-дэ партии и запатентовали бренд РСДРП, по-видимому, в альянсе с «Бундом» (который тоже был, по выражению жандарма А. Спиридовича, «крепкой, хорошо законспирированной организацией, спаянной еврейским фанатизмом, жаргоном и ненавистью к русскому правительству»). Не «Искра» — сугубо внутрипартийная затея — наэлектризовала общество и спровоцировала 1905 год с его Кровавым воскресеньем, Декабрьским восстанием и крестьянскими бунтами. «Искра» не делала историю... не делала, не делала, не делала — но в конце концов все же сделала: потому как без «Искры» марксизм бы остался в России в большей степени экономическим, чем политическим учением: как в Европе — за социализм в отдаленной перспективе, без слова «революция». Однако ж благодаря кулинарным талантам Ленина — который способен был накормить своих товарищей не только пиццей, но и рыбой фугу — химический состав организмов российских марксистов изменился; токсины позволили обрести им оригинальную физиономию и закалили их до такой степени, чтобы в момент политического кризиса они смогли перехватить власть с первой и единственно возможной попытки.

Лондон
1902—1903

К Троцкому часто применяли характеристику «пророк», и среди его предсказаний найдется и такое: в Лондоне, на Трафальгар-сквере, будут воздвигнуты две бронзовые фигуры — Карла Маркса и Владимира Ленина.

Теоретически именно к тому все и шло — Англия была страной, где развитие капитализма создало наиболее очевидные предпосылки для социалистической революции; она должна, обязана была вспыхнуть — и тем сильнее, чем разительнее контрастировали друг с другом надежды и эмпирика. Когда 7 ноября 1919 года Мария Ильинична Ульянова на свой страх и риск — Советская Россия была истекавшей кровью страной-изгоем, которая находилась не в том положении, чтобы раздавать инструкции хозяевам мира, — напечатала в «Правде» пришедший самотеком перевод стихотворения Э. Карпентера «Англия, восстань!»:

> England, arise! the long, long night is over,
> Faint in the east behold the dawn appear; —
> Out of your evil dream of toil and sorrow
> Arise, O England, for the day is here, —

Ленин пришел в восторг и распорядился разыскать переводчика и снабдить его ордером на квартиру, одеждой и деньгами. Похоже, тому удалось затронуть самые сокровенные мечты Ленина — и найти способ транслировать их всему миру в удачной форме.

«Англия, — ерзал Ленин, — есть кажущееся исключение»; видит бог, он потратил немалую часть своей биографии на то, чтобы расшевелить эту страну и доказать мнимость английской уникальности; с озадачивающей регулярностью пересекая Ла-Манш, он предоставлял потенциальным ваятелям самые щедрые концессии на право превратить нельсоновскую колонну в ленинскую.

Первая попытка Ленина попасть в Лондон датируется аж 1895 годом — он умирал от желания познакомиться с Энгельсом. Тот четверть века обитал в доме 122 на Риджентс-парк-роуд в районе Примроуз-хилл. Здесь он принимал у себя Маркса, а в последние годы его жизни дом превратился в подобие Ясной Поляны — у автора «Положения рабочего класса в Англии» (чье состояние, только в виде ценных бумаг, оценивалось в два миллиона фунтов — он был удачливым портфельным инвестором) хватало средств и добродушия каждое воскресенье устраивать приемы, на которые мог прийти кто угодно, если у него была хоть какая-то рекомендация. В этой социалистической мекке бывали Вера Засулич и другие русские, которым Энгельс демонстрировал удивительный трюк — декламировал на чистом русском языке строфы три из «Евгения Онегина» — первые две и седьмую, до «...Зато читал Адама Смита и был глубокий эконом»; потом, впрочем, выяснялось, что на этом его познания в русском языке заканчиваются. Тонкий, надо признать, выбор — подтверждающий тезис из хрестоматийной ленинской статьи, что одним из трех источников марксизма была английская политэкономия — Адам Смит и Рикардо еще до Маркса исследовали особенности оплаты труда в рамках капиталистического общества; Маркс развил именно англичан — и продемонстрировал, в частности на английских примерах, что стоимость товара связана с количеством общественно необходимого рабочего времени, которое уходит на производство товара. К сожалению, историческому рукопожатию не суждено было состояться — в 1895-м второй основоположник был сильно болен, никого не принимал и вскоре приказал долго жить. Дом Энгельса — синяя табличка и сейчас извещает о том, что здесь обитал «Political Philosopher» — находится примерно в том же районе, где поселится в 1902-м Ленин: к северу от Оксфорд-стрит, главной транспортной артерии города, чуть восточнее Блумсбери, — Клеркенвиль. Спокойный, безопасный, буржуазный, заселенный наслаждающимися близостью к библиотеке Британского музея читателями — и одновременно самый «красный», пожалуй, во всем мире участок; где еще вы найдете пятачок, на котором жили, работали, захаживали в одни и те же пивные и любили прогуливаться вдоль линии Риджентс-парк — Чок Фарм — Хэмпстед Хит Маркс, Энгельс и Ленин.

Англия была загадкой для иностранных марксистов — которую требовалось разгадать, чтобы не совершить ту же ошибку у себя дома. Штука в том, что теоретически, согласно выкладкам Маркса и Энгельса, Англия должна была первой преобразовать капитализм в социализм, и уж только потом, вторым эшелоном, — Германия и все другие. Однако к началу XX века слепому было ясно, что с Англией что-то пошло не так. 90 процентов избирателей — рабочий класс, но до 1906 года в парламенте не обнаруживалось социалистической партии, в лучшем случае — единичные представители; даже внятной социалистической партии так и не возникло. По непонятным причинам английский пролетариат отлынивал от выполнения функции могильщика буржуазии. Проще всего было объяснить этот ребус тем, что рабочие сформировались здесь в условиях географической изоляции («островное сознание») — и поэтому чувствовали себя не такими, как их товарищи на континенте. Как бы то ни было, нельзя сказать, что английские рабочие просто проспали свои возможности: наоборот, им нравилось самоорганизовываться, и фабианское общество, партия лейбористов, кружки социал-демократов и группы независимцев легально функционировали и конкурировали друг с другом. Не было своей ежедневной газеты; не было чувства классовой обособленности — зато были неплохие фабричные законы, обязательное школьное образование для детей рабочих и сильные тред-юнионы.

Решение Ленина перепрыгнуть из Мюнхена в Лондон выглядело удачным именно в силу своей нетривиальности. В Лондоне было мало русских политэмигрантов: он не был иммигрантской гаванью вообще (как Париж), и там не было Плеханова (как в Женеве) в частности. Те, кто хотел начать жизнь с нуля, ехали в Америку; те, кто испытывал дефицит культурных впечатлений и ощущения «европейской цивилизованности», — в Париж или Швейцарию—Италию—Германию; те, кто эмигрировал по экономическим соображениям, знали, что в Англии большая конкуренция и все социальные лифты забиты самими англичанами, которые неохотно втягивают животы, чтобы пустить посторонних; в качестве места, где можно получить хорошее образование, Англия не рассматривалась в принципе. Английский язык был мало распространен в Европе. Въезд иностранцам не запрещался, но по прибытии — если приплываешь на остров с билетом третьего класса — требовалось предъявить 5 фунтов (очень крупная сумма): доказать, что можешь оплачивать расходы.

Лондон в Эдвардианскую эпоху (королева Виктория умерла за год до приезда Ленина) был «столицей мира» — четверть земного шара была закрашена в британский цвет (это даже больше, чем сегодня Америка, — целые континенты). Отсюда экспортировались технологии, капиталы и высококачественные промышленные товары, но город не был генератором доминирующей попкультуры, высокого искусства, урбанистики, моды, дизайна, идей и вообще полюсом «крутизны». Лондон был «живым» — но не был магнитом; он, да, уже «раскачивался» — но еще не был «свингующим». Туда отправлялись скорее «по делам», чем с туристическими целями; как сейчас в Гуанчжоу или Доху.

Русские, малознакомые с английским языком, не видевшие логики в бесконечных исключениях из правил чтения и произношения, не понимавшие нюансы быта, не обнаруживавшие в городе кафе — как в Берлине и Вене, и сбитые с толку беллетристикой, считали этот город «чужим и далеким» — непонятным, в отличие от Парижа, Берлина или Женевы, топографию которых многие по книгам представляли лучше, чем петербургскую. Впервые попадая в Лондон, большинство из них реагировало одинаково: «Трудно было сразу разобрать, едем ли мы по туннелю или по улице: такой стоял туман и так много было копоти и дыма. Сами улицы, с узкими, высокими, совершенно однообразными домами, производили впечатление туннеля... Все это произвело на меня, — вспоминает Лядов, — ошеломляющее впечатление». Ленин не стал исключением: «Первое впечатление от Лондона: гнусное. И дорого же все порядком!»; «Гнусное впечатление производит этот Лондон, на первый взгляд!!»

Город поражал приезжих масштабом — 50 километров в диаметре и пять (а с Большим Лондоном так и все семь) миллионов человек, копошащихся в клубах черного тумана; такого метрополиса никто раньше никогда нигде не видел. Если где-либо капитализм выглядел гротескно-отталкивающим — так это там; задымленный город-мануфактура — и штаб-квартира наступательной буржуазии. «Улица была, — пытался транслировать лондонскую «энергетику» посредством ритма поэт Брюсов, — как буря. Толпы проходили, / Словно их преследовал неотвратимый Рок. / Мчались омнибусы, кебы и автомобили, / Был неисчерпаем яростный людской поток». Для европейцев с континента этот поток казался не просто стремительным и бездушным, но еще и агрессивным, опасным; так выглядели боевые порядки империи, которая 7/24 воевала, одержимая промышленным ростом и инвестированием трофейных капиталов. Здесь, в Лондоне, капитализм показывал, на что он способен. Даже впечатляющая архитектура и обретающиеся внутри богатства — как, к примеру, Музей естественной истории в Южном Кенсингтоне — воспринимались как демонстрация того, что могут себе позволить правящие классы в стране суперуспешного капитализма: нечто вроде нынешних дубайских небоскребов. Троцкий особенно настаивает, что во время совместной экскурсии по Лондону осенью 1902-го именно таков был тон Ленина-гида: «Это у них знаменитый Вестминстер». С уважением, но отстраненным: «умеют или имеют, сделали или достигли — но какие враги!»

Любопытно, что ровно в тот момент, когда Ленин оказался в Лондоне, — именно в 1902-м — вышла важнейшая для Ленина книга: «Империализм». Ее автор, Джон Гобсон (1858—1940), проанализировал особенности современной ситуации и пришел к выводу, что империализм — дурное следствие капитализма: самоубийственное, аморальное и ведущее к увеличению социальной пропасти в обществе стремление вывести продукты капитализма на внешние рынки — где можно заработать больше, чем на домашних. Для Гобсона империализм — болезнь капитализма: ужасная, но не неизбежная и не неизлечимая, с ней можно бороться.

201

Ленин, однако, 14 лет спустя, на материале мировой войны, докажет: империализм — неотменяемая, естественная фаза капитализма, неизбежная мутация.

Поздневикторианская Англия еще не была романтизирована, как это произойдет задним числом, и, странным образом, тиражировала скорее негативные образы самой себя. В мире циркулировал образ «диккенсовского» капитализма — непригляднее, чем на континенте; ужасы эксплуатации усугублялись преувеличенно криминогенной — судя по беллетристике — обстановкой и ужасным климатом: дожди и туманы, из которых сгущается призрак Джека-Потрошителя. Этот комплекс предубеждений успешно конкурировал с другим — касающимся культурной идентичности местного населения: грубые, низкорослые, рыжеватые, агрессивные, склонные к неумеренному употреблению алкоголя мужчины и сильно пьющие, бесстыдно демонстрирующие свою распущенность женщины; низко котировалась и собственно английская культура — потакающая низменным инстинктам толпы, обожавшей развлекаться в мюзик-холлах; и даже канканы — по уверению Горького — в Лондоне были циничнее, чем в Париже. Все сравнения с Парижем — подлинным городом будущего, заново перепланированным и юзер-френдли — оказывались не в пользу Лондона: здесь не было высотной, современно выглядящей архитектуры, богемной атмосферы, артистизма, большого количества интересных иностранцев. Лондон казался твердыней капитализма, где глубоко укоренились многие феодальные предрассудки — малопонятные постороннему, и свидетельством тому были улочки в центре — кривые и грязные на вид. Там было легко потеряться, спрятаться, слиться с окружением, пропасть — в качестве урбанистического паттерна такое мало кому нравилось. Ленточная застройка производила впечатление «бездушной», дома — угрюмых и мелких: трехэтажные означало — несовременные. Не было Шарда, *London Eye*, «Огурца», другим был «скайлайн», силуэт города: линия горизонта проходила гораздо ниже. На южном берегу Темзы вообще были фавелы, куда иностранцам не следовало соваться в принципе. «Русским» районом считался Ист-Энд, Уайтчепл, Лаймхаус — нынешний пакистанско-бангладешский анклав. «За Сити вы попадаете в настоящий мир дешевки и хлама», — писал большевистский дипломат-англофил Платон Керженцев. «Воскресная толкучка на Мидлсекс-стрит — вылитый базар где-нибудь в Кельцах или Виннице». Несмотря на то, что найти в Уайтчепле селедку, баранки, черный хлеб и соленые огурцы было проще, чем мармайт и боврил, в Лондоне не сложилось хорошо взаимодействующей друг с другом общины политэмигрантов, как в Париже и Женеве; возможно, просто из-за небольшого количества — всего две-три тысячи человек, распыленных по огромному городу; возможно, потому что среди них было мало безработных — кто хотел, быстро находил работу на фабриках, и на политику у них оставалось меньше времени. Англия была поставщиком «чужого», страной-где-всё-наоборот — притягивавшей отдельных особей со странными запросами, — но не массы. Сюда даже и рефераты-то приезжали читать раз в сто лет — за отсутствием спроса даже на Ленина или Луначарского. К лондонским «селебрити» относились князь Кропоткин, бывший руководитель кружка «чайковцев» и будущий видный эсер Николай Чайковский, а также видный марксист-левак, игравший большую роль среди английских социал-демократов Федор Ротштейн; уже после Ленина к этой компании присоединятся Чичерин, Литвинов, Коллонтай. Роль русской газеты выполняли здесь бундовские «Известия».

Парадокс в том, что несмотря на — или благодаря всем вышеизложенным факторам — Лондон стал тем «Курским вокзалом», где рано или поздно, вольно или невольно оказывались участники трех из четырех «классических» — «ленинских», до 1917 года — съездов РСДРП: Второго, Третьего, Пятого. Да, мало кто из русских жил здесь — зато здесь можно было встретить большевиков, которых с трудом представляешь себе за границей в принципе, — вроде Клима Ворошилова, у которого, в качестве участника V съезда, было несколько недель для того, чтобы освоить восток Ислингтона. Именно там, в церкви Братства на углу Саутгейт и Балмс роу, Горькому на десятки лет запомнится порозовевшая лысина Ленина: тот буквально сполз под стол от смеха из-за глупости, которую сморозил выступавший Плеханов.

Лондон, сохранивший меморабилии о временах ранней РСДРП, надобно еще поискать. Вместо церкви Братства — где, располагая скудным бюджетом 2 шиллинга в день на человека, нащупывали пути преодоления революционного кризиса 350 российских социал-демократов (американский мыловар-филантроп — у которого Ротштейн и Плеханов попытались добыть 1700 фунтов после того, как 100 тысяч рублей, выделенные для мероприятия, кончились гораздо раньше, чем планировалось, — понаблюдал за русскими революционерами с хоров и нашел их очень «сосредоточенными», после чего раскошелился) — многоквартирный дом. Снесен в 1960-е — чтобы возникнуть в новом обличье — отель «Imperial» на Рассел-сквер, где Горький, приехавший в Лондон вместе с М. Андреевой для участия в V съезде РСДРП, впервые задумался, не чокнутый ли Ленин — после того, как тот полез щупать и ворошить их постель: не сыро ли белье, что может неблагоприятно сказаться на здоровье пролетарского писателя. Больше не считается «русским местом» в Лондоне Парламент-хилл в юго-восточном углу Хэмпстедской пустоши с хорошим видом на город — куда по выходным члены русской колонии выбирались с детьми на пикники, поиграть в горелки и лапту. «The Pindar of Wakefield» на Грейз Инн-роуд — нечто среднее между пабом и мюзик-холлом, в котором выступали Боб Дилан и «Pogues» и где можно было встретить персонажей в диапазоне от Карла Маркса и Ленина до Сталина и Розы Люксембург, теперь называется «The Water Rats». Нынешний Лондон вряд ли подошел бы делегатам какой-то аналогичной РСДРП партии в качестве места для собрания: слишком многочисленная русская диаспора, слишком пристальное внимание спецслужб к иммигрантам, слишком проходное место — и слишком велик шанс выпить чая, в котором окажется полоний.

Тахтарев, у которого Ульяновы провели свои первые несколько дней в Лондоне, был проницательным социологом, исследователем рабочего движения в Петербурге 1890-х и умеренно-левым марксистом, женатым на подруге Крупской Аполлинарии Якубовой. У Тахтаревых же встречали и наступление многообещающего 1903 года: Троцкого пригласили, но он не пошел — и очень жалел потом: то был последний в истории шанс увидеть Ульяновых вместе с Мартовым и Засулич в дружеской предновогодней атмосфере. Позже отношения разладились, и лондонские любезности оказались забыты; Крупская, поджав губы, сообщила Шагинян, что Тахтарев был «марксист на час».

За год, который назвавшиеся «мистером и миссис Рихтер» Ульяновы прожили в Лондоне, у них, похоже, не возникало особых поводов для нареканий ни в связи с климатом, ни в связи с нравами аборигенов: с лета 1902-го жалобы на «лондонское обалдение» (нечастая лексика для Ленина) сошли на нет; люди оказались красивыми, любезными и неагрессивными, климат — приятным (туманов не было, и погода стояла типичная лондонская-как-сейчас: жаркое лето и теплая сухая зима с небольшим похолоданием в январе—феврале), город изобиловал парками и маршрутами для прогулок, и даже с водными процедурами, к которым Ульяновы привыкли в Мюнхене, дела, надо думать, наладились — в Гайд-паркских прудах можно было в определенные часы купаться, и наверняка Ленин пользовался возможностью окунуться в Серпентайн или Круглый пруд. Гримасы «диккенсовского», «готического» капитализма в Англии — по крайней мере в Лондоне — также не выглядели такими уж отвратительными. Статистика противоречила беллетристике. Как ясных дней на деле было гораздо больше, чем туманных, так и смертность в Лондоне была наименьшая среди всех европейских городов. Настоящая нищета царила не столько в рабочих, сколько в иммигрантских кварталах. Теоретически русскому пролетарскому вождю было бы уместнее поселиться в Ист-Энде, где он мог непосредственно погрузиться в атмосферу беспросветности, однако Ленин ограничился тем, что время от времени вел там занятия в кружке рабочих — тестируя на них программу РСДРП, которую как раз и сочинял в этот момент. Один из лондонских «сталкеров» Ленина, Н. Алексеев, вспоминает, что среди участников были «русский англичанин Робертс», «русский немец Шиллер», одессит Сегал и петербуржец Михайлов. Рабочие-аборигены были, несомненно, зажиточнее русских, и Ульянову, хорошо знавшему Невскую заставу, любопытен был как раз процесс «обуржуазивания» «сознательных» рабочих — которые по примеру высших классов объединялись в разные клубы и устраивали свои собрания — часто протестного характера. Троцкий рассказывает о их совместном с Ульяновыми походе в некую социалистическую церковь, где речи, обычные для с.-д. митинга (Ленин переводил им спич наборщика, вернувшегося из Австралии), время от времени перемежались пением благочестивых псалмов — «Всесильный Боже, сделай так, чтоб не было ни королей, ни богачей»; социалисты и «попы», к удивлению россиян, считали друг друга союзниками в борьбе за «права человека».

Похоже, Англия, несшая другим странам колониальное рабство — или, по крайней мере, экономическую зависимость, — сама представляла собой «глаз циклона», где действовали демократические законы и эксплуатация буржуазией пролетариата ощущалась не так болезненно.

Этот английский опыт и английские чудачества привлекали внимание не только Ленина. Пристальнее всего на англичан смотрели немцы. Собственно, пресловутый ревизионизм Бернштейна был основан на наблюдениях за английским опытом: вот каким — надклассовым — должно быть государство: рабочие объединяются через свои тред-юнионы и контролируют госорганы. У Ленина было другое мнение на этот счет: он знал, что тред-юнионизм есть «идейное порабощение рабочих буржуазией», и не собирался пересматривать свои взгляды.

При словосочетании «Ленин в Англии» в голове должен возникать образ человека в котелке, костюме и с зонтиком под мышкой — сливающегося с фоном: длинным лондонским, с торчащими каминными трубами, трехэтажным зданием «ленточной застройки». Таким был дом Ульяновых на Холфорд-сквер — непримечательный, с неоштукатуренным кирпичным фасадом, без крылечек с колоннами, эркеров и прочих нынешних декоративных атрибутов такого рода кварталов; из муниципальных благ — лишь районный скверик. Дом сейчас не увидишь; впрочем, в реликварии Центрального музея Ленина хранятся решетка камина и кусочек обоев непосредственно из «ленинской» квартиры; эти объекты попали туда благодаря хозяйке, миссис Йо, которая в 1930 году получила предложение прийти в советское посольство и поделиться рассказами о своих жильцах. Меж тем ее отношения с «Рихтерами» поначалу складывались далеко не безоблачно: те показались ей недостаточно респектабельными: мало мебели, занавески на окна не повесили; женщина не носила обручального кольца. В отсутствие мужа к ней постоянно приходил другой мужчина: Крупской приходилось взаимодействовать по делам редакционной переписки с Мартовым и чтобы избежать многочасовой коммуникации со своим товарищем, Ленин, когда тот являлся к его жене, уходил в библиотеку. Претензия была высказана; для объяснений был вызван Тахтарев, которому пришлось едва ли не грозить хозяйке судом за диффамацию — с какой стати она берется так или иначе интерпретировать отсутствие кольца у законной супруги? Занавески — повесят, договорились; но тут Ленин совершил еще несколько faux-pas — во-первых, по выходным стучать в дверь не полагалось, а он стучал; во-вторых, в воскресенье же он был застигнут передвигающимся по улице с булкой под мышкой — в воскресенье, когда вообще не полагается ничего покупать, да еще и хлеб не был ни во что завернут! Разумеется, все эти воспоминания написаны задним числом, и, скорее всего, эксцентрическая ксенофобия хозяйки преувеличена; наверняка ее больше смущали посетители-иностранцы — которые, прознав о переезде «Искры» в Лондон, навострили лыжи в том же направлении и вряд ли выглядели благонадежными. Потом отношения выровнялись; во всяком случае, Ульяновы прожили в доме целый год, не попытавшись сменить квартиру; однако видно, что им не нужно было далеко идти, чтобы получить пищу для размышлений об инаковости англичан.

Однажды в Лондон приехал Милюков — тогда еще сугубый оппозиционер, явившийся поработать в библиотеке Британского музея и сколачивать «широкую оппозицию». Ленин тоже встретился с ним — у себя. Милюков охарактеризовал жилище Ленина как «убогую келью» и вспомнил, что их «спор оказался бесполезным. Ленин все долбил свое, тяжело шагая по аргументам противника»; они не вцепились друг другу в глотки, как, наверное, поступили бы в 1917-м, но не понравились друг другу.

Чтобы попасть к Ульяновым, нужно было постучать в известный по романам Диккенса (чей дом на Даути-стрит, 48, находился метрах в шестистах от двери Ленина) дверной молоток — выглядевший, впрочем, как железное кольцо. И Троцкий, и Горев упоминают, что Ульяновым стучали три раза — что означает третий этаж; однако Крупская уверяет, что они занимали первые два этажа: на первом находились хозяйственные помещения: прихожая, уголь, туалет, помойка, на втором — две небольшие комнаты, причем тещина (мать Крупской приехала не сразу) использовалась еще и как кухня. В начале Второй мировой войны перед домом поставили бюст — однако с наступлением политического похолодания он сделался объектом регулярных атак вандалов, и поэтому сейчас сбереженный памятник можно увидеть в районной библиотеке Финсбери. Дом на Холфорд-сквер, полуразбомбленный в войну, снесли в 1960-х.

Все мемуаристы — от Троцкого до Уэллса — сходятся на том, что Ленин весьма прилично говорил по-английски; особенно на фоне Мартова и Веры Засулич, которая после нескольких лет жизни в Англии в лавке указывала пальцем на предмет, который намеревалась приобрести. Первую часть своего «искровского» периода в Лондоне Мартов, Засулич и Н. Алексеев (которому Ленин поручил поселиться вместе с плохо приспособленными к английским обстоятельствам товарищами) прожили коммуной, между Холборном и Кингс-Кроссом (логичнее было бы поселиться всем вместе, однако «коммун» Ленин терпеть не мог — и скорее готов был прописаться в коробке из-под обуви, чем под одной крышей со своими соредакторами). Это была двухэтажная пятикомнатная, снятая на партийные средства квартира, где резидентами, владевшими собственными комнатами, считались Мартов, Засулич и Алексеев. Четвертую комнату отвели под кухню, пятую — под гостевую. Под управлением Мартова квартира на Сидмаут-стрит моментально превратилась в нечто вроде клуба «Искры», куда являлись все сочувствующие направлению газеты; если верить большевичке Зеликсон-Бобровской, «стремление пробраться в Лондон» охватило многих читателей «Что делать?». Ленин жил по соседству, но появлялся в коммуне нечасто и не выходил из дому без баллончика со спреем, а при малейшей попытке покуситься на его прайвеси проводил на асфальте жирную черту. Троцкий, проживший здесь несколько месяцев, говорит, что каждая встреча с Лениным была чем-то вроде небольшого события. Довольно долго обитал в коммуне Лев Дейч, который прибыл в Лондон из Благовещенска через Сандвичевы острова и Америку; поселившись в Англии под фамилией Аллеман (Deutsch), он с удовольствием развлекал публику мемуарами о своей одиссее. (В Лондоне Дейч занял пост администратора «Искры», однако долго не продержался; между ним и Лениным сложились не слишком приятственные отношения, и они приветствовали друг друга иронически, в духе революционеров 1789 года: «Здравствуйте, гражданин редактор». — «Здравствуйте, гражданин администратор».) Хозяйство велось сообща, прислуги не было, и революционеры быстро превратили жилище в помойку. Судя по воспоминаниям Тахтарева, атмосфера там царила скорее праздничная, чем деловая. «В квартиру с целью освещения был проведен газ. Но один из товарищей пользовался им с целью развлечения. Он набирал его в жестянки из-под консервов и производил оглушительные взрывы, сильно путавшие соседей, которые и без того очень опасливо смотрели на поселившихся в доме русских "нигилистов". По поводу этих "взрывов" мне пришлось иметь объяснение с хозяином дома, который пришел к заключению, что в его доме поселились террористы, занимающиеся приготовлением взрывчатых снарядов. С трудом успокоив его на этот счет, я немедленно же отправился к Владимиру Ильичу, советуя ему оказать должное воздействие на товарищей, которых иначе выгонят из дома, если не произойдет что-либо худшее. Владимир Ильич немедленно же произвел соответствующее давление, и развлечение с газом прекратилось». Одним из этих товарищей мог быть Бауман, явившийся в Лондон после побега из «Лукьяновки» и вынужденный стать героем разбирательства, касающегося обвинения в доведении до самоубийства. Из другой тюрьмы — екатеринославской — в начале сентября 1902-го сюда явился Иван Бабушкин, поразивший даже видавших виды обитателей коммуны своим внешним обликом: его волосы были малинового цвета. Оказалось, то были издержки нелегального перехода через границу — ему помогали какие-то гимназисты, которые снабдили его не той краской. (Интересно, что спустя 60 лет Ю. А. Гагарин больше всего будет поражен в Лондоне даже не обедом у королевы, а тем, что увидит в толпе девушку с малиновыми волосами — уж не последовательницу ли своего соотечественника?) Эксцентричный вид Бабушкина привлекал к нему разных людей — и в Германии его чуть не отправили вместо Англии в Америку. Именно «малиновый Бабушкин» привел эти авгиевы конюшни в порядок — и отчеканил максиму, которая запомнилась Крупской: «У русского интеллигента всегда грязь — ему прислуга нужна, а сам он за собой прибирать не умеет». Бабушкин орудовал не только веником. В течение нескольких недель — именно здесь, в Лондоне, в искровской коммуне — он, поддавшись на уговоры Плеханова и Ленина, написал свои замечательные «Воспоминания»; да еще и успевал изучать местный рабочий класс — Тахтарев водил его на собрания тред-юнионов.

Ленин, надо полагать, и поспособствовал упорядочению внешнего облика Бабушкина; во всяком случае, другой марксист, Горев, вспоминал, что Ленин помог ему освоиться в городе и даже повел его в шляпный магазин, где имел положительный опыт приобретения котелков и дорожных кепок, — и вновь продемонстрировал свой *fluent English*. Сам Ленин, по-видимому, воспринимал этот язык как наименее известный широкой публике и — в силу своего делового, неромантического характера — наиболее подходящий для интимной переписки; именно поэтому время от времени он съезжает на него в письмах Арманд («Oh, I would like to kiss you thousand times greeting you & wishing you but success: I am fully sure that you will be victorous»). Возможно, его привлекало и удобство неразличения «ты» и «вы»; Шагинян заметила, что I («я») он писал всегда с точкой.

Как мы помним, Ленин с головой погрузился в глубины английского языка в Шушенском — перевод и редактирование веббовского двухтомника требовало знакомства не только с грамматическим строем, но и понимания английских реалий; перепроверка мелочей подразумевала познания этнографического и географического характера. В Мюнхене Ленин принялся подтягивать свой английский — и в Лондоне не стал ослаблять натиск: он повадился ходить в Гайд-парк на Угол Ораторов слушать живую речь и дал объявление в еженедельнике «Атенеум»: «Русский доктор прав и его жена желают брать уроки английского языка в обмен на уроки русского». Этих учителей/учеников набралось сразу трое, но по-настоящему Ульяновы сошлись с неким не то Рейментом, не то Раймондом — «почтенным стариком, внешним обликом напоминавшим Дарвина, служащим известной издательской фирмы "Джордж Белл и сыновья"»; Ульяновы называли его *The Old Gentleman*. Они, по-видимому, сдружились и даже пользовались его адресом в Кенте, для того чтобы собирать корреспонденцию «Искры»: ведь конспирация соблюдалась и в Лондоне, хотя и не так жестко, как в Германии; письма для редакции «Искры» шли на адреса и других англичан, среди которых были мистеры Бонд, Клуз, Грэй, Хэйзелл, Джеймс, Смолл и Вудрофф. «Этот мистер Раймонд, — вспоминает Крупская, — объехавший чуть не всю Европу, живший в Австралии, еще где-то, проведший в Лондоне долгие годы, и половины того не видал, что успел наглядеть в Лондоне Владимир Ильич за год своего пребывания там. Ильич Ленин затащил его на какой-то митинг в Уайтчепль» — где каждую неделю проходили заседания русского лекторского общества. «Мистер Раймонд, как и громадное большинство англичан, никогда не бывал в этой части города, населенной русскими, евреями и живущей своей непохожей на жизнь остального города жизнью, и всему удивлялся». (Сам Ленин за весь лондонский год всего лишь дважды выступал перед эмигрантской аудиторией — про аграрную программу и 18 марта на митинге в честь Парижской коммуны.) Среди двух других «учителей» были конторский служащий Вильямс и рабочий Йонг. «Кажется, этими лицами и ограничивался круг английских знакомств Владимира Ильича», — добавляет Н. Алексеев, заведомо ошибаясь: не мог же он не знать про Гарри Квелча.

Квелч, с которым была знакома Засулич, оказался сущей находкой для русских: английский социалист и при этом не оппортунист (уникальная комбинация), трудоголик, владелец собственной типографии и щедрой души джентльмен — его можно было попросить и об оборудовании для печати «Искры», и о выступлении с приветствием от британских рабочих на V съезде РСДРП. Чуть позже он станет вождем крайне немногочисленных английских социал-демократов; в годы же знакомства с Лениным он, как и десятилетие до и после, тянул на себе издание социал-демократической газеты «Justice», где социалистические идеи пропагандировались в форме «Бесед в поезде» — с разъезжающими по железной дороге выдуманными незнакомцами, испытывавшими аллергию по отношению к социализму. В целом в Англии находилось немного желающих писать в этой газете, и поэтому значительную часть объема Квелчу приходилось заполнять собственными новостями и политической аналитикой. Сугубо сектантский характер этой деятельности был очевиден даже Ленину; однако о ее масштабе (который и не снился «Искре») можно судить по тому, что в какой-то момент «Justice» запретили в Индии.

К сожалению, в 1913 году Квелч скончался. Ленин улучил минутку и написал о нем некролог — страничку, на которой почему-то дважды возникают... стулья: сначала власти высылают Квелча с какого-то социалистического конгресса в Германии, и товарищи вешают на стул, где тот успел посидеть, табличку, извещающую об этом вопиющем факте; вторая история посвящена тому, как Ленин приходил в нему в типографию, и каморка, где тот работал, была такой крошечной, что места для другого стула уже не оставалось; что означало многоточие, которым заканчивалась эта история — и весь некролог, — следовало догадаться читателю.

Здание на Клеркенвилл Грин, 37, напоминает клуб, наскоро сооруженный на найденные в стуле сокровища, — хотя вообще-то оно построено 300 лет назад, но затем было зареставрировано до «вылизанности»; вот уже несколько десятилетий это «Marx Memorial Library». Библиотека по-прежнему функционирует; там даже есть нечто вроде «ленинского уголка»: подозрительно просторное помещение, забитое соответствующими бюстиками и книжками. Существует удивительная фотография 1942 года, на которой это здание утопает в людских толпах, а фасад украшен портретами Черчилля, Сталина, Рузвельта и Чан Кайши, но в центре — в центре Лондона! — гигантская растяжка с Лениным и надписью: «It's better to give help how than receive Hitler later» — «Лучше дать помощь сейчас, чем потом получить Гитлера».

* * *

Краткая история британско-советских отношений после октября 1917-го, краеугольным камнем которых, несомненно, была фигура Ленина как главного объекта ненависти и идеолога, столь же причудлива, как декорация этого здания.

Разумеется, британцам крайне не нравилось происходящее на Востоке — особенно после того, как большевики отказались поставлять пушечное мясо для войны с немцами и австрийцами и заключили «предательский» сепаратный мир. В первой половине 1918-го английская разведка активно пыталась организовать убийство Ленина, чтобы не допустить выхода из войны — так называемый «Заговор Локкарта» (помимо Локкарта, в шпионских комбинациях участвовали Савинков и Сидней Рейли — тот самый, что вдохновил Флеминга на создание образа Джеймса Бонда; через несколько лет Рейли убили в России, а Локкарта на некоторое время арестовали). Затем около 14 тысяч англичан участвовали в прямой интервенции в Архангельске и Мурманске под предлогом защиты британских военных складов от немцев; предполагалось скоординировать этот контингент с латышами, охранявшими Кремль, чтобы ликвидировать «большевистских баронов» и сформировать ориентированную на Антанту военную диктатуру.

Ленин также не делал вид, что его не интересует Англия. Еще в 1917-м англичане за антивоенную пропаганду отправили за решетку большевика Чичерина. В ответ большевистское правительство заблокировало в британском посольстве в Петрограде посла Бьюкенена, и 3 января 1918-го Чичерина выпустили и выслали; но гнездо зла не было ликвидировано. Уже 4 января Максим Литвинов, один из старейших агентов «Искры» и впоследствии весьма твердокаменный большевик, обосновавшийся в Лондоне, где он работал техническим секретарем директора дореволюционного Московского кооперативного народного банка и женился на англичанке, прочел в газете, что отныне он является послом Советской России, — не самая, надо полагать, безопасная должность, учитывая количество людей, которые хотели бы выместить свою ненависть к узурпаторам и предателям большевикам на их представителе; и вряд ли власти слишком бы этому препятствовали. Тем не менее, услышав сигнал рожка, старый боевой конь партии тотчас же развил бурную деятельность, снял офис и открыл не то чтобы посольство, но так называемое «Russian People's Consulate» — с некоторой даже инфраструктурой. Себя он называл — это была чистейшей воды самодеятельность — «Russian People's Ambassador». Не получив никаких инструкций, Литвинов принялся импровизировать — и умудрился не только превратить воображаемые привилегии (вроде возможности обмениваться со своим правительством неконтролируемыми сообщениями и посылками) в реальные — но и лишить их своего предшественника В. Набокова; также он заблокировал доступ Набокова к царским счетам в Банке Англии — просто написав туда письмо на некоем «правительственном» бланке. Вся эта нахальная, даже без каких-либо указаний из Петрограда и Москвы (там было не до Англии) деятельность продлилась недолго — его так и не признали полномочным посланником. Тем не менее англичане и русские не прекращали коммуникации — и поэтому миссии присутствовали в обеих столицах, и если «там» кого-то арестовывали — например Локкарта в 1918-м, то арестовывали и «здесь» — Литвинова; и решить этот вопрос можно было только одновременной отменой арестов.

Хуже то, что Литвинов был не единственным «официальным» представителем Советской России на территории Великобритании. Лидером марксистов Шотландии был Джон Маклин — человек совсем другого поколения и склада, чем снулый Квелч. Школьный учитель, он уже летом 1914-го сообразил, что означает мировая война, и принялся публично разоблачать империалистов абсолютно ленинскими словами. Его речи очень сочувственно выслушивали в индустриальных районах Шотландии, где всегда были сильны тред-юнионы, и поэтому Маклина долго терпели, но в 1916-м все же упекли за решетку. Освободила его Февральская революция в России, вызвавшая массовые демонстрации в Глазго и районе Клайд. Ленин называет Маклина «героем-одиночкой, взявшим на себя тяжелую роль предтечи всемирной революции». Начиная с июня 1917-го, когда его, наконец, выпустили, он развернул антивоенную агитацию, выбросил лозунг про «кельтский коммунизм» и выводил на улицы Глазго по сто тысяч человек. В январе 1918-го Джона Маклина выбирают (с подачи Ленина, объяснившего матросу Железняку и Максиму Горькому, кто это) почетным председателем III съезда Советов; и даже при том, что это была липовая должность, формально во время съезда Россией руководил шотландец. Еще через месяц Маклин не имеющим прецедентов образом был назначен советским консулом в Глазго. Потрясенный оказанным ему доверием — а еще больше тем, что большевики выполнили свое обещание и вывели Россию из ненавистной войны, — Маклин создает настоящее, с реальным адресом (Саут-Портленд-стрит, 12) советское консульство и ведет там прием; деятельность, которая расценивается британским правительством как «большевистский мятеж»; уже 15 апреля его сажают в тюрьму Питерхед на пять лет — но в конце 1918-го года снова выпускают, под давлением масс. Разумеется, ничем хорошим история Маклина не кончилась, и шотландским корниловым, керенским и милюковым удалось медленно сожрать измученного тюремными голодовками «шотландского Ленина».

Разговоры о том, что надежды большевиков в условном 1918/19 году на мировую революцию были нелепостью и *wishful thinking*, разбиваются о факты. Не только Красная Бавария, не только Красная Венгрия; в 1918-м едва не образовалась Красная Шотландия, и сколько бы ни заметали эти факты под ковер те, кто затем писал историю «с точки зрения здравого смысла», Маклин действительно произнес эти слова, обращаясь к стотысячной толпе своих слушателей: «Говорю вам — Британская империя есть величайшая угроза роду человеческому... На нас, Клайд, возложена великая миссия — и мы обязаны ее выполнить. Мы можем превратить Глазго в Петроград, не имеющий себе равных центр революционного циклона. Откол Шотландии в этот решающий момент разобьет империю на мелкие кусочки — и освободит замерших в ожидании рабочих всего мира»*.

В начале 1919-го Антанте пришлось ломать голову: звать ли на Парижскую мирную конференцию русских и если да, то кого? Большевиков — признав таким образом большевистское правительство — или белых? Прямая военная интервенция, по-видимому, была бы наиболее эффективным решением «русского вопроса» — и, что существеннее, обезопасила бы Англию от попытки реванша Германии, которая неизбежно стакнулась бы с большевиками и превратила Россию в свой организационный придаток, с прицелом выйти на китайские рынки. Однако прямое участие в военных действиях на территории России — с перспективой в лучшем случае посадить марионеточное, связанное договоренностями с Англией правительство — не выглядело особенно заманчивым.

Нежелание Лондона втягиваться в войну, которая, по словам Ллойд Джорджа, представлялась чем-то вроде конфликта между племенами на границах Северной Индии, выглядело очень естественным. Кроме того, ястребы в Антанте были ослаблены разногласиями внутри блока, и особенно неуверенной выглядели позиции Америки (в долгосрочной перспективе ей выгоднее было плохое большевистское правительство, чем хаос, воспользовавшись которым японцы захватят Сибирь).

Ллойд Джордж хотел пригласить большевиков на предварительные переговоры на Принкипо, Черчилль — военный министр — был резко против; сорвать переговоры хотели и французы — разъяренные тем, что лишились миллиардов, выданных царскому правительству в виде кредитов. Что касается Ленина, то ему было выгодно принять приглашение — если б оно последовало: это бы ослабило позиции Колчака и Деникина, которые и думать не хотели о том, чтобы сесть за стол переговоров с большевиками; поэтому Чичерин сидел на чемоданах, готовый отправиться в Турцию в любой момент.

Конференция так и не состоялась — однако Ленин почувствовал тревогу иностранцев; всесильная Англия «колебнулась»: там, внутри, поменялась ситуация, островитяне почувствовали эффект от потери монополии на рынках, акции социалистов пошли вверх, и правительство не слишком хотело организовывать настоящую, масштабную интервенцию, опасаясь, что это подстегнет к консолидации левых у них на заднем дворе. Пуще всего Британия боялась потерять жизненно важные колонии и сферы своего влияния в «подбрюшье» у России, беззащитном перед большевистской пропагандой. И раз так, подлинная цель Англии — не столько сбросить большевиков, сколько зафиксиро-

---

* В Ленинграде был проспект Маклина (нынешнее название — Английский проспект).

вать свои позиции в Азии, снизить влияние России в Центральной и Восточной Европе — и не упустить российские (пусть и постреволюционные) рынки сбыта для своей промышленности. Этот фон — естественное, неизбежное по географическим причинам противостояние двух империй, начавшееся с конца XVIII века и продолжающееся по сей день, — очень важен для объяснения глобального успеха Ленина, который сразу после окончания войны, когда формально все козыри были на руках Британии, почувствовал — по тому, что англичане выбрали стратегию усесться на заборе и, втайне подкармливая антибольшевиков, ждать, кто из русских погибнет в хаосе, ими же и устроенном, — что Британская империя сдувается, что она вошла в нисходящую фазу. Именно за счет того, что Ленин уловил этот качельный ход, большевикам и удалось успеть построить СССР: ведь Англия, которая, по правилам Большой Игры, должна была надавить, сделать усилие, — не пошла на полномасштабную интервенцию.

Ленин моментально решает «щупать», на каком именно направлении можно продвинуться: торговля, Иран, Польша, Туркестан. Как Крыленко, начиная с 1905-го, ходил на все выступления Милюкова и начинал там орать, что пролетариату нет резона блокироваться с буржуазией, нас обманывают, — так Ленин, через своих агентов, всячески пытается забраться Англии в подбрюшье — чтобы заявить о своей позиции, в которой тоже есть своя сила.

В 1920 году, в канун войны с Польшей, в Лондон с миссией заключить торговое соглашение направили Красина, который был принят на Даунинг-стрит, 10; Керзон не захотел подавать Красину руку — однако ж, после исторической паузы, подал — по просьбе Ллойд Джорджа. В качестве условия начала процесса снятия санкций англичане называют возврат долгов своим гражданам и прекращение коммунистической пропаганды в Британии.

Одной из стратегий Ленина по отношению к политически враждебным правительствам были попытки наведения мостов с договороспособными элементами общества. В 1920 году Ленин пишет «Письмо к английским рабочим» — в целом уважительное, без особых ленинских ерничаний; автор не рассчитывает на разрыв английского пролетариата с буржуазией и поголовное присоединение к Третьему интернационалу — но дает понять, что для тех, чьи глаза способны открыться, двери Коминтерна всегда открыты.

Еще раньше делегации английских «рабочих» было предложено совершить ознакомительный вояж по Советской России; открытость должна была поспособствовать переменам в общественном мнении и, опосредованно, снятию блокады; что касается мотивов принявших приглашение Ленина европейцев, то декларативно то был жест солидарности лейбористов с русскими коммунистами, а на деле они, видимо, воспринимали эту миссию как часть бремени белого человека — отправляются же и сейчас делегации «цивилизованных» стран в инспекционные туры по Афганистану или Южному Судану. Жестокая и выглядевшая иррациональной большевистская манера управлять государством вызывала у Запада «глубокую озабоченность». Однако слухи о попытках новых властей преодолеть старую культуру — и учредить новые институции — заставляли европейцев подставлять к ушам ладони раковиной: что там? Если в Зимнем дворце устроили кинотеатр — то, может быть, то же самое можно попробовать устроить и в Букингемском? Если выборные органы состоят только из трудящихся — не окажется ли такая модель эффективной и в Англии? Большевистские рецепты не копировали — но в них, безусловно, чувствовали странную притягательность. Спрос на информацию о происходящем на Востоке удовлетворяли не столько объективные наблюдатели или журналисты, сколько разного рода медиумы. Чтобы дать англичанам почувствовать абсурд большевизма и транслировать свое к нему безусловное отвращение, литератор с подозрительным именем Джон Курнос (разумеется, при ближайшем рассмотрении этот Джон оказывается Иваном Григорьевичем) даже сочинил в 1919 году фантасмагорию «Лондон под властью большевиков». Представьте себе Лондон, где сначала произошла революция против короля, а затем МакЛенин и Троцман свергли Временное правительство во главе с Рамсеем Макдональдом (который сбежал в Шотландию и попытался вернуть власть силой, но неудачно), где Ллойд Джордж и Черчилль сидят в Тауэре, всякий человек в сколько-нибудь хорошей одежде неминуемо привлекает на улице внимание преступников, армия разложена и дезорганизована пропагандой солдатско-офицерского равенства и интернационального братства, а любые, даже самые невинные, защищающие права животных общественные организации распущены как контрреволюционные.

Напуганная подобными перспективами делегация лейбористов каталась по стране несколько недель и совершила ознакомительный круиз по Волге. Большинство членов получили привилегию встретиться с Лениным. Все они говорили ему одно и то же — что революции следует совершать раз в пять лет, при помощи избирательных урн, и что ни одна из них не оправдывает такого кровопролития и ущемления свобод; и всем им Ленин сулил кровопролитие у них самих, в Англии, — неизбежное для прихода к власти подлинного социалистического правительства. Среди прочих сподобившихся беседы был философ Бертран Рассел; Ленин в своих заметках записал его как «древообделочника». Самому древообделочнику не понравились смех Ленина и его «монгольскость» — когда тот захохотал, рассказывая, что большевики научили бедных крестьян вешать богачей на ближайшем дереве. На смех Ленина чуть позже обратил внимание и другой англичанин, Уэллс, который, как припоминал Троцкий, «со свойственным ему тяжеловатым, как пудинг, остроумием, грозил некогда взять ножницы и остричь Марксу его "доктринерскую" шевелюру и бороду, англизировать Маркса, респектабилизировать и фабианизировать его». И если сам Ленин ограничился всего лишь восклицаниями — «Ну и мещанин! Ну и филистер!», то автор «Машины времени» описал Ленина как визионера, обещающего показать миру освещенную электрическим светом Советскую Россию, и отчеканил выражение: «Кремлевский мечтатель». «Прошу всех приезжающих англичан посылать мне», — пишет Ленин Радеку; у англичан будто есть своя квота на встречи с Лениным: тот любезен ко всем обладателям английских паспортов — инженерам, журналистам, политикам, скульпторам, изъявившим желание вступить в контакт с советским правительством и им лично. Ленин раздает подробные интервью (самое известное — «Manchester Guardian», Артуру Рэнсому, другу Радека и мужу секретарши Троцкого, нелегальному перевозчику большевистских бриллиантов в страны Скандинавии, агенту МИ-6 и будущему детскому писателю, — про НЭП). Одновременно большевики пытаются спонсировать левые английские газеты; рано или поздно «иностранных агентов» вычисляют — и со скандалом прикрывают. К 1921-му охота тратить валюту на британскую прессу подыссякла, однако идея загрести жар чужими руками не оставляет Ленина. В письме шотландскому коммунисту Тому Беллу («I beg to apologise for my bad English») он открывает «верную комбинацию», чтобы запустить успешную шахтерскую многотиражку в Южном Уэльсе: назначить трех редакторов, из которых один точно не будет коммунистом, а двое должны быть настоящими рабочими; и брать с читателей по пенсу в неделю, причем эта газета «не должна быть вначале слишком революционной». Возможность социалистической революции в Англии занимала Ленина как шахматная задача с парадоксом внутри; видимо, он готов был на внешние инъекции, чтобы разрешить эту задачу в свою пользу; это было бы хорошим доказательством верности марксистской Теории о неизбежности крушения капитализма и установления коммунизма.

Однако самый поразительный «английский маневр» Ленина связан с его дирижированием деятельностью Британской коммунистической партии.

Британская компартия была сформирована в 1920 году с подачи и под эгидой Коминтерна из нескольких марксистских групп. Нет ничего удивительного в том, что лидеры коммунистов — Сильвия Панкхерст и Уильям Галлахер — планировали на всех парах двигаться к пролетарской революции, разоблачая по ходу фальшивых друзей рабочих — и прежде всего Лейбористскую партию, представлявшую в парламенте интересы тред-юнионов и насквозь проникнутую гнилой, оппортунистской, берштейнианской, фабианской и бог весть еще какой чудовищной идеологией; и каково же было их удивление, когда их восточный патрон, вместо того чтобы, как обычно, пресекать малейшие попытки контактов с «британскими меньшевиками», потребовал, чтобы только что образовавшаяся компартия влилась (!!!) в Лейбористскую — и продолжала свою деятельность не на улице и не в подполье, а в буржуазном парламенте.

Статья «Детская болезнь левизны», в которой была высказана эта светлая идея, не столько даже шокировала, сколько контузила английских коммунистов. Ленин, разумеется, приводил некие аргументы: надо отбросить старые сектантские привычки, нынешние рабочие в меньшей, чем раньше, степени коррумпированы буржуазией и интересуются политикой; чтобы сделать революцию, нужно получить политический опыт, для которого одной пропаганды мало... Все это выглядело совершенным абсурдом; непостижимо.

Некоторое представление о давлении, которое оказывал Ленин на британцев, можно понять по отрывку из поздних мемуаров Галлахера:

«— Товарищ Галлахер,— спросил Ленин,— вступите ли вы в коммунистическую партию, когда вернетесь в Великобританию?

Я ответил на это утвердительно.

— А сделаете ли вы всё, что в ваших силах, чтобы уговорить вступить в партию шотландских товарищей?..

Я ответил, что убежден в том, что шотландские товарищи вступят в новую, коммунистическую партию и сделают все, чтобы превратить ее в мощную партию рабочего класса.

— А как насчет вступления в Лейбористскую партию? — спросил меня Ленин.

— Мне это не нравится, — сказал я. — Но я это приму.

— Этого недостаточно, — сказал тогда Ленин.

Я, по его словам, должен верить в правильность этого шага. Я вновь повторил то, что уже излагал в комиссии и на пленарном заседании конгресса, именно что любой представитель рабочего класса, избранный в парламент, очень быстро развращается. Я стал приводить примеры.

— Товарищ Галлахер, — прервал меня Ленин. — Я знаю все об этих людях. У меня нет на их счет никаких иллюзий. Но если рабочие направят вас представлять их в парламенте, вы тоже развратитесь?

— Это несправедливый вопрос, — запротестовал я.

— Нет, это справедливый вопрос, — настаивал он. — И я хочу получить на него ответ. Вас сумеют развратить?

Я сидел и смотрел на Ленина несколько мгновений, а потом ответил:

— Нет, я уверен, что ни при каких обстоятельствах буржуазии не удастся развратить меня.

— Ну что ж, товарищ Галлахер, — сказал Ленин с улыбкой. — Добейтесь того, чтобы рабочие послали вас в парламент, и покажите им, как может революционер использовать это».

А теперь вспомним фон этого диалога: 1920 год, война с Польшей, где ллойд-джорджевская Англия, разумеется, поддерживает поляков — и вот-вот вступит в войну против Советской России. Представьте: как может Россия повлиять на то, произойдет это «вот-вот» — или нет? Может быть, что-нибудь в состоянии сделать для России рабочий класс Англии, который, конечно же, против войны? А кто его представляет? Маленькая секта, вооруженная табличкой «Британская коммунистическая партия». Неплохо; а еще варианты? А что если это будет — ну, к примеру, большая — и охотно заглотившая маленькую секту — парламентская фракция? Лидеры которой имеют возможность организовать в промышленных центрах митинги протеста, и если правительство проигнорирует эти митинги — призовут к созданию Центрального рабочего совета для проведения всеобщей забастовки. Ну а маленькая секта — внутри большой настоящей партии — выступит как генератор идей, должен же кто-то подталкивать руководство партии к действию.

Самое поразительное состоит в том, что именно так все и произошло — буквально по ленинскому сценарию; благодаря лейбористам (которые еще за два года до этого вызывали пристальный интерес Кремля: представитель Советской России Каменев был вышвырнут из Англии при попытке продать бриллианты и подкупить депутатов от этой партии) Англия все же не вступила в открытую войну против России на стороне Польши, и уже летом в Москве на партконференции Ленин похваляется — ой как небезосновательно, — что заставил меньшевистских вождей под напором рабочих «расчищать английским рабочим массам дорогу к большевистской революции. Английские меньшевики, по свидетельству компетентных лиц, уже чувствуют себя как правительство и собираются стать на место буржуазного в недалеком будущем. Это будет дальнейшей ступенью в общем процессе английской пролетарской революции».

История с англичанами многое проясняет: и зачем Ленин написал «Детскую болезнь левизны» и почему придавал ей такое значение, и разговоры про то, что компартия Великобритании есть «искусственное образование» Ленина и «русских», и нежелание британских коммунистов — видимо, осознавших, наконец, свою подлинную роль — оказаться использованными в функции троянского коня российскими агентами в британском парламенте; возможно, это объясняет даже судьбу героини нескольких статей позднего Ленина Сильвии Панкхерст (женщина с обостренным чувством справедливости, она была исключена из компартии, помешалась на помощи Эфиопии, уехала туда — и стала там кем-то вроде святой). Помимо всего прочего, «английский маневр» — неплохая иллюстрация макиавеллических практик Ленина.

Скорее успешных, чем нет. И хотя предсказания Троцкого относительно будущего марксистско-ленинского мемориала на Трафальгар-сквер пока не сбылись, в 1921-м советское правительство все же заключило торговое соглашение с Англией — то есть большевики, «нащупавшие»-таки путь на Лондон — и прямой, и восточный, через Афганистан, Индию и Китай, — были признаны де-факто, а в 1925-м — уже и де-юре. Свергнутого Николая II Англия к себе не взяла, а ленинскую Советскую Россию признала; ну и кто после этого был более успешен во внешней политике?

* * *

Хаос в коммуне оказался невыносим даже для Мартова и Засулич, никогда не славившихся завышенными требованиями к комфорту. Когда домовладелец, ставший жертвой собственной жадности (обычно взымали квартплату понедельно, но с иностранцев тот потребовал за три месяца вперед — и не мог их выгнать до истечения этого периода), указал нанимателям на дверь, они сбежали в отдельную квартиру, на Перси-Серкус, — но и там продолжали интересоваться исключительно русскими делами и никакого пиетета перед чем-либо английским не испытывали. Британский марксизм был им неинтересен, генератором социал-демократических идей оставалась Германия, там шел бой с ревизионистами, а Англия представлялась любимым примером этих самых ревизионистов. Ортодоксам здесь было делать нечего; что касается Плеханова и Аксельрода, то они и не собирались подвергать себя риску морской болезни ради возможности увидеться с Лениным.

Ленин, минимум 14 раз пересекавший Ла-Манш (смена места жительства, партийные съезды, отъезды в отпуск, командировки; последний раз он оказался в Лондоне в 1911-м, когда ездил читать в Уайтчепле реферат о Столыпине), похоже, хорошо знал не только устройство библиотеки Британского музея (он наслаждался — каждый день — тем, что у каждого здесь свой стол — и не надо толкаться локтями за общим), но и огромный город с окрестностями. Они с Крупской много гуляли пешком и катались на омнибусах, с верхней палубы которых можно было в течение нескольких часов разглядывать уличные сценки. Он бродил и по окраинам — интересуясь другим, не таким, как в России, не только-что-из-деревни, как за Невской заставой, пролетариатом — который испытывал уважение к технологиям и сумел договориться с буржуазией о получении своей доли от эксплуатации колоний.

Судя по советам, которые Ленин уже после революции давал тем, кто отправлялся в Англию по делам, он неплохо знал не только Лондон. Где, скажем, Ульяновы провели вторую половину августа 1902-го? Своих велосипедов у Ульяновых, сколько известно, в Англии не было; теоретически (должен же был Ленин свозить жену в отпуск после того, как оставил ее одну с делами в Лондоне, а сам уехал на континент отдыхать с матерью и сестрой) они могли поехать на «караванинг»: аналог нынешних поездок на «мобильных домах», только на лошади и с кибиткой; такое практиковалось в Англии. Трудно поверить, что он ни разу, хотя бы из любопытства, не съездил посмотреть «крепости» британского пролетариата — Манчестер, Ливерпуль, Глазго, Лидс, Шеффилд, Бирмингем.

Неудивительно, что в конце концов Ленин оказался единственным редактором «Искры», который хотел остаться в Англии; один из делегатов II съезда вспоминает, что «Ильич» чувствовал себя там очень уверенно, «как дома», но для всех остальных искровцев Лондон был скучным, некомпанейским и неудобным для жизни местом, и поэтому Ленина легко переголосовали: за переезд в Швейцарию.

Связан ли его повышенный интерес к англичанам со спортивным желанием победить самого сложного противника — или со скрытой англоманией, желанием — как у Гитлера — «завоевать» расположение англичан, подтвердить свой статус именно английской печатью? Ленин никогда не требовал готовить себе бекон на завтрак — но при необходимости в состоянии был успешно выдавать себя за англичанина. В 1905-м у него, кажется, был даже английский, то есть крайне надежный (русская полиция опасалась дергать британских подданных) паспорт на имя Вильяма Фрея; позже Ленин тоже пользовался этим именем (и его вариантом — Джон Фрей) в качестве псевдонима.

Ему, несомненно, должны были нравиться деловитость, практицизм англичан; не случайно эта страна родила нескольких выдающихся экономистов — включая, между прочим, Кейнса, которого Ленин очень ценил как политического аналитика. Они оба были «англичанами» в смысле способности смотреть на мир как экономисты — то есть пытаясь увидеть то, как все устроено на самом деле, а не только так, как им хотелось бы; оба понимали, какую роль играли финансы в поздней, саморазрушительной стадии капиталистического развития — и оказались в состоянии предсказать, что если государство не будет вмешиваться в финансовые спекуляции, капитализм неизбежно пожрет сам себя — в войне одних империалистов против других. Разумеется, они делали разные выводы и предлагали разные рецепты — но они оба увидели, что национальные государства не справляются с «выливающимися» потоками капитала, которые, опосредованно, разрушают всё вокруг. Возможно, эта «экономическая трезвость» также была «английской» чертой характера и интеллекта Ленина.

Однако больше всего Ленину должно было импонировать национальное пристрастие англичан к спорту как к части повседневной жизни. В 1902 году соревнования еще не были так заорганизованы, как впоследствии, — и поэтому сценки разного рода связанных со спортом пари можно было наблюдать на улицах повсеместно. Ленину тоже была свойственна манера постоянно подначивать знакомых посоревноваться с ним в езде на велосипеде, плавании, беге на коньках, в борьбе, и он радовался, даже если проигрывал; он знал, что такое спортивный интерес — и в политике тоже, так что нет ничего удивительного в том, что даже партийные съезды он воспринимал как род олимпиады, спортивного состязания.

* * *

Те, кто успел в обязательном порядке познакомиться с историей КПСС, даже после «краха коммунизма» продолжают относиться ко II съезду пусть с ироничным, но благоговением — по-настоящему историческое, легендарное событие: пожалуй, если бы на машине времени можно было отправиться в прошлое, чтобы взглянуть на одно событие из истории партии до 1917 года, — II съезд был бы неплохим выбором. Дело даже не в том, что «тогда еще» существовала свободная конкуренция разных платформ; в конце концов, одной из функций этих съездов всегда было проштамповать заранее составленные резолюции в торжественной обстановке; иным были дух, атмосфера — события в Брюсселе и Лондоне словно залиты особым раннеапостольским светом.

С чем вообще связана идея организовывать конклавы разношерстных марксистов? Разве недостаточно было просто проповедовать коммунистическое евангелие среди рабочих и снабжать их идеологическими булыжниками помассивнее?

Стать парламентской партией тогдашняя РСДРП шансов не имела — и не только из-за заведомо неприемлемых для монархии базовых требований, но и в силу отсутствия самого института парламента. К началу XX века на территории России функционировали три—пять десятков стихийно созданных марксистских организаций: кружки, союзы, группы, редакции, комитеты. Все они называли себя социал-демократами — однако степень связи их с пролетариатом колебалась от крайне плотной до нулевой (случай П. Б. Струве), и миссии свои они трактовали по-разному. В силу отсутствия общепринятой программы они могли враждовать друг с другом так же, как с другими противниками самодержавия и другими социалистами; съезд был как раз способом взглянуть в глаза друг другу — снизить издержки, связанные с дефицитом контактов, и возможностью провести черту между «своими» и «чужими» в политической плоскости, где ровно в это время вылупливалось множество альтернативных организаций.

Для самого Ленина стимулом работы в качестве мотора предприятия было то, что разбросанные по империи социал-демократические ячейки функционировали как «свободные», «бесхозные» элементы, которые можно было «припрячь» под предлогом превращения «кустарей» в «профессионалов» — и, администрируя их деятельность, использовать как ресурс для своей власти. По этим и другим причинам на протяжении двух лет Ленин и агенты «Искры» отмобилизовывали местные комитеты, добиваясь согласия участвовать во встрече.

Поскольку на I, полумифическом, съезде успели договориться только о названии партии и принять манифест о собственно ее образовании, II съезд обречен был стать прежде всего учредительным — то есть его задачей было не столько совместное решение текущих задач, сколько сборка единой партии из разрозненных кружков. Отсюда и ожидавшаяся организационная интрига: удастся ли: а) склеить комитеты, присягнувшие «Искре», с теми, которые не признали «Искру» своим центральным органом; б) заставить оппозиционеров принять составленную искровцами программу (то есть договориться об идее); и в) принудить всех, кого получится, к подписанию устава, обязывающего соблюдать программу — под угрозой отлучения от бренда «российская социал-демократическая партия» (то есть создать аппарат для распространения и воплощения этой идеи).

В случае успеха вторая часть становилась делом техники: редакция «Искры», по факту наиболее харизматичная группа в российской социал-демократии, к тому же сочинившая программу, которая признана общей, почти автоматически признается и руководством партии, то есть, в формальных терминах, становится главным — центральным — комитетом.

Ленин приложил довольно значительные усилия, чтобы все движения на доске в целом проходили под его контролем. Автор «Что делать?» и ведущий редактор «Искры», он изначально находится в составе почти всех бюро: он вице-председатель, зам Плеханова, член комиссии по определению состава съезда, программной комиссии, организационной комиссии; он писал программу и устав, он отвечал за самый сложный участок программы — аграрный. И все же мощь этой позиции оказалась переоцененной: выяснилось, что против него играли силы, которые имели возможность свести на нет его тактические успехи.

Большинство делегатов перебрасывались из России в Женеву. Однако ничем, кроме «учебки» для делегатов-новобранцев, Женева быть не могла: любое собрание под этим слишком ярко светящим эмигрантским фонарем в лучшем случае превращалось в побоище с конкурирующими фирмами — анархистов или эсеров, а в худшем — в живую картотеку для русской полиции. И всё же большинство депутатов «прогнали» через женевское чистилище: настроить их на свою волну, подготовить, «завоевать» — чтобы они сыграли свои роли без запинки.

Никогда не притягивавший к себе слишком много россиян Брюссель в качестве места для сборки выбрали, видимо, с подачи Плеханова, у которого нашлись там знакомые и среди эмигрантов, и среди аборигенов. Организовать место встречи, расселить более пятидесяти человек, снабдить их провиантом помогали брюссельские социалисты, в том числе будущий министр иностранных дел Бельгии Вандервельде; убежденный бернштейнианец, он, видимо, не вполне осознавал, какого питона пригревает на груди.

Помещение на Пляс-дю-Трон, где открылся II съезд РСДРП и где проходили первые 13 заседаний — на «avito» можно купить советский значок с его изображением, — не сохранилось; однако сразу несколько мемуаристов сочли необходимым описать антураж собрания. Помещение относилось к разряду «для хозяйственного назначения»; окон то ли не было вовсе, то ли они были плотно занавешены; рассесться пришлось на кое-как установленных голых неструганых досках, стульев и стола хватило только на президиум. Дефицит уюта вдохновил Плеханова — социал-демократическую Шакиру, которой предоставили право исполнить гимн в честь открытия партийного чемпионата, — на бравурную арию: «...положение дел настолько благоприятно теперь для нашей партии, что каждый из нас, российских социал-демократов, может воскликнуть и, может быть, не раз уже восклицал словами рыцаря-гуманиста: "Весело жить в такое время!" Ну а когда весело жить, тогда и охоты нет переходить, по выражению Герцена, в минерально-химическое царство, тогда хочется жить, чтобы продолжать борьбу; в этом и заключается весь смысл нашей жизни». Делегатам даже не надо было переводить это *waka waka hey* на человеческий язык: «Мы самая крутая, быстрорастущая и перспективная из оппозиционных партий»; классический пример заблуждения того рода, когда желаемое выдается за действительное. В зените своей популярности находились эсеры; и сколько бы претензий на свою долю в наследии народовольцев ни предъявляли социал-демократы, сколько ни пытались они оспорить легитимность термина «социалисты» в названии конкурирующей фирмы, все равно именно эсеры снимали в тот момент сливки с революционно-либеральной молодежи: киевское убийство министра внутренних дел Сипягина и казнь террориста Балмашёва в 1902-м очень способствовали их успеху (попытки «Искры» поставить под сомнение тот факт, что социалист Балмашёв был именно эсером, выглядели крайне неубедительными). Эсеры, в отличие от РСДРП, имели четкое представление, что предложить 90 процентам населения страны, крестьянам, — тогда как РСДРП воротила от них нос; для социал-демократов образца 1903 года крестьянство становится союзником «только в том случае, если оно покидает свою крестьянскую точку зрения». Зная склонность многих делегатов к заведомо неконструктивным дискуссиям, можно не сомневаться, что кто-нибудь из них рано или поздно вступил бы с Плехановым в спор относительно того, так ли уж весело обстоят дела; но тут съезд пришлось прервать в связи с форс-мажорными обстоятельствами.

«Едва открылось заседание, — не без смущения припоминает Шотман, — как среди делегатов началось какое-то странное движение, все начали как-то нервно вздрагивать, потом оглядываться. В президиуме тоже начали сначала переглядываться, потом шептаться. Через несколько минут один за другим делегаты стали вскакивать, нервно передергивать плечами и, как-то виновато оглядываясь по сторонам, быстро направлялись к выходу. Когда почти половина делегатов таким образом покинула "зал" заседания, кто-то из делегатов предложил прервать заседание и разойтись, так как сидеть стало совершенно невозможно». Ядро партии было атаковано полчищами блох: оказалось, в помещении раньше складировалась шерсть — и кусачие насекомые получили возможность размножиться в невероятных количествах. «Эффект Расёмона»: Крупская, в отличие от всех прочих мемуаристов, настаивает на том, что склад был мучной, и мучили делегатов не блохи, а крысы; возможно, докладывать о почесываниях казалось ей неприличным.

Какова бы ни была природа этой странной напасти, съезд заглох на первом же светофоре: дурной знак.

Время на поиски другого помещения не было — и делегаты, вооружившись тряпками, смоченными в доступных химикатах, принялись елозить по полу — чтобы вычистить зал от конкурентов.

Заседания продолжились.

Предполагалось, что главным идеологическим конфликтом съезда станет противостояние «левых» и «умеренных», собственно революционеров — и «тред-юнионистов»; слово «марксист», как известно, вовсе не подразумевало автоматически — «революционер, стремящийся организовать диктатуру пролетариата».

Ленин прекрасно знал, что представление, будто «платформа "Искры"» — общий знаменатель для всех, — утопия; быстро можно было высечь на скрижалях разве что пару первых строк — о классовом характере партии, о терроре; дьявол был в нюансах, и ясно, что «экономисты» вцепятся в них зубами. Знал Ленин и о том, что даже те, кто в принципе поддерживал составленную им программу, рано или поздно расслоятся на три фракции различной плотности: «твердые» искровцы, «мягкие» и так называемое «болото» — то есть центр, ни то ни се. И раз так, надо было выяснять, кто оппортунист, а кто подлинный ортодокс, чтобы на основании полученных данных сформировать истинную физиономию партии (или, в переводе на более понятный язык, намылить шею тем, кто агитировал за правый уклон).

Стратегия Ленина состояла в том, чтобы представлять «Искру» спасительницей от катастрофы, которая грозила русскому марксизму от попытки ревизии, предпринятой буржуазной демократией — которая пыталась вычистить из рабочего движения революционную задачу. «Партийная смута», которую диагностировал Ленин, давала право не просто склеить партию заново — но мобилизовать ее на защиту марксистской догмы, превратив аморфный союз в герметичную структуру-машину.

Однако главной проблемой по крайней мере первой половины съезда стало не содержание талмуда партии, а Бунд: союз еврейских рабочих России, Польши и Литвы социал-демократической ориентации — многочисленный, владеющий техниками конспирации и спаянный; важно, что эта структура уже находилась в составе РСДРП со времен I съезда 1898 года, итоги которого признавались легитимными. Невозможно было не пустить Бунд на съезд под предлогом «не нравится — идите еще куда-нибудь»; раз они уже часть партии — судьба их должна была решиться на съезде. Пикантность была еще в том, что они были очевидными союзниками искровцев, но отчасти и конкурентами. А еще всем была очевидна их самодостаточность; бундовцы могли существовать без РСДРП, и РСДРП могла без них. И «централистам», и Бунду выгоднее было объединиться; но кто-то должен был уступить.

Споры с пятью бундовцами — в которых сам Ленин участвовал мало, предпочитая дать вещам развиваться естественно, — сразу прибрели затяжной и схоластический, неконструктивный характер. Никто в точности не знал, что означает «самостоятельность еврейского рабочего движения» и связана ли она с какими-то особыми этнографическими представлениями бундовцев о евреях. Спор возник даже касательно того, считать ли евреев нацией или расой, — при том, что, по замечанию Плеханова, в случае, например, с литовцами можно сказать как «литовская нация», так и «литовская раса». Но даже тут никакие точки над i не могли объяснить, почему именно еврейский пролетариат должен в организационном плане иметь какие-то привилегии в РСДРП.

Ленин знал, что вытащить этого бегемота из болота, в котором ему и привычнее, и понятнее, и заставить его выполнять общепартийные указания — как обычному местному комитету, будет нелегкой работой. «И надо всем и каждому, — объяснял он в частном письме перед съездом, — втолковывать до чертиков, до полного "внедрения в башку", что с Бундом надо готовить войну, если хотеть с ним мира. Война на съезде, война вплоть до раскола — во что бы то ни стало. Только тогда он сдастся несомненно. А принять нелепую федерацию мы абсолютно не можем и не примем никогда». По сути, это означало, что Ленин хотел упразднить Бунд — так же, как все другие «местные», со своими закидонами и претензиями на самостоятельность комитеты. А как же национально-культурная автономия, как же исключительность еврейского пролетариата? Никак: если вы по сути националисты, то уходите из партии, если социал-демократы — извольте вести себя как все. Ленин понимал, что любая поблажка Бунду создаст прецедент — и «федерации», «суверенитета» начнут требовать любые другие комитеты — и какой уж тут централизм, какая решительная сплоченная деятельность. В публичном выступлении Ленин сравнил Бунд с даремскими и нортумберлендскими шахтерами, которые, пользуясь своей силой и многочисленностью, добились для себя семичасового рабочего дня — и блокируют попытки английского пролетариата в целом добиться восьмичасового рабочего дня не только для квалифицированных пролетариев, но для всех; подразумевалось — начинаем с сепаратизма, приходим к оппортунизму. Неудивительно, что в ответ ему пришлось услышать: «Я, не задумываясь, называю проект т. Ленина чудовищным... Он насквозь проникнут стремлением предоставить центру неограниченную власть, права неограниченного вмешательства во все, что делает каждая отдельная организация; он не ставит этому вмешательству абсолютно никаких пределов и, уничтожая всякую компетенцию для отдельных, подчиненных организаций, подрывает возможность самого их существования; организации не могут существовать, если им предоставить одно лишь право: повиноваться безропотно тому, что будет приказано выше».

Одно дело было троллить «экономистов» и «сепаратистов» при помощи книги, где легко окарикатурить их взгляды. Но вживую они оказывались опаснее, изворотливее, убедительнее, чем на бумаге, — и не позволяли лепить на себя ярлыки оппортунистов, «болота», «нестойких». Да, ленинская критика кустарничества в «Что делать?» выглядела убедительной — но как насчет бревна в собственном глазу?

Ленина постоянно тыкают носом в его политическую близорукость: как он посмел утверждать, что при стихийном развитии рабочее движение подчиняется буржуазной идеологии? Разве сам пролетариат на основании столкновений с реальной действительностью не в состоянии прийти к научному социализму? Затем: разве партия, которая пусть из «кустарной», но открытой, заботящейся о достижении реальных улучшений условий жизни пролетариата организации преобразуется, усилиями Ленина, в радикальную заговорщическую группу, в случае вооруженного восстания не должна будет захватить власть и установить диктатуру? Ведь логика событий подтолкнет такую партию именно к этой роли! Но как, спрашивается, эта диктатура пролетариата будет расплачиваться по счетам — откуда возьмутся у нее силы для выполнения исторической миссии пролетариата в стране, где объективно еще нет условий для социалистической революции?! Разве не окажется «ортодоксальный марксист» Ленин в трагически ложном положении вождя партии, взявшей власть преждевременно? Ситуация, описанная — Ленин обязан знать это — у Энгельса в его «Крестьянской войне в Германии».

Все это, однако же, были лишь разговоры, которые никуда не вели — как можно было на съезде практически проверить то или иное предположение? Никак; и на голосование не поставишь. Разговоры фиксировались стенографистами — но особо не влияли на голосование за резолюции. Протоколы II съезда в кое-каких местах могли бы сойти за беллетристику — но вряд ли когда-нибудь займут верхние строчки в книжных рейтингах: читателя обескураживает как раз то, что едва ли не бо́льшая часть текста посвящена выяснению отношений с Бундом. Остроумные реплики и шутки — имея представление о характерах отдельных участников, можно не сомневаться, что они позволяли себе отступать от сугубо академических канонов выступлений — фиксировались далеко не все; «протоколы, — предупреждал Ленин, — дают лишь бледную картину прений, ибо, вместо полных речей, они приводят самые сжатые конспекты и экстракты».

Посторонний, сунувший нос в протоколы съезда с намерением поскорее сориентироваться, в чем там суть, быстро взвоет: черта с два здесь можно понять что-либо не то что даже об антураже самого события (в каком из уголков Вселенной собрались все эти люди? как они выглядят? сколько занимают промежутки между их беседами — час, месяц, год? в какой конкретно момент произошел пресловутый «раскол»?), но хотя бы о том, кто, собственно, в нем участвует. Основных действующих лиц не больше десятка — Плеханов, Троцкий, Ленин, Мартов, Либер, Пиккер, Акимов, — но время от времени в полилог вступают другие персонажи, и их много — десятки, может быть, сотни, не разберешь. На самом деле, в съезде участвовали около пятидесяти — плюс-минус пять — человек: кто-то приезжал, кто-то хлопал дверью, кто-то прогуливал, кто-то имел право участвовать в совещаниях, но не в голосовании, а у кого-то было два решающих голоса, потому что он представлял сразу несколько организаций. Или — «она представляла»; тут все еще больше запутывалось: по протоколам не понятно, что в собраниях участвовали несколько женщин — ведь некоторые предпочитали выдавать себя за мужчин не то для конспирации, не то по еще каким-то причинам. Это не были грид-герлз «для красоты»: они не только держали над основными «пилотами» солнцезащитные зонтики, но и активно участвовали в гонке — и настаивали, к примеру, на внесении в программу РСДРП требования, чтобы ни одна мать не могла быть лишена возможности кормить своего ребенка грудью. Там были Засулич, Брукэр-Махновец (которая, однако, говорит о себе: «Я не согласен...»), Саблина (это Крупская), Розалия Землячка («Осипов»), Лидия Книпович («Дедов»), делегат Е. С. Левина (которая, однако, фигурировала под фамилией Иванов и про которую говорили в третьем лице: «он»). Гендерный туман сгущается в те моменты, когда на авансцене материализуются персонажи с заковыристыми фамилиями, вроде Макадзюб, или Стопани, или Калафати; впрочем, к примеру, Калафати фактически присутствовал, но в документах не отразился — потому что многие совещающиеся использовали тройную систему защиты: помимо фамилии, у них были партийные псевдонимы плюс технический ник, сгенерированный специально для съезда, точнее, для протоколов. Например: фамилия — Калафати, псевдоним — Мицов, но в протоколах — Махов (не путать с Брукэр-Махновец!). Или: Зборовский — Константинов — Костич. Конспирация была, что называется, сугубая — но выступающие иногда забывали об осторожности и апеллировали к своим товарищам, именуя их «обычными» псевдонимами — и вызывая ложное впечатление, будто в съезде принимает участие еще больше людей; эта ономастическая чехарда действительно, надо полагать, осложняла полиции процесс идентификации революционеров. Например, здесь были Ленский, он же Виленский, и был В. И. Ленин-Ульянов, и был еще один Ульянов — но который Герц (брат Ленина Дмитрий). Были, к примеру, Мартов — и Мартынов, и еще Мартын — В. Розанов, и Мартыном же назвал Плеханов Мартынова, когда тот покинул съезд: «Ушел Мартын с балалайкой». Мишенев иногда фигурирует как Мишенев-Муравьев, а иногда — Мишенев-Петухов. Были Акимов и Брукэр — на самом деле Махновцы, брат и сестра; были муж и жена Левины (Егоров + Иванов). Возможно, наиболее озадачивающим во всем этом был тот факт, что хотя создаваемая партия носила название «рабочей», собственно рабочих на съезде было всего трое: финн Шотман, николаевец Калафати и пробравшийся в Лондон под фамилией Браун туляк Сергей Степанов (не путать со Стопани).

Возможно, для кого-то это выглядело бы тревожным сигналом: что же мы за партия, если никакого пролетариата у нас самих-то и нету? Но не для Ленина: в рамках его концепции от рабочих как таковых толку не много, в них, внутри, заложено классовое сознание, но «реализовать» свои нутряные интересы они сами не в состоянии — буржуазия их обдурит, и они согласятся на сделку (или в момент кризиса — например, затеянной буржуазией войны — потеряют независимость и, подчинившись буржуазии, вынуждены будут умирать за нее). Стихийное рабочее движение — что далеко ходить: вот вам Англия — ведет к оппортунизму; разного рода переговоры, в которые неминуемо втягивает пролетариат буржуазия — и которые кажутся пролетариату удачным способом отстаивания своих интересов, — есть лишь форма соглашательства и сдачи своих кровных интересов. Именно для этого нужна партия: авангард рабочего класса (которая будет действовать как заградотряд: «ни шагу назад»). Пусть этот авангард на 90 процентов состоит из интеллигенции — она и есть та «революционная бацилла», которая заразит пролетариат социалистической теорией, а не просто станет подначивать: «А ну-ка попросите хозяев выдать вам на Рождество удвоенные бонусы». Сказано ведь в «Манифесте» Маркса: все другие слои становятся революционными лишь постольку, поскольку они переходят на точку зрения пролетариата. Интеллигенция перешла? Перешла. Значит, она уже — часть пролетариата. Мало рабочих на съезде? Пролетариат у Ленина ни разу не упомянут в именительном падеже, в лучшем случае в родительном? Не беда, капитализм развивается в России, а количество рабочих в целом увеличивается; материал для деятельности партии имеется, и материал перспективный, «массы за нас». Всего трое рабочих? Каждый «сознательный рабочий», доросший до «авангардного отряда», — на вес золота, это уникальный исторический продукт, таких и не может быть слишком много; да и партия не должна быть большой, лучше меньше, да лучше. Целых трое!

Многие делегаты не умели разговаривать ни на каком иностранном языке и не владели навыками, связанными с городским туризмом, — поэтому, нашатавшись по Брюсселю до одури, предпочитали проводить вечера в обществе друг друга. Кто-то явился даже и с музыкальными инструментами; объявились и заядлые певуны, которые устроили нечто вроде кружка хорового пения, часто с плясками. Ленин готов был оказывать товарищам услуги экскурсовода, но когда не находилось спроса, с удовольствием присоединялся к «разговорам у кулера», наслаждаясь басом Гусева (фамилия, рядом с которой в мемуарах Крупской возникает деепричастный оборот: «хватанув рюмочку коньяку») и другими номерами самодеятельности; депутаты с российского юга, Украины и Кавказа состязались друг с другом в гопаке и лезгинке.

Привлекая внимание не только более застенчивых товарищей, но и иностранцев.

Кончилось тем, что за делегатами принялась ходить полиция, подогреваемая расползшимися по городу слухами о нашествии русских нигилистов и требованиями русского посольства прибрать к ногтю всю эту шатию-братию. Тотчас заметив за собой хвосты, русские, которые ухватились за возможность пофорсить друг перед другом своими навыками профессиональных подпольщиков, принялись дразнить филеров, буквально исчезая у них из-под носа. Обозленные этими кошками-мышками чиновники перешли к политике открытости и стали выдергивать делегатов по отдельности: выяснять, кто они такие и как здесь оказались. По договоренности все должны были выдавать себя за кого угодно, кроме русских, и поэтому когда в полиции очутились студенты Сундстрем, Викстрем и Карлсон из Стокгольма, Упсалы и Гетеборга соответственно, никто поначалу и не догадался, в чем подвох; затруднения возникли только в тот момент, когда заполненные Шотманом, Розановым и Красиковым анкеты стали перепроверять (ровно в 1903-м в брюссельской полиции служил не кто иной, как еще довольно молодой Эркюль Пуаро; сюжет о том, как его откомандировывают следить за сборищем выдающих себя за неведомо кого русских, выглядит не более фантастическим, чем все прочие с его участием) — и швед-«локомотив» Шотман забыл, кто из них кто. Однако наибольшее внимание привлек к себе Гусев, который на первой же беседе в соответствующих органах объявил себя румынским студентом Романеско, приехавшим в Бельгию ради любовного свидания, — и даже предъявил в качестве объекта своей страсти делегата Землячку. Румынский романтик Романеску не произвел на полицию должного впечатления — и очень скоро незадачливые «любовники» получили предписание убраться из города в течение 24 часов. То было начало конца — волчьи билеты были выписаны еще нескольким делегатам, и стало ясно, что либо съезду крышка, либо — чтобы предотвратить катастрофу — нужен план Б.

Видимо, как раз в этот момент недавно покинувший Лондон Ленин вспомнил об оставшихся там связях — и... как и в романах Агаты Кристи, действие переносится в Англию.

Пять с лишним десятков людей — не целой, конечно, оравой, но группками по двое-трое, Ульяновы в компании с Бауманом и Лядовым, — пересекли Ла-Манш по линии Остенде—Дувр и на поезде добрались до вокзала Чаринг-Кросс. Темностенные здания на Стрэнде показались путешественникам мрачными: делегаты уже перессорились друг с другом и не слишком рассчитывали на благоприятный исход своего предприятия. Те, кто раньше не был в Лондоне, открыв рот глядели на миллионные толпы в динамике, служившие наглядным подтверждением того, что именно Англия с большим отрывом возглавляет список стран с самым высоким в мире индексом деловой активности.

Денег на непредвиденные расходы не хватало: расселялись кое-как, в теремок одного только Алексеева набилось пятеро. Ленин чувствовал себя в Лондоне гораздо более уверенно — и под предлогом демонстрации достопримечательностей забирал по вечерам небольшие компании куда-нибудь в Гайд-парк или в зоосад — «обрабатывая» их по дороге, с тем чтобы они принимали правильные решения.

Несмотря на загадочное отсутствие в Британии социалистической партии, начало века было эпохой бума разного рода клубов; мода на разного рода общественные объединения захватила страну, поэтому помещение для заседаний было найти не сложнее, чем сейчас сколотить группу «Вконтакте». Социалисты, реформисты, чартисты, анархисты собирались в каждом втором здании; вероятность того, что слухи о собраниях РСДРП дойдут до агентов русского посольства, была здесь много меньше. Ленин — совсем недавно покинувший Лондон и сохранивший там связи — написал Тахтареву, и тот предложил мобильную схему: каждое следующее заседание будет проходить в новом помещении, и не в каком-то изолированном от мира месте, но, наоборот, в холлах, где постоянно собираются участники разных организаций, и русские не будут выглядеть особенной диковинкой.

Холлы искали всё в том же секторе Лондона: вокруг Британского музея и Рассел-сквер; по соседству, на Шарлотт-стрит, располагался Коммунистический клуб, где еще с тех времен, когда в Лондоне было объявлено о создании Первого интернационала, собирались немцы-политэмигранты и где частенько бывали Маркс с Энгельсом; там же была (ныне — Saatchi & Saatchi) биржа труда Роберта Оуэна, того самого, чьи тексты Ленин обсуждал еще в Самаре; «места с историей». Аполлинария Якубова, жена Тахтарева, раздавала каждое утро самодельные планы города с указанием нужной улицы и здания. Любопытно, что здесь уже русские, в рамках все той же конспиративной культуры, выдавали себя за бельгийцев — членов тамошних тред-юнионов; вопрос, почему они решили пересечь Ла-Манш, чтобы увидеться друг с другом, остался открытым.

Первое заседание состоялось в помещении Клуба рыболовов — и теперь уже не блохи, а скелеты и чучела огромных рыбин наблюдали за тем, как всплывающие из бездн мины раскурочивают днище только-только вышедшего в открытое море гротескно-трагического «корабля дураков». Тематический спектр II съезда также был гораздо шире, чем обычно принято думать: помимо оргвопросов, здесь обсуждались, например, нюансы грудного вскармливания, устройства конспиративных свиданий и бог знает что еще. На последнем пункте, кстати, следует задержаться подробнее.

Постановлено было — отдельной резолюцией, которая вряд ли прошла бы, если бы не усталость собравшихся, у которых, видимо, уже не было сил противиться очередному экзотическому проекту Ленина и Плеханова, — «в виде опыта» издавать газету для сектантов, чтобы привлекать их к социал-демократии. Газетой «Рассвет» со всей серьезностью будет заниматься весь 1904 год эксперт по религиозной «альтернативе» Бонч-Бруевич, чей доклад на съезде, предварительно одобренный Плехановым, зачитывал сам Ленин — который увлечен был сходством законспирированных и легко мобилизующихся религиозных сообществ, мечтающих о религиозной реформации России, с организацией профессиональных революционеров — и намеревался создать условия для того, чтобы протестные энергии сект вошли в резонанс с натиском боевой социал-демократии, вооруженной марксистской теорией, на существующий строй. Внимательный читатель Ленина обнаружит проницательные замечания о сектантах и в «Что делать?», и в «Политической агитации и классовой точки зрения», и в «К деревенской бедноте», и в «Самодержавие колеблется». Дело, по-видимому, не только в том, что Ленин рассчитывал на то, что защита сектантов от травли принесет РСДРП хорошие политические дивиденды; Бонч-Бруевич наверняка объяснил ему, кто такие, к примеру, «хлысты» (на самом деле — «христы»), верившие, что Христос «не улетел легким аллюром на небо после воскресения, как утверждала православная церковь, а что Христос среди них, и есть не кто иной, как тот или другой сочлен общины, который одарен "свыше разумом", и что он-то и должен руководить жизнью общины, являясь вождем их организации; он — "Христос"» (из письма Бонч-Бруевича 1929 года). Да, у Ленина всегда была аллергия на «фидеизм» и «поповщину» — но он, конечно, был в состоянии понять, что его собственная деятельность слишком хорошо вписывается в эту архаичную, экзотическую, мистическую — однако впечатляюще «подходящую» — картину мира.

В ней российские революционеры выглядели гораздо уместнее, чем в странном Лондоне. Делегаты много перемещались по городу. В перерыве между заседаниями им нужно было за два часа найти себе место для обеда. Время после семи вечера считалось свободным; однажды, рассказывает Шотман, уличные мальчишки стали бросаться в них «гнилой картошкой, комками мокрой бумаги и прочей дрянью. Чем это было вызвано, не знаю. Вероятно, англичан возмутила эта разношерстная публика, продолжавшая на улице неоконченные споры, происходившие на съезде». Однажды группа русских — «рыбаки» продолжали кочевать по городу — набросилась на фотографа, который наладился было запечатлеть показавшуюся ему колоритной группу, расположившуюся на травке около могилы Маркса на Хайгейтском кладбище — послушать Плеханова. Уже тогда революционерам хватало ума понять, что лишний раз светиться — к тюрьме; англичанину был выражен решительный протест. Шок от попадания в эту чересчур динамичную недружелюбную среду несколько компенсировался тем, что — по словам все того же злосчастного Гусева — «здесь полиция нас не тревожила и на мое пение никто не обращал внимания».

«Но — зато стало неспокойно на самом съезде».

В сущности, все 37 заседаний съезда — даже посвященные процедурным вопросам — были страшно драматичные; и сам съезд был похож не только на сектантское радение — экстатичное и патологическое, но и, действительно, на спортивное состязание — например, гонку «Формулы-1»: с впечатляющим завалом на старте, с обгонами, авариями, заминками в паддоке, трагическими инцидентами на трассе, неожиданными сменами позиций, интригой, абсолютно непредсказуемым финишем — и подиумом, на котором победители обливались шампанским, не глядя в глаза друг другу.

Официальная историография умалчивает о том, что Ленин, по сути, стал вождем большевиков благодаря — это не преувеличение — ослам.

Дело в том, что очередная долгая, непродуктивная и, несомненно, вызывавшая у делегатов приступы нарколепсии дискуссия с бундовцами — на этот раз о равноправии языков — вылилась в блохоискательство: правда ли, что граждане разных национальностей имеют право учиться и обращаться в госучреждения на своем языке? Выступавший представитель еврейского пролетариата, описывая ситуации и места, в которых может возникнуть эта проблема, принялся перечислять конкретные административные органы — и, среди прочего, произнес словосочетание «коннозаводское учреждение». В этот момент Плеханов не выдержал и громко сказал: «Э нет, какая же эта связь, между языками и коннозаводством: ведь лошади — не говорят». Это вызвало приступ веселья, Плеханов понял, что может пошутить еще раз, и произнес историческую фразу: «А вот ослы иногда разговаривают».

Бундовцы — очень хотевшие остаться в партии, цеплявшиеся за любые возможности прийти к компромиссу, увиливавшие от необходимости принять то или иное решение, умудрившиеся поучаствовать и в принятии программы партии, и в обсуждении устава и доерзавшие таким образом аж до двадцать седьмого из тридцати семи заседаний — обиделись.

Обиделись — и, наконец, проявили решительность: ушли.

Изменив таким образом политическую конфигурацию контингента, который остался.

Уход бундовцев — мемуаристы вспоминают, что «Владимир Ильич... отнесся к этому событию довольно спокойно, вероятно думая, что нет худа без добра», — не сделал делегатов счастливее и запустил цепь неожиданных событий. Атмосфера не очистилась, а ухудшилась: упрямство обеих сторон измотало и деморализовало съезд; делегаты чувствовали, что потратили несколько драгоценных недель зря, их затея «вселенского собора» терпит крушение и стремление обеспечить идеологическую и организационную чистоту обратной стороной имеет уменьшение легитимности съезда. Понятно, что логика требовала формальной унификации — и роспуска даже относительно лояльных «Искре» организаций; но все равно неясно было, почему, к примеру, редакция «Южного рабочего», которую нельзя было обвинить в оппортунизме (а их тоже пришлось распустить), должна была подчиняться «Искре», а не наоборот? И правда ли нужно выгонять несогласных — а не предоставлять им разумные уступки? Если избавиться от всех «лишних» (при том, что изначально на съезд и так допустили не все социал-демократические организации) — чем тогда будут отличаться оставшиеся — «всероссийская партия» — от кучки заговорщиков?

Казавшийся разумным в данных обстоятельствах разрыв с Бундом не сулил на самом деле ничего хорошего никому. Понятно было, что в любой момент этот партийный рак — который вроде бы вырезали — мог дать рецидив. На протяжении всей жизни Ленина и с весьма переменным успехом сепаратистские тенденции придется подавлять на Кавказе, в Финляндии, в Польше, на Украине, в мусульманских областях; и не потому ли большевики так быстро в 1917-м встали на имперские, по сути, позиции, что еще в 1903-м их партия плохо справилась с проблемой говорящих ослов?

Шотман рассказывает, что прения по незначительным вопросам удручали не привыкших к такого рода деятельности делегатов — и многие сбегали с заседаний или не являлись туда под разными предлогами, которые несложно было изобрести в незнакомом городе. Прогульщики шатались по окрестностям Оксфорд-стрит, «наблюдая за жизнью европейского города. Единственным, кажется, делегатом, не пропустившим не только ни одного заседания, но даже ни одного слова выступавших делегатов, был В. И. Ленин»; в активе последнего — 57 выступлений. Одним из тех мест, где проходили заседания, стал паб «The Crown and Woolpack» (опять «мешок шерсти») у станции Angel, в Ислингтоне; то была штаб-квартира рыболовного же «Walton and Cotton Angling Club», хозяин которого тотчас стуканул на подозрительных иностранцев куда следует, и теперь за «нигилистами» приглядывал Скотленд-Ярд; бармены и разносчики были подсадными, а в узком шкафу посреди комнаты сидел спецагент, к своему счастью, не понимавший ни слова по-русски.

Русские, меж тем, на этой стадии предпочли выдать себя за членов Лиги заграничных парикмахеров, «The League of Foreign Barbers».

Следует учитывать фактор физической и интеллектуальной усталости парикмахеров — которые, разумеется, не были привычны к ведению многодневных коллективных переговоров. Попробуйте несколько недель пощелкать политическими ножницами в компании «заклятых друзей» внутри небольшого помещения: стоит ли удивляться, что вопрос о том, должен непрерывный отдых для рабочих в выходные длиться 36 часов или 42 часа, превращается в «глубоко принципиальный» — и абсолютно неразрешимый; голосованием, что ли, его решать? Чем больше сходятся дальние цели делегатов — вроде долой самодержавие, тем сложнее им договориться друг с другом по нюансам. Таких нюансов были сотни — и, как знать, если бы не неожиданный раскол между самими искровцами, возможно, съезд продолжался бы по сей день. На съезде произошла целая серия инцидентов, которые невозможно было спрогнозировать — как и реакции на них участников. Делегаты прилюдно рыдают (мужчины! Шотман!), огрызаются, угрожают друг другу физической расправой и — вопреки брюссельским остротам Троцкого о том, что у кого-то замах не соответствует практической деятельности: мол, как у Щедрина — обещал большие кровопролития, а вместо того чижика съел — наскакивают друг на друга, намереваясь подраться. Большие, настоящие кровопролития — какие уж тут чижики.

Связка «Ленин–Мартов» — уже поврежденная, как мы помним, после суда над Бауманом, — впервые разорвалась примерно в середине марафона, в Лондоне, во время дискуссии об уставе — точнее, о пресловутом «первом параграфе». Вопрос стоял о степени открытости партии: считать ли членами партии всех, кто в принципе согласен с программой и согласен платить членские взносы, или только тех, кто обязуется выполнять поручения, даже опасные и даже если сомневается в их целесообразности (и регулярно платить членские взносы, конечно)? Теоретически первый вариант был гораздо более очевиден — да и немцы, всегдашний образец, устроили свою социал-демократию именно так. Ленин, однако, считал такую модель заведомо неэффективной — особенно в русских условиях, где пролетариат немногочислен и не имеет демократических свобод; чтобы «перевернуть мир», требуется организация сектантского типа, с иерархией, которая в момент кризиса, когда нужно возглавить стихийные рабочие движения и «реализовать момент», может рассчитывать не только на сочувственное помахивание красным флагом из окна своего бельэтажа, но имеет право мобилизовать своих членов на выполнение приказов, а не просьб.

Эта идея Ленина — лучше, чтобы десять реально работающих не называли себя членами партии, чем один болтающий размахивал партбилетом, — выглядела странной, варварской, не европейской; минуточку, спросил Аксельрод, а как же какой-нибудь профессор, который постучит в партийные двери: мы что же, не возьмем его только потому, что он откажется возить в своем чемодане «запрещенку» и не подчинится приказу идти на баррикады?

Что характерно, через полтора десятилетия Ленин радикально поменял стратегию — и с самой лучшей из своих улыбок услужливо приоткрывал партийные двери, калитки и ворота перед каждым, кто хотел назвать себя большевиком: на заговорщическом скелете нужно было быстро нарастить массу, чтобы организовать стихийно недовольных и использовать их стремление выступить единым коллективом как таран; в 1917-м в партию вольются десятки и сотни тысяч новых членов.

Меж тем в 1903-м, неожиданно — такое ощущение, что из пристрастия к парадоксам, — Плеханов также захлопнул дверь перед красным профессором. «Говорилось о лицах, которые не захотят или не смогут вступить в одну из наших организаций. Но почему не смогут? Как человек, сам участвовавший в русских революционных организациях, я скажу, что не допускаю существования объективных условий, составляющих непреодолимое препятствие для такого вступления. А что касается тех господ, которые не захотят, то их нам и не надо. Здесь сказали, что иной профессор, сочувствующий нашим взглядам, может найти для себя унизительным вступление в ту или другую местную организацию. По этому поводу мне вспоминается Энгельс, говоривший, что когда имеешь дело с профессором, надо заранее приготовиться к самому худшему. (*Смех.*) В самом деле, пример крайне неудачен. Если какой-нибудь профессор египтологии на том основании, что он помнит наизусть имена всех фараонов и знает все требования, которые предъявлялись египтянами быку Апису, сочтет, что вступление в нашу организацию ниже его достоинства, то нам не нужно этого профессора».

Правда ли Мартов не понимал, что централизованная — без профессоров, которые сегодня готовы что-то делать, а завтра окажутся занятыми своими фараонами, — организация в русских условиях допустима и предпочтительнее, чем свободная ассоциация индивидов, которые при первой возможности наверняка будут склонны «договариваться» с буржуазией на ее условиях? Наверное, понимал. Однако Ленин его достал, и он упирается, как бы странно ни выглядел этот бунт одного приятеля против другого. В тот момент, когда Ленин предложил сузить редакцию «Искры» до трех человек, раздражение Мартова политиканством

Ленина усугубляется до истерического бешенства. Съезд превращается в бедлам.

«Крики: "Неверно! Неправда!" Плеханов и Ленин протестуют против перерывов. Ленин просит секретарей занести в протокол, что тт. Засулич, Мартов и Троцкий его прерывали, и просит записывать, сколько раз его прерывали».

Психическое напряжение, которое Ленину пришлось выдерживать на съезде, спровоцировало соматическую реакцию: еще в Брюсселе он почти перестал есть, а в Лондоне — спать; кончилось тем, что у него началась странная кожная болезнь — все тело, и в особенности грудь и живот, оказалось обсыпано волдырями, наполненными кровью. Сначала их по совету Тахтарева просто мазали йодом, но неприятные ощущения только усугублялись. Пришлось раскошеливаться на английских врачей; в неврологической клинике Ленину поставили диагноз *Ignis Sacer* («священный огонь») — редко встречающаяся сейчас болезнь, которая еще в конце XIX века распространялась как эпидемия; ее источником могло быть не только нервное потрясение, но спорынья — грибок, иногда встречающийся в мучных продуктах. В Средние века эту «злую корчу», или «огонь святого Антония», считали чем-то вроде одержимости демонами; распространению такого рода заблуждений способствовало то, что пациенты иногда страдали галлюцинациями. В этой связи особый интерес представляют заявления Мартова о том, что на съезде Ленин «вел себя бешено». Доктора прописали ему препараты на основе брома и покой. Разумеется, ни о каком покое после раскола, плоды которого он якобы пожинал, не могло быть и речи.

Подлинной кульминацией брюссельско-лондонского съезда стал уход даже не Бунда, а «экономистов»-рабочедельцев Акимова и Мартынова. Именно после этого «brexit'a» та часть съезда, которая могла бы поставить «бешеного» Ленина на место, оказалась в меньшинстве; и именно это «меньшинство», поменяв суффикс, превратится в название одной из двух российских социал-демократических партий. Эти протоменьшевики не смогли помешать принять предложение Ленина сузить редакцию «Искры» до трех человек.

Если первые диспуты марксистских схоластов напоминают не то заседания рыцарей Круглого стола, не то дискуссии монахов в «Имени розы» — а вот в Венской программе, а вот в Эрфуртской... — то в финале «объединительного» съезда фонтаны остроумия, куртуазности и корректности иссякают, и всё больше делегатов поглядывают на свои табуретки в качестве наиболее убедительного довода; переход на личности и грубость становятся повседневной практикой; еще немного — и заседания можно будет транслировать по кабельным каналам — из тех, где показывают рестлинг без правил. Ремарка «Крики и протесты усиливаются» возникает все чаще. Выступающие требуют заносить в протокол улыбки, инциденты с «шиканьем» и неуместными цвишенруфами и прочие проявления недружелюбия; иногда кажется, что скандал идет в режиме нон-стоп. «Рукоплескания, на некоторых скамьях шиканье, голоса: "Вы не должны шикать!" Плеханов: "Почему же нет? я очень прошу, товарищи, не стесняться!" Егоров встает и говорит: "Раз такие речи вызывают рукоплескания, то я обязан шикать"». Слово «оппортунист», ранее употреблявшееся в рабочем порядке, начинает выглядеть серьезным оскорблением. Ленинское понукание: «Мы поставлены в ненормальное и безвыходное положение. Мы не можем дольше останавливаться на этом вопросе» — вызывает не просто протест, но хлопанье дверью. Аксельрод принимается публично укорять Баумана в безнравственности — за все ту же историю с покончившей жизнь самоубийством женой Митрова; Бауман молчит — но Крупская видит в его глазах слезы. А вот когда депутату Носкову что-то принимается выговаривать депутат Дейч, тот отвечает: «Помолчали бы вы уж в тряпочку, папаша». Неудивительно, что когда рабочий Степанов, сторонник Ленина, попытался осведомиться у того же Дейча, заведовавшего оргвопросами, как обстоят дела с обеспечением поездки в обратную сторону, тот пожал плечами: «Для окончания съезда и на разъезд средств нет, и своими решениями мы отрезали возможность к их получению».

Подлость, схватился за голову Ленин; симметричная — мог бы вежливо улыбнуться в ответ Дейч.

Очевидно, что в какой-то момент делегаты начали торопиться с завершением съезда — осознав, что ресурс времени и денег не бесконечен. Спешка также усиливала нервозность: договариваться было уже некогда. Резолюции принимаются быстро, будто не глядя, — лишь бы закончить, шут с ним, как-нибудь. В процессе этого «как-нибудь» у партии и возникает организационная оболочка. РСДРП дирижируют ЦК (практическое руководство), ЦО (редакция «Искры»: идеологическая часть) и Совет партии (координирующая инстанция). Не самая эффективная, как выяснится при возникновении конфликтной ситуации, структура; очень похоже на то, что важнее окажутся конкретные личности, а не названия постов, которые они занимают или не занимают.

Формально Ленин (вошедший в ЦО и ЦК) мог обливаться шампанским в свое удовольствие: хотя ему не удалось убедить товарищей принять первый параграф устава — и буржуазная безответственная профессура получила право беспрепятственно проникать в ряды РСДРП, все прочие пункты были приняты в его редакции. Программа партии оказалась по-ленински радикальной: в ней, помимо очевидных целей — свержение самодержавия, уничтожение сословий, право наций на самоопределение и возвращение крестьянам земель, отнятых в 1861 году, — фигурировало намерение осуществить социалистическую революцию и учредить диктатуру пролетариата; ничего подобного ни у какой другой социал-демократической партии не было. В ЦК и Совете партии оказались лояльные Ленину люди. «Искра» зачищена даже несколько сильнее, чем хотелось бы. Что касается Мартова, то к концу съезда тот, кто дневал и ночевал в кухне Ульяновых, производил впечатление человека, готового вытатуировать себе на лбу «Ленин — подонок».

Разумеется, он тоже вышел из редакции — из солидарности с «уволенными».

В советских источниках II съезд трактуется как победа Ленина — пусть несколько омраченная тем, что по ходу ему пришлось избавиться от некоторых прекрасных иллюзий: «разлетелись мечты Владимира Ильича о создании единой и сплоченной революционной русской социал-демократии».

Победа?

Формально — да; однако мероприятие, на котором должны были объединиться все здоровые силы марксистов, по сути, закончилось расколом; Бунд и рабочедельцы ушли, «Южный рабочий» был поглощен грубо — и, плохо перевариваемый, в любой момент мог отрыгнуться; редакция «Искры» треснула; итого — три пробоины минимум.

Назвать этот съезд «удачным опытом объединения ранее разрозненных организаций» можно лишь в насмешку.

Справедливо или нет, козлом отпущения за неудачу был назначен Ленин. Вместо того чтобы принимать поздравления как объединитель, он столкнулся с цунами ненависти.

Положение, в котором он оказался уже через год, — полная организационная катастрофа, было прямым следствием той пирровой победы на съезде; дальше все шло как по рельсам — на которые он сам себя дал поставить.

Ленин все сделал неправильно.

Изначально у него на руках были все козыри — статус автора «Что делать?», партнера Плеханова, члена редакции всесильной «Искры»; но он плохо разыграл их.

Итоги съезда показывают, что Ленин оказался плохо подготовлен — точнее, плохо подготовил общественное мнение.

Неправильно было полагаться исключительно на атакующую тактику — и взять на себя роль *old-school number 9*; это привело к колоссальным — стратегическим — провалам в обороне.

Неправильно было недооценивать противоречия между группами — и объединять их любой ценой. Быстро выяснилось, что вспыхивавшие во время съезда конфликты были симптомом более глубоких противоречий между теми, кто по неосторожности принял слово «социал-демократия» за общий знаменатель для групп разного происхождения и преследующих разные цели. Эта изначальная ошибка обойдется дорого — и будет «вычищаться» на протяжении десятилетий. Съезд, по сути, задал *modus vivendi* этой несчастливой, с первого дня существования раздираемой внутренней склокой партии; как они начали свою совместную жизнь, так и жили, в вечной ссоре — и экстраполировали эту дурную судьбу на страну, которую получили в управление.

Неправильно было позволить съезду превратиться в марафон. Раскололись бы «искровцы» на съезде, если бы он длился пять дней, а не месяц? Не факт. На съезде то и дело возникали прения между самими «искровцами» по вопросам, о которых следовало договориться заранее, а не обсуждать их на людях. Например, по поводу самой «Искры» — почему, собственно, не сделать, кроме теоретической сугубо партийной газеты, еще одну — популярную, для рабочих, не разбирающихся в нюансах, но готовых бороться с капитализмом под флагом социал-демократии. Ленин был жестко «против» — а вот Плеханов, например, «за»; у обоих были свои аргументы, и не важно, кто был прав; но они стали обсуждать это на публике. Это свидетельствует о слабости Ленина: нельзя раскалывать, если в своей позиции ты опираешься на тех, с кем сам пока не договорился.

Во всем виноват Плеханов? Ну так кто виноват, что Ленин цеплялся за Плеханова и, уцепившись, подыгрывал плехановскому легкомыслию — вместо того, чтобы контролировать его длинный язык или, по крайней мере, извиниться за его «ослов», оттолкнувших Бунд. Неверно было раскалываться с «Искрой», не решив сначала объединительную задачу съезда. Неправильной была ставка на альянс с Плехановым — после стольких ссор с ним, после того, как Ленин сам сравнил себя с задерганной лошадью, которая когда-нибудь «сбросит не в меру ретивого кучера»: было ясно, что кучер ценит свою лошадь ровно до того момента, пока не появится кто-то более подходящий с копытами. Удивительно: Плеханов всегда действовал на Ленина гипнотически — у него словно был для Ленина чемодан с кнопкой, как у Урри для Электроника; и на этот раз Ленин купился на плехановское красное словцо —которое тот произнес в ответ на реплику Акимова об объективных разногласиях между ними: не стану разводиться с Лениным и надеюсь, что и он не намерен разводиться со мной».

Ленин, улещенный, поплыл — ну еще бы.

Ошибка. Акимов был прав — и Акимов своего добьется, а Ленин уже осенью 1903-го почувствует, что пол уходит у него из-под ног.

Троцкий задним числом цитировал Плеханова, который после съезда оправдывался перед Аксельродом за свой союз с Лениным: «Из такого теста делаются Робеспьеры». Лестно, несомненно: не просто либеральничающий литератор — терминатор революции, неподкупный, бесчувственный, авторитарный; но «Робеспьер» было и обозначением политика, который недостаточно гибок — и поэтому эфемерен; легко демонизируется («якобинец») и окарикатуривается («максимильен ленин» — тоже бонмо Троцкого); по сути, это не Ленин оперся на Плеханова, а Плеханов расколол Ленина с его товарищем Мартовым — и в течение ближайших месяцев выдавил Ленина отовсюду.

Неправильно было постоянно «пастись в офсайде», надеясь на то, что закулисные переговоры обеспечат ему голевой пас из глубины поля — и отдать центр «балалайкиным» — Мартынову, Акимову и особенно Троцкому: Троцкому, который выделялся своим стремительным (ему всего 23 года), эффективным и зрелищным дриблингом; которому удавалось срывать аплодисменты даже чаще, чем Плеханову, не говоря уж о невеликом златоусте Ленине (который хотел было разыграть Троцкого как карту — предложив сначала реформировать редакцию «Искры» не за счет сокращения штатов, а за счет увеличения, взять седьмым Троцкого; однако Плеханов разгадал комбинацию Ленина и уверенно отобрал у него инициативу; Троцкий же из обычного валета превратился в джокера, взбесившуюся пушку, орудие, которое могло как помочь Ленину, так и шандарахнуть по его тылам). Троцкий — объясняющий, что неплохо было бы подождать, пока пролетариат вырастет количественно, и тогда его диктатура будет выглядеть естественной, а не продуктом заговора партии, использовавшей в качестве своего орудия рабочий класс, — воплощал в себе как амбиции партии, так и здравый смысл; остроумный, договороспособный, предприимчивый (несмотря на шпильки мемуаристов о том, что они уже тогда раскусили его и прозвали Балаболкин), он выглядел куда более предпочтительной альтернативой «старикам» в качестве вождя, чем Ленин, — хотя все постоянно обсуждали именно ленинские тезисы, ленинские предложения, ленинскую книгу; но сама фигура Ленина вызывала гораздо бо́льшую аллергию, чем Троцкого; проблема РСДРП, которая останется на десятилетия.

Неправильно было идти на разрыв внутри «Искры» тогда же, на съезде: рано. Да, идея выставить из «Искры» Аксельрода, Засулич и Потресова имела под собой подоплеку: им можно было вменить, что даже и как «литературная группа» они не слишком хорошо справлялись с должностными обязанностями — статистика это доказывала. Но собственно в «Искре» они не особо мешали; другое дело, что по сути редакция должна была «проапгрейдиться» до ЦК партии, и каждый раз консультироваться с Засулич уже не по поводу статей, а по поводу тактических ходов, особенно в те моменты, когда нужно было переманеврировать и переиграть Плеханова, Ленину казалось глупым. Именно поэтому Ленин атаковал их.

Однако момент разрыва с Потресовым, Засулич и Аксельродом был выбран неверно, ситуация еще не созрела, и потерял Ленин от сброса этого «балласта» гораздо больше, чем выиграл.

И даже предположение П. Лепешинского о том, что «вся принципиальность Мартова по поводу пресловутого первого пункта проистекала из желания эмансипироваться от Ленина — высказать свой собственный зигзаг мысли», — не спасает Ленина: он прекрасно знал Мартова — и почему же не сумел удержать его на коротком поводке, не придушил его *до* съезда? Хороший политик не вышел бы на съезд, не договорившись с другом, — а плохому пришлось затем сражаться уже не с ним, а с целой партией, которая была сагитирована «раскрепощаться от ига ленинского централизма».

Ленин чудовищно, по-германновски, просчитался — он придумал «верную» комбинацию — но вместо этого обдернулся, и пиковая дама, которая подморгнула ему, перепугала его по-настоящему.

Он, безусловно, извлек из этого опыта множество уроков.

По-видимому, именно съезд внушил Ленину — западнику и вестернизатору по воспитанию и складу ума — неприязнь к буквальному копированию западных моделей управления применительно к отечественному материалу: стремление соблюдать все регламенты и строго придерживаться процедур сыграло с участниками дурную шутку. Как бы выглядела партия, если бы все члены ее свято блюли демократические принципы? Вот так: курьезной, а не жизнеспособной. На съезде могут приниматься важные и даже радикальные решения, но интрига там не нужна. Каждый делегат должен знать цель своего приезда и желательный финал. Демократическое обсуждение не ведет к принятию наиболее эффективного решения — зато ведет к поляризации участников. Эрго: авторитаризм работает в России лучше, чем переговоры.

Можно не сомневаться, что в голове Ленина отложились и другие услышанные им на съезде заявления (которые кто-то мог бы назвать роковыми или пророческими): например, его гуру Плеханова, который, защищая приоритет интересов партии над демократическими принципами, договорился до прямого утверждения о том, что плохой парламент можно и нужно разогнать; например, смех над теми, кто будет требовать в государстве диктатуры пролетариата отмены смертной казни: «что же, и для Николая Второго отменить?»; надо полагать, обе реплики будут звучать особенно пикантно 15 лет спустя, в 1918-м.

Важно понять, что II съезд оказался огромным поражением Ленина — тем более огромным, что Ленин долго находился в плену иллюзий относительно своего нового статуса. Формально он оказался в большинстве — но по сути в слабой позиции; у «униженных и одураченных» был неисчерпаемый ресурс людской поддержки, а Ленин оставил о себе впечатление «бешеного» и/или, еще хуже, жулика — потому что все «его» резолюции якобы были приняты только потому, что он вынуждал противников уходить — и, по сути, договаривался только с самим собой. И даже обещание Плеханова, что тот «не разведется» с ним до гроба, не выглядело слишком надежным. *Promises* — Ленин отлично знал эту английскую пословицу и сам при случае цитировал ее — *are like pie-crust: made to be broken*.*

---

* Обещания — что корка на пироге: на то их и пекут, чтобы потом нарушить (*англ.*).

Женева
1903–1905

Некто лысый, с характерной бородкой, изображен полулежащим, на манер больного или патриция; босоногий, он, однако, облачен скорее в костюм, чем в тогу; над ним простирает защитную длань дебелая женщина с гербовым щитом; подпись гласит: «Genève cité de refuge» — «Женева город изгнанников». Так выглядит барельеф, украшающий часовую башню Молар, что торчит, ни к селу ни к городу, всего в паре сотен метров от места, где Рона вытекает из Женевского озера: средневекового вида, с аркой и черепичной крышей, украшенная гербами главных персонажей Реформации, она не столько украшает город, сколько удостоверяет его «старинный» статус. По неизвестным причинам именно в эту башню в 1920-м врезали некрасивый барельеф с жанровой сценкой. Визуального контакта между «Лениным» — считается, что это именно он — и его «защитницей» не ощущается; «он» заговорщически прикрывает от «нее» свой пах; похоже, «она» — то ли святая Женевьева, то ли аллегорическая фигура Республики, то ли просто некое женское воплощение Женевы — не в «его» вкусе. Луначарский, имевший в Швейцарии значительную практику исследования межкультурных коммуникаций, заметил однажды про здешних девушек, что даже внешняя привлекательность не в состоянии превратить их в интересных собеседниц: слишком дородные и спокойные, выкормленные шоколадом и выпоенные молоком, они того и гляди возьмут да и замычат.

Какую именно эмоцию пытается транслировать антропоморфная корова в этой сцене? Мы тебя пригрели, а ты чего творишь? Упрек оправдан лишь до некоторой степени: да, Ленин много лет пользовался тем, что здесь можно было жить со своим паспортом, в открытую печатать в типографии «заговорщические» брошюры, держать на журнальном столике самую махровую нелегальщину и дешево кататься хоть в Париж, хоть на Капри, — однако платил за все это из своего кармана, по рыночным ценам — и не больно-то и нуждался в милостыне от женевских жителей; и если уж на то пошло, где были эти жители с их высококалорийными продуктами в первые две недели после возвращения «изгнанника» из Лондона, когда он лежал в лежку, страдая от непонятной кожной болезни и не имея никакой защиты от идеологических противников, которые чуть не сгрызли его здесь заживо?

Бунтарям анархического, небиблиотечного склада Женева казалась трясиной, утягивающей в себя лучшие силы революции; даже огромное, за неделю пешком не обойдешь, Лак Леман, Женевское озеро, и то представлялось им не столько славным морем, сколько анти-Волгой, болотом, аллегорией узкой, мещанской, не знающей подлинных просторов швейцарской души; такой увидел Женеву в 1905-м матрос Матюшенко с «Потемкина». И тогда, и сейчас гораздо больше, чем на «город изгнанников», Женева похожа на мировую столицу доехавшей до станции «Фукуяма» — конечная, поезд Истории дальше не идет — буржуазии: сплошные буланжери-патисри и дома всех архитектурных стилей, предполагающих использование дорогих стройматериалов. Войны, по-видимому, в самом деле способствуют украшению городов: слишком долго наслаждавшееся преимуществами нейтралитета публичное пространство «зарастает» архитектурными сорняками — от которых лучше было бы избавиться, но неприкосновенность прав собственности не позволяет. Очевидно, что права хозяев защищать отсюда гораздо логичнее, чем бороться за права наемных рабочих.

Если Мюнхен напоминал по количеству персонажей пьесу Ионеско, Лондон — роман Кортасара, то Женева — скорее толстовскую эпопею; о масштабе и не столько экономическом, сколько политическом характере эмиграции можно судить по тому, что на выступления Плеханова в Хандверк-хаус набивалось по полторы тысячи человек — чуть ли не на люстрах висели; а во время одной демонстрации в знак солидарности с петербургскими товарищами русские студенты в Женеве перебили окна в царском консульстве, сорвали с ворот императорский герб и утопили его — и толпа оказалась слишком велика, чтобы наказать хотя бы зачинщиков.

Вся Женева и весь мир знали: бойкий птенец из гнезда могучего горного орла Плеханова, к месту прочирикавший: «Дайте нам организацию профессиональных революционеров, и мы перевернем Россию», оказался каннибалом, поучаствовавшим в создании партии только для того, чтобы тотчас проглотить ее; скромный младший партнер «Освобождения труда», допущенный к взрослой работе «настоящими», «взрослыми» революционерами, покусился на товарищей и даже Плеханова заставил плясать под свою дудку. Поговаривали, что наглое, интриганское поведение Ленина связано с тем, что в его руках оказались, благодаря Крупской, связи с Россией — и наверняка в переписке он нарочно настраивал своих наивных корреспондентов против Засулич и Аксельрода — в надежде завладеть их «социальным капиталом».

Эта репутация антропофага, «бонапарта» и интригана перекрывала как удовольствие от победы, одержанной на съезде (все три ключевых органа — Совет партии, ЦК и ЦО — «Искра» — оказались его, ленинскими), так и наслаждение от благополучного альянса с Плехановым — который, да, встал на съезде на его сторону, но в любой момент мог дистанцироваться, и уж конечно сообразил, что Ленин превратил искровскую «семерку» в «тройку», чтобы легче было контролировать «туза» — его, Плеханова, ранее имевшего в редакции два голоса из семи. Амбиции Плеханова уж точно не ограничивались возможностью числиться консультантом Ленина по части теории марксистской философии — и в любой момент он мог показать своему юному другу, что его опереточные комбинации не позволят вырвать дирижерскую палочку из тех рук, в которых она должна находиться по умолчанию.

Размежевавшись с бо́льшим количеством людей, чем объединившись, и столкнувшись с тем, что тональность обращенных к нему вопросов смещается от «какая муха вас там укусила?» в сторону «на кого руку поднял?» — Ленин, похоже, пришел к выводу, что переборщил — никаких неустранимых разногласий не было, обо всем можно было договориться, — и готов был «отыграть назад», ну или, по крайней мере, предложить работу в своей администрации всем сотрудникам «Искры», подвергшимся «отрицательной кооптации» (то есть выгнанным). Ленинское письмо, адресованное Потресову, наполнено трезвым самоанализом: «...перебирая все события и впечатления съезда, я сознаю, что часто поступал и действовал в страшном раздражении, "бешено", я охотно готов признать пред кем угодно эту свою вину, — если следует назвать виной то, что естественно вызвано было атмосферой, реакцией, репликой, борьбой etc. Но, смотря без всякого бешенства теперь на достигнутые результаты, на осуществленное посредством бешеной борьбы, я решительно не могу видеть в результатах ничего, ровно ничего вредного для партии и абсолютно ничего обидного или оскорбительного для меньшинства».

Но, по-видимому (Засулич впоследствии рассказывала об этом), Ленин вызывал у своих оппонентов физиологическое отвращение — и они просто не хотели с ним работать. Мартов и Дан, не говоря уж о Потресове, Аксельроде и Засулич, чувствовали себя униженными и одураченными — и жаждали крови своего обидчика. Мартов, отказавшийся писать в «Искру» (как и, естественно, Потресов, Аксельрод, Засулич, а с ними и Дан и пр.; Плеханов назвал этот феномен *greve generale des generaux*: «всеобщая стачка генералов»), воспользовался высвободившимся временем и выпустил брошюру «Осадное положение» — где популярно изложил свою версию происшедшего на съезде: склочник

Ленин хочет превратить партию в секту и навязать товарищам в качестве главного партийного закона поиск внутреннего врага.

Натянув свою лучшую улыбку, Ленин рассылает письма в комитеты и важным персонам в России — внятно, стараясь избегать оправдывающейся интонации, объясняя, что на самом деле произошло на съезде, почему не следует паниковать и какой линии лучше придерживаться. Письма, однако, действовали плохо: сама Женева превратилась в растревоженный улей, куда слетались насекомые и из других эмигрантских колоний — часто сами не зная, в кого именно лучше вонзить свое жало.

Всякий прибывший в Женеву марксист моментально оказывался объектом политической охоты: словно Хлестаков, он удостаивался визитов разного рода мелких сошек, прощупывавших настроение; затем появлялся некий фракционный сановник — с предложением определиться; услышав малейшие намеки на большевистскую ересь, меньшевики театрально падали со стульев — ха-ха-ха, вы что же, в самом деле хотите записаться в «ленинские бараны»?

Наглядной метафорой того, что происходило в партийной жизни, была сама Женева, город, расположенный вокруг стрелки треугольника, образованного вытекающей из Женевского озера голубой Роной — чистого, беспримесного, большевистского марксизма — и стекающего с Альп Арва — серо-коричневого, как инспирированные желанием угодить буржуазии мысли, намерения и поступки Мартова и Дана. Ленин наверняка не раз и не два стоял на мосту, наблюдая за этой завораживающей диффузией и разглядывая свое собственное отражение: неужели это он виноват в партийной экологической катастрофе?

Разумеется, Ленин виновен во многих приписываемых ему грехах, и он в самом деле был профессиональным раскалывателем; однако тогдашняя, осени 1903 года, склонность Ленина к расколам — преувеличена. Его призывы к решительному размежеванию пока еще — в большей степени способ научить анархиствующие элементы партийной дисциплине, чем попытка по-настоящему вычистить их из партии. Самому Ленину в тот момент не было большой выгоды раскалываться по-настоящему; но после II съезда он столкнулся с тем, что ему навязывают эту тактику как манию, одержимость, психическую особенность его личности. На фоне «бонапартизма» и «нетерпимости» особенно привлекательной должна была выглядеть пресловутая порядочность Мартова, о которой так часто упоминают — и которая, похоже, была сильно преувеличена: дебоши, которыми тот руководил, напоминают выступления «фирм» футбольных фанатов на выезде — с единственной целью сорвать собрания конкурирующей фракции, устроить драку, по возможности воспользовавшись численным преимуществом. Похоже, сама «околофутбольная» стратегия меньшевиков — принимавшихся кидаться стульями еще до того, как их оппоненты успевали произнести хоть слово — вынуждала Ленина к бескомпромиссности: никаких соглашений. И здорово же гадят меньшевики? Да, действительно гадили они будь здоров.

Особенностью местной политической культуры была традиция проводить переговоры за кружкой пива в кафе «Ландольт» на улице Кандоль — прямо напротив входа в университет, в соседнем подъезде дома, где жил Плеханов. Адрес патриарха не был тайной — в заведение приходили специально, чтобы увидеть знаменитого теоретика марксизма за вечерней, якобы предписанной ему врачом кружкой пива. Именно с «Ландольтом» связано единственное, кажется, достоверное свидетельство о Ленине, злоупотребившем алкоголем: в январе 1905-го, после того как товарищи уговорили своего вождя провести совместный, приветствующий революцию митинг с меньшевиками — пообещав выступать «поровну» и обойтись без полемики, они в очередной раз обманули своих партнеров, — Ленин повел демонстративно хлопнувших дверью большевиков куда следовало; «у Ландольта он потребовал себе одну кружку пива, затем, залпом осушив первую, взял себе другую, потом третью... Он сделался шумлив, болтлив и весел... Но так весел, — закатывает глаза П. Н. Лепешинский, — как я не пожелал бы ему быть никогда. В первый (и единственный) раз в жизни я видел этого человека со стальною волею — прибегающим для успокоения своих расходившихся нервов к такому искусственному и ненадежному средству, как алкоголь...». Стал ли Ленин жертвой своих эмоций — или всего лишь соблюдал правила игры? Луначарский рассказывал, что его однажды выгнала оттуда хозяйка за «чрезвычайное пристрастие к умствованиям»: «Сюда приходят, чтобы пить пиво, а не для философских разговоров; если вы философию любите больше, чем пиво, то прошу выбрать какой-нибудь другой локал». Нынешний «Ландольт» — который, говорят, продержался в первозданном виде аж до середины 1970-х — называется *Takumi* и не похож на заведение, в котором можно обсуждать что-либо, кроме динамики нефтяных котировок на медвежьем рынке. Предположительно «японское» заведение (прочная связь между РСДРП и суши могла завязаться еще в 1905-м — ведь именно здесь, в «Ландольте», Ленин, среди прочего, встречался с Гапоном — на предмет того, использовать ли предоставляемые японскими спецслужбами деньги на революцию) принадлежит этническому косовцу, который знает об истории своего заведения лучше, чем его русские клиенты, — и якобы держит в подвале некий исторический стол с вырезанной ножом подписью Ленина.

Трудно представить Ленина вандалом, от скуки упражняющимся в каллиграфии. Если уж на то пошло, в «Ландольте» он скорее мог процарапать столешницу ногтями от бешенства: ведь именно здесь разворачивался наиболее драматичный эпизод в его жизни за весь женевский период — «Малый съезд»: съезд Заграничной лиги русской революционной социал-демократии, повторивший в заостренной и окарикатуренной форме события Большого, брюссельско-лондонского; кульминация его злоключений, связанных с попытками найти наилучшую конфигурацию для только что созданной партии.

Формально смысл этого съезда состоял в том, чтобы обсудить доклад делегата Лиги — Ленина — на II съезде партии и принять устав Лиги. В переводе на обычный язык приглашение выступить там, где заведомо доминировали жаждущие реванша противники Ленина, было черной меткой, которую он не мог проигнорировать; ведь именно эта организация делегировала его на II съезд РСДРП; и эта организация — в смысле прав являвшаяся аналогом местного комитета, с такими же полномочиями, как, скажем, у Московского или Петербургского, но для всей эмиграции, — формально вполне могла потребовать отчета о действиях своего представителя — и, например, осудить его поведение. В общем, это была организация, созданная под другие цели и удачно подвернувшаяся меньшинству съезда как инструмент реванша за Лондон.

Возможно, если бы не этот «второй раунд» (который «даст все для драки и ничего для дела, то есть для работы за границей», — предрекал Ленин) — раскол удалось бы отложить: Ленин, преодолевший свое бешенство, постепенно позволил бы вернуться в «Искру» «бездельникам» и партнеры продолжили бы работу — до следующего конфликта.

Бонапарт прибыл на заседание съезда словно бы только что из Тулона — весь в синяках и ссадинах, с окровавленной повязкой на голове и негнущейся рукой: по дороге в «Ландольт» он умудрился угодить шиной своего велосипеда в трамвайный рельс и при падении наскочить на фонарный столб; во всяком случае, именно неосторожная езда осталась в истории как официальное объяснение «обезображенного вида» Ленина на собраниях Лиги; впрочем, не было бы ничего удивительного и в том, если бы Ленин обзавелся комплектом ранений после уличного столкновения с одним из своих идеологических оппонентов. Но даже не внешний вид Ленина стал самым экстравагантным элементом этого мероприятия. Ничего подобного раньше на собраниях РСДРП не происходило. Да, в Брюсселе чесались от укусов блох, в Лондоне целые делегации хлопали дверьми — но всё же не колотили пюпитрами, не вызывали друг друга на дуэль, не расходились «окончательно» по разным залам. У Потресова случился нервный припадок; Мартов на протяжении всего выступления

Ленина обзывал оратора бюрократом, помпадурским централистом и, угадали, «бонапартом», а когда и эти реплики казались ему недостаточно энергичными, просто орал: «Ложь! Ложь! Ложь!» и молотил по столам кулаками; это Мартов; а ведь среди «меньшинства» были гораздо менее интеллигентные особи.

Именно в Женеве, после съезда, Ленину, чьи природные макиавеллические навыки явно превосходили его таланты по части публичной борьбы без правил, приходится осваивать техники устной дискуссии — причем уже не только среди «своих», в кружках, — но и с «чужими», при большом скоплении народа. Он гораздо комфортнее чувствует себя, когда речь идет о закулисных интригах, и кооптация в качестве метода формирования того или иного полномочного органа всегда устраивала его больше, чем открытые демократические выборы, — но статус вождя, тем более одиозного, предполагает участие в публичных мероприятиях. Бродил ли он, как Демосфен, по берегу Женевского озера, набрав камешков в рот и пытаясь перекричать — летом там идиллия, а осенью бывает довольно бурно — шум волн? Или утешался тем, что ему достаточно ощущать себя властелином «малой Женевы» — фарисейского кружка, члены которого только и имели право качать заграничную колыбель русской революции — не случайно в «Шаге вперед» возникнет фраза про то, что плехановское «Чего не делать» «могли понять только какие-нибудь десять человек в двух женевских предместьях, названия которых начинаются с двух одинаковых первых букв» — то есть Каруж и Клюз, где компактно селились большевики и меньшевики.

Более опытный по части демократических ритуалов Плеханов совещался с Лениным относительно возможности ввести в состав Лиги, посредством контролируемого ЦК, новых членов — и обеспечить себе большинство таким хитроумным бюрократическим способом. Особые надежды возлагались на провокационные требования распустить съезд Лиги на основании неподчинения партийной иерархии; в силу этого то и дело какой-нибудь участник съезда вскакивал на табуретку — и объявлял собрание незаконным: приходилось сталкивать его и загонять под ковер, иногда чуть ли не буквально, силой, — хотя формально Совет партии действительно имел право распустить съезд.

Скандальные перепалки оркестровались остротами Плеханова — который с вольтеровским изяществом сводил к абсурду слишком грозные требования оппозиции («Таким образом вы становитесь на точку зрения чисто механического единства, и, пожалуй, можно видеть нарушение единства и в том, что у членов партии носы разные»), а после того, как умирающий от ненависти Л. Дейч зачитал по бумажке длинный — и убийственный — список обвинений против него, отбил тщательно подготовленную атаку единственной — однако показавшейся залу гомерически смешной — репликой: « Я не сомневаюсь, что товарищ Дейч умеет читать, хотя он никогда не злоупотреблял этим умением. Но что он умеет читать в сердцах, я этого не знал».

В одной из острот Плеханова, направленной против Мартова, упоминался английский парламент: «Говорят, что он может сделать всё, но не может превратить мужчину в женщину. Наш съезд может сделать всё в своей сфере, но не может отменить законы логики. Вы сложили свои полномочия, и нет такой силы, которая бы восстановила вашу делегатскую невинность...» В области соблюдения регламентных процедур РСДРП вполне могла бы соперничать с этим самым — эталонным для русских марксистов — английским парламентом. Однако диалектическое противоречие между одновременно высоким уровнем политической культуры партии в целом и никудышной, в связи с особенностями темперамента отдельных ее представителей, дисциплиной привело к тому, что на съезде разразился худший из возможных скандалов: того рода, когда оппоненты начинают спорить не о сути вопроса, а о процедурных нюансах: как проводить голосование о составе президиума, у кого какие полномочия и т. п.; сама бессмысленность этой дискуссии быстро лишает участников человеческого облика. Пристрастие к тщательному соблюдению «демократических принципов» сыграло с РСДРП дурную шутку. Очень похоже, что вполне разумная идея — выстроить партию по той же схеме и модели, что и «Искру»: агенты подчиняются редакции, инакомыслие неприемлемо, стратегия вырабатывается не коллективно, а в центре — не получила полной поддержки исключительно «назло» Ленину: члены партии хотели, чтобы всё было «по справедливости» — то есть чтобы он, Ленин, понял, что партия — не для него, а и для других людей тоже, и не имел никаких дополнительных полномочий; да, все разделяют императив «преклоняться перед партией — необходимо», но преклоняться перед партией и выполнять приказы Ленина — не одно и то же.

Этот роковой спор в «Ландольте» предопределил отношения большевиков и меньшевиков на следующие полтора десятилетия: бо́льшую часть этого времени большевики и меньшевики, имея мало возможностей направлять борьбу рабочих с капиталистами, посвятили погоне за мухой с обухом — то есть пререканиям друг с другом из-за талмудических разночтений отдельных параграфов партийного устава. Это позволило им подойти к 1917 году в боевой форме и обрушить свой инструмент на более крупные особи. Ирония в том, что многих участников того сборища в «Ландольте» мы увидим ровно 14 лет спустя в Смольном на II съезде Советов — где они по-прежнему не смогут договориться друг с другом. По сути, инерция той женевской склоки будет действовать аж до конца 1930-х.

РСДРП создавалась как партия, безусловно ориентированная на «европейские» — и парламентские в том числе — ценности. Именно поэтому и для меньшевиков, и для большевиков идея

Учредительного собрания, укомплектованного честно выбранными — в отличие от царской Думы — народными депутатами, представлялась чем-то вроде осуществления политической утопии; разумеется, в первую очередь свободной стране, где нет места эксплуатации и угнетению человека человеком, требуется парламент. Однако ж весь опыт Ленина, полученный как раз за полтора десятилетия махинаций с демократическими процедурами, жертвой которых нередко становился он сам, говорил ему о том, что на деле парламент — никакая не утопия, а инструмент, позволяющий харизматикам и демагогам навязывать свою волю склонным к внушению людям так, чтобы посторонним казалось это «честным». Ленин прекрасно знал цену всей это парламентской демократии — и поэтому известие об окончательном разгоне «Учредилки» вызовет у него, по воспоминаниям, никакие не слезы, а припадок смеха.

Запомнившийся публике доклад Мартова был направлен не против безличных «центристов», но против Ленина лично: все прегрешения «бонапарта» были оглашены. Мартов также попытался провести болевой прием против Плеханова, связав противоречивость его политического поведения с противоречивостью моральной. Шутливые ответы Плеханова: «Если в понедельник я был с ним солидарен, а в четверг убедился и стал переходить на сторону других, то это еще нельзя назвать противоречивым поведением» — не показались Мартову удовлетворительными; он сначала принялся просто истерично ругать Плеханова, а когда тот заметил, что, если дело будет продолжаться подобным образом, ему придется предложить подраться на дуэли, — отступил, но в конце все же выпустил парфянскую стрелу, сообщив, что Ленин, описывая ему преимущества управления редакцией «Искры» втроем, особенно акцентировал то, что вдвоем с Мартовым они всегда смогут перебаллотировать Плеханова по любому вопросу.

На пятом заседании представитель ЦК и давний, еще с шушенских времен ленинец Ленгник объявил — на этот раз окончательно, что съезд Лиги незаконен; после этого он вышел из зала, а за ним потянулись не только большевики, но даже Плеханов. В этот момент «Ландольт» превратился в преисподнюю — меньшевики визжали, как гиены, топали ногами, колотили мебелью о мебель. Руководил истерикой Мартов — «никому не позволим», «не подчинимся» и т. п. Лига таки не подчинилась: были устроены перевыборы администрации — куда, естественно, вошли только меньшевики.

И все же хуже всего для Ленина была не обструкция и не то, что они с Мартовым, некогда первым приятелем, переходили теперь на противоположные тротуары, едва завидев один другого, — он был готов к этому; хуже было последовавшее после съезда «предательство» противоречивого Плеханова. Разумеется, Плеханов и без Мартова прекрасно понимал, что означали маневры Ленина, однако даже и так публично распрысканный яд привел в действие его иммунную систему. Плеханов счел тактически невыгодным затяжной конфликт со своим близким окружением — и, вооружившись мудростями вроде «лучше пуля в лоб, чем раскол», «стрелять по своим не стану», — выбросил лозунг о восстановлении редакции в оригинальном составе. Это означало редакцию, где никто не только не угостит Ленина кофе — но даже и не пожмет протянутую им руку. Ленина Плеханов проигнорировал: невелика птица, переживет.

Ответить Ленину было нечем; разве что для знакомых была сочинена шутка о том, что в переписке с Плехановым он теперь в конце ставит: «Преданный Вами Ленин».

На протяжении второй половины 1903-го — 1904 года РСДРП представляла собой сплошную зону вулканической активности; тонкая, только-только образовавшаяся кора не могла выдерживать напора кипящей магмы — которая всеми возможными способами, крайне неэстетично изрыгалась на поверхность, сея ужас и смерть среди тех, кто не умел быстро сориентироваться среди огненных рек; это был настоящий кризис — который, разрушив отношения между одними людьми, должен был закалить нервы других. И действительно, вокруг Ленина постепенно формируются сугубо его — уже не связанные с Плехановым или Мартовым — среда, атмосфера, спутники.

В теории спокойное, «озерное», без «девятых валов» место, Женева стала для Ленина планетой бурь, городом вечного кризиса.

Возможно, если бы не кризис 1903—1904 годов — когда баланс сил распределился не в его пользу, Ленин так и остался бы еще на несколько лет «младшим партнером Плеханова» и вряд ли очутился бы к январю 1905-го в тесном альянсе с Богдановым — альянсе, который оказался таким удачным и просуществовал на протяжении следующих трех лет. Ленину, однако, пришлось принимать совершенно самостоятельные решения — и нарушать правила политической борьбы со «своими». Уже в 1905-м Ленин научился не только страдать от своей маргинализации внутри партии, но и извлекать из нее преимущества: изгоям не надо лишний раз думать о приличиях.

В январе 1904-го на крыльце ленинского дома возникает человек, которому суждено будет сыграть значительную роль. Не то чтобы этот визит каким-то образом изменил жизнь Ленина, нет;

спортсмен-тяжелоатлет, обладатель 42-сантиметровых бицепсов, хороший уличный боец, философ и экономист, Николай Валентинов не стал бог весть какой крупной фигурой в революционном движении, однако перещеголял всех людей, когда-либо знавших Ленина, по другой части. Именно Валентинов — а ведь конкуренцию ему составляют Горький, Троцкий, Крупская, Луначарский, Бухарин, Лепешинский и десятки других выдающихся литераторов — оказался ленинским Босуэллом и Эккерманом — «идеальным биографом», которому удалось ухватить то, что упустили все прочие свидетели, создать наиболее живой образ своего собеседника — и высказать о нем множество проницательных суждений; и все это несмотря на то, что близко они общались друг с другом всего несколько месяцев — как раз здесь, в Женеве. «Валентиновская весна» продлилась с февраля по май 1904-го; затем Ленин охладеет к гостю и даже проникнется презрением и ненавистью, а вот Валентинов так и не сможет выкинуть эти воспоминания из головы, «заболеет» Лениным, напишет ему в 1923-м любезное письмо, будет думать о нем до самой старости — и приложит весь свой литературный, достаточно значительный талант, чтобы попытаться разгадать секрет личности Ленина; степень его надежности в качестве рассказчика остается под вопросом — но он не впадает ни в благоговение, ни в высокомерное презрение, и поэтому его суждения кажутся психологически убедительными.

Отчасти «Встречи с Лениным» напоминают «Театральный роман»: это история столкновения симпатичного читателю молодого человека со странным, абсурдно выглядящим, однако завораживающим его — и вызывающим желание поучаствовать в его деятельности — явлением.

Чтобы встретиться с Лениным, изнуренному тюремной голодовкой и тяготами нелегальной зимней переправы через границу Валентинову пришлось тащиться на окраину города, в район Сешерон. Сейчас это район штаб-квартир международных корпораций, застроенный хрустальными дворцами с застекленными атриумами, все из серии «архитектура будущего»: *Bio-Science, Future Technologies, UNICEF, Geneva Businness School, World Meteorogical Organisation.* Здесь работают небедные люди, ворочающие жизнями миллионов людей по всему свету; вряд ли, однако, они представляют себе, что еще сто лет назад здесь был частный сектор и в одном из закоулков, где-то там, где сейчас находится консульство Кении, на *Chemin du Foyer, 10,* — куда вела приватная, не общего пользования, дорога, — находился коттедж, который тоже был штаб-квартирой — возможно, самой маленькой организации в мире из тех, которым удалось осуществить наибольшие по масштабу изменения. Коттедж — пара комнат побольше внизу, три поменьше наверху — снимал Ленин, проживавший тут с женой и тещей. Возможно, выбор района был связан с желанием сохранить независимость — в здешнем воздухе концентрация плехановского духа ощущалась в меньшей степени, чем вокруг «Ландольта»; возможно — с тем, что Сешерон был зажат в укромном уголке между двумя парками. Парки уцелели — и именно там, надо полагать, — среди великолепных купольных храмов-оранжерей Ботанического сада или по полянкам с бурундуками в Мон-Репо — продолжают бродить призраки Ленина и Валентинова. Из Мон-Репо, кстати, прекрасно просматривается противоположный берег Женевского озера — как раз те предместья Везена и Колгрив, где летом 1900-го Плеханов практически довел Ленина с Потресовым до слез — слез, из-за которых «чуть не потухла "Искра"». Русское присутствие по-прежнему ощущается в этих местах — даже больше, чем где-либо еще в Женеве: по Мон-Репо прогуливаются люди, выглядящие как русские шпионы из голливудских фильмов — в темных очках и странно сидящих костюмах; «Скажем так, — осторожно говорит один из них другому, — меня сюда отправили, и я сюда поехал». Лебеди в озере, услышав это, с пониманием смотрят друг на друга и встряхиваются.

Главная причина появления Валентинова «в Женеве у Ленина» была примерно та же; по-видимому, в условиях резкого оттока надежных кадров после съезда Ленин попросил Кржижановского усилить свою группировку кем-то покрепче да понадежнее; Валентинов — из Киева — воспринимал Ленина как автора культовой «Что делать?» и считал себя большевиком, то есть полагал атаку Ленина на искровских «бездельников» оправданной: годен (решение, свидетельствующее о подлинном размере партии, по-прежнему состоявшей из единичных экземпляров: это действительно была не открытая церковь, а организация уникальных, вручную собранных профессионалов, с которыми «генералы» работали в индивидуальном порядке). Атлетичный, рассудительный и до поры до времени лояльный Валентинов понравился Ленину, и тот «приблизил» его, позволив участвовать в своих ежедневных пеших прогулках — не исключено, попутно тестируя его на предмет возможности вырастить из него «младшего партнера» — вроде такого, какими позже стали Зиновьев и Каменев.

Его поселили в партийном пансионе на Пленпале, обеспечивали некоторыми — не помереть с голоду — суточными. Предполагалось, что он будет болтаться на орбите — пусть без особой цели, зато «под рукой»; и время от времени выполнять разные партийные поручения: например, отослать в «новую "Искру"» написанное Лениным письмо с каверзными вопросами — от своего, конечно, имени.

Узнав, что у Валентинова есть опыт пропаганды марксизма религиозным меньшинствам, Ленин отослал его к Бонч-Бруевичу, который издавал партийную газету для сектантов «Рассвет», — и сразу заказал новому автору цикл статей. Однако в текстах Валентинова обнаружилась «философия», которая не прошла цензуру Плеханова, и на этом сотрудничество закончилось.

То ли безделье действовало на него разлагающе, то ли Валентинов в принципе не склонен был к слепому подчинению, но факт тот, что он испытывал по отношению к Ленину не только благоговение, но и, весьма часто, скептическое недоумение (которое позже выльется едва ли не в отвращение). Ленину всего тридцать четыре, но мы видим, что он абсолютный гуру, «партийный генерал», не стесняющийся поучать своего товарища менторским тоном и позволяющий себе безапелляционные оценочные суждения — это вы хорошо делаете, а это плохо, этого делать не должны; да еще раздражающийся всякой попытке подвергнуть что-либо из сказанного им сомнению. Отказ вести себя с Лениным почтительно означал автоматическое отлучение — в тот момент только от фракции, а впоследствии, по мере роста значимости самого Ленина, — от революции вообще.

Здесь есть несколько эпизодов, где Ленин «снят» с интересных ракурсов. Однажды он помогает Валентинову, который подрабатывает грузоперевозками, впрягаясь в телегу на манер лошади, довезти вещи; вместе они прыгают, пытаясь достать задравшиеся вверх оглобли; Ленин выведывает у Валентинова секреты его мускулатуры — и, под наблюдением острой на язык тещи, пытается воспроизвести рекомендованные гимнастические упражнения; вступает с Валентиновым в спор из-за «Что делать?» Чернышевского и объясняет свою любовь к Тургеневу; рассказывает о своем детстве и «усадебном» сознании; вместе с Крупской они отправляются в поход в горы — очевидно, на Салев, где Валентинов оценивает спортивную форму Ленина и повадки Ленина-едока. Любопытно, что именно Валентинов — который через несколько лет, издав «махистскую» книгу: *casus belli*, станет объектом яростных атак Ленина в «Материализме и эмпириокритицизме» — попытался обратить Ленина в свою веру — и впервые заставил прочитать «проклятых махистов», которых раньше Ленин презирал лишь понаслышке, через Плеханова, — чем вызвал колоссальный взрыв ненависти; именно для Валентинова были написаны 11 блокнотных листков, по сути, с конспектом будущего «Материализма» — «Ideologische Schrullen» (Валентинов их потерял потом).

Вождь большевиков предстает в этой книге человеком странным — смешливым, истеричным, поэтичным, сентиментальным, расчетливым, надежным, бессовестным, самонадеянным, заботливым, деспотичным, способным к самоиронии, самовлюбленным, остроумным и харизматичным; его бытовые повадки не вызывают ни малейшей симпатии — но даже и так, он невероятно аттрактивен; он необычен, экзотичен во всем — даже в своей пошлости, даже когда наблюдателя коробит от его фомопискинского поведения; и Валентинов хорошо дает почувствовать дистанцию, которая отделяет его клиента от талантливых, умных, скептичных — но обычных людей. Ленин словно существо какой-то высшей расы, оказывающее на окружающих интеллектуальный прессинг — даже когда несет откровенную чушь. Он не гнушается полемических приемов, которые могут показаться бессовестными, — так, он натравливает Валентинова на Плеханова, использовав полученную от него сугубо личную информацию, — просто потому, что текущие обстоятельства допускают такую грязную борьбу. Мы видим, как именно, в деталях, работает механизм «размежевания» с близкими, «своими» людьми: Ленину свойственна неприятная манера переносить в личную жизнь политические и даже философские симпатии и идиосинкразии — и, будучи психопатически не в состоянии общаться по-товарищески с теми, кто не разделял его взглядов на политику и философию, — Ленин из интересного собеседника и хорошего товарища в считаные дни превращается в вызывающего желание ударить его типа.

Ленин не всегда так умен, каким себе кажется: есть вещи, которые он плохо понимает — или не дает труда себе понять, предполагая их никчемными на основе уже имеющихся знаний; возможно, эти «прорехи» в компетентности, упрямом нежелании понимать ошибки в анализе действительности как раз и приведут Ленина в дальнейшем к крупным провалам — вроде разрыва с Богдановым или отсрочки замены военного коммунизма нэпом в 1920-м. Ценность книги Валентинова как раз в том, что он так и остался озадаченным Лениным — который сначала увеличил дистанцию из-за возникшей обоюдной неприязни к Крупской, а затем и вовсе отказал ему от дома — из-за размолвки по вопросам философии — и руку подавать перестал: «С филистимлянами за один стол не сажусь». Мы гораздо лучше знаем Ленина после этой книги — но мы не понимаем его.

Так или иначе, это была интересная, полная драматических эпизодов история отношений — хотя подлинная близость Валентинова к Ленину остается под вопросом; он, кажется, даже не принимал участия в сешеронских «журфиксах», которые устраивали у себя дома Ленин с Крупской — «для сближения большевиков»; не всех, по-видимому, а лишь «придворных». То был не столько клуб для политических дискуссий, сколько дом культуры, фестиваль домашней самодеятельности, способ разогнать эмигрантскую тоску от безденежья и бесперспективности. Будущие начальники военной разведки и прокуроры Верховного суда демонстрировали свои таланты в области музыки и пения, соло и хорового; Гусев пел, Красиков играл на скрипке. «Не унывай, Егор, валяй "Ваньку", — наша возьмет», — утешали они друг друга после очередного поражения от плехановской компании. «Ильич веселел: эта залихватскость, эта бодрость рассеивали его тяжелые настроения».

Валентинов застал Ленина в тот момент, когда тот уже потерял работу в «Искре»: необходимость находиться на одних редколлегиях сразу с четырьмя ненавидящими его людьми и одним — относящимся с насмешкой — оказалась для Ленина неприемлемой.

«Искра» больше не была светочем, озарявшим путь партии к съезду, и превратилась в инструмент антибольшевистской пропаганды, однако за счет набранной инерции по-прежнему оставалась «культовым проектом», вокруг которого уже сформировалось едва ли не целое «поколение». Разумеется, дефенестрация Ленина из комнаты, где проходили редколлегии, не была секретом; но «искровцами» считали себя не только члены редакции и «агенты» — но и состоявшая в группах содействия «Искре» студенческая молодежь, разделявшая романтические взгляды на образ «профессионального революционера». На публичных диспутах — в «Ландольте» и «Хандверке» — обсуждалась даже бытовая этика участников этой субкультуры, «студентки-искровки задавали референту вопрос: "Можно ли искровке выйти замуж за морского офицера?"». Откуда могли взяться морские офицеры в Швейцарии, не уточнялось; впрочем, к тому времени уже шла Японская война, и Россия, терпящая на Дальнем Востоке одну катастрофу за другой, воспринималась с энтузиазмом — страна «пробуждалась», вот-вот должна была пойти новая революционная «волна» — и правда ли, что по сравнению с грядущим падением самодержавия кому-то могли показаться существенными внутриредакционные войны? «Новая "Искра"» и не думала тухнуть.

О своем выходе из редакции Ленин заявил вроде как «в сердцах», но на деле то была просчитанная рокировка под шахом: он покинул пост редактора, чтобы «перескочить» в ЦК; ход этот не привел ни к чему особенно хорошему, так что когда в 1917-м Ленин писал: «Может быть, в детской "добровольная уступка" указывает легкость возврата: если Катя добровольно уступила Маше мячик, то возможно, что "вернуть" его "вполне легко". Но... в политике добровольная уступка "влияния" доказывает такое бессилие уступающего, такую дряблость, такую бесхарактерность, такую тряпичность... кто добровольно уступит влияние, тот достоин, чтобы у него отняли не только влияние, но и право на существование», — то на личном опыте знал, о чем говорил.

Во-первых, Ленин попытался обставить свой выход с максимальной помпой — и написал в теперь уже «чужую» «Искру» открытое — но не вызвавшее коллективных рукоплесканий — письмо «Почему я вышел из редакции Искры». В этой избе было достаточно сора — и следующим на пороге появился сам Плеханов — с достаточно большим помойным ведром, чтобы Ленин осознал, с кем связался. «Несколько дней спустя, — иронически прищурившись, припоминал Плеханов свою последнюю встречу с бывшим партнером, — он зашел ко мне и сказал, что свой выход из редакции он рассматривает вовсе не как уступку меньшинству. "Чемберлен, — прибавил он, — вышел из министерства именно затем, чтобы более упрочить свою позицию, так и я". Я тогда же принял к сведению эти слова, и с тех пор, когда мне говорят о миролюбии т. Ленина, я вспоминаю о Чемберлене, а когда я встречаю в газетах имя Чемберлена, я вспоминаю о миролюбии т. Ленина». Финальный прием политического айкидо, продемонстрированного Плехановым в ответ на попытку атаки Ленина, выглядел убийственным: «Поведение т. Ленина возмущает Вас. По-моему, Вы относитесь к нему слишком строго. Я думаю, что многие странности его поступков объясняются просто-напросто тем, что он совершенно лишен чувства смешного».

Но даже этот снисходительный тон, даже превращение в нелепого персонажа из плехановских анекдотов — не останавливают Ленина, на которого по-настоящему обескураживающе действуют только лишения должностей, засвидетельствованные на бумаге. «Ну, знаете ли, т. Плеханов, если я бедствую, то ведь редакция-то новой "Искры" совсем уже нищенствует. Как я ни беден, я еще не дошел до такого абсолютного обнищания, чтобы мне приходилось закрывать глаза на партийный съезд и отыскивать материал для упражнения своего остроумия в резолюциях комитетчиков. Как я ни беден, я в тысячу раз богаче тех...»

Это богатство не мешало ему осознавать значение и статус украденной у него газеты, и он еще несколько раз пытается опубликовать там что-то — пусть в виде «особых мнений»; ему отказывают — хотя газета вроде как общая, не фракционная. В ответ он сочинял открытые — в редакцию «Искры» — и закрытые — отдельным ее членам — письма: «Я считаю своим долгом перед партией последний раз просить редакцию ЦО о том, чтобы побудить оппозицию подписать добрый мир на началах искреннего признания обеими сторонами обоих центров и прекращения взаимных усобиц, делающих невозможной никакую совместную работу». Одновременно Ленин обвиняет искровцев в обмане, затыкании ему рта и сокрытии информации. Стратегия первой половины 1904 года состояла в том, чтобы низводить и курощать редакцию «Искры» анонимными и полуанонимными письмами с каверзными вопросами уже не от себя, а от рядовых членов партии, закутанных, как капуста, в несколько слоев псевдонимов, — так, Н. Вольский, который обычно печатался под псевдонимом Валентинов, а в Швейцарии носил кличку Самсонов, прислал письмо, подписанное Ниловым; неудивительно, что «Искра», которая формально обязана была печатать и отвечать на письма с претензиями, только раздраженно отмахивалась от этих анонимок — хотя разгадать, кто именно сидел в самой маленькой матрешке, не составляло особого труда, — и неудивительно, что Аксельрод в частной переписке называет Ленина «нашим бонапартиком» и «искушенным в своем ремесле шулером»

Эксперименты с прыжками с карниза на карниз на верхних этажах партийной иерархии продолжались. Ленин пишет письмо в ЦК — что покамест катапультируется из Совета, но остается в ЦК. Одновременно он сочиняет бешеные письма члену ЦК «примиренцу» Кржижановскому — что нужно форсировать борьбу с меньшевиками, бросить все силы, получать полномочия от комитетов в России; что ЦК должен объявить войну ЦО, ни больше ни меньше. Старый друг пытается если не приструнить его, то хотя бы успокоить; но Ленин снова «входит в раж», он опять «бешеный»: примирение — прямая дорога к оппортунизму, ради бога не откладывайте войну ни на минуту, это важно черт знает как!

В теории Ленин мог извлекать преимущества из своей мобильности: его выживают из «Искры» — но он появляется в Совете партии. Выдавливают из Совета — он выныривает в ЦК. Но на деле, при постоянном уменьшении числа сторонников и потере контроля за органами, опасные маневры неминуемо должны были кончиться утратой равновесия — и аварией. Каждый из этих трех органов рано или поздно начинал отторгать Ленина; везде его поджидали заведомо более сильные — в данный момент — противники: в ЦК, например, ленинский перевес сошел на нет из-за того, что Ленгника и Баумана арестовали, Кржижановский, возмущенный ленинскими наскоками, вышел сам, а Землячку выгнали. Эта ползучая «меньшевизация» ЦК оказалась катастрофой — потому что Ленину оставался только Совет партии, куда он и раньше ходил, «как на Голгофу», и где был с Ленгником заведомым меньшинством — и новоискровская тройка доминировала над ленинской связкой по всем вопросам. А уж когда Ленгника арестовали...

Единственное место во всем городе, где над Лениным могли помахать веером и смазать его синяки зеленкой (кроме дома и, пожалуй, пансиона Морар на Авеню-дю-Май, 15, который некогда считался общепартийным, то есть оплачивался из средств партии, но который — возможно, после проживания там Ленина — перестал вызывать доверие меньшевиков и «большевизировался», так что встретить там Баумана с Литвиновым стало гораздо проще, чем Дейча или Акимова), была «большевистская столовая», где как раз и нагуливали бока «ленинские бараны».

Проект создания кормовой базы большевиков придумала жена Пантелеймона Лепешинского Ольга (которая при Сталине, озадачивающим для знавших ее в молодости образом, станет академиком в области биологии). Это был средних размеров зал с витриной, выходящей на улицу Каруж. Улица в целом производит неуютное впечатление — здесь грязновато, толкотливо, пахнет фастфудом — и запросто можно угодить под трамвай. Все «большевистские» здания сохранились и по-прежнему пользуются популярностью арендаторов; на месте столовой — лавка португальских продуктов, судя по надписи и красно-зеленому, под флаг, козырьку. «Столовая» — это, по сути, кафе: максимум могло поместиться на собрании человек сто — но для еды, конечно, сильно меньше; да и не факт, что во всей Женеве набралась бы сотня большевиков. Похоже, посторонними заведение воспринималось как род контактного зоопарка, куда приходили подзаправиться не столько калориями, сколько экзотическими впечатлениями. Лепешинский с гордостью пересказывает ворчание некоего иностранца, зафиксированное пообедавшим на Каружке фельетонистом Дорошевичем: «Вы, русские, самый способный к революции народ. Вы все умеете делать революционным. Даже столовые. У вас от самого супа динамитом начинает пахнуть». Известно, что неувядающими шлягерами тамошнего меню были борщ и котлеты. Этот мишленовский репертуар, видимо, не вполне соответствовал гастрономическим вкусам Ленина, который предпочитал появляться здесь сытым и исключительно по важным делам — например, когда ему требовалось переговорить с кем-то из своих верных личард — Лядовым, Бончем, Ольминским, Лепешинским, или чтобы большевики подписали какое-то коллективное письмо — против или в защиту чего-то, ну или если ему вдруг требовался срочный гонец в российские комитеты. Отказаться от такого рода почести считалось крайне некорректным — впрочем, иногда достаточно было продемонстрировать свою лояльность, подчинившись приказу, а уж дальше действовать на свой страх и риск. Один твердокаменный большевик пропил выданные ему деньги по дороге и вынужден был вернуться в Швейцарию; Ленин простил ему — в конце концов, со всеми бывает; гораздо хуже, если б по дороге тот начитался Маха и Авенариуса. Ресторанная деятельность Лепешинской время от времени начинала вызывать вопросы даже у завсегдатаев ее кухни. Однажды Ленин вынужден был разнимать своих клевретов, один из которых, агент «Искры» в изгнании Красиков, обвинил хозяйку в эксплуатации наемных работников, что едва ли приемлемо для предприятия социалистического толка. Лепешинский, крайне болезненно относившийся к любому намеку на то, что его ортодоксальная марксистская жена по сути открыла нишевый ресторан с целью извлечения прибыли, настаивал на том, что все «излишки дохода» шли в партийную кассу, и потребовал устроить открытый процесс, однако Ленин мягко отказался как от роли третейского судьи, так и от идеи в целом — нечего было давать материал меньшевистским злым языкам; он даже вроде как принес за Красикова извинения — а самого нарушителя спокойствия отправил «на длительную побывку в Париж».

Между прочим, «медовый месяц» Валентинова и Ленина пришелся примерно на тот период, когда Ленин — стремительно теряющий позиции и сторонников — садится сочинять свою версию произошедшего на злосчастном II съезде. «Шаг вперед, два шага назад» стала первой в череде ленинских брошюр критического характера, отвечающих на выпады Мартова (в данном случае — его «Осадного положения»): ее целью было разъяснение смысловых нюансов партийного раскола — его сугубую неслучайность и опасность, прежде всего для пролетариата, у которого «нет иного оружия в борьбе за власть, кроме организации». Этот текст лучше всего в ленинском наследии иллюстрирует, каким занудой может быть автор. Чтобы доказать неслучайность своего большинства и поражения Мартова, он рисует диаграммы — кто в каких случаях был "за", кто "против"! — и исследует «оттенки» настроений в партии. Здесь дан ответ и на беспокоивший публику вопрос (все тот же: что же произошло на съезде, почему раскололись?) и разжевано, чем «новая "Искра"» отличается от «старой» («старая» — орган воинствующей ортодоксии, «новая» — фестиваль уступчивости и уживчивости). Ленину приходится исследовать и послесъездовскую реальность. Несмотря на то что «анархическое поведение меньшинства почти привело партию к расколу», автор явно не готов жечь мосты и охотно напирает на то, что полемика — признак здоровья, а не болезни политического организма: «Не могу не вспомнить по этому поводу одного разговора моего на съезде с кем-то из делегатов "центра". "Какая тяжелая атмосфера царит у нас на съезде! — жаловался он мне. — Эта ожесточенная борьба, эта агитация друг против друга, эта резкая полемика, это нетоварищеское отношение!.." "Какая прекрасная вещь — наш съезд!— отвечал я ему. — Открытая, свободная борьба. Мнения высказаны. Оттенки обрисовались. Группы наметились. Руки подняты. Решение принято. Этап пройден. Вперед! — вот это я понимаю. Это — жизнь. Это — не то, что бесконечные, нудные интеллигентские словопрения, которые кончаются не потому, что люди решили вопрос, а просто потому, что устали говорить..."». Мы знаем, каким бешеным быком может быть Ленин; но «Шаг вперед» — автопортрет Ленина, выдающего себя за кого-то еще; бешеный бык зачехлил рога и, подтянув нарукавники, мирно пощелкивает на счетах — сколько было сторонников искровского кружка, сколько «искровцев по направлению», — цитируя для живости старые шутки Плеханова про говорящих ослов. Ленин делает именно то, что обычно ему плохо удается: сдерживается, стараясь найти компромисс между своим внутренним «бешенством» и стремлением сойти за договороспособного руководителя, готового сотрудничать ради сохранения своих позиций. Осторожно предполагая, что новоискровцы — по сути оппортунисты и лакеи буржуазии, он отмечает, что пока это проявляется как «оппортунизм в организационных вопросах»; что ему можно противопоставить — например, право ЦК распускать местные организации (то есть, например, Заграничную лигу: централизм так централизм). Самое грубое выражение, которое позволяет себе Ленин в адрес Мартова, — «дряблые хныканья интеллигентов»; вместо того чтобы лягаться, он иронизирует — про то, что «традиции кружковщины оставили нам в наследие необыкновенно легкие расколы и необыкновенно усердное применение правила: либо в зубы, либо ручку пожалуйте».

Однако публикация в целом миролюбивых, демонстрирующих развернутые в сторону собеседников ладони сочинений была лишь одним из направлений деятельности Ленина. Уже в декабре 1903-го идеей фикс Ленина, уставшего от «пролазничества» мартовцев (которые ругали Ленина за недемократизм — а сами отказывали большевикам в праве писать в «Искру», распространять через искровский транспорт ленинские брошюры и просто выставили из руководства Заграничной лиги всех ленинцев), становится созыв нового съезда — под лозунгом «борьбы с дезорганизаторами»; готовить его следует в глубокой тайне, объезжая комитеты, по возможности «просовывая людей» в «шаткие»; идея, которая даже ближайшими товарищами Ленина, вроде Кржижановского, была воспринята с глубоким недоумением — полгода не прошло со съезда, мы только что обо всем более-менее договорились, почему бы не приступить к Настоящей Марксистской Работе — вместо того, чтобы усугублять расколы? В окружении Ленина нашлись однако ж, более дальновидные политики — убежденные, что их вождь владеет монополией на истину, и поэтому готовые поддержать его даже в самой слабой позиции. Козни ленинских агентов ведутся не в каком-то другом, альтернативном мире — но всё в том же, где продолжает выходить «Искра», где по-прежнему рискуют свободой и даже жизнью распространители — которые теперь, хочешь не хочешь, вынуждены действовать еще и как живые сепараторы, разделяющие членов местных организаций по признаку свой—чужой. И ладно бы только местные — а вот кому, например, в таких условиях, быть представителем РСДРП на Амстердамском социалистическом конгрессе — ленинцам или мартовцам-плехановцам? Ситуация в РСДРП напоминает первые месяцы после развода супругов, которым приходится делить ребенка и которые тем страстнее ненавидят друг друга, чем больше не понимают, как вообще могло такое случиться.

Вряд ли найдется какой-либо другой период в биографии Ленина, когда бы он в наименьшей степени сам определял повестку дня, был настолько реактивен и поэтому так часто менял тактику, превращаясь из бешеного в шелкового и обратно. Чуть ли не каждые три дня в РСДРП менялся баланс сил — и «слабому» на тот момент Ленину приходилось постоянно менять позицию, чтобы удержаться хоть сколько-нибудь на поверхности в момент длительного падения. Женева была его «долгим падением».

Ему явно не по себе от тех ярлыков, которые лепят ему на лоб, на спину, на грудь меньшевики, он нервничает из-за своей демонизации — и то предлагает своим бывшим соредакторам зарыть топор войны, то, наоборот, размалевывает лицо и с самым свирепым видом, потрясая ассегаем, принимается скакать вокруг тотемных столбов Основоположников; то выступает с зажигательными текстами о личности, которая в состоянии делать историю, — то ложится кверху лапками и прикидывается мертвым.

Похоже, его «неуклюжесть» в погоне за политическим снитчем связана с тем, что он сам еще не понимает, как, собственно, должен выглядеть идеальный для него счет на табло. Кого именно он должен победить, чтобы это не было пирровой победой? Он видит, что партнеры оказываются ненадежными (Плеханов, Мартов), что любая оговорка может стоить ему карьеры (вроде злосчастного тезиса в «Что делать?» о том, что революционное сознание может быть привнесено в рабочую среду только извне, интеллигенцией). Но хватит ли ему сил и харизмы вести самостоятельную игру в меньшинстве, в надежде обрести большинство в изменившихся обстоятельствах, — или следует договариваться со своими противниками, отказавшись от всех завоеваний? Продолжать ли ему цепляться за изменившего Плеханова — или важнее заключать новые, пусть заведомо непрочные, тактические союзы — которые затем надо будет порвать (как с Богдановым или как — в 1917-м — с Троцким).

«Женева» — неприглядный метаболизм в борющемся за жизнь организме — важна как модель всей послереволюционной ленинской деятельности. По существу, ровно тем же Ленин будет заниматься в России после возвращения в 1917-м: удерживать и наращивать влияние и власть, лавируя между постоянно меняющимися центрами силы — Советами, Временным правительством, межрайонцами, «военкой», немцами, меньшевиками, левыми эсерами, отдельными членами ЦК и настроениями масс. Этих вдруг арестовали, те поменяли свое мнение, третьих объявили шпионами, массы колеблются, и решение — кого в какой комитет ввести и кому дать задание, о чем помалкивать — надо принимать быстро, единственно верное в сегодняшней обстановке; завтра уже нужно будет другое.

Годы закулисной свары, нелепой батрахомиомахии вовсе не были потерянным временем: раскол — такое же искусство, как фехтование или единоборства: бесконечная возня — кооптирование одного, изгнание другого, манипуляции с составом ЦК, Совета партии, Центрального органа, игра на противоречиях — все это тренирует мышцы ума, учит находчивости, сообразительности, умению распоряжаться энергией конфликта, гасить и усиливать ее. Меньшевики оказались замечательными спарринг-партнерами; Плеханов был партнером идеальным: настоящий Учитель фехтования.

Дело даже не в том, что раскол РСДРП не был такой бессмыслицей, какой казался партийным игнорамусам и симплициссимусам вплоть до 1917 года, когда разница между большевиками и меньшевиками станет слишком очевидной.

В этих микроконфликтах со своими Ленин приобрел навыки удерживать власть в неблагоприятных, постоянно ухудшающихся условиях. Врожденная интуиция никогда не заменит практики — и Ленин получил десятки тысяч часов практики, позволивших ему отшлифовать свой природный талант склочника и крючкотвора; так «Битлз» — согласно выкладкам Майкла Гладуэлла — не стали бы супергруппой и не заиграли бы свои гениальные мелодии, если б у них не было десятков тысяч часов репетиций. Ежедневная политическая борьба — или, в других терминах, отработка навыков администрирования в кризисных условиях — с себе подобными — закалила Ленина, позволила отрастить мускулы, каких больше ни у кого не оказалось. Он научился навязывать исполнение своих решений людям, которые не получат от этого никакой материальной выгоды. Да, обычно с помощью бюрократических процедур — со ссылками на прецедентные решения, предшествующие резолюции, устав партии и т. п.; навязывая противнику письменную фиксацию правил игры — и затем обвиняя его в нарушении, да еще и регистрируя при помощи цитат из Маркса и Энгельса малейшее отклонение от марксистской догмы; не мытьем, так катаньем, где нытьем, где вежливостью, где ироническими мольбами, где угрозами прервать всякие личные отношения, где лестью; при помощи карикатуризации противников, блефа, гиперболизации (чуть что не так, заметку вовремя не прислали — это скандал! Совершенно невозможное положение, спасайте! без ножа режете!); научился опутывать их сетями обязательств, заставлять выполнять свои требования; манипулировать ими. Попробуйте выжить без этого умения в Смольном в ноябре 1917-го. Человек, у которого не было ленинского опыта скакания на этом политическом батуте, быстро оказался бы за бортом.

При этом незначительный масштаб — «буря в стакане воды» — позволял Ленину, даже допуская крупные просчеты и делая ошибки, пользоваться привилегией «второй попытки»: в 1903—1904 годах РСДРП была довольно маленькой, не имевшей массовой поддержки партией, так что там не могли себе позволить окончательно распроститься даже с таким трабл-мейкером, как Ленин; сам он извлек урок, состоящий в том, что нельзя уходить с какого-либо поста «в никуда» — но можно, и эффективно, угрожать своим уходом — и постепенно двигать решения в свою пользу. Всё это мы увидим в более драматичной форме через полтора десятилетия — когда нужно будет принять решение о Брестском мире, о нэпе, о концессиях и т. п.

Тем временем меньшевики тоже ломают голову над вопросом: «как бить Ленина» и пытаются использовать для оказания давления на него иностранцев — Розу Люксембург, Парвуса; в какой-то момент они даже заручаются поддержкой самого Каутского. О том, каким важным представлялась бывшим товарищам Ленина его ликвидация, можно судить по тону их внутренней переписки. «Итак, первая бомба отлита, — сообщает в мае 1904-го Потресов Аксельроду, — и — с божьей помощью — Ленин взлетит на воздух. Я придавал бы очень большое значение тому, чтобы был выработан план общей кампании против Ленина — взрывать его, так взрывать до конца, методически и планомерно...»

Охота, которую на него устроили, по-видимому, оказала на Ленина негативный психологический эффект: Лепешинский вспоминает, что в какой-то момент — к лету 1904-го — тот «ушел в себя, замкнулся в своем предместье и решительно отказывался от публичных выступлений, так что нам приходилось иногда говорить: "Ну, как же так, Ильич, многие даже забудут, есть ли у вас голос"». М. Эссен, сопровождавшая Ленина и Крупскую в одной из таких молчаливых вылазок в горы около Монтре, припоминает лишь одну его фразу: насупленный Ленин сидит на камне, а затем, не выдержав уговор оставить все дела внизу, крякает: «А здорово гадят меньшевики!»

Между прочим, эта поразительная манера выкраивать себе время на отдых в самых неподходящих обстоятельствах станет одной из самых ярких черт персонального политического стиля Ленина. Мало кто знает, например, что даже в 1905 году — когда в России вовсю идет революция, та самая, о которой фантазировали «левые» марксисты, — Ленин умудрится снять себе на июль дачу под Женевой. Деревни Картиньи и Авюлле, между которыми располагалась летняя резиденция Ленина в 1905-м, находятся километрах в двенадцати на юго-запад от центра Женевы — самый западный выступ Швейцарии: примерно час езды на велосипеде по почти плоской местности к излучине Роны, разделяющей Францию и Швейцарию; там и сейчас сельская местность — луга, поля, леса. Картиньи — не то чтобы идиллическая, но весьма основательная — с каменными особняками, ультрабуржуазная швейцарская деревня; если бы Ленин проживал в ней ровно в тот момент, когда «Потемкин» бороздил волны Черного моря, это выглядело бы, пожалуй, несколько предосудительно; однако на месте выяснилось, что «вилла Printaniere» была чем-то вроде винной фермы — *Domaine de la Printaniere*: не то сарайчики, не то дачные вагончики и сейчас кучкуются около дороги. Сам *Domaine de la Printaniere* — виноградник, где производят швейцарское вино и устраивают дегустации; надо полагать, Ленин также имел возможность причащаться этой дионисийской культуре. Три-четыре раза в неделю он мотается в город — в библиотеку и на встречи; остальное время проводит на берегу Роны — здесь мутноватой, не особенно широкой; недалеко. Если бы Ленин поселился здесь сейчас, то единственной, пожалуй, серьезной причиной уехать оттуда в мятежную Россию был разве что шум от самолетов — над Картиньи и Авюлле проходит воздушная трасса).

К началу лета 1904-го — после того, как Плеханов написал открытое письмо к настроенному и так примиренчески ЦК: «Теперь молчание невозможно» (где процитировал применительно к Ленину строфу из некрасовских «Современников»: «Слыл умником и в ус себе не дул, / Поклонники в нем видели мессию, / Попал на министерский стул / И — наглупил на всю Россию!»); после того, как Ленин дважды был «высечен» на Совете партии (13 и 18 июня); после того, как ЦК официально запретил ему агитировать за новый съезд: централизм так централизм, он сам же должен был подчиняться сочиненному им уставу, — у него не остается сил для ведения не то что наступательных операций, но даже и для организации защиты; оставалось — сдаться; мы имеем уникальную возможность увидеть придушенного — и колотящего рукой по мату — Ленина.

Ульяновы разрывают контракт на аренду своего сешеронского коттеджа, покупают матери Крупской билет в Россию, уведомляют «Каружку», что временно отходят от дел, — и отправляются в то, что некоторым образом напоминает отложенное свадебное путешествие. Договор о найме другой женевской квартиры заключен — но действует он с 18 сентября. В их распоряжении больше двух месяцев. Похоже, у них не было четкого плана. Зачем-то, покинув Женеву ради гор, они, во-первых, набивают рюкзаки книгами, во-вторых, — вместо того, чтобы сразу взять быка за рога и выйти на маршрут, словно ждут кого-то или чего-то. По неизвестным причинам, едва уехав, они бьют по тормозам и топчутся целую неделю в Лозанне — городе, где, если вы не директор международной фармацевтической компании и не управляющий табачным гигантом, на особые милости от природы рассчитывать не приходится. Лозанна много раз привлекала к себе внимание Ленина как своего рода «резервная Женева» — уютное, кишащее призраками средневековья пристанище, где так удобно отойти на некоторое время от дел и перезарядить батарейки. Сейчас до Лозанны 70 километров на велосипеде по живописной велодорожке (вокругозерный «маршрут 46»), которая хотя и чаще копирует траекторию железной дороги, чем береговую линию Женевского озера, но все же проложена по самым разнообразным местностям — от средневековых городков до небольших сельских аэродромов; замки, не хуже Шильонского, встречаются вдоль этой дорожки так же регулярно, как офисные здания ЦЕРНа. Ленин, можно не сомневаться, не раз проезжал здесь на велосипеде; во всяком случае, мы знаем, что женевские большевики-энтузиасты велоспорта часто устраивали пробеги в этом направлении.

В Лозанне Ульяновым в головы приходит светлая мысль избавиться перед походом от лишних книг — и они отсылают их в Женеву — видимо, только в этот момент решившись «выйти из почты» и отправиться на хайкинг.

Впрочем, сначала они доплыли до Монтре, поближе к восточному берегу Женевского озера, Ленин в одиночку слазил на Роше де Ней — довольно сложное восхождение, там и сейчас на верхнюю часть скалы надо карабкаться по железным скобкам. И вот только уже из Монтре они, наконец, отправились через всю Швейцарию — перевал Геммипасс, Оберланд, Бриенцское озеро, недельный перерыв в деревне Изельтвальд — и дошагали по горам аж до Люцерна, с диким крюком, забираясь попутно на разные вершины, включая Юнгфрау.

По-видимому, у них была отложена некая значительная сумма денег, позволившая им совершить эпичный пеший поход по Швейцарии — останавливаясь в гостиницах, часто в местах, где, особенно в самый разгар сезона, нет никакого выбора и приходится платить ту сумму, которую запрашивают. Крупская замечает, что они старались быть очень экономными и обедали не с туристами, а с кучерами, в «местах попроще». Крупская — очень хорошая, но очень скупая на детали рассказчица. Ясно, что они любовались природой, часто питались всухомятку, наслаждались обществом друг друга — но по ее воспоминаниям невозможно ни представить себе тяготы этого 400-километрового похода, ни понять его подлинную цель, ни уловить степень отчаяния, которым, несомненно, был охвачен Ленин: загнанный в угол, находящийся в слабой позиции; если бы Заграничная лига — формально его местная организация — захотела исключить его из партии вовсе за несоблюдение партийной дисциплины, — то он бы оказался в положении Иова. Представьте себе, что вечером 24 октября 1917-го Ленин является в Смольный — а его туда не пускают: спасибо, сами разберемся, идите погуляйте еще пару месяцев, если понадобится, мы позвоним; примерно в таком положении Ленин оказался летом 1904-го.

Пол-Швейцарии пешком — не фунт изюму; одно только перечисление пунктов, в которых побывали Ульяновы, внушает уважение. Судя по чередованию крайне энергичных (20 километров в день по горам — это много) и «апатичных» отрезков, когда они просто сидели по неделе на одном месте, ожидая у моря погоды, — путешествие не было идиллическим. Устроив 400-километровую гонку, Ленин нарочно убивал себя и жену, чтобы отвлечься от мыслей о том, что его оттирают от дела жизни.

Тому, кто захочет составить представление о том, что такое ходить по ленинским горам Швейцарии, не обязательно повторять это многонедельное путешествие. Валентинов, утверждающий, что совершил в компании Ленина три восхождения на «ближайшие к Женеве горы», характеризует Ленина как «превосходного, неутомимого ходока»; «горы», о которых идет речь, — Салев, разумеется. Салев считается «домашней» женевской горой — хотя странным образом находится во Франции: сойдя с автобуса городского маршрута, надо пройти метров сто «за границу» — мимо закрытой таможни (преимуществами жилья в приграничной зоне Швейцарии часто пользовались разного рода преследуемые законом личности: Вольтер при приближении французской полиции переходил под «швейцарское» дерево, предварительно собрав в сундучок свой золотой запас; Плеханов, наоборот, пересаживался на французскую скамейку — «скрываясь» таким образом от полиции страны, которая долго не хотела предоставлять ему официальный вид на жительство). Ленин водил на Салев многих приятных ему знакомых — и обычно демонстрировал, кроме панорамных видов, еще и оригинальный здешний монумент — камень на месте дуэли марксистского теоретика Лассаля. Дуэль, состоявшаяся из-за дурацких, «буржуазных» обстоятельств (любовная история, осложненная имущественным и расовым неравенством), закончилась для Лассаля плохо. Сейчас камень (он не на горе, а под горой) с трудом поддается обнаружению, однако по-прежнему существует; как писала в 2014 году исследовавшая одну из здешних спортивных площадок местная газета, «несомненно, это единственное в мире поле для гольфа, где стоит памятник основателю социалистической партии». Сам Салев — это, по сути, большущий, широкий, раздвоенный, с расщелиной, по которой и можно подняться наверх, утес — куда горожане лазят, чтобы размять икроножные мышцы и взглянуть на свой город с высоты птичьего полета; гора буквально нависает над Женевой. С 1932 года туда курсирует фуникулер, но Ленин, Крупская, Ва-

269

лентинов лазили на вершину сами; и понятно, почему дюжий Валентинов (объяснивший свою неспособность даже и близко тягаться на горе с супругами Ульяновыми последствиями недавней многодневной голодовки в киевской тюрьме) задыхался здесь на подъеме — и без всякой тюрьмы начинаешь проклинать Ленина уже в первые 15 минут. Да, 1200 метров, всего пара часов интенсивного подъема — но все время вверх, вверх, вверх.

В первом «валентиновском» восхождении компанию Ленину составили еще Ольминский и Богданов с женой; в двух других участвовали только Ульяновы и Валентинов (судя по всему, Ленин был здесь завсегдатаем; в одном из писем от января 1904-го он сам описывает восхождение на Салев — очень поэтично). На одном из горных пикников Валентинов заметил, что Ленин, имея в распоряжении весь арсенал для приготовления бутербродов, пользуется им очень своеобразно: «Острым перочинным ножиком он отрезал кусочек колбасы, быстро клал его в рот, и немедленно отрезав кусочек хлеба, подкидывал его вдогонку за колбасой. Такой же прием он применял и с яйцами. Каждый кусочек, порознь, один за другим, Ленин направлял, лучше сказать, подбрасывал в рот какими-то ловкими, очень быстрыми, аккуратными, спорыми движениями. Я с любопытством смотрел на эту "пищевую гимнастику", и вдруг в голову мне влетел образ Платона Каратаева из "Война и Мир". Он всё делал ловко, он и онучки свои свертывал и развертывал — как говорит Толстой — "приятными, успокоительными, круглыми движениями". Ленин обращается с колбасой, как Каратаев с онучками. Кусая сандвич, я эту чепуху и выпалил Ленину. Это не умно? Но каждый из нас, лишь бы то не повторялось слишком часто, имеет право изрекать и делать глупости. До этого не приходилось слышать Ленина громко хохочущим. У меня оказалась привилегия видеть его изгибающимся от хохота. Он отбросил в сторону перочинный ножик, хлеб, колбасу и хохотал до слез. Несколько раз он пытался произнести "Каратаев", "ем, как онучки он свертывает", и не кончал фразы, сотрясаясь от смеха. Его смех был так заразителен, что, глядя на него, стала хохотать Крупская, а за нею я. В этот момент "старику Ильичу" и всем нам было не более 12 лет. Из обихода Ленина были изгнаны всякие фамильярности. Я никогда не видал, чтобы он кого-нибудь хлопал по плечу, и на этот жест по отношению к Ленину, даже почтительно, никто из его товарищей не осмелился бы. В этот день, когда, возвращаясь в Женеву, мы спускались с горы, Ленин, вопреки своим правилам, дружески тяпнул меня по спине: "Ну, Самсоныч, осрамили же вы меня Каратаевскими онучками!"». По правде сказать, именно ради того, чтобы увидеть место, где произошел, кажется, самый «живой» во всей драматичной биографии Ленина эпизод, и стоит полезть на Салев. С вершины действительно открывается вид на город —

даже струя 140-метрового озерного фонтана колышется; на террасе рядом со станцией «телеферик» подают фирменное пиво «Mont Salève» — несколько отдающее дрожжами; на этикетке изображена нэпмановского вида фря, не чета Ленину с его крестьянскими повадками; но, задним числом, сувенир все же напоминает не столько о вашем, сколько об их путешествии — смех, колбаса, онучки и «дружески тяпнул».

Между прочим, их маршрут проходил через Майринген, и, можно не сомневаться, они посетили главную тамошнюю достопримечательность; там уже функционировал фуникулер, это место рисовал Тернер — а в 1891-м там же состоялась встреча Холмса и Мориарти; свидетельств чтения Лениным Конан Дойля нет — но он читал не то что детективы, но даже, бывало, и фантастику, так что кто такой Шерлок Холмс, представлял себе, разумеется, хотя вряд ли мог восхищаться его дедуктивным — вопиюще антидиалектичным — методом. От падения же в политический Рейхенбахский водопад Ленина спасли три вещи: встреча с Богдановым, деловой альянс с Бонч-Бруевичем и коммерческая хватка супругов Лепешинских, чья столовая сыграла роль улья, удержавшего поредевший рой большевиков в отсутствие пчелиной матки.

Большое путешествие закончилось в центральной части страны, в Люцерне; оттуда Ульяновы на поезде поехали обратно — но вместо Женевы снова вышли в Лозанне — где остановились уже не в городе, а в глухой деревеньке недалеко от станции Шебр, у озера Лак де Бре, — и опять словно застыли в оцепенении, в ожидании чего-то или кого-то. «Нет безвыходнее тупика, как тупик отстранения от работы», — писал Ленин в 1903 году Калмыковой; на этот раз ему пришлось ощутить, каково это, в полной мере. Два летних месяца канули зря; деятельность фракции, по сути, парализована, заморожена; и даже отсутствие Крупской — «партийной мамаши», через которую шла едва ли не вся партийная переписка с российскими комитетами и которая именно поэтому не могла никуда отлучаться больше чем на несколько дней, — и то не подстегнуло меньшевиков прислать к супругам посольство с предложениями вернуться на трон. В приозерном ретрите Ульяновы предавались медитациям ни много ни мало полтора месяца. Какие, собственно, у Ленина были в тот момент варианты: бросить марксизм и вернуться в Россию, делать обычную карьеру — литераторскую или журналистскую? Выстраивать полностью свою партию — совсем уж по модели секты, вокруг себя, и вовсе отмежевавшись от меньшевиков? Бросить все и уехать в Америку? (Бонч-Бруевич вспоминал, что еще весной 1904-го затравленный — «в крайне мрачном, подавленном настроении» — Ленин просил его узнать нью-йоркский адрес одного общего знакомо-го: «Да вот хочу уехать в Америку и заняться там статистической работой... Надо уезжать, здесь ничего не выйдет... Вот напишу "Шаг вперед" и уеду в Америку».) Наконец, опция «хождение в Каноссу»: посыпать голову пеплом старой «Искры», подчинить-ся партийной дисциплине, воду не мутить, бунтов не поднимать, выполнять рекомендации старших товарищей? Жизнь, разумеет-ся, подталкивала его к этой лоботомии — самому простому и, в сущности, адекватному варианту.

Давний сторонник Ленина Лядов обнаружил своего патро-на за необычным занятием: тот помогал крестьянину, хозяину дома, выкапывать картошку. Лядов понял, что необходимо вы-водить товарища из транса, и в следующий приезд привез под Лозанну Богданова — который давно привлекал к себе присталь-ное внимание новоиспеченного огородника и сразу произвел на него, по выражению Крупской, впечатление «работника це-кистского масштаба»: боевитый, с большими связями в России и мастер по части доставать деньги. Минус Богданова состоял в том, что он был философом-любителем — причем эмпириомо-нистом, а мало что в мире раздражало Ленина так, как этот род идиотизма; но, раз уж во внутрипартийном конфликте философ встал на сторону Ленина, покамест решено было этот вопрос за-мять. Похоже, именно этот визит — и решение заняться издани-ем своей газеты, альтернативной «Искре», — и вывел Ленина из летаргического сна.

По возвращении в Женеву Ульяновы прописались непосред-ственно на Каружке, в самом большевистском гнезде, над столо-вой Лепешинских и партийной библиотекой Бонча — поближе к стае, удобнее для редакции. Силы решено было бросить на «вы-ход органа партийного большинства», по изящной формулиров-ке Ленина; новую газету решено было назвать «Вперед».

Бонч-Бруевич вспоминал, что якобы долго убеждал Ленина решиться на авантюру с новой газетой при помощи крайне кон-сервативного бизнес-плана, согласно которому должно было продаваться по 10 тысяч экземпляров каждого номера; Ленин якобы согласился на печать 5 тысяч. Деньги? Бонч говорил, что взял кредит на свое имя — и уломал Ленина не беспокоиться, по-тому что, во-первых, уверен был в успехе, а во-вторых, «это не так все страшно, у нас есть запасной капитал, что вот Мих. Степ. Ольминский предлагает свои золотые часы с золотой цепочкой в заклад на организацию газеты, что найдется и еще кое-что...». Все это даже сейчас выглядит настолько неубедительно, что поневоле начнешь думать о том, что самое разумное — и даже единственно спасительное — для ленинцев было воспользоваться японскими деньгами финского агента микадо Конни Циллиакуса (который развил в 1904 году впечатляющую активность и в сентябре созвал в Париже представительную «антивоенную» конференцию революционных и оппозиционных партий России в надежде организовать единый внутренний антироссийский фронт). Следует понимать, что сотрудничество с иностранной разведкой не выглядело таким грехом, как сейчас: при всем патриотизме куча людей — особенно с окраин империи — желала поражения России; в студенческой среде считалось остроумным прокричать на вечеринке: «Да здравствует Япония!»; группы энтузиастов составляли коллективные письма на имя японского императора. Даже меньшевики, чьих вождей — по крайней мере Плеханова и Дана — никогда нельзя было обвинить в пораженчестве, едва не повелись на предложения Циллиакуса, и только бдительность удержала их от участия в парижской конференции. Разумеется, по Женеве сразу же после того, как в почтовых ящиках Плеханова, Мартова, Засулич, Дана, Потресова и прочих оказались пилотные номера «Вперед», поползли слухи о том, что большевикам выдали 200 тысяч франков на издание газеты. Задним числом вызывает подозрение как чересчур трезвый ленинский анализ тех преимуществ, которые получит идея революции в случае поражения России от Японии, так и практическая деятельность большевиков по части распространения своей прессы среди русских военнопленных в Японии и их контакты с редакцией газеты японских социалистов «Хэймин Симбун» (за любезным согласием которой помогать своим русским товарищам могло скрываться все что угодно). Сношения всеядного Бонч-Бруевича (явно с ведома Ленина, который «от души смеялся над "меньшевистскими дурачками"», отказывавшимися от контактов с «японскими социалистами») с Токио уже тогда не ускользнули от меньшевиков — которые сочли их компрометирующими партию и отстранили предприимчивого управделами от руководства экспедицией.

Лепешинские были не единственными женевскими большевиками, проявлявшими изобретательность по коммерческой части. Ленин сочинял остроумные бизнес-планы, базирующиеся на идее убедить Горького еще раз тиснуть собрание своих сочинений за границей, с тем чтобы весь гонорар пошел на партийные нужды. Ольминский-«Галерка» и Воровский-«Орловский» пополняли партийную кассу сборами от выступлений с рефератами. Ключевой, однако, для Ленина оказалась фигура Бонч-Бруевича. Тот не только придумал создать партийную библиотеку, но и неожиданно для всех, тихой сапой, сумел наладить деятельность сугубо большевистского издательства с собственной типографией, которое могло — под грифом РСДРП, вызывая гнев «Искры» и Совета партии, — печатать антименьшевистские брошюры («о которых говорилось только с величайшим презрением, как о какой-то чесотке, случайно севшей на благородные, чистые, святые руки меньшевистской братии») самого Ленина и его окружения, — и таким образом гнать волну, а это Ленин умел делать. В январе 1905-го Бонч даже прекратит выпуск своего любимого сектантского «Рассвета» и сообщит подписчикам, что отныне они будут получать газету «Вперед». Сам он будет отправлен в пятимесячное турне по российским комитетам — агитировать за III съезд — и издаст брошюру «Нелегальная поездка в Россию», где опишет свои приключения.

Поскольку возвращение вожака стаи из «отлучки» никак нельзя было назвать триумфальным, особенно важно было предложить лояльным особям внятную программу того, что их ожидает в ближайшей перспективе. Состоявшееся в помещении столовой Лепешинских собрание офицеров фракции войдет в партийную историю как «Совещание 22 большевиков». Ехидный и приметливый Валентинов (которого на конклав не позвали: не в том ранге, да и к тому времени они с Лениным вызывали друг у друга обоюдное отвращение) обратил внимание на удивительный характер этого мероприятия: бо́льшая часть участников совещания приходились друг другу близкими родственниками: помимо Ленина с Крупской и Марией Ильиничной, здесь присутствовали Богданов — с женой, Луначарский — с женой, Бонч-Бруевич — с женой, Гусев — с женой, Лепешинский — с женой, Лядов — с женой, Инсаров — с женой, плюс, впрочем, фракция одиноких хищников: Красиков, Воровский, Ольминский, Лалаянц, Фотиева, Землячка. Эта действительно любопытная статистика говорит о семейном характере раннего марксизма в России. Помимо общеизвестных пар — Ленин и Крупская, Шляпников и Коллонтай, Раскольников/Дыбенко и Рейснер, революционную среду пронизывали и другие, часто экзотические семейные связи. Каменев был женат на сестре Троцкого, Дан — на сестре Мартова, Луначарский — на сестре Богданова. Зиновьев умудрился вернуться в Россию в одном вагоне со своими двумя женами. Плеханов был не только отцом русского марксизма, но еще и дядей Семашко. Струве был любовником своей приемной матери. В таких условиях естественно, что идеологические разногласия усугублялись клановыми — условно, Ульяновы vs. Цедербаумы — и хотя для посторонних все эти семейные тонкости были, наверное, не так существенны, некий монтеккианско-капулеттианский флер присутствовал. Близкородственные связи — и перекрестное опыление — после 1917-го, несомненно, поспособствовали быстрому обособлению партийной верхушки в герметичный общественный слой — номенклатуру, внутри которой, по мере отхода от дел апостолов ленинского призыва, начинали процветать непотизм и коррупционные отношения; и никакой Рабкрин не в состоянии был нейтрализовать эти глубинные спайки и диффузии. Понятно, что в условиях тотального саботажа и, соответственно, невозможности проводить конкурс на те или иные вакансии люди на новые должности рекрутировались по знакомству и по родству — так, чтобы на них можно было положиться в кризисных условиях военного времени. Поэтому первым наркомом путей сообщения становится зять Ленина Марк Елизаров, а председателем Главполитпросвета — Надежда Константиновна. Во всем этом нет ничего особенно дурного, пока вы выстраиваете небольшую организацию заговорщиков, которые могут положиться друг на друга в подполье; однако «апостольский век» большевиков слишком затянулся — и резня 1937 года была не чем иным, как способом поменять быстроустаревающую модель администрирования.

Возвращаясь к сентябрю 1904-го: следовавший каждому взмаху ленинской дирижерской палочки «семейный совет» нахально постановил, что разногласия, проявившиеся на II съезде, оказались гораздо более существенными, чем предполагалось ранее, — и раз так, единственное, что могло бы восстановить расколовшуюся партию, — новый съезд. Чтобы требование о его созыве не повисло в воздухе, над собранием вывесили пиратский флаг: созданный *ad hoc* орган — «Бюро комитетов большинства» — объявил себя полномочным общаться с российскими комитетами напрямую, что бы ни думала об этом «всякая паскудная гнида вроде Центрального Комитета»; в переводе на русский язык это означало, что Ленин намеревается грабить все корабли, до которых ему удастся дотянуться, — и плевать он хотел на запрет ЦК и Совета партии агитировать за съезд. Таким образом, с помощью обходного маневра и создания самозваного, «майданного» аналога ЦК Ленин переиграл своих бывших товарищей — и ушел в открытое море на неплохо снаряженном корабле, готовом к боевым действиям (и неплохо пострелявшем: к марту 1905-го больше двух третей российских комитетов тоже высказались за новый съезд). Всеми ощущаемый рискованный характер бунта, видимо, поспособствовал внутреннему раскрепощению его участников — и позволил им пустить в ход средства борьбы, ранее не применявшиеся.

Так была запущена вошедшая в историю антименьшевистская «карикатурная кампания». Дело в том, что П. Н. Лепешинский, помимо таланта дешево приобретать на рынке ингредиенты для борща и котлет, прекрасно владел пером и карандашом. Он и нарисовал серию карикатур, где сам Ленин и меньшевики изображены в сатирическом ключе, в виде животных. Это забавные, даже если не понимать их подоплеку, картинки, на которых Ленин, например, фигурирует в виде «притворившегося, что он умер», кота — то есть на четырех лапах и с человеческой головой, а меньшевики — в виде крыс, тоже с головами, поразительно похожих на Мартова, Троцкого, Дана, Потресова, Аксельрода, Засулич и т. п. Отдельно, в окне, между дверцами с надписями «Протоколы Съезда» и «Протоколы Лиги», сидела крыса — Плеханов. Вся эта компания обреталась в некоем подполе — подполье, и поэтому повсюду стояли бочки с надписью «Диалектика. Остерегайтесь подделки». Сцена называется «Как мыши кота хоронили»: отсылка к известному лубочному сюжету — и к напечатанному в «Искре» ответу Мартова на ленинский «Шаг вперед», одной из частей которого было: «Вместо надгробного слова». Возможно, сейчас изображенная Лепешинским «веселая жанровая сценка» и нуждается в комментариях — но в 1904 году смысл ее был очевиден: то был хрестоматийный лубочный сюжет о том, как слабые животные возомнили себя хозяевами положения — но в какой-то момент их иллюзии развеялись; та же конфигурация, что с мышами и котом Леопольдом. «Ленин вас порвет, мелкие вы твари» — вот что означала эта карикатура.

Ирония была еще и в том, что меньшевики в самом деле едва не затолкали Ленина в могилу. Смех не был единственным способом удержаться на краю ямы — но вполне эффективным, чтобы приободрить своих сторонников и показать противникам, что белого флага они не дождутся. Особенно любопытно в этих карикатурах то, что Плеханов изображен в виде не просто крысы, а крысы-полицейского; собственно, вся история началась с того, что Валентинов в частном разговоре рассказал Ленину, что в России был случайно знаком с братом Плеханова, который проживает в Моршанске, служит полицейским начальником и придерживается радикально противоположных взглядов на политику. Курьезная новость о том, что у пламенного революционера имеется брат — цепной пес самодержавия, вызвала у Ленина прилив хорошего настроения — и он тотчас составил план небольшой троллинговой кампании. В условиях информационной блокады, объявленной новой «Искрой», карикатуры были идеальным пропагандистским материалом, вирусно распространяясь на манер нынешних интернет-«фотожаб». Картинка моментально разошлась по Женеве, вызвала гнев Плеханова (который, как выяснилось позже, «органически не переваривал мышей») и едва не сподвигла его вызвать Лепешинского на дуэль — и, получив продолжение в виде целой серии, упрочила репутацию большевиков с Каружки как политических хулиганов, которые не боятся никаких авторитетов и готовы поднять на смех всех, кто воспринимает свой партийный статус слишком всерьез. Жена Плеханова даже приходила к Лепешинскому выяснять отношения: «Это что-то невиданное и неслыханное ни в одной уважающей себя соц.-демократической партии. Ведь, подумать только, что мой Жорж и Вера Ивановна Засулич изображены седыми крысами... У Жоржа было много врагов, но до такой наглости еще никто не доходил... Что скажет о нас Бебель? Что скажет Каутский?»

Однако и на этом карикатурная атака не закончилась. На другом рисунке изображался полицейский участок: «Плеханов в качестве исправника или частного пристава, Мартов в виде канцелярской полицейской крысы, Троцкий в виде молодого, готового на всякие услуги околоточного надзирателя, Дан в виде одетого в штатское сыщика, а мы все, большевики, в виде толпы оборванцев, подающих бумагу в "небюрократическое учреждение", т. е. в редакцию "Искры". Стоящие в шкафу "дела" представляли из себя перечень всех спорных и склочных вопросов, выдвигавшихся против нас меньшевиками». Возможно, не все вожди меньшевиков были столь же высокомерны, как Плеханов, но факт остается фактом — «Искра» превратилась в закрытую церковь, где не желают терпеть чужие мнения, а с простыми партийцами разговаривают «генеральским тоном»; и такая ситуация действительно была подарком для сатирика. Несколько карикатур были посвящены персонально Плеханову — в частности, «Житие Георгия Победоносца», где ему припомнилось и предательство Ленина, и фраза — из убийственно-иронического ответа на открытое письмо Лядова в «Искру» — про «тамбовского дворянина»: подразумевалось, что если Плеханов — тамбовский дворянин — хочет уйти из партии, то туда ему и дорога, хотя жаль, конечно. «Последняя заключительная картина представляла, как Ильич в виде атамана разбойников приказал нам, его сподвижникам, разложить Плеханова и всыпать ему горячих».

В Женеве кто только не жил тогда — от Брешко-Брешковской до Засулич, но для Ленина Женева была прежде всего городом Плеханова — который был изощреннее Ленина в искусстве диалектики и полемике. Плеханов был светский лев, умевший очаровывать слушателей; его бонмо расцвечивали любые скучные процедурные собрания — и запоминались, бывало, на десятилетия; их ценность иногда превышала целые брошюры. Окружение Ленина могло обзывать Плеханова ходячим мертвецом, давно потерявшим связь с российской реальностью, — но Ленин знал, кто чего стоит, и все же не хотел напрямую воевать с этим гигантом «колоссального роста, перед которым приходится иногда съеживаться». Жить в Женеве означало играть на плехановском поле — и, конечно, во всех смыслах правильно было уговорить его вернуться в должность капитана. Карикатуры Лепешинского — точка невозврата; и любопытно, что стало бы с РСДРП, если бы Ленин остался под Лозанной с лопатой, а партией действительно руководил Плеханов.

Важным моментом стало прибытие в Женеву Луначарского. Несмотря на удовольствие, получаемое от разговоров с Плехановым о полуприличных гравюрах Буше* (а Плеханов ценил не только диалектику), Луначарский примкнул к ленинцам — и крайне удачно дополнил самого Ленина: тот осенью 1904-го явно не был в ударе по части литературы и по-прежнему проводил дни и ночи, копаясь в новых номерах «Искры» в поисках малейшего подобия политической ошибки. Так, в ноябре он издает монументальную в смысле невразумительности брошюру «Земская кампания и план "Искры"», которая сочится ерническими выпадами против «пенкоснимателей и предателей свободы», полагающих удачной стратегией «выдвиганье, в качестве центрального фокуса, воздействия на земство, а не воздействия на правительство», и пестрит полезными советами («надо особенно остерегаться лисьего хвоста») и глубокомысленными предсказаниями («рабочие поднимутся еще смелей, чтобы добить медведя»). Заканчивается это искрометное произведение ироническим, однако многозначительным предупреждением: «Если "Искра" решает не считать нас членами партии (боясь в то же время сказать это прямо), то нам остается лишь помириться с нашей горькой участью и сделать необходимые выводы из такого решения».

Стиль Луначарского выгодно контрастировал с византийской вязью Ленина: большевики, наконец, получили первоклассного оратора и полемиста, который был в состоянии выдерживать — гораздо удачнее самого Ленина — публичные диспуты с Мартовым, Даном и даже с Плехановым и который не терялся, как Ленин, в атмосфере скандала, пахнущего настоящей дракой. Когда меньшевики приходили на ленинские выступления с намерением продемонстрировать, кто здесь член партии, а кто — самозванец, Ленин скрежетал зубами, но уступал более сильной группе и закрывал собрание; а вот Луначарский, а иногда и бывавший в Женеве наездами Богданов — крепко держались за штурвал и не покидали капитанский мостик; упрямство то было или твердость — однако оно действовало и на самих большевиков, и на «нейтральных» зрителей.

Помимо «фейерверков политической мысли», которые устраивал Луначарский, в распоряжении большевистской группы был простой, понятный лозунг — «Борьба за III съезд». Возможно, лозунг этот выглядел чудовищным — однако он привлекал к себе внимание на фоне отсутствия внятных лозунгов у меньшевиков,

---

* Если уж зашла речь о полуприличных арт-объектах, то нельзя не вспомнить еще одну карикатуру Лепешинского, «заставившую Ильича хохотать до упаду»: «она изображает двух щедринских мальчиков: в штанах (Бебеля) и без штанов (Вл. Ильича), Бебель зазывает "мальчика без штанов" в свой фатерланд, чтобы помирить драчунишку с остальными мальчиками, с которыми он рассорился, а верный своей санкюлотской природе мальчик без штанов непочтительно отвечает на это любезное приглашение: "на-тко, выкуси"».

которые, да, продолжали издавать «Искру», налаживать перепечатку газеты в России... но что еще? Укреплять партию? Защищать интересы пролетариата в нелегальной печати? Не очень понятно и слишком похоже на то, что главным лозунгом их собственной программы было: «Нейтрализовать Ленина!»

Ленина, который неожиданно — благодаря серии удачных альянсов и успешной реализации добрых советов, которые сам он раздавал в частных письмах («Если мы не порвем с ЦК и с Советом, то мы будем достойны лишь того, чтобы нам все плевали в рожу»), — перехватил политическую инициативу.

Ленина, которого в конце 1904-го мы видим в явно улучшившемся настроении — обмахивающимся программкой на «Даме с камелиями» с Сарой Бернар в главной роли; тыкающим в «Ландольте» шваброй в потолок (привет Георгий Валентинычу); на вечеринке по поводу запуска «Вперед» и — кажется, единственный раз за всю его биографию — танцующим на народном празднике вместе с группой девушек-аборигенок, положивши руки на плечи партнеру — или партнерше. Этот ленинский «Natasha's Dance» — если позволительно называть скакание танцем — на площади Пленпале произвел впечатление сразу на нескольких мемуаристов. Что ж, «помните, — подмигивает сам Ленин в один из этих насыщенных событиями декабрьских деньков в письме М. Эссен, — что мы с Вами еще не так стары. Всё еще впереди».

1905-й.
Дача «Ваза»
1905—1907

В арсенале Ленина было несколько простых — без лишних нюансов — примеров, на которых он объяснял, в чем разница между большевиками и меньшевиками. Меньшевик, желая получить яблоко, встанет под яблоней и будет ждать, пока яблоко само к нему свалится. Большевик же подойдет и — тут Ленин демонстрировал энергичное хватательное движение — сорвет яблоко. Возможно, в теории все выглядело именно так, однако в начале 1905-го Ленин мог сколько угодно штурмовать находившееся в совместном владении дерево: с помощью лестницы, трясти его или биться об него своей большой головой — никаких плодов там попросту не выросло. Осознание этого обескураживающего факта приводило к тому, что представители обеих фракций предпочитали обдирать кору со ствола и скармливать ее друг другу под разными соусами. «Ленин, — жаловался Мартов Потресову за несколько дней до начала Первой русской революции, — издал новую гнусность, которая затмила все остальные»: каким-то образом перехватив скандальную, по женевским меркам, переписку ЦК и меньшевиков, он пытался раздуть из этой мухи нечто вроде «Меньшевик-гейта», в ходе которого позиции его соперников должны были ослабнуть.

В один из январских дней, намереваясь вознаградить себя за эту трудоемкую и небесполезную в целом деятельность, Ленин явился на обед в столовую четы Лепешинских — не слишком рассчитывая получить там что-либо, кроме стандартного меню пресных яств; каково же было его удивление, когда он вдруг обнаружил, что сама жизнь приготовила для него на десерт карамельное яблоко — самое крупное, сладкое и пригожее из всех, что ему когда-либо доводилось видеть.

Один из очевидцев петербургского 9 января, оказавшийся в тот момент на Дворцовой, так описывает финал мирного похода демонстрации с попом Гапоном: «Мальчики, как любопытные воробьи, уселись на ветвях деревьев и на ограде Александровского сада... Вдруг я увидел, как солдаты стали на одно колено, взяли ружья на прицел... Я ждал рожка или барабана, как предупредительного сигнала. Вместо этого раздался залп, около меня повалились; мальчики, как зрелые плоды, попадали с деревьев, с ограды... Толпа рассеялась и шарахнулась назад и вправо к тротуару. ...солдаты пристреливали всех оставшихся в полосе выстрелов». Только убитых было более тысячи двухсот, и еще втрое больше — раненых; это не большевистские домыслы, а донесения иностранных журналистов и результаты работы комиссии присяжных поверенных. Дворцовая площадь устелена была телами в несколько слоев.

Трудно сказать, кто именно провозгласил в 1905 году «Великую русскую революцию» — возможно, спровоцировавший ее Гапон; возможно, Парвус; возможно, Ленин, который временно свернул антименьшевистскую кампанию, чтобы выстрелить статьей с призывом к вооруженному восстанию. Все оппозиционные партии, от эсеров-террористов до кадетов-либералов, осознали, что царь совершил промах, что проигрываемая и непопулярная война с Японией непременно войдет в резонанс с событиями 9 января; что такой шанс выпадает раз в столетие — и тот, кто не выжмет из него по максимуму, обречен остаться на свалке истории, и если у буржуазии в принципе есть возможность дорваться до власти в России, то лучше, чем сейчас, вряд ли будет. Так что неудивительно, что даже в немецких газетах конца января 1905-го корреспонденции из Петербурга имели в подзаголовках словосочетание: «Революция в России».

Любопытно, что, поставив точку в статье с тем же, что у всех, названием, Ленин не побежал на вокзал, чтобы успеть запрыгнуть в первый же поезд до Петербурга, но с новыми силами продолжил работу по созыву большевицкой части РСДРП, способной принять его позицию, и, воспользовавшись моментом, формально зафиксировать такие-то и такие решения — которые затем можно будет применять на практике, одновременно клеймя тех, кто эти решения исполнять отказывался, как трусов и оппортунистов; типично ленинская тактика. 9 января только подстегивает его организационную деятельность — которая меняет статус с «энергичной» на «лихорадочную».

Тогда же к оргработе приступила и другая фирма — имевшая серьезное конкурентное преимущество. Священник Георгий Аполлонович Гапон, мотор демонстрации 9 января и основатель легальной рабочей организации, был ровесником Ленина. Уже 10 января он решил пожать плоды своей взрывной популярности — и одновременно взвалить на себя крест собирателя всех противников самодержавия. Почти наверняка использовав переданные ему через финнов деньги японского — Россия находилась в состоянии войны — полковника Акаси, он уехал за границу —

разумеется, в Женеву, и затеял там «межпартийную конференцию»: объединить оппозиционные партии для подготовки вооруженного восстания и учредить Боевой комитет.

Одним из первых революционеров, к которому принялся наводить мосты Гапон, стал Ленин — который с брезгливым сочувствием «прощупывал» глазами этого «стихийно» возникшего рабочего лидера: не стоит ли затянуть его в орбиту РСДРП, сделать своим рупором; уже тогда Ленин был не прочь подыскать для себя партнера по тандему — человека из народа, который транслировал бы массам его идеи.

Гапон вызывал у «нормальных» — объединенных в партии — оппозиционеров подозрения не только потому, что не был вооружен никакой внятной теорией; хуже то, что Гапон ранее не имел репутации радикала, подтверждаемой коллегами по какой-либо партии; никто не знал степень серьезности его намерений — и, главное, не мог дать гарантии, что за ним не стоят какие-то силы, для которых он служит ширмой. Не был ли он — терли себе виски неглупые и умевшие осторожничать Ленин, Плеханов, Богданов — инструментом какой-либо группы, клики, организации, которая планировала посредством 9 января перетасовать политическую колоду, сменить правительство на более либеральное («консерватора» Горбачева — если использовать очень грубую аналогию с событиями путча 1991 года — на «либерала» Ельцина)?

Несмотря на предупреждения петербургских большевиков о том, что поп, вероятнее всего, — провокатор, и ощущение, что «таких людей лучше иметь в мучениках, чем среди товарищей по партии» (В. Адлер), Ленин не стал отворачиваться от протянутой руки — и, покрутив пуговицу на груди священника, перепечатал в одном из февральских номеров «Вперед» показавшееся ему разумным письмо попа к соцпартиям России: «Боевой технический план должен быть у всех общий. Бомбы и динамит, террор единичный и массовый, все, что может содействовать народному восстанию. Ближайшая цель — свержение самодержавия, временное революционное правительство». Плюс немедленное вооружение народа, все верно — но не была ли дальнейшая деятельность Гапона, когда тот готов был безоглядно использовать японские, шедшие через финнов деньги на покупку оружия, направлена на компрометацию социалистов? Общение с Плехановым научило Ленина, что одна из главных опасностей для годами накапливаемого социального капитала «честного революционера» — влезть в финансовые дела с иностранными организациями, чья «помощь» легко превращалась газетами в намерение «развалить страну»; проще было взять деньги, даже в самой циничной форме, у кого-то из своих. Так или иначе, но у тех, кого Гапон пытался «объединить» и «увлечь общей работой», нет-нет да и возникало ощущение, что поп находится «в разработке» спецслужб, пусть даже сам того не зная. Впрочем, Горький, который много сделал для того, чтобы «поженить» Гапона с большевиками, никакого подвоха в Гапоне не учуял.

Гапоновская конференция открылась в Женеве дней за десять до III съезда РСДРП, в апреле. Ленин, благо ехать никуда не надо было, посидел на первых заседаниях, но с краю, на приставных, и, увидев, что Гапон дрейфует к эсерам (чья мечта о слиянии терроризма и массового движения после 9 января воплощалась на глазах; подполье им тоже осточертело, и неудивительно, что они клещами вцепились в попа) и, следовательно, не клюнул на его авансы, перестал туда ходить — мотивировав свой отказ от тесного альянса с «чужими» партиями в статье «О боевом соглашении для восстания» звучным лозунгом: «Getrennt marschieren — vereint schlagen»; на самом деле это цитата из статьи Плеханова, подлинного автора лозунга про «врозь идти — вместе бить». Плеханов тоже нашел время встретиться с охмуренным идеологами конкурирующей фирмы попом и повел себя со свойственным ему высокомерием, граничащим с развязностью: «Вы смотрите, батя, эсеры хитры! Самого главного они, верно, вам не показывают». Гапон насторожился: «Чего же именно?» — «А вот по воздуху на воздушном шаре летать. Наверное, про это ничего не говорили?»

Роман Ленина с Гапоном, пусть даже и завербованным в эсеры, тем не менее не закончился — летом они снова встречаются в одном из женевских ресторанов, где — вместе с Бурениным, представлявшим в операции большевиков, — за кружкой пива договариваются о совместном деле, связанном с нелегальными поставками крупных партий оружия из Англии.

Чуть раньше именно там, в Лондоне, состоялся и новый съезд РСДРП — точнее, сработавшейся компании из четырех десятков человек, выбравших ленинскую политическую линию: Богданов, Красин, Луначарский, Рыков, Землячка, Литвинов, Каменев, Цхакая, Лядов и прочие, без оглядки на «партию ужинающих девиц», принимают резолюцию о вооруженном восстании. Никакой интриги или, тем более, сложной драматургии, как в 1903-м, на съезде не возникло — уж конечно, большевики, при живом-то Ленине и в ситуации, когда не то что рыцари большевистского стола, но даже и «все либеральные тараканы выползли из своих щелей» (Красин), не могли не принять такой курс. Проблема была в том, что́ делать в случае победы восстания: участвовать или не участвовать во временном революционном правительстве, поддерживать ли лозунг: «Вся власть Учредительному собранию» — при том, что власть в итоге восстания наверняка будет перехвачена либеральной буржуазией, которая бросит пролетариату какую-то кость, — а затем сама станет контрреволюционной? Договорились — участвовать, но с буржуазией не блокироваться и все время сдвигать правительство влево, настаивать на рабоче-крестьянской квоте, пропорционально, — тогда есть шанс, что Учредительное собрание выберут по-честному. В финале путешествия Ленин устраивает Цхакая и Землячке экскурсию по Лондону: могила Маркса на Хайгейтском кладбище, Музей естественной истории, зоопарк; той же компанией они проезжают через Париж, где их туристический маршрут тоже лишь на треть отличается от стандартного: Эйфелева башня, Лувр плюс Стена коммунаров на кладбище Пер-Лашез.

Сочиненные по итогам двух альтернативных весенних конклавов, большевистского III съезда РСДРП в Лондоне и меньшевистской конференции в Женеве, «Две тактики» — любопытный документ, демонстрирующий нам «другого Ленина» — не «бешеного», «размахивающего руками» декабря 1887-го или апреля 1917-го, а расчетливого, «мудрого аки змий и кроткого аки голубь»; он гораздо, гораздо умереннее в своих оценках перспектив революции, чем Троцкий и Парвус, выступивший с революционным, как мини-юбка, лозунгом: «Без царя, а правительство рабочее!» Ленин уверен, что происходящее — если и революция, то буржуазная. «Мысли о немедленном осуществлении программы-максимум, о завоевании власти для социалистического переворота» квалифицируются Лениным как «нелепые» и «полуанархические»: экономическое развитие России объективно слабое, организованность пролетариата — еще слабее, и раз так, надеяться на то, что революция будет пролетарской, — удел «самых наивных оптимистов». Идеальный сценарий на февраль 1905-го? Царь свергнут, образовано Временное правительство, народ вооружен, собирается Учредительное собрание, работают крестьянские комитеты. Зачем Учредительное? Чтобы пролетариат выставил ему экономические требования — очистите нам почву для быстрого развития в России европейского капитализма; точка. Выгодна ли такая буржуазная революция пролетариату? «В высшей степени выгодна»: ведь «тем обеспеченнее будет борьба пролетариата с буржуазией за социализм».

На фоне этой «джекиловской» рациональной умеренности рельефнее проявляется в текстах, посвященных главному направлению практической работы — вооружению, «хайдовская», «темная» сторона Ленина: практические рекомендации из серии «убивайте всех полицейских, никого не щадить»; видимо, то был год, когда масса, озверевшая от неслыханной несправедливости, толкала большевиков влево; Ленин почувствовал это — и хладнокровно советовал действовать сообразно обстоятельствам. Насколько кто-нибудь нуждался в его рекомендациях — вопрос: во-первых, «джихадистские» советы давали и другие (Парвус, например, предлагал в городах «пользоваться особым прибором, при помощи которого можно было бы впрыскивать какую-то ядовитую или усыпляющую жидкость в каждого городового на посту и таким образом обезвреживать этих контрреволюционеров»);

во-вторых, и без Ленина сразу после 9 января рабочие (бастовало уже 100—150 тысяч) принялись строить по всему городу баррикады, нападали на полицию — как на наряды, так и на участки, грабили оружейные магазины. Баррикады были не только в рабочих районах — на Шлиссельбургском тракте и у Нарвской заставы, но и на Троицком мосту, на Васильевском острове и у Александровского сада.

15 июня 1905-го Ленин в Женеве узнает о восстании на броненосце «Потемкин». Ленин — уже на взводе — всерьез задумывается о создании Временного революционного правительства. Два дня спустя он поручает М. Н. Васильеву-Южину срочно выехать в Одессу в качестве представителя ЦК для оказания помощи одесским большевикам и матросам «Потемкина»; в списке требований значились высадка десанта в Одессе и рекомендация не останавливаться перед бомбардировкой правительственных зданий: главное, мгновенно захватывать город, вооружать рабочих. Сам Ленин предполагал пристально следить за штурмом южной столицы России и, в случае достижения значительных успехов, оказаться в Румынии — откуда его должны были забрать на специально высланном миноносце, с тем чтобы он сам мог поучаствовать в восстании. Правда ли, что Ленин готов был променять пиджак и котелок на тельняшку и бескозырку, неизвестно; Южин в любом случае замешкался по дороге и, прибыв в Одессу, обнаружил лишь дымок на горизонте — «Потемкин» снялся с рейда и ушел к Румынии. Это досадное обстоятельство, должно быть, повлияло на решение Ульяновых не нарушать летний распорядок жизни: они все-таки снимают домик в излучине Роны между деревнями Авюли и Картиньи. Весь июль Ульяновы дышат целительным сельским воздухом, иногда совершают прогулки в соседнюю, через реку, Францию; трижды-четырежды в неделю Ленин мотается на велосипеде в Женеву — узнать, как обстоят дела у стачечников в Иваново-Вознесенске. Массовая стачка стала главным средством раскачивания ситуации — обойдя в эффективности студенческие волнения и крестьянские восстания — и сохраняла свое первенство до зимы 1905-го. Иваново-вознесенские ткачи умудрились продержаться без работы 72 дня, и руководил ими комитет РСДРП — хорошие, судя по рекордному результату, организаторы. К Ленину это не имело прямого отношения, но всё же... Требовали разное — «свободы», демократическую республику, восьмичасовой рабочий день, конфискации крупного дворянского землевладения. Существенно, что застрельщиками выступали именно рабочие, а не подстрекавшие их интеллигенты; Ленину очень нравилась эта черта 1905 года: по содержанию — поднимал он со значением указательный палец — год был буржуазно-демократическим: восставшие, по сути, требовали то же, что их пред-

шественники во Франции в 1792 и 1793 годах, зато по средствам борьбы — пролетарским.

Непохоже, что в первой половине 1905-го Ленин испытывал какие-либо иллюзии относительно быстрой победы революции — и каждый раз, проходя мимо железнодорожных касс, вздыхал лишь умеренно глубоко; стачки и восстания — да, прекрасно, однако полицию никто пока не распускал: отследить вернувшегося эмигранта его уровня несложно. К осени пришлось заерзать: Троцкий с Парвусом уже явились в Петербург — и принялись «руководить»; и какой бы маниловской ни казалась идея рабочего правительства, эти двое могли организовать что угодно; отдать им инициативу означало бы расписаться в отсутствии претензий на руководство партией.

В конце октября Ленин, заблаговременно обзаведшийся липовым британским паспортом и зашивший в жилет достаточное количество банковских билетов, получает недвусмысленный сигнал о необходимости скорейшего возвращения. 18 октября в Москве на демонстрации, посвященной «победе над царем» — тот только что издал Манифест о «свободах» — «хожалый», то есть комендант, фабричного общежития Михалин, сочувствующий черносотенцам, по наущению полицейского пристава Шварцмана обрезком трубы бьет по голове размахивающего над толпой красным флагом бывшего агента «Искры», а теперь активиста ленинской фракции РСДРП Николая Баумана. Похороны «Грача», а затем погромы, которые устраивали черносотенцы семьям рабочих, участвовавших в похоронах, становятся детонатором, взорвавшим город: масштабы тогдашних выступлений нынешние москвичи, полагающие, что ничего значительнее «Болотной» или «Сахарова» нет и быть не может, просто не в состоянии представить; передние ряды шли уже по Большой Никитской, а арьергард был еще у Красных Ворот; называлась цифра в 300 тысяч человек — при том, что население Москвы, естественно, было во много раз меньше, чем сейчас. Задним числом — в цюрихском «Докладе о революции 1905 года» — Ленин описывал метаморфозу 1905 года как превращение партии из «секты» в армию из двух-трех миллионов пролетариев; преувеличение, конечно; в Петербурге и Иванове в партии состояло человек по 400, в Киеве и Екатеринославе — по 700—800; ну разве что с «сочувствующими»...

Троцкий и Парвус меж тем не снижали оборотов; на протяжении ноября 1905 года Петербургский совет рабочих депутатов — выборная организация, теоретически управлявшая с октября ходом всеобщей стачки и дирижируемая этими двоими, — то принимал резолюции о принудительном введении восьмичасового рабочего дня на фабриках, то отменял их; по сути, это был скорее «уголок ораторов» и поле для политических экспериментов

Троцкого, исследовавшего, какая общественная форма наиболее эффективна в условиях полудвоевластия и как далеко простираются ее возможности. Например, выяснилось, что практически в открытую заниматься вопросами вооружения масс — можно, а противодействовать собственному аресту — нет; Ленин, прибывший в Петербург 8 ноября — и выигравший, за счет разницы в календарях, целых две недели, — приглядывался к деятельности этой формально стоявшей вне РСДРП организации и прикусывал, должно быть, губу, когда аплодисменты Троцкому оказывались слишком бурными.

Сам он принял решение сконцентрироваться в большей степени на журналистской и подпольной деятельности — и с головой погрузился в новую, во всех смыслах, жизнь — раз уж именно такое, дантовское название («Новая жизнь») получила первая в истории легальная большевистская газета.

Разрешение на издание добился литератор Н. Минский, но, оставшись в витрине, он фактически сдал фронт большевикам, зарезервировав за собой руководство литературно-философским гетто — с намерением пропагандировать преимущества синкретического взаимодействия религии и социализма. Учреждение «свободы печати» в 1905-м привело к тому, что только в Петербурге выходили три социал-демократические газеты с тиражом от 50 до 100 тысяч экземпляров ежедневно. Одной из них и была НЖ, редколлегии которой — оплачиваемые, среди прочего, из 15 тысяч рублей того самого фабриканта Н. Шмита, что вооружал в это время своих рабочих в Москве, — представляли собой странные ассамблеи: Минский напоминал о дедлайнах Литвинову, а З. Гиппиус обсуждала темы передовиц с Воровским; опьянение легальностью помогало нивелировать нюансы. Этому странному симбиозу положил конец приезд Ленина — который вообще-то больше времени посвящал инспекциям разбросанных по всему городу подпольных мастерских по изготовлению бомб, но не собирался терпеть декадентскую шушеру в партийной прессе: посторонние — на выход. Именно здесь, кстати, Ленина впервые увидел живьем Горький («Он маленький, лысый, с лукавым взглядом, я большой, нелепый, с лицом и ухватками мордвина») — с которым до того они только переписывались. Любопытно, что на мраморную доску, увековечившую память о тех ноябрьских днях, натыкаешься на Фонтанке — буквально в двухстах метрах от Большого Казачьего, где Ульянов прожил полтора года в 1894—1895 годах; проделанная за десятилетие эволюция от юриста, нелегально ведущего кружки, до лидера партии выглядела впечатляющей.

Целью было довести ежедневный тираж до 100 тысяч экземпляров и цену — до копейки (планка была задана Парвусом и Троцким в «Русской газете»). Тон заметок Ленина в НЖ наводит на мысль, не надышался ли автор гелия: «Подполье рушится.

287

Смелей же вперед, берите новое оружие, раздавайте его новым людям, расширяйте свои опорные базы, зовите к себе всех рабочих социал-демократов, включайте их в ряды партийных организаций сотнями и тысячами». Все эти подстрекательства кончились бедой — особенно для Минского, который угодил в суд, под нехорошую статью: «Обвинения в призыве к свержению строя»; освободившись под денежный залог, он — кляня Ленина на чем свет стоит — укатил во Францию. Впрочем, не поздоровилось и самим Ленину и Крупской, и так, по конспиративным соображениям, обитавшим по разным адресам; уже 4 декабря 1905 года, обнаружив за собой слежку, они, вопреки собственным заявлениям, переходят на нелегальное положение: каждую ночь новая квартира, грим, вечно подвязанная борода, лицо полускрыто за воротником серого клетчатого пальто; впрочем, даже в ноябрьских, «легальных» статьях Ленин настаивал: фокусируясь на развитии нового аппарата, следует сохранить — пока — конспиративный.

Это «пока» ему еще очень пригодилось — на десять лет, вплоть до квартиры Фофановой, откуда он выполз 24 октября 1917-го.

Тем временем приближалась кульминация «сумасшедшего года» — декабрьские дни в Москве. Крышка от ящика Пандоры отлетела 8 декабря: и судя по тому, что сам Ленин планировал через несколько дней уехать в Финляндию на конференцию боевых организаций РСДРП, посвященную заблаговременному, на весну 1906-го, планированию вооруженного восстания, трансформация московской всеобщей стачки в полноценную гражданскую войну застала его врасплох; никто из москвичей с ним не советовался.

Если вам захочется составить представление о масштабах происходившего — и понять, какую именно силу пытался контролировать и направлять Ленин, лучше всего зайти в музей Пресни, что функционирует в пяти минутах от Баррикадной в условиях многолетнего отсутствия ажиотажного спроса на билеты. Внушительных размеров здание (на самом деле это флигель рядом со скромным оригинальным, музеефицированным в 1920-е деревянным домиком, где в 1917-м заседал Пресненский комитет РСДРП) может похвастать единственным, в сущности, экспонатом — зато каким.

Свето-динамическая диорама «Героическая Пресня» воздействует на посетителя — бизнес-модель музея не предполагает, по-видимому, выхода на массового потребителя, поэтому работники охотно включают шарманку и для единственной жертвы — комплексно: торжественный, но с крестьянской хитринкой голос Михаила Ульянова, патетическая музыка Шостаковича, облака бегут, браунинги стреляют, зарницы вспыхивают, тени наливаются чернотой, чучела баррикадников зловеще поскрипывают; спектакль этот, что греха таить, выглядит крайне архаично по сравнению с нынешними стереофильмами — зато на каком «Аватаре», в каком «аймаксе» служительница подарит вам по окончании сеанса пачку открыток 1985 года выпуска — «Героическая Пресня»; каким количеством «D» измеришь объемность и теплоту такого обращения?

Если разглядывать широкую, в 200 квадратных метров, диораму, среди прочего становится ясно, что трех- и четырехэтажные корпуса Шмитовской фабрики — «Чертово гнездо», городская тренировочная база боевиков-социалистов, а между 8 и 17 декабря подпольный лазарет и морг — находились в сотне метров от Горбатого моста, практически на месте Белого дома, может быть, чуть-чуть дальше, на территории нынешнего небольшого парка имени Павлика Морозова, где теперь устраивают «пикники Афиши» и детские дни рождения с квестами; рядом стоял и шмитовский особняк, также вдребезги разнесенный снарядами; и осознание того, что практически одно и то же место расстреливают на протяжении ста лет трижды — из артиллерии, в черте города, без войны — наводит на размышления о географическом детерминизме районного масштаба.

10 декабря Ленин и деятели боевых организаций — Красин, Ногин, Антонов-Овсеенко и другие, все уже сидящие на чемоданах, с билетами до Таммерфорса в карманах, — устраивают мозговой штурм, пытаясь придумать, как бы подлить масла в огонь Московского восстания. Возможно, вместо того чтобы ехать в Финляндию знакомиться со Сталиным, Ленину следовало бы отправиться на юг и попробовать себя в роли если не полевого командира, то по крайней мере визиря-советчика при каком-нибудь райсовете; кто знает, как сложилась бы отечественная история. У финнов, впрочем, на этот счет определенно другое мнение — на протяжении нескольких десятилетий не избалованные потоками туристов жители Тампере пользовались привилегией принимать советских паломников в специально организованном «музее Ленина».

Похоже, масштаб Московского восстания стал для компании, собравшейся в Народном доме и номерах самой дорогой гостиницы города — «Бауер», неожиданностью. Всего примерно за десять дней в Москве возвели около тысячи (!) баррикад: материалом служили телеграфные и телефонные столбы, доски из заборов, ворота, бревна, двери, реквизированные сани, телеги; все переплеталось проволокой — и те, у кого хватало мужества просидеть за этой конструкцией с браунингом в руках, могли отразить несколько атак казаков, регулярных войск и полиции. Весьма вероятно, что боевики принудительно мобилизовывали «мирных» граждан на строительные работы — так же, как навязывали обычным, «мирным» рабочим стачку: участвуй или хуже будет*; именно поэтому уже в октябре тысячи рабочих просто покинули Москву, часто не дожидаясь расчета и отказываясь от выплачиваемых комитетами «забастовочных» — 30 копеек в день: понимали, к чему идет дело. Чтобы сегодняшний читатель не заблуждался относительно масштаба гражданской войны — и не думал, что речь шла о каких-то сугубо локальных событиях, следует сказать, что восставшими были захвачены все железнодорожные вокзалы Москвы — кроме Николаевского (стачка на Николаевской железной дороге не была всеобщей и именно поэтому, несмотря на колоссальные усилия питерских большевиков во главе с Лениным, зачинщики не преуспели в остановке движения; участок путей, который сумели демонтировать, быстро починили, и движение наладилось — что и повлияло роковым образом на ход дел в Москве). Очаг восстания обычно возникал на рабочей окраине — в районе сегодняшнего Третьего кольца: на Пресне, на Симоновом Валу, в Хамовниках; там группы боевиков — в одной из таких, в районе Грузин, принимал живейшее участие фабрикант Николай Шмит, ранее просто вооружавший своих рабочих, а теперь попробовавший себя в «деле», — врывались в отделения полиции, громили их, реквизировали документацию, «легализовывали» подпольные комитеты РСДРП и образовывали подобия самостоятельных республик — участвовавших, однако, и в реализации общего плана: продвигаться от окраин, зажать Садовое кольцо, взять под контроль здание Думы, Госбанка и объявить временное революционное правительство. При том, что благонадежность большей части расквартированных в Москве войск оставалась под вопросом, план этот был близок к тому, чтобы осуществиться; именно поэтому правительство принялось перебрасывать в Москву войска из Петербурга — и как знать, чем бы закончились декабрьские дни, если бы большевикам удалось-таки

---

* Солдатам навязывались «братания» по проверенной технологии: рабочие окружают роту в кольцо, кричат «братья-солдаты», накалывают на штыки прокламации и красные полотнища; растерявшийся офицер, приказы которого всё равно тонут в звуках «Марсельезы» или «Интернационала», клянется увести солдат в казармы и соблюдать «нейтралитет»; неудивительно, что правительству приходилось бросать в бой войска из других регионов. То, что армия охотно поддается «разложению», было одним из главных «открытий» 1905-го — при том, что рисковали военные больше, чем гражданские. Впрочем, 1905-й снабдил восставших и другим опытом: нельзя отпускать арестованных офицеров (и вообще — нельзя прощать никогда: за 1905-й будут мстить и двадцать, и тридцать лет спустя: например, убийцу Баумана, Михалина, Московское ОГПУ поймает в 1925-м; а в начале 1930-х органы НКВД разыскали даже и расстреливавших шмитовские баррикады семеновцев — и тоже отдали под суд: кого-то из офицеров лейб-гвардии расстреляли, кого-то отослали в лагеря).

подорвать пути Николаевской железной дороги. В ночь на 15 декабря в Москву прибыл Семеновский полк — который и стал той ударной силой, что зачистила Москву; атака семеновцев как раз и изображена на диораме в музее Пресни.

К 17–18 декабря Пресня напоминала Грозный середины 90-х: горящие там и тут полуразрушенные здания, воронки от артиллерийских взрывов, много вооруженных людей — плюс мечущиеся между баррикадами дикие звери из разграбленного, расстрелянного, разрушенного и подожженного зоосада, превратившегося в поле боя; большая часть животных погибла — от травм, шока, голода и холода; вода из аквариумов, вместе с их обитателями, превратилась в лед; температура опускалась до минус 17 градусов. Попробуйте посидеть на таком морозе наверху шестиметровой баррикады хотя бы час-другой — и поймете, что чувствовали все эти люди; именно с такой высоты, пусть из-за границы, глядел Плеханов, с горечью прошамкавший свое знаменитое: «Не нужно было и браться за оружие».

Ленин, узнававший о погоде в Москве по финским газетам, был настроен более воинственно: надо было «ответить на вызов реакции». Отметив «деградацию» стачки как метода борьбы, превращение ее в «подсобную форму», он приветствует перевод движения в форму «более высокую». Вопрос не в том, браться или не браться, — а: была ли «партизанская война» важнейшим средством «борьбы за социализм» — или единственным? Правда ли, что только винтовка рождает политическую власть — или можно рассчитывать на передачу ее реакционным классом более передовому мирным путем? Чем чревато проигранное вооруженное восстание — и стоит ли оно таких рисков? Какое лучше — стихийное или подготовленное? Можно ли начинать вооруженное восстание при том, что сознательной является пока лишь малая часть пролетариата, тогда как большинство воспринимает революционную ситуацию как сигнал «все дозволено» и идет громить еврейские кварталы? Брать ли на себя ответственность за призыв к восстанию, осознавая, что оно не будет компактным, а приведет к масштабной и продолжительной гражданской войне? На что должно опираться восстание — на революционный подъем народа? на действия группы заговорщиков? на партию? Правильный ответ — по Ленину — на «передовой класс». Хорошо; но можно ли раздавать оружие только проверенным членам партии — или разрешено вооружать в целом по классовому признаку: раз рабочий — получай винтовку? Наконец — к чему, собственно, должно привести это восстание (силами пролетариата, прежде всего, осуществляющееся): к установлению демократической республики — или... Ленинизм можно объяснять и на пальцах тоже; но рано или поздно на практике все упирается в нюансы; и именно из-за них Ленин расходился, раскалывал, гнал и проклинал — особенно истово тех, кто пытался сотрудничать с либеральными (мелко-) буржуазными движениями. Понимая, что все эти вопросы — лишь верхняя часть айсберга, Ленин вносит предложение завершить таммерфорсскую конференцию раньше намеченного срока — практика некстати опережала теорию, и депутатам следовало примкнуть к своим избирателям — непосредственно на майдане.

К тому времени, когда было принято это решение, Москва была уже зачищена; было убито более 1060 человек, из них 137 женщин и 86 детей. Настоящая бойня развернулась в «Чертовом гнезде» — фабрику Шмита обстреливали из орудий в упор; не только заводские корпуса, но и жилые бараки, спальни рабочих. Также — без военной надобности, из мести за предательство «своих» — сравняли с землей и особняк Шмита.

Неудивительно, что в 10-х числах января 1906-го Ленин нелегально поехал в Москву — возможно, чтобы попытаться как-то вызволить арестованного Шмита (про это сведений не сохранилось), а главное, «посмотреть», как выглядит город после гражданской войны, осознать масштабы событий. Картина вряд ли его разочаровала. Контраст замка фабриканта Прохорова (в Большом Трехгорном, 1/26: изуродованная идиотической стеклянной надстройкой неоготика 1884 года) с убогими жилищами его рабочих мог служить живой иллюстрацией образа «классического капитализма XIX века» — и противоречия, которое будет разрешено самым предсказуемым образом. По результатам этой поездки Ленин становится еще бо́льшим «ястребом»: «В эпоху гражданской войны идеалом партии пролетариата является воюющая партия». Он принимает решение форсировать выступления против правительства — кто хочет настоящей — партизанской — гражданской войны, тот ее получит; есть кризис — ну так он будет разрешен радикальными средствами. Его идея состояла в создании диверсионных групп — троек, «пяток», десяток, которые «должны основываться самым широким образом и непременно до получения оружия, независимо от вопроса об оружии...» — чтобы при первом мобилизационном кличе превратить жизнь правительства в постоянный ад. Подполью — готовому в любой момент мобилизоваться и принять участие в вооруженных столкновениях за власть — придавалось очень большое значение. К концу 1905-го был худо-бедно сформирован прочный и мобильный скелет партии; два-три десятка тысяч членов по всей стране осознавали все преимущества, которые дает демократический централизм, — и готовы были работать профессиональными революционерами. Действия комитетов направлял ЦК — однако стало ясно, что в условиях нарастания негативной динамики (крепко обжегшись на декабрьском молоке, рабочие все чаще предпочитали дуть на воду) требуется создать некий дополнительный орган, скрытый центр, который в состоянии не только направлять энергию масс, но и выполнять сугубо практические задачи, вплоть до физического устранения живых препятствий.

Штаб-квартирой этой диверсионно-террористической организации стала скромная дача на Карельском перешейке, в Куоккале, — «Ваза», одно из важнейших «ленинских мест», почему-то проигнорированных советской машиной мемориализации. Ленин поселился там в конце февраля 1906-го, перепробовав кучу адресов в Петербурге и осознав, что больше физически не в состоянии каждый день блохой скакать с квартиры на квартиру, чтобы уберечься от преследований филеров. Здесь он прожил — чередуя работу и прогулки по морскому побережью с деловыми визитами в Лондон, Стокгольм, Москву, Финляндию, Штутгарт — аж до поздней осени 1907 года; и съезжать оттуда, похоже, не планировал: еще 15 октября 1907-го Ленин писал матери после очередной отлучки, что они устроились «на старом месте на зиму по-семейному» и что он «вполне доволен и помещением и всем нашим устройством», и даже проживающей здесь же «компанийкой хороших друзей» — компанийкой, действительно, хоть куда: Богданов, Рожков, Лейтензен, Дубровинский — и это только «постоянные» жильцы. «Ваза» — дом как дом, ничего особенного, с верандой, мезонином и высокой башней, плюс сарай, прудик и еле живой колодец во дворе — была классической «резиновой квартирой».

Главное достоинство объекта состояло в том, что он находился в часе езды от Петербурга, на «дачной» — удобно для камуфляжа — станции, однако в отдалении от основного дачного района. По другую сторону железной дороги, у моря, была Куоккала (та самая, прославленная Чуковским, Репиным, И. Анненским и прочими будущими клиентами серии «ЖЗЛ»); но именно здесь домов было немного: «Ваза» располагалась не столько в поселке, сколько на опушке соснового бора. И если снаружи это здание в худшем случае могло сойти за домик злых волшебников из шварцевской «Сказки о потерянном времени», то репутация, которой она пользовалась, соответствовала скорее стандартам «Бондианы»: секретное логово могущественной террористической организации, поставившей себе цель подчинить мир; голова Ле́нина многим казалась неординарной, так что при его сноровке по части изменения внешности он мог бы, пожалуй, сыграть и Блофельда, и Голдфингера.

На удобство «Вазы» в качестве логова первым обратил внимание большевик и бывший агент «Искры» Гаврила Лейтензен (Линдов), который в 1906-м с семьей и детьми снял ее у Эмиля Эдуарда Энгестрема, бизнесмена шведского происхождения, сочувствовавшего большевикам. Сам швед обретался в доме поблизости, а «Вазу» и еще несколько помещений, в том числе магазины в Куоккале и Гельсингфорсе, предоставлял в распоряжение революционерам, которые с удовольствием хозяйничали там: ночевали, прятали бомбы, браунинги, динамит. Куоккальский магазин назывался «Наво» — и именно такое прозвище носила жена Энгестрема, Руфь Георгиевна, «Мадам Наво» — тот еще персонаж, как и все люди, связанные с «Вазой». Она была англичанкой, причем не из пролетариев — дочь английского консула; поссорившись с семьей из-за неравного, по их мнению, брака, она прыгнула в отчаянные революционерки. Чуковский, обитавший по соседству, нанял ее преподавать английский своим детям, несмотря на то, что и до него доходили слухи, что на «Вазе» скрываются большевики, — и не прогадал.

Ответ на вопрос, с какой, собственно, стати на чужую дачу вселился Ленин — да еще и с женой, а затем перевез еще тещу и сестру, причем, по-видимому, не снимая дачу, а из любезности хозяина, — понятен из исследования Н. Валентинова: после возвращения из эмиграции в ноябре 1905-го многие почитали за честь предоставить преследуемому полицией вождю большевиков свою квартиру — и поэтому у него не было недостатков в предложении жилплощади.

Гражданская война закончилась в столицах, но продолжалась на Урале, в Закавказье, в Крыму и т. д. — в самых неприглядных формах. Кровь 9 января легитимировала отказ от соблюдения общественного договора. Если раньше был распространен эсеровский одиночный терроризм, то теперь на большую дорогу вышли политически мотивированные банды с бомбами; и последний человек, кого это смущало, был Ленин — который изо всех сил желал, чтобы банды увеличились до размеров рабочих армий (а экспроприируемые суммы исчислялись шестизначными цифрами, хотя бы потому, что крупные ограбления позволяют содержать партию в целом, тогда как мелкие расходятся на содержание самих «экспроприаторов»), — и делал все возможное, чтобы обеспечить вооружение не только членов своей партии, но рабочего класса в целом.

Конспирацию соблюдали даже и во внутрисемейном кругу; старший сын Лейтензена, Морис (который в 1917-м тоже вступит в партию, в 1930-х вместе с Цандером будет заниматься проектированием ракет, а в 1939-м будет расстрелян), играя с Лениным, которого знал в качестве «Иван Ивановича», сказал однажды: «Вот все говорят — Ленин, Ленин, хотел бы я увидеть этого Ленина». Лейтензены, впрочем, съехали уже осенью 1906-го — и их комнаты перешли в распоряжение тещи и сестры Ленина; на втором этаже поселился Богданов с женой.

Знали, что не стоит соваться к Ленину без дела, и посетители. Посторонним могло показаться, что он целыми днями кропал свои брошюры, статьи, листовки, воззвания, резолюции, заметки в газеты; правда состоит в том, что он на протяжении полутора лет, двадцати примерно месяцев, находился в центре масштабного террористического движения, по сути, гражданской войны — руководя нелегальной деятельностью целой сети боевиков, как Абу-Назир из сериала «Хоумленд», — но планировал не отдельные теракты, а научно обоснованное свержение препятствовавшего прогрессу строя.

Работал он часто и ночью, но вставал обычно не рано — и с утра был мрачен и угрюм; погружался в чтение газет (которые возил ему каждый день из Петербурга связной-секретарь), выписывал что-нибудь понятное только ему — вроде сведений о развитии часовой промышленности из финансового приложения к *The Times*, и ненавидел, когда его отвлекали. Визитеры, успевшие оставить мемуары, припоминают, что уже тогда Ленин страдал головными болями и бессонницей. К вечеру настроение налаживалось — и почти всегда он отправлялся на променад, часто поздно ночью; бродил один, с Надеждой Константиновной или в компании с каким-то приятным ему гостем по задворкам чужих дач, зимой вяз в сугробах; странным образом, у него была манера гулять прямо по рельсам — приходилось прыгать в снег, чтобы пропускать поезд, — и затем опять идти по шпалам.

На выборгской электричке до Репина — полчаса езды с Удельной: за окнами ночь, тьма, снега, но гугл-карты помогут найти и дом 14, и дом 16 по Привокзальной улице: именно в этом прогале раньше находилась «Ваза»; на месте выясняется — всего-то метров 600 по ходу поезда. Поездка совершается в ночное время — известно, что «Вазы» уже нет, и это мероприятие исключительно для очистки совести биографа — в надежде увидеть призрак дома с красивыми деревянными воротами и с вырезанным на них изображением вазы.

Номера 14 и 16 — двухэтажные кирпичные многоквартирные домики; между ними — не то пустырь, не то подлесок со слякотным болотцем: в темноте непонятно. Если сойти с проезжей части и углубиться в это очевидно никуда не ведущее пространство, обнаруживается: болотистая почва под ногами вдруг твердеет: эва, да тут асфальт. И не в одном месте, а дальше и дальше — пустырь довольно большой, размером с половину футбольного поля. Ни черта не видно, поэтому на самое интересное натыкаешься совершенно неожиданно — в дальнем конце площадки. Там стоит какая-то конструкция в форме перевернутой буквы «П»; на ощупь камень, даже скорее полированный гранит. Под нижней перекладиной есть еще один как бы пьедестал, образующий ступеньку. При свете фонарика в телефоне предположения, что это за конструкция, множатся в прогрессии. Мемориал не пойми чему посреди нигде? Дольмен? Мини-мавзолей? «П» источает египетскую жуть; ощущение усиливается, когда видишь, что перевертыш исписан неразбираемыми рунами — граффити. Еще кое-что: камень, размером с крупный метеорит, неполированный, с выщерблинками; в фильмах про артуровский Камелот — если бы кто-то решил снимать их в окрестностях станции Репино — из такого торчал бы меч, ожидающий своего (большевистского) Ланселота.

Никаких указателей, совершенно точно, не было; впрочем, приглядевшись, можно обнаружить на гугл-карте даже саму конструкцию: там это скорее «Т» с непропорционально толстой перекладиной, как кельтский крест; без объяснений. Ощущение, что находишься на руинах какого-то сакрального объекта, усугубляется, когда в осиннячке обнаруживаются еще две каменные стелы поменьше. Входные башни?

Позже выяснилось, что существует и более «дневное» — пусть и менее правдоподобное — объяснение загадки асфальтовой площадки. Та, прежняя, Куоккала, по сути, не существует: она разрушена в боях 1918 года и затем в советско-финскую войну; старых дач уцелело раз-два и обчелся. Не секрет, что «Ваза» — поменявшая в 1916-м хозяев и с тех пор прочно ставшая на путь саморазрушения — окончательно развалилась к началу 1930-х. После присоединения Карельского перешейка в Репино повадились было ездить пытливые лениноведы — которые и обнаружили камень с выщерблинами — вроде как настоящий: валун из фундамента, единственное, что сохранилось от «Вазы». После этого «открытия», должным образом преподнесенного Сестрорецкой администрации, последняя сначала разбила там мемориальный сквер и даже вознамерилась возвести целый музей, а затем, похлопав себя по карманам, остановилась на идее поселкового культурного центра — с библиотекой и микромузеем, посвященным большевистскому топосу. До сколько-нибудь капитального строительства дело, кажется, так и не дошло; кому пришла в голову светлая мысль вворотить знак в виде дольменообразной конструкции из гранита, неизвестно. Чтобы довершить сходство площадки со Стоунхенджем, рядом предполагалось возвести стелу, поддерживающую бронзовый — специально созданный, в шесть квадратных метров — горельеф с расплывчатым названием «Ленин с соратниками»; как Ленин, так и соратники были уже отлиты в металле, но тут грянул 1991-й — и где теперь находится этот горельеф, знают разве что марсиане.

Отовсюду разносится собачий лай и вой; к ногам вдруг притирается кошка. Надо же, вот сюда, прямо сюда, приезжали Сталин, Камо, Красин, Воровский, Луначарский, здесь целый месяц жила Роза Люксембург, тут Крупская и Наталья Богданова вшивали в подкладки жилетов своих мужей захваченные в тифлисском эксе пятисотрублевки; чувствуешь, что в затертых словах про «свято-место-пусто-не-бывает» есть смысл, и еще какой; именно ночью, в самую непроглядную темень, вслепую, и следует ощупывать этого слона — чтобы он произвел должное впечатление; идеальный, конечно, памятник Большевистскому Центру: густая тьма, внутри которой скрывается страшное ядро, источающее жуть.

Больше всего, по правде сказать, этот пустырь со странным неантропоморфным знаком из полированного гранита похож на место приземления для инопланетян (особенно при том, что и Ленин, и Богданов всерьез интересовались внеземными цивилизациями); каменный дольмен, пожалуй, мог бы служить чем-то вроде парковочного блока для этеронефа, марсианского космического корабля, который забрал главного героя с баррикад на Красной Пресне в богдановской «Красной звезде», здесь, на этом самом месте, наверняка и написанной.

Помимо накапливания запасов вооружения и планирования атак на финансовые структуры государства, БЦ — секретный, по сути, ЦК большевиков, формально избранный в Лондоне, во время V съезда, на заседании фракции: Ленин, Богданов, Красин, Дубровинский, Таратута, Ногин, Рожков — занимался и крупными аферами, вроде попытки печатать собственные фальшивые купюры и производить взрывчатые вещества. Одно дело изучать рабочего, как энтомолог бабочку, и совсем другое — работать с живым, не всегда сознательным рабочим, снабжать его оружием, информацией, подталкивать его, науськивать, посылать на смерть. Ульянов ведь раньше никогда, по сути, этим не занимался.

Полулегально доставать деньги — на издание и распространение газеты, на содержание партии, орграсходы на съезды — научились еще в «искровский» период. В 1905 году, однако, стало ясно, что пора учиться систематически извлекать деньги с нарушениями уголовного уложения; не только на газету, но и на оружие; причем случай, например, «Потемкина» показал, что оружие может подвернуться какое угодно — и глупо не уметь обращаться с ним.

Общеизвестными — и на десятилетия запомнившимися, «классическими», то есть вызывавшими у меньшевиков наибольшую моральную зубную боль, — стали экспроприации 1906—1907 годов — группы Камо в Тифлисе (июнь 1907-го — карета казначейства), Лбова на Урале (лето 1907-го — пароход «Анна Степановна Любимова»), Лутера в Гельсингфорсе (февраль 1906-го), группы уфимских знакомых Крупской и Ленина Кадомцевых (сентябрь 1906-го — Демская экспроприация, почтовый вагон с 300 тысячами рублей). На самом деле диапазон преступной деятельности, которой занимались околобольшевистские группы, был еще шире. До киднеппинга или торговли наркотиками дело не доходило — но мелкие экспроприации казенных денег были в порядке вещей — и ради обеспечения нелегальной деятельности (издание газет, проведение партийных съездов и конференций, накладные расходы), и чтобы «проверить» боеспособность той или иной «пятерки» перед настоящими событиями. Ленин, который не один раз становился финальной инстанцией-выгодоприобретателем этих ограблений (Камо, к примеру, привез ему и Богданову сотни тысяч наличными, к ногам буквально положил, будто Настасье Филипповне), относился к такого рода бандитизму прагматично: в рамках гражданской войны вполне приемлемо. Чтобы такого рода «конфискации» хоть чем-то отличались от обычных ограблений, боевики-«дружинники» выдавали жертвам квитанции со штемпелем некоего партийного комитета — и затем печатали «отчеты» о собранных суммах в партийных органах; по крайней мере, так сами «партизаны» рассказывали Ленину, обеспокоенному — нет, не нарушением уголовного кодекса, а тем, что какие-то суммы не поддаются партийному контролю.

Историки — меньшевик Б. Николаевский и его сегодняшний последователь Ю. Фельштинский, никогда не замечавшиеся в симпатиях к большевизму, — постоянно подчеркивают, что «подпольный» Ленин руководил небольшой террористической организацией, главной целью которой было планирование ограблений — для того, чтобы обеспечивать функционирование аппарата РСДРП (б). Это, мягко говоря, не совсем верно — и уж точно только часть правды. (Ленина часто осуждают за потворство уголовщине — и обычно те самые люди, которые восхищаются другими — родившимися позападнее — «эффективными менеджерами», например, Юзефом Пилсудским, который мало того что вовсю сотрудничал с иностранными разведками — ездил в Токио, договаривался с австрийским Генштабом и т. д., но еще и сам выходил на большую дорогу, буквально грабил поезда, то есть экспроприировал, добывая деньги на политическую деятельность: то, что считается приемлемым для польского политика, осуждается как варварство для русского.)

После 9 января РСДРП вынуждена была взять курс на гражданскую войну и захват власти. Террористы-заговорщики? Многие, очень многие люди, принадлежавшие к самым разным краям идеологического спектра, в разных регионах (особенно, конечно, на окраинах империи), участвовали в стихийных выступлениях масс, «раскачивали лодку», провоцировали беднейшие слои на вооруженные восстания и погромы (иногда жандармских участков, иногда еврейских лавок, иногда банковских отделений) и тратили много усилий на то, чтобы в момент столкновения с армией и полицией оказаться достаточно хорошо вооруженными и обученными, чтобы не позволить властям мгновенно подавить заведомо более слабые рабочие силы.

Боевая техническая группа (БТГ) — потом она называлась «Техническая группа при ЦК» и «Военно-техническая группа» — была создана еще до БЦ и без участия Ленина, в конце января 1905 года Петербургским комитетом РСДРП. Мотивировка была самой что ни на есть понятной: раз самодержавие за здорово живешь, без объявления войны может расстреливать безоружных детей и женщин, надо обеспечить рабочим защиту; и если ради этого придется атаковать первыми — тем лучше.

В первые месяцы не было ни сети подпольных лабораторий и явочных квартир, ни патронных мастерских. С. Гусев (один из старейших членов РСДРП, еще с Союза борьбы за освобождение рабочего класса), Н. Буренин (большевик из богатого рода, у его матери было имение в Финляндии — Кирьясало) и два их товарища (точнее, две) добывали за границей оружие и взрывчатку, возили его через финскую границу в поместье Бурениных в Териоках — и затем всеми правдами и неправдами перетаскивали в Петербург, причем не только для членов партии, но и для рабочих, с которыми контактировали — и которые уже и сами к тому времени формировали боевые дружины и вовсю интересовались уличной партизанской войной и техникой строительства баррикад; Хрусталев-Носарь, первый председатель Петросовета, утверждал, что начал заниматься организацией рабочего совета уже вечером 9 января 1905 года.

После того как III (большевистский) съезд РСДРП в Лондоне принял резолюцию о вооруженном восстании, во главе БТГ встал человек более крупного масштаба — Красин; перед ним была поставлена конкретная задача — создать сеть боевых групп, которые в любой момент смогут встать во главе стихийного движения.

Именно в это время (весна 1905-го) Ленин, между встречами с Гапоном и будущими участниками своего съезда, лихорадочно перечитывает все, что Маркс и Энгельс когда-либо писали о вооруженном восстании, исследует биографию Клюзере — «генерала Парижской коммуны», работает над главой про уличную борьбу из его книги «Мемуары генерала Клюзере» — и публикует все это в своей газете «Вперед»: «Об уличной борьбе (Советы генерала Коммуны)». Еще раньше он заказывает военному эксперту — В. В. Филатову — стачать брошюру с доступным изложением тактики современного уличного боя — в условиях, когда баррикады неэффективны и слишком легко пробиваются винтовочными пулями и уж тем более артиллерией. Брошюра — она получила название «Приложение тактики и фортификации к народному восстанию» и была издана в Женеве в типографии партии — сочинялась в авральном режиме, за несколько недель; о содержании ее можно судить по красноречивому списку разделов: «1. Вооружение; 2. Постройка баррикад и укрепление домов, стен и т. п.; 3. Расположение наших сил; 4. Атака: а) разведка, б) атака кавалерии, в) атака пехоты, г) атака артиллерии; 5. Наступление восставших; 6. Общий план восстания». Это небесполезная даже по нынешним временам книжка была не просто хорошо знакома Ленину — он был ее непосредственным заказчиком, издателем и редактором. Видно, что автор знаком с предметом не понаслышке; он интригует читателя математическими выкладками (по сколько патронов на каждую единицу оружия надо иметь революционеру для успешного восстания) и щедро делится конкретными советами: например, при захвате оружейных магазинов «ни в коем случае нельзя врываться толпой — все такие места снабжены железными ставнями и находящиеся там люди хорошо владеют оружием... Гораздо лучше войти двум под предлогом покупки, за ними еще двое-трое, вынуть револьверы и объявить персонал арестованным, в случае сопротивления стесняться нечего, надо убивать».

Деятельность Боевой технической группы осуществлялась по нескольким направлениям: образование, вооружение (приобретение, производство и доставка оружия), охрана массовых мероприятий, планирование непосредственно боевых акций и управление фондом жилых и нежилых помещений, использовавшихся как явочные квартиры и склады для нелегальных товаров.

«Ленинская» дача в Куоккале вовсе не была революционным островом в океане самодержавия. Весь Карельский перешеек, не говоря уже о «дальней», за Выборгом, Финляндии — российской, но полуавтономной, представлял собой огромный архипелаг, где под видом дачников гнездились стаи социалистов и куда «царские ищейки», знающие, чего им может стоить столкновение с вооруженными людьми, в 1905—1906 годах не осмеливались соваться. Имея минимальные навыки изменения внешности, можно было кататься по железной дороге: хочешь в сторону Финляндии, хочешь в Петербург, соблюдая некоторые предосторожности на пограничной станции Белоостров и на Финляндском вокзале.

В Финляндии располагались шахидские лаборатории, производившие взрывчатку для бомб, перевалочные базы с оружием — которое тащили из-за границы или с Сестрорецкого завода в Петербург и дальше по стране; сюда (обычно в Териоки — нынешний Зеленогорск) съезжались из Петербурга и других городов уполномоченные, представители и депутаты на совещания, конференции и съезды, где вырабатывалась тактика партии: провоцировать ли вооруженное восстание, бойкотировать ли Думу, объединяться ли с другими оппозиционными партиями? Некоторой аналогией для этого «красного тыла русской революции» может служить Чечня в начале 1990-х — формально находящаяся в составе России, но де-факто самостоятельная — и опасная для федералов (и точно так же уже тогда сюда перегоняли угнанные автомобили: когда в ноябре 1917-го у Ленина увели машину прямо со двора Смольного, воры планировали перекрасить ее и продать именно в Финляндии).

Обычно у какого-то финна снималась дача — часто фиктивно, потому что финны спали и видели, как бы сбросить «русское иго», и иногда позволяли русским революционерам жить в своих летних домиках бесплатно.

Многие предполагают, что Ленин уже в 1905-м был одержим химерой с налету захватить Петербург или Москву — и именно поэтому благословил развернувшуюся уже вечером 9 января гонку вооружений. На самом деле, восстание должно было начаться само, стихийно, — и уж тогда как раз и понадобится много оружия, чтобы оно в считаные часы не было подавлено полицией; и вот тут Боевая техническая группа — имея небольшие, но достаточные резервы для того, чтобы совершить блицнападения на государственные арсеналы и завладеть большим количеством оружия, — сыграет свою роль; восстание, которое продержится хотя бы несколько дней, успеет стать маяком для других регионов — а уж когда начнет полыхать вся страна, солдаты будут примыкать к нему со своим оружием. Пока же наиболее сознательные особи из рабочих и солдат — «как муравьи», по удачному выражению одного мемуариста, — искали оружие где только можно — и растаскивали царские хранилища, перенося всё, что плохо лежит, на свои подпольные базы.

Существовало несколько способов добычи — в диапазоне от кустарных до впечатляюще промышленных. Революционеры пользовались безалаберностью и жадностью всех, до кого могли дотянуться; с бору по сосенке собирали деньги и браунинги у «сочувствующих» страданиям пролетариата либералов — которые пытались таким образом снискать расположение боевиков и обезопасить себя в случае чего, то есть по сути покупали страховку.

Именно автоматический револьвер оказался главным оружием декабря 1905 года — однако события на Пресне показали, что противостоять полиции с револьверами крайне сложно. Для баррикадной войны нужны были винтовки — которые изыскивались как в естественных местах своего «обитания», так и в совершенно неожиданных. Однажды, в 1905-м, большевики обнаружили на запасных путях около Петербурга вагон с винтовками, который правительство собиралось отправить на Дальний Восток для войны с Японией, но непостижимым образом забыло о нем; его тут же разгрузили и перепрятали.

В те месяцы казалось, что даже и просто гулять все выходили с оружием. Когда Камо появился в Питере, неся под салфеткой нечто большое и круглое — прямо по улице, чуть ли не по Невскому, все, кто знал его, были уверены, что это бомба; что кто-то может нести банальный арбуз, никому в голову не приходило.

Одной из сокровищниц, куда большевики наведывались с регулярностью скупого рыцаря, был Сестрорецкий оружейный завод. Это было винтовочное эльдорадо — мемуаристы жмурятся от удовольствия, вспоминая «рекордные дни, когда удавалось увозить из Сестрорецка до 80—90 штук в день, в то время как сам завод производил около двухсот винтовок в день». Крупными партиями перемещать добычу было опасно — поэтому винтовки таскали на себе, от двух до четырех штук за раз, в зависимости от пола контрабандиста. Мужчины обычно скрывали ношу под пальто, женщины — под платьем. Из полотенец делали помочи вокруг шеи — к плечам, к концам привязывали приклады ружей. Сгибаться было нельзя — и если вы обнаруживали, что у вас развязались шнурки или из-под полы пальто или оборок платья торчат дула, то приходилось выкручиваться с помощью товарищей. О том, участвовал ли сам Ленин в перевозке оружия, неизвестно, но в то время трудно было найти члена РСДРП, который бы не имел опыта такого рода: «Некоторые наши девицы доходили до совершенства, навязывая на себе до восьми винтовок».

Апофеозом охоты большевиков на оружие стала экспроприация «бабушки» — конспиративное имя для скорострельной корабельной пушки Гочкиса, украденной из двора гвардейского флотского экипажа на Крюковом канале. Этот удивительный трофей вызвал у рабочих прилив энтузиазма — и хотя немедленного применения для орудия не нашлось, предполагалось, что когда начнется восстание, из него будет обстрелян Зимний дворец; кто мог знать, что через 12 лет в распоряжении восставших окажется целый крейсер? До поры до времени «бабушку» закопали на Васильевском острове — и потратили много усилий, чтобы раздобыть для нее снаряды.

Однако наиболее перспективными Красин, Литвинов, Богданов и Ленин сочли поставки из-за границы. Во-первых, в Европе можно было закупить винтовки и пистолеты в значительных объемах — из списываемых по истечении определенного срока. Во-вторых, в Бельгии и Германии, где производилось самое современное оружие, можно было заказывать партии именно того, что нужно. Красин и Литвинов — иногда под своими именами, чаще в маскараде (так, Литвинов однажды приобрел на датском правительственном заводе девять кавалерийских пулеметов, три миллиона патронов и тысячу килограммов динамита под видом офицера армии республики Эквадор, состоящего при эквадорском же атташе, тоже фальшивом, из большевиков) — ездили на заводы в Льеже и закупали там пулеметы и винтовки, последние десятками тысяч. По странному совпадению «производство браунингов на заводе в Герстале увеличилось более чем вдвое за время революционных событий 1905— 1906 гг. в России».

Самым известным проектом (на самом деле совместным — эсеров и большевиков), в подготовке которого принимал живейшее участие Ленин, проведший в Женеве многораундные переговоры с инициатором затеи, Гапоном, — была доставка оружия на специально приобретенном в Англии судне «Джон Графтон». Деньги на эту авантюру дал — это можно утверждать с точностью в 99 процентов — глава японской разведки в Европе полковник Акаси Мотодзиро (1864—1919); ему, однако, не удалось заключить договор напрямую с большевиками и эсерами: посредником был финский социалист и писатель Циллиакус. Штука еще в том, что если со стороны большевиков приемкой груза «Графтона» в Финляндии занимались Красин и Ленин, то от эсеров работал Азеф — руководитель Боевой группы партии и, по удивительному совпадению, агент охранки. К приемке груза (16 тысяч ружей, три тысячи револьверов, три миллиона патронов к ним и три тонны взрывчатки) готовились несколько месяцев — хранить его предполагалось в десятках мест — от имений матерей большевиков Буренина и Игнатьева до специально оборудованного склепа с раздвигающейся, как в «Индиане Джонсе», надгробной плитой на Волковом кладбище. В результате ряда явно неслучайных событий — по-видимому, стараниями Азефа, — подойдя в августе 1905-го к финляндскому берегу, «Джон Графтон» принялся искать место для причала, но где бы он ни появлялся, оказывалось, что на берегу его ждала русская полиция. Кончилось тем, что корабль сначала сел на мель, а затем капитан, из опасений, что груз достанется полиции, приказал взорвать его — благо динамита на борту было предостаточно. Бо́льшая часть непострадавшего оружия досталась-таки полиции — меньшую растащили финские рыбаки, у которых еще долго потом агенты Красина скупали улов. В декабре 1905-го в Москве обнаруживались винтовки «Веттерлей», скорее всего, именно с «Графтона»; некоторые экземпляры того же происхождения «всплывали» аж в Гражданскую. Странным образом, этот сюжет не использован, кажется, никаким беллетристом. Полковник Акаси Мотодзиро в своем итоговом, составленном для японского Генштаба по результатам своей шпионской деятельности докладе (с удивительным для подобного рода документа названием «Rakka Ryusui» — «Опавшие цветы, унесенные потоком») приписывал себе едва ли не всю революцию 1905 года; правда, однако ж, состояла в том, что колоссальные деньги, потраченные японцами, пошли прахом. Что касается мнения, будто японцы в самом деле поддерживали революционный пожар в России в 1905—1906 годах, то это неправда хотя бы в силу масштабов движения: никакие иностранные деньги в принципе не могли спровоцировать ничего подобного.

Образовательный аспект «курса на вооруженное восстание», взятого на III съезде РСДРП, состоял в создании целой сети подпольных школ, где будущие шахиды, под руководством большевистских инструкторов, проходили военную подготовку: как пользоваться огнестрельным и холодным оружием, обращаться с бомбами, строить баррикады плюс тактика уличного боя, основы диверсионной деятельности, техники и правила экспроприаций, управление транспортом (лошадью, паровозом, автомобилем). Собственно, эти школы были курсами для инструкторов — которые затем должны были обучить рабочих. Курсы лекций о приемах стрельбы, об уличных боях, о постройке баррикад читались рабочим едва ли не легально — например, в Корниловской школе — той самой, на Невской заставе, где Крупская в середине 1890-х работала учительницей. Самым популярным местом, однако, была Финляндия — тамошние перелески использовались как тиры, где боевики учились стрелять из винтовок и пистолетов.

Помимо Петербурга (там располагалась Центральная инструкторская боевая школа) и Финляндии, аналоги этих «вузов» функционировали на Украине, в Польше, на Урале и Кавказе. Предполагалось, что выпускники составят основу ударных групп, которые будут направлять стихийно возникающие восстания.

Идеальная структура — плод планировочных решений большевистских аксакалов — выглядела следующим образом: районный комитет РСДРП руководил тремя дружинами. Первая — рабочая, «легальная», занималась охраной митингов и партийных вожаков от казаков, черносотенцев и провокаторов. Две «подпольные» дружины занимались собственно диверсиями против власти, охотой на шпионов, атаками на недружественные неправительственные организации, карательными мерами по отношению к штрейкбрехерам, рэкетом и экспроприациями. Дружины делились на десятки и пятерки — которые устраивались так, чтобы каждый боец был знаком с минимальным количеством других.

Смысл этой коллективизации был не только в эффективности и конспирации, но и в демонстрации властям, что те имеют дело не с индивидуальным террором, как в случае с эсерами (грохнули злого мастера на заводе из браунинга, чтобы другим неповадно было), а с массовым, хорошо спланированным, организованным и имеющим цель заместить одну власть другой.

Еще осенью 1905 года — в связи с убийством Баумана, надо полагать, — Ленин придумал, что идеальный способ проводить боевые учения дружин РСДРП — нападать на черносотенцев: «избивать, убивать, взрывать их штаб-квартиры и т. д.»; особенно

раздражало Ленина то, что среди черносотенцев были не только дворяне и мещане, но и — сбитые с толку? — рабочие. Ему не
пришлось упрашивать своих коллег слишком долго — особенно
после того, как в январе 1906-го к петербургским боевикам прим-
кнули латыши из разгромленных отрядов «лесных братьев» — с
большим военным опытом. В конце января латыши швырнули
бомбу в чайную Союза русского народа «Тверь», за Невской заставой, где собирались рабочие Невского судостроительного
с соответствующими взглядами: два трупа и около пятнадцати
раненых. Случались и атаки скорее озорного характера — так,
на головы посетителям лекции для черносотенцев на Большой
Дворянской в августе 1906-го полетели бутылки «со зловонной
жидкостью»; надо было показать интеллигенции, которая отхо-
дила от партии из-за угроз черносотенцев, на чьей стороне сила.
Иногда дружинники «проучивали» казаков — ночью перегоражи-
вали темные переулки толстой проволокой, стреляли в воздух,
казаки неслись на выстрелы, лошади спотыкались и происходил
массовый завал.

В стране были организованы десятки мастерских, где готовились бомбы и набивались патроны, и химических лабораторий,
где студенты-химики, аптекари, инженеры и просто изобрета-
тельные рабочие пытались создать взрывчатку, сочетавшую в
себе безопасность хранения, простоту использования, дешевиз-
ну и простоту в изготовлении. Самый удачный рецепт принадлежит большевистскому химику по кличке «Эллипс», который в
1906 году разработал из смеси бертолетовой соли с керосином
особую разновидность взрывчатого вещества — «панкластит».
Опыты с гремучей ртутью, бертолетовой солью, нитроглицери-
ном, азотной кислотой и керосином никогда не были безопас-
ными; в подпольных условиях оторванные конечности, ожоги и
пожары были скорее нормой, чем исключением. Известно, что
взорвались тифлисская и одесская лаборатории, но то же самое
наверняка происходило и в Петербурге, Екатеринодаре, Куоккале, Ахи-Ярви (имении большевика Игнатьева, где химики вы-
рабатывали пикриновую кислоту, нужную для приготовления
взрывчатого вещества мелинита) и т. д. Большевистские химики выглядели как чокнутые профессора из кинокомедий. Химик
Березин, занимавшийся мелинитом, был, например, весь, от
мизинцев ног до белков глаз, желт. Отголосок всей этой смерто-
убийственной деятельности — сцена с аптекарем-подпольщиком
в «Неуловимых мстителях», где тот экспериментирует с составом
взрывчатки для бильярдного шара: «Мало!.. Много... Много!»
Особую проблему представляли оболочки: на какие только ухищ-
рения не шли организаторы, чтобы разместить промышленные

заказы на что-то подобное; физкультурные гантели и фальшивые бильярдные шары — примеры далеко не единственные. Красин придумал создать в никогда не страдавшей от перенаселения Финляндии специальный полигон, где испытывались бомбы и адские машины. В считаные месяцы большевики сделались бóльшими экспертами, чем сами эсеры; в квартире Горького и Андреевой на углу Моховой и Воздвиженки, в двухстах метрах от Кремля — сейчас там приемная Госдумы — было устроено нечто вроде подпольной лаборатории Кью; и даже дача Столыпина была взорвана эсерами с использованием большевистской взрывчатки.

В процессе перевозки и хранения всего этого оборудования то и дело возникали курьезные ситуации. Одна большевичка, работавшая в Петербургском мясном патологическом музее при бойне, прятала револьверы в модели окорока ветчины — и хранила их в музее как экспонаты. Другой рабочий, перевозя саквояжи с оружием, имел обыкновение, оказываясь на вокзалах, просить посторожить их полицейского. Третьи завели обычай путешествовать на дальние расстояния в виде живых бомб: обматывали себя под платьем в Париже — начиная с ног и дальше по всему телу — бикфордовым шнуром и ехали несколько суток в поезде до Петербурга, изо всех сил стараясь не засыпать и сидеть, не прикасаясь к спинке: любой толчок — взрыв. Возили на себе из Финляндии произведенный в кустарных лабораториях — из смеси промытого нитроглицерина с углекислой магнезией — динамит, который уже при комнатной температуре начинал издавать резкий едкий миндальный запах: женщины выливали на себя духи целыми флаконами, а в поездах всю дорогу простаивали на площадке вагона даже в сильный мороз.

В 1903 году Ленин потерял «Искру». Однако накопленный с 1900 года опыт издания и распространения нелегальной газеты неожиданно очень пригодился и ему, и его товарищам: тайная организация, способная успешно перемещать запрещенные грузы в пределах целого континента, уже существовала — просто теперь приходилось доставлять из-за границы, перевозить внутри страны и хранить оружие. Раньше, говорили революционеры, мы возили «сестру» (литературу), а теперь «дядю» и «тетю» (динамит и бомбы). Искровские транспортные пути — через Финляндию, Одессу, Балканы, Кавказ — были разморожены. Склады, предназначенные для литературы, перепрофилировались под хранение оружия; вместо типографий стали организовывать лаборатории; раньше крали шрифт — теперь патроны и т. п. И по-прежнему идеальными агентами оказывались женщины, вызывавшие меньше подозрений у полиции; только вот передвигались они теперь с еще более тяжелыми шляпными коробками.

Для коммуникаций между агентами точно так же требовались шифры, чтобы скрыть информацию от полиции; и поднаторевшие в сочинении шифрованных посланий агенты «Искры» чувствовали себя в новой боевой обстановке как рыбы в воде.

Подпольщик Н. Буренин — пианист, отыгравший немало концертов Чайковского и Шопена «с грузом», в бумажном «панцире» из «Искры» и ленинского «Что делать?», теперь таскал под пальто винтовки и динамит — и по-прежнему общался со знакомыми посредством закодированных сообщений (ручные бомбы — свадебные мешки с конфетами и т. д.); в его воспоминаниях есть история про все того же Игнатьева, получившего от своей связной записку следующего содержания: «Был тот, кто лает у ворот». «Вспомнив поговорку: "Енот, что лает у ворот", Игнатьев стал думать, кто у нас может быть енотом, и быстро догадался, что речь идет, несомненно, о Боброве, так как есть енотовые и бобровые воротники». Да уж, несомненно.

Почва была подготовлена. В 1906-м большевики были в состоянии не только лаять у ворот, а разыграть первый раунд настоящей, хорошо организованной войны непосредственно в интерьере. К ноябрю—декабрю 1906 года только в Петербурге у большевиков было боевое ядро примерно из 250 человек — и еще около 600 в членах боевых организаций по районам. Они соблюдали боевую дисциплину и конспирацию; опыт этих людей способствовал быстрому созданию десять лет спустя Красной гвардии.

Весь 1906 год, однако, Ленину пришлось наблюдать за проявлениями усталости — как «народа» в целом, так и «элитного» пролетариата — от революционных потрясений. Власти научились канализировать протестную энергию экономическими и политическими уступками, перенаправляя ее посредством своих агентов и симпатизирующих черносотенцам рабочих против нацменьшинств. Стачки сопровождались погромами и в 1905-м — в Одессе, Екатеринославе; и позднее связывать неурядицы вооруженного восстания с подстрекательствами со стороны евреев не составляло особого труда. Рабочие не могли не видеть, что среди революционеров действительно было много евреев; разумеется, сознательные рабочие, зная, чем объясняется этот высокий процент, не велись на такого рода разговоры и брали под защиту еврейские кварталы, боролись с пьянством и т. п.; но раз на раз, конечно, не приходилось. По мере реализации завоеванных кровью и лишениями нововведений (отмена выкупных платежей, возможность объединяться на крестьянских сходах и в профсоюзы) и повышения уровня жизни рабочих (увеличение зарплаты, сокращение рабочего дня) не только шли на спад революционные настроения пролетариата, но и деградировала изобретательность РСДРП — никаких суперпроектов, вроде захвата боевых кораблей или каких-то особенных тактических новинок, после декабря 1905-го она не продемонстрировала. Большевики вынужденно мариновались без работы и ждали у моря погоды — какого-то события-триггера, который еще раз нарушит обычное положение дел; теперь к нему готовились еще более тщательно — продумывали точный детальный план действий, снимали планы города, составляли карты. Технология действий в 1906 году сводилась к стремлению как можно раньше узнать о каком-либо стихийно вспыхнувшем восстании — чтобы моментально заслать туда своих эмиссаров и возглавить его. Так в июле 1906-го взбунтовались солдаты и матросы в Свеаборге — и тотчас Ленин отправляет туда делегацию: Лядов, Шлихтер, Землячка; одновременно в рабочих кварталах агитаторы начинают мутить всеобщую забастовку — в поддержку восстания.

Никаких особенных результатов достигнуто не было; к 1907-му сделалось очевидно, что если РСДРП, и большевики в частности будут ассоциироваться исключительно с вооруженными восстаниями, экспроприациями и поджогами — то их кормовая база со временем только сократится; слишком уж не похоже на образцовую германскую социал-демократию — и слишком похоже на бандитов, анархистов и эсеров; не все же вчитывались в нюансы программ партии.

Еще в декабре 1905-го всегда чувствовавший «тонкость момента» Ленин не мог не обратить внимание на вышедший 11-го числа — в самый разгар боев на Пресне — закон, согласно которому избирательными правами наделялись рабочие крупных и средних предприятий. Напрямую в Думу они, конечно, не могли выставить депутата — но могли выбрать уполномоченного, одного на тысячу, затем эти уполномоченные выбирали выборщиков, а губернские собрания выборщиков выбирали депутата Думы; сложная многоступенчатая система, которая, однако, привела в какой-то момент к появлению в Думе настоящих рабочих. Разумеется, Первую думу — Булыгинскую — большевики демонстративно бойкотировали; толку от нее было немного — ее разогнали через два с половиной месяца работы.

Однако когда были назначены выборы во Вторую, социалисты — и с.-д., и эсеры оторвались от чистки стволов, привстали на цыпочки и принялись принюхиваться.

Именно с этим, по-видимому, связан удивительный момент, когда Ленин — единственный раз в жизни, наверное, — намеревается радикальным образом выйти из подполья, попытавшись самому стать депутатом Думы.

По-видимому, его анализ показал, что амплитуда городских восстаний затухала; надежды на то, что удастся погнать вторую волну революции посредством массовых стачек, тщетны — а на крестьян, которые расчухались как раз к лету 1906-го, у большевиков не было особого влияния. Снимая бойкот против парламентской деятельности — и, более того, сам пытаясь получить статус депутата, Ленин исходил из того, что Вторая дума не станет вторым изданием Первой: уроки восстания, однако ж, к концу 1906-го были усвоены — наблюдался рост политического сознания пролетариата, массы размежевались со струсившей либеральной буржуазией — и поэтому у действительно (а не мнимо) оппозиционных кандидатов, за счет возникновения «могучей опоры» снизу, есть хороший шанс оказаться выбранными. Первая дума была, в некотором роде, «тренировочной», она была символическим жестом царя, знаком его готовности восстановить после катастрофы 9 января гражданский мир. Вторая могла стать рингом, на котором дрались поднаторевшие в боях без правил, а теперь решившие попробовать свои силы в «легальном спорте» консерваторы черносотенного толка и представители пролетарско-крестьянских масс; ставки того стоили. Главным призом Думской Битвы должны были стать симпатии крестьян — дальнейшая революционизация и отказ от кадетских морковок «конституционной демократии» — либо, наоборот, поправение, «черносотенизация». (Именно поэтому, кстати, в 1905-м меняется аграрная программа РСДРП: обнаружив, что крестьяне способны к самоорганизации и защите своих прав силой и, следовательно, могут оказаться не просто балластом, а ценным союзником, Ленин перестает относиться к ним как к историческому пережитку и в январе 1906-го, на одной из териокских партконференций, соглашается на «левый блок» с эсерами и трудовиками.)

Разумеется, если вдруг в момент выборов начнется восстание, то большевики моментально выйдут из процесса; однако если гора все-таки не соизволит пойти к Магомету...

Чтобы после всех гимнов подполью выставить свою кандидатуру на легальных выборах в царский парламент, где при вступлении в должность депутат обязан был публично клясться на верность самодержцу, следовало обзавестись очень толстой кожей; ссылаясь на тонущую в тумане необходимость «укрепления приводного ремня между большим колесом, начавшим сильно двигаться внизу, и маленьким колесиком наверху», Ленин, с помощью дружественного правления союза приказчиков, обзавелся промысловым свидетельством для участия в выборах — на имя «Карпов», под которым и выступал впервые перед большой публикой в Народном доме Паниной. Баллотировался он — не по рабочей, разумеется, курии, а по городской — от так называемого «левого блока» — трудовиков, эсеров, народных социалистов и социал-демократов (не кадетов!). Среди выборщиков по Московскому району Санкт-Петербурга были приказчики, писатели, врачи, корректоры, присяжные поверенные, инженеры. В целом выборы стали, можно сказать, триумфом левых партий; в Думу прошли 180 человек; одних только с.-д. среди депутатов оказалось более 10 процентов — шесть десятков человек; но именно для Ленина (как, впрочем, и для также выставлявшегося Дана) все кончилось пшиком — левый блок по его району не прошел, и приказчики отправились восвояси по своим лавкам — подсчитывать убытки. Сведения о Ленине как о несостоявшемся депутате Госдумы в советское время не афишировались — но и не слишком скрывались; в целом Ленин никогда не позиционировал себя как сторонник парламентской демократии, и поэтому приведенный Горьким анекдот про Ленина и непонятливого меньшевика-рабочего, которому приходится объяснять, в чем истинная причина разногласий между беками и меками («Да вот, говорю, ваши товарищи желают заседать в парламенте, а мы убеждены, что рабочий класс должен готовиться к бою»), кажется для биографии Ленина более естественным, чем «две строчки мелким шрифтом», доказывающие, что в некоторых политических обстоятельствах Ленин менял линию своего поведения.

Непохоже, что и сам он питал особые надежды на корочку Таврического дворца; роль серого кардинала, направляющего деятельность своей фракции в Думе, была более привычной. Его больше занимал парадокс: самая отсталая страна в Европе, самый реакционный избирательный закон в Европе — и самый революционный состав представительский; *ergo*, констатирует Ленин, — момент по-прежнему революционный, дни конституции сочтены: либо победа революционного народа — либо отмена «свобод» 17 октября. Конкретнее: «никаких преждевременных призывов к восстанию! Никаких торжественных манифестов к народу. Никаких пронунциаменто, никаких "провозглашений". Буря сама идет на нас. Не надо бряцать оружием» — и едва ли читателям Ленина последняя фраза казалась метафорой — учитывая величину накопленного большевиками арсенала.

Меж тем меньшевики, склонные перечить Ленину и по более ничтожным поводам, восприняли этот совет как вызов — и решили продемонстрировать, что будут распоряжаться своим оружием так, как им заблагорассудится; пусть даже их пронунциаменто касалось оружия не столько огнестрельного, сколько организационного. Не успели объявить результаты выборов, как меньшевики инициировали против Ленина процедуру «партийного суда» — за то, что тот публично, «в грязной брошюрке», по любезному выражению Мартова, обвинил меньшевистский на тот момент, избранный на IV «объединительном» съезде ЦК в сговоре с кадетами (которым давали понять, что меньшевики — «разумная часть, образцовая часть, приличная часть социал-демократии. Большевики же являются представителями варварства. Они мешают социализму стать цивилизованным и парламентским!») с целью протащить на выборах во Вторую думу своего кандидата; тогда как большевистская часть на одной из январских териокских партконференций недвусмысленно запретила тем блокироваться с буржуазными партиями — только с левыми. И действительно, Ленина судили.

Мы вынуждены ввести читателя в обстоятельства этой свары в связи с теми наблюдениями о характере Ленина, которые можно сделать на основе ее анализа.

Ленин произнес на суде убедительную, крепкую речь, в которой объяснил свое право идти на раскол — и пользоваться для очернения противника (заметьте: «противника» — слово, употребленное самим Лениным; и это про товарищей по партии) любыми, за исключением уголовных, способами. Эта защитная речь, которую обязательно следует прочесть тем, кто рисует Ленина «плохим юристом», превратилась, по сути, в обвинительную — и Ленин, при поддержке ершистого Петербургского комитета, науськиваемого из Куоккалы, был оправдан. Конфронтация дала ему возможность требовать у мартовцев матча-реванша — нового съезда, с новыми выборами ЦК. Меньшевики вели себя всего лишь разумно — почему бы не блокироваться, тактически, с либералами, если этот блок преградит дорогу в парламент черносотенцам; в конце концов, ведь рано или поздно все равно в России будет создана буржуазная республика — и марксистам придется сотрудничать с либеральными партиями; и как раз либералы и должны будут поддержать существование легальной рабочей партии, к которой и должны были привести события 1905 года; чего упираться-то? Ленин же, по обыкновению, смотрел на семь аршин в землю: в случае успеха вооруженного восстания существеннее не то, как будет выглядеть возглавившая его партия — как широкая, созданная по немецкому образцу, борющаяся за равенство прав партия сознательных рабочих под руководством интеллигенции, или как партия озверевших на баррикадах пролетариев, десять лет просидевших в подполье и привыкших общаться шифрами; важно то, кто НЕ должен воспользоваться плодами восстания: либеральные буржуазные партии, враги рабочего класса. Тот, кто с ними, тот против нас — тот противник.

Представляют ли отношения политических сиамских близнецов — меньшевиков и большевиков — материал исключительно для историка или в них есть что-то еще, кроме курьезности патологии, что-то, без чего тот, кто размышляет о Ленине сегодня, не может понять этой фигуры? Почему он, при его мании эффективности, потратил столько усилий и времени на выстраивание отношений с этими «отбросами истории» (формула, отчеканенная, впрочем, Троцким) и даже во сне, по рассказам Крупской, то и дело ругал меньшевиков? Почему еще в 1904-м, после потери «Искры», он, вечный раскалыватель, не сказал: мы не вы, мы другая партия, почему не порвал с ними окончательно? Ведь не только же из-за того, что они не могли поделить название «РСДРП» — бренд партии российских последователей Маркса?

Дело в том, что меньшевики декларативно являлись партией, защищавшей интересы пролетариата, рабочих масс. И разумеется, среди меньшевиков были в высшей степени профессиональные, отчаянные, «7/24» революционеры; не следует судить о них по карикатурам сталинского кино, представлявшим меньшевиков «революционерами в стиле фанк» — предпочитавшими «расслабленность» и не желавшими подчиняться партийной дисциплине. И рабочие в меньшевистской фракции были самые что ни на есть настоящие — не только интеллигенты; однако по факту рабочие эти патронировались интеллигентами; более того, — выяснилось это далеко не сразу, а как раз по ходу и после 1905-го — между меньшевистской интеллигенцией и пролетариатом сложились сложные симбиотические отношения; косвенным образом, интеллигенты предполагали играть существенную роль, во-первых, в формировании цивилизованного пролетарского сознания; во-вторых, в посредничестве между пролетариатом и другими классами. Целью меньшевиков была трансформация нелегальной РСДРП в партию, как у немецких социалистов, — своего рода школу политической сознательности для рабочих, где роль учителей будут играть как раз интеллигенты на том основании, что им повезло уже получить образование и именно они — носители абсолютной правды и морали; цивилизованная, желательно в условиях парламентской демократии, борьба за права рабочих должна будет в какой-то момент привести и к борьбе за власть.

Роль меньшевистской интеллигенции после того, как власть — исторически неизбежно — перейдет к пролетариату? По-видимому, всё та же: представлять интересы рабочих во власти; мозг нации. Называя вещи своими именами, рабочий класс внутри такой модели становится агентом интеллигенции — посредством этих варваров с мускулами, способных сокрушить феодальный и, в перспективе, буржуазный режимы, интеллигенция сможет обеспечить пролетариату лучшие условия для осознания своей исторической миссии и создать в России цивилизованное, просвещенное, гуманное общество — как в Европе; таким образом, марксизм для меньшевиков — по сути, способ европеизации России.

История отношений Ленина с меньшевиками — это история отношений Ленина и интеллигенции, сюжет про интеллигента-отступника, рвавшего со своим классом и средой на протяжении всей жизни — до статьи 1922 года «О воинствующем материализме» и «философского парохода».

Но была ли печально известная ленинская аллергия по отношению к либеральной интеллигенции — вспомним его разошедшееся в массы грубое бонмо про то, что интеллигенция не мозг, а «г...» нации, — врожденной? Не следует ли искать ее генезис как раз в отношениях с меньшевиками?

До 1905 года казалось, что расхождения (часто касавшиеся морали, коллективной и индивидуальной; Ленин еще со времен скандального дела Баумана предпочитал различать частную и деловую жизнь) существенны, но могут быть преодолены; в конце концов, они все были сформированы, условно говоря, одними и теми же книгами, научившими их бороться за соблюдение прав необразованных сословий. Они все были литераторами — Ленин, Мартов, Аксельрод, Гурвич, Потресов, Троцкий, Богданов, Плеханов, Луначарский; и пока Ленин всего лишь просто организовывал движение (в «Что делать?») — Мартова и Потресова всё устраивало.

Однако настала не умозрительная, как на II съезде, а жизненная кризисная ситуация — 1905 год, и тут интеллигенция, формально представляя интересы пролетариата, стала крениться в сторону буржуазии — из самых рациональных соображений, а возможно, в силу психологической травмы от жестокости увиденного; тогда как упрямый и «иррациональный» (читай: переступивший табу, принятые в породившем его класс, готовый в случае победы революции вручить пролетариату власть, даже если это придется сделать недемократическим путем) Ленин — радикализировался под воздействием настроений массы; а на чем, собственно, основаны претензии интеллигентов на то, что только они — носители абсолютной правды и морали; с какой стати? На том основании, что они одержимы идолами демократии — которая, на самом деле, придумана буржуазией, чтобы удерживать власть? Рабочий класс и сам в состоянии о себе позаботиться — и если его мораль не будет совпадать с интеллигентской, то тем хуже для интеллигенции: зато в столкновениях с действительностью будет выработана мораль новая, революционная.

Это был гораздо менее очевидный, однако крайне чувствительный для социалистической интеллигенции урок 1905 года: массы могут выходить из инерционного состояния, мобилизоваться, сдвигаться влево — и претендовать на власть без чьих-либо наставлений; рабочие — не просто материал, из которого интеллигенция-пигмалион должна вылепить свою галатею, но бешеный бык, который сам инстинктивно чувствует вектор движения — и, главное, способ: аморальный, иррациональный, связанный с преступлениями и кровью, без фанаберий насчет соблюдения демократии. Сам пролетариат в состоянии был работать агентом Большой Истории, ему не нужны были меньшевистские катализаторы.

И вот Ленин, для которого быть профессиональным революционером означало подлаживаться к ситуации и определять допустимую степень аморализма и жестокости в зависимости от конкретных обстоятельств, — понял, в чем теперь должна состоять его функция. А меньшевики в целом нет; особенно очевидно это стало в 1917-м — когда война сильно расширила представления о дозволенном, а Мартов всё приветствовал и приветствовал свержение самодержавия — как будто на этом всё закончилось и ничего больше уже не изменится. В рамках «вульгарной», негегелевской, логики меньшевики были более ортодоксальными марксистами, поэтому невозможно было порвать с ними, сохранив за собой статус единственной марксистской партии; и у них были все основания считать Ленина чудовищем, потому что интеллигентность предполагает соблюдение моральных норм; можно биться с понятным врагом — но нельзя развращать того, кого вроде как защищаешь; а Ленин, по понятиям интеллигенции, развращал пролетариат вместо того, чтобы просвещать его. Но на вопрос, который на самом деле разделил «интеллигентски-оппортунистическое и пролетарски-революционное крылья партии» — Ленина и меньшевиков, то есть интеллигенцию, вопрос, поставленный перед ними Лениным еще в «Двух тактиках» в 1905-м, — они так и не смогли ответить: «Durfen wir siegen? "Смеем ли мы победить?" позволительно ли нам победить? не опасно ли нам победить? следует ли нам побеждать?»

Ленин понимал марксизм «буквально» — как императив, обязывающий пролетариат сначала отобрать власть у феодалов и буржуазии, пусть даже самым варварским способом и без соблюдения демократической процедуры, — и уж затем логика истории приведет этот новый класс-гегемон в царство разума, позволит ему подтянуться к стандартам цивилизации — насколько позволят объективные условия. И, похоже, такая последовательность оказалась эволюционно более перспективной — для интеллигенции в том числе: уже лет через шестьдесят после революции сформировался интеллигент нового типа: условный «Женя» — роль Мягкова из «Иронии судьбы». Тогда как попытки выстроить в России буржуазную республику закончились хаосом и установлением права сильного — как в 1917-м и в 1990-х. Что касается сюжета с «философским пароходом», то нет никаких оснований предполагать, что Ленин, чье право бороться с вооруженными политическими противниками вряд ли можно подвергнуть сомнению, «не должен был расправляться с цветом нации». Почему, собственно, Ленин не мог — самым вегетарианским из возможных способом — ответить на критику скептически настроенной к большевикам интеллигенции, поднявшей голову в 1921 году, наглотавшись нэповского «воздуха свободы»? Разве неизвестно, что слово бывает более опасным оружием? Почему, собственно, у этих контрреволюционных философов, литераторов, агрономов — оставляя в покое степень «важности» для нации Лосского, Ильина, Франка, Айхенвальда, Степуна и даже Н. Бердяева — должна быть охранная грамота, в принципе исключающая вытеснение их с поля?

И — возвращаясь к эпохе первой революции — даже после двух сепаратных съездов в 1905-м, даже после предательства и блока с кадетами, даже после партийного суда, — Ленин не настаивал на окончательном расколе; ему по-прежнему казалось странным, что РСДРП могут быть две. Организационные разногласия попытались преодолеть на IV, Объединительном, Стокгольмском съезде в 1906-м; на V, в Лондоне, меньшевики и большевики работали в одном зале.

И только в 1912-м на Пражской конференции впервые возникает название РСДРП (б): сиамские близнецы разорвались, образовались две партии — с двумя ЦК и двумя ЦО — «Социал-демократ» у Ленина, «Голос социал-демократа» у меньшевиков.

Что же стало соломинкой, сломавшей горб — два горба! — этому верблюду?

А вот что: «Спасители и упразднители» — антибольшевистская брошюра-памфлет, выпущенная Мартовым в 1911-м с намерением пролить свет на деятельность большевиков — и в особенности самого Ленина — в эпоху 1905—1908 годов.

Вернемся на дачу «Ваза».

Каким бы интеллигентом ни был «в быту» Ленин, не следует думать, что во время революции он занимался исключительно теорией и, словно паук, сидел в углу, ожидая, когда к нему в очередной раз приедет кавказский, уральский или прибалтийский головорез с пачкой ассигнаций. Деньги от экспроприаций были не единственным источником пополнения партийных касс. Ленин знал цену денег для революции — и когда мог оказаться полезным, сам прикладывал для их добывания максимум усилий.

Самым резонансным из тех дел, в которых он принимал непосредственное участие, стало начавшееся во время Первой революции и тянувшееся на протяжении многих лет так называемое «дело о шмитовском наследстве». Позже оно было раздуто историками, чья идеологическая неангажированность вызывает большие вопросы, как едва ли не центральное событие всей истории РСДРП.

Факты: примкнувший к социал-демократам и активно участвовавший в Московском восстании 22-летний фабрикант, из купеческого клана Морозовых, Николай Павлович Шмит, хозяин «Чертова гнезда», авантюрист и робин гуд, сам вооружавший своих рабочих и громивший вместе с ними полицейские участки, 17 декабря 1905 года был арестован. На протяжении многих месяцев его держали в тюрьме и, по-видимому, «ломали» — подвергали психологическому насилию: возили смотреть на руины фабрики и до́ма, на трупы рабочих, допрашивали в военном лагере карателей-семеновцев, выводили на псевдорасстрел, не давали спать, держали в камере-гробу рядом с воющими сумасшедшими, пугали по ночам (к вопросу о том, не был ли ГУЛАГ всего лишь конвейеризацией технологий, разработанных в царских тюрьмах) — а потом не то зарезали в камере, не то принудили к совершению самоубийства: в официальном заключении фигурировал осколок стекла. Еще до декабря 1905-го он поговаривал о том, что хотел бы отдать все свои деньги на революцию; перед смертью успел передать сестрам (которые тоже не были никчемными клушами и, несмотря на молодость, активно помогали восстанию), что в самом деле завещает все свои средства большевикам, партии. Речь шла об очень больших деньгах — около 500 тысяч золотых рублей, которые, однако, было непросто заполучить и обналичить (крупная часть была в паях Морозовской фабрики). Красин и Рыков тотчас известили о перспективном деле шефа; в августе 1907-го в одной из выборгских гостиниц состоялось специальное совещание с участием Ленина, Красина, Таратуты, младшего брата покойного Шмита и целой толпы юристов, посвященное выработке механизма перехода наследства большевикам: штука в том, что — не вдаваясь в детали этого крайне запутанного с юридической точки зрения дела — имущество, пусть даже и завещанное третьим лицам, должно было перейти родственникам: младшему брату, а если тот отречется — двум сестрам, поровну. И тут все зависело от мужчин, состоявших при сестрах; обе, несмотря на юный возраст, были не одиноки: старшая, Екатерина, была замужем за членом РСДРП юристом Андриканисом, а младшая, Елизавета, — за Таратутой, но гражданским, не зарегистрированным браком (который продлится еще полвека, надо полагать, назло историкам, обвинявшим большевиков в аморальном ограблении семьи доверчивого фабриканта). Таратута, боевик с порядочным тюремным опытом, очевидно, был не тот человек, на чье внезапное обогащение власти посмотрели бы сквозь пальцы: и если бы девушка, только что получившая большое наследство, просто отдала его каким-то третьим лицам, родственники могли оспорить ее действия — законы, регулирующие опеку несовершеннолетних, позволяли заблокировать передачу имущества радикальной партии. Юристы, представлявшие интересы семьи, также имели собственное мнение относительно целесообразности передачи денег покойного членам партии, поэтому время от времени приходилось окорачивать и их. Картинка, живо иллюстрирующая нравы: один из присутствовавших в Выборге описывает, как «на какое-то их возражение Таратута металлическим голосом крикнул: "Кто будет задерживать деньги, того мы устраним". В это время на диване мы сидели в таком порядке: юноша Шмит, я, Владимир Ильич и Таратута, и я видел, как Владимир Ильич дернул Таратуту за рукав».

Именно Ленин вынул из рукава идею фиктивных браков: вкладывать деньги в некое предприятие солидного, не внушающего подозрений мужа никому не возбраняется. Так возник, в качестве кандидатуры на супружество, Игнатьев — тот самый помещик-боевик, в чьем имении расположилась химическая лаборатория по выработке пикриновой кислоты для взрывчатки. Он поставил лишь одно условие — кажущееся комичным, но по тем временам требовавшее массы хлопот: чтобы женившая его партия непременно обеспечила ему и формальный развод; большевики, едва придя к власти, упростили процедуру развода до минимума, а вот чтобы провернуть этот трюк в 1908-м, требовалось согласие Синода — который, среди прочего, налагал на инициатора «церковную епитимью и семилетнее безбрачие». Несмотря на неотвратимость страшного наказания для жениха, в октябре 1908-го брак по расчету был заключен в парижской мэрии. В марте 1909-го 190 тысяч рублей золотом — 510 тысяч франков — ушли в «Лионский кредит», по странному совпадению тот же банк, где был открыт счет у Ленина.

История с шмитовским наследством была секретом Полишинеля — вся Москва, от бывших рабочих мебельной фабрики на Пресне до Департамента полиции, знала, что «большевики-охотятся-за-шмитовскими-миллионами» и что «они-ни-перед-чем-не-остановятся»; ситуация усугубилась, когда супруг старшей сестры, Андриканис, сопоставив свои перспективы в качестве большевика и буржуа, заявил, что покидает партию и, несмотря на устную договоренность, денег жены не отдаст. Несмотря на грозную репутацию большевиков, угрозы не подействовали, и пришлось, по требованию мужа, прибегнуть к третейскому суду, не принесшему стороне обвинения особенной выгоды.

Неудивительно, что в какой-то момент о сокровищах узнали меньшевики — и, предсказуемо вспомнив, что вообще-то партия — едина, потребовали, чтобы деньги попали в общепартийную кассу. Разумеется, делиться с таким трудом добытыми деньгами с Мартовым было последним желанием фракции Ленина; и вот тут Мартов — вцепившись в фигуру «обиженного» Андриканиса, которому Таратута якобы угрожал смертоубийством, — решил, что самое время вынести сор из избы. Он знал, что Ленину было что терять — не в России, а как раз на «внешнем» рынке. В феврале 1907-го тот получил от Люксембург и Каутского крайне лестное предложение писать в «Форвертс» и «Нойе Цайт» — как раз в тот момент, когда РСДРП легально пошла на думские выборы; Богданов уже там печатался — и оказаться в авторах этих изданий было вопросом престижа. Ленин распевал «Интернационал» на социалистических конгрессах, представляя партию российских социал-демократов, за дружеской кружкой пива участвовал в выработке стратегии европейских марксистов. Жалоба Мартова могла привести к тому, что большевиков лишили бы права использовать по отношению к себе термин «социал-демократы» и выгнали из Международного социалистического бюро; в глазах Запада Ленин превратился бы в главаря террористической организации, нерукопожатного и нереспектабельного.

Именно поэтому Ленин вынужден был соглашаться на «отчеты» перед немцами, и хотя топтал Мартову ноги как только мог, не спешил вырываться из его удушающих объятий. Аферисты, вопил тот, компрометируют всю партию в глазах цивилизованного человечества! Деньги добываются нечестно! (Г. Соломон, между прочим, рассказывает, что Мартов пустил в ход моральную артиллерию после того, как они с Литвиновым не сошлись в сумме, которую следовало отстегнуть от Тифлисского экса меньшевикам: Мартов хотел 10—15 тысяч, а Литвинов не давал больше семи; это настолько разозлило Мартова, что он даже назвал в печати имя Литвинова — то есть, по сути, стуканул на него полиции.) Под предлогом подготовки вооруженного восстания средства тратятся на субсидирование деятельности разных районных комитетов — читай: скупку голосов, с тем чтобы там штамповались большевистские питерские решения и посылались на съезды (например, V Лондонский) соответствующим образом настроенные депутаты — «союзники Ленина и его лакеи», «угодливая клиентелла, лишенная элементарного демократического устройства». Неудивительно, что ближайшее окружение Ленина, — Мартов намекал на Таратуту, — по всей видимости, связано с полицией. (Тот факт, что Таратута передал в партийную кассу сотни тысяч рублей — что само по себе немыслимо для агента, поскольку превышало в десятки раз плату самых крупных провокаторов, — Мартова не смутил.)

Дело о шмитовском наследстве — Мартов употребляет термин «конфискация средств, переданных на общепартийные цели», — было лишь поводом для более серьезных — адресованных чутким иностранным ушам — обвинений. За все это должен понести ответственность Ленин — «худший пособник реакции», безответственный авантюрист, драпирующийся в тогу спасителя партии от оппортунизма, узурпатор, утративший моральную связь с российскими рабочими, развративший их и превративший партию в аналог итальянской «коморры», авторитарно управляемую секту, делящуюся на касту «профессионалов», с ним самим во главе, и «бесправную массу работников», — и больше всего на свете опасающийся открытости, легальности, трансформации РСДРП в партию по немецкому типу (мечта меньшевиков). Ведь вместо того, чтобы использовать легальные возможности, Ленин за спиной общепартийных организаций создает тайный, не несущий ответственности перед всей партией Большевистский центр, руководящий распущенными по постановлению ЦК от осени 1907 года боевыми дружинами, экспроприациями и прочими аферами, — и тайно же сохраняет его после того, как божился в Лондоне закрыть; и, что хуже всего, продолжает затрачивать огромную часть общепартийного бюджета не на политическую работу, а на внутрипартийную борьбу. Эта диктатура кучки заговорщиков, скупающих сторонников и подвергающих травле инакомыслящих, абсолютно неприемлема.

Разумеется, критика Мартова вовсе не была беспочвенной, и значение его сочинения не сводилось к политическому шантажу. Среди прочего, он отмечал и моменты, которые наверняка были неприятны и Ленину тоже: например, «вырождение "партизанства" в своекорыстный бандитизм». Ведь поощряли же большевики создание «дружин», занимавшихся сбором оружия и политически мотивированной уголовщиной. И в состоянии ли они были распустить эти отряды, когда стало очевидно, что в ближайшее время этот резерв уже точно не понадобится для поддержки вооруженного выступления? Особенно при том, что БЦ, получивший после Лондонского съезда указание прекратить заказ и поддержку экспроприаций, но далеко не сразу отказавшийся от идеи «близкого восстания», предлагал «своим» боевикам скрывать партийную принадлежность — так, что когда тех застигали с поличным, они объявляли себя беспартийными — только что вышедшими из партии (как сейчас совершающие преступления полицейские в случае публичной огласки их дел оказываются «только вчера уволившимися»)? Как можно контролировать этих «ничьих» людей — привыкших, однако, к определенному образу жизни и вседозволенности?

Вряд ли летом 1907-го у Ленина был хороший ответ на эти претензии Мартова. «Ваза» к тому времени уже не производила впечатления надежного убежища — за ней следили; все это не прибавляло ни настроения, ни нервов. После V съезда Ленин выглядел очень потрепанным — и даже Лондон его не развлек: в этот раз не было ни паломничеств к могиле Маркса, ни совместных походов в мюзик-холл на Дэна Лино. Крупская взяла дело в свои руки и отвезла мужа в принадлежавший семье ее подруги Книпович домик на северном берегу Финского залива, у маяка в Стирсуддене; в этом летнем «монрепо» — война не пощадила ни дачу, ни маяк — они и прожили весь июнь: «"вне общественных интересов", ведем дачную жизнь: купаемся в море, катаемся на велосипеде (дороги скверные, впрочем, далеко не уедешь), Володя играет в шахматы, возит воду, одно время была мода на английского дурака и т. д.». Жена большевика депутата Второй думы Алексинского описывает совместные семейные игры в крокет и суаре с пением народовольческих песен и романсов; Ленин якобы даже сам «запел сентиментальный романс, который совершенно не шел к его большому оголенному черепу, ни к его насмешливым глазам, ни к его голосу, не содержащему в себе ни капли лирики».

Полиция меж тем не намеревалась уходить на летние каникулы. 1 июня 1907-го центральная боевая дружина была арестована в самом Петербурге и в Лесном. Хорошо обученные боевики сопротивлялись отчаянно; когда деваться было некуда — стрелялись. Раненых подбирали, подлечивали — только для того, чтобы тут же повесить в тюрьме. До этого, 31 декабря 1906 года, произошло крупное столкновение Боевой группы в одной из питерских подпольных мастерских. После провалилась школа подрывников в Куоккале. Те, кто остался на свободе, консервировали оружие на конспиративных складах, перепродавали излишки представителям оппозиционных партий на окраинах (так, винтовки из того самого «забытого» военным ведомством вагона были весной 1907-го проданы армянским революционерам). В начале марта 1908-го в Куоккале арестовали главу Боевой технической группы Красина. Для самого Ленина последним днем пребывания на «Вазе» стало 20 ноября 1907-го: он сидел там, пока можно было выпускать в России «Пролетарий», номер вышел 19-го.

В декабре 1907-го стало ясно, что Ленину — который, пытаясь оторваться от слежки, с каждым днем отдрейфовывал все дальше и дальше на север — надо уходить из России вообще, даже из финской части. Или вообще — из революции? Партия — в которой летом 1905-го было 26 тысяч членов — уже в 1906-м стала терять динамику роста, а с 1907-го — таять на глазах; интеллигенция бежала от большевиков как от чумы. Репутация самого Ленина оказалась сильно подмочена участием в терроре; он знал, что рано или поздно Мартов издаст своих «Спасителей и упразднителей» — и помешает ему трансформироваться в европейского «мирно́го» социалиста. Начинал раздражать Ленина и Богданов — некстати набиравший в социалистических кругах вес за счет репутации философа, удачно осовременивающего Маркса. На последнем — можно сказать, поминальном — совещании, посвященном итогам и перспективам первой русской революции, Ленин объявил в кулуарах, что революция закончилась.

Солженицынская — из «Ленина в Цюрихе» — трактовка итогов экзамена 1905 года для Ленина выглядит правдоподобной: во-первых, Ленин встретил 9 января 1905-го не в лучшей форме: набрал инерцию, спланировал свою жизнь под статус революционера-нелегала, засиделся в подполье и в Женеве; вместо того, чтобы махнуть в Россию с канистрами керосина сразу после пожара 9 января, он изобретал — на бумаге, одновременно продолжая линию на раскол с меньшевиками, — стратегию и тактику вооруженного восстания: когда выступать, в кого чем стрелять, где брать порох. Это помешало ему вовремя оценить потенциал других, не боевых — и заведомо буржуазных, недостаточно пролетарских, как он полагал, — форм сопротивления; тогда как остроумный и легкий на подъем Парвус не стал зацикливаться на буквальном вооружении и сразу после 9 января придумал, что надо создавать «рабочее правительство»: парламентского опыта у России нет, буржуазия слаба, крестьянство неорганизованно, «и пролетариату не остается ничего другого, как принять руководство революцией». И припечатал: те с.-д., кто удаляется от инициативы пролетариата, превратятся в ничтожную секту. Они с Троцким приехали раньше Ленина, трансформировали скучные заводские комитеты уполномоченных в осененные ореолом славы «СОВЕТЫ», превратили заседания в модный у буржуазии политический театр, артистично ораторствовали, требовали от пролетариата не останавливаться после победы революции, готовиться к гражданской войне с либералами; снискали популярность, захватили ничтожную «Русскую газету» — и довели тираж до полумиллиона; тогда как Ленин...

Ленин в 1905-м (по Солженицыну) довольствовался, по сути, ролью зрителя с галерки, не проявившего достаточную революционную компетентность, чтобы использовать фарт истории — проигранную непопулярную войну с Японией, Кровавое воскресенье и крестьянскую войну 1906 года — для того, чтобы быстро победить самодержавие в первом раунде. Сначала он вынужден был возражать Парвусу в газете «Вперед», что пока у пролетариата маловато силенок, так что не стоит ли подумать и о перспективах союза с мелкой буржуазией, революционной демократией... Ситуацию с «Потемкиным» под контроль взять не смог; июньскую и октябрьскую стачки прокуковал в Женеве, в Москву на восстание не поехал, потом полтора года ховался на даче в Куоккале: анализировал, ездил в Париж читать рефераты, ходил там в «Grand Opera» и «Folies Bergeres», сочинял тезисы брошюр для Луначарского, участвовал в кулуарной возне касательно того, кто получит мандат на Международную социалистическую конференцию — он, Плеханов или кто-то еще от меньшевиков; впечатление, что скандальный сепаратный III съезд для Ленина — событие гораздо более значительное, чем 9 января, броненосец «Потемкин» и выборы в Первую думу; он говорит об этом страстнее, злее, яростнее, чем о чем-то еще. Почему? Уверен был, что Большой Историей пока еще управлять невозможно — и пока следовало заниматься мелочами, нюансами, разработкой мелких политических мышц?

«В ту революцию Ленин был придавлен Парвусом как боком слона». У Ленина действительно были сложные отношения с Парвусом — но правда ли тот был, продолжая зооморфную метафору Солженицына, его *bete noir*, тем предметом ненависти и зависти, о котором он думал беспрестанно? Помимо соперничества с Парвусом, у Ленина в эти два года хватало другого материала, освоение которого представляло не меньший спортивный интерес; наблюдая за всеми этими партийными химиками, контрабандистами, палачами и т. п., распределяя их по разным участкам, раздавая им задания и контролируя их выполнение, он учился жестокости, которой сопровождается как стихийная гражданская война, так и спланированный, продуманный, сознательный террор. Первая русская революция была жестоким опытом, с какой стороны на нее ни взгляни; и, разумеется, Ленин знал, например, что по Петербургу в январе 1907-го рыскали уральские боевики Э. Кадомцева с фотографиями людей, которых руководство партии — может быть, и сам Ленин — считало провокаторами: их находили и убивали, без суда и следствия, как впоследствии еще одна похожая организация. Ленин уже в 1905 году попробовал, что значит руководить огромной — и достаточно могущественной, чтобы возглавить восстание пролетариата, если оно все-таки вспыхнет, — организацией, состоящей из быстро вооружившихся, обучившихся и хорошо мотивированных людей. Возможно, по части публичных выступлений он был менее популярен, чем Парвус (тоже, впрочем, бабушка надвое сказала; даже мемуаристы, у которых Ленин вызывает отвращение, называют его — в 1906—1907 годах — «кумиром социал-демократической молодежи левого крыла»), — и ходы его как политика проигрывали в остроумии; но зато Ленин получил опыт повседневного ведения гражданской войны; и тут, по справедливому суду Розы Люксембург, «мы были бы ослами, если бы ничему при этом не научились».

Что же касается Парвуса и Троцкого, то и они тоже, на круг, уж точно не выиграли эту революцию: несмотря на то, что стартовали, да, более эффектно. И даже солженицынский Ленин в конце концов собирается с силами и дает дьяволу отповедь: нет, это он, Парвус, ошибся, и ошибка эта состояла в том, что надо было не ждать Национального собрания, а объявить Советы этим Национальным собранием — и учредить революционную карающую организацию; вот тогда бы маховик закрутился по-настоящему, вот тогда можно было бы власть перехватить и удержать. Это полностью выдуманный разговор — но художественно и исторически убедительный. Ленин вышел из 1905 года не разочарованным, а вооруженным — и убежденным, что оно того стоило. В конце концов, в 1905-м Россия вступила в почетный европейский клуб участников революций: Великая французская революция 1789 года, 1848 год, Парижская коммуна. Членство это, как всегда и бывает, обошлось недешево — количество погибших исчислялось тысячами. «Сумасшедший год» — так называл его сам Ленин; сумасшедший — но не бессмысленный. И сам Ленин, и его коллеги по РСДРП, воспользовавшись слабостью и ошибками власти, много чего перепробовали — в настоящих, боевых условиях вооруженного восстания, которого Плеханов, к примеру, ждал всю жизнь, да так своими глазами и не увидел. Ленин же еще и успел поучаствовать в трех партийных съездах — и научился выстраивать с меньшевиками отношения не «навсегда» — либо окончательный разрыв, либо любовь до гроба, — но в зависимости от обстоятельств. Иногда выгоднее было рвать — и проводить свой, сепаратный съезд; иногда — блокироваться по сути, в рамках войны с левизной в собственной фракции; иногда — заявлять о полном несогласии, но на деле копировать движения соперников. Все эти сложные, многоходовые лавирования требовали опыта. Кроме того, за эти три года Ленин успел научиться подвижкам вправо: отказываться от бойкотов царских учреждений, договариваться о легальном издании своего собственного трехтомного собрания сочинений, высовывать из подполья если не голову, то хотя бы хвост, работать в легальном формате, оперируя такими институциями, как легальная газета, думская фракция. Да даже и обычное легальное собрание: известно, что когда непримиримые большевики отказывались в 1905-м извещать полицию о собраниях — Ленин пожимал плечами: «Ведь признаём же мы правительство и полицейскую власть, когда идем в участок за получением паспорта».

По-настоящему эффект из легальности он научится извлекать только в 1912-м, в эпоху «Правды», — но, по сути, именно «верхняя часть айсберга» и спасет большевиков от забвения и рассеяния в годы того, что получило название «столыпинская реакция»; на самом деле в тот период, когда Ленин понял, что его следующий шанс — это большая европейская война, поездка в Штутгарт на конгресс II Интернационала летом 1907-го — где социалисты принимали антимилитаристскую резолюцию — убедила его, что следующий тренд, «the next big thing» — это война; она и принесет следующую революцию, и значит рано вешать перчатки на гвоздь.

5 декабря (по Европе) 1907-го Ленин должен был поездом прибыть в Або — нынешний Турку, чтобы незаметно сесть на пароход в Швецию. Вальтер Борг, финский социал-демократ и «акционер различных пароходных линий», имевший хорошие связи среди капитанов, способных ради будущей независимости Финляндии провезти контрабандой целую армию русских бомбистов, специально приехал на вокзал, чтобы встретить Ленина — то есть «доктора Мюллера»: геолога, эксперта по известнякам, человека с коричневым саквояжем и шведской газетой «Хувудстадсбладет» в руке.

Но ни Ленин, ни Мюллер с поезда так и не сошли*.

---

* То, что произошло с ВИ в первой половине декабря 1907-го по российскому календарю (или во второй — по европейскому), — не исключено, наиболее сингулярный эпизод всей его биографии; тут вспоминается «Zimmer ohne Zugang», «комната без входа» в майринковском «Големе». Целой книги, чтобы описать приключения Ленина между Петербургом и Стокгольмом надлежащим образом, пожалуй, слишком много; одной главы — слишком мало. Автор надеется придумать для этой истории уместную форму — а пока оставляет этот черный ящик нерасшифрованным.

Капри
1908. 1910

Из Капри получился бы хороший мавзолей; здесь есть «un certo non so che», «нечто эдакое», заставляющее предположить — не случись в России февраля 17-го, мы могли бы увидеть Ленина доживающим свой век именно на этом клочке суши в 10 квадратных километров в Тирренском море.

Представьте себе нечто среднее между островом Робинзона Крузо и островом из «Десяти негритят»; добраться сюда можно либо, за полтора часа, из продувного Неаполя, либо, минут за сорок, из идиллического Сорренто. Над Неаполем нависает вулкан, а от Сорренто начинается так называемый «амальфитанский берег» — Амальфи, Равелло, Позитано, Салерно; исключительно романтические места, куда, если у вас есть жена, вы просто обязаны повезти ее; неудивительно, что все кому не лень интересуются, почему ни в одну из двух поездок сюда ВИ не взял с собой Надежду Константиновну.

Удалиться туда он мог бы и в 1924-м, если бы поправился и отошел от дел: невысокие горы, относительно сухой климат, целебный воздух, оборудованные тропы для пеших прогулок и сколько угодно укромных уголков, чтобы уединиться с томом Гегеля; в конце концов, весь этот набор достоинств совпадает с тем райдером, который Орджоникидзе получил в 1922-м от Ленина, пытавшегося подобрать себе и НК приемлемый вариант для продолжительного отдыха.

Для ленинского биографа Капри — большевистские Помпеи, погребенные под слоями пепла исторического Везувия, безостановочно извергавшегося на протяжении всего XX века; и грех не попробовать залить гипсом полые ниши, образовавшиеся в вулканическом туфе от тел и предметов.

Первый раз остров попал в поле зрения Ленина осенью 1906-го — когда там обосновался Горький, которому закрыли ход в Россию, видимо, за участие в авантюре с кораблем «Джон Графтон». Не то чтобы Ленин отслеживал все перемещения писателя — но Горький был самым именитым, да и, пожалуй, самым состоятельным членом партии; гостелюбивый и хлебосольный, он многократно звал к себе Ленина — однако тот был не великий охотник одалживаться и тянул резину, ссылаясь на загруженность: Горький и так находился в его орбите, охотно отзывался на просьбы участвовать в медиакампаниях, не кобенясь выписывал чеки и не требовал гонорара за тексты в большевистской прессе.

В какой-то момент, однако ж, до Ленина стали доходить сигналы, что вокруг Горького формируется некое подозрительное уплотнение, — и Ленину пришлось навести окуляр своей подзорной трубы на резкость. Он знал, что Горький, разочарованный неудачей 1905-го, находится в активном поиске чего-то новенького по части идеологии и «не с теми дружит»; и все же ему неприятно было разглядеть в гостевом домике на вилле фигуру именно Богданова и еще нескольких — да, большевиков, но вызывавших у Ленина сугубое раздражение. Присланная в «Пролетарий» статья Горького «Разрушение личности» также свидетельствовала о том, что если чья-то личность и разрушается, то прежде всего самого автора: для Ленина как редактора обнаруженная в пробах богдановская «коллективистская» ересь была веществом под абсолютным запретом, и допустить пропаганду этого опиума он не был готов, даже ради сохранения выгодного знакомства. Очень аккуратно, но он отклонил текст — и порекомендовал Горькому ознакомиться со своей собственной новинкой — программным текстом «Марксизм и ревизионизм», где объяснялась политическая суть момента и, среди прочего, анонсировалось другое, более крупное произведение, которое окончательно похоронит всех махистов, эмпириомонистов и фидеистов — то есть, в переводе на понятный язык, филистеров, поповских прихвостней и крипто-агентов буржуазии, кому Горький ой как напрасно предоставляет убежище. Богданов, Базаров, Луначарский, все они охмуряли писателя идеями в том духе, что классический марксизм устарел, а подлинно научный социализм есть высшая форма не то религии, не то «религиозного атеизма»; по части «религии социализма» особенно усердствовал Луначарский, утративший в тот момент какое-либо чувство реальности и доехавший уже и до переделки «Отче наш»: «О, святой рабочий класс, который на земле, да будет благословенно имя твое, да будет воля твоя, да приидет царствие твое...»

Горький, несмотря на идеологические мутации, оставался дипломатом, любезным амфитрионом и сторонником мирного обновления старых догм. С прежней настойчивостью он продолжал звать отвергшего его текст редактора в гости — «отдыхать», уверяя, что на Капри политика отходит на второй план и объявленная в печати война нисколько не помешает расслабленному общению большевистских бонз без галстуков; «Капри — кусок крошечный, но вкусный... Здесь пьянеешь, балдеешь и ничего не можешь делать. Все смотришь и улыбаешься» — конкретно эта формулировка взята из письма Л. Андрееву, но такого рода прельстительные пассажи Горький сочинял под копирку. Ленин нисколько не сомневался в качестве ландшафтных и гастрономических деликатесов Южной Италии, но осознавал, что согласие на визит подразумевает и участие в чем-то вроде философского турнира; однако ему не слишком нравилось «бодаться» со своим товарищем Богдановым «на людях» — «не модель», как он выражался. Ленин ерзал, но все не трогался с места; то был период, когда он вызволял из европейских тюрем большевиков, погоревших при попытке одновременного размена 500-рублевых банкнот от Тифлисского экса; люди попались один ценнее другого — Семашко, Литвинов, и Ленин круглые сутки переписывается с адвокатами, клещами вытягивает из иностранных социалистов поручительства, отбивается от атак меньшевистских газет. Наступил меж тем апрель 1908-го; богдановский организм уже третью неделю вырабатывал меланин в лошадиных дозах; и хотя не было еще никакой «каприйской школы», никаких рабочих из России, никакой «секты» — но «линия Мажино» против возможной атаки Ленина с моря или воздуха уже вовсю возводилась, и пока Горький пребывал в состоянии интоксикации, его эмпирио-друзья закапывали в землю бетонные коробки и оборудовали перекрестки дорог противотанковыми ежами.

Тянуть дальше с поездкой не имело смысла; «бой, — барабанит Ленин пальцами по столу, — абсолютно неизбежен».

К 1908 году Капри представлял собой типичный *hidden paradise*, но скорее с проспектов «Клабмед», чем из иллюстраций к Мильтону; девственность этого рая была под большим вопросом. Еще во второй половине 1890-х основные достопримечательности — самосветящийся Голубой грот, вздымающиеся из морской пучины скалы Фаральони и предположительно древнеримские руины на холме — открыла для себя европейская артистическая богема — в диапазоне от писателей-декадентов до великосветских содомитов; еще через десять лет большинство желающих окунуться в потоки аполлонической энергии составляли «дачники», туристы и девелоперы.

Рядом с рыбацкими хижинами выросли дворцы (вроде «Каса Роса», трехэтажного кабинета диковин, построенного эксцентричным американцем в Анакапри), псевдоклассические и модерновые виллы («Сан-Микеле» шведа Акселя Мунте, «Фернзен» Круппа), отели — в том числе одно из каприйских «иконических» зданий — *Quisisana*, где Горький и свил гнездо, пока подыскивал себе виллу. Эта «пятизвездочная» гостиница, утопающая в апельсиновых рощах и обросшая бутиками, как амфора ракушками, со статуями в нишах и мозаичными панно в ванных комнатах, достаточно элегантна, чтобы удовлетворить вкус как Оскара Уайльда, так и Тома Круза; Ленину она была не по карману, однако он, несомненно, знал, что вместе с Пьяцеттой они составляют две точки, через которые пролегают главные «силовые линии» острова, — и неоднократно прогуливался вдоль этой узкоколейки.

Облюбовав Капри, «сеньор скритторе» снял недавно построенную — но, за счет названия, словно покрытую слоем благородной патины — виллу *Blaesus*, по имени рожденного на Капри римского литератора III века, от которого то ли вовсе ничего не осталось, то ли остались какие-то гомеопатические дозы поэзии. (Цену можно узнать из проникнутого восхищением письма Амфитеатрова: «...вилла, за которую Вы платите на Капри 3000 франков, в Милане — без мебели и обстановки — стоит... 15 000, да и то с условием, что будет заключен контракт на 5 лет».) Сейчас это гостиница «Villa Krupp» — в честь немецкого промышленника, на чьи средства построена ультраживописная прогулочная, вьющаяся над заливом Марина Пиккола тропа по направлению к Торре Сарачина.

Горький, разумеется, ощущал некоторую парадоксальность декораций, в которых очутился: анти-Фабрика, анти-«Мать»; так далеко от заводских труб, как только возможно. Опыт пребывания в странном, сугубо неромантическом двоемирии — телом в раю, но головой в аду, — тревожил его психику.

Писатель привез из России артистку МХТ и тоже члена РСДРП М.Ф. «Феномен»-Андрееву, самовар, завел пару бразильских, с изумрудными хохолками попугаев Лоретту и Пепито (один из них «гортанным баском выкрикивал: «Вот-т оказия! Будь я проклят»; другой «прибавлял иной раз и словцо покрепче»), нанял повара (испанского дворянина), прислугу (местную уроженку Кармелу с дочерьми Клотильдой и Джузеппиной), завел двух белых длинношерстных овчарок — и принялся звать к себе всех русских, до которых мог достучаться. Уже через пару лет после появления Горького Капри, находящийся, мягко говоря, в стороне от основных евромагистралей, кишел русскими людьми левых убеждений, которые быстро приходили здесь к выводу, что революция — это далеко не только горящие покрышки и коктейли Молотова и что даже призрак коммунизма имеет право раз в жизни отдохнуть от своих скитаний в пляжном шезлонге, коротая время за разглядыванием богатых американских туристок.

Видимо, Горький (его обычно представляют — и рисуют — в папа-карловской шляпе, будто из советских экранизаций Буратино; Т. Алексинская припоминает, что он все время ходил в желтой кожаной куртке) пытался обустроить здесь нечто вроде Ясной Поляны, странноприимного дома для всех сколько-нибудь любопытных ему людей; и в самом деле, у него побывали все — вплоть до Ф. Э. Дзержинского.

Если верить писателю М. Первухину, то Россия-на-Капри насчитывала к 1911 году тысячу человек — хлестаковское наверняка преувеличение, стольким здесь не прокормиться. Экономическая подоплека проживания свиты Горького на острове по сей день остается загадкой — если исключить маловероятную возможность того, что в их содержании принимал участие непосредственно пролетарский писатель. Власти Капри, несомненно, знали, что на вилле у Горького собираются не просто интеллигенты, а именно карбонарии — но авторитет Горького служил защитным полем для всей колонии.

«Остров сирен» притягивает взгляд двумя холмами-«грудями». На одном — старинные руины и, пониже, «витринный» поселок «Капри», на второй — вершина Монте-Соларо, к которой проложена канатная дорога из поселка Анакапри; чтобы почувствовать «античный» характер острова, лучше спуститься оттуда пешком: сухая тропа, сухая средиземноморская жара, сухой стрекот цикад, как будто высохшие остовы церквей, иконы из чеканки у обочин, подпертые высушенными камнями; роман «Волхв» в чистом виде. В советском лениноведении — вынужденном объяснять смысл недельного вояжа — визит на Капри представлялся чем-то вроде вариации пьесы «Буря». Странный Остров, куда каким-то образом прибивает Ленина-Фердинанда. На Острове обитает большевистский Просперо — Горький, но и большевистский Калибан, сын коллективной (состоящей из Маха и Авенариуса) ведьмы Сикораксы, — Богданов; при нем обретаются шуты-эмпириомонисты, Стефано и Тринкуло, — Луначарский и Базаров. Место странное, Остров полон звуков — «ощущений», в эмпириомонистской терминологии Богданова; однако это не те звуки, которые способны усыпить бдительность Ленина.

В сезон в городе Капри всегда сутолока: возницы электрокаров с «самсонайтами» и «делси» свысока поглядывают на туристов-однодневок, успевающих перед тем, как уплыть восвояси вечерним корабликом, разглядеть разве что ресторанные витрины с фотографиями плотно отобедавшего Р. А. Абрамовича. Центральные улицы, впрочем, быстро перекипают — и растекаются лабиринтом проложенных среди усадеб и дальних отелей тихих коридорчиков, которые разбегаются на километры неправдоподобно живописных тропок. Одна из самых популярных ведет наверх, к месту, откуда открывается поразительный вид на бездну, Фаральони и Марину Пиккола. Это «Вилла Тиберия»: унылые, особенно по контрасту с умопомрачительным ландшафтом, каменные фундаменты какого-то жилого комплекса; раскопали их в лучшем случае в XVIII веке — но все повторяют, как попугаи, что это «очень древние» руины дворца императора Тиберия, который, считается, расхотел жить в Риме, удалился на Капри — и на протяжении десяти лет предавался разврату, управляя империей посредством светодымовых сигналов. Если вы поверите в то, что территорией от Шотландии до Сирии можно управлять при помощи кучки дров и огнива, то поверите и в то, что Ленин приехал на Капри для того, чтобы «пить белое вино и смотреть Неаполь», как он писал Горькому.

Пикантности развалинам, чей двухтысячелетний возраст, к сожалению, не подтвержден никакими документами, придают детально описанные у Светония оргии — нечто среднее между вечеринками в стиле бунга-бунга у Берлускони на Сардинии и приемами делегаций Газпрома в резиденции Януковича в Межигорье. В России, между прочим, ходили дикие слухи, будто Горький — чье пребывание на Капри не было секретом и чья расточительность якобы драматически дисгармонировала с представлениями о социализме, который он выкликает, — живет как раз во «Дворце Тиберия»; в романе бывшего однокурсника Ленина Чирикова так и сказано: «Осел на Капри, в бывшей резиденции императора Тиверия». Кстати, именно благодаря Горькому Капри вошло в маршрут русской версии Гран-тура начала века; в катаевском «Хуторке в степи» семейство Бачей нарочно делает крюк, чтобы попасть на остров, — и даже успевает углядеть мельком на вокзале в Неаполе самого писателя.

В сущности, про оба путешествия Ленина на Капри известно немногим больше, чем про визиты Тиберия.

В апреле 1908-го он провел здесь неделю — в умеренно враждебном окружении. Богданов к тому времени был взвешен и найден достаточно легким, чтобы катапультировать его с пассажирского сиденья; однако едва ли знаменитый предкаприйский *cri de guerre* Ленина — «бой абсолютно неизбежен» — подразумевал буквальную драку (хотя Крупская — со всегдашней скрытой иронией по отношению к мужу — однажды сообщает, что «видела раз, как они чуть не подрались с Богдановым, схватились за палки и озверело смотрят друг на друга (в особенности Ильич)»).

По уверению Горького, Ленин больше осматривал островные достопримечательности, чем затевал ссоры, «был настроен спокойно, холодновато и насмешливо, сурово отталкивался от бесед на философские темы и вообще вел себя настороженно»; даже не попробовал научить попугаев слову «эмпириомонизм»? К Богданову он обращался: «синьор махист» и в ответ на «ревизионистские» реплики отмахивался: «Бросьте. Кто-то, кажется — Жорес, сказал: "Лучше говорить правду, чем быть министром", я бы прибавил: и махистом».

Крупская утверждает, что ее муж никогда не был заядлым рыбаком. Но она никогда не была на Капри, а там, похоже, это развлечение проходило по разряду обязательных; чудаковатый

Луначарский, описывая свой опыт по этой части, припоминает, что ловил здесь «опасных акул в два человеческих роста, морских змей, причудливых чудовищ, рыбу святого Петра и всякую другую морскую забавную и курьезную дичь»; тут нелишне будет вспомнить, что Ленин в те годы называл Луначарского «Анатолием блаженным». Днем ВИ, сведя знакомство с местными пескатори, отправлялся в их компании на рыбалку; Горький рассказывает анекдотец о том, как те научили его ловить «с пальца» — одной леской, без удилища — и, вытягивая добычу, Ленин воскликнул — «Дринь-дринь!», после чего рыбаки приклеили талантливому ученику прозвище «Синьор Дринь-Дринь», а тот смеялся над этим так искренне, что каприйцы затем нарочно явились к Горькому, чтобы донести до него свой вердикт: «Так смеяться может только честный человек!»

Что касается репертуара вечерних развлечений, то в верхних строчках фигурировало странное представление, полюбившееся Горькому и Луначарскому — которые наверняка потащили на него и Ленина. Нужно было подняться к вилле Тиберия, поблизости от которой в маленьком домике обитал некий учитель с сестрой, умевшей танцевать тарантеллу. Горький смотрел это обрядное действо неоднократно, всякий раз едва сдерживал слезы (искусство заставляло его рыдать, даже когда он декламировал вслух стихотворения Пушкина или Некрасова из школьной программы; студенты, которым он преподавал литературу, крепко запомнили эту его особенность). «Преподобный отец Анатолий» особо подчеркивал, что танцовщица была некрасива — что, видимо, придавало связанному с сексуальным ритуалом представлению особый магнетизм. Любопытно, что название танца происходит от слова «тарантул» — танец как лекарство от укуса паука.

Что ж — Капри в 1908—1909 годах и был такой банкой с пауками; и одним из крупнейших экземпляров была артистка — а впоследствии и ответственное лицо: нарком театров и зрелищ Петрограда — М. Ф. Андреева, ранее связывавшая большевиков с Саввой Морозовым. То была женщина себе на уме, имевшая обыкновение вступать в препирательства со студентами из школы своего гражданского мужа; и если Ленин, объясняя, какими именно талантами она взяла Горького, склонен был прибегать к литературным аналогиям («Знаете, у Горького есть один рассказ, где какой-то из его героев, говоря своему товарищу о лешем, так характеризует его: "Леший, вишь, вон он какой — одна тебе ноздря..." — Как ноздря? — спрашивает удивленный собеседник. — "Да так-просто ноздря и больше ничего. — вот он каков леший-то"... Так вот Мария Федоровна похожа именно на горьковского лешего, ха-ха-ха!»), то студенты, которым она то давала деньги на карманные расходы, то «забывала» об этом, надо полагать, обходились без эвфемизмов.

Андреева странным образом отсутствует на знаменитой фотографии, где вся каприйская компания изображена сгрудившейся вокруг играющих в шахматы Ленина и Богданова. Этот снимок настолько знаменит — и настолько прочно связал Капри с миром шахмат, — что осенью 2015-го на Пьяцетте можно было увидеть огромную растяжку с рекламой: «Il torneo scacchi internazionale "isola di Capri Vladimir Lenin"» — «Первый Каприйский международный шахматный турнир имени (или в честь) Ленина», а некий итальянский историк, выдвинувший теорию, будто местом, где произошло немецко-большевистское сближение, стал Капри, назвал свою книгу «Scacco allo zar» — «Шах царю» (и если автор в самом деле полагает, что ВИ участвовал в гомосексуальных оргиях, которые устраивали в знаменитом гроте на укромной вилле «Фернзен» Крупп и его любовники, то сам он ничего, кроме мата, конечно, не заслуживает).

Разумеется, не стоит придавать изображенной на этой фотографии шахматной партии слишком большое значение — в конце концов, Ленин и Богданов много месяцев прожили под одной крышей на даче «Ваза» в Финляндии и уж конечно это не первое их сражение; и все же фотография врезается в память. Странными, можно даже сказать нематериальными, выглядят и Игнатьев, и Базаров, и Ладыжников, и Горький, и Зиновий Пешков, и жена Богданова, — но особенно центральные фигуры — сами игроки; они похожи на персонажей викторианских фотомонтажных альбомов, посвященных паранормальным явлениям — из раздела «фотографии призраков». На одной фотографии в этой серии Ленин запечатлен с открытым ртом: то ли зевает (погружаясь, под влиянием «бальзамического воздуха» и сладкоголосого пения каприйских сирен — тех самых, которые едва не погубили Одиссея, — в нарколептическое состояние), то ли орет на своего соредактора по «Пролетарию». Зная то, что произойдет с этими двоими дальше, можно с уверенностью сказать, что Ленин не орет и не зевает: он растягивает челюсти — как анаконда, чтобы проглотить Богданова живьем.

На Капри много читали — и не только «Исповедь» и «Мать» (владельцы не такой уж и дорогой — бассейна-то нет — гостиницы, занимающей теперь здание горьковской виллы, показывают письменный стол, за которым Массимо Горки якобы написал свою «Ла Мадре»). Беллетристом, хотя бы и полставочником, был и Богданов, и как раз только что вышел его роман «Красная Звезда».

Роман был про инопланетян — марсиан: с огромными глазами, непропорционально развитыми головами и атрофированными телами. Испытывая нужду в природных ресурсах, они стоят перед нелегким выбором, что для них лучше: колонизировать Землю, где люди будут мешать им истреблять себя, — или Венеру, где сложные климатические условия? Чтобы принять решение, они прибывают на Землю, намереваясь проконсультироваться с представителем нашей планеты «в лучшем его варианте» — которого, предсказуемо, обнаруживают в Москве, на баррикадах Красной Пресни. Затолкав революционера по имени Леонид (Лэнни) в этеронеф — корабль для путешествий по космосу, они увозят его на Марс, где более высокая форма общественного устройства (правильно: коммунизм; жизнь зародилась у них раньше, и они успели пройти дальше землян по пути исторического развития). Так что — Землю или Венеру? Похищенный намекает им, что оно, конечно, лучше Венеру.

На Ленина роман явно не произвел должного впечатления. «Вот вы бы написали, — ворчал он, — для рабочих роман на тему о том, как хищники капитализма ограбили землю, растратив всю нефть, всё железо, дерево, весь уголь. Это была бы очень полезная книга, синьор махист!»

Скорее всего, протагонист романа и автор — более-менее один и тот же человек; однако соблазнительно опереться на фонетическое сходство (а также на свидетельство Горького, будто Богданов был влюблен в революционера Ленина) и предположить, что Лэнни — Ленин. Единственная проблема в этом случае состоит в том, что богдановский роман оказывается чересчур фантастическим — потому как совершенно очевидно, что если бы марсиане похитили с Красной Пресни или откуда-то еще подлинного ВИ, то сюжетная коллизия развивалась бы скорее в духе о-генриевского «Вождя краснокожих»*.

Подпевал ли Ленин «О соле мио» лодочникам при поездке в Голубой грот, совершил ли он прогулку под перголами Садов Августы и удалось ли ему увидеть голову Медузы на вилле «Сан-Микеле» — ничего из этого нам не известно. В пользу версии о том, что практические вопросы были отодвинуты в сторону и все внимание было сконцентрировано на отдыхе, говорит и тот факт, что ничего особенного, при всей идеальности условий, Ленин там не написал. Однако неделя, проведенная в обществе горьковской клиентелы, внушила ему твердую уверенность, что он должен вступить в Великую Битву за Материализм и обычной палки для Богданова мало; для политической атаки на махистов нужна настоящая дубина — каковой может стать философия.

---

* После посещения Капри интерес Ленина к инопланетянам ожидаемо усилился. «Сегодня, — писал он младшей сестре летом 1908-го, — прочел один забавный фельетон о жителях Марса, по новой английской книге Lowell'я — "Марс и его каналы". Этот Lowell — астроном, долго работавший в специальной обсерватории и, кажется, лучшей в мире (Америка). Труд научный. Доказывает, что Марс обитаем, что каналы — чудо техники, что люди там должны быть в $^2/_3$ раза больше здешних, притом с хоботами, и покрыты перьями или звериной шкурой, с четырьмя или шестью ногами. Н...да, наш автор нас поднадул, описавши марсианских красавиц неполно, должно быть по рецепту: "тьмы низких истин нам дороже нас возвышающий обман"...»

***

Сейчас все философы, а вот еще сто — сто двадцать лет назад дискуссии о соотношении материи и сознания были, можно сказать, прерогативой интеллигентской среды; но уж зато те, кто регистрировался в этом клубе, проводили в спорах о том, мыслит камень или нет, всё свободное время, впадали в род зависимости и принимались листать гегелевскую «Науку логики» и энгельсовского «Анти-Дюринга» с той же частотой, с какой нынешние философы обновляют ленту новостей в Фейсбуке. Особенно располагала к изучению такого рода насущных вопросов ссыльная и эмигрантская жизнь, позволявшая произвольно чередовать периоды концентрации над первоисточниками и буддистской расслабленности. Ленин в Шушенском обменивался с жителем соседней деревни, марксистом Ленгником, целыми философскими трактатами; П. Лепешинский припоминает, что по дороге в Сибирь обнаружил себя в окружении целого коллектива экспертов, читавших «Анти-Дюринга» в оригинале, — и очень стеснялся «откровенно признаться перед нашими "диалектиками", что никак не могу уразуметь, как это так моя шапка есть в одно и то же время и шапка и не шапка».

В решении Ленина написать философское «Что делать?» нет ничего ни удивительного, ни сверхъестественного; то, что происходило вокруг него в 1908 году, больше напоминало эпидемию.

Валентинов, сам ушедший тогда в философы, насчитал в 1908-м сразу четыре «ревизионистские» книги, «авторы которых пытаются поменять философскую подкладку марксизма, с устаревшего материализма на эмпириомонизм (Богданов) и эмпириокритицизм»; и это не считая сборника «Очерки философии коллективизма», ради подготовки которого к печати и съехались в 1908-м на Капри Богданов, Базаров и Луначарский; шапка эта была пущена по кругу, но когда дошла до Ленина, тот отказался положить в нее что-нибудь: не та компания. В начале 1908-го Плеханов дописал «Materialismus militans» — «Воинствующий материализм»; при этом в ответ на предложение сократить этот труд сравнил себя с котом, уже держащим пойманную мышь в зубах: «не могу, теперь во мне говорит чувство охотника, от которого может уйти дичь. <...> Богданов должен умереть сейчас и 'sans phrases'». Ленин долго оставался всего лишь зрителем этого философского «Тома и Джерри», но его все же вывел из себя Валентинов, рассказавший ему еще в 1904-м, в Женеве, о своих разговорах с киевским профессором С. Булгаковым — с цитатами из Маха и Авенариуса. Услыхав эти имена, Ленин принялся орать, что все это мерзавцы и ревизионисты. Валентинов выклянчил у него обещание хотя бы почитать эмпириокритицистов, выпросил книжки по знакомым (Авенариуса, например, он заимствовал у будущего председателя Учредительного собрания эсера Чернова, у которого в тот момент сидел к тому же провокатор Азеф: да уж, хороши библиотекари). Ленин возвращает стопку книг через пару дней — и, глубоко возмущенный прочитанным, пишет для Валентинова одиннадцать блокнотных листков «Идеалистише Шруллен» — то есть «Идеалистические выверты». Где-то потерявший их Валентинов утверждает, что, по сути, это был — уже тогда, в 1904-м, — краткий конспект будущего «Материализма и эмпириокритицизма».

Четыре года спустя, в 1908-м, Ленин нарочно отправляется в Лондон и совершает декомпрессионное погружение в бездны Британского музея — начитывая литературу. Газета и то заброшена: «сегодня прочту одного эмпирикритика», булькает он *de profundis*, «и ругаюсь площадными словами, завтра — другого и матерными»; затем, по сути, всю «вторую» Женеву он не выходит из «философского запоя» — а потом еще несколько недель гоняет между Россией и Швейцарией рукопись и гранки, вылавливая бесконечные блохи.

Многомесячная лихорадочная деятельность Ленина не осталась незамеченной — и, по выражению Г. Алексинского, «пресловутая толстая ленинская книга» «еще до своего выхода наполнила молвой о своем философском значении полвселенной».

Сомнительная, не подкрепленная участием в других дискуссиях и неожиданная для публики компетентность Ленина в философии стала любимой темой всех, кто всерьез или просто шутки ради хотел поддеть Ленина.

Молодой Эренбург перевел на язык карикатуры «Материализм и эмпириокритицизм»: «Руководство, как в 7 месяцев стать философом». Плеханов (теоретически союзник Ленина), если верить Богданову, вместо рецензии выпрыснул стандартную порцию яда: «первоклассный философ...», и, после паузы, — «то есть, еще в первом классе». Для кадетской и околоменьшевистской интеллигенции, прекрасно знавшей о книге, но не имевшей охоты доставлять Ленину удовольствия ее чтением, суть проекта сводилась к тому, что Ленин доказал, что вещи существовали до человека и, значит, существуют независимо от того, познали мы их или нет; да уж, глубоко копнул, ничего не скажешь.

Более лояльные читатели *opus magnum* Ленина либо озадачивали своими отзывами автора — либо остались озадаченными сами. Большевичка Т. Людковская, приехав к Ленину в Париж в 1911 году, рассказала ему, что партийный актив подполья Петербурга, особенно передовые рабочие, «с большим рвением стали изучать "Материализм и эмпириокритицизм"»; на вопрос, кто именно эти достойные люди, Ленин получил ответ — работницы Поля (с фабрики Паля) и Ксюша (с фабрики Торнтона). Легко представить себе в этот момент обычно «монгольские» глаза

Ленина, расширившиеся, должно быть, до полного сходства с богдановскими инопланетянами. Другие энтузиасты высказывали... нет, не претензии к содержанию, но некоторую тревожную озабоченность содержанием; так, Б. Бреслав, студент Лонжюмо, припоминает, что «читал эту книгу Ильича и, признаться, ничего не понял в ней. Что-то слишком много уделено внимание в ней какому-то монаху Беркли неизвестно для чего».

Но что бы ни думали все эти люди — и как бы ни презирали способ, каким эта книга оставила глубокий след в истории, — но «МиЭ» бесспорно входит в первую десятку самых влиятельных философских текстов за всю историю человечества; миллионы граждан СССР знакомились с философией через ее посредничество.

Бросающаяся в глаза особенность ленинской книги состоит в том, что она выглядит не так, как «обычный» — пользуясь терминологией рекламных роликов — философский текст; скорее, ситуация выглядит так, будто автор приходит на кафедру философии и устраивает там нечто вроде танкового биатлона.

«Материализм и эмпириокритицизм» (все ведь понимают, что название — такая же пара антонимов, как «Война и мир», не надо объяснять? просто на всякий случай) — вещь прежде всего полемическая и имеющая политическую подоплеку. Эта книга, по сути, целиком написана из вредности — представьте себе старуху Шапокляк, которая провалилась в энциклопедическую статью «Эмпириомонизм». Вредность эта вредит и самому автору. Раз за разом один и тот же прием: Ленин цепляется к какому-то невинно выглядящему фрагменту работы своего оппонента — и картинно, по-фома-опискински, хватается за голову: о ужас, что он такое говорит! «Публично протанцевал канкан»! Скатился в болото реакционной философии! Это не марксисты, это обитатели желтых домиков! Бейте его! Автор глумится, изгаляется, ерничает, долдонит одно и то же, хлещет «махистов» кнутом, льет ученикам «школки» Маха и Авенариуса на головы раскаленное масло, травит дустом; ленинская «полемика» напоминает технику «липкие руки» в китайском боевом искусстве вин чунь — когда атакующий, находясь на очень короткой дистанции, находится в постоянном контакте с противником и просто не дает ему нанести удар, работая руками и локтями часто, быстро, беспрерывно...

Ясно, что ресурсы язвительности этого берсерка бесконечны; за полтора десятка лет знакомства Ленин унаследовал (или благополучно перенял) все худшие черты Плеханова-полемиста — про которого Вера Засулич однажды заметила, что тот «полемизирует так, что вызывает в читателе сочувствие к своему противнику». Очень быстро текст, пусть даже озаряемый время от времени вспышками остроумия, начинает вызывать отторжение: в ленинской ругани чувствуется нечто психопатическое.

Запоминаются не столько *bonmots* или яркие сравнения («Думать, что философский идеализм исчезает от замены сознания индивида сознанием человечества, или опыта одного лица опытом социально-организованным, это все равно, что думать, будто исчезает капитализм от замены одного капиталиста акционерной компанией»), сколько режущие слух аналогии — вроде той, когда, отвечая на заявление махистов, будто чувственное представление и есть вне нас существующая действительность и что субъективные ощущения и есть объективный мир, Ленин цитирует Фейербаха — ага, в таком случае поллюция есть деторождение.

«Материализм и эмпириокритицизм» — энциклопедия боевых возможностей Ленина-критика, и поскольку ни до буквы Z, ни до Я даже и долистать-то непросто, поневоле начинаешь подозревать автора в том, что ему нужна была в библиографии не книга вообще, а книга достаточно ТОЛСТАЯ, чтобы можно было надежно подпереть ею дверь подожженного помещения, из которого пытается выбраться целая группа противников. (Популярная версия историков Б. Николаевского и Ю. Фельштинского состоит в том, что Ленин написал «МиЭ» исключительно ради того, чтобы избавиться от слишком сильного конкурента на позицию вождя партии — Богданова — и очиститься от обвинений против БЦ, связанных с участием в экспроприациях; версия правдоподобная — и все же неверная, просто потому, что Ленин заочно вступил в спор с «махистами» до всяких шмитовских и тифлисских денег: одиннадцать страниц блокнотного формата с антимаховскими «Idealistische Schrullen» и черновики с разбором богдановского «Эмпириомонизма» остались неразысканными, но есть свидетельство Н. Валентинова. Кстати, сам Валентинов, затевая рассуждения о том, что имел в виду эмпириомонизм «на самом деле», тоже вызывает приступ скуки: темно и вяло, у Ленина и то поживее.)

Так или иначе, само сочинение этой базарной книги, несомненно, стало для Ленина хорошей школой: да, так с философами не спорят, но через десять лет ему придется вести дискуссии с генералом Духониным, объясняя, что тот теперь никто, а армией будет руководить прапорщик Крыленко; полемический опыт в таких разговорах никогда не бывает лишним.

Ну хорошо, допустим, последнее слово остается за Лениным: «проиграно дело основателей новых философских школок, сочинителей новых гносеологических "измов", — проиграно навсегда и безнадежно. Они могут барахтаться со своими "оригинальными" системками, могут стараться занять нескольких поклонников интересным спором о том, сказал ли раньше "э!" эмпириокритический Бобчинский или эмпириомонистический Добчинский».

В чем, однако ж, суть конфликта, из-за чего вся эта драка? Даже если предположить, что у нее была и некая еще, помимо философской, подоплека, — философская-то тоже есть, и нельзя ее просто проигнорировать.

Как однажды удачно выразился Терри Иглтон, «если постмодернисты скорее склонны думать об электронной музыке, то Ленин был склонен думать об электропроводах»; рассматривать то есть любой культурный феномен «снизу», с материи, с физического устройства, заглядывать ему, так сказать, под капот — или даже под юбку. Не так уж удивительно, что Ленин проникает «в философию» с территории не идеологии, а естествознания. К концу XIX века классическая, ньютоновская физика оказалась в кризисе — выяснилось, что многие аксиомы следует корректировать. Среди прочего: предполагали, что материя непроницаема — а потом выяснилось, что она состоит из атомов, а те, в свою очередь, из электронов — «материальность» которых поди еще проверь. Кризис в естествознании перекинулся на философию: снова ребром встал вопрос о первичности материи или сознания; кроме того, потребовалось объяснить, возможно ли познание в принципе, если материя сделалась, по сути, неисчерпаемой; сам материализм — философская база марксизма — оказался под вопросом. Австрийский физик Эрнст Мах (1838—1916) заявил о том, что время, пространство, силу и прочие ньютоновские категории удобнее рассматривать не как объективные категории — а как комплексы ощущений наблюдателя — ощущений, по которым мы и должны судить о телах.

При чем здесь революция и социал-демократы?

При том, что Ленин был человеком рациональным и стал революционером потому, что нашел сугубо научное объяснение того, как устроен мир и как изменить его (предположительно к лучшему) самым эффективным из возможных способом: марксизм. Марксизм, обществоведение — такая же наука, как физика. Прочитав стопку «валентиновских» книг, Ленин обнаружил, что марксистское учение в той форме, в которой он принял его, подвергается коррекции, ревизии — причем не там, где это могло произойти по очевидным причинам — на основе реального жизненного опыта, который запросто мог не стопроцентно соответствовать марксистской теории (пролетариат есть, а эксплуатации нет, или крестьянство по природе буржуазно, а на деле революционно и готово выступать в союзе с пролетариатом), но в сфере естествознания и философии. В принципе, можно было смотреть на это сквозь пальцы, однако Ленин воспринимал марксистскую философию как практический инструмент: по результатам диалектического анализа надо принимать решения о действиях в конкретных политических ситуациях — и поэтому вошел в боестолкновение с ревизионистами: махистами, эмпириомонистами и эмпириокритиками. В первом издании «МиЭ» в списке опечаток раз пятьдесят указано, что надо исправить эмпириокритицизм на эмпириомонизм — или наоборот; похоже, Ленин и сам постоянно путал их; по валентиновским мемуарам понятно, что уже сама эта наукообразная терминология казалась ему идиотизмом и вызывала приступы бешенства.

Голая схема самой философской драки, в которую ввязался Ленин, выглядит следующим образом.

Если каждый раз, когда возникает новый факт, всякое знание, прежде добытое наукой, оказывается чисто субъективной конструкцией, легко опрокидываемой, — это что же, получается, никакая объективная истина невозможна? Минуточку — а учение Маркса? Тоже, что ли, — до первых «новых фактов» — а дальше всё: ревизия? И не означает ли утверждение, будто объективной истины о материи, сколько ни бейся, не получишь, — по сути, отрицание ее, материи, существования? Марксист отрицает существование материи! Нет, вы видели, видели?!

То есть, во-первых, махисты оказываются агностиками — раз, по сути, они заявляют, что не могут знать достоверно об источнике ощущений. Во-вторых, если «чувственное представление и есть вне нас существующая действительность» и истина формируется на основе только ощущений — то мало ли в какие организующие формы опыта могут эти ощущения вылиться — например, в католицизм: тоже ведь своего рода истина. Начали, то есть, с новейших достижений науки — а закончили боженькой?

По Ленину, дела обстоят так. Какие бы ощущения ни давало нам тело — физические, психические, старые, новые — сама материя остается собой. То есть чувства и сознание вторичны (а если наоборот — так это прямой путь к Беркли и Пелевину), а материя — первична.

«Материя» — классическое ленинское определение — «есть философская категория для обозначения объективной реальности, которая дана человеку в ощущениях его, которая копируется, фотографируется, отображается нашими ощущениями, существуя независимо от них». То есть объективная реальность, внешний мир, отражается ощущениями, нашим сознанием — которое создает его образ, адекватную картину. («Отражается» — не просто технический глагол, но живая метафора: Ленин обратил внимание, что у материи есть свойство, которое он назвал «отражение». Как у сознания есть свойство ощущать, так у материи — отражать: воспроизводить, фиксировать то, что относится к отражаемому предмету; советские философы-схоласты назвали это «ленинской теорией отражения». В каждом отражении запрограммирована информация об отражаемом объекте — и благодаря этому мы, с помощью мышления, можем составлять такие представления и вырабатывать понятия о мире, которые будут отражать его верно, адекватно.)

Важная особенность объективной реальности, неотъемлемое свойство материи — она все время меняется. Мир может казаться стабильным, но он нестабилен.

Мир есть ДВИЖЕНИЕ объективной реальности.

Противоречия — источник движения и развития; как писал Ленин в письме Горькому, «ей-богу, прав был старик Гегель: жизнь движется вперед противоречиями». Берем, к примеру, историю/обществоведение/экономику: по Марксу, любой способ производства исторически ограничен (и формирует класс собственных «могильщиков»).

Очень хорошо : история — это когда всё в движении, никакой статики; реальность — это процесс, совершающийся в динамике. Но — это опять Богданов — раз так, какой смысл пытаться различать материю, природу и «вещь в себе»? Для познания это не важно — а важно, что это то неизвестное, чем вызывается все известное, а о самом этом неизвестном мы ничего не знаем. И раз так, получается — по Богданову—Маху — что исследовать и познавать надо не саму материю, а ощущения.

Ленина (с Энгельсом), однако же, этим не собьешь: нет, как раз материя, которая является источником ощущений, существует до, вне и независимо от них; материя — первична. А «социально организованный опыт живых существ» есть производное от физической природы, результат долгого развития ее.

Потихоньку двигаемся в сторону практических выводов. Из устройства мира вытекает и гносеология, то есть то, как устроен процесс его познания. По Гегелю, любая истина, достигнутая в процессе познания, исторически ограниченна и неизбежно будет заменена другой, качественно высшей. То есть познание и мышление — процессы динамические. Метод познания этого движущегося, живущего противоречиями мира — диалектический материализм: поиск противоречий, возникающих в движении, в развитии. Там, где обыватель видит застывшую картину, открыточный вид, марксист ищет противоречия — по которым можно судить о том, что с этим «видом» было вчера и будет завтра. «В теории познания, как и во всех других областях науки, следует рассуждать диалектически, т. е. не предполагать готовым и неизменным наше познание, а разбирать... каким образом неполное, неточное знание становится более полным и более точным».

Многие и сейчас, и при Ленине путают диалектику с подходом «а вот с одной стороны... а с другой...». Ленин в январской статье 1921 года, посвященной дискуссии о профсоюзах (чем они должны быть — школой управления и хозяйничанья, аппаратом, милитаризированным трудовым резервом, свободной организацией рабочих — и каких именно рабочих; вопрос этот вызвал один из крупнейших политических конфликтов начала 20-х годов и на X съезде чуть не расколол партию; Ленин измотал этой дискуссией своих политических оппонентов, а сам вышел из нее с прибылью), называл этот способ рассуждения эклектицизмом; гуру этой псевдофилософии был — в ленинской интерпретации — Каутский: «С одной стороны, нельзя не сознаться, с другой, надо признаться».

Ленину даже пришлось поучить диалектике — на простых примерах — Н. Бухарина (который, похоже, не усвоил урок; во всяком случае, автор «Письма к съезду» замечает о «любимце партии», что тот «никогда не учился и, думаю, никогда не понимал вполне диалектики» — убийственная, по ленинским понятиям, характеристика). Ну да, один говорит, что стакан — это стеклянный цилиндр; другой утверждает — что это инструмент для питья; «и да будет предан анафеме тот, кто говорит, что это не так». Проблема в том, что тут же могут появиться третий, четвертый, пятый — которые скажут, что на самом деле это «тяжелый предмет, который может быть инструментом для бросания», или — «как помещение для пойманной бабочки», и т. д. Штука не в том, чтобы коллекционировать свойства предмета — а в том, чтобы понимать, какое из них существенно в конкретный момент. Если вам нужен цилиндр, то сгодится и стакан с трещиной или без дна. Даже стакан, таким образом, «не остается неизменным» — потому что его назначение — а значит, и связь с окружающим миром — все время меняется; стакан — «в движении».

С одной стороны, Капри — остров красоты и гармонии, с другой — поле жестокой рыночной конкуренции, где бедные рыбаки выбиваются из последних сил, чтобы добыть из моря акулу-другую и не умереть с голоду.

Всё так, но на самом деле Капри можно снабдить и другими «хэштегами». Идеальное место для свадебного путешествия. Хорошее — чтобы открыть магазин, торгующий сумками Прада. Комфортное — для правителя, решившего удалиться от сутолоки повседневности — как Тиберий. Важно, какое свойство существеннее в конкретных обстоятельствах; процесс смены «хэштегов» к Капри при взаимодействии с внешним миром.

Просто соединить, при попытке познать объект, два его самых очевидных свойства — непродуктивно: это и есть эклектицизм, мы просто указываем на разные свойства предмета. И что из этого? «Диалектика отрицает абсолютные истины, выясняя смену противоположностей и значение кризисов в истории. Эклектик не хочет "слишком абсолютных" утверждений, чтобы просунуть свое мещанское, свое филистерское пожелание "переходными ступенями" заменить революцию»; намек на то, что эклектикам прямая дорога в меньшевики, с «нами» им не по пути.

341

Где, собственно, проходит грань между «настоящим» диалектиком и схоластом-эклектиком? В практической деятельности, разумеется. Как верно замечает А. И. Солженицын, «можно тысячу раз знать марксизм, но когда грянет конкретный случай — не найти решения, а кто находит — тот делает подлинное открытие. Осенью 1914-го, когда $4/5$ социалистов всей Европы стали на защиту отечества, а $1/5$ робко мычала "За мир", — Ленин, единственный в мировом социализме, увидел и всем показал: з а в о й н у! — но другую! — и немедленно!».

Дело философа, по Ленину, — понять, каким образом мир (описываемый естественными науками, историей и социологией) отражается в сознании человека — и как в результате этого процесса рождается объективная истина: та, которую впоследствии можно проверить научными экспериментами, практикой и на основе которой можно создать технологии и поставить их на службу промышленности.

Ведь раз есть объективно существующая материя, продолжает долбить Ленин, — то есть и объективная истина. Ее может дать только естествознание, которое отражает внешний мир в «опыте» человека — отражает с помощью научного метода, то есть при практической проверке теорий. Это, еще раз, мега-важно: критерий правильности теории — практика, эксперимент, индустрия. *The proof of the pudding*, щеголяет подслушанной, видимо, где-то в Англии пословицей Ленин, *is in the eating*. Истина конкретна — и существует в контексте конкретной исторической ситуации.

В принципе, этот философский пудинг и стал главным предметом спора Ленина и Богданова; они ели его с двух разных концов — и, пожалуй, при столкновении носами победил все-таки Ленин.

Крайне странный предмет для спора — но в конце концов, как говорил Маркс, именно философия сделала политику плодотворной; именно философия дает цельную картину мира, объединяет разные виды опыта, и почему бы по-настоящему компетентным революционерам одновременно не быть и философами? И раз уж так — да, вполне рабочий момент, дискуссия между марксистами относительно того, кто, по сути, больший марксист: тот, кто относится к трудам основоположников как к Святому Писанию, — или тот, кто в состоянии подойти к их учению творчески, домыслить и дополнить его в зависимости от вновь открывающихся науке обстоятельств.

Рабочая дискуссия — но почему бы не трансформировать ее в политическое сумо и не попытаться вытолкнуть противника с ринга на том основании, что он — они! речь ведь не только о Богданове — не просто «развили» учение основоположников, но, по сути, порвали с основами марксизма в философии? Ну а дальше повисает зловещая пауза: раз порвали — с основами! — то не пора ли сделать оргвыводы? Может быть, вся самодеятельность этих горе-философов является несанкционированной и глубоко вредной — и таким людям просто не место в партии?

На глаз постороннего, обывателя, статус этой дискуссии представляется почти абсурдным — в какой момент, каким образом споры о диалектике познания обрели политическое звучание? Почему вместо того, чтобы обсуждать стратегию и тактику баррикадного боя, сравнительные достоинства браунинга и булыжника в качестве оружия пролетариата, революционеры втянули друг друга в схоластические диспуты — касательно того, насколько возможна, в принципе, абсолютная истина — и какими именно путями можно к ней приблизиться? Почему на Капри — в одном из самых прекрасных мест на земле — им понадобилось пререкаться относительно того, является ли источником нашего познания причинных связей объективная закономерность природы — или все дело в нас, в нашем уме, в его способности познавать известные априорные истины?

Даже те коллеги и соратники Ленина и Богданова, которые способны были разобраться в нюансах того, каким образом соотносятся — для подлинного диалектика — онтология и гносеология, — и которые привыкли, что Ленин раскалывает партию по необъяснимым поводам, были обескуражены: они ведь вчерашние партнеры, товарищи по даче — и вдруг вдрызг разругаться из-за философии?

Ведь, в конце-то концов, для марксистов философия — даже если речь идет об основном ее вопросе: в состоянии ли наше мышление познавать и адекватным образом отражать объективно существующий мир — это идеология, то есть надстройка, так что в любом случае согласие во взглядах на функционирование производительных сил (то есть сфера технических и естественных наук), а также на развитие социума в его экономической и демографической ипостасях гораздо важнее. Так из-за чего ж столько шума и абсурдного апломба?

Абсурдного?

Дело ведь в том, что марксизм — это не только социальная, историческая и экономическая теория, это, по сути, теория всего, ключ к любому фрагменту реальности.

Да хоть бы даже — что далеко ходить — и к острову Капри.

По правде сказать, Капри нельзя назвать идеальным местом для знакомства с «МиЭ»; вот уж где материя и дух находятся в полной гармонии — и не спорят относительно первенства.

Тем интереснее объяснить материалистическую философию и попробовать применить ее логический аппарат — материалистическую диалектику — на примере этого вроде бы убийственно «неленинского» места.

Капри кажется абсолютно статичным — застывшим в вечности. Обыватель с его *wishful thinking*, ценитель «мира как он есть», полагает, что главное свойство острова — способность в неограниченных количествах генерировать природную красоту, отвечающую представлениям людей об Эдеме и отражающую некий небесный божественный канон (отсюда часто используемые ссылки на божественное вмешательство — «только Бог мог создать такую красоту»). Обыватель довольствуется демонстрируемой ему картинкой и часто даже не догадывается о том, что она движется; марксист, для которого главное свойство объективно существующей материи — движение, задает вопросы. Является ли способность производить красоту имманентным свойством острова — или остров обрел ее в результате какого-то конфликта, развивавшегося здесь на предшествующей стадии развития? Как Капри отражается в сознании? Он объективно красив, независимо от наших ощущений о нем, — или мы воспринимаем остров как «красивый» в силу внушенных нам, выработанных коллективным опытом проекций: например, цена билета на паром, которая сама по себе свидетельствует, что посетителя ожидает нечто нестандартное и значительное? Кто, собственно, настраивал наши органы чувств, при каких обстоятельствах? Другими словами — красив ли Капри (а кто, кстати, это говорит?) потому, что буржуазия выбрала этот остров с хорошим климатом и большим количеством солнечных дней для своих инвестиций и превратила его в процветающее и безопасное место, — или он красив вне зависимости от того, кто на нем живет и живет ли вообще, вне времени и пространства — как фантазируют оплаченные мировым капиталом художники? Как насчет того, чтобы посмотреть на эти процессы в исторической динамике? Считался ли остров красивым раньше — до того, как в силу экономических и политических причин стал ареалом обитания элиты, а затем и меккой массового туризма?

Марксисту следует думать и о том, что станется с этой красотой в исторической перспективе и нет ли в ней противоречий, не является ли она оборотной стороной чего-то ужасного.

Является ли Капри «вещью-в-себе» — или, несмотря на всю свою «загадочность», «окутанность мифами», неисчерпаемость, «божественный шлейф» и пр., остров все же познаваем и мы можем, изучив его научными методами, превратить его в «вещь для нас» и действительно приблизиться к объективной истине?

Логика диалектического материализма подсказывает нам, что нынешнее состояние острова — не окончательное. Остров меняется — сначала здесь обитали сирены, затем римский император устраивал тут оргии, затем на протяжении многих веков здесь селились исключительно нищие рыбаки, затем, в наполеоновскую эпоху, Капри стал центром шпионажа, потом остров облюбовала артистическая богема Европы, затем аристократы... История последнего столетия особенно показательна, материя — пространство, география — осталась та же, но действующие на острове производительные силы — и, как следствие, экономика — полностью изменились. Противоречие между Капри «рыбацким» и Капри «аристократическим», между супермаркетом «Deco» и бутиком «Prada» не столько снято, сколько монетизировано: по сути, именно «рыбацкость» — то есть нетронутость, отдаленность, изолированность — позволила отельерам присвоить острову «аристократический» статус. «Бальзамический» воздух подразумевает существование некой раны — которая, как знать, не потребует ли для своего лечения средств более радикальных, чем отдых на курорте? И вполне возможно, что Капри превратится в богдановскую Красную Звезду — каким бы нелепым сейчас ни выглядело это предположение.

Теперь попробуем перенести объяснения того, как работает марксистская диалектика в ленинской интерпретации, из географической плоскости в историко-политическую — и доказать, что марксистская философия с ее логическим аппаратом — материалистической диалектикой — была инструментом, к которому Ленин действительно прибегал, собираясь принимать практические решения в жизни.

Между 1907 и 1914 годами в среде социал-демократов важнейшей темой для дискуссий было — следует ли РСДРП быть представленной в Думе. В рамках догматической логики все было очевидно. Меньшевистской фракции — члены которой полагали, что локомотивом пролетариата в России станет буржуазная интеллигенция и что РСДРП следует трансформироваться в легальную парламентскую партию, по типу немецких социал-демократов, — в Думе было самое место. Тогда как большевикам — с их глубоко законспирированным террористическим БЦ, склонностью к созданию подпольной сети ячеек и приверженностью лозунгу про диктатуру пролетариата — в Думе делать было нечего; к тому же наличие легального крыла партии подразумевало легкость внедрения провокаторов и большую уязвимость. Отсюда логика Богданова — да что там Богданова, слепому ясно: надо отозвать депутатов, нечего им заседать в правобуржуазном парламенте; такие депутаты будут только вредить — создавая у рабочих неадекватное представление и о целях борьбы, и о самой партии, которая должна быть непримиримой. Тем не менее Ленин настаивал, что большевики должны идти в Думу — пусть даже вопреки очевидности: в данный конкретный политический момент такая работа была важна — потому что после поражения революции 1905—1907 годов партии надо было *видимо* находиться в авангарде рабочего движения, демонстрировать, что у рабочих — большевиков — есть своя позиция по всем вопросам. (Ну и плюс еще несколько причин: например, что из-за границы эмигранту Ленину было удобнее контролировать партийное ядро, которое составляли депутаты Думы.) То была относительная истина. Однако за ней вставала абсолютная: логика исторического развития подразумевает, что революция неизбежна; значит, в рамках этого процесса нужно не закрываться от бури стенами, а строить мельницы — пусть даже на территории буржуазии, в совершенно враждебной среде.

Второй пример применения диалектической логики на практике — история с Брестским миром. Согласно житейской логике — и, безусловно, умной аналитике (условного Бухарина), в феврале 1918-го надо было не подписывать похабный Брестский мир, а воевать против немцев; какая там к черту революция и диктатура пролетариата, когда немцы по России идут, полстраны им отдали; «нельзя-же-ничего-не-делать!». Однако «нельзя» — это очевидная абсолютная истина. По Ленину — мыслящему и на практике в рамках диалектической логики — очевидных истин, однако, нет. Есть истины сегодняшняя (относительная) и абсолютная. Согласно сегодняшней — у Советской России нет боеспособной армии, чтобы воевать, немцы могут взять Питер в три дня, и война, начатая империалистами, должна быть окончена любой ценой. И есть истина абсолютная: революция ценнее, чем территория; надо сохранить оргструктуру победившего класса любой ценой. Наличное, текущее положение дел — не окончательное; немцы наступают — но в самой Германии зреет революция. Именно анализ динамических противоречий — а не «немецкое золото» — позволил Ленину настаивать на заключении Брестского мира; он смотрел не только на то, что есть сейчас, а на ситуацию в развитии.

Разумеется, действует и стихийная сила исторических процессов — которая рано или поздно выведет примерно туда же; но тот, кто руководствуется в своих практических поступках материалистической диалектикой, оказывается быстрее конкурентов — потому что такого рода «раннее распознание» объектов и ситуаций позволяет изменять мир быстрее и эффективнее. Есть стихийное рабочее движение — а есть деятельность революционеров, которые ведут рабочий класс, опираясь на марксистскую теорию. К социализму первыми придут те, кто владеет теорией, — потому что они вернее могут определить необходимый алгоритм действий для достижения цели.

Книгой Книг «Материализм и эмпириокритицизм» сделается уже после смерти автора; в 1909-м это взрывное устройство все же не смогло остановить локомотив истории. Через 16 месяцев после отъезда Ленина с Капри и через три после выхода книги из печати Горький с Богдановым, Алексинским и Луначарским все-таки открыли на острове «партийный университет» для рабочих.

Как ни ерничал относительно этой затеи Ленин из своего Парижа, каким бы гротескным ни выглядел этот анклав РСДРП посреди Тирренского моря, организаторам было чем гордиться. В их школе учились примерно полтора десятка — сведения разнятся, от 12 до 20 — студентов. Это не были ни переодетые интеллигенты, ни какие-то ущербные и нелепые, на манер персонажей фильма «Полицейская академия», пролетарии: только настоящие, как в романе «Мать», рабочие, и у многих был боевой опыт — участие в баррикадных боях, вооруженных ограблениях-экспроприациях, побеги из тюрем. Один из них однажды пытался устроить в тюрьме самосожжение. Был специальный вербовщик, занимавшийся отбором, но формально рабочие попадали в школу через региональные организации — узнавая, что те выдвинули их «для поездки на остров к Горькому». Студентам оплачивались транспортные расходы, им гарантировалось, что в течение полугода они будут иметь крышу над головой и пропитание; и школа действительно просуществовала почти весь положенный срок — с августа по декабрь 1909-го. Предполагалось, что все студенты обязательно должны вернуться в Россию — то было условие набора, — чтобы участвовать в революционной деятельности.

Смысл школы состоял в том, чтобы превратить «обычных», стихийно пришедших в революцию рабочих в сознательных партийных деятелей, готовых не только к практическим битвам, но и к теоретическим; следовало растолковать им основы марксистской идеологии и даже ее «высшего эшелона» — философии.

В целом идея школы подозрительно напоминала попытку воспроизвести сюжет «Красной Звезды» — отобранные в России лучшие люди «похищаются» представителями «высшей расы» — чтобы на каприйском Марсе вырастить из них людей нового типа. Объясняя рабочим необходимость изучения гуманитарных дисциплин и то, почему большевики, вместо того чтобы воевать с царем, находятся не в России, а на Капри, Богданов, надо полагать, цитировал им собственный роман про инопланетян: «...ради лучшего будущего... Но и для самой борьбы надо знать лучшее будущее. И ради этого знания вы здесь»

Что касается лекционной программы, то Богданов закрывал все, что связано с экономикой, Горький — литературу, Луначарский — все прочее искусство, Алексинский — политику и рабочее движение. Курсы включали в себя и практические занятия — искусство организовать агитацию, писать листовки, заставить аудиторию слушать себя, науку переписываться шифрами и пр.

Коноводили Богданов и Луначарский; Горький читал лекции и патронировал предприятие в целом — привлекал средства буржуазии (Шаляпина, Амфитеатрова) и сам давал деньги. Касательно его подлинных побуждений затеять у себя дома самодельный университет есть разные мнения, в том числе вполне правдоподобное, состоящее в том, что Горький-писатель остро нуждался в российском материале и общение с живыми русскими рабочими наполняло его опустевшие баки высокооктановым литературным топливом. В пользу этой версии свидетельствует тот факт, что Горький и раньше занимался подобного рода писательским «трафикингом» — так, весной того же года он выписал к себе на несколько месяцев целую семью уральских рабочих Кадомцевых, поселил их рядом с собой и каждый день беседовал с ними, выспрашивая про нюансы движения боевых дружин в 1905—1907 годах: экспроприации, провалы, аресты; на основе услышанного он намеревался сочинить роман «Сын» (сиквел «Матери»?) — про героя, чьим прототипом был Иван Кадомцев. Естественно предположить, что и студенты также «изучались» и «использовались» Горьким как натурщики.

Ленин мог только кусать локти: ему не хватило воображения и организационных способностей, чтобы самому устроить что-то подобное.

Школа вызывала у него приступы чудовищной язвительности. Однако до поры до времени он мог лишь пускать синюю слюну и хватать зубами воздух: на заседаниях «Пролетария» принимались резолюции о том, что стремящаяся сделаться политическим центром школа «является выражением безнадежности на то, что рабочие могут вести какую-нибудь повседневную борьбу», а в письмах появлялись сетования, что они «теперь на Капри целую литературную фабрику организовали, да еще с откровенной претензией на роль мозгового центра всей революционной социал-демократии, на роль философско-теоретического центра большевистской фракции». Ну, открыли, да; но вменить организаторам какой-то криминал, даже и идеологический, было сложно: в конце концов, каждый волен заниматься просветительством; школу если и «прятали», то от полиции, но никак не от партии; партию уведомили, и Ленина самого туда звали лекции читать.

Скользкая тема, касающаяся «философии коллективизма» и «религии пролетариата»? Богданов прекрасно знал, что, внушая рабочим официально неутвержденную «ересь», он и его товарищи-«богостроители» подставлялись под пушки Ленина — и попытался обойти этот сложный момент, объявив, что обсуждения такого рода будут проводить факультативно, на дополнительных занятиях (как будто основные можно было счесть «официальными»).

На самом деле необъявленной — однако очевидной всем преподавателям — целью школы было не просто просвещение. Уже имеющийся у студентов социальный опыт следовало «организовать» в особую пролетарскую «религию». Предполагалось за полгода выковать не просто активистов, но мессий, которые вернутся в свое пролетарское лоно и смогут проповедовать социалистическую религию, провозгласят «новый коллективизм» — словом, станут теми ядрами, вокруг которых образуются газовые облака «пролетарской культуры». Летая по духовному небосклону России, эти кометы помогут пролетариату освободиться от подчинения буржуазии, утолить жажду новых научных и философских знаний и обеспечить господство пролетариата в духовной сфере.

Ленин догадывался, что на острове рабочим не просто растолковывают «Капитал», но освобождают их от индивидуалистических иллюзий, развивают «социальную психику» и навязывают еретическую комбинацию «научного марксизма» с «религией труда» и прочей ахинеей. И смотреть на это сложа руки не собирался.

К счастью, вопрос отсутствия Ленина в составе преподавателей партийной школы забеспокоил и самих студентов. Они смутно, но понимали, что в партии существует серьезный конфликт — и, сами того не зная, выбрали в нем одну из сторон.

Богданов, которому приходилось объяснять рядовым партийцам отсутствие первых лиц в партии, Плеханова и Ленина, сначала размахивал почтовыми квитанциями — приглашения рассылали всем, а уж дальше кто приехал тот приехал; затем — после того, как студенты, к восторгу Ленина, сами послали ему приглашение, — заявил, что «Ленин в философии отстал, не идет в ногу с новыми веяниями и что надо организовать из лекторов и учеников Каприйской школы группу "Вперед"».

Меж тем обращение студентов позволило Ленину не просто ответить отказом — но отказом мотивированным, со ссылками на резолюции «Пролетария» и разъяснением, что к фракции агентов буржуазии, которая устроила школу на Капри, он отношения не имеет и иметь не хочет — хотя, разумеется, всегда готов читать лекции рабочим (и сам, и вместе с товарищами, не менее компетентными преподавателями) — если эти рабочие приедут не на край света, а в Париж. По сути, это была настоящая атака на сепаратистов — атака, уже сама расчетливость которой очевидно свидетельствовала о том, что пленных этот человек брать не собирается.

Дальше Ленин принимается бомбардировать студентов письмами, наполненными полезными и добрыми советами, как лучше сбежать с проклятого острова. Поскольку доказать рабочим, что их школа «нарочно спрятана от партии» в буквальном смысле, было сложно, Ленину приходится растолковывать им, что спрятана она в том плане, что это «самый отдаленный заграничный пункт» — укрытый за, так сказать, коралловым рифом транспортной дороговизны. Чтобы объяснить, почему «заехать в Париж

8-ми ученикам дешевле, чем отправить 4-х лекторов на Капри», Ленин охотно превращается из идеолога в настоящего «budget travel guru», скрупулезно подсчитывая дорожные издержки: вот как выгодно — а вот как невыгодно, видите-с?

В какой-то момент, сама любезность, он посылает студентам и свою философскую новинку — из которой те, надо полагать, узнают много нового и об идеологическом облике своих преподавателей, и о тех буржуазных идеях, которыми те пичкали своих учеников. Такого рода подарки не способствовали установлению дружеской, теплой рабочей атмосферы.

Ленин продолжает публиковать свои мнения относительно происходящего на острове и в периодической печати. Статью про Капри он называет «Ерогинская живопырня» — очень обидное сравнение с организованным под присмотром полиции общежитием для крестьянских депутатов Думы, где тех обрабатывали в правительственном духе. В частной же переписке Ленин не утруждает себя излишним остроумием и признается, что «третирует как каналий эту банду сволочей» и «шайку авантюристов, заманивших кое-кого из рабочих в Ерогинскую квартиру».

Температура медленно ползла вверх, и в какой-то момент Алексинский, по воспоминаниям одного из студентов, «объявил Ленина и Плеханова двумя паразитами (он выразился еще "ярче" и "принципиальнее"), которые присосались к пролетарскому телу и рвут его».

На острове зрел бунт, усугублявшийся и далекими от политики обстоятельствами.

Если богемные знакомые Горького и интеллигенты преподаватели, приехав к писателю «на социалистические пироги», присвистывали и принимались декламировать «кеннст ду дас ланд, во ди цитронен блюэн», то рабочих откуда-нибудь из Гусь-Хрустального или Усть-Сысольска, часто недавно вышедших из тюрьмы, остров шокировал. Луначарский рассказывает про одного сормовца, который «с изумлением разглядывал синее, как синька в корыте, море, скалы, раскаленные от солнца, огромные желтые пятна молочая, растопыренные пальцы колючих кактусов, веера пальм и, наконец, резюмировал: "Везли, везли нас тысячи верст, и вот привезли на какой-то камушек"».

Безусловно, им очень нравилось то, куда они попали и как с ними обращаются. Они кивали, когда им объясняли теорию социальной активности и активной социальности. Они не имели ничего против философии труда и объединения. Однако непривычка рабочих к продолжительному отрыву от собственно работы и к заграничной жизни сыграла с ними злую шутку. Они видели, что Горький — хотя и до слез сострадает пролетариату и сам несомненно пролетарского происхождения — живет в роскоши и даже местные жители шепчут ему вслед с восхищением: «Signore Gorki! molte rico, molte rico!» Да, обладающие изрядным жизненным опытом и вполне «сознательные», но при этом нищие и полностью зависимые от своих кураторов, в особенности в бытовых мелочах, молодые люди оказались на острове, кишащем богатыми, нарядно одетыми, наслаждающимися обществом девушек иностранцами. Они же не целыми днями учились — еще и гуляли, им хотелось зайти в кафе, прокатиться на фуникулере, и они видели, что есть люди, которым не надо ни слушать лекции, ни работать — а живут они при этом припеваючи. В этом смысле Капри — не просто деревня, но аристократический курорт — был не лучшим выбором, ошибкой преподавателей.

Алексинский и Богданов знали, что Ленин ведет разрушительную работу — и, разумеется, читали ленинское (отчасти пародирующее евангельские послания) «Письмо ученикам Каприйской школы».

Однажды Алексинский, услышавший на пляже, как студенты спорят, принялся нападать на одного крипто-ленинца, назвал его «агентом БЦ», присланным на Капри Лениным нарочно, чтобы стучать и разлагать студентов. Этот конфликт не прошел даром — пятеро написали Ленину письмо, каждая строчка которого звучала музыкой для ушей адресата: «С этой надеждой (получить знания и приехать на места работниками) мы жили здесь, на маленьком, проклятом, полном темных дел, острове»; «здесь не школа, а место фабрикации новых фракционеров»; что нам делать? (Детали этой истории стали известны благодаря тому, что один из подписантов был «агент Пелагея» — копировавший переписку для охранки.) Жалобщиков-доносчиков исключили и с позором посадили на лодку, идущую на материк: скатертью дорога.

Богданов извлечет жестокие уроки из всей этой ситуации — и в ходе следующей попытки — в 1909 году в Болонье — проявит достаточно решительности, чтобы перлюстрировать почту своих студентов и просматривать отправленные ими послания на предмет неразглашения тайн и невступления в заговор против школы с нежелательными лицами.

Любопытно, что многие воспоминания о Капри назывались, как у И. И. Панкратова, — «В Париж к Ленину». То есть Капри задним числом превратился в ловушку на маршруте ложного объезда, устроенного Богдановым — проделки Фикса! — при том, что существовала столбовая дорога к Ленину — в Париж.

Богданов был замечательным политиком, но еще больше, чем политиком, — энтузиастом-революционером, бескорыстным экспериментатором. Каприйская школа служила для него чем-то вроде оранжереи, где планировалось в сжатые сроки вырастить из семян гигантские растения — которые затем разворотят русскую почву. Другие преподаватели изначально были настроены более скептически — Алексинский, например, сомневался, что можно искусственно вырастить сознательного рабочего, и предупреждал о том, что в лучшем случае из людей будут получаться «скороспелые приматы».

И, в сущности, проект Каприйской школы закончился для «махистов» если не катастрофой (оставшиеся студенты подписали открытое контрписьмо — в защиту лекторов — и доучивались совсем уж в тесном кругу), то скандалом.

«Предатели» не просто выехали к Ленину в Париж, но заявили в печати, что их таки заманили на остров — не объявив, что собираются пичкать буржуазными ересями. Особенную убедительность этим декларациям придавало участие формального лидера и закоперщика всего проекта со школой — уральского рабочего Михаила Вилонова; именно он отбирал рабочих для поездки и от Ленина воротил нос — а затем сам оказался слабым звеном, перебежчиком и увел товарищей к Ленину. Все, кто знал его, характеризовали его с самой лучшей стороны (кроме разве что М. Ф. Андреевой, которая как раз издевалась над ним, время от времени лишая карманных денег на фуникулер, нужный ему, туберкулезнику, чтобы принимать солнечные ванны внизу на пляже; а вот Горький сам, на свои деньги, покупал ему лекарства). Благодаря Ленину он едва не станет членом ЦК; Ленин трогательно заботился о нем, устроил его в санаторий в Давосе и все надеялся, что тот успеет завершить свою философскую книгу. Не удалось: Вилонов умер от туберкулеза.

Эта была досадная потеря, но в 1909-м Ленин имел все основания торжествовать: его атака на островитян с парижского плацдарма оказалась успешной, школа развалилась.

Предпочитающий изъясняться поэтическими образами Богданов так объяснил произошедшее: «старый мир», который «не мог примириться с тем, что в его среде зародилось и живет учение, не подвластное его року», «сотворил вампира по внешнему образу и подобию своего врага и послал его бороться против молодой жизни. Имя этому призраку абсолютный марксизм» — который не дает пролетарской мысли развиваться. Воевать с вампиром, внешний облик которого слишком легко себе представить, Богданов собирался традиционными средствами — «голову долой, и осиновый кол в сердце!».

* * *

Из всех пунктов «ленинского маршрута» Капри в наименьшей степени похож на «ленинское место». «Каприйский момент» — не просто смещение объекта на крайнюю южную точку условного «ленинского континента», но и странное выпадение его из ассоциирующегося с ним «северного» климатически-ландшафтного контекста: славяно-татарско-финно-угорский антропологаческий тип, он действительно, прав Богданов, выглядит среди этого средиземноморского пейзажа вампиром, угодившим под солнечный свет.

По словам Горького, запомнившие смех Ленина рыбаки долго еще потом интересовались у него: «Как там живет синьор Дринь-Дринь? Царь не схватит его, нет?» Не схватил, какое там, руки коротки; и летом 1910-го им самим удалось убедиться в этом: Ленин вернулся к Горькому на Капри. Вряд ли для того, чтобы сплясать на дымящихся руинах Каприйской школы; хотя невидимые развалины этой разрушенной Лениным институции — такая же каприйская достопримечательность, как сохранившийся не сильно лучше дворец Тиберия.

Касательно этого второго двухнедельного визита единодушны были даже советские биографы: отпуск в чистом виде. Ленин поднимается на зловещий Везувий (Горький обычно цитировал приезжим Гёте: «адская вершина посреди рая»), осматривает Помпеи, наслаждается замечательной инфраструктурой для пеших прогулок, загорает, купается; в «Маленькой железной двери в стене» можно найти странные влажные фантазии Катаева, описывающего, как Ленин стягивал с себя штаны и барахтался в морских волнах, демонстрируя пустынным Фаральони свое «золотистое тело».

Частная жизнь — ну что за ней подсматривать? *Privatsache.*

Муниципалитет Капри — территория, позволяющая устроиться таким образом, чтобы частная жизнь оказалась надежно ограждена от каких-либо вторжений или даже пересечений с общественной. Здесь и церквей-то, кажется, меньше, чем в прочей Италии, и уж тем более отсутствует какая-либо монументальная пропаганда — разве что какая-нибудь временная инсталляция на площади.

Тем сильнее ошарашивает, что в самом шикарном месте острова, между Садами Августы и тропой виа-Крупп, под боком у первой горьковской виллы, обнаруживается ни много ни мало памятник Ленину: массивная, из бетона, трехгранная — будто распиленная поперечно на три части и затем вновь восстановленная — стела; вторая, средняя часть как бы прокрутилась вокруг своей оси дальше, чем верхняя и нижняя; на ней медальон с Лениным и надпись: «A Lenin Capri», Капри — Ленину. Очень простой и замечательный памятник: будто кто-то страшно большой, как Колосс Гойи, пытался воспользоваться этим рычагом, чтобы перевернуть мир, — и от усилия рукоятка сама скрутилась посередине — но не отломалась: стоит, ждет следующей попытки.

Наткнуться на «ленинскую» площадку можно разве что случайно; это своего рода потайной карман. Особенно здорово оказаться здесь ночью, когда выход на Круппову дорогу перекрыт и к памятнику можно проникнуть только кружным путем — не подняться, а, наоборот, спуститься по неосвещенным тропинкам и лесенкам от верхней Villa Krupp. Подсветки нет — но площадка маленькая, и если выключить телефонный фонарик и посмотреть на небо, то кажется, что среди звезд висит марсианский этеронеф; хотя что ему тут делать после 1908-го?

Темно, но с площадки видишь как будто весь Неаполитанский залив, все Тирренское море, весь мир, всю географию — и всю ленинскую биографию, судьбу.

Связь феномена Ленина с географией косвенно отмечена еще Каменевым в 1924 году, в некрологе; ученик и коллега замечает — видимо риторически, желая подчеркнуть масштаб явления, — что «великий мятежник» «родился на берегах Волги, на стыке между Европой и Азией»; и если верить в существование некой структурной закономерности (вообще-то это эвфемизм для слова «судьба»), которая определяет вектор развития той или иной территории, то это замечание глубже, чем кажется. Ленин не просто родился на этом стыке, он порождение этого «стыка», этой географии; инструмент ее. Ко второй половине XIX века Россия оставалась континентальным пространством с азиатской — в широком смысле — системой управления и недостаточно, по современным меркам, освоенными ресурсами; меж тем Северная Европа и Америка совершили рывок в развитии производительных сил — и настолько успешную модернизацию системы управления, что это позволяло им эксплуатировать прочие регионы. Теоретически новые технологии позволяли и России полнее освоить свою и прилегающие территории, но государство Романовых, управлявших этими пространствами и народами в Центральной и Восточной Европе и Азии, модернизировалось медленнее, чем требовалось, поэтому начало терять свои позиции в мире и слабеть изнутри; у него оказалось недостаточно сил, чтобы сохранить целостность их территории — а только будучи целостной, она и может использоваться достаточно эффективно, чтобы не проиграть глобальную конкуренцию. Здесь должны были возникнуть новые институты; только обновление административной системы могло запустить устойчивый рост производительности труда — пусть даже обновление не мгновенное, а растянутое на несколько десятков лет. Нужно было запустить инновационные процессы, отказаться от адаптации старых элит, индоктринировать в сознание общества новые мифы об идеальном устройстве, модернизировать бюрократическую машину — применить «созидательное разрушение». Измениться, чтобы выжить. Так пространство (Маркс называл это «дух»: «дух строит философские системы в мозгу философов») породило Ленина — существо, которое, овладев марксистской наукой, нашло способ взять континент за горло, начало трясти его и перевернуло с ног на голову; потому что только так его и можно было уберечь от гораздо большей катастрофы.

В этом смысле появление Ленина было, можно сказать, предопределено.

И, пожалуй, если бы сам он почему-либо отказался от этой работы, то для нее нашелся бы какой-то другой исполнитель — в диапазоне от Столыпина до Керенского; сама территория, «география» и этнос, управляющий «географией», должны были породить силу, которая сумела бы «проапдейтить» сложившееся положение дел, подтянуть его. Видимо, для этого континентального пространства подходил отличный от европейского способ модернизации — сверху: принудительный, догоняющий, связанный с большими демографическими, политическими и экономическими издержками. Ленин, получается, несмотря на то, что сам полагал себя реформатором-марксистом, по сути, — временный псевдоним безымянных географически-исторических сил, которые генерируют «ленина»; в этом смысле абсолютно точным является восприятие Ленина крестьянами — зафиксированное Есениным в «Анне Снегиной». «КТО ТАКОЕ Ленин?» — спрашивают они лирического героя; кто-кто — инструмент.

В пользу этой версии говорит тот факт, что Ленин после 1917 года делал то, что никогда не предполагал делать, — однако, оказавшись в конкретных обстоятельствах, понимал, что истинность конкретной позиции заставляет прибегать его именно к таким, противоречащим абстрактным истинам, решениям. Отсюда и ирония истории, которая так жестоко посмеялась над ним: он-то намеревался создать условия для отмирания государства, упразднить его; а ему пришлось стать его агентом, сохранять его, модернизировать и укреплять. Он полагал, что сам, по своей воле, меняет мир, — а на самом деле это история вытащила его за шиворот из Зеркального переулка в Цюрихе, запихнула в поезд в апреле 1917-го, выгнала на улицу вечером 24 октября, заставила заключить Брестский мир и открыть ГУМ вместо складов реквизированных продуктов, а потом, когда он все наладил и даже воссоздал империю, — отшвырнула за ненадобностью. Так?

Или всё же нет — и это он сломал историю об колено, и хотя потом, когда в 1922-м его самого скрутило, открытый перелом затянулся кожей, но кость, хребет, судьба, география — перестали быть цельными, и история пошла по-другому? И тогда — какими бы кавычками, какими бы скептическими улыбочками ни оформляли слово ЛЕНИН — мы все-таки уже прошли точку невозврата и однажды окажемся-таки в другом мире, где не будет ни рабочих, ни крестьян, ни буржуазии, ни вообще государства — а только, как их там в «Государстве и революции»... творческие люди, занимающиеся творческим трудом?

Вот вопрос вопросов: годится ли Ленин лишь для того, чтобы иллюстрировать своей поразительной биографией мысль о том, что история способна на иронию, — или история, как Надежда Константиновна Крупская, да, относится к нему, «вумному» философу, с заметной иронией — но все же подчинилась ему, отдалась, признала, что он был лучшим? «Смел и отважен» — как закончила свои мемуары о нем НК.

Сейчас тема «красного Капри» не то чтобы под запретом — но задвинута в кусты, маргинализована.

Никто не привозит туристов к ленинской стеле, никто не рассказывает про Капри как Истинный Мавзолей, прообраз «коммунистического Марса», временную столицу утопического большевизма и поле Битвы за Материализм, где Ленин одержал победу над сепаратистами. Разумеется, мэрия старается привлекать на остров туристов, но цивилизованных, а не каких-нибудь хунвейбинов.

Капри позиционируется — достаточно прогуляться от «Квисисаны» до Пьяцетты, и про будущее все ясно: ну какой там коммунизм, какой там Ленин — как самое стабильное, предсказуемое, прогнозируемое место на земле; место, обладающее исключительно ценным прошлым; чье будущее, по сути, тоже лежит в прошлом, крепко-накрепко связано с ним. Это пронизанное «токами античности» пространство, которое все больше и больше аккумулирует энергию и инерцию старины; как написанная давным-давно картина, ценность которой увеличивается с каждым годом; почаще проверяйте, достаточно ли толстое над ней стекло — и не волнуйтесь о будущем.

Точно так же музеефицирован, маргинализован и сдан в утиль сам Ленин: вчерашний день, было и прошло. Революция и затем советская власть — самое крупное историческое событие на планете, пока ничем не перебитое? Пусть даже и так; история воспользовалась Лениным, а теперь — спасибо, достаточно; надо идти дальше.

И все же Каприйская Стела — «Капри — Ленину» — пусть на отшибе, мало кому ведомая, — торчит, существует, свидетельствует — осознают это толпы на Пьяцетте или нет: остров изменился после двух визитов Ленина, которые, как ни крути, — последнее крупное историческое событие на острове.

Что там говорит диалектический анализ? Каковы шансы на то, что со временем Капри превратится в богдановскую «Красную Звезду»? (Или, что существеннее, например, для Ленина и Советской России после 1917-го, — когда там в Америке, Великобритании и Италии произойдет пролетарская революция?)

По логике обывателя — никогда: островитяне не такие дураки, чтобы отказываться от четырех миллионов туристов в год, а у американской и европейской буржуазии достаточно накоплений, чтобы надежно коррумпировать свой пролетариат.

По логике марксизма — Везувий остается действующим вулканом, а технологический прогресс при капитализме подразумевает ротацию элит и неизбежность кризисов. Кризисы и извержения заставляют людей менять свои привычки — например, усиливать существующую эксплуатацию, ограничивать друг друга в политических правах, прибегать к силе, чтобы сохранить привычный уровень доходов. Географическая изолированность острова может привлекать сюда туристов — а может и террористов, любящих такого рода пространства-ловушки. Не говоря уже о том, что нет ничего невозможного в том, что — как в конце XIX века неожиданно обнаружили, что материя состоит из атомов, а те — из электронов и т. д., — под одним из лимонных деревьев в один прекрасный день найдут, например, нефть; и так исторически неизбежные процессы тогда еще более ускорятся. Будущее здесь может быть совсем не таким, каким мы его по-обывательски, без диалектики, прогнозируем; например, мы увидим Капри застроенным небоскребами, или пирамидами, или, вместо бутиков, — мастерскими-фаланстерами, в которых трудится преодолевший свою политическую ущербность пролетариат, автоматизировавший массовое производство — и превратившийся в сообщество творческих людей: как в «Красной Звезде» и как в «Государстве и революции». Можно смеяться над такими «прогнозами» сколько угодно — но, в конце концов, благодаря тому, что здесь происходило сто лет назад, у Капри уже есть опыт ломки всех известных общественных законов, всех географических детерминизмов, всех непреложных структурных закономерностей.

И если все это может произойти с Капри — даже с Капри, — то почему не может и со всем остальным миром?

Попробуйте взглянуть на Землю огромными глазами богдановских марсиан.

С берега доносятся смех и визги, из ресторана по соседству — фортепьянные наигрыши; остров по-прежнему полон звуков. Стела мерцает в темноте, будто она не из бетона, а из загадочного марсианского камня; и как знать, возможно, как раз этот колышек и держит собой палатку, укрывающую наш очарованный остров от бурь, которые — абсолютно неизбежны.

Париж
1908–1912

Ощущение Ленина, что пребывание в Женеве напоминает ему лежание в гробу, усугубилось в тот момент, когда к проблеме затекших конечностей прибавилось грубое обращение служащих похоронного бюро. Эмигрантское цунами, обрушившееся на Швейцарию после поражения революции 1905 года, смыло с лиц аборигенов маски с вежливыми улыбками. Одухотворенные существа в заплатанных штанах и потрескавшихся пенсне стали слишком заметны; в объявлениях о сдаче жилья замелькали уточнения: «Без животных и русских». Тревожное чувство, что фэншуй нарушен, заставило Ленина, только что поставившего точку в рукописи «Материализма и эмпириокритицизма», поднять крышку и оглядеться по сторонам: Капри? Америка? Плеханов однажды всерьез обдумывал переезд из Женевы на остров Ява. Соблазнительным компромиссом между экзотикой и комфортом для деловой активности выглядел Лондон, но тамошний баланс потоков энергии ци обходился дороговато, поэтому оставался «толкотливый» Париж. Задним числом Ленин кусал губы из-за своего выбора — и уже в 1909-м охарактеризовал в частных письмах столицу Франции как «дыру»: уж больно «эмигрантская атмосферишка». Крупская зарезервировала для парижских четырех лет 10 процентов объема своих мемуаров о дооктябрьском Ленине — и цитировала мужа с искренним сочувствием: «И какой черт понес нас в Париж!»

«Подлые условия», «злобные подсиживания», «прямые провокации» — и, отсюда, неизбежно, «истеричная, шипящая, плюющая» психика. Что есть то есть: если до 1908 года неуживчивый, ершистый и склизкий Ленин представляет для своих оппонентов внутри партии нечто вроде неизбывной зубной боли — то начиная с Парижа, для нейтрализации его откровенно деструктивной деятельности гораздо более предпочтительным выглядит обращение к услугам уже не стоматолога, а наемного убийцы. Тем не менее Ульяновым удалось прожить там почти четыре года — больше, чем в каком-либо другом заграничном городе.

У Ленина было достаточно причин испытывать к Франции теплые чувства: утопический французский социализм вызывал в нем уважение, граничащее с благоговением, — как один из источников марксизма, а мысли об опыте Парижской коммуны — первого в мире пролетарского государства, предательски расстрелянного буржуазией, — приступы романтического томления: так на душу обывателя действуют аккордеонные наигрыши из «Амели». Каждое 18 марта Ленин устраивал ностальгический митинг, собрание или хотя бы вечеринку. Восторженное отношение к Коммуне сейчас кажется банальностью — на то он и коммунистический лидер, чтобы отмечать День Парижской коммуны, однако в те времена скорее озадачивало: ведь немецкие социал-демократы обычно приводили пример Коммуны, когда следовало продемонстрировать, как действовать неправильно.

И наоборот — Франция условного 1910 года была для Ленина маяком социализма разве что в том смысле, что от этого коварного берега следует держаться подальше.

Сознательный пролетариат с боевым опытом Парижской коммуны — да, но на практике этот пролетариат — Ленин объяснит этот парадокс в «Империализме как высшей стадии...» — развращен благами колониализма и уже через четыре года подтвердит прочность своей смычки с буржуазией. Да и руководители здешнего рабочего класса были превосходными демагогами, но никудышными практиками; Ленин знал, что даже самые радикальные профсоюзные лидеры воспринимают здесь выражение «социальная революция» скорее как метафору. Что касается словосочетания «вооруженное восстание», то оно отсутствовало в лексиконе здешних марксистов в принципе; впрочем, то была черта не только французов, но и II Интернационала в целом.

Неудивительно, что при таких-то беззубых адвокатах пролетариата здесь доминировали правые; Париж был столицей махрово консервативной страны, оплотом европейской реакции, где в политике задавали тон правые вроде Клемансо, а буржуа, *en masse*, выглядели именно как классические буржуа, которые на словах горой стояли за свободу и демократию, но как только речь заходила о свободе для кого-то еще, кроме них, наставляли на смутьянов винтовки. Культура повседневности империалистической буржуазии предполагала циничную демонстрацию богатства и эстетических пристрастий: отсюда кафешантаны и театры-кабаре с канканами, бульвары, кишащие охотящимися на мидинеток фланерами, и авеню, забитые полчищами автомобилей — черных, лакированных, несуразно высоких, чтобы внутри можно было сидеть в цилиндрах и нарядных шляпах.

Оккупированный буржуазией Париж тем не менее был удобной, обеспечивающей хорошую мобильность машиной, где Ленин, даже в тиаре из своих политических фанаберий, не чувствовал себя скованным в движениях.

Дом на улице Бонье, где Ульяновы прожили первые восемь месяцев своего Парижа, и сегодня смотрится модерновой новостройкой: с затейливым псевдоракушечным декором по фасаду — галеон, да и только. Доска с Лениным на нем выглядит так, будто ее оставили нарочно — вот она, «хижина» вождя пролетарской революции; и понятно, почему «рю Бонье» не вошла в ленинскую мифологию так прочно, как «рю Мари-Роз»: слишком уж вопиюще дорого выглядящая недвижимость. Поскольку ни до, ни после Ленин не обнаруживал ни пристрастия к проживанию в шикарных квартирах, ни склонности транжирить деньги на излишества, можно предположить, что квартира была выбрана потому, что статус вождя партии — даже и пролетарской — предполагал некоторую витринную респектабельность; надо было демонстрировать уцелевшим бойцам, что отступление совершилось организованно, у командования есть план и финансовые возможности для его реализации — и оно не намерено позволять разлагаться — ни себе, ни подчиненным.

Возможно, идея по-хамелеонски перенять стиль парижского буржуа и была тактически верной, однако подобного рода образ жизни резко контрастировал с общепринятым в эмигрантской среде, где щеголять в брюках с бахромой и ночевать в ящике из-под мыла никогда не считалось признаком эксцентричности.

В Лондоне, Женеве, Мюнхене, Цюрихе, Берне, на Капри были русские колонии; но в Париже была диаспора — к 1910-му 80 тысяч эмигрантов; сопоставимо с сегодняшним Лондонградом. После разгрома революции 1905—1907 годов едва ли не все, кто унес ноги из России, рано или поздно оказывались в Париже. Остается загадкой, почему власти смотрели сквозь пальцы на существование этого очага социальной напряженности — тем более что Франция, империалистическая держава-ростовщик, была, по сути, банкиром русских и зависела от благополучия царского правительства: сможет ли «нотр Сэнт Рюси» отдавать займы, которые ей предоставляли — регулярно — в обмен на лояльность Марианне в неизбежной войне против бошей. По-видимому, французы считали выше своего достоинства глубоко вникать в дела каких-то эмигрантов-карбонариев; никто просто не хотел брать на себя труд отделять агнцев от козлищ — и при некоторой моде на пресловутый «а-ля-рюсс», от казаков до Дягилевских сезонов, терпели и революционную шатию-братию, пока та была в состоянии оплачивать счета; с началом войны это терпение резко пойдет на убыль.

Большинство «политических» были крайне беззащитны как в социальном, так и в моральном отношении: безденежье и безделье превращали их в мягкий пластилин в руках манипуляторов. Если квалифицированные рабочие — Шляпников, Гастев — могли устроиться на завод, то интеллигенты натирали полы, возили вещи, мыли окна, чистили зеркала, разносили бидоны с молоком, шоферили, а то и нанимались в извозчики; один большевик даже подрабатывал, позируя монмартрским художникам в качестве натурщика. В какой-то момент рукастые и совестливые социал-демократы Лозовский, Мануильский и Антонов-Овсеенко арендовали на окраине Парижа полутемный сарай и принялись, в надлежащих условиях, учить товарищей реализовывать искровский ленинско-гётевский завет — «света, побольше света!»; выпускники электромонтерных курсов неожиданно оказались очень востребованными, и организаторы, переставшие справляться с притоком курсантов, вынуждены были снять более солидное помещение.

Возможно, лет через восемь в Швейцарии Ленин и сам мог бы позавидовать зарплате электромонтера, но первые годы нового десятилетия были для него вполне сносными. «Диэта», полагавшаяся члену ЦК, составляла 50 франков в неделю; плюс надбавки за стаж, оплата секретарской работы Н. К. Крупской... Подсчеты Н. Валентинова говорят о 300 франках в месяц минимум; поступали и деньги из России — за первый том собрания сочинений, за переиздание «Развития капитализма в России», за «Материализм и эмпириокритицизм», за статьи. Впрочем, и достаток тоже преувеличивать не стоит: парижанин Ш. Раппопорт, наблюдавший за Лениным много лет скорее со скепсисом, чем с энтузиазмом, и не имеющий оснований быть заподозренным в подмарафечивании истории, свидетельствует, что «средства Ленина были ничтожны, и он, вероятно, был весьма огорчен, когда у него украли оставленный им на дворе библиотеки велосипед».

Велосипед Ленин оставлял у консьержки — которая, когда он однажды не обнаружил машины на положенном месте, холодно проинформировала его, что они договорились на 10 сантимов в день не за охранные услуги, а за предоставление площади для хранения. Языковой барьер? Его французский выдавал в нем эмигранта; заведомый аутсайдер, он, однако, не собирался интегрироваться в одержимое ксенофобией французское общество — и поэтому не переживал свое отчуждение от аборигенов, среди которых к тому же у него имелись прочные связи по социал-демократической линии. Независимость от местных источников дохода позволяла этой акуле марксизма вести образ жизни респектабельного литератора, автора нескольких толстых книг по экономике и философии. Да, проживание в квартире, отделанной мраморными панелями и зеркалами, в зеленом районе с хорошей транспортной доступностью стоило недешево; зато он дистанцировался от эпохи куоккальского подполья и мог посвящать много времени катанию на велосипеде и немного — сидению в кафе за шахматами недалеко от дома в русско-французском клубе, куда можно было попасть лишь по представлению одного из восемнадцати членов за символическую плату в один франк раз в три месяца.

Как и везде, где он появлялся, Ленин быстро становится в Париже кем-то вроде одного из «крестных отцов» русской политической мафии; он имел право посылать «своих людей» хоть в Нью-Йорк, хоть в Болонью, хоть в Кологрив — и выдергивать их оттуда; мог, в случае чего, обеспечить прибегших к его помощи жильем, работой, деньгами, связями, юридической и моральной поддержкой; молодежь смотрела автору «Что делать?» в рот, а «старики», знакомые с его манерами, отводили глаза и не решались оспаривать его возмутительное присутствие. Представьте, что к вам подселяют буйного соседа, который воплотил в себе черты характера и особенности поведения алкоголика, склочника, домашнего тирана и финансового махинатора; у вас нет способов не только избавиться от него, но и прогнозировать, чего ожидать в ближайший час: он то ли подкрутит счетчик, то ли отравит собаку, то ли попытается приватизировать вашу жилплощадь, то ли набросится на вас с палкой с гвоздем.

Важно, что явился в Париж Ленин далеко не с пустыми руками — и в смысле опыта (стреляный воробей, прошедший и через остракизм 1904-го, и через кровь 1905—1907 годов, он уже умеет едва ли не в одиночку, не нуждаясь в сильных партнерах, вроде Плеханова или Парвуса, перевозить с собой «в чемоданчике» ядро организации), и в смысле партийного счета в «Креди Лионнэ», только что пополнившегося шмитовскими деньгами, и, не менее важно, со своими средствами производства — типографией, которую перевез из Женевы. Он мог выпускать те газеты и те брошюры, которые казались ему правильными — без чьей-либо еще санкции; это было крайне серьезное, придающее вес всей его деятельности оружие, которое он тщательно и регулярно смазывал и с которым не любил расставаться (Ленин платил наборщикам больше, чем членам ЦК, — и не только за то, что с 1902 года они научились хорошо разбирать его далеко не бисерный почерк; он торчал в типографии едва ли не каждый день; по-видимому, ему нравилась редакторская работа — которую, конечно, можно было бы перекинуть на Зиновьева или Каменева).

С таким арсеналом он мог вести против своих оппонентов целые серии клеветнических кампаний — заставляя их оправдываться, отвечать на абсурдные обвинения, портя им репутацию — и мешая рекрутированию новых сторонников; мог навязывать свою повестку дня — превращая романтическую войну против самодержавия в бюрократическую дрязгу.

Другое дело, что известная обеспеченность не гарантировала ему никаких особенно лучезарных перспектив: связи с потенциальными партнерами-работодателями в России были ослаблены;

репутация — сложная; семейные средства, матери и тещи, — ограниченны; партийная касса была в порядке сегодня, но что с ней станет завтра?

Еще хуже то, что в политическом смысле Ленин прибыл в Париж в декабре 1908-го если не «голый», то, по крайней мере, с пустыми карманами: от партии — такой, как он ее выстраивал, — осталось только ядро. Подпольная боевая структура — руинирована, ЦК — шатается, основной массив партийцев расколот на фракции, которые действуют кто во что горазд, «золотая ветвь» вождя принадлежит ему лишь виртуально и скорее на паях: Богданов левее и пользуется репутацией отменного практика, да еще и крупнейшего в партии специалиста по естественным наукам и новейшей философии; Мартов теоретически договороспособен — но лишь пока рядом с ним нет Дана; Плеханов более авторитетен в международном движении; Троцкий издает свою собственную газету «Правда». У большевиков крупные репутационные проблемы — уже в масштабе континента: после скандала с попыткой обмена 500-рублевок в январе 1908 года все знают, что они промышляют солидными деньгами — при том, что Лондонский съезд запретил деятельность такого рода. Хуже всего дела обстоят в метрополии: самые «пассионарные» рабочие и те дуют на обожженные порохом руки — какие там забастовки, какие стачки, какие демонстрации: полный ноль, «столыпинская реакция»; переживающая похмелье интеллигенция запугана угрозами физической расправы от черносотенцев — и попряталась по углам; приток свежих сил в партию фактически отсутствует; единственное, кого пруд пруди, — это подозрительных типов: каждый второй. Коммуникации с местными комитетами нарушены — и поэтому позднейшие заверения историка М. Покровского о том, что Ленин из Парижа «слышал, как в России пролетарская трава растет», звучат ернически.

Нет не то что связи с комитетами — нет самих комитетов, все арестованы (или есть — но ориентированные на легальность, меньшевистские). Марксисты на всех фронтах уступают эсерам — те, по крайней мере, продолжают совершать громкие политические убийства и активно взаимодействуют с крестьянской средой; и только разоблачение Азефа приостановило отток молодежи к конкурентам. Что могут предложить большевики? Свой пятилетний опыт внутренних дрязг и репутацию удачливых грабителей банков?

Мало того, попытки ленинских эмиссаров сформировать сколько-нибудь лояльное большевистской фракции рабочее подполье в России разбиваются о слухи, будто Ленин, во-первых, поправел, а во-вторых, рассорился со всеми своими боевыми товарищами из-за эмпирио-чего-то-там; и даже самые сознательные рабочие, которым годами втолковывали, что марксизм — это прежде всего философия, не в состоянии были понять практическое значение этих разногласий.

Зато замечание все того же М. Покровского касательно проницательности Ленина: «Ильич на три аршина видел, и нос его чуял далеко, добирался до таких глубин...» — вполне адекватно; что да, то да — и одно из самых важных прозрений Ленина было связано с осознанием того, что единственным эффективным ресурсом РСДРП была фракция социал-демократов в Думе; во-первых, депутаты обладали какой-никакой неприкосновенностью; во-вторых, они имели право выходить на политическую авансцену и произносить оттуда составленные Лениным речи, которые затем печатали легальные издания; и, похоже, лучшего на тот момент способа доказывать рабочим, что партия держится на плаву и готовит новую революцию, не было. Новой манией Ленина было посылать большевиков на проводимые в России съезды — антиалкогольный, писательский, по борьбе с проституцией, деятелей народных университетов, кооперативный, женский — и заставлять их оттачивать перья в узкопрофильных журналах типа «Вестника портных» и «Жизни пекарей».

Подпольные кружки деморализованы из-за того, что нет литературы, денег и опытных организаторов? Ну так следовало внедряться в легальные союзы — ткачей, кожевников, чаеразвесочников, парикмахеров, кошелечников.

Париж был как воспетый Ларисой Рейснер Свияжск в 1918-м — место, где нужно было пережить тяжелое поражение, отступление — и сохранить шерсть и панцирь в относительно комфортных условиях, не превратиться в оппозиционного литератора-декадента, уверенного, что «следующий подъем наступит лет через тридцать», сжать зубы — и держать строй; капитализм так устроен, что кризисы имеют тенденцию повторяться, а кризис — это протестные настроения пекарей, портных и алкоголиков, которые можно возглавить. Коренное отличие Ленина от большинства эмигрантов состояло в том, что он не гадал: сбудутся мечты — не сбудутся; истории законы таковы, что рано или поздно мирок читателей глупых журналов достигнет новой стадии развития; это научно достоверное знание — и поэтому надлежало быть готовым к грядущим событиям.

Собрания большевиков обычно устраивались в кафе «Дю Льон» на авеню д'Орлеан, недалеко от статуи Бельфорского льва, который и сейчас возлежит на площади у метро Данфер-Рошро; при желании можно воспринимать его как эмблематичное изображение Ленина в Париже — способного показать зубы, наслаждающегося буржуазным финансовым спокойствием и поумерившего свои кровожадные инстинкты.

Если в Женеве Ленин выныривает из подполья и высовывается из воды по пояс, то в политическом зоопарке, который представлял собой эмигрантский Париж, у него появляется своя, обозначенная табличкой площадка, где им можно полюбоваться в натуральном, так сказать, виде — без накладных усов; он даже — всего раз за все четыре года — позволяет себе визит в фотоателье. Таким страшно элегантным он не был никогда, ни до, ни после: стоячий воротничок, галстух, гладко выбритый подбородок, задорные усики, холодный прищур, «интересная» плешивость. Такой подчеркнуто ухоженный вид позволяет предположить, что в каком-то сейфе, возможно, лежит и фотография, где этот сорокалетний мужчина запечатлен в сдвинутом на сторону шелковом цилиндре и, откинувшись для симметрии в другую сторону, тяжело опирается рукой на трость; Гертруда Стайн, чей автомобиль Ленину наверняка приходилось обгонять в пробках на Бульваре Севастополь, именно так, во всяком случае, описывала стандарт парижского денди.

Пожалуй, никогда больше — до революции — его политическая позиция не была такой шаткой и уязвимой для критики; он вел себя как прожженный лицемер: говорил одно, делал другое, думал третье, а выглядел — на велосипеде, в кепи или котелке — серым кардиналом какой угодно, совсем не обязательно рабочей партии. На политическом спектре Ленин занял по сути центральную позицию — между левачеством группы Богданова и ориентированным на правых германских эс-де Даном, и вся штука была в эквилибристике: нужно было не позволять утягивать себя влево — и, самому клонясь вправо, семафорить, что это аберрация зрения наблюдателей и на самом деле он все же центровой. Не надо было иметь семь пядей во лбу, чтобы сообразить: физическое отсутствие в России подполья, хочешь не хочешь, подталкивает самого Ленина к той модели развития партии, в рамках которой РСДРП полностью легализуется как парламентская структура и рвет с противозаконной подпольной деятельностью в прошлом; и раз так, Ленин, по сути, оказывается умеренным меньшевиком, пусть даже *ad hoc* — поневоле, временно, по тактическим соображениям, в ожидании «новой революционной волны» — когда снова можно будет реанимировать подпольную деятельность.

Многим рядовым марксистам казалось — что особенно нелепо с их стороны в условиях, когда всё, что от этих людей на самом деле требуется, это подписать любезно составленную заранее резолюцию, — что помимо патологической страсти к расколам у вождя-велосипедиста появились новые отклонения от «нормы»: он не только встал на путь соглашательства с самодержавием, но и рехнулся на почве зависти к Богданову. Свидетельства, льющие воду на мельницу распространителей этих гнусных слухов, обнаруживаются в изобилии. Так, выясняется, что, едва приехав в Париж, Ленин провел семь-восемь политзанятий с кружком из еврейских рабочих-большевиков: лектор начал с аграрного вопроса, но очень быстро съехал к разоблачению философии махизма и эмпириомонизма А. Богданова — ну еще бы, а о чем же еще можно поговорить с заблудшими большевистскими душами, поселившимися впятером в одной комнате гастарбайтерской квартиры-ночлежки.

Поскольку график у Ленина был не таким плотным, как в 1905—1907 годах, у него оставалось много времени на создание политического языка, состоящего из терминов, вызывающих химически чистое отвращение к конкурентам уже одним своим звучанием: «ликвидаторы», «примиренцы», «богостроители» и «отзовисты-ультиматисты». Помимо этих ярлыков Ленин (в сотрудничестве с Плехановым) разработал слоган: «Бить налево и направо», а также ряд рабочих метафор — из стоматологической и агрикультурной сфер: «у партии два флюса» и про «опрокинувшуюся на одну сторону телегу»: «Я очутился в положении того мужика, у которого телега опрокинулась на одну сторону. Мужик, стараясь поднять телегу, призывал на помощь святых сначала по одному: "святой угодник Николай, помоги, святой такой-то, помоги" — но телега не трогалась с места. Наконец, мужик натужился всеми своими силами и крикнул: "Все святые, помогите!" — и телега от сильного удара опрокинулась у него на другую сторону. Тогда мужик вскрикнул: "Да тише вы, черти, не все сразу!"».

Даже эти, столь наглядные образы не гарантировали ему защиту от вопросов — на чьей он стороне и почему, собственно, отпихивает «ликвидаторов», раз сам говорит, что нужно активнее использовать легальные методы? И почему не расплюется с Думой, как требовали «впередовцы», — если толку от парламентских большевиков все равно кот наплакал и они только дискредитировали фракцию в глазах настроенного на борьбу с оружием в руках пролетариата?

Открыто повесить себе на лацкан значок «меньшевик» было так же немыслимо, как признаться в работе на японскую разведку: и, чувствуя, что из-за этой непоследовательности земля начинает гореть у него под ногами, Ленин на протяжении пяти—семи лет большую часть своих публичных усилий посвящает — чему? Правильно: войне с «ликвидаторами»; это наиболее часто употреблявшийся термин его политического лексикона. Даже и так многих это не могло сбить с толку — и поэтому нечего удивляться, что выглядели его проклятия в сторону «ликвидаторов» не так убедительно, как хотелось бы, — и поэтому репутация чокнутого с заплеванным подбородком, который никого не слушает и сам не может остановиться, идет за ним по пятам. Любую попытку апеллировать к разуму посторонних Ленин трактует как публичный донос — и третирует оппонентов как агентов полиции. В биографиях Мартова и Дана, Богданова и Троцкого, когда речь заходит о периоде вокруг 1910 года, фамилия «Ленин» встречается едва ли не чаще, чем главных героев: он был их общим *bete noir*.

Разумеется, застарелый «бонапартизм», чрезмерная озабоченность лидерским статусом, претензии на монополию на истину и плохо скрываемое интеллектуальное высокомерие по отношению к своим апостолам (слишком многие запомнили, что на заседаниях своей же группы он демонстративно не слушал выступавшего товарища и либо читал газеты, либо бесцеремонно переговаривался с кем-то еще, либо играл в шахматы (с Таратутой), изо всех сил делая вид, что не делает ничего, — и тем грубее выглядели его неожиданные вмешательства в чужие речи, когда ему нужно было тюкнуть докладчика по голове за какой-то промах) — все эти манеры не только выделяли его из толпы, но и, как красный мундир, подставляли под огонь тех, кто способен был «остранить» — и окарикатурить — его портрет. Восемнадцатилетний Эренбург, который явился в Париж в конце 1908-го и примкнул к группе ленинцев, вполне подходил на роль нового Эккермана — и мог бы, втеревшись в доверие к Ленину, дать квалифицированное представление о его «парижском периоде». Он, однако ж, быстро заскучал на собраниях и рефератах — и решил разнообразить их с помощью самодельных сатирических журналов, где высмеивались политические кружки эмигрантов и, в особенности, Ленина. По этим журналам, которые Эренбург умудрился отпечатать в типографии, — «Бывшие люди» и «Тихое семейство», — можно реконструировать, что́ именно уже тогда казалось в Ленине нелепым даже сочувствующим большевикам, ближайшему окружению. Основными мишенями были пресловутый ленинский «бонапартизм», его единоличные претензии на марксистскую ортодоксию — и, разумеется, неожиданная ипостась партийного философа. Отсюда «сценка в школе Ленина»: «Ленин вызывает Каменева и задает какой-то вопрос, на который Каменев отвечает не совсем в духе Ленина. Тогда Зиновьев вызывается ответить и отбарабанивает слово в слово по какой-то книге Ленина». Шаржи: «Ленин изображен в костюме дворника с метлой, стоящим на постаменте, на котором начертано: Ленину благодарная ортодоксия...» Объявление: «Философский кружок тов. Ленина в скором времени возобновляет свои занятия. Условия приема в кружок следующие: 1) свидетельство благонадежности, 2) свидетельство о прививке антибогдановской сыворотки, 3) личный осмотр САМИМ со всех сторон. Вход бесплатный. Собак и эмпириомонистов просят не приводить». Заметка в отделе происшествий: «Всегда необыкновенно! Всегда удачно! Еще одна победа революционного большевизма. После долгого и мучительного философского напряжения он разрешился от бремени семимесячным недоноском, который из чрева матери вынес обширный философский трактат и ознаменовал свое появление на свет басистым писком: долой Маха и Богданова». Уведомление о поступлении в редакцию книг для отзыва — «Ленин. Руководство, как в 7 месяцев стать философом».

Эти поделки, которые Эренбург на голубом глазу приносил в то самое кафе на Пор д'Орлеан, где шли собрания, — поделки скорее амикошонские, чем действительно остроумные: ведь здесь были и, например, «Послания Вовочке Ленину от Жоржика Плеханова», — запечатлелись в памяти множества мемуаристов: от Алина и Т. Вулих до Крупской, Мордковича и Зиновьева — и, похоже, разнообразили-таки серые будни парижских большевиков-ленинцев, а еще заставили-таки Ленина содрогнуться от ярости; вопреки колкому замечанию Плеханова, у него было чувство смешного — и еще года четыре назад он весьма благосклонно разглядывал карикатуры Лепешинского, где изображен был то в виде кота, то санкюлотом, без штанов. Но юмористика Эренбурга показалась ему омерзительной; автора моментально выставили с большевистских ассамблей к чертовой матери — за злостное несоблюдение корпоративной этики. Быстро отряхнув пыль с костюма, тот «стал воспевать в стихах мадонну, величественность католических соборов, царящие в них тишину и сумрак, гул шагов и т. п., а вскоре переменил католицизм на эротизм и стал воспевать последний тоже в стихах» — но долго еще, несколько десятилетий, припоминали ему этот афронт.

Размер социал-демократической диаспоры позволял осуществлять организаторскую деятельность — как объединительную, так и размежевательную — с должным масштабом: в Париже и из Парижа проще было созвать пленум или конференцию, устроить реферат или заседание бюро; собственно, выскочив в декабре 1908-го на перрон едва ли еще не до полной остановки поезда из Женевы, Ленин вприпрыжку мчится на заседания Пятой общепартийной конференции РСДРП.

Без собраний нет структуры; ведь партия — это организация людей, взявших на себя долг выполнять те или иные поручения руководства. Любое представительное собрание может принять некую обязательную к рассмотрению резолюцию — например, если вам удастся сфабриковать нечто, напоминающее съезд (пусть даже «не съезд, а своз», острил старый социал-демократ Рязанов) представителей местных комитетов, вы можете объявить, что ваш съезд избрал новый ЦК партии — и избавил последнюю от группы нежелательных лиц, ранее полагавших себя Центральным комитетом; и тот, кто умеет подкладывать должным образом подобранным людям заполненные бумаги на подпись, может, размахивая потом этими бумагами, навязывать свою волю третьим лицам — а заодно раздавать упаковки антигистаминовых препаратов тем, кто демонстрирует признаки аллергии на «поправевшего Ленина». Секрет тот же, что при езде на велосипеде: не останавливаться, покуда не останутся только те, кто полностью вам доверяет и кому можно поручать подбирать покладистых людей, не жалеющих чернил на подписи, — ядро. Теоретическая чистота, которую следует методично закреплять организационно, через съезды, обходится недешево: дорога, гостиницы, суточные, непредвиденные расходы; в идеале разъяснение каждого философского нюанса должно оплачиваться чьим-то большим наследством или масштабной экспроприацией.

В интеллектуальном смысле после бурного подъема, связанного с работой над «Материализмом и эмпириокритицизмом», в Париже наступает некоторое затишье. Ленин сочиняет беспрерывно, но не так «бешено», как до и после; так что, несколько передергивая, а также оставляя за скобками важный цикл статей о Толстом и хрестоматийную «Памяти Герцена», можно сказать, что в его репертуаре появилось совсем мало «хитов», «культовых» вещей: сплошные «об оценке текущего момента», «ответ ликвидаторам», «о характере нашей полемики с либералами»; большинство этих текстов в литературном отношении не так ничтожны, как его «популярные» статьи для «Правды» 1912—1914 годов, однако они, несомненно, вызывали у крупных партийных литераторов самые кислые мины («это не написано, как говорят французы. Это не литературное произведение, это ни на что не похоже», — морщился Плеханов). По сути, в течение нескольких лет он занимался перегруппировкой сил, склоками, сварами, дрязгами, организацией школ и пленумов, чтением лекций и рефератов, извлечением цифр и фактов из сокровищ Национальной библиотеки, манипулированием думскими депутатами и производством газет — «Пролетария», «Рабочей газеты», «Социал-демократа». 17—21-й тома ПСС — из которых один том занимает «Материализм и эмпириокритицизм» — верденская мясорубка, колоссальное сражение с товарищами по партии за клочок выжженной земли; как беглое, так и доскональное изучение этих текстов наводит на одну и ту же мысль: Ленин спит и видит забрать у «ликвидаторов» и «отзовистов» бренд партии, деньги, связи с российскими комитетами, печатный орган и дополнительное типографское оборудование; автор изгаляется, глумится, грозит, проклинает, ерничает, финтит, стращает, костерит, чихвостит, умасливает — и долдонит, долдонит одно и то же по сто раз... Предназначенные для публикации тексты и в этот раз — не лучший ключ к Ленину.

Ленин выпускал в Париже «Рабочую газету» — не особенно задорный еженедельник на четырех листках, укомплектованный по большей части тусклыми текстами главного редактора, Зиновьева и Каменева (почти все без подписей) и вызывающими подозрение в их подлинности корреспонденциями из России. Поживее выглядит напечатанный микроскопическим кеглем «Почтовый ящик» — рубрика частных сообщений, в которой случайно окаменели для вечности повседневные тревоги и заботы: «Товарищ Лева, куда вы запропали? Адрес в последнем письме не разобрали». «С рефератов Ленина, в Париже чистый сбор 218,80, в Цюрихе валовой сбор 42,50, Берне 27,30, Антверпене 34, Льеже 84, Лондоне 68,5. Всего 624,65». «Расходы по рефератным поездкам Ленина 135,20». Удручающая своей нищенской точностью бухгалтерия; дела у большевиков до 1912 года шли, пожалуй, под гору.

Социал-демократы в Париже не отлынивали ни от какой партийной работы, лишь бы не корить себя, что убили лучшие годы жизни на зряшную деятельность, и голосовали, что называется, «за любой кипиш, кроме голодовки». Алин рассказывает, как Ленин раздавал задания своим товарищам: пришло письмо с русского корабля, стоящего на рейде в Тулоне, просят агитаторов, хотят литературы, езжайте немедленно, узнавайте, каковы настроения, агитируйте — разбирайтесь сами, на месте. Парижские большевики были теми лягушками, которые продолжали пахтать задними лапами сметану — пусть даже все их сородичи отказались прыгать в горшок и разошлись по более естественным местам обитания. С интересом и энтузиазмом они выполняли и мелкие, технические поручения: съездить куда-то — представить фракцию, раздобыть деньги на выпуск газеты. Полезное иногда совмещалось с приятным — чтобы собрать средства на пропаганду в России, устраивались суаре, балы или не слишком серьезные, без налета классичности спектакли — например, по сатирическим, в жанре «над-собой-смеетесь», «Чудакам» Горького. Эренбург вспоминает, что «приглашали французских актеров; бойко торговал буфет; многие быстро напивались и нестройно пели хором: "Как дело измены, как совесть тирана, осенняя ночка черна..."; сам Ленин редко появлялся на такого рода мероприятиях — но поощрял их, правда, требовал, чтобы "развлечения на этих вечеринках носили культурный характер и чтобы не допускалось ничего, что может уронить наше достоинство как членов партии"». «Мне только кажется, — скажет он, сверкнув своими смеющимися глазами, в 1921-м товарищам, которые проголосуют за секвестр бюджета театров, обслуживающих эстетические вкусы буржуазии, — что театр нужен не столько для пропаганды, сколько для отдыха работников от повседневной работы».

Бенефисы самого Ленина были связаны с его деятельностью по части рефератов — то есть публичных лекций. Луначарский «читал» о Родене, Коллонтай — о буржуазной морали. То был род политической стенд-ап комедии: вам нужно было взгромоздиться на табуретку и провозгласить близкое наступление революционного подъема в России — осциллировавшего между «неизбежным» и «уже наступившим».

Ленин, надо сказать, никогда не злоупотреблял этим популистским бизнесом. Наоборот: если прочие лидеры партий устремлялись к трибунам, как лосось на нерест, то лидера большевиков обычно приходилось уламывать и даже, если речь шла о гастролях по Европе, тащить за руку — так что жаждущие узнать, откуда в политике сейчас дует ветер, видели его много реже, чем хотели бы; он выступал скорее для пополнения партийной кассы и личного бюджета, чем с намерением порисоваться на публике — которая имела обыкновение прерывать оратора «цвишенруфами» — вставными репликами, провоцирующими лектора на «интерактив», контакт с залом, полемику. Ленин славился железной логикой конструкций, которые разворачивал перед аудиторией, — но не «быстрым остроумием»; в этом, даже в лучшие годы, ему не тягаться было ни с Плехановым, ни с Троцким, ни со многими другими социал-демократами крупного калибра. Именно поэтому, чем дразнить завсегдатаев эмигрантских дискуссий — переубеждая одеревеневших в своих заблуждениях людей, если был выбор, он предпочитал либо миссионерствовать в тесном кружке, либо излагать свою позицию в печатных органах, которые при благоприятном стечении обстоятельств могут пересечь границу и оказаться в распоряжении партийных пропагандистов, способных обращать массы в ортодоксальный ленинизм.

Выискивая информационные поводы, за которые можно зацепиться, Ленин еще в 1908 году, в дни 80-летия Л. Толстого, обнаружил, что эта тема — клондайк: в сочинениях и биографии графа отыскивался материал для развития любых мыслей — которые при известной ловкости можно было увязать с «примерами» из текстов, тем более что Толстого он хорошо знал: многое любил, а к чему-то относился крайне скептически. Н. Валентинов в свое время, наблюдая за бытовыми повадками Ленина, приметил его сходство с Платоном Каратаевым: «Ленин обращается с колбасой, как Каратаев» — который «всё делал ловко, он и онучи свои свертывал и развертывал — как говорит Толстой — "приятными, успокоительными, круглыми движениями"»; в Ленине то есть, почувствовал Валентинов, — та же «мужицкая», крестьянская подоплека, что у графа, присутствующая на физиологическом уровне; Валентинов не сдержался и брякнул Ленину насчет «онучек» и сходства с Каратаевым — и не то что не рассердил, а, наоборот, страшно развеселил его этим двусмысленным комплиментом.

Ленинскую мысль о Толстом уловить сейчас трудно; само звучание его мантры — «Толстой-как-зеркало-русской-революции» вызывает раздражение; еще хуже — продолжение: «Лев Толстой и современное рабочее движение», «Лев Толстой и пролетарская борьба». Ну какая, что за бред, связь между Толстым и пролетарской борьбой? Где у Толстого вообще описан промышленный пролетариат? Кажется, Ленина-литературоведа, млеющего от Надсона и Чернышевского, проще вовсе проигнорировать: разве редко он балансировал на грани абсурда и вульгарности — и мало ли что там умудрился вчитать в великие тексты?

Чтобы оценить этот цикл — по-своему очень остроумный — нужно оставить в покое образ «Ленина-филолога»; его стратегии чтения не имеют ничего общего с, условно, лотмановскими и умберто-эковскими. Да даже и с разумением обычного читателя — которого Толстой впечатляет как «психолог», «стилист» или, допустим, «автор оригинальной философии истории» или «сторителлер»; Ленин тоже по сто раз перечитывал сцену охоты в «Войне и мире» — и «диалектикой души», наверное, восхищался; но Ленина-политика интересуют не лучистые глаза княжны Марьи, не мраморные плечи Элен и верхняя губка с усиками Лизы Болконской, а то, почему в России именно этот беллетрист стал «больше-чем-писателем», общественным явлением. «Потому что гениальный психолог» — это не объяснение, мало ли психологов.

Ленин предлагает прочесть Толстого «с классовой точки зрения».

Еще хуже: то есть понять тексты Толстого могут только пролетарии, что ли? «Трудящиеся»?

Нет, не так.

Понять, в чем гений Толстого, и без интеллигентской болтовни объяснить это, можно только если подойти к его текстам с помощью классового анализа, владея марксистским пониманием истории; разглядеть в его персонажах не отдельные характеры — а увидеть за деревьями лес.

Хорошо; а что значит — «интеллигентская болтовня»?

Болтовня — это объяснять величие Толстого тем, что он был «пророк, открывший новые рецепты спасения человечества», «совесть нации», «учитель жизни», «великий богоискатель».

А что — разве нет?

Нет: потому что рецепты его — это вегетарианство и «философия непротивления злу насилием»; смешно и нелепо.

А в чем же величие?

Вот в чем. Толстой (любопытный вообще тип: граф — но, парадоксально, — с крестьянским голосом, крестьянской мыслью; «до этого графа мужика у нас в литературе не было») показал, что а) старый мир — государство, церковь, суды, частная поземельная собственность — вызывает ненависть, этот мир невыносим, его нужно изменить; б) та сила, которая идет его разрушать, — капитализм — вызывает (у писателя и у крестьян) еще больший страх, потому что, может быть, и несет прогресс, но ощутимее — нищету, одичание, венерические болезни и моральную катастрофу. И крестьяне не хотят такого прогресса, они не хотят буржуазной революции, – *ergo*, сами того не понимая, объективно нуждаются в революции «настоящей», то есть пролетарской, которая только и может: а) разрушить ненавистный феодальный мир, б) предотвратить установление в деревне капитализма.

А при чем здесь «зеркало»?

Многие полагают, что «зеркало» у Ленина – простейшая литературоведческая метафора: в смысле, что Толстой пользовался литературой как инструментом познания: «жизнь отражал».

Но у Ленина не то – речь не о «свет мой, зеркальце, скажи»: он сам, граф, со своими текстами, – и есть зеркало. Не он отражал – в нем отражалось.

Ленин обнаруживает в текстах Толстого – что? Правильно: противоречия. Крестьянин хочет уничтожить помещичье землевладение, но после сожжения усадьбы помещика бухается в ножки царю. Та же история – с графом: покритикует государство, церковь и т. д. – а потом сообщает: хотите изменить мир – ешьте рисовые котлетки.

И граф, и крестьяне – порождения сложной эпохи: капитализм наступает на феодализм. Граф показал противоречия этой самой эпохи, но не понял их суть: и он сам, и крестьяне политически незрелы, темнота, не знакомы с марксизмом, с теорией классовой борьбы и историческим материализмом. То есть сам раздираемый противоречиями Толстой отразил противоречия крестьянской жизни – противоречия, которые могут быть сняты только с помощью пролетарской революции. Толстой обо всем этом понятия не имеет, он наверняка совсем не это «хотел сказать», он – зеркало, которое не в состоянии проанализировать отражаемое; ну и подумаешь, что не в состоянии – во-первых, логика истории все равно действует; во-вторых, – реконструировал сознание крестьян гениально точно, даром что граф.

В его текстах – в «отражении» – чувствуется не просто страх крестьянской массы перед наступлением капитализма, в них предсказан протест. Соль аналитических заметок Ленина – не в разрешении спора, гений Толстой или нет, а в том, чтобы увязать тексты Толстого с событиями недавней истории: на авансцене появился не новый, конечно, но странный персонаж – который, судя по событиям 1905–1907 годов, оказался неожиданно сильным, организованным, перспективным. Революция показала, что у наделенного марксовской лицензией могильщика капитализма появился никем ранее не предсказанный помощник: революционное крестьянство. Сама жизнь подготовила его к тому, что оно станет союзником пролетариата.

Выводы. Мы ценим графскую критику русской жизни. Мы отвергаем его идиотские методы борьбы со всем этим злом – вегетарианство и прочий селф-хелп.

Практические последствия толстовской критики: нужен новый удар по монархии, помещикам и капиталу, и, судя по событиям 1905 года, — в этой атаке на феодализм и капитализм будут участвовать не только рабочие, но и крестьяне.

И еще крайне важная мысль, которую «продумал» Ленин в своем «толстовском» цикле: в крестьянских странах сама революция может выглядеть по-другому: не как несущая «очищающий» капитализм — а «превентивная», нацеленная на то, чтобы «уберечь» общество от капитализма; собственно, так и произойдет, отчасти, в России — и, по полной программе, — в Азии. У Маркса ничего про это нет — а вот у Толстого Ленин это «вычитал».

Остроумные — нет? — рефераты Ленина о Толстом — «по мотивам» которых написан целый цикл статей — пользовались колоссальной популярностью. «Парижский вестник», опубликовавший в 1911 году пространный репортаж с реферата Н. Ленина о Толстом, посвящает несколько абзацев критическому описанию антуража лекции: «...понадобился насильственный напор извне и протест публики внутри зала, чтобы желающие слушать были допущены. Затем цены на вход — слишком высокие. На последнем, например, реферате минимум — 50 сантимов. И все-таки за такую цену некоторым не удавалось доставать билетов и приходилось удаляться, потеряв терпение и не имея охоты дожидаться, когда оказалось возможным, без ущерба для платных слушателей, силой пройти бесплатно».

Обратной стороной успеха этих выступлений была обязанность участвовать в дискуссиях, связанных с риском «бузы». Русские товарищи, проницательно замечал социалист Раппопорт, «спорят в двух случаях: во-первых, когда они не согласны, а во-вторых, когда они согласны». И хотя Ленин, по уверению мемуариста, в этом смысле отличался от своих соотечественников в лучшую сторону — и помалкивал, когда дискуссия не сулила никакой выгоды, — ему приходилось оказываться и на «неблагополучных» мероприятиях. «Буза» могла начаться из-за чего угодно — из-за резкого, выражаемого свистом расхождения кого-то из публики с позицией лектора, из-за того, что какого-то стремящегося к знаниям, но ограниченного в средствах джентльмена не пустили в зал бесплатно; иногда в зал попросту врывалась целая группа анархистов, «ликвидаторов» или «божественных отзовистов», целью которых было устроить политический перформанс; Ленин сначала орал что-то вроде «мы знаем, зачем вы пришли сюда — сорвать наше мероприятие, но вам это не удастся!» и продолжал с того места, где остановился; но иногда это не помогало — и «начиналась потасовка».

Неудивительно — а чем еще должны были заканчиваться длившиеся годами бесплодные споры живших «в тесноте и обиде», стравливаемых вождями и жаждущих «свести счеты» революционеров, сварившихся в собственном соку: «партия должна быть только нелегальной» — «партия должна быть только легальной»? У самого Ленина было достаточно рассудительности, чтобы демонстрировать интеллектуальное и политическое убожество своих (бывших) товарищей при помощи риторики — но логика их уже не останавливала, а «счихивать» агрессию шуткой, как Плеханов, Ленин не умел.

Непосредственное участие самого Ленина в каких-либо «потасовках» никем никогда не отмечено; те, кто присматривался к нему в Париже, обычно упоминали, что он приходил в возбужденное состояние и, ради обретения душевного покоя, покидал погружающийся в хаос пандемониум, бродил в течение пары часов по городу в одиночку, после чего возвращался в общество за оставленным впопыхах зонтиком — со следами «возбуждения», что бы все это ни значило. Много чего повидавший Семашко, припоминая «историческое место» — зал в кафе на авеню д'Орлеан, — описывает происходившее там «побоище», «в котором оружием служили больше зонтики и — меньше — кулаки. После боев на полу валялись измятые котелки, переломанные зонтики, а иногда и поломанные стулья».

Бразильские капоэйристы пользуются зонтиками как защитным и маскировочным аксессуаром — но трудно представить себе, как могут сражаться зонтиками взрослые люди в костюмах. Тем не менее зонтик, гротескно напоминающий как шпагу, так и скелет какого-то огнестрельного приспособления, по-видимому, служил атрибутом воинственного парижского интеллигента — аналогом булыжника в руке шадровского пролетария; культура единоборств разнится от страны к стране (например, автор этих строк сам видел в Йемене уличную драку двух взрослых мужчин, которые при большом стечении народа лупили друг друга по голове тапками). Даже после таких побоищ хозяин не отказывал клиентам во входе — и, если верить Семашко, даже обогащался.

Мы часто видим Ленина в синяках и ссадинах после велоаварий — но до появления на заводе Михельсона в августе 1918-го ему удавалось выходить невредимым из публичных диспутов. Судя по некоторым замечаниям в мемуарах, среди ближайшего его окружения в Париже несколько человек негласно играли роль телохранителей: это братья Абрам (тот самый «рабочий, который впоследствии после победы Советской власти участвовал в организации охраны Владимира Ильича») и Григорий Беленькие, а также циклопического сложения Николай Сапожков (Кузнецов), которому суждено было погибнуть в Империалистическую.

Возвращаясь к Льву Толстому — к чести Ленина надо сказать, что его политический анализ художественной литературы оказался весьма проницательным. В 1910-м смерть Толстого действительно стала «триггером», запустившим в России новую волну революционного подъема: серия студенческих волнений заново расторошила интеллигенцию — которая вновь принялась дергать за рукав рабочих.

Не имевшая доселе аналогов публичность Ленина привела к тому, что кривая, отражающая количество свидетельств о нем, между 1908 и 1912 годами резко взмывает вверх. Обратной стороной этого изобилия становится высокий процент недобросовестных мемуаристов: в Париже жили далеко не только большевики, но и пресловутые «ликвидаторы» — Дан и Мартов, и «впередовец» Алексинский. Многие не видели того, что скрывал Ленин, — и видели, особенно несколько десятков лет спустя, то, что хотели; отсюда сплетни самого разного свойства: например, про роман Ленина с Инессой Арманд, которая, да, сначала принимала, сидя за клавиатурой взятого напрокат рояля, его (и Крупскую) у себя в съемной комнате, затем поселилась в соседнем с Ульяновыми доме на Мари-Роз, организовала Лонжюмо и моталась по всей Европе, выполняя щекотливые политические поручения. И хотя никто никогда не заставал Ленина и Арманд *in flagranti* ни в Париже, ни тем более в Лонжюмо, где демонстрировать связь с двумя женщинами разом было бы для преподавателя профессиональным самоубийством, задним числом оказалось достаточно увидеть их вдвоем в кафе или на домашнем концерте, чтобы сигнализировать потомкам — ага: понятненько. Сведения о том, что будто бы еще в 1910-м в Брюсселе Инесса Федоровна уже могла себе позволить обратиться к Ленину, чтобы тот достал ей пригласительный на конгресс II Интернационала, и то трактуются как улика. Шлейф неуместной — в рамках консервативных представлений о морали — сексуальности протянулся за Арманд даже в советскую Лениниану, и поэтому в авангардном, на стыке кино и театра, фильме «Ленин в Париже» Юткевичу пришлось сделать товарища Инессу предметом влюбленности не Ленина, а одного из рассказчиков в фильме, молодого рабочего Трофимова, приезжающего для обучения в школе Лонжюмо; в финале этот кандид со своими фабричными усами признается миловидной — и совсем не похожей на революционерку — француженке в любви и даже жениться предлагает; единственный намек на некую «другую» тайну — ее отказ: возможно, подмигивает режиссер, при всех достоинствах товарища Трофимова у него нашелся некий конкурент поусатее. Любопытно, что охранка, следившая за Лениным пристальнее, чем все члены РСДРП вместе взятые, впервые называет Арманд — и то предположительно, тоже на основе «слухов» — любовницей Ленина только в 1914 году, а вовсе не в Париже.

Среди тех, на кого близость Ленина оказала несомненно благотворное влияние, были большевики Лев Каменев и Григорий Зиновьев, двое умных, расчетливых и верных его младших партнеров и оруженосцев. Именно в Париже приживается модель «штаба большевиков»: Ленин с Крупской + уравновешенный Каменев + холерик-Зиновьев + Инесса Арманд, отвечающая за связи с международной социалистической общественностью, ближайший ординарец по сложным поручениям и толмач + собственная типография. Модель эта могла эффективно работать в любом заграничном городе; впятером они представляют собой то высокодинамичное ядро кометы, за которым может болтаться хвост любой длины. В качестве стимула и компенсации «ленинцам» предоставлялись высокая цель, «диэта», ощущение причастности к «банде» и текущая работа.

Помимо Зиновьева и Каменева ближайшее окружение Ленина, можно сказать, приятели того времени — Иннокентий Дубровинский и Виктор Таратута. Дубровинский, разумеется, явился в Париж, сбежав с каторги. Ульяновы даже предложили ему — неслыханно — регулярно обедать у них; хлебосольство Ленина, невеликого охотника путать «Privatsache» и дела партии, редко простиралось дальше, чем угощение скромным чаем свежего человека из России, который выходил от Ленина не столько сытым, сколько выжатым как лимон — настолько неутомим хозяин был в своих расспросах: не просто «как живут рабочие в Москве» — «плохо: меньшевикам не верят, ищут большевиков», а — «какие у вас к этому есть доказательства? Приведите их конкретно и точно. И чем вы это объясняете?». Неудивительно, что очень многие посетители вспоминают малейшие детали этих диалогов — но не в состоянии воспроизвести хотя бы один пункт из меню. Дубровинский согласился лишь с условием, что будет платить за стряпню Крупской — которая, кажется, дебютировала в торговле своими кулинарными талантами — по 15 франков в месяц, вызвав у Дубровинского подозрение, не надувает ли она его, уж больно дешево; «да не поймаешь ее — хитра», писал он жене в Россию. Облизывал ли он тарелки, остается под вопросом, но мы точно знаем, что среди ингредиентов не было телятины и гусятины, а были — конина и салаты. И в любом случае обстановка за столом была спокойнее, чем в русской эсеровской столовой, где, по уверению Эренбурга, официант кричал повару: «Эн борщ и биточки авэк каша», а «рыжая эсерка истерически повторяла, что, если ей не дадут боевого задания, она покончит с собой».

Один из любопытных и очень «парижских» моментов — состоявшаяся в 1909 году фиктивная свадьба Александра Игнатьева (тоже непростого человека, разработавшего в свое время проект похищения Николая II из Нового Петергофа при помощи охраны — кубанских казаков, возненавидевших царскую жену за потворство немцам; революционеры из боевой группы РСДРП уже обо всем договорились с наивными охранниками, которые готовы были увезти царя в Финляндию, чтобы «открыть ему глаза на все»; союзники нашли для казаков скоростной буер; единственное, что оставалось получить, — одобрение Ленина, который, однако, категорически запретил весь этот голливуд: «Не время тратить на авантюры силы, которые пригодятся на планомерную работу!»; действительно, только похищения царя Ленину не хватало; не наш метод; пойдем другим путем) и Елизаветы Шмит, фактической жены Таратуты, на тот момент беременной. Они обвенчались в Париже, в русской посольской церкви, причем «Владимир Ильич Ленин принимал живое участие в этом деле. Александр Михайлович должен был являться к нему и рассказывать обо всех подробностях. Он одобрил костюм Александра Михайловича и давал советы, как надо держать себя». Таратута, которого Богданов презрительно называл «альфонсом» несмотря на то, что тот передал партии около двухсот тысяч рублей доставшегося ему шмитовского наследства, прожил с женой в Париже десять лет, аж до 1919-го.

Значительную часть рабочего времени Ленина отнимали визиты разного рода посторонних. Дело в том, что в «Рабочей газете» печатался адрес для корреспонденции — Мари-Роз, 2, и ни для кого не было секретом, что там квартировал именно Ленин, а не какой-нибудь француз божий одуванчик; адрес этот магнитом притягивал к себе людей в диапазоне от кавказских боевиков до членов парламентов многих европейских стран. Собственно, уже и адрес на Бонье мало для кого был тайной; явившегося туда Эренбурга поразило, что консьержка большевистского вождя строго потребовала от него: «Вытирайте ноги!» — о-ля-ля; смех смехом, а хозяева в конце концов отказали Ульяновым именно из-за таких, как Эренбург: слишком лохматые для столь буржуазного кондоминиума.

Мари-Роз — не столько даже улица, сколько проулок, в два дома — очень «парижских», с решетчатыми балконцами, декоративными известняковыми пилястрами и орнаментом в виде витрувианской волны по фасаду. Если большевик Мордкович и не преувеличивал, когда утверждал, что то была «почти окраина» — «густонаселенный рабочий район с многочисленными кривыми улочками и переулками», то очевидно, что с тех пор район радикально джентрифицировался. Кто-то другой, переступив порог сорокалетия и имея относительно стабильный доход, мог бы задуматься о приобретении здесь недвижимости; нет, однако, никаких свидетельств того, что Ленину и Крупской вообще когда-либо приходила в голову мысль обзавестись собственным жильем; если отец Ульянова в 47 лет купил симбирский дом, то сын сделался руководителем государства. Музей Ленина в Париже на протяжении нескольких десятилетий располагался именно тут; работники Московской экспериментальной обойной фабрики по фотографии изготовили спецпартию обоев «под старину». Теперь на доме нет даже и доски — хотя «пустой» прямоугольник на стене буквально вопиет о восстановлении исторической памяти; легко найдете. Единственная, кажется, сегодняшняя достопримечательность этого закоулка — книжный магазин «фидеистской» направленности при францисканском монастыре; при Ленине вместо монастыря был пустырь. Окна квартиры Ульяновых выходили вовнутрь — на небольшой садик, предназначенный для жильцов дома и усталых миссионеров монастыря по соседству, возвращавшихся из утомительных поездок по Африке и Азии; дальше виднелись кирпичные стены старейшей — и по-прежнему функционирующей — пивоварни Парижа, *Gallia*.

В лучшем случае под дверью у Ленина толкались сбежавшие от репрессий в России социалисты, считавшие своим долгом заявить о готовности выполнять любые задания, возможно, получить через него какую-то работу — ну или хотя бы просто засвидетельствовать почтение. В худшем — из парижской тьмы вдруг сгущались призраки прошлого, избавиться от которых за здорово живешь не удавалось. Однажды в городе объявился уральский дружинник Сашка Лбовец — узнать о судьбе уплаченных Большевистскому Центру нескольких тысяч рублей, экспроприированных с большой кровью в июле 1907-го на пароходе «Анна Степановна Любимова» и отосланных в БЦ под расписку на бланке ЦК в качестве платы за поставку оружия. В какой-то момент главаря банды поймали и повесили, а БЦ нашел более подходящий способ распорядиться высланными деньгами — заплатить за освобождение Камо из немецкой тюрьмы; возможно, все это и сошло бы с рук, если бы не скандал, который таки устроил этот выживший лбовец — явившийся в Париж и как назло именно к Ленину; особенно часто в устной речи и в охотно печатавшихся меньшевиками открытых письмах («Товарищи! опять вы за старое, опять начинаете увиливать и тянуть; опять не хотите даже вопроса рассматривать, был ли Большевистский Центр должен Лбовской дружине или нет, а неизвестно, за что и почему предлагаете нам целых 500 рублей. Почему не меньше? Почему не больше? Что это за цифра такая?») он употреблял слово «надувательство» — и ответы Ленина не производили впечатление убедительных.

Возможно, справиться с назойливым лбовцем Ленину помог другой уральский боевик — из самых серьезных — Эразм Кадомцев: бывший офицер и военный инструктор большевиков, обучавший в 1905 году своих дружинников сборке бомб и чтению Ленина, рыскавший в 1907-м по Петербургу с переданными ему фотографиями провокаторов и расстреливавший их, затем эмигрировавший в Женеву, а после перебравшийся в Париж. Он сам, его родители и его братья-боевики были давними знакомцами Ульяновых — еще по Уфе.

Маршруты, которыми проникали к Ленину русские, были самые фантастические. Осенью 1910-го в Париже нарисовался знакомый Ульяновым еще по Шушенскому Виктор Курнатовский — который на Кавказе дружил с юным Сталиным, в 1905-м организовал Читинскую республику, а затем был схвачен и приговорен к смертной казни: его возили на «поезде смерти», расстреливали на его глазах других революционеров; именно он, по-видимому, и принес Ленину страшную весть о гибели Бабушкина под Читой — ленинский некролог появился в «Рабочей газете» как раз в 1910-м. Самого Курнатовского отправили в Нерчинск на рудники, откуда он бежал в Японию, потом два года он работал лесорубом в Австралии — и уж оттуда, насилу живой, с ушным воспалением, добрался в Париж, где, впрочем, умер два года спустя от мучений. Как и многие, многие эмигранты, изуродованные царским гулагом.

Однажды к Ленину домой явился участник Московского восстания, рабочий по имени Пригара, и принялся бормотать нечто несуразное. Выставить его было нельзя: он явно давно не ел; ВИ, имевший опыт общения с чудаковатыми типами, старался как-то понять его; теща хлопотала насчет еды, Крупская побежала за врачом — тот пришел и сказал, что это тяжелая форма помешательства на почве голода и депрессии и больной может покушаться на самоубийство. Голод в Париже вовсе не был чемто исключительным — особенно в среде эмигрантской интеллигенции; «Парижский вестник» пестрит сообщениями о самоубийствах, да и в воспоминаниях Крупской больные, замерзшие мизерабли появляются регулярно. На Мари-Роз вызвали одного из ленинских порученцев (Ленин защищал его от Алексинского, который обвинял его в предательстве своих товарищей во время Кронштадтского восстания), Антонова. Тот потащил было Пригару домой — но по дороге больной принялся брыкаться, юркнул за угол, и разыскать его не удалось. Труп Пригары вытащили из Сены через несколько дней; к ногам были привязаны камни.

В 1911-м, после берлинского сидения, там пришвартовался измученный тюрьмами Камо. Ульяновы накормили его миндалем, подарили пальто и проводили в Бельгию, где тот планировал сделать глазную операцию, избавившую бы его от косоглазия, слишком приметного для любого жандарма признака. Хотя приехал он на Мари-Роз в надежде получить какую-то часть переданных в 1907-м тифлисских денег — чтобы освободить умиравших в тюрьме товарищей. Ленин, утверждает Богданов, отказал — на том основании, что те деньги уже потрачены, а те, которые остались, к Камо отношения не имеют, они принадлежат партии. Как пишет сам Богданов, описывая другой нюанс все того же дела, «смысл этого ответа может быть резюмирован в словах: теперь денег нет, следовательно — судиться не из-за чего. Наивный материализм такого отношения к делу всего лучше раскрывает его объективную подкладку».

Раз явился француз, корреспондент «Юманите» и секретарь ниццеанского отделения соцпартии Жан Нувель, чья симпатия к большевизму в 1911-м дошла до того, что он потребовал отправить его на пропагандистскую работу в Россию. Ему были вручены юридически безупречно составленная доверенность от имени некоего акционерного общества на проведение в лесах Кутаисской губернии масштабных изысканий с целью мнимой покупки лесов и секретный пакет, который, по совету НК, он зашил в нижний отворот брюк. Став жертвой кавказского гостеприимства, он провел в России на полгода больше, чем изначально предполагал, — и вернулся не столько большевиком, сколько отчаянным россиефилом.

Словом, в Париже беспрестанно приходилось общаться живьем с людьми, с которыми предпочтительнее было переписываться — лучше через секретаря; и если бы Ленин приятельствовал с Прустом — в конце концов, почти своим соседом и почти ровесником — то, надо полагать, частенько просил бы у него ключи от обитой пробкой комнаты: насладиться тишиной и изоляцией, а не то полистать наброски первых трех книг «В поисках утраченного времени»; освежающий, кстати, опыт перечитывать, допустим, «У Германтов», имея в голове, что где-то рядом с герцогом Германтским и маркизой де Вильпаризи фоном присутствует и передвигающийся на своем велосипеде Ленин.

Бывает, бросали якоря в ленинской гавани и визитеры поприятнее, — вроде вернувшегося с захватывающими рассказами и экзотическими сувенирами из путешествия по Японии зятя — Марка Елизарова; часто попадались очень толковые приезжие из России, которых можно было как следует разговорить и затем составить на основе услышанного газетную заметку; заглядывали и своего рода завсегдатаи клуба на Мари-Роз — например, «Парижский Монитор», он же «Абрам-ЦК», снабжавший Ленина полезной информацией латыш Абрам Сковно, получивший физическую и моральную инвалидность после измывательств в рижской тюрьме.

Алин рассказывает анекдот о том, как однажды, явившись в дом к Ленину и Крупской, Абрам начал свой очередной отчет фразой: «По городу ходят шлюхи...» Возмущению супругов не было предела; далеко не сразу выяснилось, что возникло комическое квипрокво: речь шла о слухах — слухах, «что вы собираетесь созвать конференцию». Все трое изрядно смеялись; да и слухи, надо сказать, не были такими уж безосновательными.

Хотя ни одного настоящего общепартийного съезда там не состоялось, Париж с его культурой кафе был удобным городом для организации русско-заграничных партконференций: дорого — но всё же не так, как в Лондоне; далеко — но не так, как на Капри; компромисс — и *value*, что называется, *for money*. В масштабную политическую дискуссию о способах революционизации России могли превратиться любое публичное эмигрантское собрание, благотворительная вечеринка, новогодний капустник, реферат — Ленина, Мартова, Богданова, Алексинского, Дана, Зиновьева, Каменева; сам Ленин предпочитал посещать те конклавы, на которых принимались какие-то конкретные резолюции — облегчавшие или усложнявшие его политическое положение.

Мы не станем подробно описывать все совещания, пленумы и конференции, где Ленин играл первую скрипку, дергал марионеток за ниточки, отсиживался в углу, нервно открывал и закрывал зонтик и цеплялся за каждый клочок своей территории. Чтобы попасть на них, участники, бывало, проделывали по несколько тысяч километров; все они воспринимались как судьбоносные — однако историческое значение большинства из них оказалось не слишком велико.

Было, впрочем, одно мероприятие, состоявшееся в июне 1909-го, к которому стоит присмотреться попристальнее — во-первых, потому, что оно сопровождалось рядом любопытных инцидентов; во-вторых, чтобы изучить ленинскую технику избавления от влиятельных леваков в собственной партии так, чтобы при этом у читателей протоколов осталось впечатление, будто Ленин левее своих противников, — ведь это Ленин, и он всегда должен быть на левом фланге; в-третьих, чтобы показать, как деградировал уровень дискуссии, культуры речи и остроумия, как неприглядно выглядела большевистская номенклатура по сравнению со своими же тенями шестилетней давности: первые съезды партии кажутся по сравнению с этими «разборками» артистическими схоластическими диспутами; да уж, без Плеханова все эти люди в самом деле потеряли право называться «литературной группой».

Вопреки «будничному» названию — «расширенное заседание редакции "Пролетария"», то была не обычная редколлегия, а десятидневный конклав верхушки фракции, где дискуссии об «отзовизме» и «ультиматизме», о «богостроительстве», об отношении к думской деятельности, о задачах большевиков в партии, о «школе на острове» (так, для пущей таинственности, называлась горьковская резиденция) должны были привести к непростым кадровым решениям. В переводе на человеческий язык — ожидалась драка между своими, еретиками и догматиками, на очень тесном пространстве: представьте себе ножевой бой в телефонной будке.

«Пролетарий» был не центральным органом партии, а, с 1906-го, фракционной газетой большевиков, БЦ, — формально органом Московского и Петербургского комитетов, и дирижировали им Ленин, Богданов, Дубровинский, Зиновьев, Каменев. Газета выходила на деньги от экспроприаций через пень-колоду: то раз в месяц, то реже, но иметь ее как собственный, не зависимый от общего ЦК орган было для Ленина очень важно — показатель статуса и возможностей: в случае необходимости затравить кого-либо газета мобилизовывалась и работала на полную мощность.

Богданов был плохим лицемером и умудрился поссориться и с Лениным, и с Даном; однако, далеко не дурак, он сумел сложить два плюс два: по сути, сам Ленин и стал «ликвидатором», то есть меньшевиком. Это было не просто полемическим ярлыком, а обвинением: что же получается — Камо (и настоящий, и многие другие камо) рискует жизнью ради того, чтобы бросить к ногам Ленина покрытые кровью купюры, а Ленин, оказывается, отрекся от подпольной деятельности?

Богданова раздражало, что в распоряжении БЦ находятся «огромные» деньги — а никакой пропагандистской литературы не выпускается; что наладить доставку «Пролетария» в Россию Ленин не смог — а может, и не захотел, раз его и вовсе не интересовали агитационные возможности нелегальной газеты в России. Меж тем время шло, и слабели не только связи с метрополией, но и финансовые возможности (уже к декабрю 1907-го «безопасные» 118 тысяч от тифлисского экса были истрачены — пришлось с риском менять нумерованные 500-рублевки; причем у Ленина-то была «подушка» в виде шмитовских денег, которые принес ему Таратута, но Таратута не собирался спонсировать деньгами своей жены Богданова — который относился к нему с брезгливостью и даже — несправедливо перепутав с Житомирским — обвинял в провокации).

В феврале 1909-го Ленин, одурев от черкания гранок «Материализма» (и окончательно убедившись, что он не в состоянии различить, где нужно писать «эмпириомонизм», а где «эмпириокритицизм»), отправился на десятидневный отдых в Ниццу — и, нагуляв румянец под пальмами, принялся разминать пальцы в преддверии поединка с Богдановым; к этому времени они уже прервали личные и «товарищеские» отношения — по инициативе Ленина.

Ленина раздражала «самостоятельность» Богданова (прежде всего в области философии) — однако он все же не был невменяемым диктатором, требовавшим, чтобы визири каждое утро приносили ему в зубах тапочки. Его раздражало то, что умный, перспективный сотрудник страдает «туннельным мышлением» — по-видимому, в силу того, что не смог овладеть логикой марксизма; по мнению Ленина, следовало учитывать политическое своеобразие сегодняшней ситуации — и, что еще важнее, НЕ учитывать никакое своеобразие в философии, где погоня за истолкованием новых научных достижений означала отказ от ортодоксального материализма. Тот, кому удастся убедительно связать эти два «просчета», — выиграет.

Энергичная, с намеком на самоиронию, метафора Ленина — «Контрреволюция загнала нас в хлев, именуемый III Государственной думой, не будем хныкать и пасовать перед трудностями, а будем работать даже и в этом хлеву на пользу революции» — воспринималась серьезным и морально более чистоплотным Богдановым как отвратительное в своей откровенности признание. Работа в хлеву для Богданова подразумевала оскотинивание; Ленин, по его мнению, превратился в меньшевика, а БЦ — в меньшевистскую группу, которая «присваивала себе фирму большевизма из чисто дипломатических соображений»; наметившийся вскоре ленинский «флирт с Плехановым» подтверждал эту шокирующую метаморфозу. (В первые годы после поражения революции Потресов, Мартов, Дан и К° вкладывают массу усилий в подготовку «итогового» многотомника «Общественное движение в России»; не допущенный к сочинению истории РСДРП Ленин кусает локти — и готов расцеловать Плеханова, когда тот выходит как из проекта, так и из редакции меньшевистского «Голоса социал-демократа», прочтя потресовскую статью о том, что пролетариат больше не передовой класс революции; выходит — однако по сути остается махровым меньшевиком.)

Если исходить из сугубо практических соображений — среди которых номером один была гарантия от подслушивания, — то посовещаться вдвенадцатером можно было бы непосредственно в квартире у Ленина, куда влезла бы расширенная редакция не то что «Пролетария», но даже и «Жэньминь жибао». Однако перспектива на протяжении десяти дней вытирать у себя в прихожей лужи от сапог Богданова или туфель Шурканова вызвала, по-видимому, недовольство Надежды Константиновны. А потом, предстояло принять недружественные резолюции — не дома же.

«Редакция» выбрала для своих ассамблей кабинеты при кафе «Капю» на пересечении Мэн — Алезиа — Орлеан (впоследствии там открылось отделение банка). «Шпики, очевидно, проследили наши собрания» (уж конечно, проследили — организовывал-то их правая рука Ленина в Париже, агент охранки) «и довольно откровенно ходили за нами», — припоминает один из участников. «Раз, во время заседания, происходившего наверху одного кафе, к дверям комнат кто-то подкрался. Иннокентий (Дубровинский) тихонько подошел к двери и внезапным и сильным толчком открыл ее — и двое шпиков кубарем загремели вниз по лестнице».

С самого начала было ясно, что кульминацией этой частной вечеринки, по странному совпадению напоминающей репетицию съезда партии, очищенной от меньшевистских элементов, будет судилище над Богдановым (его, впрочем, иногда именовали т. Максимовым), который осмелился взбунтоваться против Ленина; его жалкая философия была — по мнению Ленина — уничтожена в Книге Книг; теперь предстояло подкрепить интеллектуальный остракизм организационным. Изгнание из «Пролетария» подразумевало де-факто и удаление из триумвирата руководителей БЦ — официально не существующего, однако действующего органа «партии внутри партии». Изгнать в одиночку Второго из Трех — при том, что Третий (Красин) на стороне Второго (Богданова), — дело крайне хлопотливое, но у Ленина был неплохой опыт по этой части еще со времен «Искры». В этих условиях неприезд Красина в Париж (он сослался на связанные со службой дела в Берлине) был, пожалуй, что и предательством Богданова.

«Я давно уже морально исключен», — царапал землю чующий близость расправы Богданов. Искусство ведения интриги состояло в том, чтобы «соблюсти аппарансы» — и продемонстрировать публике аккуратно выглядящего, с хорошо заштопанной дыркой на спине от удара ножом и без следов побоев товарища; а что случилось? а ничего: просто «откол т. Максимова»; гримасы идейной физиономии.

Атмосфера была под стать жанру конклава — мелкая грызня, уколы зонтиком, пинцетные щипки, подножки и толчки исподтишка; вульгарный термин «разборка» был употреблен мемуаристом еще в 1930-е. «Атмосфера накалялась из-за крайне резких выпадов обеих сторон друг против друга». Участники имели друг к другу не только политические, но и финансовые претензии: распускались слухи — предназначенные для потенциальных студентов-богдановцев, — что «т. Богданов находится сейчас под судом и обвиняется в присвоении партийных сумм», — тогда как сам Богданов передавал «сообщения», будто «т. Виктор сбежал с 200 000 р» — хотя теперь Богданову, сидя за одним столом, приходилось смотреть в глаза этому самому т. Виктору — то есть Таратуте; кроме того, одной из подоплек «откалывания» Богданова был контроль за деньгами БЦ. Были и счеты личные — за несколько месяцев до того Богданов послал куда подальше Каменева (и послал бы, похоже, Зиновьева, но тот прибег к маневру, который сам Богданов описал как «поспешное самоудаление из комнаты в тот момент, когда я просил Вашего внимания»: «Я не мог усмотреть признаков того, что обыкновенно называют "гражданским мужеством"»), и разбирательство дошло до товарищеского суда. Словом, участники совещания пристально смотрели в глаза друг другу — и, словно колдуны, обменивались кручеными, непонятными непосвященным заклинаниями (Богданов: «Намечается вполне ленинско-плехановская фракция»; Ленин: «У меньшевиков и у нас есть ликвидаторское течение валентиновско-максимовское»; Богданов: «Прошу занести в протокол последнюю фразу»; Ленин: «Пусть заносят. Непременно»).

В ходе конфликта не проливалась кровь, но большевистские стратеги, пытавшиеся «провести свою революционную линию» на территориях соперников, относились к дискуссии именно как к войне — войне, как несколько раз выразился Каменев, «со всякой трусостью мысли, не желающей понять задачи момента».

Богданов сам был склонен к риторической гиперболизации происходящего. «Всякое приказание начальства исполняется, но когда дается приказ об убийстве, то подчиненный ответственен за убийство, если оно незаконно. Такой закон, я наверно знаю, есть, по крайней мере, в европейских государствах. Тут идет дело об убийстве большевистской фракции, и я обязан помешать этому убийству совершиться». Благое дело; но не объяснит ли он прежде, почему по России рыщут его эмиссары, размахивают подметным письмом от Горького и вербуют рабочих в заведомо фракционную школу на Острове, которую он, Богданов, хочет «скрыть» от партии?

Вгрызшись зубами в каприйский проект Богданова, Ленин прочно обосновался на позиции обвинения и — юрист, получивший хорошую практику на копеечных делах, — цеплялся за всякую мелочь, до которой мог дотянуться, формулировал ёмче, злее, беспощаднее, ничего не объяснял, а только отъедал и отъедал от живого Богданова по кусочку — а заодно и от его окружения, для спин которых он уже приготовил очередного бубнового туза: «божественные отзовисты» — просто потому, что они требовали отозвать думскую фракцию и дружили с Луначарским, взявшим манеру злоупотреблять метафорой «социализм — род религии» и возымевшим наглость публично использовать в связи с пролетариатом термин «богостроительство». Чтобы два раза не вставать, «отзовистов» слили с «ликвидаторами», отсюда и «валентиновско-максимовское течение» — то есть и левые большевики, и меньшевики для ленинцев — одно: и те и другие льют воду на мельницу буржуазии. Украв у большевиков флаг, закатывал глаза Каменев, Богданов под ним проводит антибольшевистские тенденции; и когда Богданов огрызался, что они тут все стали «смешивать большевистскую фракцию с Лениным» («Этого нельзя смешивать, ибо большевистский флаг и Ленин не одно и то же!»), — получал в ответ насупленное молчание. Кто, опрометчиво воздевал руки горе Богданов, «разрушил Трою — большевистскую фракцию?» — только для того, чтобы моментально получить апперкот от Рыкова: «Тов. Максимов спрашивает, отчего погибла Троя? От коня, т. Максимов! Вот и вы хотите ввести в нашу фракцию каприйскую школу и погубить ею фракцию».

Большевистская фракция — принимается резолюция — ответственности за действия этого коня нести не может.

Почему, черт возьми? А потому: школа заслоняет все задачи повседневной борьбы.

Богданов («не первоклассный оратор, он говорил зло и раздраженно, волнуясь и краснея») пытался объяснить, что задача сохранить партию — «задача консервативная», и стратегия должна быть выбрана ровно противоположная: «углубление социалистической, пропаганды»; так «прогрессивнее». Его попытки перейти в контратаку строились на обвинениях товарищей в позорном для большевиков после 1905 года блоке с консерватором Плехановым, а еще — в «думизме»: Богданов считал думскую фракцию большевиков соглашателями, предлагал отозвать их как негодных партработников и либо заменить новыми, либо вообще сжечь их пропуска в Таврический дворец. Разумеется, это не он, а Ленин «стал меньшевиком»: «кто же не знает, что Ленин обвиняется в меньшевизме?» — так ведь и брякнул, между прочим, на последней общепартийной конференции даже не Богданов, а меньшевик Дан.

Ленин, по обыкновению пропустив мимо ушей все это бла-бла-бла, принялся без затей валить с больной головы на здоровую: нет, по сути, это Богданов меньшевик, раз он не хочет работать с Думой и проповедует свой эмпириокритицизм.

Это он создает — откалываясь от нас — фракцию «карикатурных большевиков или божественных отзовистов». «Скажите печатно, что мы "необольшевики", "неопролетарцы" в смысле новой "Искры", т. е. в сущности меньшевики, что мы "сделали два шага назад", что мы "разрушаем драгоценнейшее наследие русской революции — большевизм", скажите печатно эти вещи, записанные мной из вашей речи, и мы покажем публике еще и еще раз, что вы именно подходите под тип карикатурного большевика. Скажите печатно, что мы — опять цитирую ваши слова — "погибнем политическою смертью, будучи в плену у Плеханова, в случае нового подъема", что мы "победим в случае длительной реакции", скажите это печатно, и мы дадим еще раз полезное для партии разъяснение разницы между большевизмом и "божественным отзовизмом"»... Лай куоккальских собак, вот что это напоминало; поразительно, конечно, что попытки дотянуться ножом до горла друг друга предпринимают недавние соседи по даче, несколько лет проживавшие в одном доме — с общей столовой, с дружными женами и т. п.

Уже на седьмом заседании никакого Богданова в кафе не было — его исключили из БЦ, и раны свои он будет зализывать на Капри; «мы теперь, — по-зощенковски шмыгнул носом Каменев, — извергаем те элементы, с которыми вместе в политическом отношении идти не можем». С этого момента, судя по протоколам, на заседании устанавливается ровная, без малейших признаков осадков, погода, и нам оставалось бы лишь опустить над этой благостной картиной пыльный занавес, если бы не один джокер...

РСДРП была по сути партией литераторов, и слабым звеном в ней, как часто бывает в жизни, оказался работник смежной сферы. Поскольку официально «Пролетарий» был органом Петербургского и Московского комитетов, для решающего заседания казалось уместным привлечь какого-то представителя этих самых комитетов; и так в Париже появился литературный критик марксистского направления, переводчик Кальдерона и Лопе де Веги, Ады Негри и Б. Шоу Владимир-«Донат» (кличка партийная), «Гнедой»-Шулятиков (кличка полицейских наблюдателей), чье место на политическом спектре было не вполне ясно его коллегам по большевистской фракции. Впоследствии обнаружилось (Шулятиков оставил яркий след как минимум в трех мемуарных работах о Ленине в Париже), что затруднения вызовет не только политическая позиция критика, но и его повседневная жизнь.

Илья Эренбург рассказывает, что на регулярных деловых ассамблеях в зале при кафе на авеню д'Орлеан Ленин прихлебывал из кружки пиво — разительно контрастируя таким образом с прочими парижскими большевиками, в среде которых было принято употреблять сельтерскую с ярко-красным сиропом; «все наши, — запомнил Эренбург не только предостережение притащившей его подруги, но и недоумение французов, полагавших этот коктейль воскресным десертом для детей, — пьют гренадин» (неудивительная приметливость для сына директора пивоваренного завода в Хамовниках). На расширенном заседании Ленин не изменил своей привычке прихлебывать пиво, и в этот раз — было по-летнему жарко — к нему присоединились многие. Роковым образом, заказал себе кружечку и Шулятиков. На выходе из помещения пиво спровоцировало в его организме острый кризис — и недолго думая он набросился с палкой на депутата Думы Шурканова. Его кое-как скрутили и привели почему-то к Крупской, тогда еще на улицу Бонье; жена Ленина два часа сидела с припадочным, держала его за руку, гладила, тот метался, вскакивал — когда галлюцинаторные недоброжелатели подбирались к нему слишком близко. Ему мерещилась сестра — которая за год до совещания по приказу Столыпина была повешена в тюрьме по обвинению в подготовке теракта, — молодая женщина, мать двоих детей; по-видимому, им было что обсудить с Лениным на этой почве.

В тот раз Шулятикова увели Дубровинский и Голубков. Но приключения критика, как оказалось, только начинались. Погрузившись в запой и страдая от мании преследования, он в какой-то момент снова явился — посреди ночи — именно в квартиру Ульяновых с просьбой о товарищеской поддержке. Ленин а) отобрал у Шулятикова все деньги; б) отправил его на извозчике домой; в) написал расписку в Хозяйственную комиссию Большевистского Центра о получении «30 фр. для больного В. М. Шулятикова»; г) перевел его жить с квартиры Каменева (где еще до начала цикла заседаний было «довольно шумно и весело» — и уже тогда Шулятиков показался товарищам странным: по вечерам он исчезал и возвращался за полночь, «в сильно нетрезвом состоянии, в большом возбуждении и без денег; Каменев и К° не придали этому должного значения, подумав, «что это, так сказать, "воздух" Парижа, в который он попал впервые, так на него подействовал») в санаторий Семашко на отдаленной окраине Парижа.

Терапия, назначенная Лениным, помогла — и до самого конца конференционного марафона Шулятиков держался тише воды, ниже травы. Однако буквально на следующий день после счастливого финала он снова вступил на Путь Зла и — в невменяемом состоянии — явился на улицу Бонье к Ленину, где и принялся плести невесть что о провокаторах и прочей чертовщине. На счастье Ленина, туда же заглянул попрощаться уезжавший в Россию Голубков — и они вдвоем повезли Шулятикова к Семашко. Путь до трамвая пациент проделал охотно, в трамвае вел себя более-менее смирно, только начинал иногда размахивать руками. Вероятно, в силу невозможности удержать его вдвоем Ленин принял решение не тащить пациента сразу к Семашко, а поместить в местной гостиничке, куда и вызвать Семашко; по дороге надо было пройти через лесок, в темноте. Это оказалось ошибкой: товарищ Донат вырвался и драпанул в лес. «Мы стали, — рассказывал Голубков, — бегать по лесу и ловить его, что удалось сделать с большим трудом, прибегая к различным хитростям, к обходным маневренным движениям и пр.». «Невысокого роста, чрезвычайно подвижный, нервный», Шулятиков заставил своих преследователей изрядно попотеть, прежде чем они снова взяли его в плен. В гостинице, куда его насилу-таки доставили, выяснилось, что Семашко нет дома и до завтра не будет, он в Париже. Ночевка в одной комнате с сумасшедшим было последним, чего хотелось Ленину, который и так, по уверению Крупской, страдал от парижской жизни «шиворот-навыворот» «страшными бессонницами», — но выбора не оставалось. У Шулятикова меж тем дела пошли еще хуже — начался настоящий припадок белой горячки, с галлюцинациями; даже раздетый, в горизонтальном положении, он все время порывался вскочить — приходилось держать его уже и за руки, и за ноги. «Маленький, щупленький, по первому взгляду слабосильный, он развивал огромную силу сопротивления». Малейшее упущение грозило стать роковым. «Как-то среди этого бреда он устремил взгляд на высокую вазу, стоявшую на подзеркальнике, подозрительно и с усмешкой пристально в нее вглядывался и, наконец, нацелившись, ударил ее кулаком; ваза, конечно, полетела на пол и разбилась. Владимир Ильич сейчас же с интересом спросил меня: "Вот это и называется — чертей ловить?"».

Интересно, что на языке советского лениноведения весь вышеописанный эпизод уместился в три невинные строки: «Ленин оказывает помощь тяжело заболевшему В. М. Шулятикову, делегату от Московской области на Совещании расширенной редакции "Пролетария"; отвозит его в санаторий в предместье Парижа, где работал врачом большевик Н. А. Семашко».

...Разумеется, далеко не все гости Ленина в Париже удостаивались чести провести ночь в обществе лидера партии. Приезжих, испытывавших охоту развлечься более цивилизованным, чем битье ваз, образом, Ленин отправлял вовсе не к Семашко.

Чаще прочего он водил их на кладбище Пер-Лашез, к стене, где за 40 лет до этого добивали коммунаров. (Разумеется, сейчас некрополь пестрит табличками, указывающими путь к месту упокоения Джима Моррисона — тогда как к коммунарам и их соседу Морису Торезу можно дойти разве что по навигатору.) На попытки осведомиться, как здесь, в столицах, насчет музеев, выставок и всего прочего, Ленин иронически рекомендовал «обратиться к Жоржу», который «все это здорово знает»; да уж, Плеханов с его обескураживающей мизантропией, безусловно, был идеальной «Париж-Афишей». Его собственный выбор парижских must-sees выглядел озадачивающе для обычного туриста. Ленин отводил знакомых в музей восковых фигур Гравена — наглядная история, есть над чем поразмыслить, в музей революции 1789 года и, не угадаете, в зоосад — полезная экскурсия, в ходе которой возникает «ощущение, точно вы совершили кругосветное путешествие». Иногда предлагал коллегам просто прогуляться по Парижу, показывал завершающееся на Монмартре строительство собора Сакре-Кёр, на Пляс Этуаль — объясняя, что Осман перестроил Париж, чтобы город невозможно было перегородить баррикадами и чтобы была площадь, с которой можно артиллерией простреливать полгорода, — словом, как припоминает один из визитеров, выглядел «настоящим парижским фланером, завсегдатаем Больших бульваров».

Судя по некоторым проговоркам — то Луначарский ведет его в студию знакомого скульптора, то рабочие отчитываются ему о посещении мастерской Родена, то он сам отправляется с рабочими на выставку, — Ленин не мог не ощущать «парижский» контекст; перед Первой мировой Париж был не только политическим и эмигрантским хабом, но и «столицей мира», как сейчас Лондон или Нью-Йорк. В этом городе банкиров, консьержек, завсегдатаев кафе и фовистов всех мастей (причем художникам позволялось гораздо больше, чем политикам) была своя, специфическая культура повседневности, которая накладывала отпечаток даже на стиль поведения таких не привязанных к контексту фигур, как Ленин.

В кафе его видели многие — там проходили большевистские собрания, там назначались деловые свидания. Даже Крупская свидетельствует, что по крайней мере весь первый год ее муж просидел в кафе — например, в «Клозери де Лила», на углу бульвара Монпарнас и авеню Обсерватории — где коротали время персонажи в диапазоне от Аполлинера до Пикассо. Особенным любителем такого образа жизни был Таратута (с молодой женой — сестрой Шмита); и Адриканис с Екатериной тоже были тут. Не стоит, однако, недооценивать иронию Крупской — первые полгода в Париже Ленин бился с редактурой своей Книги, и, в отличие от большинства жителей мегаполиса, ему просто некогда было лелеять свой сплин — хотя бы и связанный с разгромом партийных структур в России. А вот дальше ему, похоже, поднадоел этот хипстерский образ жизни; возможно, причиной был рост количества нежелательных встреч — так или иначе, он стал замыкаться в раковине — и курсировал между домом, типографией и библиотекой.

Отказ вести образ жизни фланера с Больших бульваров — и экономия на кофе и гренадине — привели к освобождению средств, которые Ленин принялся с энтузиазмом инвестировать в туризм. Особенно озадачивающе для сторонников теории «Ленина-аскета» выглядят его маршруты путешествий — иногда с семьей, иногда в одиночку — в места стационарного отдыха. Крупской даже приходится делать постоянные оговорки — в Ниццу де он поехал после почернения языка от работы над «Материализмом и эмпириокритицизмом», а пансион в Бонбоне был так дешев, что на следующий год после пребывания у нее Ульяновых нерасчетливая хозяйка попросту разорилась. Бровь ползет вверх и достигает критической отметки при знакомстве с инверсионным следом, оставшимся от лета 1910-го, — когда сначала он две недели лежит на каприйских шезлонгах, потом — если верить Валентинову, ссылающемуся на свидетельства «Левы»-Владимирова (Штейнфинкеля), — заезжает, не поставив об этом в известность составителей своей биохроники, в Неаполь, Рим и Геную, затем, наскоро «зачекинившись» в Париже, проводит с женой и тещей месяц в хижине таможенного сторожа в Порнике, на берегу Бискайского залива на диете из свежих крабов, потом отправляется на Международный социалистический конгресс в Копенгаген (где посвящает некоторое количество времени анализу новейших данных датской статистики, приходит к заключению, что специфической чертой империализма в Дании является «получение сверхприбыли вследствие монопольно-выгодного положения рынка молочных и мясных продуктов», и описывает датскую буржуазию как «процветающих захребетников империалистической буржуазии, участников ее спокойных и особо жирных прибылей» — и, предположительно, наслаждается обществом тоже присутствовавшей в этот момент в логове захребетников Инессы Арманд), затем (и, возможно, все в той же приятной компании — но ни доказать, ни опровергнуть это невозможно) плывет в Стокгольм для свидания с матерью.

391

Мы знаем, что все ленинские квартиры, снимавшиеся в «тучные» годы, находились поблизости от зеленых, удобных для прогулок городских оазисов: Энглишер Гартен, Мон-Репо, Блони.

Обе парижские квартиры Ленина были на юге города, в 14-м округе, у парка Монсури. Трудно сказать, кто первый выбрал для обитания именно этот район, однако к 1912-му его можно без преувеличения назвать «большевистской слободой» (каким бы диким это ни показалось для буржуазной публики, вряд ли осознававшей, в чьи соседи они угодили): здесь обитали «все», от Каменева до Инессы Арманд. Для большевиков образца 1910 года — партии, сделавшей ставки разом и на подпольную, и на легальную деятельность, — район подходил как никакой другой: буржуазный, хотя не фешенебельный, на поверхности, снизу, с изнанки, он был подбит катакомбами — заваленными, говорят, скелетами: туда перенесли останки шести миллионов умерших из Монсури. Собственно, *Montsouris* означает «холм мышей» — мышей, которые наводняли здешние подземелья и каменоломни. Вход в катакомбы находился у Ленина едва ли не на заднем дворе: на той самой площади у Бельфорского льва, вокруг которой предпочитали рыть себе норы большевики. В доме 11 на улочке Роли у парка Монсури жили — на втором этаже один, на третьем другой — Каменев и Луначарский с семьями; и хотя сосед снизу мог издавать в «Пролетарии» самые воинственные крики, направленные против богдановцев вообще и Луначарского в частности: «Не по дороге!» — с заседаний им все равно приходилось идти домой вместе; нарушенный «философский нейтралитет», хочешь не хочешь, приходилось восстанавливать. Луначарский был не из тех, кто меняет образ жизни из-за какой-то статейки, — и продолжал втолковывать «богостроительскую» ересь членам своего «кружка пролетарской культуры». Иногда они приходили к нему на дом — а иногда кружили по парку Монсури на манер перипатетиков, сопровождаемые скептическим взглядом Ленина, которого забавляла эта само- и псевдодеятельность. «Монсури был парком эмигрантов». Здесь постоянно играли дети Зиновьева, Каменева и Луначарского — и Ленин приходил сюда не только для того, чтобы, исходя зубовным скрежетом, вычеркивать по требованию цензуры из гранок «Материализма и эмпириокритицизма» «боженьку» (заменяя «Луначарский примыслил боженьку» на «примыслил себе религиозные понятия»), — но и вести с ними обстоятельные разговоры.

Заложенный бароном Османом в 1870-х парк Монсури невелик, но очарования в нем хватило бы на три ЦПКиО. Это ландшафтная композиция английского типа, с существенным перепадом высот, нерегулярно рассаженными каштанами, платанами и буками и «романтическими» озерцом и водопадцами; там и сям понатыканы статуи и стелы — особо выделяется знак Парижского меридиана. Среди природных чудес и арт-объектов прогуливаются сливки 14-го округа — это одно из редких по нынешним временам в Париже мест, где гораздо проще встретить бесхозную нормальенку, чем подпирающего стенку иммигранта. По периметру парк окружен решеткой и напоминающими миниатюрные замки Луары зданиями студенческого городка: здесь находятся общежития Эколь Нормаль. И хотя уже в сотне метров за оградой нет-нет да и раздается вслед услужливо-агрессивное магрибское шипение: «Айфон сис, мсье?» — сам парк — подлинный оазис филистерства. Причем видно, что буржуазия ведет здесь войну не на жизнь, а на смерть с высококалорийным питанием — каждый свободный клочок травки оккупирован группой джентльменов, отжимающихся от земли с помощью фирменных стальных скобок; представить себе среди них спортивного Ленина не стоит ровным счетом ничего.

Ради изучения местной политической культуры Ленин охотно захаживал, если позволял график, на выступления социалистического краснобая Жореса, в шумные народные театрики, где острые на язык шансонье заводили рабочую публику скетчевыми юмористическими «частушками» на злобу дня.

В 1909-м Блерио перелетает через Ла-Манш, и в Париже — бум всего авиационного; на каждом свободном пятачке строят взлетно-посадочные полосы и ангары. Ленин с Крупской часто ездят на велосипедах на авиационные выставки и на аэродромы в Исси-ле-Мулино или в Жювизи — наблюдать за покорением воздушной стихии; не исключено, Ленин — который в марте 1917-го всерьез будет рассматривать вариант с нелегальным авиаперелетом Цюрих — Петроград — подумывал о том, чтобы научиться управлять аэропланом (и не за этим ли поехал весной 1909-го в Ниццу? в «Парижском вестнике» рекламировалась тамошняя русская авиационная школа) — как, например, Эразм Кадомцев, который пошел учиться в школу воздухоплавания Блерио — и наверняка не раз отчитывался о своих успехах Ленину.

С одной из этих поездок связана рассказанная парижским большевиком Алиным история: «Однажды Ленин уехал кататься на велосипеде на свой обычный променад — и вернулся на час позже обычного, ведя велосипед за руль; задняя часть была вся смята. Я, — устало сообщил он, — упал в канаву. Это наказание мне за то, что ушел. Вот что произошло. Ленин очень интересовался авиацией — и в свободную минутку уезжал смотреть на аэродром. В этот раз он уехал в Исси, где ежедневно совершались полеты. Подъезжая к аэродрому, он услышал сверху за головой шум винта. Он поднял голову, чтобы проследить взглядом за движениями аэроплана, но в то же мгновение в него воткнулся другой велосипедист, ехавший сзади. Удар был такой силы, что оба оказались в придорожной канаве. Началась перебранка. Другой велосипедист утверждал, что виноват Ленин. Ленин доказывал, что наоборот — ведь это он ехал впереди и не мог видеть, что происходит сзади. Рабочий, наблюдавший за этой сценой, встал на сторону Ленина. Словесная ссора — заведомо бесперспективная — длилась до приезда агента, который притащил их в полицейский участок. На следующий день я обнаружил Ленина на пороге его дома перед разобранным велосипедом. Он выравнивал какие-то детали с помощью клещей, что-то завинчивал, прикручивал. Страшно недовольный происшествием, он утешал себя тем, что "у моего противника велосипед был не в лучшем состоянии, а в худшем"».

Ни в одном другом месте мира с Лениным не происходило столько приключений, связанных с велосипедом, сколько в Париже. Он не только сталкивался с другими велосипедистами, но попадал в аварии с участием автомобилей, лишался своего имущества в результате злого умысла неизвестных лиц, удирал от преследования полицейских агентов; все четыре французских года он будто участвовал в бесконечном «Тур де Франс», который, кстати, начал проводиться с 1903-го, но колоссальную популярность набрал как раз к 1908-му, моменту приезда Ленина. Нация была одержима велоспортом; собственно, почему «была»?

В отражающем уровень локальной велокультуры «индексе копенгагенизации» Париж в середине 2010-х занимал очень почетное, при нынешней-то конкуренции, 17-е место в мире, а за пять лет до этого фигурировал вообще в первой пятерке. Это действительно «bike-friendly city»: там полно — сотни километров — велодорожек, и за 1—70 евро, пользуясь городской системой проката, можно крутить педали хоть целый день, меняя машины раз в полчаса; однако это все же не вполне райские кущи для велосипедистов, по крайней мере катающихся по ленинским колеям. Еще Крупская проницательно отмечала, что велосипедная езда «по такому городу, как Париж, не то, что езда по окрестностям Женевы, — требует большого напряжения. Ильич очень уставал от этой езды».

Информация о пребывании Ленина в Париже производила на деятелей культуры советского времени тот же эффект, что валерьянка на котов: все, у кого была хотя бы малейшая возможность отправиться по местам ленинской эмиграции, рвались совершить паломничество именно во Францию — в надежде погрузиться в некую особую атмосферу, которой не найдешь ни в Женеве, ни в Кракове: будто, потеревшись штанами о скамейку в парке Монсури, можно было вызвать дух Ленина. Надежды удивительным образом оправдывались, и даже с лихвой: поэт Вознесенский и вовсе, кажется, объелся там мыла — и дописался до того, что эмигрировали как раз те, кто остался в России, тогда как подлинная Россия находилась как раз в Лонжюмо. Париж стал узловой станцией «ре-ленинизации» общества — пунктом, где интеллигенция продляла советской власти мандат доверия; тот, кто хочет обновиться, должен «знать, с чего начинался век», как сформулирована задача в фильме Юткевича «Ленин в Париже». Разливский шалаш — и то, кажется, не был мифологизирован в той же степени, что улица Мари-Роз. «Волшебные слова "Лонжюмо" и "Мари-Роз"» твердят герои «Хуторка в степи»: «оттуда идут все директивы и инструкции» — и, надо признать, в них до сих пор ощущается магия; погóни Катаева, Казакевича, Вознесенского и многих других романтиков за ленинским Ковчегом Завета, какой бы комично-вульгарной ни была их подоплека, оказались заразительными — и, разумеется, автор этой книги тоже взял в аренду велосипед и в меру своих скромных физических возможностей отправился по хорошо известному маршруту: храм оставленный — всё храм.

Велосипедисту по-прежнему приходится искусно лавировать между автомобилями — и угодить под колеса тут так же легко, как во времена Ленина. Минус еще в том, что в Париже много вроде бы очень подходящих для катания мест, куда, однако, велосипедистам въезд заказан — начиная от парка Монсури или Люксембургского сада (куда, по крайней мере, можно заскочить и даже некоторое время пошуршать шинами по гравию — пока тебя не засечет служитель) и заканчивая территорией кладбища Пер-Лашез, куда на двух колесах не пустили бы даже мертвого Джима Моррисона.

Кажется, что до Гар дю Нор, куда Ленин ежевечерне сам доставлял свои статьи к поезду в Россию, — бог весть какое расстояние от рю Мари-Роз; на самом деле за полчаса на велосипеде доезжаешь запросто, тем более что дорога — под уклон; из южной части города переезжаешь в северную через Ситэ. Неудивительно, что Ленину не надоедало повторять этот маршрут ежевечерне; каждые сто метров — Пантеон, Нотр-Дам, Башня Сен-Жак, Отель-де-Виль, Чрево Парижа; с некоторой натяжкой эти достопримечательности могут быть квалифицированы и как «ленинские»: в Люксембургском саду — гулял, на бульваре Севастополь — назначал конспиративные встречи, на Северном вокзале — искал «русский» поезд...

У Парижа был и сомнительный, полуприличный, с оттенком декадентской богемности, флер — столицы кафешантанных развлечений для буржуазии. Однако наблюдавший за Лениным на протяжении нескольких лет — и не связанный впоследствии «советским» форматом мемуаров — Алин особо настаивает на том, что Ленин не был «монпарнасцем» и не вел богемный образ жизни, свойственный парижским булвардье; более того, он еще и читал нотации молодым людям, ведущим «стиляжий» образ жизни. «Каждая революция, — распекал он их, — приносит свою грязную пену. Что, думаете, вы — исключение?» Ленин не любил ни кафе «Ротонда», ни в целом весь этот квартал «пены» с его кофейной культурой.

Мы, однако ж, забыли о Богданове — что же происходило с ним дальше?

Богданов сначала продолжал цепляться за лодку, из которой его выпихнули, но, получив пару раз веслом по пальцам, поплыл в другом направлении, под свист и улюлюканье Ленина: «дурак», «каналья», «авантюрист»; однако, к неудовольствию помахавших ему платочком товарищей, через некоторое время вновь объявился на берегу — теперь уже в качестве официально, через ЦК всей РСДРП, оформленного капитана новехонького судна, украшенного надписью «Литературная группа "Вперед"» и пришвартованного все в той же заграничной гавани: трюм у него был набит живым товаром из России — сознательными рабочими, приехавшими подучиться марксизму; и курс этого корабля лежал на Капри. Меньшевики смотрели на очередное приключение Богданова сквозь пальцы — назло Ленину они готовы были покумиться хоть с чертом. Мы уже видели, какое негодование вызвала у Ленина и стаи шакалов из парка Монсури «каприйская авантюра».

Сидеть и смотреть на это безобразие сложа руки никто не собирался; и уже в декабре 1909-го лисе, бомбардировавшей птенцов богдановско-горьковского гнезда прелестными грамотами, довелось увидеть, как добыча падает ей прямиком в рот: «каприйцы» явились на Мари-Роз — и «соблазнивший» их Ленин с жадностью вонзил зубы в их хрупкие косточки. Выполняя свое обещание, он прочел им несколько лекций; студенты дураками не были — и заметили, что «по существу, темы были лишь предлогом. Настоящая цель его беседы сводилась к тому, чтобы отвоевать у Богданова хотя бы некоторых из нас». Большинство из перебежчиков, наслушавшись, как Ленин «разбирает» тезисы впередовцев, вернулись в Россию убежденные, что Ленин «ушел от старых заветов большевизма и заблудился в собственных своих выводах». Стоит ли говорить, что один из шестерых островитян был агентом полиции; впрочем, Ленин тоже был себе на уме — и, напирая на важность думской работы, не сообщил им, что одновременно пытается, к примеру, растормошить экипаж стоящего у тулонского рейда русского корабля.

В ответ на крайне недружественные действия Ленина Богданов теперь уже официально, через ЦК, провел заявление о создании «литературной группы» «Вперед» из шестнадцати участников — которая хотя и была левее Ленина, но получила моральную поддержку меньшевиков, в пику Ленину (которого они на январском 1910 года пленуме ЦК загнали в угол ринга, нанеся несколько чувствительных ударов: заставили уничтожить оставшиеся 500-рублевки, закрыть фракционный «Пролетарий» и передать оставшиеся от эксов деньги на хранение немцам-«держателям»: Каутскому, Цеткин и Мерингу).

Именно поэтому меньшевики смотрели сквозь пальцы на очередное предприятие Богданова — партийную школу в Болонье. Равно как и на «ряд опытов» алхимика Красина, который не мог смириться с тем, что 500-рублевые билеты надо было сжечь; с какой стати?! — их либо надо было вернуть доверителям — Камо, Сталину и К°, либо употребить на дело большевизма, — и обнаружил способ «очень удачно» подправить на них номера; деньги, таким образом, припоминает Лядов в некрологе Красину, были «спасены для партии»; какой именно ее части, мемуарист умалчивает; по другим источникам, не прошедшие красинские пробирки 500-рублевки из «впередовских» сусеков продолжали размениваться теперь уже в Америке; к лету 1910-го, когда полиция предупредила своих заокеанских коллег, удалось конвертировать в доллары 33 билета; 15 реквизировали копы.

В 1926 году Луначарский, умудрившийся попреподавать во всех трех партшколах РСДРП — на Капри (1909), в Болонье (1910) и Лонжюмо (1911), предпринял попытку посыпать голову пеплом, сохраняя достоинство: «Мы, несомненно, были политическими импрессионистами и находились под чрезмерным влиянием революционного чувства, которое (чего мы не замечали) вело не столько к революционному делу (в открытых формах тогда невозможному), сколько к революционной фразе», а заодно объяснить, что на самом деле означала вся эта свистопляска 1909—1911 годов с расколами, инструментом которых стали «посторонние» студенты из России. Расколы, объясняет Луначарский, возникают потому, что существует инерция партийной деятельности — из-за которой партия иногда перестает соответствовать текущей ситуации, становится слишком левой: так было с Брестским миром, с нэпом — и с вопросом об участии в Думе и вообще с тактикой в 1909 году: Ленина обвиняли в предательстве революции, в оппортунизме, в фатальной ошибке — но тогда как «Ленин давал сигнал о необходимости некоторого отступления или обхода», «планомерно действующая революционная инерция партии приходила в трение с ним и порою создавалась ситуация, напоминавшая собою создание особой фракции».

Оппозиционные фракции в РСДРП мог создавать сам Ленин — но когда что-то подобное предпринимал кто-то еще, особенно если этот мамзер пользовался авторитетом, Ленин обрушивал на него весь свой гнев — и всю мощь своего оргоружия; он бомбардировал своих вчерашних ближайших союзников из всех орудий — наплевав на то, что такое поведение покажется им нетоварищеским. Диву даешься, к каким только средствам он не прибегал. Он распускал слухи об экспроприаторском происхождении болонских денег. Испытав тактику открытых писем к чужим студентам с «каприйцами», он попробовал отправлять письма частного характера, предназначенные для конкретных учеников, — с расчетом на то, что они будут распространены. Так, болонский студент «Иван» (И. А. Острецов) получил от Ленина из Парижа конверт для «Евгения» (И. К. Вульпе), который считался «ленинцем», — и, не справившись с приступом любопытства, вскрыл его и был настолько поражен уже первыми строками, что остальное прочел с другими товарищами. В письме содержалась прямая директива вести в школе фракционную борьбу или «взорвать» школу; надо сказать, большинство «слушателей» составляли уральские экспроприаторы, приехавшие в школу на свои (то есть экспроприированные) деньги (из 20 586 франков, потраченных на школу, 16 057 пришли от Миасского экса), и идея «взорвать» что-либо без их участия крайне им не понравилась. Они призвали «Евгения» к ответу — и создали ему такие условия, что через пару дней тот схватил в охапку кушак и шапку — и был таков. Выслушав рассказы своего агента (о том, что лекцию о Толстом прочел Троцкий, про женский труд — Коллонтай, а про философию Гегеля и истмат — Станислав Вольский; что Луначарский объяснял болонцам основные приемы полемики и ведения дискуссионных собраний, а Менжинский, чтобы ознакомиться с индивидуальными способностями слушателей, предложил каждому написать рассказ на тему «Как я стал социал-демократом», а затем учил их сочинять некрологи, передовицы типа «Готовься, рабочий!», прокламации к солдатам и статьи с призывами праздновать 1 мая / организовывать профсоюзы / устроить забастовку), Ленин состряпал теперь уже открытое письмо, где, по обыкновению, предложил студентам переехать в Париж. В ответе Совет школы объяснил, что артачиться никто не станет — в Париж так в Париж, но лишь в том случае, если Заграничное бюро ЦК выделит на эти перемещения 3000 франков: собственно на организацию дополнительной школы и жилье в течение двух недель. Меж тем предполагалось, что по окончании курса ученики (по крайней мере, первой категории, имевшие голос в Совете школы, не вольнослушатели) обязаны поехать в Россию на партийную работу; при чем здесь Париж?

В силу, по-видимому, отсутствия лишних средств на «переучивание» очередной партии «испорченных» студентов покладистые болонцы так и не попали в Париж — зато в России охранка, имевшая полные сведения о составе участников предприятия, устроила на них охоту — и переловила всех как зайцев; урок, который сам Ленин не выучил. А ведь меньше чем через год он откроет свою школу — учеников которой также потребуется отправить обратно.

В самом конце 1910-го Ленин предпринял попытку контрраскола с «Вперед» — для чего собрал в кафе на авеню д'Орлеан три дюжины самых верных своих клевретов и, не откладывая дела в долгий ящик, предложил проголосовать за раскол с «ультиматистами», «отзовистами» и прочей квазиликвидаторской сволочью. Это, однако ж, показалось чересчур даже для ультралояльных ленинцев — «за» проголосовали человек пять, остальные «против». Потрясенный этим бунтом в собственном камбузе, Ленин «сложил написанную им резолюцию и, положив ее в карман пальто, поспешно ушел из кафе».

Исключение, подтверждающее правило; в целом Ленину, при помощи манипуляций голосами людей из своей «каморры», удавалось в Париже портить жизнь нелояльным ему социал-демократам не хуже, чем в 1918-м и 1921-м. О том чувстве обреченности, которое вызывало само существование Ленина у его однопартийцев, можно судить по иеремиаде большевика-«примиренца» Марка (Любимова), который, со слезами отчаяния «во всем, от начала до конца, в каждом событии, видит только "хитрую политику" Ленина, который "сумел воспользоваться"». Чем? Всем. Где? Везде. В Париже, в Киеве, в Петербурге — ему всюду мерещатся «ставленники Ленина» — или «дураки, поддавшиеся обману Ленина»; он рассказывает, что «после краха объединения, на которое Ленин пошел, сцепя зубы», тот «неуклонно старался проводить свой план объединения партии посредством союза сильных фракций. Он все фракции хотел отмести, кроме меньшевиков-плехановцев, но зарвался и потерял их». Ленина невозможно переиграть организационно, он всем рано или поздно навяжет свои решения; «везде и всюду Ленин. Он обдул Россию, он обошел примиренцев»; которые «все "с самого начала" предугадывали... понимали всю эту ленинскую "провокацию" все его "ходы"» — однако как не делали ничего, так и не делают. Что, совсем ничего? Нет: сидят и стонут: «Ах, Ленин; ах, разбойник». Соперники? «Ленин, точно очковая змея, заворожил их своим взглядом, и, кроме его фигуры, они ничего не видят во всей партии».

Организовав серию сепаратных переговоров — и, разумеется, с соблюдением всех демократических формальностей, — Ленин добился всего, чего хотел, и Богданову недолго было позволено наслаждаться пребыванием с Лениным в одной фракции; весьма скоро он обнаружил, что исключен из ЦК, а затем и сам не захотел иметь ничего общего с подвергшейся рейдерской атаке РСДРП, после чего эмигрировал из революционной деятельности в фундаментальную науку. «Дела скверны, — писал он приятелю и свояку Луначарскому. — Скоро жить будет нечем, а нездоровье мешает работать как следует».

Интерес Ленина к посещению зоосадов и склонность закрывать глаза на некоторые смысловые искажения рано или поздно должны были привести его к месту, название которого сам он предпочёл перевести как «длинная» (*long*) «ослица» — хотя *jumeau* — это, скорее, «близнецы», «сросшиеся», чем «ослица», — а точнее даже «кобыла» (*jument*). Впрочем, жена Зиновьева Лилина вообще предпочитала именовать его в советской печати «Лонжимо».

Это самое «Лонжимо», первоначально замысленное как предприятие ленинцев в пику впередовцам — привет их школам на Капри и в Болонье, стало, по сути, первым этапом большой «многоходовки». Просвещение рабочих и обучение их техникам сопротивления было лишь одной из целей предприятия; взятое само по себе, оно обходилось слишком дорого. Раз экспортировать революцию в Россию в данный момент было трудно, сначала Богданову, а потом и Ленину пришла в голову мысль, что надо, наоборот, импортировать сюда, за границу, рабочих и тут превращать их в «сознательных» — чтобы (дальше мы «транслируем» мысли исключительно Ленина) они обеспечили изменение оргструктуры партии в нужную Ленину сторону.

Если Богданов пытался, по мнению Ленина, «спрятать» свою школу «от партии», то сам Ленин пытался укрыть Лонжюмо от всего мира; чему, кстати, способствовала некоторая ландшафтная изоляция. Городок километрах в шестнадцати от улицы Мари-Роз по Тулузской дороге, на юг, расположен в маленькой глубокой котловине; сейчас разница между «низом» и «верхом» малоощутима, и там и там всё застроено, — а в 1911-м на возвышенности, после трактирчика и линии тополей, начинались хлебные поля.

В «Ослице» отсутствовала полиция, однако она могла подослать шпионов, а недоброжелатели из эмигрантской общины, которые спали и видели, как разложить студентов, втянув их в партийные распри и раздоры, — бузотёров, репортёров и провокаторов.

Дом сняла Арманд, но место нашёл сам Ленин — они проезжали его с Крупской в одной из своих длительных велоэкспедиций. Школа в «дачном» месте была хорошим способом с толком потратить лето: и студентов поднатаскать, и ноги поразмять; не слишком удобно для пеших прогулок — всё вокруг тракта, ведущего на Париж; зато для велосипедов — в самый раз.

Сообщение между Большой Землёй и домом номер 17 надлежало осуществлять только на велосипедах — в распоряжении революционеров было два мужских: ленинский и зиновьевский, и один женский: Крупской; и при езде вращать головой на все 360 градусов — нет ли «хвоста»; сам Ленин придерживался этого правила неукоснительно, проделывая этот путь дважды в день, туда и обратно; а иногда даже проходил туда 18 километров пешком, никого, к счастью, не заставляя повторять подобные самоэкзекуции. Нынешний Лонжюмо формально не поглощён Парижем, но граница между городами не ощущается: это 5-я транспортная зона, куда легко добраться на RER — не бог весть что, но все лучше медленного паровичка. Чтобы доехать сюда на велосипеде, через шоссе, развязки и промзоны, пришлось бы исхитриться.

Называть друг друга по именам и даже по партийным кличкам запрещалось — потребовалось выдумать имена третьего порядка и пользоваться только ими. Лекции дозволялось конспектировать — но с уговором не забирать тетрадки с собой в Россию. Вся переписка студентов с внешним миром осуществлялась через Крупскую, отсылавшую письма сначала на адреса в Бельгии и Германии, чтобы уж потом отправлять их в Россию, — не желая повторять ошибки Богданова, который выбрал в своей школе в Болонье вариант с перлюстрацией, организаторы Лонжюмо в открытую объяснили правила игры; все понимали, что письма могут быть прочитаны...

Собственно лекционные курсы были верхней частью айсберга. Стачанная на живую нитку школьная комиссия (Зиновьев, Семашко и т. п., в ней даже не было Ленина) командировала в Россию молодого, мало кому известного уполномоченного-вербовщика Семена Семкова («Сему», не путать с Семашко и другим лонжюмовским «Семой» — И. Шварцем), который принялся колесить по стране с мандатом на организацию выборов. Правдами и неправдами он пытался заставить и так дышащие на ладан комитеты РСДРП изыскать возможность отрядить делегатов в Париж — желательно не интеллигентов, а именно рабочих, и в идеале за счет своих же комитетов. В тех случаях, когда «Сема» (который сам впоследствии оказался одним из студентов, обративших на себя внимание товарищей тем, что живет «на какие-то посторонние» средства и «состоит на побегушках у Ленина, почему был прозван школьниками лакеем последнего») в ходе своей ревизии обнаруживал, что та или иная организация прекратила эксплуатировать отведенный ей участок, он был уполномочен сам находить подходящий человеческий экземпляр, лишь бы тот был с соответствующей пропиской — чтобы выдавать его не за рабочего вообще, а за «представителя» того или иного региона.

Процесс поисков будущих студентов напоминал сюжеты из фантастических романов, вроде сорокинского «Льда», где некто должен собрать разрозненных членов подпольной секты, узнавая их по некоторым, крайне трудноуловимым признакам. Главным скользким моментом было то, что школа формально позиционировалась как общепартийная, созданная по решению Заграничного центра партии, во исполнение соответствующих пожеланий последнего пленума ЦК, — то есть формально требовалось обеспечить равный доступ туда делегатам, относящимся к любым фракциям, — хоть большевикам, хоть меньшевикам, хоть впередовцам, хоть примиренцам. На деле нужно было вынудить российские комитеты посылать в Париж именно большевиков —

при том, что многие крупные комитеты в тот момент были откровенно меньшевистскими. Даже соблазнительная возможность попасть за границу к самому Ленину, получать образование под его крылом на протяжении едва ли не полугода и воспользоваться суммой из 60 рублей «подъемных» подходила не всем фабрично-заводским рабочим: надо было увольняться, бросать семью и т. п.; большинство претендентов отпадали уже только поэтому. Навербовать из оставшихся добровольцев, да еще вызывающих доверие своих товарищей, была задача не из легких, заведомо невыполнимая.

Далее следовало организовать переправу этого коллективного кота в мешке в Париж — и здесь устроить его таким образом, чтобы он вызывал своим поведением не слишком много подозрений у окружающих. Но он таки вызвал — неужели анархисты?! Пришлось Шарлю Раппопорту, официальному директору школы и депутату парламента, расшаркиваться, по просьбе Ленина, перед мэром Лонжюмо: это всего лишь русские учителя, а поют они не потому, что демонстрируют агрессивные намерения навязать свою культуру и образ жизни аборигенам, а потому, что не могут не петь, от душевной широты; объяснение полностью соответствовало всем «русским» стереотипам и превосходно подействовало; студенты, чья учеба время от времени разнообразилась выпивкой, каковая устраивалась иногда на «казенный» (партийный) счет, а иногда и на средства отдельных лекторов (Семашко, Вольского, но не Ленина!), и местные жители обрели взаимопонимание.

В мае 1911-го квартира на Мари-Роз напоминала жилище Бильбо Бэггинса: один за другим в дверь колотили гномы-делегаты, готовые к Большому приключению. Так продолжалось несколько недель — однако, несмотря на обилие визитеров, минимальный экипаж все не набирался; как и во всякой школе, в Лонжюмо были опаздывающие и прогульщики. К июню решено было начинать с теми, кто есть: содержание ранних пташек в Париже стоило недешево, да и надежд на то, что такой-то уже на подходе, становилось все меньше. Изначально предполагалось, что учеников в партшколе под Парижем будет 40 человек, однако на деле из России удалось извлечь 13 плюс наскрести еще пять—семь «вольнослушателей» по заграничным сусекам. Примерно две трети из общего состава были большевики, трое — меньшевики, один плехановец, один впередовец и один — ни в городе богдан, ни в селе селифан: не то примиренец, не то «наплевист». Новички отсутствовали — только ветераны с пятью—семью годами в партии за плечами. Здесь был малоразвитый, с внешностью приказчика из мелкого галантерейного магазина ткач с Прохоровской мануфактуры, при жизни Л. Толстого ездивший в Ясную

Поляну с экскурсией, а теперь вызывавший язвительные насмешки товарищей по школе и затосковавший по родине до такой степени, что потребовал отправить его назад незамедлительно (его таки отправили, но с условием не появляться в России раньше прочих, и он, не зная немецкого, уехал в Берлин, где устроился на какую-то фабрику). Была и работница — да-да, странным образом, среди учеников партшколы была одна женщина; никаких свидетельств того, вызывала ли она у своих однокашников или преподавателей какой-либо другой интерес, кроме политического, не сохранилось. Трудилась она в галошном цеху Американской резиновой мануфактуры, в просторечии «Треугольника», и у нее чуть не все лето болел ребенок, так что она вынуждена была проводить время не столько в аудитории, сколько с сыном — да еще и маяться по мужу, которого сразу после ее отъезда арестовали. Был щеголявший широким кожаным поясом нефтяник родом из Симбирской губернии, ранее исполнявший в одной из деревень обязанности надсмотрщика за рабочими — и запомнившийся товарищам тем, что явился на обучение с багажом нестандартных размеров — где, среди прочего, оказались «несколько пар длинных и не по росту больших сапог» и «огромный чайник». Были учившийся в консерватории украинец, много путешествовавший по Сибири, Маньчжурии и Китаю электромонтер, специализировавшийся по провеске телеграфных проводов; грузин интеллигентной наружности — черный костюм, белая соломенная шляпа, — по окончании учебы уехавший не в Россию, а в Париж, сославшись на необходимость сделать срочную операцию по избавлению от отоларингологической болезни (другому товарищу, впрочем, Серго Орджоникидзе — это был он — доверительно шепнул, что отправляется ни в какой не в Париж, а в Лондон — лечить больные глаза; поразительная изобретательность). Фотография представителя пролетариата Иваново-Вознесенска — Искрянистова (Матвея Бряндинского), оставившего нам эти любопытные скетчи своих «товарищей», тоже сохранилась: благообразный, в крестьянской шляпе мужичок, напоминающий тургеневского Герасима; совершеннейший Антон Палыч Чехов по части выхватить любопытную деталь, он был полицейским шпионом.

Да-да, самые красочные сведения о том, что происходило в Лонжюмо, мы имеем не из мемуаров, а из появившегося уже 29 августа 1911 года шпионского отчета для охранки.

Насмешки над паноптикумом, в котором Бряндинскому пришлось провести три месяца, могут рассмешить кого угодно — но не развеселили, однако ж, его самого; через год с небольшим он покончил жизнь самоубийством; но практически всех выполнивших условия договора студентов Лонжюмо — в основном благодаря ему (хотя у него был и еще один коллега) — пересажали либо сразу по возвращении в Россию, либо в течение ближайших восемнадцати месяцев.

Ленину приходилось иметь дело с теми, кто есть; и он не жаловался — даже если бы узнал, что двое из восемнадцати — предатели, агенты полиции. Ну да, хорошего мало, а куда деваться? Он готов был терпеть «у себя» в школе даже нескольких меньшевиков — если студенты, черт с ними; гораздо более частым гребнем он прореживал ряды преподавателей; возникла все та же проблема — разве не должны преподавать в общепартийной школе РСДРП Мартов и Дан, Троцкий и Потресов, Богданов и Алексинский, Горький и Плеханов? Никого из вышеназванных лиц в Лонжюмо не оказалось по самым разным уважительным причинам — от «забыли пригласить» до «в Париже летом слишком жарко». Горький сослался на недописанный роман, Люксембург — на выборы в рейхстаг.

Начались учебные будни. Понятно-Кто преподавал главное — «теорию всего»: марксизм, политэкономию; Надежда Константиновна — издательское дело, редактуру, шифрование; Зиновьев читал историю РСДРП; Каменев — историю российских буржуазных партий; Станислав Вольский до того, как рассорился с Лениным, успел прочесть пару лекций «по философским течениям»; Шарль Раппопорт читал историю социалистического движения во Франции; Арманд — почему-то в Бельгии. Впрочем, изучались даже и еще более тонкие материи: ученики услышали целые циклы лекций — Семашко, Стеклова, Давидсона, Ледера, Гольденбаха — по истории социал-демократии Польши и Литвы, государственному праву, рабочему законодательству, истории кооперативного движения, деятельности Государственной думы и даже, стараниями Луначарского, по истории искусств. Отдельная лекция в сарае при доме номер 17 была посвящена Виктору Гюго и его «Собору Парижской Богоматери»; Луначарский также устраивал выездные сессии: в частности, он провел студентам экскурсию по Лувру; озадачивающим образом через несколько дней после этого похода, 22 августа, оттуда украли «Джоконду» (причем обвинили сначала предположительно знакомого Ленина — во всяком случае, в кафе «Клозери ди Лила» раньше демонстрировали шахматный столик с именами якобы игравших за ним Ленина, Поля Фора и Аполлинера — как раз последний и вызвал подозрения уголовной полиции).

Мы не знаем, доставляла ли Ленину удовольствие лекционная деятельность и передался ли ему по наследству учительский инстинкт, но судя по тому, как часто он возвращался к этой диспозиции, ему нравилось организовывать отношения между собой и другими людьми по «школьной» модели. Большевистский номенклатурщик и затем невозвращенец Нагловский, описывая заседания Совнаркома, говорит, что Ленин определенно играл роль учителя и, «как ученики за партами, сидели народные комиссары

и вызванные на заседание видные партийцы... тихо и скромно...
В общем, это был класс с учителем довольно-таки нетерпеливым
и подчас свирепым, осаживавшим "учеников" невероятными по
грубости окриками несмотря на то, что "ученики" перед "учителем" вели себя вообще примерно. Ни по одному серьезному вопросу никто никогда не осмеливался выступить "против Ильича". Единственным исключением был Троцкий, действительно
хорохорившийся, пытаясь держать себя "несколько свободнее",
выступать, критиковать, вставать».

Едва ли он мог быть со студентами так же груб, как со своими министрами, — ему требовалось от них кое-что взамен. Но
дистанция — гораздо больше естественной, возникающей в силу
возраста, — поддерживалась между ними с обеих сторон. Ленину в этот момент всего-то 41, студентам — примерно по 23—25,
и тем не менее они ходили перед ним на цыпочках. «В деревне,
естественно, не было ни водопровода, ни канализации, ни ряда
других культурных удобств, но Ленина это мало смущало. Хорошо
помню, — пишет Мордкович, — как однажды Ленин без пиджака
и жилетки, с засученными выше локтей рукавами сорочки стоял
в очереди у колодца, затем накачал два ведра воды и направился с
ними домой. Заметив это, т. Орджоникидзе и я бросились к нему
навстречу с целью забрать у него ведра, но Ленин от нашей помощи категорически отказался и, несмотря на наши протесты,
принес воду к себе домой».

Бросаться навстречу 41-летнему мужчине «забрать у него ведра»?! Наши протесты — видите ли, не отдает?! Это правда не секта? А если все же нет, то что тогда?

Наслышанный про каприйские грангиньоли, где преподаватели разыгрывали перед студентами — потенциальными аги-
таторами — роли черносотенцев, кадетов, эсеров и т. п., Ленин
не просто бубнил про кантовскую вещь в себе, гегелевскую диалектику или Эпикура, но тщательно старался избегать длинных
цитат и тоже практиковал «провокации» — и, помимо собственно лекций, устраивал и «семинары» с дискуссиями, на которых
предлагал — на голубом глазу — подумать о необходимости изгнания меньшевиков из партии. Некоторые студенты были вовсе не
настолько политически наивны, чтобы не понимать подоплеку
этих «гипотез», — и обижались за своих кумиров — того же Мартова, на котором ленинский ярлык «предатель» держался неважно.
Однажды Ленин догнал на велосипеде сгоряча уехавшего с дискуссии студента — и попытался восстановить нарушенное доверие; в ответ на упреки в нетерпимости Ленин не стал строить из
себя вегетарианца: «Если вы схватили меньшевика за горло, так
уж душите». — «А дальше?!» — возопил студент. «Дальше? Послу-
шайте: если дышит — душите, пока не перестанет дышать».

Рекламировать достоинства этого политического скарфинга
Ленин принялся еще раньше — когда, чтобы занять слонявшихся

по Парижу в ожидании кворума учеников, пригласил их ни много ни мало на заседание членов ЦК — прослушать свой доклад о тактике рабочего революционного движения и обсудить тезисы; партия была мала, и верхушке не было резона отгораживаться от рядовых членов. Доклад проходил «в острой форме» — Ленин процитировал статью Мартова и назвал ее «предательской по отношению к рабочему классу»; Мартов при первых признаках асфиксии хлопнул дверью — но другие меньшевики остались и, разумеется, смотрели на «студентиков» с вожделением: близок локоть, да не укусишь.

Это любопытный момент: несмотря на недавно опубликованных «Спасителей и упразднителей», на абсолютное отсутствие личного контакта между руководителями фракций — рук друг другу не подавали, Ленин по-прежнему участвует в заседаниях общего ЦК — хотя готовится к окончательному отколу, разрыву с меньшевиками. И проект «Лонжюмо» — как раз часть плана: нельзя оттяпать себе партию за здорово живешь, нужно провести это организационно, через определенную процедуру, опираясь на формальные резолюции, принятые некими условно правомочными людьми.

Одновременно готовится и информационная «поддержка с воздуха».

Именно летом 1911-го Ленин с Каменевым — который не стал селиться в Лонжюмо, но приезжал сюда читать лекции и консультироваться с шефом пару раз в неделю — готовят ответный удар на «Спасителей и упразднителей». Брошюру Мартова? Нет, «полицейское изделие г. Мартова».

Если Ленин предпочитал прямые удары, то Каменеву удавались боковые, с отвлекающим разгоном: «Схлынувши, волна великого народного движения должна была оставить за собой массу отбросов и грязи, для которой нужен был свой герой, равный ей своей беспринципностью, жаждой и вкусом к пряной сенсации, подменяющей политику, способный поставлять ежеминутно всё новые и новые блюда самого животрепещущего, самого острого, самого изысканного скандала и потерявший сознание границ политической чистоплотности. Такого именно повара и нашли эти отбросы в г. Мартове. Именно он оказался способным предъявить формуляр, вполне удовлетворяющий вкусу худших элементов эмиграции, упивающихся политической сенсацией и политическим скандалом, как упиваются их духовные братья в России пинкертоновщиной и "тайнами мадридского двора"».

Мартов, по мнению высокоморального Каменева, находился в шаге от того, чтобы переступить «ту границу, которую покуда ставят своей борьбе с социал-демократией» даже «господа из "Вех" — границу полицейского участка». *Ergo*? «Схватить за шиворот человека, занесшего уже ногу над этой пропастью, — долг человеколюбия». Меньшевики, объясняет Каменев, с пеной у рта осуждают экспроприации — но лишь пока часть добычи не оказывается в их руках; с этого момента они посвящают себя исключительно бухгалтерскому делу. И раз так, в этом смысле разница между большевиками и меньшевиками только в степени откровенности. Все обвинения, брошенные большевикам, — на самом деле способ набить себе цену, подороже продать свое согласие забыть о каких-то мифических преступлениях: не обязательно за деньги, можно и за еще одно местечко в редакции центрального печатного органа партии.

Да, правда, готовы продать?

«Не покупаем, г-н Мартов!»

Это была хорошая отповедь — разумеется, демагогическая. «Проказа беспринципного политиканства съела былого революционера и вырастила типичный продукт разлагающейся эмигрантской кружковщины — коммивояжера сплетни и шантажа, с головой погрузившегося в обсмаковывание скандальчиков — ядовитый продукт, бесконечно опасный для окружающих и очень полезный для "охраны"».

Видно, что, сочиняя в Лонжюмо этот ответ на «оргию шантажа», Каменев с Лениным скорее веселились, чем лихорадочно пытались замести следы; он обвиняет нас в мафиозности — ну так мы скажем, что он шантажист и, по сути, работает на охранку; он хочет остаться чистеньким — и оказывается в объятиях либералов, тогда как большевики в это время укрепляют свое влияние на «стихийно-революционный элемент»; впрочем, цимес всей этой небольшой книжки заключался в простеньком вроде бы названии — «Две партии».

Две, понимаете? Одна правильная и живая, другая ложная и мертвая. Что же делать? Думайте.

Экзотичное, фееричное, даже какое-то цирковое для русского уха слово «Лонжюмо» «размоталось» в голове поэта Вознесенского до поэмы, которая слишком, слишком хороша для этого пыльного пригорода — с открытым по средам и субботам рынком и со свидетельствующими о рецессии ценами на аренду недвижимости: в вывешенных в одном из агентств объявлениях месяц аренды начинается с 600 евро, продажа — от 160 тысяч.

Grand Rue, на которой была школа, сменила название на Франсуа Миттерана; обилие вывесок, обещающих блюда индийской, турецкой, японской и тайской кухонь, выдает, кто теперь в этих краях основной контингент — который, да, выглядит весьма пестро; в таких тихих этнически маркированных омутах нет-нет да и обнаруживают что-нибудь вроде подпольного медресе. Под квартирой во втором этаже на Grand Rue, 91, где провели лето 1911-го Ленин и Крупская, теперь парикмахерская и ресторан «Звезда Анатолии»; однако если не слишком заглядываться на рекламу донер-кебаба, то между окнами второго этажа — вот так сюрприз, браво Лонжюмо — обнаруживается мраморная доска: «теоретик и вождь всемирного коммунистического движения».

Историческое здание школы — дом 17 — вроде как похож на свои старые фотографии, но выглядит размыто, будто с дефицитом пикселей. Собственно, в нем жили Инесса Арманд с сыном и, ниже, трое студентов, тогда как именно школа обреталась не в самом здании, а во внутреннем дворе, в сарае — точнее, конюшне на 30 лошадей, которые хозяин сдавал торговцам, доставлявшим в Париж продовольствие; почему-то этот бизнес перестал приносить доход, и место жеребцов заняли молодые русские пролетарии. Готовила им жена уральского рабочего — и квартирная хозяйка И. Арманд — Е. Мазанова; возможно, в наши дни было бы проще договориться о льготных поставках суши из японского кабачка напротив. Наверное, студентам доставались и какие-то овощи с хозяйского огородика, на который как раз выходил «учебный корпус» — нечто среднее между кузней, столярной мастерской и — в этом политическом цирке точно не было дефицита опилок, чтобы засыпать залитую ученическим потом арену, — лесопилкой (отсюда с годами налившиеся комичной двусмысленностью метафоры Вознесенского: «Ленин был из породы распиливающих»).

Квартиры для прочих школьников были сняты самые дешевые — наслаждаться в них комфортом не приходилось; развлечений немного — разве что, эдак в километре от дома 17, «замок» с парком-арборетумом, куда так стремился попасть сын Зиновьевых — но няня его не пускала: господское. Теперь уже не господское, а принадлежащее мэрии: гуляй себе сколько хочешь: озерцо, магнолии, вязы, буки и ели, которые стопроцентно росли там и в 1911-м.

По большому счету смотреть в Лонжюмо абсолютно нечего — но зато там испытываешь потрясающее чувство: никто вокруг не знает, а ты — ЗНАЕШЬ. Знаешь, что тут — на самом деле Фаворская гора, где теоретик и вождь соизволил явиться своим апостолам «в славе»; место, которому посвящен один из лучших текстов всей русской литературы; гальванические свойства этой экстатической поэмы из радужных слов-пузырей до сих пор настолько велики, что ее чтением можно оживлять мертвецов; она слишком художественна для этой пыльной парижской Щербинки, жители которой пребывают в уверенности, что последние их 15 минут славы случились в XIX веке, когда Адольф Адан написал оперетку «Почтальон из Лонжюмо» — за что они ему страшно благодарны и тотчас же поставили в самом центре памятник.

Хотя ВИ часто мотался в Париж, Ульяновы действительно прожили лето «на даче» в Лонжюмо и даже совершили три впечатляющие, по 70—75 километров каждая — по тогдашним-то дорогам — велопрогулки. Крупская с Лениным не обособлялись — жена Зиновьева настаивает, что эти экскурсии совершались «вчетвером», в них участвовали и они с мужем, причем, по настоянию Ленина, непременно не по воскресеньям, «когда, по его словам, проходу не было от гуляющих», тогда как ему хотелось «отдохнуть полностью»; уезжали в шесть утра, возвращались в 11 вечера; запрещалось разговаривать о политике.

Чтобы за три месяца не разбежаться, не умереть от скуки и не перессориться, рабочие должны были быть действительно очень сознательными; но даже и так приходилось не только учить их, но и развлекать.

Протекающая по долине Шеврез (не той ли, откуда была герцогиня в «Трех мушкетерах») река Иветта — даже и с берегами, забранными в гранит и застроенными многоквартирными домами, — все равно очаровательна; понятно, однако ж, почему компания ездила купаться на Сену — Иветта слишком маленькая, ручей по сути; в плавании тут точно не посостязаешься — а Ленин пробовал плавать наперегонки с учениками, азартно нырял — «до дна», эффектно контрастируя с Зиновьевым, который мог соревноваться по этой части разве что с топором. После обеда Ленин обычно брал кого-нибудь из студентов под локоток — и отправлялся с ним на прогулку: покалякать. Вечерами демонстрировал старые фокусы со слепой игрой в шахматы против троих сразу, слушал байки, пел — погружался в пролетарскую культуру. Даром что преподаватель, Ленин ходил запросто, не сказать неряшливо — короткие штаны, вечно расстегнутый пиджак, никакого жилета — жарко; единственный раз, когда он оделся поприличнее, с галстуком, — да и то по настоянию Крупской, — это когда они со студентами поехали на экскурсию в Версаль. До того студентов вывозили в Париж на День взятия Бастилии, 14 июля.

Тим-билдинг, ну а что ж; втираешься в доверие, выстраиваешь горизонтальные связи, мотивируешь на совместную деятельность, поднимаешь командный дух, воспитываешь ситуационное лидерство, ставишь задачи — и требуешь эффективного выполнения. Искупались — разъехались — встретились в условленном месте — подписали бумаги: партия нового типа.

Смысл школы в Лонжюмо в том, что там готовились лояльные Ленину ангелы-истребители, которые должны были, вернувшись в Россию, разрушить окостеневшую структуру партии — и оголить ее перед окончательным обновлением: инициировать в местных комитетах выборы депутатов, представляющих сторонников большевистской линии, на некую важную конференцию в одной из столиц Восточной Европы, где будет разрублен гордиев узел. В идеале мандаты должны были получить сами эмиссары — и, соответственно, через полгода бумерангом вернуться к Ленину. Финалом операции должно было стать образование новой, отдельной, освободившейся от удушающих объятий меньшевиков партии — но так, чтобы после этого финта выйти сухими из воды.

И даже если они оказывались плохими агентами, даже если «связи с российскими комитетами» на деле оказывались фикцией — все равно сам факт существования агентов на местах давал Ленину доказательство связи с Россией, правомочности решать — в Париже — судьбу российской социал-демократической партии.

Что вписывается в такого рода трактовку «проекта Лонжюмо» плохо — так это сроки функционирования школы. Почему — если рабочие нужны были Ленину только как боевые роботы, в которых нужно было вмонтировать чип с конкретным заданием и алгоритмом действий на ближайшие несколько месяцев, — почему было не ужать школу до двухнедельных интенсивных семинаров: азы революционной деятельности + интеллектуальное самосовершенствование; зачем было растягивать резину на три-четыре месяца — если вообще не на полгода, как, судя по некоторым мемуарам, предполагалось — и содержать из партийного кармана пару дюжин взрослых холостых бычков, — в не самом дешевом месте мира, кормя их далеко не только философией? Натаскивать их по истории бельгийской социал-демократии — чтобы что? Чтобы они проворнее укрывались от полиции?

Похоже, Ленина все же беспокоила политическая ориентация учеников — приверженность именно ленинской ортодоксальной доктрине, а не (только) выполнение ими конкретной задачи. Да, в Лонжюмо готовился Пражский раскол — но студентам предстояло жить дальше и продолжать пропагандировать ленинскую версию ортодоксии. Среди школьников было несколько очень перспективных: Бреслав, Присягин, Белостоцкий, Орджоникидзе — а времена были не «искровские», когда «все и так понятно»: ценных работников могли отбить конкуренты. Именно поэтому Ленин выходил за рамки сугубо практических рекомендаций и философского минимума — и всячески старался расшевелить молодых людей. После каждой лекции им предлагалось один-два десятка вопросов по только что изученной теме; ответы нужно было написать. Практиковались и устные «викторины».

«— Вот, товарищи, вы в России будете делать революцию! Вам предстоит возглавить народ в борьбе за власть. Предположим, произошла революция. Так вот, что вы будете делать, ну, например, с банками?..

Из глубины сарая раздается голос:

— Уничтожим банки!

— А вот и нет! — азартно говорит ВИ и... начинает терпеливо объяснять нам существо сложного политико-эконом вопроса».

Брендинский и Романов (агент «Пелагея») старательно запоминали — и эти беседы тоже.

Самое поразительное в этом периоде — степень прозрачности всей деятельности Ленина и его группы для русской полиции: они знали не только, у кого из лекторов Лонжюмо нет на левой руке мизинца и кто прихрамывает на левую ногу — но и что у них в головах.

Заведовавший типографией большевик Алин рассказывает, что квартира Зиновьева находилась на улице Леневё и выходила на улицу Альфонса Доде, прямо на фасад гостиницы, оттуда просматривалась вся улица. Удобно: парижское отделение русской охранки посадило туда шпика. Отношения между «палачом» и «жертвами» были почти идиллическими: шпион, с претензией на секретность, ходил за партийцами хвостом, провожал Ленина до типографии — и все его знали. В плохую погоду Ленин даже позволял себе иронизировать — как он там, бедняжка, промокнет ведь до нитки, и начинал жаловаться, что «скучает» по нему. Лишь однажды Ленин вышел из себя — когда тот сунулся в помещение типографии с фотоаппаратом: о, в следующий раз мы устроим скандал и вызовем полицию; русские шпионы не имеют права работать во Франции!

Однако Ленин и предположить не мог, что охранка, по-видимому, выставила этого филера напоказ нарочно — чтобы он, Ленин, подумал, что это всё, на что они способны за границей.

Несмотря на дикую скрытность и опытность большевиков; несмотря на то, что Крупская каждый день теряла свою красоту, горбатясь по 12–15 часов в день над шифрованными сообщениями; несмотря даже на эсеровскую историю с Азефом, афиши о предательстве которого после его разоблачения Бурцевым висели по всему Парижу (история, которая должна же была научить большевиков чему-то!), — представления Ленина об уровне безопасности и степени конспиративности оказались ложными. Ленин, несомненно, осознавал, что в его окружении есть кроты, — и пытался их вычислять, и сам, и через Бурцева, но не преуспел в этом — и, по сути, пустил этот аспект своей деятельности на самотек.

Опубликованные в 1917-м отчеты полицейских агентов о деятельности большевиков за границей производят удручающее впечатление: о ленинцах знали всё, малейшие, мельчайшие детали — не то что имена и приметы; служащие полиции оказались настоящими профессионалами, весьма и весьма умными, и они прекрасно — лучше многих членов партии — разбирались в нюансах фракционных разногласий и в оценке их перспектив; иногда кажется, что они вели прямые трансляции из головы Ленина, и не просто видели всё, а понимали внутреннюю логику его деятельности.

Ленин ничего этого не знал, но по провалам в России чуял, что дело нечисто — где-то в его окружении находится шпион, который взаимодействует через Петербург с целой сетью внедренных в партию провокаторов в России; собственно, как раз поэтому он и «поправел» — перестав ставить на подпольную деятельность всё, что было за душой. Богданов напрасно упрекал Ленина в том, что тот отрывается от почвы, думает только о загранице и уже не надеется расшевелить российские комитеты с помощью подпольной работы; ведь именно подпольные комитеты в России могли делегировать кого-то, кто приедет и подпишет резолюции Ленина, а не (часто выглядевшие более разумными) мартовские, богдановские или троцкистские; как было не шевелить их? Конечно, полиция как раз и добивалась того, чтобы Ленин поддался угрызениям совести — и прекратил посылать своих людей к анчару. Ленин, однако ж, упрямо давил на педаль акселератора, понимая, что каждая новая потеря была еще большей катастрофой, чем предыдущая, — потому что теперь целые комитеты, да не какие-нибудь, а Московский и Петербургский, держались на деятельности трех, двух или даже одного человека. А те, кого он посылал, отправлялись на восток, зная, что почти все, уехавшие с тем же заданием раньше, моментально оказывались в тюрьме, где заражались туберкулезом, попадали в невыносимые условия, кончали самоубийством и т. п. Ни тому, ни другим не позавидуешь.

Однако, возможно, полная осведомленность охранного отделения о делах Ленина сыграла в конечном счете против них самих: Ленин с большей решительностью пошел на раскол с леваками — ему нечего было терять (не вообще, а именно в данный момент) в российском подполье.

Иногда эмиссаров брали прямо на границе, иногда с поличным на «явке», иногда пасли несколько недель — но даже для самых опытных подпольщиков, вроде Рыкова или Дубровинского, подпольная деятельность неминуемо заканчивалась ночным стуком в дверь и «трафаретным, как пароль, диалогом»: «Кто? — Отоприте, телеграмма! — Сейчас оденусь, подождите» — и мышеловка захлопывалась. Судя по живым и трагически звучащим свидетельствам, полиция тотально переигрывала тех, кто пытался действовать в составе хоть какой-то организации. Провокаторами оказывались самые надежные, близкие люди; жены продавали мужей, старые подруги — своих партнеров. Тюрьма, и то работала как вербовочный пункт для полиции — на дверях камеры висели прейскуранты с таксой за доносы: столько-то за адрес, где происходит собрание, столько-то — за склад взрывчатых веществ. Нижняя планка — пять рублей.

Единственным относительно светлым пятном в этой роковой схеме был ее финал: когда проваливший миссию большевик попадал под суд, его обычно ссылали куда-нибудь в Енисейскую губернию, а «ссылка, — писал бывший начальник Особого отдела Департамента полиции Л. Ратаев как раз в 1910 году, — существовала только на бумаге. Не бежал из ссылки только тот, кому, по личным соображениям, не было надобности бежать». Таких «ветеранов», с почетным «ранением», в Париже было множество — и снова отправлять таких в Россию считалось нехорошо; они оставались во Франции до самой революции 1917-го.

Бывали и случаи менее типичные. Большевик Яков Житомирский (партийная кличка «Отцов») прибыл в Париж из Берлина лет за шесть до Ленина — из Германии его выдавила полиция. К 1910-му, судя по довольно крупным рекламным модулям его услуг прямо под шапкой главной эмигрантской газеты «Парижский вестник» («Русский диагностический кабинет доктора Я. Житомирского», с медлабораторией при нем), он стал успешным практикующим врачом. Ненависть к самодержавию заставляла его в свободное от оказания населению медицинских услуг время не покладая рук работать на поприще мировой революции — секретарем бюро заграничных групп РСДРП, помощником в деле организации Лондонского съезда в 1907 году, конференций, сходок и суаре разных групп. Он заседал сразу в нескольких эмигрантских комиссиях, безвозмездно лечил больных большевиков в своем консультационном бюро, устраивал в своей шикарной квартире на бульваре Распай, 280, недавно прибывших из России товарищей; когда Ленину понадобилось поселить где-то драгоценного Иннокентия Дубровинского, то лучшего варианта, чем Житомирский, любезно предложивший свою квартиру, было не сыскать.

Он самолично давал посылаемым в Россию коллегам по партии технические указания; и частенько после посиделок в кафе товарищи получали повод благодарно улыбнуться доктору за любезно оплаченный им общий счет; особенно щедр Житомирский становился в присутствии Ленина, завоевать доверие которого было его голубой мечтой. Не занимая никакого крупного поста в структуре партии, он имел возможность «следовать за Лениным, как тень» (Алин) — и получать доступ к самой ценной текущей информации. Через него проходила куча дел — и в особенности он был в курсе, когда кто приезжал и уезжал из России. Да, еще одна деталь: именно любезное уверение Житомирского в том, что в Париже у охранки меньше возможностей следить за Лениным, сыграло решающую роль для принятия решения о переезде из Женевы в Париж.

Штука в том, что еще в 1902-м Житомирский был завербован охранкой — которая, не исключено, и снабдила его медицинским дипломом. Так что неудивительно, что сам Ленин предпочитал лечиться не на бульваре Распай, а где-то еще — бормоча себе под нос развеселившее его изречение французского врача Дюбуше: «Возможно, ваши врачи хорошие революционеры, но как врачи они — ослы!»; еще бы не ослы, с липовым-то дипломом. (Сам Дюбуше, между прочим, был хорош в обеих ипостасях — и когда работал в 1905 году в Одессе, прославился своим хитроумием по части сокрытия революционеров; а еще он в гробах переправлял оружие.)

Именно Житомирский — оказавшийся в курсе всех дел своего постояльца — предал Дубровинского: и когда тот уехал на подпольную работу в Россию, то сразу попался, снова оказался в ссылке и, заболев туберкулезом, утопился в Енисее. Именно Житомирский, наконец, выдал большевиков с потрохами и страшно подставил Ленина в 1908-м, когда в рамках дерзкого «плана Красина» Семашко, Литвинов, Равич и еще несколько надежных ленинцев попытались разменять тифлисские пятисотрублевки в разных городах Европы, от Лондона до Монте-Карло в одно и то же время; Ленину пришлось выручать товарищей — и объяснять мировой социалистической общественности, почему его товарищи не в состоянии нащупать грань между политической и уголовной деятельностью.

Доносы Житомирского убивали эффект от тщательно разработанных планов Ленина: невозможно было наладить работу партячеек в России, организовать там действующий центр. Практически вся литература, которая из-за границы направлялась на восток, — «Пролетарий», «Социал-демократ» — пудовыми кипами валялась на складах русской полиции; не было ни адресов, ни явок для рассылки. Собственно, это и стало одной из причин, почему Ленин начал делать ставки на запуск легальной рабочей газеты.

Ленин имел основания подозревать Житомирского и подозревал — но так и не решился обвинить его; окончательные доказательства его виновности были получены только в 1917-м — когда от него остались лишь следы, исчезающие в Латинской Америке.

Для осуществления конкретной дипломатической комбинации Ленин часто прибегает к мобилизации низкокачественного, однако пригодного здесь и сейчас человеческого материала; неудивительно, что окружение именно большевиков в первую очередь было насквозь инфильтровано провокаторами.

Ленин сделал всё, чтобы деромантизировать «искровский» образ профессионального революционера: теперь это скорее политический коммивояжер, который, получив по рукам за прямые экспроприации, как черт с мешком ворует комитетские голоса — и несет Ленину, который затем, использовав их втемную, заставляет принять очередную свою резолюцию — не с первого, так со второго, с третьего раза — да так, чтобы формально она соответствовала демократической процедуре.

«Можно сказать без преувеличения, — вспоминает Алин, — что группа большевиков отличалась от других русских политических организаций в Париже сплоченностью и солидарностью». И действительно, судя по мемуарам, ленинцы — которых было дюжины три скорее зрелых людей, чем зеленой молодежи — «действовали спевшись и шли в ногу», жили дружно, помогали друг другу, верили в важность своей работы — до такой степени, что никакие провокаторы, которые были среди них, не способны были дискредитировать их большую Идею.

На круг главным бенефициаром постоянного полицейского давления на РСДРП — и ее сильнейшую, большевистскую, фракцию — оказался, парадоксально, Ленин, которому то самое «осадное положение», о котором он твердил в 1903 году, позволяло вербовать представителей местных комитетов на организованные им самим мероприятия в непрозрачных условиях; кого именно представляли делегаты, при каких обстоятельствах им выписывали мандаты — всё это часто оставалось за кулисами; тогда как протоколы голосований и резолюции оказывались в наличии, на свету, публиковались — и вынуждали других людей, оппонентов, считаться с ними.

Ленин умеет убедить свое окружение, что текущее отсутствие контакта с пролетарскими массами не является катастрофой — и сигналом, что в отношениях партии и ее класса что-то не то; классовое сознание рабочих — что бы оно ни порождало: экономизм или стремление к вооруженной борьбе — в любом случае травмировано поражением революции. Это означает, что партия не должна ориентироваться на настроения: «настроения зреют», для политика достаточно лишь все время апеллировать к волне народного гнева, которая вот-вот поднимется или уже идет. Рабочее движение непременно — по законам исторической диалектики — проявит себя, но позже; и пока все остальные будут нагонять этот локомотив истории, большевики на своей дрезине уже будут указывать ему путь. Эта тактическая уловка позволяла брать на себя инициативу — и, если надо, имитировать существование рабочего движения, подтверждая фантомную деятельность комитетов подлинными резолюциями.

Разумеется, парижские ленинцы чувствовали свою одиозность — пусть. Пусть они были «каморрой», «сектой фанатиков», «морально-толстокожей компанией», состоящей из «узурпаторов, демагогов и самозванцев», превратившихся «в клан партийных цыган, с зычным голосом и любовью махать кнутом, которые вообразили, что их неотъемлемое право состоять в кучерах у рабочего класса», пусть все относились к ним «как к зачумленным» — зато барон у них был хоть куда: философ, политик, велосипедист, спортсмен.

Трудно сказать, где проходит грань между остроумным, склонным к макиавеллическим ходам политиком-шахматистом, умеющим пользоваться всем арсеналом процедурных средств, — и политиканом, который просто выбрасывает выгодные ему в данный момент лозунги, а затем, за ненадобностью, убирает их за спину — чтобы тотчас достать оттуда новый; тем более что во Франции Ленин, несомненно, грань эту перешел.

Если раньше Ленин мог пытаться сваливать вину за расколы на съездах на кого-то еще, то теперь ни у кого не было иллюзий, кто среди марксистов является профессиональным раскалывателем. Именно во Франции Ленин — возможно, реагируя таким образом на попытки старых товарищей выйти из-под его контроля, — перестает заботиться о том, чтобы выглядеть «адекватным»: не нравится — «Скатертью дорога, любезные! Мы сделали всё, чтобы научить вас марксизму...» Осознавая, что вызывает у партийных ветеранов аллергию, — Лядов открыто отказался участвовать в спорах из-за эмпириомонизма и думской деятельности: «а я наплевист», — он еще «бешенее» идет на размежевание. Париж — это та пустыня, по которой 40 лет большевистский Моисей водил свой народ; кто смог выжить там — и остаться ленинцем, — тот и остался.

Любопытно, что, при всем вменявшемся ему «цинизме», «беспринципности», «сумасшествии» Ленин производит на очень и очень многих наблюдателей впечатление человека, чьи отталкивающие черты безусловно перекрываются симпатичными; главное его достоинство состоит в том, что он хорошо знает, что надо делать в каждый конкретный момент; и даже если он занят всего лишь добиванием подраненных товарищей-конкурентов — все равно ясно, что он делает это потому, что у него есть план и четкое ви́дение задач момента, а не от растерянности и непонимания, как дальше делать революцию в таких условиях. Какой бы трикстерской ни казалась товарищам деятельность «бешеного велосипедиста», они осознавали, что в момент кризиса Ленин сумеет перепрыгнуть с велосипеда на броневик — опереться то есть на выстроенную им структуру — которая, пусть и не соответствовала заявленным целям и состояла из потерявших всякий романтический флер типов, оказалась эффективнее и надежнее других, «честных» и «прозрачных», которые не смогли выдержать работы в кризисных условиях.

Доводы самого Ленина против обвинений в неадекватности, как всегда, лежали в риторической плоскости — и основывались на неких сомнительных прецедентах и соблюдении процедурных формальностей. Вы спрашиваете: законно ли было «вышибание» Богданова? Но правда ли, что тот ничего такого не делал — не создавал никаких фракций, не пропагандировал отзовизм и богостроительство — а тут пришел Ленин и «устранил» его, захапав таким образом «имущество всей фракции»? Не так же ли и рабочедельцы в 1899 году кричали, что «экономизма» никакого нет, а что вот Плеханов украл типографию? А не так же — меньшевики в 1903-м: что, мол, не было у них никакого поворота к рабочедельчеству, а Ленин все равно «вышиб» Потресова, Аксельрода и Засулич? Так же или не так, в глаза смотреть! А, то-то; и это не мне следует каяться за отлучение Богданова, а вам — тем, кто спекулирует на заграничных любителях скандальчика, сенсации. «Кто макает свое перо в желчь, кто в помойное ведро», — с сожалением констатировала одна русская газета по поводу всех этих дрязг. Проще было заткнуть уши и отойти от партийной работы — как Красин, как Кржижановский, как Красиков, как Цюрупа.

Философские и организационные боестолкновения с Богдановым, закончившиеся трагической, без преувеличения, потерей рабочей единицы, которая оказалась бы крайне полезной Ленину после октября 1917-го, в самом деле наводят на подозрение, что Ленин выпихивает своего товарища из руководящего состава не то из-за денег на счетах БЦ, не то из-за опасений, что тот займет его место лидера партии. Каждый, кто пристально взглянет на эту свару глазами наблюдателя 1909—1910 годов, убедится, что впечатление верное; однако ж если перевернуть бинокль, то выяснится, что от Богданова, пожалуй, и вправду был смысл дистанцироваться: тот хотел в 1909-м действовать методами 1905—1906 годов, да еще и утягивал за собой высококачественную, перспективную часть партии — «авангард», и выставлял Ленина — сначала на Капри, потом в Болонье — по сути, меньшевиком, что действительно только запутывало малосведущих партийных прозелитов. Жизнь меж тем ушла вперед — и требовала другого подхода, ну да, временно оппортунистического.

Впрочем, и самые отпетые ленинисты должны согласиться, что Ленину следовало бы гнуть свою линию поизящнее, а еще лучше — сохранить Богданова, не приносить его в бессмысленную жертву своей воли к власти. По большому счету проще всего при оценке этой батрахомиомахии задним числом исходить из того, что Ленин был поразительно незлопамятным — и когда его враги соглашались на сотрудничество на его, Ленина, условиях, никогда не отказывал им. Если бы Богданов смирился с макиавеллизмом Ленина и взял на себя труд понять «логику момента» — то наверняка был бы реабилитирован и вовлечен в работу. Ленин никогда, в сущности, по личным причинам никому не отказывал, его «сектантская» партия была открытой церковью. Богданов, однако, сначала пытавшийся стучать кулаком по столу — «Мы (бывшие члены БЦ) заявляем, что не хотим участвовать во всей этой панаме» (воззвание группы «Вперед», выпущенное в Париже в феврале 1910 года), — «не простил».

Расправившись с Богдановым, Ленин с наслаждением погрузился в новые «панамы».

Разумеется, его маневры, направленные против меньшевиков, не ускользнули от внимания окружающих; ясно было, что Ленин ведет дело к тому, что большевистская Луна окончательно оторвется от «планеты РСДРП», — и лишь дожидается удобного момента, чтобы провернуть процедуру развода с максимальной для себя выгодой. (Не исключено — если слухи про роман с Арманд имели под собой основания, — что одновременно Ленину приходится размышлять и о разводе в матримониальном смысле; раздражала ли его нелепость этой параллели семейной и политической жизни — или он даже не ощущал ее?)

Француз Раппопорт припоминает, что в 1911-м сказал Ленину: «Я не понимаю пользы этого раскола. У нас во всех партийных учреждениях большинство. Мартов находится от вас на расстоянии розги. Зачем же надевать на него столыпинский галстук?" Он улыбнулся. Махнул рукой и сказал: "Надоело возиться"».

У него было достаточно оснований сослаться на свою усталость — и выбить из-под затянутых в петли меньшевиков табуретки.

В январе 1910-го меньшевики вытащили Ленина на пленарное собрание Центрального комитета. Присутствовавшие там марксисты — 14 членов с решающими голосами и несколько с совещательными — представляли озлобившиеся в эмиграции группировки — озлобившиеся не только из-за неудачи революции и сомнительности дальнейших перспектив в условиях «столыпинской реакции» в России, но и из-за деятельности Ленина. Меньшевики дановско-мартовского толка пытались набросить Ленину крюки на ребра потому, что полупризрачный Большевистский Центр, официально не существующий, продолжал распоряжаться деньгами (шмитовское наследство, тифлисская экспроприация), которые мало того что не поступали в общепартийную кассу, но еще и тратились на то, чтобы покупать лояльность комитетов именно большевикам, а не меньшевикам. Со стороны Ленина это была опасная игра — формально именно ЦК должен был распоряжаться партийными деньгами.

Ленину пришлось уйти в глухую оборону — и если бы не «меньшевики-партийцы» с плехановскими шевронами на рукавах, а также бундовцы и группа Троцкого, то Дан с Мартовым просто вышибли бы его из партии; заседающие ограничились компромиссными решениями. Ленин не потерял всё — но сохранил немногое: еще одна репетиция Брестского мира. Был официально закрыт «Пролетарий» — хорошая, бойкая газета, которую делали Ленин с Богдановым; предполагалось, что свои литературные таланты Ленин будет отдавать официальному центральному печатному органу партии — «Социал-демократу». Группа «Вперед» — каким бы странным и противоестественным ни был этот направленный против Ленина альянс правых меньшевиков-«ликвидаторов» и левых «ультиматистов-отзовистов» — также обзавелась статусом официальной группы внутри партии. БЦ ликвидировали. Под нажимом нового большинства Ленину пришлось вывернуть карманы — и отдать «присвоенные» им деньги, заначив лишь 30 тысяч франков на покрытие собственных фракционных расходов. Организационное поражение было еще горше: «большинством» ленинцы оставались только в редакции «Социал-демократа», но не в ЦК; и на них, на нем колодой висел этот враждебный ЦК, который его заставили признать — и с которым он не мог ничего поделать.

Всё яснее вырисовывались единственная перспектива и единственный способ игнорировать этот «плохой» ЦК: объявить его недействительным и сколотить свой собственный — пусть даже первое время тот будет производить впечатление самозваного. Неудивительно, что общепартийные съезды, конференции и пленумы после 10-го года проходят всё реже и реже — сентиментальную скрипку тошнило от одной мысли оказаться в одном помещении со свирепым контрабасом, тогда как любое прикосновение к дирижерской палочке вызывало рев сирен. Не меньше «ликвидаторов» Ленина раздражают «примиренцы» — «ни бе, ни ме» — те, кто хотел бы — Ради Единства Партии — помирить его и Мартова, и Богданова, и всех-всех-всех. Чего ради мириться — если есть способы перелавировать всех: у них не было сил его контролировать, тогда как он — спекулируя на стремлении России к единству, стравливая между собой российский оргкомитет и заграничный — бойкотировал, «разгруппировывался», стоял на каждом углу с табличкой «Я — за объединение» и, под сурдинку, заставлял тех, до кого мог дотянуться, принимать резолюции, которые проводили и закрепляли его фракционную политику.

Ленин потратил массу усилий, чтобы в январе 1912-го никто из посторонних — ни одна живая душа! — не попал в Прагу на сугубо его, ленинскую конференцию, куда делегаты отбирались вручную, часто самым циничным из возможных способов. «Если бы в известной организации, — поучал Ленин своих эмиссаров, — 100 человек оказались меньшевиками или троцкистами и налично имелось в ней 5 большевиков, то делегата на конференцию должно послать именно от этой пятерки, а не от остальных 100 лиц».

Отобранным счастливчикам было дано строжайшее указание не привлекать к себе внимание: съезжаться в столицу Богемии максимум по двое — и выдавать себя за кого угодно, кроме русских. К сожалению, руководящие инстанции забыли предупредить путешественников, что характерным признаком русских считалась манера носить галоши — так что первое, что любой пражанин (среди которых попадались люди приметливые — например, писатель Ф. Кафка или университетский преподаватель А. Эйнштейн) моментально и безошибочно узнавал о конспираторах, — это их национальность. Чешские товарищи, обнаружив, что Прага наводнена людьми в галошах и папахах и следы ведут к ним, пришли в ужас — и в считаные часы договорились с дружественным владельцем магазинов готовой одежды Странским о бартере для особенно бросающихся в глаза русских: за предоставленные им костюмы приличного вида хозяин получил рекламные площади в социал-демократических изданиях. Но и этот камуфляж, похоже, не уберег делегатов от чрезмерного внимания посторонних; местные газеты — правда, сильно постфактум — сочтут приемлемым напечатать заметку о том, что русские революционеры предавались в пивных «кутежам».

Сначала делегаты едва не передрались после того, как Ленин, приказавший «рассредоточиться по разным местам», распорядился выделить кого-нибудь, кто бы поселился с ним; большевика, кому выпало по жребию, — тот бесновался от восторга: «На мою долю выпало, на мою долю!» — он забраковал: «Э нет, батенька, вы же большой анархист по натуре. Боюсь, не поладим», после чего, вопреки всем демократическим процедурам, ткнул в делегата, которого сам выбрал, — «пойдете со мной». Потом некоторые чересчур совестливые депутаты пробовали бунтовать против статуса собрания, требуя обозначить его как можно скромнее — и уж тем более не выбирать самим Центральный комитет — вы что?!! Затем Ленин — после того, как вечером в одном пиджаке ушел в одиночку кататься на коньках, — заболел, и пришлось вызывать к нему Семашко. Семашко, разумеется, приехал на конференцию не в качестве врача, а в качестве большевика: он сделал доклад о страховании рабочих, особенно уместный здесь, в городе, где в одной из страховых компаний работал человек, умудрившийся изобрести то, что сейчас известно как строительная каска (за это открытие, которое уберегло многих рабочих от смертельных производственных травм, его даже наградили медалью Американского общества техники безопасности; пражанина этого звали Франц Кафка; еще одно странное совпадение состоит в том, что, по утверждению Мирослава Иванова, автора дотошного журналистского расследования «Ленин в Праге», главный герой, возможно, проживал в январе 1912-го на квартире у некоего Франца Кафка; совпадение, разумеется).

Несмотря на все эти приключения и совпадения, конференция все-таки состоялась — организационная машина Ленина работала с немецкой четкостью. Доклады о положении с мест допускались только заранее, за кулисами, утвержденные; Ленин едва успевал пускать по столам составленные им еще в Париже резолюции — подписываем, товарищи. Один из делегатов, представлявший плехановцев, подал было заявление, что хотя и продолжит присутствовать на заседаниях, не считает конференцию общепартийной. Ленин не растерялся и поставил на голосование — допустимы ли вообще здесь такого рода «особые мнения».

Проголосовали, что недопустимы, — и лишили «бунтаря» права голоса. Тот, обескураженный жестокостью товарищей, «не выдержал и здесь же расплакался».

Историческое значение Пражской конференции несомненно — как и то, что из восемнадцати участников двое были действующими провокаторами (депутат Думы Р. Малиновский и А. Романов) и один как раз планировал оформиться на службу в полицию — речь о депутате Думы Шурканове.

Но поскольку прошлое — не то, в чем следовало копаться этим людям, иначе первое, что выяснилось бы, — что мандаты у подавляющего большинства депутатов были добыты крайне сомнительным образом, то всех провокаторов они благополучно проворонили. Что касается Ленина, то у него было много других поводов проявить свою бдительность. Тот самый делегат Е. П. — «Степан»-Онуфриев, которого Ленин забрал к себе жить, в один из дней обратил внимание, что «какой-то субъект усердно фотографирует соседний дом». Это крайне встревожило его компаньона — тот утроил меры предосторожности, а также запретил идти к месту проведения конференции вместе — на том основании, что «если меня сфотографируют, то мой снимок будет помещен в газете, это еще полбеды. Но если и вы вместе со мной попадете на фотографию... — попадетесь в лапы».

Так же конспиративно, делая вид, что они не имеют отношения друг к другу, Ленин сводил участников конференции — из которых чуть ли не половина к тому времени уже стала членами ЦК, а вторая — кандидатами — на экскурсию по пражским достопримечательностям (внимание самого Ленина, говорят, привлекла на Карловом мосту надпись на иврите: «кадош... кадош... кадош», труднообъяснимым, в рамках традиционной версии истории, образом сделанная на кресте), а также на оперу «Евгений Онегин»; делали ли большевики вид, что не понимают ни слова ни в одной арии, — история умалчивает.

В Париж Ленин вернулся в прекрасном настроении — насвистывая, надо полагать: «Что день грядущий мне готовит?»

Франция не была похожа на идеальный мангал, откуда можно было бы раскочегарить партию после кризиса 1907 года, не говоря уже о том, чтобы возродить ее из холодного пепла: далеко от России, трудно налаживать связи с российскими организациями и тем более контролировать их.

Зато Франция была прекрасным местом для того, чтобы, поплевав на руки, расколоть покрытый глубокими зазубринами партийный чурбан окончательно; именно Париж, город интриг, и подводил Ленина, по сути, к самозванчеству, подталкивал «под монастырь» — к «бонапартизму»: и Ленин не преминул сполна воспользоваться этой возможностью — и явить миру РСДРП «нового типа»: тема раскола закрыта, жизнь продолжается, пролетарии всех стран, соединяйтесь, лучше две маленькие рыбки, чем один дохлый таракан. Конечно, лучше: в партию, раздираемую войной лидеров, можно было подослать провокаторов, и она от этого рушилась, но если партией руководит один, заведомо честный «бонапарт», то его-то ведь точно нельзя было «подменить».

Пожалуй, после этого *fait accompli* можно было и уезжать из Парижа — чего зря людям глаза мозолить.

Пражская конференция, этот скандальный политический бурлеск Ленина, была точкой невозврата во всех смыслах — и Ленин зависел не только от мнения меньшевиков; среди прочего, ему нужно было объяснить откол «своей» думской фракции РСДРП — которая могла ведь и не признать итоги конференции, были такие опасения; Ленин специально ездил в Берлин встречаться с ними.

После пародии на демократическую процедуру выборов нового ЦК и хотя и не зафиксированного резолюциями, но подразумеваемого изгнания из партии Мартова, Дана, Троцкого, Богданова (если они не в ленинской партии — то где? правильно — нигде) Ленина обвиняют в «бонапартистском перевороте» в российской социал-демократии — и он, похоже, даже не является выступать в апреле на торжественном вечере в честь юбилея Герцена.

С начала весны Ульяновы принялись в письмах жаловаться родным, что Париж становится дороговат — и поэтому уже летом они подумывают переехать в восточный пригород Фонтене, за Венсенским лесом, — и жить там дачниками круглый год. Эти охи, по-видимому, означали, что травля после Пражской конференции становилась невыносимой и в бытовом смысле.

Официально об образовании им новой социал-демократической партии — на том основании, что «центральный комитет старой партии уже более двух лет как перестал функционировать», — Ленин уведомил международное социалистическое бюро в апреле 1912-го: «В виду того, что вскоре предстоят выборы в Государственную Думу, Н. Ленин берет на себя инициативу образования нового центрального комитета без представительства в нем заграничных организаций». Регистрировать или не регистрировать эту новую партию — в бюро не понимали; ведь от РСДРП там было два делегата — Ленин и Плеханов, а заявление было подано от одного; насколько он полномочен?

А пока иностранцы, никогда не сталкивавшиеся с попытками приватизации партии, напоминавшими нечто среднее между рейдерским захватом бизнеса и ограблением поезда, теребили подбородки, жизнь подбрасывала на стол всё новые карты. Апрель 1912-го стал переломным моментом всей второй эмиграции: лед вдруг тронулся — и в прямом, и в переносном смысле.

Заявление Ленина о регистрации новой партии попало в русские газеты — и вызвало дикий всплеск ненависти к нему. Отовсюду — теперь уже не только из Парижа, но и из других эмигрантских центров — на него посыпались проклятия, оформленные как резолюции протеста. В середине марта в Париже собираются представители шести групп — которые теперь уже не скрывают свой общий знаменатель: они «антиленинские» — чтобы объявить «съезд партии» в Праге со всеми его резолюциями недействительным. Плеханов наложил анафему на двоих участников «Праги», якобы представлявших там его фракцию. «На всех перекрестках орали с пеной у рта о необходимости объединения против зарвавшегося узурпатора Ленина...» (из доклада шпиона Бряндинского). Троцкий планирует «настоящий», всеобщий съезд — летом в Вене. Толстокожий, однако при случае чуткий на разного рода «настроения», Ленин в письме Анне Ильиничне констатирует, что «все группы, подгруппы ополчились против последней конференции и ее устроителей, так что дело буквально до драки доходило на здешних собраниях»; подумать только!

15 апреля произошла катастрофа века — «Титаник», и вину за нее тоже можно было косвенно возложить на потерявшую берега буржуазию: вот он, ваш капитализм, приплыли; а пролетарский-то айсберг будет пострашнее. Мы не знаем, как комментировал политический аналитик Ленин гибель «Титаника» — но наверняка воспринимал ее как знак — не то гибели старого мира вообще, не то старой версии РСДРП.

17 апреля царское правительство устроило «Ленские события» — дикий расстрел рабочих, подтверждающий ленинские прогнозы о начале нового революционного подъема.

В начале весны Ленин узнаёт от большевистского депутата Думы Полетаева, что один молодой большевик унаследовал от своего отца, казанского купца, крупную сумму, из которой готов инвестировать в газету партии — партии нового типа! — 3000 рублей.

В апреле Полетаев получает в Петербурге разрешение на выпуск легальной ежедневной газеты «Правда», которая должна была подменить собой еженедельную «Звезду». 22-го вышел первый номер — и неплохо расходился, по несколько десятков тысяч экземпляров; у «Звезды» было 50—60 тысяч.

И если разного рода заграничные инстанции — прежде всего немецкие с-д, Каутский и К° — склонялись к тому, чтобы на основании формальных признаков игнорировать претензии Ленина на бренд партии и право формировать ЦК, то соотношение сил в самой России выглядело скорее в его пользу. Какими бы подозрительными ни казались способы отбирать делегатов для Пражской конференции, «съезд» это был или «своз», но кого-то же им все-таки удалось убедить поставить свои подписи под резолюциями, а значит, комитеты за него. Стратегия самого Ленина образца весны 1912 года воспроизводила ту, что хорошо зарекомендовала себя за десять лет до того: «просунув своих людей в наибольшее число комитетов, сохранять себя и своих паче зеницы ока». Не ввязываться в склоки и диспуты, быть «потише и поосторожнее, мудры — аки змеи — и кротки — аки голуби»; ждать — удастся ли «силам реакции» «повернуть историю вспять», причем не за границей, где «одни болтуны», а в России: сумеют ли меньшевики объединиться с впередовцами и троцкистами против ленинцев там — или признают, что ленинцы, да, перешли границы дозволенного, но по крайней мере выглядят «смелей, наглей и изобретательней» всех прочих. Троцкий мог сколько угодно дергать за язык свой колокол, созывая Венскую «общепартийную» конференцию, — но, разумеется, Ленин и в мыслях не имел принимать в ней участие: кто вообще все эти люди? Что это за «общепартийная» без большевиков?

Хуже было другое — большинство «голубей», вернувшихся из Праги в Россию, оказались перехваченными; это не было катастрофой (резолюции подписаны, решения зафиксированы), но означало, что при всей конспиративности деятельность большевиков абсолютно прозрачна для полиции; провокаторы настолько близки к РСДРП, что проще всего было предположить, что против партии играет сам ее руководитель, по азефовской модели.

Чтобы ни у кого не возникало соблазна тиражировать светлые идеи такого рода, в апреле 1912-го Ленин «официально» обратился к Бурцеву — человеку, который, пользуясь своими обширными связями, выполнял в эмигрантской среде функции «красного Шерлока». В помощь Бурцеву были выделены двое твердокаменных ватсонов, чья деятельность не вызывала подозрений; полномочия сыщика подтверждались документом о том, что ЦК «составил Комиссию по расследованию провокации в рядах РСДРП». Запуск антивируса не смог очистить систему от «червей»: ни Житомирского, ни Малиновского Бурцев тогда вычислить не смог; по сути, от всей этой контрразведывательной операции остается лишь тот факт, что весной 1912-го Бурцев был одним из тех, кто, не состоя в РСДРП и не служа в полиции, знал о партии много такого, что не предполагалось демонстрировать посторонним.

Тем правдоподобнее выглядят его «филипдиковские» — идущие вразрез с «официальной» версией — соображения о причинах внезапного отъезда Ленина из Франции.

Да, весной 1912-го Ленин заерзал, предполагается — как всякий человек, осознавший, что грядут перемены. Возможности Парижа, где любое его слово моментально окарикатуривается, а любое движение вызывает физическую агрессию и в любом случае становится тотчас же известно в Петербурге, исчерпаны; под лежачий камень вода не течет. И именно поэтому — отменив поиск дачного дома в Фонтене, устроив прощальное суаре с пением для своих большевиков в кафе на территории парка Монсури, заплатив швейцару за хлопоты по ремонту поврежденной при выносе ящиков с архивом лестницы, запаковав велосипеды и вздохнув последний раз по украденному у Национальной библиотеки росинанту — Ленин с женой, тещей и нажитым в Париже добром грузится на извозчика, который отвозит их к Гар дю Нор, к поезду в сторону Кракова.

Альтернативная версия — представленная общественности после июля 1917-го, то есть тем Бурцевым, который уже помешался на идее о том, что большевики и немцы суть абсолютные синонимы: как «осел» и «ишак», — состоит в том, что отъезд Ленина из Франции был следствием визитов, которые в начале 1912-го нанесли в Париж представители польских партий, ранее заключившие с австрийским правительством договор о взаимодействии против России в будущей войне; приглашение якобы было сделано всем оппозиционным партиям, но приняли его только большевики. Именно эти поляки — злокозненные, как инопланетяне, и просочившиеся под всеми радарами, кроме бурцевских, — и предложили Ленину пастись в пограничном тогда Кракове, у самых ворот в Россию и в зоне слепого пятна российской полиции, чтобы в первый же день открытой войны Ленин активировал свою большевистскую сеть агентов.

Польша
1912–1914

Немецкий философ Дицген, чьи труды Ленин конспектировал с упоением, называл основным вопросом социал-демократической философии следующий: является ли наш познавательный аппарат ничем не ограниченным — или же наука дает нам только жалкие суррогаты, за которыми царит «непостижимое»? Является ли сущностью мира тайна (и тогда каждая научная попытка лишь приближает нас к неизвестному) — или все существующее безусловно познаваемо? Разумеется, правильный ответ — познаваемо; и если уж на то пошло, подлинная цель социал-демократии — претворить мышление в бытие.

Многие вопросы и фрагменты ленинской биографии, кажущиеся заведомо необъяснимыми, иррациональными, абсурдными, непроницаемо сложными, на деле имеют естественные, научно доказуемые, а иногда и простые ответы и объяснения.

Почему Ленин все время щурился — своим загадочным и ассиметричным «ленинским» прищуром? Да потому, что с детства был близорук на один глаз — минус четыре — четыре с половиной, но очков не носил. Почему, в честь какой такой загадочной женщины, в подражание какому политику выбрал главный свой псевдоним? Да потому, что в 1900 году у него на руках оказался заграничный паспорт отца одного его знакомого как раз на эту, вовсе даже и не выдуманную фамилию. Почему кому-то пришла в голову дикая мысль сделать из только что умершего Ленина мумию и поместить ее в подвальное помещение? Да потому, что с осени 1922-го, когда археолог Говард Картер сенсационно открыл гробницу Тутанхамона, в мире бушевала эпидемия «египтомании» — распространившаяся на моду, дизайн мебели и украшений, киноиндустрию, архитектуру и т. д., так что, столкнувшись с задачей запечатлеть образ Ленина на тысячелетия, похоронная комиссия вспомнила про этот способ консервирования, который тиражировался поп-культурой того времени.

Ни разу не чихает познавательный аппарат и при попытке получить от него ответ на вопрос, почему Ленин сорвался летом 1912-го из насиженного Парижа — с решительностью, наводящей на мысли о бегстве куда глаза глядят, — и, нежданно-негаданно, очутился на другом конце Европы, в Кракове.

Не потому ли, что Пилсудский предложил ему секретный — детали мы никогда не узнаем — альянс, заставивший его радикально изменить свою жизненную траекторию, а Пилсудского, в 1919-м, — объявить войну Советской России, чтобы замести следы тех закулисных соглашений? А может быть, потому, что Крупская в раннем детстве несколько лет прожила в Польше?

Нет, не поэтому.

Просто потому, что Ленин счел тактически правильным вложить все силы в изготовление легальной большевистской газеты, которая должна была помочь партии показать хорошие результаты на выборах в IV Думу, дать пусть опосредованный, но доступ к парламентской трибуне и исправить тот репутационный ущерб, который он, Ленин, понес, грубо отколов свою фракцию от партии. И удобнее заниматься этим было из Кракова.

Сам Ленин в таких случаях — когда его изводили слишком долгими объяснениями — рассказывал анекдот о Наполеоне, которому офицер докладывает, почему его батарея не стреляет: «На то есть тридцать причин: во-первых, кончились снаряды, во-вторых...» — «Спасибо, — перебивает его Наполеон. — Достаточно».

Краков был то, что астрономы называют «зона Златовласки»: не слишком горячо, не слишком холодно — ровно то, что нужно, чтобы зародилась органическая жизнь; глушь, угол Австро-Венгрии с плохо укомплектованными современной литературой библиотеками, но с приличной транспортной инфраструктурой, кофейнями и напряженной политической жизнью; не Германия и не Швейцария — но центр Европы, и из окна квартиры видна российская граница. Сюда не так охотно, как в Париж, Лондон или Женеву, выбирались русские с новостями — зато вероятность появления в гостиной свирепо выглядящих типов, экипированных ледорубами или коробочками с полонием, была минимальна.

Именно поэтому координаты Кракова были вычислены задолго до Пражской конференции — еще в 1910-м большевики планировали устроить здесь нечто вроде запасного аэродрома: снять дачу и поселить «Русскую комиссию».

Исход Ленина из Западной Европы соответствовал и общему настроению революционной среды; так форварды, чующие перемены в характере игры и предвидящие голевую ситуацию заранее, отправляются пастись около вратарской зоны, в полуофсайде — чтобы оказаться в нужное время в нужном месте. В любой момент могла начаться большая, всеевропейская война, и линия, где пройдет разлом, была в целом понятна. Именно поэтому Троцкий в это время жил в Вене — и ездил на Балканы писать корреспонденции о пока еще локальной войне; именно поэтому Галиция была резиденцией национал-социалиста Пилсудского, который, мечтая о единой независимой Польше, сознательно пытался столкнуть между собой Россию и Австрию.

В политическом смысле это был период «полулегального большевизма»: партия — сеть скрывающихся от полиции ячеек, но на поверхности существуют разного рода страховые общества, подписчики легальных газет и журналов, редакция «Правды» и, главное, фракция депутатов-большевиков, избранных по рабочей курии. Ленин — член ЦК и неформальный лидер, теоретически — как отец-основатель — имеющий моральное право управлять депутатами и редакцией. Теоретически — потому что на практике все было не так гладко.

Трудно не обратить внимание на то, что хотя Ленин пишет как бешеный (120 работ только за первое полугодие 1912 года, а всего на два года составителям собрания сочинений потребовалось целых четыре тома — с 22-го по 25-й), «хитов» практически нет; важные, программные вещи почти исчезают из его репертуара — разве что «Три источника, три составные части марксизма» и «Критические заметки по национальному вопросу». Если судить по опубликованным работам, то основным содержанием ленинской деятельности остается толчение в ступе «антиликвидаторской» воды, руководство деятельностью депутатов-большевиков, продолжение попыток вернуть партийные деньги, отданные «Держателям», и журналистская поденщина. «Сухой» — без крупных вещей и громких литературных успехов — период между «Материализмом и эмпириокритицизмом» и «Империализмом как высшей стадией» продолжается; Ленин «разменивается» на политические комментарии текущих событий, наставления, как прогибать комитеты, фальсифицировать их присяги, манипулировать мнимыми и подлинными врагами, и выволочки — в духе хозяев чеховского Ваньки Жукова: то отчесал шпандырем, то принялся тыкать селедочной мордой в харю — несмышленых рабочих, купившихся на посулы «ликвидаторов» и приступивших к чистке селедки с «отзовистского» края.

Ленин прожил в Польше больше двух лет — и угнездился там плотно, явно не собираясь трогаться с места: только в его поронинском доме жандармы забрали более десяти центнеров бумаг; причем перед отъездом Ленин с коллегой-большевиком Багоцким отобрал все самые ценные документы и запаял их в металлические коробки, которые передал знакомым полякам, чтобы те спрятали их в горах.

Относительно компактный, тысяч на 130 жителей, Краков не был — в ленинские времена — промышленным городом и своей историей напоминал поселения из настольных «экономических игр», где грамотное управление счастливо подвернувшимися ресурсами гарантированно ведет к процветанию: была соль — возникло богатство — выросло население — возникло политическое влияние; всё как по нотам. По Вавельскому замку видно, что цены на соль были высокими на протяжении нескольких столетий; за это время город превратился в гнездовье мелкой буржуазии, чья духовная жизнь питается националистическими предрассудками. Вызревавшие подспудно антагонизмы (славянское vs. еврейское, польское vs. русское) придется снимать в XX веке, при распаде Австро-Венгерской и Российской империй, самым жестоким образом.

Колония русских революционеров была настолько немногочисленной, что не делала никакой погоды в городской жизни и вынуждена была подлаживаться к принятому здесь ритму; единственный раскол, который удалось инициировать Ленину, был между «прогулистами» и «синемистами»: шуточный, конечно, — какие уж синемисты, если первый кинозал открылся здесь только в 1912-м, аккурат к приезду Ульяновых. Зато для любителей размять ноги Краков и окрестности представляли сущий рай: здесь были и каток, где Ленин упражнялся зимой по два или три раза в неделю, и все условия для того, чтобы летом не слезать с велосипеда. Он и не слезал. Багоцкий рассказывает, как Ленин прикатил к нему за 40 километров; А. Н. Никифорова — как Ленин спас ее на спуске, когда у ее велосипеда отказали тормоза: из всей группы «циклистов» догнать попавшую в беду женщину удалось только ему — и он хладнокровно руководил управляемой аварийной посадкой («Лавируйте! Прямо! Прямо!.. В траву, в траву падайте!»); Зиновьев — как Ленин подбил его сгонять «из галицейской деревушки верст за сто в Венгрию за тем, чтобы оттуда в качестве трофея привезти... одну бутылку венгерского вина». Искать следы знаменитой ленинской машины — к тому времени, как отмечают, уже «довольно потрепанной», — нужно именно здесь, в Кракове; после лета 1914-го своего велосипеда у Ленина никогда больше не было.

Краков и сейчас замечательно осваивать на двух колесах: непреодолимых возвышенностей нет, по набережным Вислы можно укатить за много километров, да и в самом центре есть сохранившийся со Средних веков гигантский, едва ли не самый большой в мире городской луг: именно луг, с травой, а не лес, не сквер и не площадь; можно хоть музыкальные фестивали проводить, хоть коров пасти, хоть состязания в стрельбе по деревянному петуху устраивать. Петух здесь называется «кур», а луг — Блони.

* * *

В регистрационной карточке 1912 года Ленин называет себя литератором, корреспондентом газеты «Правда» — и эта скромная характеристика в полной мере соответствует действительности: именно «Правда» была его основным местом работы.

«Правда» кажется таким же естественным атрибутом Ленина, как веер гейши или карты цыганки, а словосочетание «Ленин с "Правдой"» воспринимается как несогласованное определение — на манер «девочки с голубыми волосами» или «судака по-польски». На деле, однако, объект и его естественный, «свойственный по природе» атрибут связывает непростая история отношений.

Начать с того, что этот парик из голубых волос поначалу очень плохо сидел на черепе Ленина, да еще и, по сути, был ворованным. Газету «Правда» издавал с 1908 года в Вене Троцкий; газета была социал-демократической, и ее экземпляры, добиравшиеся до России, вызывали умеренный интерес пролетарской аудитории. Однако к Ленину газета не имела ни малейшего отношения, и, разумеется, Троцкий был вне себя от ярости, обнаружив, что название украдено у него — с особым цинизмом. Интересно, что на бурное негодование Троцкого ВИ написал в свою «Правду» исполненное глубочайшего высокомерия письмо с точными указаниями, как реагировать на угрозы, доносящиеся из Вены: напечатайте в отделе писем, что на склочные замечания не отвечаем.

У этого названия была и другая курьезная сторона, связанная с официальной регистрацией: депутат-большевик Полетаев, затевавший в комплоте с Лениным издание массовой рабочей газеты и подыскивавший для нее простое хорошее название, обнаружил, что слово «правда» на территории Российской империи числится в медиасреде за чиновником Священного синода, который издавал некий религиозно-моралистический вестник; к счастью, нравственная позиция не помешала этому достойному человеку продать название Полетаеву.

Идея проекта была не столько в том, чтобы, воспользовавшись легальными возможностями, обставить Троцкого и Синод, повторить финт «Искры» — предоставить целевой аудитории, пролетариату, платформу для объединения сил: начитавшись газеты, они сами решат, вступать им в нелегальную партию или, апеллируя к прочитанному, просто выражать свое недовольство начальству в более организованной форме. Если «Искра» была газетой для профессиональных партийных агитаторов, то «Правда» — для всех и разговаривала с рабочими напрямую и легально; газета была верхней частью партийного айсберга, о который должен был разбиться «Титаник» самодержавия.

Проблема в том, что айсберг этот оказался плохо управляемым и норовил ткнуться в шлюпку, где находился сам Ленин, его направлявший.

Один из старейший университетских городов Европы, бывшая резиденция и усыпальница польских королей, колыбель Коперника, Костюшко и Иоанна Павла II, Краков может похвастаться и довольно значительными вкраплениями «восточной» социалистической архитектуры; хотя, разумеется, это не то прошлое, которое сейчас активно переупаковывается и продается. Туристам, можно сказать, запрещен выезд из Кракова без посещения Суконных рядов на Рыночной площади и увеселительной поездки по еврейскому кварталу (Спилберг снимал здесь «Список Шиндлера», и теперь это «иконический» район, «перезагруженный», музеефицированный и джентрифицированный, где между синагогами снуют электромобили-поезда). Третьим номером обязательной программы неизменно называются низвержения в имеющие юнесковский статус мирового наследия соляные шахты в пригороде Величке: бесконечный многоэтажный лабиринт, прорытый за несколько веков охотниками за солью. Документальные подтверждения о визитах сюда Ленина отсутствуют, но нет никаких сомнений, что он бывал здесь. Гиды по шахтам, впрочем, с большей охотой направляют свои фонарики на артефакты, свидетельствующие о визитах Иоанна Павла II, фигура которого встречается в Польше так же часто, как Ленина — в СССР.

Рассчитывать на то, что какой-либо туристический транспорт довезет вас к ленинским домам, особенно к первому, где Ульяновы поселились сразу после Парижа, не приходится. Случайно в район Звежинец не попадешь — далеко и на отшибе, и даже навигатор выстраивает маршрут на улицу Королевы Ядвиги, 41, неохотно и с характерной для местных жителей уклончивостью. Но если раньше апокрифические сведения о Ленине выглядели образцами высокого магического реализма («На улице Звежинец в доме Езеровского жил Ленин. К нему ходил фонарщик Купец, который зажигал фонари на улице Звежинец. С ним ездили извозчики Голихофер и Скробигарнек, оба с улицы Звежинец. У одного из них пал конь, не помню у которого, но знаю, что Ленин купил ему другого коня»), то нынешние деградировали даже стилистически и носят характер грубой антикоммунистической пропаганды: «Ленин тут никого не интересует. Говорят, в Закопане был стол, а на нем надпись: "Здесь Ленин пил молоко, а денег не заплатил"».

В двухэтажном домике есть нечто пряничное, хотя хозяин был мясником. Не так уж давно тут, разумеется, обретался музей Ленина, а теперь — районный исторический. В каких комнатах обитал Ленин, экскурсовод не знает, но что Ленин тут жил, слышал, да; более того, на втором этаже даже висит картина маслом какого-то польского художника 1970 года — «Ленин в Кракове», а напротив — таблички с цитатами нескольких селебрити о Блонях; среди прочего, Надежды Крупской — о том, как они любили прогуливаться там с подругой семьи, Инессой Арманд. В целом коровам, которых выпасали на этом лугу, в музее уделено гораздо больше внимания, чем Ленину; однако про Арманд все же сообщается, что она так полюбила эти места, что даже взяла себе по этим самым Блоням псевдоним: Блонина.

Опять Инесса Федоровна.

Роман между ней и ВИ хорошо вписывается в «меньшевистские» представления о Ленине: фанатик, который должен же был когда-нибудь сорваться — и, конечно, сорвался самым пошлым из возможных образом.

Вот что нам достоверно известно на этот счет. Есть несколько писем ИФ — что характерно, из ее архива, то есть скорее всего не отправленных адресату, — где она очень недвусмысленно упоминает о неких поцелуях с ВИ; есть письма ВИ — довольно много, десятки, где он обращается к ней на «ты» («запроси и добейся толку, пожалуйста») и обсуждает с ней, часто на ломаном английском, свои в высшей степени интимные — очень нетипично для Ленина — переживания («Never, never have I written that I esteem only three women. Never!! I've written that fullest friendship, absolute esteem and confiance of mine are confined to only 2—3 women. That is quite another, quite, quite another thing»*).

Есть дневниковые записи ИФ, из которых можно понять, что она долго, годами любила ВИ и, возможно, не была отвергнута, но любовь эта постоянно, и особенно после 1916 года, сталкивалась с некими непреодолимыми препятствиями. Наконец, есть слухи, зафиксированные как свидетельства третьих лиц, ссылающихся на собственные впечатления (из серии «Ленин буквально пожирал ее глазами»), и столь же компетентные источники неопределенно-личного характера («Мне рассказывали...»); царицей доказательств здесь, как водится, является признание «мне кажется». Именно с опорой на последнюю конструкцию сообщается, что своего апогея их предположительный роман достиг как раз в Кракове, затем продолжился во Франции, куда ВИ приехал с большевиком Малиновским, и затем в Швейцарии. Подтвержденные траектории ИФ и ВИ действительно совпадают поразительно часто: Париж (и Лонжюмо), Краков, две недели в Париже (и, возможно, еще одна в Бельгии), Берн, Зеренберг, затем «пломбированный вагон» и Советская Россия, до самой смерти ИФ. Ясно, что после 1911-го Инесса Федоровна — привлекающая ВИ, возможно, не только знанием иностранных языков и исполнительскими талантами по классу «фортепиано» — стано-

---

* «Никогда, никогда я не писал, что я ценю только трех женщин. Никогда!! Я писал, что самая моя безграничная дружба, абсолютное уважение посвящены только 2—3 женщинам. Это совсем другая, совсем-совсем другая вещь» (*англ.*).

вится его конфидентом и, судя по доступной переписке, «романтическим» другом: в том смысле, что она пользовалась абсолютным уважением и доверием: «fullest friendship, absolute esteem and confiance of mine».

Тем не менее, если уж обращаться к услугам вышеупомянутой «царицы доказательств», то следует заметить, что в целом, «по натуре», ВИ был не похож ни на одержимого внебрачным сексом свингера, ни на сумасшедшего, ни на хладнокровного экспериментатора в области семейных отношений, который мог жить с двумя женщинами одновременно, то есть, по сути, втроем. Возможно, тут уместно вспомнить свидетельство офтальмолога Авербаха — который, между прочим, как раз и раскрыл тайну ленинского прищура — что в «вопросах чисто личного характера» «этот человек огромного, живого ума... обнаруживал какую-то чисто детскую наивность, страшную застенчивость и своеобразную неориентированность».

Пожалуй, самое озадачивающее во всех этих отношениях — постоянное и как будто доброжелательное, не враждебное присутствие НК. Сохраняя как минимум хорошие отношения с ИФ (а затем, после ее смерти, и с ее детьми), оставаясь все это время рядом с ВИ — чьих знакомых она имела право отваживать и правом этим регулярно пользовалась (могла подозрительного человека, даже с рекомендацией, на порог не пустить), — НК как бы удостоверяет, что все происходит в пределах правил.

Возможно, все дело как раз в правилах.

Пытаясь трактовать странные поступки живших когда-то людей, надо осознавать, что в голове у них могла быть предустановлена совсем другая, отличная от «нашей» этическая «платформа».

Обычно этика отношений между полами и, особенно, внутри семьи формируется двумя культурами — «официальной», консервативной, и «поп-культурой», более либеральной. Ни та, ни другая в случае с Лениным, Крупской и Арманд не совпадают с «нашими», нынешними. Если официальная культура была связана с церковью, то извод «поп-культуры», который сформировал Ленина, Крупскую, Арманд, — это литература, и прежде всего Чернышевский, чей роман «Что делать?» был для этого поколения если не учебником жизни, то коллекцией прецедентных случаев.

Чернышевский представлялся своим вдумчивым читателям не просто беллетристом, а практическим философом, который революционным, казалось им, образом перенес фейербаховский культ материализма в сферу этики. Он рассказал и показал, как до́лжно и как можно вести себя не только в революционном, заведомо «благородном» моральном пространстве, но и в «мещанском», семейном — с учетом политического момента: освобождение, например, пролетариата происходило параллельно с освобождением женщины от моделей поведения, навязанных ей буржуазным обществом.

Практический вывод из теоретической преамбулы заключался в том, что в семейных и, шире, «чувственных» отношениях следует руководствоваться не общепринятыми церковными и светскими табу, но «разумным эгоизмом» — то есть потворствовать своим «естественным» инстинктам, которые сигнализируют вам, что, ограничивая свободу действий других в этой сфере, вы сами доставляете себе же прежде всего дискомфорт.

Супружеская измена вашего партнера в рамках этой этической парадигмы не является катастрофическим для брака событием.

Это вовсе не обязательно подразумевало пропуск в мир «свободной любви» — такие выписывают себе индивидуально, — но означало, что сложные, связанные с проблемой выбора события в семейной жизни, которые в традиционной, буржуазной семье должны заметаться под ковер, в среде «новых людей» могут обсуждаться; разумные эгоисты могут «договориться» про отношения — так, чтобы всем было одинаково комфортно и психологически, и физиологически.

Чернышевский записывает в дневнике свой разговор с невестой, где они обсуждают возможность измены: «"Неужели вы думаете, что я изменю вам?" — "Я этого не думаю, я этого не жду, но я обдумывал и этот случай"». И еще — тоже из бесед Чернышевского с невестой, хорошо известных Ленину и его окружению: «А каковы будут эти отношения — она третьего дня сказала: у нас будут отдельные половины, и вы ко мне не должны являться без позволения; это я и сам хотел бы так устроить, может быть, думаю об этом серьезнее, чем она: — она понимает, вероятно, только то, что не хочет, чтобы я надоедал ей, а я понимаю под этим то, что и вообще всякий муж должен быть чрезвычайно деликатен в своих супружеских отношениях к жене».

В переводе на русский вся эта моральная тарабарщина означает, что у каждого участника, допустим, любовного треугольника есть свои интересы, в том числе сексуальные, экономические, рабочие и т. п., — и все разумные люди способны их учитывать. Просто «любовь-и-верность-навсегда» в семейной, мещанской жизни «новых людей» — пустая фраза: у них другая мораль, а та, которая кажется нормой и для нашего, и для их времени, ими квалифицируется как «буржуазная» и подлежащая посильному преодолению.

Возвращаясь к «тайне» отношений в семье Ульяновых. Мы можем, при желании, строить любые гипотезы на темы секса — ВИ и НК (супружеского), ВИ и ИФ (дружеского/«романтического») и пытаться реконструировать состояние НК, предположительно знавшей о том, что ее муж, допустим, вступил в альтернативные отношения с товарищем и соседкой. Однако мы должны не исходить из «буржуазной», сегодняшней морали, а учитывать, что те, чьи мотивы мы реконструируем, «работали» на другой платформе, пользуясь другим «этическим софтом».

Как это ни странно звучит, мы должны смотреть на этих реальных, подлинных людей как на персонажей романа Чернышевского; они сами так себя ощущали.

Резюмируя эту тему — которую, к сожалению, было бы политически неправильно обойти вовсе. Да, для разума нет ничего такого, что было бы ему недоступно. Жизнь идет вперед — и чего только тайного не стало явным. Основания верить в то, что «мы знаем и мы будем знать!» — есть. И так же, как мы не знали, что однажды в каменноугольном дегте будет найден ализарин — но допускали такую возможность, — так мы обязаны допустить, что когда-то, может быть, будут найдены письма Арманд Ленину и переписка их обоих с Крупской и мы узнаем — конечно не всё, природа отношений так же неисчерпаема, как электрон, — но узнаем о них больше. Однако только тогда и если — когда будут найдены. А сейчас, за неимением научных данных, надо остановиться и сказать себе: «Ignoramus et ignorabimus» — «Не знаем и не будем знать».

Ленин, если уж на то пошло, много чаще, чем с ИФ, прогуливался вечерами на Блонях с Ганецким.

Якуб Ганецкий был политическим брокером в социалистической среде и сталкером Ленина в Польше; чуть что, тот бежал к нему. Именно Ганецкий, видимо, наводил мосты между Лениным и — главная «темная сторона» краковского периода — Юзефом Пилсудским.

Юзеф Пилсудский был социалист, но с национальным уклоном. В Польше с середины 1890-х годов функционировало несколько социалистических партийных групп, которые, не в силах выбрать, что они ненавидят больше — российское иго или капитализм, и какую именно территорию представляют («русскую» Польшу, «русскую» и «австрийскую» или же Польшу и Литву), находились в состоянии непрерывного раскола и конкурировали друг с другом. За несколько месяцев до приезда Ленина, к примеру, произошла очередная бифуркация — на «зажондовцев» и «розламовцев». Группа Пилсудского выделилась в отдельную партию после 1906 года, и это была та часть, которую РСДРП и не думала втягивать в свою орбиту — но все польские социалисты, от Пилсудского до Люксембург, были прекрасно знакомы с русскими — иногда товарищами, иногда — партнерами. От Пилсудского уже тогда било током; он сам участвовал в эксах, то есть в грабежах на большой дороге, был и теоретиком, и боевиком, командиром Союза вооруженной борьбы; он сотрудничал со всеми, кто готов был вредить России, в диапазоне от австрийцев до японцев, и уже поэтому теоретически мог предоставить Ленину — Ленину-разрушителю империи Романовых, Ленину, который с энтузиазмом вспоминал о том, что в 1905-м «польские школьники сожгли все русские книги, картины и царские портреты, избили и прогнали из школ русских учителей и русских товарищей с криками: "Пошли вон, в Россию!"» — надежное укрытие от царских шпионов. По-видимому, Поронин был выбран в качестве летней резиденции Ульяновых еще и потому, что в тех местах располагались летние квартиры боевиков Пилсудского и, таким образом, Ленин мог чувствовать себя защищенным и за городом.

Более того, этим двоим было что обсудить и помимо способов взрывать мосты и выбирать стрелковое оружие, — а именно семейные дела. Старший брат Пилсудского, Бронислав, был арестован в 1887-м по тому же делу, что Александр Ульянов, и тоже приговорен к повешению (замененному каторгой на Сахалине); младший Пилсудский тоже участвовал в заговоре.

На вопрос о том, встречались ли Ленин с Пилсудским лично, следует ответить «да», хотя это утверждение и голословно; они никогда не попадали вдвоем в один кадр; все документы о сотрудничестве — если оно в самом деле имело место — надо полагать, в 1920-е нарочно уничтожались обеими сторонами этого напрашивающегося, прагматичного партнерства. Известно, что они бывали в одних и тех же кафе, Ленина-туриста замечали в компаниях патриотических скаутов из окружения Пилсудского; Пилсудский, несомненно, был оповещен о том, что на «его» территории — в августе 1913-го в Закопане, например, проходили полевые учения его спецназовцев — поселилась редкая птица такого калибра, что к ней на поклон ездят депутаты российской Думы.

Ответственность за страшную Польскую войну 1920 года (официальных, «окончательных» цифр нет, но в качестве наиболее вероятных называются поражающие воображение 200 тысяч попавших в концлагеря красноармейцев, из которых 80 тысяч погибли) часто приписывают Ленину. Именно ему пришлось публично резюмировать осенью того года печальные результаты: да, попробовали «советизировать» Польшу по дороге в Германию и не получилось. Ленин ответствен за эту войну в том смысле, что в целом представления советского командования о боевых задачах опирались на ленинский анализ политического положения: щупали штыком не столько польскую буржуазию, сколько Версальский мир, который — Ленин нашел подтверждение своих мыслей у Кейнса — навязан Германии слишком грубо; и раз так, Советская Россия обязана была попробовать снести буфер, поставленный Антантой между Россией и готовой к восстанию Германией.

(Германия была лишь наиболее очевидной целью. Сталин в письме Ленину летом 1920-го говорил «об организации восстания в Италии и в таких еще не окрепших государствах, как Венгрия, Чехия», добавляя в скобках: «Румынию придется разбить».)

Разумеется, Ленин прекрасно понимал, что польский пролетариат едва ли станет сотрудничать с регулярной российской армией, даже если она называется Красной или Советской. Разумеется, решение пустить «встречный пал» — перенести войну после изгнания пилсудчиков из Киева на территорию Польши — было связано с необходимостью не только экспортировать мировую революцию, но и устанавливать собственные границы в условиях, когда вокруг коренной России, как пузыри, появляются новые национальные государства — и, судя по Финляндии и Прибалтике, крайне враждебные.

По сути, Польская война 1920 года была серией трагических цугцвангов обоих правительств; и даже если бы Ленин пытался избежать ее, вряд ли это было в его силах. Поляки, оказавшиеся в восходящей фазе исторического развития и поставившие целью восстановить Речь Посполитую до екатерининских разделов, не могли в 1919-м не обратить внимания на оставшиеся «ничьими» — не русскими и не немецкими — Украину, Белоруссию и Литву. Антанте — США, Франции и Англии — надо было натравливать Польшу на Советскую Россию, чтобы большевики не смогли поджечь Германию и остановились на линии коренной России. Большевикам нужно было сохранить буферное социалистическое государство Лит-Бел и никак нельзя было отдавать по сути российскую, стремительно советизировавшуюся и советизируемую Украину Польше. В 1920-м большевики искренне рассчитывали на то, что Германия, наконец, вспыхнет вся, целиком, — и с Польшей, хочешь не хочешь, приходилось иметь дело как с враждебным транзитным государством.

* * *

Домик в Звержинце стоял совсем уж на отшибе, и добраться от него пешком до вокзала, куда каждый день, иногда дважды, прибывали почта и газеты, было не проще, чем от Нептуна до Солнца. Поэтому вскоре у Ленина поменялся адрес — почти на два года. И если с самой улицы Любомирской можно было слышать звуки железной дороги, то из окон во двор открывался вид на поля и границу с Россией. Двух памятных досок, еще три десятилетия назад украшавших фасад, уже нет: ни свидетельства, что здесь жил Ленин, ни того, что в 1913-м под руководством Ленина и Сталина тут прошло заседание ЦК РСДРП; зато рядом с подъездом можно углядеть на стене следы от выкрученных болтов, а из ближайших дверей — унюхать резкий соевый запах: дешевый вьетнамский ресторан.

Как и в Женеве, Лондоне и Париже, в Кракове вокруг ВИ сформировался секретариат, выполнявший его мелкие рабочие поручения — и предоставлявший ему интеллектуальных спарринг-партнеров.

В двух соседних домах обитали Зиновьевы и Каменевы, в той же, каменевской, квартире снимала комнату Инесса Федоровна Арманд; еще ближе от ВИ и НК, чем на Мари-Роз. Сталин останавливался в квартире у Ульяновых — дважды по несколько дней, залетной птицей.

Здесь они решали, что делать с «Правдой».

С одинаковыми глубиной и остроумием проанализировавший отношения Ленина с ранней «Правдой» канадский исследователь Р. К. Элвуд показывает, что отношения эти были безоблачными только в мифе — но не в действительности. Удивительным образом, в пилотном номере «Правды» обнаруживается все, что угодно, — но нет ни хотя бы какого-нибудь, самого завалящего приветственно-напутственного слова от Ленина, ни даже обыкновенной статьи. Это красноречивое — и наполненное грозовым электричеством — молчание продолжалось аж до 13-го номера — до 8 мая, и его можно было бы объяснить тем, что Ленину не до «Правды», поскольку он занимается газетой «Звезда», серьезным социал-демократическим еженедельником. Но «Звезду» как раз в начале мая благополучно закрыли — и тем не менее уже с 9 мая, после одной-единственной статейки, вновь восстановился мораторий — то ли Ленина на «Правду», то ли «Правды» на сотрудничество с Лениным. И только с середины июля плотина взаимного непонимания была прорвана. Однако назвать 1912 год медовым месяцем в отношениях Ленина с «его» газетой никак невозможно: судя по переписке, между ключевым автором и редакцией с пугающей регулярностью сновали черные кошки.

Первый номер «Правды» вообще выглядит не так, как мы представляем эту газету по советским временам: не монолитной агиткой. Собственные корреспонденты докладывают не только о забастовках и кровавых расстрелах (редакции «повезло», что практически одновременно с запуском газеты царское правительство расстреляло на Ленских приисках рабочих; это всколыхнуло наслаждавшийся «столыпинской стабильностью» российский пролетариат — и обеспечило огромную лояльную аудиторию), но и про землетрясение в земле Вюртемберг. Обращает на себя внимание не только размах сети собкоров (Москва, Казань, Калуга, Красноярск, Рига, Пермь, Армавир, Кунгур, Ростов, Нижний Новгород, Оренбург, Рига, Верный, Чернигов, Тифлис, Чикаго, Франкфурт, Гамбург, Берлин, Лондон...), но и оперативность доставки материала. То есть вечером ощущалось землетрясение в Штутгарте, а простые рабочие на следующее утро читали об этом в своей первой ежедневной газете в Санкт-Петербурге. Выигранный Лениным за счет переезда из Парижа на восток день оказывался критически важным в скорости сношения с Россией: если новости продаются свежими, то даже Ленин обязан соблюдать установленные правила игры.

Издатель, депутат III Думы Полетаев, выбившийся в люди с самого низа (он начинал карьеру рабочим-токарем), был настоящей головной болью Ленина. Он осмеливался полагать, что партия должна остаться единой, и отличал «ликвидаторов от ликвидаторства» — и хотя сам Ленин считал такого рода идеи «софизмами» или даже признаком идиотии, был явно не дурак, не мерзавец, а очень дельный человек, пускай и себе на уме. Полетаев пожил в эмиграции, несколько раз сидел в тюрьме, в 1905-м поруководил Советом в Питере, и роль марионетки при кукловоде Ленине — с которым он переписывался еще в 1895-м, а в июле 1917-го рискнет предоставить старому знакомому укрытие у себя в квартире — его очевидно не удовлетворяла. Он пытался проводить независимую от заграничного ЦК редакционную политику — направленную, по сути, на нейтрализацию того раскола, который Ленин инициировал на Пражской конференции (куда Полетаев, явно нарочно, опоздал, чтобы дистанцироваться от схизматиков; Ленину потом пришлось отлавливать его в Лейпциге, чтобы снабдить ценными указаниями, как запускать новую газету). Именно поэтому Сталин, давший в первый номер программную статью «Наши цели», размахивал вовсе не гранатой с выдернутой чекой, а оливковой ветвью: «"Правда" будет призывать, прежде всего и главным образом, к единству классовой борьбы пролетариата; к единству во что бы то ни стало». К единству? После Праги?! Дальше, перечисляя принципы, которыми намерена «руководствоваться "Правда" в своей повседневной работе», Сталин пользуется терминами «уступчивость по отношению друг к другу», «мир» и «дружная работа внутри движения»; неудивительно, что Ленин поначалу просто игнорирует «свою» газету. «Кто-то мог бы обратить внимание, — ехидно замечает Элвуд, — на то, что Зиновьев, также переехавший в Краков, умудрился опубликовать в "Правде" 31 статью ровно за тот отрезок времени, когда Ленин — одну-единственную».

Но и дальше, когда Ленин, кажется, «притерся», редакторы продолжали резать его полемические выпады против тех, кого он привычно клеймил как «ликвидаторов»; дотошный Элвуд подсчитал, что «Правда» опубликовала за два года 284 статьи Ленина — и проигнорировала целых 47, под самыми свинскими предлогами, вроде «потеряли» или «поздно дошло»; часто редакция даже не удосуживалась сообщить Ленину об отказе; он просто получал номера и видел — текста нет; или же уведомляла, но с такой брезгливостью, что автор вынужден был возмущенно ворчать: «Мы получили глупое и нахальное письмо из редакции. Не отвечаем. Надо их выжить». Надо, да: Ленин зависел от «Правды» — то был основной источник его доходов — и политических, и житейских:

гонорарные деньги нужны были на дорогое лечение в Швейцарии НК, у которой нашли базедову болезнь.

Осенью 1912-го Ленин пишет Полетаеву «в качестве сотрудника "Правды" по политическим вопросам» (интересный статус) стандартное письмо, подтверждающее его решимость и впредь душить «ликвидаторов» и «отзовистов»: «посылаю паки и паки статьи об этом. Толцыте и отверзется» — и уточняет: «Применимо ли сие к вашей газете?»

«К вашей»? Не к «моей»??

Мобилизовав весь свой авторитет, Ленин еще в ноябре 1912-го принялся дергать к себе Сталина, который и так был беглым ссыльным и жил в Петербурге нелегально, а теперь вынужден был проводить бóльшую часть своего рабочего времени в вокзальных кассах и поездах (билет Петербург — Краков — 12 рублей), подвергаясь опасности быть опознанным на границе. Ульяновы, не подозревавшие, что полиция прекрасно знает о перемещениях их «чудесного грузина», ценили его лояльность и угощали специально купленным пивом и гастрономической «мурой» — блинами с семгой и икрой из России. Судя по наполненным меланхолией письмам, которые Сталин посылал тогда еще не доехавшему до Кракова другу Каменеву, компания Ленина, однако ж, не казалась ему достаточно интересной, чтобы удовлетвориться исключительно ею: «Здравствуй, друже! Целую тебя в нос, по-эскимосски. Черт меня дери. Скучаю без тебя чертовски. Скучаю — клянусь собакой! Не с кем мне, не с кем по душам поболтать, черт тебя задави. Неужели так-таки не переберешься в Краков?» «Клянясь собакой», Сталин, конечно, цитирует Сократа, имевшего обыкновение выражаться таким образом, — а возможно, намекает на своего квартирного хозяина, которого частенько сравнивали с этим греком (и, что характерно, часто уподобляли электрическому угрю, одурманивающему всякого, кто к нему прикасается).

Ленин не мог не видеть, что «Правда» делает всё, чтобы нейтрализовать достигнутое на Пражской конференции: редакция не желала воевать с меньшевистским конкурентом — «Лучом», вела политику всепрощения, приглашала в авторы «впередовцев» — и не просто «некоторых»; в том же декабре «они» принялись печатать статьи Богданова (уже похороненного, казалось Ленину, — однако эксгумированного и оказавшегося таким же энергичным, как до упокоения; особенно обидно, что ради текстов «синьора махиста» явно приходилось снимать с полосы его, ленинские). Шестеро депутатов-большевиков, избранных не в последнюю очередь благодаря тому, что фактическим главой избирательного штаба у них был Ленин, тайно мечтают об объединении с коллегами-меньшевиками и начинают переговоры о слиянии «Правды» и «Луча» в общую, нефракционную газету для рабочих. Депутаты-большевики входят в состав редколлегии «Луча», а меньшевики — в редколлегию «Правды»; прямо с указанием фамилий в разделе «Контрибьюторы». Узнать об этом было для Ленина все равно что увидеть клубок кобр в собственной постели — и, врубив все имеющиеся в его распоряжении сирены и проблесковые маячки, он инспирирует вал писем из местных комитетов с требованиями полного разрыва с «Лучом» и вынуждает представителей редакции приехать к нему в Краков на конспиративно названное Февральским, но на деле — декабрьское — совещание, где промывает им голубые волосы с таким тщанием, что уже 30 января депутаты-большевики забирают свои трости и зонты из комнаты приемов «Луча» и, красноречиво разводя руками, раскланиваются с «ликвидаторами».

Зная, что идеологическая линия эффективнее всего выправляется при помощи отдела кадров, Ленин пытается инфильтровать редакцию своими — «твердокаменными» — ставленниками: «Надо покончить с так называемой "автономией" этих горе-редакторов. Надо Вам, — указывает ВИ Свердлову (новому, проживающему в Петербурге нелегально и поэтому крайне уязвимому, главреду, на которого небезосновательно возлагались большие надежды), — взяться за дело прежде всего. Засесть в "бест" к № 1. Завести телефон. Взять редакцию в свои руки. Привлечь помощников». «Вы не можете, — стонет Ленин, — вообразить, до какой степени мы истомились работой с глуховраждебной редакцией». «Разогнать теперешнюю... Ведется дело сейчас из рук вон плохо... разве люди эти редакторы? Это не люди, а жалкие тряпки и губители дела».

В нагрузку Ленин навязывает «Правде» — в отдел культуры? — Демьяна Бедного и пишет ему подозрительно участливые письма с расспросами личного характера, в которых особенное внимание уделяется атмосфере, царящей в редакции, и в особенности отношению сотрудников к Богданову и меньшевикам: что да как, да почему, да пишите поподробнее. Ответы, однако, — отправитель не без остроумия называл их «Demianische Zeitung» — оказались обстоятельнее, чем предполагалось; они содержали шокирующие признания («Я похож на женщину, которая должна родить, не может не родить, а родить приходится чуть ли не под забором...») и были посвящены не столько политике, сколько искусству выстраивания личных доверительных отношений: «...Ильич! Говорят, Вы — "хороший мужик". Это оч-чень хорошо: мужик. И я вот — мужик. И чертовски хотелось бы Вас повидать. Наверное, Вы простой, сердечный, общительный. И я не покажусь Вам тяжелым, грубым. Правда, Вы не икона?» Получив исчерпывающий ответ касательно своих сомнений, Демьян все равно грустит из-за того, что «разные мы люди с Вами, я уже люблю Вас, как свою противоположность», но из-за природного несовпадения темпераментов «в ответ на Ваш фейерверк посылает такую холодную жижицу...». С функцией веб-камеры, транслирующей обстановку в редакции, поэт явно не справлялся: обалдев от такого знакомства — не каждый день с тобой в переписку вступает автор «Что делать?» — он заваливает его заметками и контрвопросами: «Голова что-то плохо варит. Напишите мне два теплых слова о себе. Пришлите мне свой "патрет". Если Вы тоже лысый, то снимитесь, как я в шапке. У меня, впрочем, спереди еще ничего, а сзади плешь. "Изыдет плешь на голову твою за беззакония твои!" Не знаете ли Вы хорошего средства? Господи, ну хоть что-нибудь выдумайте для меня хорошее! Хоть мазь для волос! А впрочем, "лыс конь — не увечье, плешивый молодец — не бесчестье". Глупые волосы, вот и всё...»

Эта дико выглядящая пара вызывала у наблюдавших за ее деятельностью почти физическую боль; Осинский жаловался Бухарину на то, что Ленин своими советами и, главное, склочностью подрывает авторитет партии: «Я не могу понять, как порядочные люди среди "правдистов" могут молчать, подчиняясь активным господам самого гнусного свойства. Можно ли в здравом уме и твердой памяти отринуть Богданова и принять в свои объятия гг. "Данского", "Демьяна Бедного" и т. п. Именовать первого "авантюристом", а вторых "уважаемыми товарищами" — ведь это же бесстыдно. А потом этот стиль, изо дня в день... ведь можно "спереть с последних остатков", читая эту отвратительную полемику. По-моему, ругаться нужно. Но не нужно брать себе в качестве идеала ругань пьяных проституток». Большевичка М. Бурко качала головой: «...полемика "Правды" и "Луча" развратила рабочих вовсе. Не стесняясь, ничуть не задумываясь, обзывают друг друга и лидеров самыми позорными именами. Как скверно, что наши газеты не церемонятся в приемах. Это прямо разврат. С легким сердцем подозревают друг друга прямо в нелепых вещах».

Демьян Бедный был не единственным сотрудником «Правды», чья литературная квалификация иногда вызывала вопросы.

Элвуд замечает, что в резолюциях «Отказать», которые время от времени выпадали на Ленина из почтового ящика, была и вина его самого. Стандартным содержанием ленинских заметок была мелкая грызня с «ликвидаторами» и отзовистами-«впередовцами»: ежедневное напоминание потенциальным конкурентам в борьбе за штурвал партии, что они всего лишь оппортунисты и прислужники буржуазии, никогда не бывает лишним, а навязанная полемика всегда позволяет продемонстрировать, кто в доме хозяин. Однако информационные поводы для хорошей склоки удавалось изобретать не всегда, и чувствуя себя обязанным выдать в печать хоть что-нибудь, Ленин выбирал страшно скучные темы. Он писал про открытие химиком Рамсеем способа добывания газа из каменноугольных пластов, о московских лавках дешевого мяса, о Лондонском «пятом международном съезде по борьбе против торговли девушками». «Трудно вообразить себе, — разводит руками Элвуд, — чтобы среднестатистический рабочий решил повысить свой интеллектуальный уровень или получить какие-то дополнительные стимулы для пролетарской борьбы, ознакомившись с результатами исследований о потреблении маргарина в Западной Европе или о тех изменениях, которые претерпевала Швейцария, превращаясь, по мере распространения индустриализации в Альпах, из нации владельцев гостиниц в нацию пролетариев. В какой-то момент Ленин даже попробовал свои силы на ниве желтой журналистики — вступив в дискуссию об изнасиловании 11-летней индийской девочки британским полковником, который затем был оправдан британским судом». Это действительно странный, напоминающий сценарную заявку на сериал в латиноамериканском духе текст, в котором не сразу, пожалуй, признаешь автора «Материализма и эмпириокритицизма»: «Полковник английской армии Мак-Кормик имел любовницу, а у нее прислугой была 11-летняя индианка по имени Анна. Блестящий представитель культурной нации заманил Анну к себе, изнасиловал ее и запер у себя дома. Случилось так, что отец Анны лежал при смерти и послал за дочерью. В деревне узнали тогда обо всей истории. Население было вне себя от возмущения. Полиция вынуждена была сделать постановление об аресте Мак-Кормика. Но судья Эндрью освободил его под залог, а затем после ряда бесстыднейших издевок над законом оправдал Мак-Кормика! Блестящий полковник утверждал, как делают в этих случаях все господа благородного происхождения, что Анна проститутка, и в доказательство выставил пятерых свидетелей. А восьмерых свидетелей, выставленных матерью Анны, судья Эндрью не пожелал и допрашивать!» Всё это явно не представляло самостоятельной политической, не говоря уж о литературной, ценности; злоупотребления восклицательными знаками также остаются на совести автора.

«Правда» была необъезженной лошадью, и для укрощения ее Ленину понадобились некоторые ковбойские навыки; чего он не знал, так это того, что подпругу его седла постоянно подрезали могущественные недоброжелатели. Дело было не только в упрямстве Полетаева и редакторов, которые не понимали, как можно объединить рабочих, расплевываясь с членами собственной партии, но и в том, что газета и партия были плотно нафаршированы провокаторами. Выпускающим в газете был агент Черномазов; были агенты и среди журналистов — например, Лобов, муж Лобовой, которая была секретарем русского бюро ЦК и помогала думским депутатам. У Ленина долго не получалось укомплектовать «Правду» своими стопроцентными сторонниками в силу того, что всех «твердокаменных» быстро арестовывали. Так удачно посаженный на хозяйство Свердлов, а за ним и Сталин уже через пару месяцев, в феврале 1913-го, окажутся на пути в Туруханск.

С фигурой главного виновника «правдинского» ужаса связаны последние два месяца довоенного польского сидения Ленина. Он вынужден был участвовать в болезненном судебном процессе, который устроила партия большевиков — он, Зиновьев и Ганецкий — над ни много ни мало лидером своей фракции в Думе. В начале мая 1914-го Р. В. Малиновский после полутора лет триумфов — один блестяще другого — по непонятным причинам объявил, что больше не хочет быть депутатом. А затем исчез, и газеты опубликовали сведения о том, что тот все годы своего депутатства работал агентом Министерства внутренних дел: провокатором.

Ленин, сам не претендовавший на роль народного трибуна и предпочитавший закулисную работу в среде профессиональных политиков, давно мечтал найти партии «лицо», фронтмена, сознательного пролетария, который транслировал бы его идеи массам, — гибрид Ивана Бабушкина и Георгия Гапона; кого-то вроде Бебеля при Марксе. В 1912-м ему показалось, что на эту роль идеально годится Малиновский: харизматичный пролетарский вождь-самородок, умный, по-хорошему наглый, способный растолкать толпу локтями, моментально завоевать всеобщую симпатию, взять дело в свои руки; да еще и блестящий — в своем классе — оратор, из тех, кого достаточно снабдить тезисами — а уж дальше он сам, экспромтом, додумается, как закончить выступление в Думе — например, на заседании по утверждению сметы Министерства торговли: «Ни гроша правительству, руки которого обагрены кровью ленских рабочих!» Явный «роман» Малиновского с Лениным — в начале 1914-го Ленин привез его во Францию и Бельгию уже из Кракова и «возился с ним, как с жеребенком» — привлекал к себе гораздо больше внимания, чем дружеские отношения ВИ с ИФ; Малиновский смотрел на Ленина «влюбленным взглядом», прислушивался к каждому его слову, никогда не перечил и успел выучиться нескольким тактическим трюкам — например, что всегда выгоднее делать вид, что ты левее кого-то, кто похож на тебя, но мешает тебе. Именно Малиновский был самым последовательным сторонником Ленина по линии раскола партии — ни в коем случае не объединяться с «ликвидаторами»; вот только, как потом выяснилось, линию на углубление раскола ему задавали в полиции; и, разумеется, поразительное совпадение задач Ленина и охранки — любой ценой помешать объединению социал-демократических сил — вызвало пристальный интерес следователей, разбиравших весной 1917-го дело «Малиновский против русской революции».

Даже по телеграммам, которые Ленин отправляет в мае 1914-го, видно, как у него дрожат губы; он на разных языках лепечет, как заведенный: «improbable», «unglaublich», «ошеломляюще». Вся пресса — от меньшевистской до черносотенной — с остервенением пинает большевиков, превращая всю заработанную партией за два года репутацию в мусор: зачем подписываться на «Правду», как можно верить тому, что там пишут, как можно давать деньги на эту газету вообще, если их забирает себе агент полиции — которая и нашептывает ему, что говорить с думской трибуны? Катастрофа. Вся стратегия Ленина в России строилась на двух китах — фракции большевиков в Думе и «Правде», причем первая как трибуна была важнее.

Мало кто сейчас осознает, что предательство Малиновского — крупнейшая историческая «развилка» между убийством Столыпина и февралем 1917-го: если бы Малиновский не купился на зарплату агента охранки, то Ленину, скорее всего, не понадобился бы в 1917-м чреватый серьезными осложнениями в будущем альянс с Троцким; трибуном и иконой большевистской революции стал бы не Лев Давидович, но Роман Вацлавович. О том, как сложилась бы конфигурация 1923 года, породившая фигуру Преемника, участвуй в ней Малиновский, можно только догадываться. То есть не Малиновский, конечно; как выяснилось на «суде» 1914 года, фамилия была когда-то украдена им вместе с паспортом, принадлежащим некогда убитому им в драке на пароходе пассажиру; мы даже не знаем, как его звали на самом деле.

Полиция меж тем решила помалкивать — и не подтвердила сотрудничество Малиновского, поскольку таким образом сама подпадала под обвинения в компрометации государственной институции — Думы. Неопровержимые доказательства будут найдены только после февраля 1917-го. Это молчание давало Ленину некоторые надежды — не на воскрешение политического трупа, но на то, что его удастся побыстрее похоронить, по возможности оставив на могиле нейтральную надпись, намекающую на личные, но никак не связанные с политикой обстоятельства кончины.

Справедливости ради надо отметить: судя по письмам Инессе Федоровне, Ленин искренне склонен был считать «уход» Малиновского политическим самоубийством, спровоцированным нервным срывом, алкогольным запоем, переутомлением, чем угодно — но не предательством, не сотрудничеством с охранкой.

Дело получило неожиданное продолжение: Малиновский вдруг объявился в Польше у Ленина — и принялся рассказывать про «нервный срыв», отрицая обвинения в сотрудничестве с полицией. Ленин ухватился за это, и в ходе товарищеского партийного суда прокурорам, похоже, больше всего хотелось доказать не виновность, а глупость подозреваемого. И если первые дни Ленин, общаясь с отечественной прессой, ограничивался стандартными заявлениями — «Вы делаете фейковые новости», — то теперь из Кракова на адреса редакций полетели сообщения, свидетельствующие о его желании перейти в контратаку — и обвинить в подлости и злопыхательстве «ликвидаторов»: они ведь затеяли всю эту клеветническую кампанию только для того, чтобы превратить личную трагедию, политическое самоубийство в повод для диффамации политических конкурентов. Самого Малиновского в итоге отпустили из Поронина с брезгливым рукопожатием — и миром; по иронии судьбы он моментально, в Варшаве, угодил на только что начавшуюся войну, оказался в плену, получил несколько теплых писем от Ленина, поощрявшего его антивоенную агитацию, — и затем, явившись в революционный Петроград, был расстрелян за нанесение ущерба большевистской партии.

История с Малиновским — тяжелейший нокаут и крупнейший провал за всю политическую карьеру Ленина. Даже арест 1895-го, даже июль 1917-го ему было пережить проще, потому что обвинения в том, что он «немецкий шпион», были ожидаемы, и Ленин знал, на что шел; здесь же он, как в дурном сне, оказался вдруг голым в толпе нарядно одетых людей. Так и не избавившись от Житомирского, не заметив у себя под носом в Лонжюмо сразу двоих шпионов, Ленин умудрился выдвинуть агента охранки в лидеры своей фракции в Думе — и обращался с ним так, будто воскрес пропавший в 1905-м без вести Бабушкин; а затем, когда слово «провокатор» было произнесено в газетах, защищал его — неделями, месяцами, годами: позор клеветникам, подумаешь, сорвался, дурак, да, но человек-то — нашенский. Нашенский? Бабушкин? Какой там Бабушкин; Иван Бабушкин был высокоморальным, не сказать святым человеком, а Малиновский — подонком; но на такие нюансы Ленин, знавший общую канву — происхождение: пролетарий из поляков, участие в событиях 1905 года, нелегальная работа, конфликт с Мартовым и Троцким, Пражская конференция, помощь в постановке «Правды», — умудрялся просто не обращать внимания. Малиновский имел орлиное оперение, умел высоко взмывать и менять траекторию — и Ленин замечал только это. Другие, однако, признавая его достоинства, чувствовали, что с орлом что-то не то; парижский большевик Алин рассказывает, как Малиновский купил в магазине офортов порнографические картинки — и просил не говорить Ленину: тот смеяться будет. Алина это по-настоящему покоробило — а вот Ленина, которого интересовали в людях только их деловая сметка, работоспособность и исполнительность, — всего лишь насмешило бы (уж наверное, не меньше, чем если бы он узнал, что все его письма и проекты думских речей Малиновский аккуратно пересылал в соответствующие органы, получая, кроме фиксированной зарплаты, премии за конкретные достижения). Возможно, именно из-за манеры строго разграничивать приватную и общественную сферы, в силу нежелания доверять интуиции, которая и помогает нам отличать «хороших» людей от «плохих» независимо от их политической окраски, — вокруг Ленина больше, чем вокруг Мартова, Дана, Троцкого или Богданова, и кишели провокаторы. Кончилось тем, что орел упорхнул — но сначала сбросил Ленину на лысину такую черепаху, что любого другого мгновенно убило бы на месте; и надо было иметь действительно крепкий — ленинский — череп, чтобы, пошатнувшись и потеряв равновесие, уже через минуту отряхнуться и направиться дальше как ни в чем не бывало.

Как и «Искра», как и «Пролетарий», как и «Социал-демократ», юридически «Правда» не являлась собственностью В. И. Ульянова. Ленин, кажется, не участвовал своими деньгами даже и в «Искре» — а уж в «Правде»-то и подавно. Подъемные выдавал ЦК — очень рассчитывавший на то, что массовая газета, за счет подписки, станет прибыльной; ЦК же привлекал, допустим, Горького и выколачивал с его помощью деньги из потенциальных спонсоров.

Однако как член ЦК, неформальный лидер партии и вдохновитель газеты, Ленин претендовал на роль серого кардинала и стремился контролировать ключевых участников проекта, в том числе инвесторов. Так, весной 1912-го на издание «Правды» пожертвовал три тысячи рублей — очень много; возможно, это решающий для основания газеты взнос — Виктор Тихомирнов, сын известного казанского купца. (Год спустя он окажется даже не постояльцем — жильцом второго этажа ленинской дачи в Бялом Дунайце. Поджав губы, НК припоминает, как «редакция "Правды" послала его в Поронин отдохнуть, привести в порядок разгулявшиеся в ссылке нервы, да кстати помочь Ильичу в деле составления сводок по проводившимся кампаниям на рабочую печать»; между этими событиями определенно есть какая-то связь.) Тихомирнов, вступивший в партию в шестнадцать лет, был приятелем Молотова, и через такого подручного Ленину было удобнее сноситься с 22-летним ответсеком газеты, на которого сияющий над Лениным в Польше нимб пантократора не производил должного впечатления: он полагал себя вправе игнорировать указания человека, заведомо далекого от российских реалий. Молотов знал, что Ленин зависел от газеты в финансовом отношении, формально он не был даже редактором — всего лишь корреспондентом. В 1912–1913 годах, среди прочих мер воздействия на неудобного автора, газета практиковала и «финансовые репрессии» — задерживая и так скромные гонорары. Обычным авторам платили по 2 копейки за строчку, Ленин и Зиновьев наслаждались статусом «золотых перьев» и фиксированной зарплатой по 100 рублей в месяц, обязуясь выдавать за это примерно по пять заметок в неделю; ад для любого другого литератора, но рабочий, нормальный, позволяющий находиться в политическом тонусе режим для Ленина. Кроме того, статус редакционного сотрудника позволял

Ленину обеспечивать себе ежедневную дозу книг; и если поставки почему-либо прерывались, эфир наполнялся сигналами SOS: «Новых книг совсем не получаю. Необходимо принять меры: а) чтобы доставать из издательств под условием аванса, б) чтобы через депутатов доставать думские и официальные издания. Абсолютно невозможно работать без книг...»

В теории «Правда» должна была окупать сама себя: Ленин следил за количеством подписчиков с настоящим азартом — и выкапывал из горшка эту персиковую косточку: проросло или нет? — едва ли не каждый день. Благодаря «Ленским событиям» «Правда» начала за здравие, но очень быстро скатилась в режим «за упокой»: стрелка, показывающая размер тиража, совершила движение в половину амплитуды влево и замерла между показателями 20 и 25 тысяч проданных экземпляров. Это было лучше, чем у главного конкурента, меньшевистского «Луча», с его 12 тысячами, однако означало, что газета стабильно приносила не прибыль, а убыток — 50—60 рублей в день; и судя по тому, что в январе 1913-го Ленин принимается строчить елейные письма Горькому, описывая значение «Правды» для революции, глубина финансовой пропасти достигала впечатляющих размеров.

В декабре 1912-го до Ленина доходят слухи, что с «Правдой» творится что-то не то: в редакции обнаружены хищения и злоупотребления, есть подозрения на «уголовщину». Ленин тут же разбивает стекло над тревожной кнопкой и связывается с депутатами-большевиками: «Что сделано насчет контроля за деньгами? Кто получил суммы за подписку? В чьих они руках? Сколько их?» Гораздо хуже, однако, чем нелюбезность ответсеков и мелкое воровство, была самодеятельность политического характера. С одной стороны, это было неплохо: хочешь не хочешь, редакции приходилось прислушиваться к советам Ленина; с другой — кризис подразумевал секвестр бюджета, и под угрозой оказывались и так тощие гонорары.

По мнению Ленина, дело было не только в плохой организации работы редакции (хотя, да, почему бы не сократить расходы — на кого-то ненужного? почему бы не утроить усилия, чтобы собирать взносы с рабочих, в конце концов, это их газета, ну так пусть раскошеливаются), но и в идеологическом просчете: беззубая, заведомо примиренческая газета не сможет привлечь публику; людям нравится смотреть на драку.

К апрелю 1913-го дела действительно несколько пошли в гору; в будни печатали тысяч тридцать, в праздники — плюс еще тысяч десять. Однако над «Правдой», где, по ощущениям Ленина, была «начата реформа», будто тяготел злой рок; дело не только в мелком воровстве и не только в том, что ее постоянно запрещали и приходилось менять вывеску: «За Правду», «Правда Пролетариата», «Правда Рабочих», «Рабочая Правда», «Правда Севера» и т. п.; хуже то, что уже летом 13-го Ленин опять будет вынужден ставить в постскриптумах: «Обещанный и давно заработанный гонорар из "Правды" не получен! Это становится похоже на насмешку!!»

Фарсовые обертона исчезают из этой трагедии только в начале 1914-го, когда Краков командирует в Петербург Каменева — и вот тогда «Правда» сделается по-настоящему ленинской; это цветение — сопровождавшееся взмывшим вверх тиражом (один номер был отпечатан в неслыханном количестве: 180 тысяч экземпляров) — продлилось вплоть до войны. Оркестр, получив хорошего дирижера, заиграл; «Правда» была народной, боевой, компетентной, остроумной.

Летом в городе становилось тягостно, и в первый раз Ульяновы почувствовали, что могут позволить себе переехать на дачу, в мае 1913-го. Дом сняли с 1 мая по 1 октября — но почти два месяца из тех пяти провели в Швейцарии, где пришлось задержаться из-за операции НК. Тем не менее уже в 1916-м Ленин успел распробовать Польшу в ее «горном» изводе.

В ста километрах на юг от Кракова начинаются Польские Татры. Ворота в горы — Закопане: процветающий городок, застроенный красивыми, вычурными — в «закопанском стиле» — виллами аристократии, буржуазии и интеллигенции; именно здесь Генрих Сенкевич написал своих «Крестоносцев». Тексты Ленина до определенного момента не входили в число бестселлеров, и поэтому ему здесь было дороговато. Ульяновы сняли дом по Краковской дороге, в местечке Поронин-Бялый Дунаец; 20 минут езды на велосипеде или пять — на поезде.

В качестве аналога Швейцарии Закопане было «открыто» туристами в 1860-х — и уже к 1901-му горные тропы были оборудованы указателями, а местные жители — гурали, горцы — работали проводниками и имели достаточно средств, чтобы проводить свободное время в кафе и флиртовать с потенциальными клиентками — как сейчас горнолыжные инструкторы.

Несколько мемуаристов описывают прогулки по горам в компании Ленина. Обычно он совершал «аусфлюг» на велосипеде до Кузнице — это и сейчас нечто вроде чистилища между Закопане и собственно горами, начало многих маршрутов: хочешь пешком, хочешь на фуникулере. Здесь Ленин оставлял машину и выдвигался наверх: про его двужильность по части походов в горы было известно еще со швейцарских времен.

Татры — самые высокие горы между Альпами и Уралом — и в особо сложных для лазания местах в скалах здесь есть специально прикрученные железные скобы — «клямры», а также цепи, за которые нужно держаться, чтоб не грохнуться. Ленин, когда водил сюда новичков, объяснял, «что не надо смотреть вниз, следует идти по одному и лучше всем перевязаться одной веревкой. В нескольких местах надо было подтягиваться на руках, ползти».

Маршрут на вершину Гевонт официально действует с 1901 года; он хотя и самый популярный, но далеко не единственный: перевал Заврат, озеро Чарный Став, Маршрут Пяти Озер, озеро Морское Око, гора Свиница. Ленин был везде, и чтобы повторить вслед за ним хотя бы основные экскурсии, не хватит ни трех дней, ни недели. Чтобы вскарабкаться по скалам на Рысы — железные цепи и скобки очень помогают, но шею свернуть здесь можно запросто — понадобится часа четыре, и самонадеянным биографам приходится несладко.

Застеленная периной из тумана долина-луг Халя Гонсеницова выглядит Кветлориэном, моренный ландшафт вокруг озера Чарный Став — Мглистыми Горами, а выложенные натуральными булыжниками горные тропы — десятки километров — настолько напоминают хоббитские, что даже тот, кто приехал сюда искать большевистские следы, не должен удивляться, если в зарослях косодревины мелькнет не только тирольская панама Ленина, но и островерхий колпак Гэндальфа; и чего ради Питер Джексон забрался в Новую Зеландию, если Татранский парк к югу от Закопане похож на Средиземье гораздо больше?

Ленин часто оказывался здесь с ночевкой — в так называемых «схрониско», тогда хижинах (теперь это туркомплексы). Компанию ему составляли разные люди — от членов патриотического общества Пилсудского до Николая Бухарина или депутатов Государственной думы.

Идея вызывать к себе на дом провинившихся партийных вождей после успешного, подавившего зачатки примиренчества совещания на улице Любомирского (Ленин писал, что его значение сравнимо с Пражской конференцией) не на шутку занимает Ленина, и он начинает готовить в Поронине «летнюю школу» — продолжение Капри, Болоньи и Лонжюмо, но не для рабочих-агитаторов, а в первую очередь как раз для легальных депутатов-большевиков. Ленин разрабатывает масштабную программу из ста лекций и семинаров: как писать речь для выступления в Думе, как составлять отчеты избирателям... К счастью для депутатов, которые не разделяли ленинскую, в духе Ф. Ф. Преображенского («Вы должны молчать и слушать, молчать и слушать, ясно вам?»), концепцию их отношений, средств на это найти не удалось, Плеханов предложение проигнорировал («Молчит, жулябия», — прицокивает Ленин), да и самих парламентариев оказалось сложно уговорить бросить семьи и избирателей и несколько недель просидеть за партами, ежеминутно подвергаясь опасности получить по рукам линейкой. Петровский, Бадаев и Шагов набрались мужества — и сказали Ленину (который и так заставлял их «озвучивать» в Думе написанные им речи, вызывающие гнев думского начальства), что они по горло загружены неотложными делами. Однако в октябре 1913-го в Поронин все же съехался весь наличный цвет РСДРП (б) — помимо местной публики, здесь блистали депутаты Малиновский, Бадаев, Петровский, Шагов, Муранов; последний, видимо, не поверил в свою депутатскую неприкосновенность и перешел границу старым «надежным» способом: нелегально. Ленин отчитал его — но с улыбкой: все понимали, что по понятиям нелегальной партии он поступил вполне естественно.

«Дом Гута Мостового» — крупнотоннажный, из массивных бревен — сохранился; в 1913-м здесь было что-то вроде частной гостиницы с рестораном; потом, конечно, музей, а сейчас гибрид детского сада и деревенской библиотеки, некое общественное здание. Это приятное место у слияния двух речек — Поронца и Бялого Дунайца; где-то на стрелке как раз напивался по ночам и рыдал Малиновский, к сожалению, не прошедший кастинг — несмотря на свои шесть или семь приездов — в выдающийся юткевичевский фильм «Ленин в Польше», где замечательно остроумно показана напряженная интеллектуальная жизнь Ленина.

Крупская в письмах матери Ленина, желая передать ощущение от польского ритма и атмосферы, отчитывалась: «живем, как в Шуше» — и это про Краков; что уж говорить про летнее деревенское сидение в Бялом Дунайце.

Бялый Дунаец меж тем будет поживописнее Шушенского. Это деревня, по которой едва ли не в жгут, очень близко друг к другу, проходят сразу четыре транспортные артерии — речка Бялый Дунаец, шоссе Краков—Закопане, железная дорога и улица Пилсудского. Татры гораздо ближе к деревне, чем Саяны к Шушенскому, да и они повыше будут. Собственно, и сама деревня — даже две деревни: границы между Дунайцом и Поронином даже на гугл-картах не различишь, не то что на месте — находится под горой — Галицкой Грапой; как раз туда лазил Ленин с тетрадкой — сочинять, и как раз на эти походы летом 1914-го обратила внимание крестьянка, которая донесла на Ленина — наверняка шпион. Сейчас здесь все застроено, и на верх, чтобы полюбоваться «ленинским» видом, приходится просачиваться между заборами.

Бывшая собственность зажиточной крестьянки Терезы Скупень — рубленный из толстых бревен домище с открытой верандой и мансардой, где несколько месяцев жил-поживал ленинский секретарь В. Тихомирнов, — теперь называется вилла LENINOWKA, и, что характерно, находится она на улице Пилсудского. Интересная комбинация — выглядящая еще более экзотически оттого, что по соседству расположена, вилла *Dubai*; вот уж действительно «плоский мир», по Томасу Фридману. Из частного дома, который, как и столетие назад, сдается в аренду, так что зимой там можно переночевать за какие-нибудь 20 злотых, старательно выметены все признаки того, что после войны здесь была библиотека с огромным портретом Сталина: «Сталин это Ленин сегодня», а фасад украшала растяжка с обнадеживающей надписью «Dzieło Lenina jest nieśmiertelne».

И при Гомулке, и при Ярузельском в Поронине и Закопане функционировала целая индустрия, связанная с Лениным. В Дунайце была протоптана специальная «ленинская тропа» на горе Грапа Галицова, в музее демонстрировалась подробнейшая «световая» карта ленинских татранских шпациров, составленная на основе воспоминаний его попутчиков; на Рысах, самой высокой (2490 метров) вершине Татр с польской стороны с 1963 года торчала доска с барельефом и надписью: «Здесь в октябре 1913 года, поднявшись из Морского Ока (Польша), с группой туристов был В. И. Ленин».

В апреле 14-го Ленин дал в одном краковском кафе нечто вроде интервью польскому журналисту Майкосену.

Раскаленные камни еще не летали в воздухе, но земля уже дрожала, и ощутимо. Две Балканские войны 1912—1913 годов хотя и поляризовали Россию и Австрию, но до вооруженного конфликта так и не дошло, и неясность — будет все-таки воевать Австрия с Россией или нет — нервировала революционеров обеих сторон. И Пилсудский, и Ленин кусали губы: ну, давайте же, давайте. Вряд ли журналист читал письмо ВИ Горькому о том, что «война Австрии с Россией была бы очень полезной для революции (во всей Восточной Европе) штукой, но мало вероятия, чтобы Франц Иозеф и Николаша доставили нам сие удовольствие», но он знал, что у Ленина была репутация политика, которому очень нужна война: раскачать ситуацию, усугубить замороженные при мирной жизни противоречия. Разумеется, Ленин отвечал ему со всей политкорректностью: «Я делаю и буду делать все, что в моих силах, для того чтоб помешать мобилизации и войне, не хочу, чтобы миллионы пролетариев истребляли друг друга... Объективно предвидеть войну и в случае ее развязывания стремиться как можно лучше использовать — это одно... Желать войны или работать на нее — это совсем другое. Вы понимаете?»

Кто понимал, а кто и нет: уже в августе 1914-го Ленина арестовали по доносу крестьянки Виктории, одно время помогавшей НК по хозяйству (без особого рвения: НК сообщает свекрови, что к ним «ходит дивчина, стряпать не может, но всю черную работу делает»): она видела, что на дачу съезжаются русские, иногда целая толпа, и о чем-то совещаются; ей показалось, что Ленин снимает планы местности, дороги и т. п. Непонятно, почему Ульяновы не стали собирать вещи в первый день войны. На что, собственно, они рассчитывали со своими паспортами — в воюющей против России стране? Возможно, у них просто не оказалось лишних денег на отъезд; за несколько месяцев до того Ленин сообщал, что рад был бы любым заказам и переводам: «Буду искать поусерднее всяких издателей и переводов; трудно очень найти теперь литературную работу».

Староста деревни, впрочем, присовокупил к доносу, что на имя Ленина постоянно приходили из России почтовые переводы на «значительные суммы денег». При обыске, кроме тетрадок «с цифирью» — сравнения австро-венгерской и германской экономик, — нашли браунинг (Багоцкий упоминает, что видел у Ленина револьвер), на ношение которого не было разрешения. Оружие, похоже, вообще не вязалось с характером ВИ, о чем свидетельствует череда случаев: так, 5 января 1918-го, явившись в Учредительное собрание с револьвером, он забыл его в пальто в гардеробе, и пистолет тотчас же украли; в январе 1919-го в Сокольниках грабители отняли у него браунинг.

Крупская, с ее приметливым глазом на комичные детали, вспомнила, что «понятой смущенно сидел на краешке стула и недоуменно осматривался, а вахмистр над ним издевался. Показывал на банку с клеем и уверял, что это бомба».

Деревня есть деревня: «шпиона» даже не увезли в тюрьму — а приказали самому явиться туда на следующий день, и Ленин с Багоцким на велосипедах успели совершить небольшое турне по знакомым полякам, имевшим авторитет в местной общине, чтобы заручиться их поддержкой.

Тюрьма в Новом Тарге — последний пункт «ленинского маршрута» в Польше — и последняя тюрьма в жизни Ленина. Все эти 11 дней, несмотря на предъявленные ему обвинения в шпионаже, он, кажется, наслаждался жизнью. НК, радуясь, что мужу быстро удалось акклиматизироваться среди уголовников, сообщает, что сокамерники-крестьяне прозвали его «бычий хлоп» — «крепкий мужик»; по словам Зиновьева, проявившего себя в тот момент молодцом (узнав об аресте, он, несмотря на проливной дождь, вскочил на велосипед и помчался за десять верст к знакомому поляку-народовольцу просить о помощи), его патрон стал «душой общества» и даже, благодаря знанию юриспруденции, кем-то вроде старосты, получившего привилегию централизованно приобретать для арестантов махорку.

Ситуация, однако, тревожила НК: население знало, кто она, и давало ей понять, что пора убираться; крестьянки нарочито громко начинали обсуждать при ней, что они сделают со шпионом, если его отпустят — «выколют ему глаза, вырежут язык и т. д.».

К счастью, за Ленина вступились знакомые социалисты, в том числе депутат австрийского парламента Виктор Адлер; они поручились перед властями, что Ленин будет полезнее Центральным державам на свободе, так как он сам враг русского царя; и его отпустили.

Особого выбора не было: только переезд в нейтральную страну. Крупская незадолго до того получила наследство от тетки — четыре тысячи рублей. Подданным враждебной страны не хотели выдавать деньги из краковского банка; австрийский посредник взял за услуги 50 процентов. НК утверждает, что они расходовали две тысячи так экономно, что еще в июле 1917-го при обыске в квартире Елизаровых следователи нашли сколько-то наличними — как раз из тех денег.

Почему-то про это путешествие в Швейцарию — тоже через Германию — не принято вспоминать, хотя чем, собственно, оно так уж отличалось от «пломбированного вагона»? Наблюдательная НК запомнила «вагоны с порошками от блох», монахинь-милитаристок и рифмованные лозунги: «Jedem Russ ein Schuss!»

Каждому русскому — по пуле.

Швейцария
1914—1917

18 октября 1923 года смертельно больной, перенесший несколько инсультов, бессловесный Ленин совершил, вопреки запрету врачей прерывать отдых в Горках, свой последний в жизни загадочный маневр. Видимо, идея нагрянуть в Кремль — получившая множество истолкований в диапазоне от определенного «хотел забрать из своего кабинета очень важный документ» до туманного «поехал прощаться с Москвой» — давно вызревала в сознании ВИ; неожиданно для всех он нарисовался рядом с готовой к отправке в город машиной и твердо указал, что намерен ею воспользоваться. Несмотря на «шутливое» (в стиле «Шоу Трумэна») предупреждение Марии Ильиничны: «Володя, тебя в Кремль не пустят, у тебя пропуска нет», Ленин проигнорировал как попытки отговорить его, так и поползновения шофера свернуть обратно в Горки; способный выговорить лишь гневное «вот! вот!», ВИ не дал одурачить себя. Горки, однако, были связаны с Москвой телефоном, и когда ВИ въехал в Кремль, внутри оказалось подозрительно безлюдно; и если правы те, кто утверждает, что целью визита было продемонстрировать городу и миру, «что его рано хоронить — он планирует выздороветь», то затея потерпела фиаско: едва ли не единственными, кто мог оценить прогресс в его лечении, были часовые, со сдержанной настороженностью отвечавшие на махания кепкой, и случайные прохожие, получившие шанс увидеть самую редкую из трех достопримечательностей Москвы (пушка, которая не стреляет, червонец, который не звенит, и премьер, который не говорит). В здании Сената, где размещался Совнарком и теоретически должна была кипеть работа, также никаких значительных лиц не оказалось. Устав от попыток понять, что означает этот сюрреалистический бойкот, ВИ прошел к себе в квартиру и, очень уставший, заснул; возможно, ему просто вкололи что-нибудь. Мы даже не знаем точно, сколько именно времени ВИ провел в Кремле и остался ли ночевать; про эти 24 часа впоследствии ходило много слухов: якобы Ленин проинспектировал сельскохозяйственную выставку на месте нынешнего ЦПКиО; якобы обнаружил, что ящики письменного стола в его кабинете вскрыты — конечно, Сталиным — и оттуда пропали

некие баснословно ценные бумаги — письма Инессе Арманд? рукопись его «Исповеди»? расписка в получении немецких денег? То, с чем ему пришлось столкнуться, настолько — разводят руками комментаторы — шокировало Ленина, что на всех успехах в восстановлении организма, достигнутых к октябрю 1923-го, был поставлен крест: уже к концу месяца у него случился еще один припадок с судорогами. Проблема в том, что все рассуждения о целях и событиях этой поездки — не более чем домыслы; однако благодаря НК нам известен ее результат — ВИ возвращается в Горки с тремя томами Гегеля — и, зная Ленина, можно предположить, что именно Гегель и привел его в Москву — как когда-то в Швейцарию.

Разумнее было не уезжать из Польши далеко от России и осесть в ближайшей нейтральной стране — например Швеции, где была большевистская колония: Коллонтай, Бухарин, Шляпников. Однако ВИ собирается много читать, ему нужны библиотеки, а в Швеции он все время упирался бы в проблему языка; и поэтому остается — Швейцария.

Каждый раз эта страна для Ленина — следствие цугцванга: сначала из-за «Искры», потом — «приехал будто в гроб ложиться» — после 1905-го, теперь из-за войны. «Правда», тираж которой еще в мае достигал 180 тысяч экземпляров, закрыта; большевистская фракция в Думе разгромлена, депутаты арестованы, их ждет ссылка; в России на членов большевистской партии охотится полиция; деньги «держателей» из-за войны так и зависли в немецких банках. Положение хуже губернаторского: оставались полубесплатная литературная работа для общепартийных социал-демократических изданий и ничтожная партийная «диэта». Называя вещи своими именами, Ленин — 45-летний безработный, не имеющий собственной недвижимости, обремененный больной, требующей лечения женой, проживающий на птичьих правах в стране, где стремительно дорожает жизнь.

От хорошо знакомой Женевы Ульяновы отказались в пользу немецкоязычного Берна не только из-за дороговизны квартир — там осели эмигранты-интернационалисты, покинувшие «шовинистские» Париж и Брюссель; если бы Швейцария вступила в войну, то Женеву заняли бы французские войска — очень некстати для «пораженца» Ленина, которого так легко подвести под обвинения в дезертирстве и госизмене. Ленин, который еще много лет назад вытянул на экзамене по международному праву билет с вопросом «Право нейтралитета», знал, что ему запрещалось в открытую агитировать здесь против чужого правительства: могли выслать из страны. Крайне опасаясь реализации этого сценария, он пользовался в печати псевдонимами, и если уж внушал аборигенам, что нынешняя Швейцария — республика лакеев, зато весьма перспективная, потому как правительство позволяет солдатам уносить оружие домой, то делал это аккуратно, избегая транслировать свои соображения в прессе.

В 1914–1915 годах Швейцария, только обучающаяся извлекать прибыли из войны соседей, была скорее тихим омутом, чем тихим уголком; здесь пока еще не возникало ощущения, что последнее значимое событие в истории страны — изобретение часов с кукушкой. 50 тысяч итальянских, немецких, австрийских гастарбайтеров разъехались по домам, и местным пролетариям приходилось вкалывать днем и ночью; у предприятий, выпускающих военную продукцию, было много заказов, но зарплаты рабочих сократились на 20–50 процентов, и это при взлетевших из-за войны ценах; женщины, которые бродят вдоль железной дороги в поисках кусков угля, были самым обыденным зрелищем. Так что когда летом 1916-го будущий председатель Совнаркома социалист Ленин заметил будущему президенту Швейцарской Конфедерации социалисту Нобсу: «Полагаю, Швейцария — самая революционная страна в мире», в этой шутке была лишь доля шутки; в ноябре 18-го в Швейцарии начнут строить баррикады, а столкновения рабочих с полицией приведут к жертвам.

Однако даже и за четыре года до этого самые осторожные русские социал-демократы не были желанными для швейцарцев гостями — они «сдвигали» местных рабочих влево, провоцировали стачки на военных предприятиях, а еще, изнервничавшиеся от неприкаянности и невостребованности, все время ссорились друг с другом. Рынок недвижимости реагировал на такого рода репутационную ауру соответствующим образом: хозяева брали на пансион русских неохотно — слишком много табачного дыма, слишком нешвейцарский режим дня (никому не нравится, что по ночам соседи орут и ссорятся); так и писали в объявлениях: «Русские исключены»; ни одна из квартир Ульяновых периода «третьей Швейцарии» не выглядела особенно привлекательной. В Берне с ВИ и НК произошла история, возможно, объясняющая ленинский интерес к плану ГОЭЛРО как методу скорейшего достижения коммунизма: они поселились в комнате, где было электричество; к ним днем пришли друзья, и Ульяновы показали им, как работает электричество; тут ворвалась хозяйка и стала орать, что днем включать электричество запрещено; ВИ пришлось призвать женщину к сдержанности; на следующий день они съехали.

Чаще, чем дома, похоже, ВИ можно было застать в кантональных библиотеках. Один из эмигрантов, также завсегдатай такого рода заведений, рассказывает, что «всюду натыкался на входящего, сидящего или уходящего Ильича. Покончив быстро с чтением какой-нибудь книги, я быстрым шагом направлялся в другую, а Ильич уже там, словно какой вездесущий дух»*.

---

* Бакинский рабочий. 1924. 1 февраля. Цит. по: *Кудрявцев А. С. и др.* Ленин в Берне и Цюрихе. М., 1987.

НК никогда не была склонна драматизировать бытовые неурядицы, поэтому, рассказывая о Швейцарии, она говорит обычным ровным тоном; ВИ жалуется («Денег нет, денег нет!! Главная беда в этом!») — но в посланиях товарищам, то есть скорее ритуально, а в письмах сестрам воздерживается от сетований («Мы живем ничего себе, тихо, мирно в сонном Берне»). Однако, во-первых, у него подозрительно много времени, чтобы сидеть в библиотеке и конспектировать работы о Гераклите; во-вторых, судя по менее надежным свидетельствам, Ленин кажется посторонним совсем обедневшим, почти нищим. Известный нам по Парижу А. Сковно сообщает о «швейцарском» Ленине, что «ему, в буквальном смысле слова, не было на что пообедать», а «однажды в Берне его не пустили в библиотеку, так как его старенький пиджак был слишком порван». К тому же периоду относятся легенды о том, что ВИ якобы постоянно ходил с перемотанной щекой и, не имея денег на стоматолога, страшно мучился от болей, пока какой-то врач, придя в ужас от его мучений, не вырвал ему зуб бесплатно; что он несколько дней спал у знакомых в ванной; что носил огромные, явно чужие галоши, которые спадали с его обуви. Проверить эти сообщения невозможно, зато факт, что он соглашается на любую литературно-лекторскую работу за самые скромные деньги; особенно в Берне — то есть с осени 1914-го по весну 1916-го, особенно в первый год, когда антивоенная и тем более пораженческая агитация не пользовалась популярностью и плохо «окупалась»; на рефераты к нему приходят по 10—15 человек. После теоретической части ему обычно приходится отвечать на прямые вопросы: что бы сделали большевики, если бы прямо сейчас оказались у власти? Что-что: предложили бы всеобщий мир, но с условием освобождения всех колоний. Англия и Германия, конечно, против; хорошо! — тогда мы начинаем против них революционную войну, а весь социалистический пролетариат Европы объединяется с населением колоний и полуколоний. Видимо, это не казалось аудитории особенно убедительным. Репутация Ленина никогда не была на высоте, но теперь удручающими выглядят и его перспективы. К примеру Рязанов — будущий директор Института марксизма-ленинизма — на вопрос швейцарского социалиста Нобса, что будет, если после возвращения в Россию Ленин станет диктатором, прижал собеседника к придорожному сугробу и прошипел: «Ленин диктатор? Да я его прибью, вот этими вот руками!» — «Mit meinen eigenen Fäusten werde ich ihn erwürgen!»

Если в Польше Ленин ожидал начала войны, то теперь — ее окончания и смены политической конфигурации: кто бы ни победил (до весны 1917-го — вступления Америки на стороне Антанты — непонятно), если не мир целиком, то некий «уровень» — видимо, Российская, Австро-Венгерская или Германская империи — должен был обрушиться, как в тетрисе. Этот крах, хотя бы и локальный, означал возникновение революционной ситуации и рождение новых политических субъектов — национальных государств; раздираемые внутренними противоречиями, они будут искать себе место на политической шкале между право-буржуазной и лево-социалистической республикой: хорошее поле для работы, хороший момент, чтобы им воспользоваться. Ровно поэтому все социалисты в окружении ВИ в эти годы одержимы спорами о «национальном вопросе».

Под словосочетанием «Ленин в Берне» скрывается еще и четырехмесячное, с июня по октябрь 1915-го, пребывание Ульяновых в Зеренберге. Это идиллического вида горный, сейчас еще и горнолыжный — с альпийской долиной, водопадом и потрясающими видами на Монблан и Люцернское озеро — курорт в 80 километрах от Берна в сторону Люцерна: сначала на поезде, потом либо с почтовой каретой, либо на наемной лошади. Это была и «дача», и территория, где Ленин получил возможность реализовать свои туристские инстинкты *quantum satis*, и здравница для НК с ее базедовой болезнью, и удобный «зеленый кабинет», куда бесплатно можно было заказывать книги из библиотек. Ульяновы поселились в *Hotel Mariental* на полном пансионе, за 5 франков в день — дешевле, чем в среднем по рынку, но ощутимо дорого, если за выступление с рефератом вам платят 10 франков. Вскоре к ним присоединилась Инесса Федоровна — и прожила рядом несколько недель. О том, как складывались отношения этих троих, известно только по рассказам НК, которая описывает Зеренберг как подобие элизиума; уехала ИФ раньше Ульяновых, но судя по тому, что она вернется сюда следующим летом несмотря на настойчивые, но без объяснений, что там было не так, рекомендации ВИ не делать этого, — ей там понравилось; возможно, тому причиной сентиментальные воспоминания.

Первую половину дня они работали — Ленин писал, НК занималась секретарской «вермишелью», ИФ сочиняла статьи о женском вопросе или играла на рояле; после обеда втроем — или даже вчетвером, когда к ним присоединялась подруга ИФ Людмила Сталь, — они совершали длительные прогулки по горам, на близлежащий Ротхорн (2350 метров над уровнем моря) и Штраттенфлух (около двух тысяч). В начале сезона Ленин заинтересовался и коллективными восхождениями на высоты в три с половиной тысячи метров: запрашивал цену участия и ночевок в хижинах для нечленов «Клуба швейцарских альпинистов». Ленин-турист на равных конкурирует с Лениным-политиком на протяжении всего швейцарского периода; и даже когда ВИ узнал о революции, он отправился не в церковь или магазин крепкого алкоголя, а гулять, на цюрихскую гору; видимо, швейцарский ландшафт представлялся ему плодотворным и как для мыслителя и политика.

Из Зеренберга Ленин проводит атаку на выдвинутый Троцким лозунг «Соединенные Штаты Европы», формулирующий послевоенную задачу для II Интернационала — создание союза европейских национальных, вылупившихся из империй государств на социалистической платформе. Это образец типично ленинской, проницательной — на семь аршин в землю — критики начинаний, которые не могли бы вызвать ни малейших нареканий ни у одного здравомыслящего человека, кроме собственно Ленина, чей острый, холодный и блестящий ум разрезает идею Троцкого, как алмаз стекло. Да, в политическом плане идея неплоха, но экономически СШЕ невозможны: у четырех главных держав Европы капиталы размещены в колониях, для извлечения прибыли из которых нужен аппарат: армия, флот и пр. Чтобы организовать СШЕ, нужно договориться про колонии и про содержание этого аппарата; а как про это договориться, иначе как силой? По справедливости? В честной конкурентной борьбе? На империалистической стадии это невозможно. И раз так, в лучшем случае договориться могут капиталисты Европы против капиталистов Америки и Японии. Если уж на то пошло, лучше будут «Соединенные Штаты мира», но по сути и этот лозунг не очень хорош, потому что а) заменяет социализм просто, б) дает ощущение, что победа социализма в одной стране невозможна, а это не так. Это очень характерный пример, когда Троцкий выигрывает у Ленина «по литературе» — но терпит поражение «по смыслу».

Судя по письмам Зиновьеву, которого ВИ подманивает к себе («Дорога ездовая. Можно на велосипеде вверх $1/3$ пути от Fluhli до Sorenberg'а ехать. (Спуск до Fluhli = 20 минут на велосипеде)»; «из Schupfheim'a в Luzern тоже спуск — вероятно, можно скатиться без ног на велосипеде!»), он пользовался здесь чьим-то велосипедом. Зиновьев не приехал, но они обменялись не только политическими новостями, но и товарищескими подарками: Зиновьевы прислали Ульяновым вишни — а те в ответ корзинку самолично собранных грибов.

Из Зеренберга Ленин — не с пустыми руками: он только что опубликовал статью «О поражении своего правительства в империалистической войне» и брошюру «Социализм и война» — съездил в Циммервальд на конференцию — и туда же, в Зеренберг, вернулся. О степени интенсивности этих пяти дней, проведенных в 60 километрах от жены, можно судить по тому, что когда они с НК на следующий день пошли гулять на Ротхорн, то добравшись до вершины, ВИ как подкошенный повалился на землю, едва ли не на снег, и проспал полчаса.

Само слово «Циммервальд» стало если не нарицательным, то паролем, описывающим известное политическое настроение — надежды на возрождение пережившей за год до того крушение идеи социалистического Интернационала; слово это многие слышали, но часто не понимали; те, кто возвращался в Россию в 1917-м, рассказывали, что к ним специально подходили люди и переспрашивали: «Что такое "циммервальд"?» Пассажирка второго «пломбированного вагона» Анжелика Балабанова даже вышила собственноручно это слово на красном знамени, когда въезжала в Россию.

На самом деле Циммервальд — альпийская деревушка в 10 километрах от Берна; сейчас — 10 минут на поезде и еще четверть часа на автобусе. Смотреть там можно только «атмосферу», ландшафт: от *Hotel-Pension Beau Séjour* ничего не осталось — полвека назад его разрушили, причем нарочно, назло, стереть «красную» ауру; свое разочарование этим актом вандализма историки революции могут компенсировать в обсерватории или музее духовых инструментов.

Немудрено, что мало кто понимал, что там произошло на самом деле: участников конференции социалистов Европы, организованной швейцарской социал-демократической партией, было всего три-четыре десятка. «Сами делегаты шутили по поводу того, — вспоминал Троцкий, — что полвека спустя после основания I Интернационала оказалось возможным всех интернационалистов усадить на четыре повозки». Штука была не в присутствии Троцкого и Ленина, а в том, что за одним столом сошлись немцы и французы — год назад поддержавшие свои правительства в войне, а теперь открещивающиеся от «шовинистов». Общий тон понятен: конференция обычных социалистов, которые искренне хотят побыстрее прекратить войну. Как? Социал-демократия, представляющая интересы рабочих, просто не должна разрешать своему правительству воевать. Понятен и жанр: что происходит, когда в одном помещении собираются несколько десятков социалистов, из которых процентов двадцать русские, причем ленинцы, а остальные — обычные, «здравомыслящие» люди. Понятно и кем такого рода социалисты выглядят для Ленина: да, не такие мерзавцы, как те, кто голосовал за военные кредиты, но — «полезные идиоты»: живая платформа, с которой ему удобно объявить о своих идеях и, возможно, если удастся соблазнить еще кого-то, — сколотить новый, взамен каутскианского, Интернационал*.

---

* Через полгода, в апреле 1916-го, Циммервальд был «продублирован». Если шабаш «мирных» социалистов в Циммервальде просто держали в тайне от посторонних, то теперь раструбили в газетах, что конференция социалистов пройдет в Нидерландах. На самом деле счастливчики, получившие приглашение, встретились в Берне, доехали на поезде до Рейхенбаха; оттуда их повезли на телегах в горы, на тысяче-

Описывая причину опоздания на поезд одним осенним днем 1916 года — грибы, углядев которые, Ленин принялся хватать их с невероятным азартом и набрал целый мешок, — НК употребляет сравнение: «будто левых циммервальдцев вербовал». Это дает косвенное представление о том, что происходило за год до того. Важнее, чем принятый манифест («Пролетарии всех стран, соединяйтесь!»), — то, что Ленин умудрился расколоть — хотя и полуофициально, относительно «прилично», без угроз и шантажа (ему не резон было ссориться с организаторами) — конференцию и создал там нечто вроде фракции: «Циммервальдскую левую», человек восемь, которые требовали принять не просто пацифистскую резолюцию, но поддержать лозунг Ленина о трансформации империалистической войны в гражданскую — и в революцию. Идея Ленина состоит в том, что просто «борьба против войны» — пустые слова: «не надо нам ни побед, ни поражений» подразумевает, что борющийся при этом все же не желает поражения своей стране, просто хочет вывести ее из войны. Но раз не желаешь, то — «ленинский» прищур — переходишь на точку зрения буржуазии, которая войну и затеяла. Ах не хочешь переходить? Ну так и нужно тогда заявлять: я стремлюсь к поражению своего правительства. Зачем же так открыто? А затем, что это ключевой момент: отколоть социал-демократов от буржуазии; война — не оправдание, социал-демократы обязаны объявить о разрыве с буржуазией — и перейти на сторону пролетариата не на словах, а на деле. Просто выступать за мир и разоружение — это предательство пролетариата, который и так уже понес самые крупные потери из-за войны. Не просто «разоружение» — а «насильственное разоружение» буржуазии и вооружение пролетариата.

Что такое «революционные действия во время войны против своего правительства»? Удары по своей буржуазии. То есть мосты, что ли, взрывать? Нет, не буквально партизанская деятельность; не заговорщичество. Смысл в том, чтобы «проращивать» поражение, менять настроение. «Превращение империалист-

---

метровую примерно высоту: в деревушку Кинталь. Ленин наверняка вспомнил, что 12 лет назад бывал в этих местах, во время их с НК эпичного пешего путешествия по Швейцарии. В Кинтале было чуть больше участников, уже 43 — в том числе Радек, Аксельрод, Бронский, Мартов, Зиновьев, Натансон, Балабанова и — раз уж это биография именно Ленина — Инесса Арманд. Мартов жаловался, что Ленин снова интригует — и даже клевещет французам на него, Аксельрода и Троцкого; протоколы отсутствуют, но судя по дошедшим свидетельствам, фестиваль солидарности европейских социалистов благодаря Ленину превратился в марафон свар, грызни и пикировок, особенно пикантных в силу того, что иностранцы не понимали, из-за чего русские спорят между собой — и жаловались им друг на друга. Тому, кто захочет погрузиться в атмосферу 1916 года с головой, можно порекомендовать переночевать в том самом — он уцелел — отеле *Baren*.

ской войны в гражданскую не может быть "сделано", как нельзя "сделать" революции»: так выглядит катехизис ленинского «искусства восстания» в 1915-м, между Берном и Цюрихом.

Никто не собирается превращать Цюрих — как Симбирск или Шушенское — в музей-заповедник Ленина. Однако, имея интерес к теме, его можно увидеть именно в таком ракурсе: сохранились не просто отдельные здания, а целая система: вот первая квартира Ульяновых (откуда они сбежали, попав, по сути, в притон с проститутками и уголовниками), вот второй, главный дом Ленина, вот рабочий клуб «Eintracht», вот библиотека — одна, другая, третья, вот «Кабаре Вольтер».

Не город — ладный письменный стол со множеством отделений: всё компактно, все книжки под рукой, чисто и убрано. Повсюду библиотеки, книжных магазинов в десятки раз больше, чем супермаркетов; даже рестораны часто оснащены, ну или по крайней мере декорированы книжными шкафами; городской шум как будто тонет в этих улочках; деньги и книги любят тишину. Пожалуй, это наиболее подходящий Ленину по характеру город.

Здесь Ленин написал «Империализм», здесь начал «Государство и революцию», здесь получил, возможно, самую важную новость в своей жизни, здесь провел самые тоскливые, наверно, недели — запертым, понимая, что в Петрограде в этот момент делят власть — и каждый день опоздания может стоить десятилетий. Здесь он прощался с Европой.

У города готический силуэт, «скайлайн» — благодаря Альтштадту, старой части: полтора квадратных километра, лабиринт мощеных улочек с солидными, в бюргерских финтифлюшках домами, будто из леговских «Modular Buildings». Повсюду фонтанчики — которые раньше были поилками для лошадей: сто лет назад от этих площадок разило навозом, сейчас — духом Средневековья. За сто лет район не то что джентрифицировался — но из богемно-пролетарского превратился в один из самых буржуазных в мире: основные блюда в ресторанах здесь стоят в среднем по 35—40 франков.

Город привязан к берегам реки Лиммат, которая не является сколько-нибудь существенной транспортной артерией — впадает в Цюрихское озеро, далеко не уедешь. Здесь красивые — высоко котировавшиеся Лениным, страстным любителем вечерних прогулок, — набережные. Даже в конце ноября, при нуле градусов, поздним вечером здесь много велосипедистов; у Ленина в Цюрихе велосипеда не было.

По нынешнему Цюриху, финансовому центру, трудно понять, что меньше ста лет назад это был рабочий город — с сильной, конечно, буржуазией, но все же рабочий. В 1918 году здесь даже демонстрации расстреливать приходилось.

Город выглядел неплохо — особенно по меркам воюющей Европы. Оказавшийся здесь в это же время Джойс уверял, будто его жену однажды остановил полицейский за нечаянно выпавший из кармана фантик, а на главной улице Банхофштрассе можно было пролить суп и слизывать его прямо со стерильной мостовой. Излишков супа вот только не наблюдалось: еда была в дефиците, причем чем дальше, тем больше.

Ленин переселился в Цюрих в конце зимы 1916-го и прожил здесь больше года, до апреля 17-го; наложение этих дат на хронологическую шкалу Первой мировой показывает, что он провел здесь самую кровавую ее стадию. В феврале 1916-го начинается Верденская мясорубка — наступление немцев на Верденский выступ; в июне — Брусиловский прорыв на русском фронте и одновременно битва на Сомме, которая продлится до ноября.

1916 год был живой, онлайн, иллюстрацией того, о чем только что написал Ленин: как империализм действует в рамках своей логики.

«Империализм как высшая стадия капитализма» — крупнейшая, ну или по крайней мере одна из двух крупнейших жемчужин в ленинской литературной короне и, вне всякого сомнения, самая остроактуальная его работа: ни один человек в мире, ознакомившись с этой сотней емких, энергичных, искрящихся страниц, где объясняется, с точки зрения экономиста, подоплека Первой мировой и дается ключ ко всей мировой истории XX века, не рискнет сказать, что Ленин «устарел», «никому больше не нужен» и пр.

Еще одно важное впечатление от «Империализма...» — абсолютная «конвертируемость». Такой текст мог написать гарвардский, или оксфордский, или амстердамский экономист; в нем нет ни малейших признаков местечковости, и Россия упоминается здесь нечасто; на самом деле, это связано с тем, что работа готовилась к публикации как раз в России, и поэтому нельзя было оперировать вопиющими, слишком критичными примерами; на круг эта «цензура цензуры» сыграла Ленину на руку.

Ленинский «Империализм» вписывается в широкий контекст экономических исследований начала XX века — от гобсоновского «Империализма» до «Накопления капитала» Розы Люксембург; пожалуй, ленинский труд можно квалифицировать даже и как всего лишь «заметки на полях» книги английского экономиста Гобсона, которую Ленин не только прочел, но и в 1904-м в Женеве сам перевел; и хотя этот перевод никогда не был опубликован и рукопись не сохранилась, Ленин упоминает о своей работе в одном из писем; кто переводил чужие книги, знает, какая «связь», какие «отношения» — пусть фантомные — возникают у переводчика с автором. Однако книги Гобсона, Гильфердинга, Люксембург остались в истории лишь как попытки объяснить стремительно менявшийся мир; тогда как применительно к ленинской абсолютно уместны глаголы совершенного вида.

«Информповод» книги — война; объясняя ее происхождение, Ленин связывает войну с феноменом капитализма. Капитализм, показывает Ленин, — такой прогрессивный, такой понятный, такой привычный к середине 10-х годов XX века — мутировал: превратился в ужасное подобие себя; он не то, за что себя выдает — потому что трансформировался в свою противоположность.

Свободная конкуренция производителей товаров — столь выгодная потребителю — больше не является основой капитализма. Собственно, еще Маркс, проанализировав историческую эволюцию капитализма, предрек, что рано или поздно свободная конкуренция породит концентрацию производства, а затем и — монополию. Ленинский анализ показывает, что, как это ни поразительно, по достижении очень высокой ступени развития капитализма основные его свойства — прежде всего свободная конкуренция — стали превращаться в свою противоположность.

Капитализм больше не торжество частной собственности; монополии в конце концов прибирают к рукам все — и таким образом, по сути, обобществляют производство. Капитализм больше не синоним свободы и творчества — но, наоборот, стремления к господству, к порабощению горсткой сильных массы слабых; заорганизованности и запланированности. Производить деньги — заниматься финансами, банковской сферой — стало выгоднее, чем производить товары, быть промышленником. Миром теперь правит не капитал вообще, а капитал финансовый.

Среди «цивилизованных» государств выделяются несколько таких, где господствует именно финансовая олигархия. При «старом», «промышленном», производящем, со свободной конкуренцией капитализме производители вывозили товары. При «новейшем», финансовом, монопольном, вывозят не товары, а капитал — который и вкладывается в добычу сырья и в производство на мировой периферии; товары теперь производятся там. Именно этим финансовым олигархиям и нужны сырьевые ресурсы и рынки сбыта на периферии: колонии. Очень быстро, в считаные десятилетия, страны, вывозящие капитал, поделили мир между собой, — сначала по договоренности, как сферы интересов, а затем и буквально, напрямую. Вся доступная периферия превратилась в колонии; и вот это и есть та, высшая, стадия капитализма, которая называется империализм: когда разделение между финансовым и промышленным капиталом достигло «громадных размеров». И поскольку все уже захвачено, а объективная тенденция международных картелей стремиться к расширению никуда не исчезла, это — неизбежно — приводит к борьбе за сырьевые рынки; то есть к войне.

Германия и Англия не могли не столкнуться — и к войне привели их не конфликты интересов отдельных лиц (и не рыцарская защита интересов малых стран, как медиа рассказывают глупым буржуа), а экономическая система (так же, заметим, как к революции приводит не некий злонамеренный «ленин-которого-прислали-в-пломбированном-вагоне» — а система, порождающая «Ленина»).

Актуальность ленинского «Империализма» в том, что по нему ясно, что Первая мировая, Вторая и продолжающаяся Холодная войны — суть одна и та же война, и запущен этот конфликт не столкновением интересов наций, а — капитализмом. Причиной империалистической войны не были вопросы выживания каких-то европейских наций; однако имеющие экономическую подоплеку процессы загнали страны в коридоры, откуда не было возможности сбежать, — коридоры, ведущие к силовому столкновению.

Неизбежным было и голосование социал-демократов Франции и Германии за военные кредиты. Эти эс-дэ представляли тот пролетариат, который коррумпирован буржуазией стран, эксплуатирующих колонии; этот пролетариат неизбежно становится оппортунистическим. В самой откровенной форме это было видно в Англии, но затем оппортунизм «окончательно созрел, перезрел и сгнил в ряде стран, вполне слившись с буржуазной политикой, как социал-шовинизм». Крах II Интернационала — закономерность.

Идея неизбежности совершающихся процессов — главный источник суггестии текста Ленина. Автор демонстрирует, что все эти странные трансформации — «загнивание» капитализма, превращение из освобождающей силы в паразитическую мировую олигархию не просто курьез, парадокс; ровно наоборот: у истории есть свои законы, которые действуют, несмотря на желание отдельных лиц и организаций «смягчить» их. Нельзя скорректировать плохой, зашедший слишком далеко империализм — и вернуть его в «нормальный», со свободной конкуренцией капитализм — так же как нельзя упросить природу, чтобы за летом не настала осень и т. д. Любой успешно развивающийся капитализм неизбежно перейдет в стадию империализма, коррумпирует пролетариат, вызовет войну. Точка.

Впрочем, нет, не точка — сделает кое-что еще; и, возможно, это самая важная и самая оригинальная мысль Ленина в этой книге, для которой следует зарезервировать как можно больше значков «NB». Капитализм — разный в ядре и на периферии. В ядре — Европе и Америке — он подпитывается притоком доходов из колоний, и это позволяет коррумпировать рабочий класс, перетянуть его, по сути, в буржуазию. Однако капитализма такого рода не может быть везде — потому что сама природа капитализма ядра не позволяет выстроить капитализм аналогичного типа на периферии; в колониях империализм другой — и там он не подкупает рабочих, а готовит себе могильщиков — национально-освободительные движения.

Единственное разрешение этого кризисного противоречия между «разными капитализмами», между горсткой государств-ростовщиков и гигантским большинством стремящихся к избавлению от колонизаторов государств-должников — мировая революция.

Если в первые два года войны ленинская аналитика выглядела эксцентрично, а его заявления о том, что единственное лекарство для окончания войны — вовсе не всеобщее разоружение, а усиление войны, ее «перещелкивание» из империалистической в гражданскую, — просто ахинеей, то с каждым месяцем войны, на фоне известий о потерях, на фоне почти уже катастрофического голода в Германии — в словах Ленина определенно проступал некоторый смысл, и не только для радикальных социал-демократов. Только за «цюрихский период» Ленина в одном только Вердене немецкие и антантовские войска потеряли убитыми более миллиона человек — на нескольких квадратных километрах. Общее количество жертв к концу года вырастет до немыслимых шести миллионов убитых и десяти — инвалидов.

Это ощущение абсурда происходящего заставляет публику прислушиваться к тем, кто предлагает странные рецепты; поэтому статус Ленина в эмигрантской среде растет, а послушать его рефераты — которые ему приходилось устраивать и ради заработка, и чтобы напоминать окружающим о своем существовании — люди собираются сотнями (и материальный статус тоже хоть немного, но улучшается: его по-прежнему вспоминают как «бедно одетого человека, у которого едва хватало денег, чтобы покупать хлеб себе и своей жене» — однако это новость, у него «всегда были деньги, чтобы снабжать шоколадом своих многочисленных маленьких друзей с улицы Шпигельгассе»).

Рефераты старались устраивать на злободневные темы — не просто «Чтение 1 главы "Капитала" с комментариями», а что-нибудь вроде «Два Интернационала» или «Условия мира и национальный вопрос». Излюбленной мишенью Ленина были вожди II Интернационала, в особенности Каутский, которого иначе как «изменником» и «предателем» он публично и не называл. Слушателям уже само заявление о «продажности» Каутского казалось неслыханной наглостью — все-таки апостол Энгельса. Это была опасная — связанная с хождением по краю — стратегия. Впрочем, тут могли быть свои финты. Реферат — это выступление часа на три, как правило потом с прениями; в 12 часов ночи в Цюрихе наступал «Polizeistunde», поэтому если вы назначите начало реферата на девять часов и будете делать достаточно длинные паузы для того, чтобы попить воды и расслабить голосовые связки, то сможете избежать прямого общения со слишком агрессивно настроенными каутскианцами; Ленин пользовался этим трюком — к возмущению меньшевиков.

Особенностью выступлений Ленина была еще и его — мнимая, наверно, но все же — германофилия; возникало ощущение, что даже и в войне он радовался победам немцев (при том, что все остальные их скорее ругали: Германия проигрывала информационную медиавойну), позволяя себе говорить, что все равно «молодцы немцы» — и надо у них учиться рабочему классу самоорганизованности, дисциплине; они умеют мобилизоваться и выстраивать «машину». Харитонов, официальный руководитель ячейки цюрихских большевиков, вспоминал «еще и такое место в той части реферата, где он обосновывал необходимость, в интересах революции, поражения царской армии: "А не плохо было бы, если бы немцы взяли Ригу, Ревель и Гельсингфорс". Стоит ли говорить о том, что эти слова приводили в ярость социал-патриотов. Владимир Ильич впоследствии говорил нам в частной беседе: "Это я умышленно делал, чтобы проверить состав аудитории. Если после этого не свистали, то дело относительно благополучно"». Впрочем, в частной переписке он восстанавливал баланс; так, летом 1916-го он ругает проклятых немцев, потерявших, похоже, рукопись «Империализма»: «Ах, эти немцы! ведь они виноваты в пропаже! хоть бы французы победили их!»

Нельзя не усмотреть определенную иронию в том, что создатель материалистической Теории Отражения поселился на Шпигельгассе, в Зеркальном то есть переулке; гротескное обстоятельство, должно быть, наводившее Ленина на мысли, что философия идеализма не случайно удерживала свои позиции на протяжении многих столетий и иногда все-таки сознание определяет бытие, а не только наоборот.

Обычный цюрихский дом, этажей в пять; Ленин с женой сняли за 28 франков в месяц тесную — если больше трех человек, то приходилось садиться на кровать — комнату на втором этаже. Другие жильцы принадлежали к самым бедным сословиям, так что среда была — к удовлетворению советских историков — стопроцентно пролетарской. Хозяином здесь был пусть не принадлежащий к передовому отряду пролетариата, но зато классический, как из детских стихотворений, рабочий-кустарь, сапожник Каммерер; если верить его показаниям, то он и стачал те самые грубые альпийские ботинки, в которых Ленин будет бродить летом 1916-го по горам и в которых приедет в Петроград.

Похоже, Ульяновы воспринимали Шпигельгассе исключительно как место для ночевки; днем там было темно, без лампы глаза сломаешь, а еще на заднем дворе дома расположилась бесперебойно функционировавшая колбасная фабрика, воспоминания о смраде от которой вызывали отвращение у Крупской даже двадцать лет спустя; впрочем, даже и витавшая в воздухе идея подгнившего мяса не превратила видавшего виды Ленина в вегетарианца — хотя, возможно, и вытолкнула его из Швейцарии.

В 1950-е в доме 14 функционировал ресторан *Chez Leo*, в котором, по мнению цюрихских гастрономических критиков, подавалось лучшее фондю в городе. Привлекала или отпугивала посетителей мраморная доска над вывеской заведения («Здесь с 21 февраля 1916-го до 2 апреля 1917-го жил фюрер Русской революции») — неизвестно; ресторан просуществовал до 1970-х и в один прекрасный день превратился в лавку странных головоломок и игрушек: в витрине выставлены вращающиеся топологические штукенции, кубик Рубика, который на самом деле не куб, а параллелепипед со сторонами 4:7, зеркальные конструкции, пирамидки, маятники, паззлы — метафорические воплощения диалектики — ну или, если угодно, просто головоломного вопроса: как мог жалкий эмигрант за год превратиться в кремлевского жителя? Владельцы не стали придуриваться, будто не понимают, по какому адресу арендуют площадь; в центре витрины помещен бюстик с эффектом оптической иллюзии — Ленин в кепке, как бы разрубленный напополам зеркалом, так что при перемещениях наблюдателя вдоль Зеркального переулка он то зелено-красный, то целиком красный, то целиком зеленый.

Дом выглядит «старинным», едва ли не средневековым, и, по правде сказать, это такая же иллюзия, как объекты в витринах: в начале 1970-х, при попытке сделать капремонт здания, выяснилось, что даже и фасад-то оригинальный сохранить не получается — каменная стена оказалась в ужасном состоянии. В 1971-м каммереровский дом — *schweren Herzens mit*, «с тяжелым сердцем» — снесли, правда, с условием возвести на его месте здание, фасад которого будет выглядеть «как раньше»; внутренности, конечно, воспроизводить не стали; но дом по-прежнему производит на тех, кто уверен, что уж в Швейцарии-то все прошлое — подлинное, должное впечатление. Нынешние жильцы под стать зданию; если зайти в подворотню и присмотреться к именам на почтовых ящиках, можно обнаружить, например, почтовый ящик галереи «Гмуржинска»: той самой К. Гмуржинской, с именем которой в прессе связывались загадочная смерть и афера вокруг колоссального наследства коллекционера и исследователя русского авангарда Николая Харджиева; интересный, ничего не скажешь, они выбрали адрес.

Пребывание Ленина в Цюрихе озадачивающим образом оставило сразу несколько следов на литературных радарах: Солженицын, Том Стоппард, дадаисты. Популярность именно сюжета «Ленин в Цюрихе» — а не в Берне, Мюнхене или Женеве — связана, во-первых, с тем, что, помимо Ленина, в этот момент в Цюрихе обретаются еще несколько крупных фигур — Джойс, Карл Юнг, Тристан Тцара, а во-вторых, с тем, что Ленин, по иронии истории, умудрился поселиться в том же переулке — в ста метрах — и ровно в тот момент, когда там открылось «Кабаре Вольтер» — заведение «авангардистов», где обитала странная человеческая фауна, которая орала, визжала, играла на сомнительных во всех смыслах музыкальных инструментах, от балалаек до «невидимых скрипок», и на «Русских вечерах» декламировала Тургенева и Чехова. Кажется, что одно лишь присутствие Ленина — Ленина-иероглифа, непонятного «ученого монгола» — в каком-либо европейском учреждении сообщает атмосфере нечто взрывоопасное и сюрреалистическое; и, надо полагать, именно поэтому, задним числом, один из этой компании, Доменик Ногэз, плел, будто Ленин был едва ли не завсегдатаем «Кабаре», играл на балалайке, танцевал на сцене, играл с Тцарой в шахматы и сам писал дадаистские стихи, рукописи которых якобы должны храниться у Тцары; такой соврет — недорого возьмет. Однако сам Ленин, пусть даже тоже слышал, как трещат по швам нормы буржуазного искусства и человеческой психики под влиянием кризиса, вызванного мировой войной, не оставил на этот счет никаких комментариев — и мы знаем, что его вкусы по части искусства были скорее консервативными; он скептически относился к экспериментаторству и «авангарду»; в музыке ему были близки классицизм и романтизм, в литературе — реализм, типические характеры в типических обстоятельствах; ничего из этого набора в репертуаре кабаре, сколько можно понять, не было; да и культурные ценности предшествующих эпох дадаисты игнорировали — стратегия, представлявшаяся Ленину бесплодной. Впрочем, диалектической противоположностью консерватизма личных вкусов Ленина в искусстве был его либерализм в культурной политике; и пусть до конца 1920-х годов никакое инакомыслие в искусстве не поощрялось — но и не преследовалось; всякое господство в этой сфере большинства над меньшинством Ленин отрицал.

И все же, хочешь не хочешь, пандемониум «авангардистов» находился совсем рядом с домом, и вряд ли можно было никак не пересекаться с этими людьми в узком переулке. В начале 1920-х писатели, художники, революционеры, шпионы, дезертиры, проститутки разъехались по домам, кабаре закрыли — однако лет десять назад его реанимировали; внизу магазин какой-то арт-дребедени, наверху кафе с обычной мурой, и оттуда можно пройти в небольшой зал. В момент посещения заведения автором этой книги в помещении проходила некая «дуэль поэтов»: на экране демонстрировались цитаты из Эйнштейна, и посетители выглядели обычными хипстерами; тоже, в своем роде, — если считать, что дадаистский фарс был реакцией на трагедию мировой войны — «отрицание отрицания».

Как и многие периоды жизни Ленина, «третья Швейцария» лишь кажется абсолютно прозрачной, однородной и равномерной, тогда как на самом деле есть крупные временные отрезки, словно скрученные в завиток и не позволяющие себя разглядывать, внушающие сигналы о том, что они либо ничем не отличаются от всего остального, либо не существуют вовсе, и не стоит тратить время на то, чтобы попробовать потыкать туда палкой.

Горный пансион, выисканный Лениным для летнего отпуска-1916 по газетам, был, возможно, самым дешевым во всей Швейцарии — и стоил всего в два с половиной раза дороже, чем они платили за одну комнату в Цюрихе. Каммерер, хозяин квартиры на Шпигельгассе, что интересно, утверждает, что «когда заболела жена Ленина, они отправились вдвоем во французскую Швейцарию»; видимо, ВИ из конспирации не стал сообщать сапожнику свой адрес. На самом деле, уехали они на восток, в кантон Санкт-Галлен, километров за 80 от Цюриха мимо озер Оберзее и Валензее; глухие места почти на границе — там, где Лихтенштейн вклинивается между Швейцарией и Австрией.

Исследователь Р. Элвуд обратил внимание, что Ленин оказался в эпицентре Хайдиленда — месте, где разворачивается действие культового детского романа Йоханны Спири «Хайди» — «Гарри Поттера» XIX века, детской книжки, которая и в наши дни остается номером один в своем классе в Швейцарии — с впечатляющим тиражом 50 миллионов экземпляров и двадцатью экранизациями. Сам Ленин, впрочем, едва ли знал, куда его угораздило попасть.

Дешевизна объяснялась меж тем географией: пансион «Чудивизе» располагается в восьми километрах — на 800 метров выше; два часа изнурительной ходьбы — от деревни Флумс. Сейчас эта недвижимость, странное дело, принадлежит католической организации «Opus Dei» — той самой, с которой так живо воюет главный герой серии детективов Дэна Брауна, специалист по символам. В 1916-м единственным способом попасть сюда было пройти по тропе; багаж грузили даже не на лошадь — на осла (постоянно поминаемое марксистами животное — явно тоже ожидающее своего Роберта Лэнгдона: из-за ослов, напомним, раскололась в 1903-м РСДРП; «бандой ослов, слепо верующих в нас» называл Энгельс партию; ослами называл Ленин врачей-большевиков и т. п.). Такой способ связи исключал возможность присылки книг из библиотек, поэтому работать Ленину было особо не с чем.

Ульяновы выехали в середине июля — и, пишет Крупская, прожили там до конца августа; однако судя по тому, что в первой половине сентября никаких следов Ленина в Цюрихе не осталось, а в тамошней библиотеке он впервые появляется аж 22 сентября, — очень похоже, что «Чудивизе» продлилось аж два месяца. И судя по тому, что за все это время написаны только

«Итоги дискуссии о самоопределении», большую часть времени ВИ отдыхал; это последний его настоящий хороший отдых перед 1917 годом и всем, что последовало дальше.

Здесь его беспокоят вопросы скорее организационного характера — куда пропала рукопись отосланного в Петербург «Империализма», почему Инесса Федоровна пренебрегла его советами поехать в отпуск куда угодно, только не в Зеренберг, осточертевшая молочная диета в пансионе, а также слишком громкое исполнение по утрам персоналом и отъезжающими постояльцами традиционной песни с припевом «Прощай, кукушка» (НК пишет, что он прятался от этого звука, глубже залезая под одеяло).

Здесь он мог реализовать свою любовь к горному туризму и отпускам в полной мере. Никакой прислуги не полагалось — и среди прочего нужно было самим чистить свою походную обувь. Видимо, под навесом рядом с домом орудовала щетками целая компания веселых туристов; Крупская запомнила это потому, что однажды ее муж «так усердствовал, что раз даже при общем хохоте смахнул стоявшую тут же плетеную корзину с целой кучей пустых пивных бутылок».

Похоже — мы знаем об этих месяцах крайне мало — Ульяновы были счастливы здесь; ну, насколько могут быть счастливы супруги, которым под пятьдесят, которых уже не ждет в жизни ничего особо нового и у одного из которых только что умерла мать.

Вернувшись в Цюрих, Ленин принялся захаживать в Народный дом на Гельветиаплац — не в Альтштадте, а с другой стороны от вокзала; своей «социалистической» архитектурой площадь напоминает московские; именно отсюда, кстати, 17 ноября 1917-го в Цюрихе началась почти-революция — с баррикадами, убитыми и ранеными. Ленин являлся сюда на заседания швейцарской социал-демократической партии, всегда садился на одно и то же место в третьем ряду, внимательно слушал — но рта не раскрывал. После апреля 1917-го руководство социал-демократов внимательно прочитало письмо Ленина швейцарским рабочим — и поняло, что помалкивал он не потому, что со всем был согласен, а чтоб не потерять право на убежище. О том, что он чувствовал ко всем этим оппортунистам, можно судить, пожалуй, по комментариям к конспектам трудов, которые ему приходилось читать для своего «Империализма», — трудов, написанных такими же буржуазными авторами, как те, что собирались в Народном доме; в этом смысле один из скучнейших томов ПСС, с «подготовительными материалами», выглядит живее некуда. «Бляга реакционная!»; «Мелкий жулик!»; «Идиотская казенщина!»; «Каша!»; «Пошлейшая бляга!»; «Автор — мерзавец, бисмаркианец»; «Прехарактерно, что идиот автор, с педантичной аккуратностью дающий даты и пр. о каждом царьке, о родке царьков, о выкидышах нидерландской королевы — не упомянул ни звуком восстания крестьян в Румынии!».

Избегая в открытую раскалывать швейцарских эс-дэ, Ленин пробовал сколотить на основе группы швейцарской молодежи ядро международной соцпартии, левее Международного социалистического бюро, где доминировали немцы.

Находкой оказался человек по имени Фриц Платтен, сыгравший в жизни Ленина значительную роль, причем не один раз. Многие думают, что Платтен — наивный иностранец, «соблазненный» матерым Лениным, кто-то вроде Пятницы при Робинзоне; это далеко не так. Россией Платтен заинтересовался еще в 1905-м, пытался возить туда оружие, угодил в тюрьму, каким-то сумасшедшим способом выбрался оттуда только в 1908-м (а вот в конце 1930-х уже не хватило сил; в Няндоме есть — не надо объяснять, почему — улица Платтена). К началу войны он был лидером группы швейцарских, так сказать, «нацболов» — молодых пролетариев, которые за несколько лет до появления в Цюрихе Ленина устраивали взбучки жестоким мастерам, дискутировали на тему «За кого должна выходить замуж девушка-работница?», отвинтили однажды с фасада реакционной газеты мраморную доску, украшали рождественские елки судебными документами, квитанциями и объявлениями о повышении квартплаты, праздновали 60-летие Веры Фигнер, показывали — вместо мелодрам и комедий — «культурфильмы»: «Заготовка древесного угля», «Охота на леопарда», устраивали раз в неделю доклады о Парижской коммуне, праздновании 1 Мая, борьбе с алкоголизмом и туберкулезом, о Толстом, анархизме Бакунина и порнографической литературе. Цель — социалистическое преобразование Швейцарии — подразумевала не только участие в безобидных перформансах, но и кровавые драки с полицией на демонстрациях и уличные столкновения с католическими буржуазными бойскаутами. В 1915-м они прочли немецкий перевод ленинского «Социализма и войны» — где сообщалось нечто удивительное: они-то полагали, что прекратить войну можно с помощью разоружения, пацифизма, а тут выяснилось, что единственное лекарство от войны — Немедленное Вооруженное Восстание. Ленина они называли «Стариком», и им импонировало, что он готов выступать именно перед ними — о том, что помимо действия открытых Марксом экономических законов есть еще и право масс и индивидов самим делать свою историю; это было интереснее, чем скучный рационализм Каутского. Ленин протягивал им спички и пузырек с керосином — нате, чего вы медлите, разжигайте; и начинайте в собственном доме, чего далеко ходить.

Озадаченные такого рода советами, они переправляли в Германию в сигарных ящиках с двойным дном и в мармеладных банках антимилитаристские воззвания Ленина и Зиновьева, выпускали популярную антивоенную периодику (тираж «Свободной молодежи» в 1916 году — 160 тысяч экземпляров) и «Интернационал молодежи», листовки в духе Циммервальдской левой, «против оборонческого обмана»: требовать демобилизации, отклонять военные кредиты в парламенте, никакого «гражданского мира». Раз в неделю они собирались в кабачках, и хотя формально считалось, что «У черного орла», «У белого лебедя» и в «Штюссихофштатт» проходят заседания кружка любителей игры в кегли, все знали, что никакого кегельбана ни в одном из этих заведений нет и там просто происходит нечто «полулегальное». Именно этой «швейцарской молодежи» Ленин, сглатывая слюну, рассказывал про 1905 год, именно для них было оставлено прощальное «Письмо швейцарским рабочим». Сезон 1917/18 в Швейцарии выдался буйным, хотя настоящей революции не случилось — но, в сущности, именно выходцы из кружка любителей кеглей стали ядром Коминтерна, которого, впрочем, уже нет, — а вот, странным образом, все эти «черные орлы» и «белые лебеди» существуют по сей день — на Predigerplatz, 34, Rosengasse, 10/Ecke Niederdorfstrasse и на Marktgasse соответственно.

Последним днем «старой» жизни для Ленина стало 15 марта 1917 года. Первая половина дня прошла в библиотеке, затем он явился домой пообедать — и опять уже собирался было нырнуть в свою обычную нирвану.

Исполнителем бетховенского стука судьбы стал социал-демократ и циммервальдист Мечислав Бронский (разумеется, закончивший понятно где в 1938-м).

«Вы ничего не знаете? В России революция!»

Ссылался он на газету, в частности на «Цюрихер пост» — прогерманское издание, которому не следовало доверять вслепую. И всё же Ленин и Крупская бросились на набережную, где вывешивали разные газеты.

Трудно сказать, что более показательно: то ли что еще 28 декабря 1916-го Ленин внес в Кантональный банк 100 франков — колоссальную для него сумму, для разрешения на проживание в Цюрихе на 1917 год; то ли — знаменитый финал январского, 1917 года, «Доклада о революции 1905 года»: «Мы, старики, может быть, не доживем до решающих битв этой грядущей революции». Ничего подобного, что характерно, Ленин раньше не говорил, так что, не слишком рискуя подставиться под обвинения в блягерстве, можно предположить, что именно в Цюрихе 46-летний «Старик» максимально приблизился к отчаянию: похоже, он окончательно превратится в библиотечного городского сумасшедшего, помешанного на том, чтобы достать еще и еще и еще и еще одну книгу.

В общем, про Февральскую революцию он не знал — и, похоже, не позволял себе особо надеяться.

Тем сильнее, конечно, был эффект, шок, ступор; и, наверно, в глазах-то потемнело в этот момент. Одно дело сидеть и ждать того прекрасного дня, когда война-перекроит-Европу-и-тогда-может-быть; и другое — свершившийся факт.

Февральская революция была прямым следствием войны — и никак не была связана с деятельностью Ленина. Какая там ответственность — он даже не смог почувствовать ее приближение. Да, в начале 1917-го, задним числом, можно выявить множество признаков кризиса — оставшееся безнаказанным убийство Распутина в декабре 1916-го, общая усталость от войны, конфликт интересов кадетской интеллигенции с официальным и реакционным чиновничеством, опасения посольств Антанты, что Николай заключит сепаратный мир, мягкотелость царского окружения; однако сумма всех этих явлений вовсе не обязательно должна была подвести его к мысли о том, что Быстрая Трансформация произойдет здесь и сейчас.

Зато, как заметил однажды о Ленине саркастичный В. М. Молотов, «швейцарская молодежь и теперь сидит при капитализме, а он в том же году стал главой социалистического государства».

Весь цюрихский март Ленин испытывает ощущения человека, которого случайно заперли в библиотеке в тот момент, когда на улице начался праздник — суливший ему верное свидание с той, кого он добивался всю жизнь; трагикомическое происшествие, дающее достаточно оснований, чтобы захлопнуть все начатые книги и совершить очень нестандартное, пусть даже цирковое, в духе Гудини, освобождение из сейфа.

Через несколько дней после революции русские эмигранты в Швейцарии получили официальную телеграмму от нового правительства, подписанную, среди прочего, Верой Фигнер (которая покушалась на Александра II), — с приглашением вернуться. Им даже стали переводить деньги — несколько сотен тысяч франков; закипела деятельность, особые комитеты стали переписывать желающих репатриироваться. Ленин не игнорировал такого рода мероприятия, но в оргкомитеты не вошел, понимая, что именно у него через Францию и Англию проехать не получится: на границах проезжающих пробивали по «международно-контрольным спискам», составленным совместными усилиями генштабов России, Англии и Франции, и лиц, заподозренных в «сношениях с неприятелем» — то есть в мирной пропаганде, либо задерживали, либо просто не визировали им паспорт; антивоенная, пораженческая позиция Ленина была общеизвестна. Особенно очевидным тупик сделался после того, как дошла информация о том, что в Англии интернирован пытавшийся вернуться из Америки на норвежском пароходе Троцкий; примерно в это же время немецкая подлодка торпедировала у побережья Великобритании пароход, где находились несколько русских социалистов. По сути, оставался один легальный вариант — «канитель» с обменом на немецких пленных, которая грозила затянуться на месяцы. Или полулегальный — в виде, как выразился Мартов, «подарка, подброшенного Германией русской революции».

Много размышлявший о Ленине — и испытывавший к нему химически чистую ненависть, видевший его сугубым россиененавистником, боявшимся, что Россия может спастись, заключив сепаратный мир с Германией или создав кадетское правительство, чтобы победить вместе с Антантой и на четверть века погрузиться в буржуазное спокойствие, — Солженицын не случайно назвал «ленинский блок» глав из «Красного колеса»: «Ленин в Цюрихе». Место, несомненно, ключевое. Здесь Ленину подфартило; Красное Колесо истории провернулось, паровоз сдвинулся — и Ленин, бешеный, одержимый демонами, из ничтожества, бродяги превращается в самого ценного человека в Европе, который в одиночку может изменить ход мировой войны. Это, конечно, преувеличение — такое же, как красиво сделанная сцена с галлюцинацией, где к Ленину приходит посланник от Парвуса и затем у него из саквояжа — все увеличивающегося в глазах плохо себя чувствующего Ленина — вылезает, наконец, сам Парвус и подьявольски начинает соблазнять Ленина немецкими деньгами.

ВИ мобилизуется — утраивает объем переписки, собирает документы, договаривается со швейцарскими социалистами, рассылает письма с просьбами и требованиями, консультируется и принимает резолюции. НК, наблюдавшая за тем, что муж не спит уже несколько дней подряд, в какой-то момент обнаружила его в дверях с чемоданчиком: он уезжает, через Германию, один, с паспортом глухонемого шведа. Зная, что отговаривать бессмысленно, она лишь заметила, что ночью он наверняка начнет кричать: «Сволочь меньшевики, сволочь меньшевики!» — и все сразу узнают, что едет не только не немой, но и не швед; это не подействовало. Глухонемой, однако ж, заметила НК как можно более ровным тоном, должен быть грамотным по-шведски — а он разве?.. Придется еще и слепым притворяться.

ВИ, рассмеявшись, одумался. До того он собирался лететь в Россию на украденном аэроплане.

Мечась в клетке, Ленин успевает сочинить многочастный аналитический текст «Письма из далека» («из моего проклятого далека», не удерживается он в какой-то момент) — где на основе газетных сообщений комментирует первые шаги буржуазного Временного правительства, тактику социалистов, реакцию масс — «с точки зрения следующей революции», о которой заявлено уже в первой фразе: происходящее сейчас — не свершившаяся, окончательная революция, но лишь процесс ферментации перед настоящей, второй; «переходный момент». Видно, что голова автора переполнена светлыми идеями, как пролетариату обезопасить себя от точащей ножи буржуазии: «Я не предлагаю "плана", я хочу только иллюстрировать свою мысль. В Питере около 2 миллионов населения. Из них более половины имеет от 15 до 65 лет. Возьмем половину — 1 миллион. Откинем даже целую четверть на больных и т. п., не участвующих в данный момент в общественной службе по уважительным причинам. Остается 750 000 человек, которые, работая в милиции, допустим, 1 день из 15 (и продолжая получать за это время плату от хозяев), составили бы армию в 50 000 человек. Вот какого типа "государство" нам нужно!» «Ленин — грандиозен. Какой-то тоскующий лев, отправляющийся на отчаянный бой», — писал в 20-х числах марта 1917-го жене Луначарский; евангельско-зоологические аналогии приходят в голову и другим синоптикам тех мартовских дней: «лев, только что схваченный и посаженный в клетку»; «орел, которому только что срезали крылья».

Нет ничего удивительного, что еще в 1917 году, сразу после выступления на броневике, «пломбированный вагон» превратился в факт поп-истории и вечнозеленый хит поп-культуры, генератор мыльных пузырей, в каждом из которых отражается радужно-пенный образ Ленина; навязанный Ленину «атрибут», символ и метафору его чужеродности. Это словосочетание — ключевой элемент для концепции Октября как «диверсии против России» и большевиков как «группы заговорщиков», вроде тех, что убили Распутина. Как попало к большевикам «немецкое золото»? Да понятно как: в «пломбированном вагоне».

Однако правда ли, что проезд через Германию — «горло» истории Ленина? Что этому вагону следует приписывать магические свойства — и «всемирно-историческое значение»? Про революцию Ленин узнал из газет, войну Россия проиграла никак не из-за «вагона», и даже если допустить, что вагон этот был доверху набит рейхсмарками, всё равно большевики победили не из-за него; сам Ленин на круг больше потерял в июле, когда выскочило официальное обвинение в шпионаже, чем если б приехал, условно, на месяц позже, вместе с Троцким, в более представительной компании, не подставляясь под неудобные вопросы. Не мытьем, так катаньем Ленин попал бы в Россию — и пусть не удостоился бы такой помпезной, с вип-залом и оркестром встречи, зато не хватанул бы в Германии политической радиации и наслаждался бы политическим иммунитетом. Пожалуй, существенно, что он оказался в России раньше Троцкого — но не критически важно: у Троцкого не было структуры, на которую можно было опереться, а у Ленина были «Правда» и ядро партии во дворце Кшесинской; разве что тезисы были бы не «Апрельские», а «Майские».

Для нас «вагон» — замечательная приключенческая интермедия, где счастливо для зрителей биографического шоу о Ленине сошлось множество элементов: необычные обстоятельства, позволившие раскрыться характеру главного героя (способность под непрогнозируемым углом войти в пограничную зону, с тем чтобы эффектно материализоваться из политического небытия; талант принять смелое, рискованное, безрассудное, авантюрное решение — но не спонтанно, расчетливо), мифологическая подоплека (возвращение; Антей, прикоснувшийся после десятилетнего болтания в турбулентности к земле) и символика — локомотив истории, зловещее «Красное колесо»; рев, запах, «поток заряженных частиц» железной дороги — то есть того самого капитализма, который так пугал Толстого и который не только раздавил традиционные ценности, но и «доставил» в Россию Ленина. Корабль мертвых Нагльфар, готичный «призрачный поезд», зомби-апокалипсис засохших в отрыве от русской почвы эмигрантов. Не то Троянский конь, не то советский «Мэйфлауэр», на котором прибыли отцы-основатели новой России. Страшно жаль, что нам неизвестна судьба исторического транспортного средства, при помощи которого Ленин удовлетворил свою страсть к экстремальному политическому туризму: он не был музеефицирован — хотя куда как интересно было бы прижаться лбом к тем самым стеклам, пересчитать количество полок, проверить толщину перегородок — слышали ли пассажиры разговоры друг друга...

Чтобы придать побегу из Швейцарии характер не исключения из правил, кулуарно предоставленного отдельному лицу, но массового исхода, надо было быстро наскрести свиту, явившись кем-то вроде школьного учителя, сопровождающего вверенный ему класс; в идеале там должны были оказаться представители всех политнаправлений — чтобы создавалось впечатление, что возвращаются не большевики, а «свободная Россия вообще». Пожалуй, выгоднее всего Ленину было бы вернуться вместе с Мартовым, Плехановым, Засулич, Аксельродом, Черновым, Троцким, Луначарским — в составе политического созвездия.

При попытке сколотить экипаж выяснилось, однако, что желание вернуться в Россию за компанию с Лениным возникало далеко не у всех. Мартов побоялся, и поэтому костяк отряда составили большевики — которых было в Швейцарии не так уж и много: вся женевская ячейка — человек восемь, цюрихская — десять, включая Ленина и Крупскую. Не удалось договориться с идейно близкими «впередовцами» — вроде Луначарского; тот поехал следующим рейсом, с Мартовым. Швейцария, к счастью, кишела политэмигрантами неопределенной партийной принадлежности, и почти любой имел шанс в течение недели наслаждаться ворчанием Ленина и смехом Радека. О количестве тех, кто, в принципе, хотел бы поучаствовать в строительстве новой

России и увидеть родные могилы, можно судить по списку зарегистрировавшихся в комитете для возвращения политических эмигрантов в Россию: в марте 1917-го — 730 человек.

В 2013 году была продана — за 50 тысяч фунтов — мартовская телеграмма Ленина, в которой упоминается Ромен Роллан: его, оказывается, Ленин также хотел видеть в числе своих соседей по купе. Писателей, впрочем, собралось предостаточно и без автора «Театра революции»; 14 пассажиров из 33 оставили мемуары; некоторые, как Платтен, совершили несколько подходов к письменному столу. Не все свидетельства изобилуют живыми деталями, однако сопоставление показаний дает достаточно курьезов, чтобы без особых усилий превратить эту поездку в приключенческий фильм, детективный роман или популярный исторический очерк о познавательно-дидактическом путешествии «по следам Ленина». Беглый взгляд на *dramatis personae*, во-первых, подтверждает известную злую остроту Суханова: «В "первом интернационале", согласно известному описанию, наверху, в облаках, был Маркс; потом долго-долго не было ничего; затем, также на большой высоте, сидел Энгельс; затем снова долго-долго не было ничего, и, наконец, сидел Либкнехт и т. д. В большевистской же партии в облаках сидит громовержец Ленин, а затем... вообще до самой земли нет ничего»; а во-вторых, свидетельствует не столько о многопартийности подобравшегося коллектива, сколько о его «интернациональности»; не надо быть членом общества «Память», чтобы обратить внимание на обилие еврейских имен и фамилий; любое порядочное море просто обязано было расступиться перед этим Моисеем.

Сам Моисей путешествует с Надеждой Константиновной и Инессой Федоровной — похоже, в одном купе; на этот счет есть разные свидетельства. (Точно известно, что после Стокгольма вместе с ВИ и НК в купе ехали ИФ и грузинский большевик Сулиашвили.) Зиновьев наслаждался обществом двух своих жен — бывшей и нынешней. Среди пассажиров были двое маленьких детей (со своими сложными судьбами), которых ВИ полагал себя обязанным развлекать — и устраивал с ними свою фирменную кутерьму. Двое немцев — офицеров сопровождения — присоединились к эмигрантам на границе; они делали вид, что не понимают по-русски. Ленин, увидев этих джентльменов, тут же извлек из кармана кусок мела, провел жирную черту и готов был свистеть при малейших признаках совершения заступа. В вагоне был и «нулевой пассажир», несостоявшийся: некий Оскар Блюм, который не прошел процедуру утверждения на общем голосовании в связи с подозрениями в сотрудничестве с полицией, однако пробрался в вагон.

«Проводы» революционеров свидетельствуют о том, что культурная жизнь Цюриха вовсе не ограничивалась «Кабаре Вольтер»; они включали в себя два этапа — торжественный прощальный обед в ресторане «Цернигергорф» на Мюлегассе, 17 (сейчас там трехзвездочный отель *Scheuble*, здание явно старое, со скошенным углом), и вечеринку в «Eintracht» с участием партфункционеров-аборигенов, студенток и рабочих, вздыхающих по родине; один 60-летний русский допровожался до того, что пустился на сцене вприсядку. Выезжающие подписывали обязательство, что осознают: проезд платный, по стандартному немецкому тарифу, — и немецкое правительство не спонсирует проезд революционеров.

Условия поездки были жестко регламентированы: соблюдай или до свидания; следующая группа, которая поедет в Россию через месяц, будет чувствовать себя много свободнее — революционеры даже совершат по дороге экскурсию к очаровательному Рейнскому водопаду; Ленин, насупленный и нахохленный, подозревающий весь мир в намерении истолковать его поведение негативным образом, не позволял своим товарищам сделать ни шага в сторону.

Немцы гарантировали, что в поездке не будет технических перерывов больше дня. Всех, кто изъявил желание войти в вагон, пропустят в Германию, не досматривая; на границе пассажиры обретают анонимность — но через КПП проходят, разделившись на женщин и мужчин и демонстрируя вместо паспорта бумажку с номером — «чтобы по дороге кто-нибудь из нас не улетучился или, подменив русского большевика немецкой барышней, не оставил в Германии зародыш революции», — острит Радек, у которого как раз следовало бы проверить паспорт — и снять его с пробега: он был австрийцем, то есть пробирался в Россию «зайцем» (именно поэтому его иногда помещали в багажное купе).

Итак, 9 апреля 1917 года, Цюрихский вокзал, три часа пополудни. Короткий митинг прямо на платформе (омраченный стычкой с социал-патриотами; сходка в Женеве за несколько дней до того закончилась свалкой, в которой несколько большевиков получили серьезные ушибы), товарищеское рукопожатие Ленина с Луначарским, дружеское похлопывание по плечам будущих коллег по Коминтерну Радека и Мюнценберга («Либо мы через три месяца станем министрами, либо нас повесят»), ритуальное исполнение «Интернационала» — на четырех языках одновременно и под свист меньшевиков, красный флаг-платок из окна вагона, «Fertig!» кондуктора, эпизод с обнаружением Блюма (Ленину приходится буквально схватить его за воротник и без лишних проволочек — это запомнилось провожающим — вышвырнуть на перрон), «Fertig, fertig!» — готово, и вот в 15.10 осыпанный проклятиями и угрозами поезд отделяется от перрона и катится к немецкой границе: романтическое путешествие сквозь бурю начинается; поехали! Цюрихский вокзал очень похож на свои фотографии 1916 года, и если у вас есть склонность к «историческому трэйнспоттингу», то застыв на одной из платформ, вы без особых усилий представите себя в 1917-м — живой душой, наглухо законопаченной в железном ящике.

Ленин имел обыкновение путешествовать с большими корзинами, набитыми разной архивной, как сказала бы НК, «мурой»; и если бы Карл Радек, которого иногда ссылали в багажное отделение, набрался духу сунуть нос в ульяновские емкости, то обнаружил бы там, среди прочего, несколько тетрадок, исписанных крайне странными текстами, в принадлежности которых Ленину могли убедить разве что типичные для ВИ пометки: «блягер! дура! бим, бам! Уф!».

Обычно про 29-й том 55-томника — с так называемыми «Философскими тетрадями», и прежде всего конспектами Гегеля и герметичным фрагментом «К вопросу о диалектике» — упоминают походя, в качестве курьеза: Ленин вернулся из Польши, лишился «Правды», «своей» думской фракции, связи с партией, жалованья и, видимо, настолько не понимал, чем себя занять в Швейцарии, так был подавлен предательством II Интернационала, что запирается в библиотеке и принимается конспектировать три тома «Науки логики» Гегеля и его же «Лекции по истории философии» — еще под пятьсот страниц. Как и шесть лет назад, когда его изводили слипающиеся у него в голове эмпириомонисты и эмпириокритицисты, он ворчит, охает, ерзает и, очевидно, мучается от епитимьи, которую сам на себя наложил: «Архидлинно, пусто, скучно... Вообще, предисловие чуть не в 200 страниц — невозможно!»; «бога жалко! сволочь идеалистическая»; «темна вода»; «определение не из ясных»; «наука есть круг кругов»; и т. п.; не бросает, однако. Многие пометки из этого тома прочно закрепились в хит-параде «жутких» цитат из Ленина, неопровержимо доказывающих, что в 1917-м к власти пришел обезумевший монстр (и ладно б он перечитывал «Капитал» или «Анти-Дюринга» — но нет: Гегеля, с которым покончил еще в «Друзьях народа»; зачем?).

Любопытный момент; и, как часто бывает с Лениным, странность имеет вполне разумное объяснение.

Гегеля Ленин взялся перечитывать из-за Маркса, про которого только что дописал большой очерк — статью в энциклопедию Граната. Среди прочего там был раздел про Марксову диалектику — и вот из-за нее-то Ленин и провалился в трехтомную «Науку логики», а затем «Историю философии» — и «залип» в Гегеле; в оригинале этот философ оказался совсем не то, что Ленин знал о нем через посредников, Плеханова и Энгельса.

Видимым миру последствием очередного «философского запоя» стали попытки переписать раздел «Диалектика» в статье про Маркса; а вот конспекты Ленина — очень подробные — долгое время не публиковались, да и потом скорее игнорировались как «чудачество», которое мало что дает для понимания его гения и карьеры — ну разве что: вот какой добросовестный, для статьи еще и Гегеля решил перечитать. В целом, однако, это бернское сидение — и сама «встреча Ленина с Гегелем» — выглядели озадачивающе «не по-ленински»: суперпрактик, прагматик из прагматиков, материалист, вдруг увяз — в самый ответственный момент: война, до революции считаные месяцы — в идеализме, в хрестоматийно «абстрактном» философе; вместо того чтобы протестовать против ужасов войны, раздирать лицо до крови и ложиться на рельсы — он «помечает»: «Гегель высунул ослиные уши идеализма».

Когда Славой Жижек заявляет, что «Ленин благодаря внимательному чтению "Логики" Гегеля сумел распознать уникальную возможность для революции», он, конечно, дает петуха; эк куда хватил; однако можно, да, предположить, что существует причинно-следственная связь между изучением Гегеля и сочинением в следующие два года нескольких фундаментальных, крупнейших работ — или даже, еще шире, интеллектуального «Большого Взрыва», который происходит в голове у ВИ в 1915-м и длится несколько лет.

Доказать прямую связь сложнее; однако не слишком рискуя ошибиться, можно сказать, что благодаря Гегелю марксизм для Ленина превратился вдруг из «черно-белого» в «цветной»; оказалось, что это учение можно разворачивать на базе категорий из инструментария «идеалистского лагеря» философии и другой, не аристотелевской, а гегелевской логики. Ленин освободился от стеснявших его ограничений, получил пространство для маневра — и «турбину», дополнительную мощность. Философский форсаж — так, пожалуй, называлась бы глава о швейцарском периоде биографии Ленина в голливудском байопике.

Ясно, что конспекты и комментарии из 29-го тома предназначены сугубо для личного пользования — и поэтому Ленин может изъясняться сколь угодно странно, не задумываясь о последствиях, не гарантируя готовности нести за сказанное ответственность. Но даже и так, для того, кто знаком с классическим идеологическим набором Ленина, его заявления в рамочках, вроде «Мир есть инобытие идеи!», или «Мысль о превращении идеального в реальное глубока: очень важна для истории. Но и в личной жизни человека видно, что тут много правды. Против вульгарного материализма», или «Сознание человека не только отражает объективный мир, но и творит его» — вызывают, конечно, оторопь; это точно он, «сугубый материалист» и безжалостный терминатор любого идеализма? Это ведь ересь; еще немного, и он договорится до Беркли и Пелевина.

«Сознание творит мир» означает ведь, что помимо объективно существующей материи (того, что движет вперед историю; условно — «пушки, микробы, сталь») есть еще и некая идея (Дух?), который реализуется в мире, через материальный мир. И пусть даже под этим не подразумевается нечто мистическое, божественное — но важно, что «первее» оказывается идея, сознание, которое, получается, может творить мир. В «классическом» материализме, который теперь — под влиянием Гегеля — кажется Ленину «вульгарным», все было наоборот: только бытие определяло сознание.

В бытность свою «вульгарным» материалистом Ленин также пользовался диалектическим методом, но тогда диалектика была для него скорее синонимом действия в процессе, в динамике; и да, Ленин старался не просто «фотографировать» наличное состояние, но исследовать общество в движении, в текучести, рассматривая «новости» или вообще события в контексте исторического процесса эволюционной смены одних общественных формаций другими; классовая борьба в этой механистичной схеме была тем мотором, который обеспечивал поступательное движение общества. Инструментом такого рода диалектики при исследовании эволюции материи, проявленной в политике и экономике, была скорее статистика, как в «Развитии капитализма». Смысл такой диалектики состоял в том, чтобы демонстрировать неслучайность революционных движений, которые суть фрагменты большого исторического процесса, развивающегося по известным, вполне научным законам.

То есть Ленин «пользовался» философией, но не «влезал» в нее; его интересовали трансформации материи — и не интересовала диалектика идей, нематериальной сущности явлений, их отношения друг с другом.

В 1914-м, однако, он обнаружил, что в мире происходят странные, плохо объяснимые трансформации: не только мир обернулся войной, не только капитализм — империализмом, но и социалистический интернационал, представляющий интересы пролетариата, — альянсом с националистической буржуазией.

За этим, видимо, и полез он в Гегеля — пытаясь обнаружить логику, в рамках которой по-своему последовательные, рациональные, здравые решения II Интернационала оказываются неверными, невозможными, ошибочными.

Чтение Гегеля навело его на мысль, что «обычная» логика кое-что не схватывала, игнорировала как предмет исследования: источник самого движения. Гегель же как раз и позволяет познать источник «самозарождающегося» движения, саморазвития; этот источник — противоречие; то, что дает не просто эволюцию, но скачок, разрыв эволюционной постепенности, «трансформацию в противоположность», быстрый крах старого и возникновение нового. Объективно противоречащие друг другу фрагменты вовсе не обязательно должны быть материальными. Революции в реальной жизни становятся следствием объективных, но нематериальных противоречий.

Осознание, что размышление может стать действием, — важный момент. Ленин, свидетельствуют конспекты, как бы инсталлирует себе в голову операционную систему, которая может работать и на другой, «неевклидовой», так сказать, логике и в рамках которой противоречие не является логической ошибкой: если у Аристотеля «шапка» (вспомним шуточный пример Лепешинского) — это шапка, которая одновременно не может быть не-шапкой, то, по Гегелю, — может; и это противоречие и есть то, что двигает мир, источник движения. Центральным понятием этой мыслительной системы оказывается трансформация в свою противоположность; и это, надо сказать, совсем не то, что эволюционное изменение.

Для здравомыслящего обывателя представление о том, что превращение Ленина из «вульгарного материалиста» в философа-идеалиста повлияло на его политическую практику, что философия может как-то помочь заглянуть за поворот, нарисовать наиболее вероятный сценарий будущего, кажется чем-то вроде апологии колдовства, заведомо ненаучным утверждением. Однако именно это и произошло с Лениным. Самое интересное здесь — как Ленин, посредством гегелевского мыслительного инструментария, начинает «вычислять» те фрагменты действительности, которые благодаря объективно существующим противоречиям, пусть даже не имея в рамках «классического марксизма» материальной базы, могут трансформироваться в свою противоположность.

Так, описав впечатляющую и закономерную трансформацию конкурентного капитализма в монопольный империализм, Ленин задается вопросом: что является диалектической противоположностью империализму, который вывозит капитал в колонии? Антиколониальные национально-освободительные движения на окраинах. Значит, антагонистом империализма — который «вульгарная» социал-демократия в глаза не видит — становится Третий мир. Именно он и оказывается в этой ситуации революционным субъектом, который возникает из объективного противоречия; самозарождается движение — национально-освободительное — в ходе которого этот новый субъект в состоянии быстро осознать собственную актуальность и совершить «скачок» — оказаться готовым не только к освобождению от колонизаторов, но и, сразу, минуя капиталистическую стадию, к социалистической революции. Это крайне странно для ортодоксальных марксистов, однако диалектический анализ приводит Ленина к предвидению социалистических революций там, где нет рабочего класса, — то есть в Третьем мире. История Китая XX века — достаточно убедительная иллюстрация ленинского прогноза?

А кто в ситуации, когда капитализм перешел в свою высшую стадию развития, империализм, является диалектической противоположностью крестьянина из Третьего мира? Сознательный пролетарий. Для ортодоксальных марксистов именно он — европеец, созревший в государстве буржуазии-гегемона, — революционный субъект, которому по природе суждено стать могильщиком капитализма. Однако в действительности — раньше это был пример только Англии, а с 14-го года всей Европы — мы видим странную трансформацию: пролетарий превращается в свою противоположность и, с членским билетом социалистической партии в кармане, поддерживает в августе 1914-го империалистическую войну буржуазии. Это такой «Иван Бабушкин», который превращается в буржуа-шовиниста — как твинпиксовский агент Купер превращается в Боба.

Диалектическое единство противоположностей, записывает для себя Ленин, легко понять на противопоставлении частного-общего: простейшие примеры — Жучка (частное) / собака (общее), Иван (частное) / человек (общее). Для «обычных», ортодоксальных социалистов — которые угробили II Интернационал — общее, универсальное, разумеется, важнее: чтобы прийти к социализму, нужно отказаться от частного, узконационального — и, дождавшись, когда революции победят в ключевых странах, строить социализм одновременно в нескольких странах, где пролетариат обрел политическую власть. Ленин же указывает на важность второго участника «противоречия» — естественное стремление «частного», нации, к освобождению от зависимости и самоопределению. Задача «творческого марксизма» — не подавлять это стремление, но использовать противоречие, ценить «частную» революцию — а не рассчитывать только на «общее», ожидая момента, пока вспыхнут все нации одновременно.

«Свидание с Гегелем» изменило Ленина. И хотя окружающим, возможно, казалось, что, запертый в Швейцарии, он просто дуреет от безделья и глотает библиотечную пыль — но на самом деле это «гегелевская пыль», и она действует на него как кокаин; его голова проясняется — и из замечательного организатора и проницательного аналитика, шокировавшего товарищей скорее искусством макиавеллизма, чем оригинальными идеями и лозунгами, он вдруг превращается в генератора удивительных, головокружительных идей: превращение империалистической войны в гражданскую, революционное пораженчество, вся власть Советам, ключ к будущему — революции в Третьем мире и пр. Всё это далеко не очевидные идеи — радикально отличающие его от «обычных» социалистов.

В принципе, можно сделать вид, что в 55-томнике нет 29-го тома; никто и не заметит: подумаешь, конспекты чужих книг и смешные заметки. И пусть даже вторая революция — в самом деле, по Жижеку, отрицание отрицания: «Сначала старый порядок отрицается своей же идеологическо-политической формой; затем отрицанию должна подвергнуться сама эта форма»;

но ведь если бы Ленин не стал конспектировать Гегеля, то все равно узнал бы в начале марта 17-го о революции и приехал бы в Россию — и, скорее всего, все равно написал бы что-то вроде «Апрельских тезисов».

И все же именно «Философские тетради» обеспечивают явлению «Ленин» должный масштаб.

Именно в 29-м томе — книге о превращении явлений в свою качественную противоположность, по законам, которые, кажется, противоречат бытовой, филистерской логике, — Ленин является нам «в славе», наиболее полным образом. Идеологическое противоречие — а не материя, не денежное вознаграждение — вот источник его движения, его биографического «скачка». Вот где ленинский «Цюрих», вот где, вот откуда возник этот — подлинный — «пломбированный вагон» — и, сам, поехал.

В сущности, именно 29-й том — «пломбированный вагон» 55-томника, настоящая тайна Ленина. Так же, как обыватели инстинктивно хотели бы свести весь феномен Ленина к простому объяснению: «так-ведь-всё-дело-в-том-что-он-немецкий-шпион-его-немцы-завезли-к-нам», — для того, кто читал 29-й том, возникает неодолимый соблазн объяснить все, что написано и творчески создано Лениным после 1915-го — от идеи превращения империалистической войны в гражданскую до последней опубликованной при жизни статьи — «О кооперации» 1923 года, — результатом «паранормального опыта Ленина», его (мистической) «встречи с Гегелем».

«Избавляясь» от 29-го тома, задвигая корзины с этими тетрадками подальше под вагонную полку, мы, по сути, избавляемся и от Ленина-марксиста.

И раз избавляемся — то на «аннаснегинский» вопрос — КТО ТАКОЕ ЛЕНИН? — получаем простой ответ: политический авантюрист, манипулятор, плут. Этот ответ может включать в себя и набор курьезных человеческих (слишком человеческих) свойств: небольшой рост, плешивость, идиосинкразия на землянику, склонность читать словари в момент, когда надо успокоить нервы, картавость, наследственный артеросклероз, манера закладывать большие пальцы за проемы жилета, пристрастие к полевым цветам и отвращение к садовым... что там еще. Или — если «суммировать» Ленина через действия, глагольными формами: сначала швыряется калошами, потом несется со сжатыми кулаками по Казанскому университету, затем съедает в Шушенском стадо баранов, затем пробирается в Смольный; чем больше глаголов, тем более исчерпывающая, «окончательная» перед нами биография Ленина — так?

Так да не так; Ленина, да, можно представить простой суммой материальных свойств и ассамбляжем явлений; но в нем есть нечто большее, что-то такое, что не схватывается даже в самом полном перечне, — его сущность.

Как так: в марте библиотечный червь, а в ноябре — руководитель России; как вообще совмещаются два этих образа? Как так: адвокат в цилиндре, сын чиновника — и вождь мирового пролетариата? Статистик в бухгалтерских нарукавниках — и авантюрист? Политикан — и философ-идеалист? Склочник — и благотворитель? Смешной — и смеющийся?

Но давайте предположим, что биография Ленина — это история не эволюционных изменений характера, а набор превращений некоторых фрагментов реальности в свою противоположность: «революций», «скачков», обусловленных наличием внутренних противоречий; если допустить, что именно за счет существования взаимоисключающих, отрицающих друг друга «Лениных» и возникают «движущая сила» и «перескоки» на новый виток; если представить, что сам Ленин есть «инобытие» некоторой идеи, есть идея, воплотившаяся в материи, есть политический маршрутизатор, активированный в момент обострения идеологического конфликта, — то такой Ленин — да, действительно многое объясняет.

1917-й
Апрель—октябрь

Апрельское купание в потоках фаворского света на Финляндском вокзале, июльская костюмированная ночная ретирада в Разлив, роковой октябрьский вечер с каминг-аутом на II съезде Советов: в советском евангелии о Ленине фабула Семнадцатого года состояла, по сути, из трех событий, которые десятилетиями лакировались рублевыми, феофанами греками и дионисиями изобразительных искусств и кинематографа; позы, мимика, напряженность прищура главного фигуранта были четко регламентированы — согласно «подлиннику»: «Краткому курсу». Везде сначала мир предстает окутанным театральной тьмой — а затем прожекторы, керосиновые лампы, софиты извергают фотонную лаву. Надо признать, выстроенный таким образом сюжет о приключениях Ленина выглядит идеальной драматургической конструкцией: эффектная завязка, почти детективная— с погонями, переодеваниями и тревожными паровозными гудками — середина и, наконец, выдающаяся кульминация с триумфальным финалом. Что в этой редакции было упущено, так это объяснение, каким образом мало кому известный нищий эмигрант, да еще и умудрившийся вызвать в промежутке между пунктом 1 и 2 колоссальный всплеск ненависти по отношению к себе, сумел за семь месяцев превратиться в премьер-министра страны со стосемидесятимиллионным населением. Что заставляло людей — глубоко озадаченных его оскорбительным поведением и эксцентричными предложениями — раз за разом назначать ему следующую встречу?

Вряд ли случайно, что самые разные инстанции — от непосредственных наблюдателей-синоптиков до позднейших интерпретаторов, рассказывая о Ленине в 1917-м, обращаются к евангельским аналогиям; видимо, сама эпоха подавала сигналы о своем сходстве с годами Пришествия; блоковские «Двенадцать» это фиксируют. Эти неполных семь месяцев — «Евангельский год» Ленина, период его «цветения» и в политическом смысле, и в личном. Люди, которые видели его до и после, утверждают, что он никогда не выступал так ярко, как в это время; в эти месяцы создан, пожалуй, самый важный текст в его собрании сочинений; и сочиняет он с невероятной скоростью — в среднем на создание условного тома у него уходит шестьдесят дней; и вряд ли случайно, что — подсчитано — больше всего новозаветных фразеологизмов обнаруживается в его текстах именно в этот период.

Он не просто «бешеный», как в лучшие свои годы, на II съезде, в 1903-м, — он тотально непредсказуемый. Он принимает нестандартные, потенциально роковые решения, способные уничтожить все достигнутые за двадцать лет результаты. Он отходит от всех догм, уставов и параграфов — и отказывается от теорий и положений, на защиту которых были положены годы, — ради новейших, только что изобретенных, полученных опытным путем. Он убегает от преследователей на паровозах и автомобилях, шныряет по буеракам, закоулкам и лесным опушкам, прописывается на болоте и в случае опасности готов спуститься с третьего этажа по водосточной трубе. Амплитуда осцилляции, передающей одобрение его деятельности, крайне далека от нормальной: то его встречают официальные делегации с оркестром в вип-зале, то государство гоняется за ним с собаками-ищейками. То он выступает перед министрами, то обматывает себе голову бинтами — и выдает себя за глухонемого, за железнодорожного журналиста, за косца, за пациента стоматологической клиники, за священника. Слухи приписывали ему — и не совсем уж безосновательно — протеические способности и возможности совершать молниеносные побеги с помощью подводных лодок и аэропланов; сам его череп, хорошо приспособленный для перемены внешности, представлялся правительству угрозой государственной безопасности — так что оно специальным указом запретило продавать парики. В какой-то момент постоянная необходимость избавляться от своих натуральных внешних черт словно бы деантропоморфизирует его — и неудивительно, что финны, передававшие Ленина друг другу по цепочке, за два месяца до Октября называют его уже даже не вымышленной фамилией, а каким-то индейским — или, пожалуй, сорокинским — прозвищем: приедет «Живой Чемодан».

Единственный раз, когда он позволит себе признаться кому-либо, что ощутил головокружение от происходящих с ним метаморфоз, настанет лишь утром 26 октября; до того даже на самых сильных перепадах своих «американских горок» он только закусывает губы посильнее да поглубже запускает большие пальцы в проемы жилетки. Может показаться, что «авантюризм» Ленина в 1917-м проистекает от отчаяния: либо оставаться никому не нужным эмигрантом и провести остаток жизни в дешевых пансионах и экскурсиях по горам Швейцарии — либо любой ценой использовать тот шанс, который дает судьба; нечего терять. Это — бытовое и всего лишь псевдопсихологическое объяснение: и неточное, и неверное. Окружающим кажется, что он ведет себя как политический авантюрист; однако если понимать, что в голове у него находится некая «Теория Всего» (доказательством чего служит таинственная «Синяя тетрадь»), ясно, что все его поведение абсолютно рационально — и по-своему даже осторожно, в рамках его собственной системы координат. Ленин в 1917-м выглядит как авантюрист — но не является им.

К великому сожалению для биографа, политическую ипостась Ленина начиная с апреля 17-го все сложнее отделить от личной; сфера *Privatsache* все скукоживается, и даже такие связанные с проявлением телесности интимные эпизоды, как бритье, стрижка и купание, становятся событиями политической биографии: увидим, почему. Едва ли за все эти семь месяцев он провел хотя бы одну ночь в одиночестве; даже в шалаше — и то рядом был Зиновьев; даже в квартире Фофановой — хозяйка. Едва ли не единственный эпизод, где намерения Ленина явно никак не мотивированы политически, — это когда к нему приезжает Надежда Константиновна и он просит уйти хозяина одной из его финских квартир. И все же 1917-й — последний год, когда он еще может заниматься тем, чем ему заблагорассудится; последний год, когда мы еще можем застать его в нелепом положении, когда он в любой момент может надеть «кольцо невидимости», соскочить; в тот момент, когда 24-го он переступает порог Смольного, мышеловка захлопывается; возможности для маневра резко сужаются. Тем ценнее последние месяцы перед этой досадной потерей.

Вероятность возвращения Ленина в начале апреля оценивалась питерскими большевиками как далеко не стопроцентная.

Ленин был не тот человек, кто приезжает на «сырую» революцию; Ленин мог в последний момент выйти из «пломбированного вагона» и, вместо того чтобы портить себе репутацию, отправиться в горы дышать воздухом; Ленина могли завернуть уже на русской границе союзники; Ленина могло тут же арестовать Временное правительство; так что даже когда из Мальме пришла телеграмма от Ганецкого, что «партия едет», многие скептики, в том числе ленинские сестры, интерпретировали это сообщение так, что едет-то едет — но без Ленина. Тем сильнее была радость обитателей болтающегося в революционных волнах большевистского корыта, когда утром 3 апреля они узнали, что шлюпка их капитана на подходе — и он вот-вот сам встанет за штурвал.

Вопреки опасениям Ленина, Петроградской организации удалось перейти из полуподпольного режима в легальный без особых затруднений — и в состоянии вполне удовлетворительной боеготовности: еще одно свидетельство, что автору «Что делать?» за полтора десятка лет удалось создать политический продукт, способный в сложных условиях мобилизоваться самостоятельно. Еще в начале марта Мария Ильинична с Ольминским, Шляпниковым, Бонч-Бруевичем и Молотовым сняли на Мойке, 32, прямо рядом с Невским, две комнаты; первый номер газеты раздавали бесплатно, потом стали продавать. «Пилотные», сделанные до приезда Каменева номера — захватывающее чтение: здесь есть рассказы о носящемся по Петрограду загадочном черном автомобиле, пассажиры которого расстреливают случайных прохожих, и толковые советы Ольминского, где взять денег молодой республике («В царских дворцах накоплено несметное количество золота и серебра. Это нужно все перевести в Госуд. банк»), и его же аналитика («Денег у царей в Английском банке — не один миллиард рублей. Эти деньги — одна из причин, почему Николая Романова нельзя сейчас выпускать за границу»), и ехидные, щекочущие носы масс стихи Демьяна Бедного. Хуже то, что вернувшийся к середине марта Каменев — профессиональный редактор, умеющий придать газете оригинальную политическую физиономию, а затем и Сталин принялись проводить линию на блок с меньшевистско-эсеровскими советами и поддержку Временного правительства. В этом были свои резоны: и Каменев, и Сталин были против войны, но оба почувствовали солидарность с социалистами других мастей; в конце концов, многие лично знали друг друга, считали, что делают одно дело; шутил же П. Струве, что меньшевики — это те же большевики, «только в полбутылках» (Г. Иоффе «Керенский и Ленин»). Еще чуть-чуть — и они заключили бы друг друга в объятия, несмотря на то, что им известно было — по «Письмам из далека» и телеграммам — крайне негативное мнение Ленина относительно братаний с предателями оппортунистами; оно, однако, замалчивалось — как недостаточно компетентное в силу оторванности автора от реалий. Тем не менее даже и те, кто вот-вот будут заклеймены как проводники «позорного соглашательства», были рады возвращению Ленина — хотя и догадывались, что их Вий вряд ли откажет себе в удовольствии зыркнуть на этот альянс так, что от него останутся только рожки да ножки.

В Музее политической истории выставлена красноречиво малолюдная расписная тарелка конца 1930-х — «Возвращение из эмиграции в апреле 1917»: Ленин, сгорбившись от многих знаний, сходит с поезда в Белоострове, а на путях его встречают с распростертыми объятиями Сталин и при нем Дзержинский. Автор то ли поленился, то ли забыл изобразить, например, толпу работниц, которые на руках вынесли в Белоострове Ленина из вагона — несмотря на небезосновательное беспокойство последнего, что на границе его примет под белы рученьки как немецкого шпиона милюковское правительство. Оркестр действительно сыграл «Марсельезу», и даже буфетчик, любезно ухаживавший за членами Бюро ЦК, которые не жалели слов, объясняя, что за калибра орудие вот-вот выкатится на платформу, — ни за что не захотел принять деньги за обслуживание. Люди 1917 года не были похожи на обычные версии себя самих; Джон Рид пишет, что лакеи и официанты декларативно отказывались от чаевых и даже развешивали в заведениях истеричные плакаты «Если человеку приходится служить за столом, чтобы заработать себе на хлеб, то это еще не значит, что его можно оскорблять подачками на чай». И только уже в поезде, пока ехали до Петербурга, Сталину, Каменеву, Шляпникову, Коллонтай и Марии Ильиничне удалось получить от Ленина — который, если верить эсеровскому вождю В. Чернову, «иронически говорил, что знает только двух настоящих большевиков: себя и жену», — нечто большее, чем мимолетное рукопожатие.

Петербургский комитет постановил встретить В. И. Ленина на Финляндском вокзале в полном составе; слухи о Великом Возвращении вызвали 3 апреля ажиотаж среди левых организаций, которые решили не ударить в грязь лицом. Кронштадтские моряки заявили, что, несмотря на ледоход, они пробьются на ледоколе в Петроград — и обеспечат Ленину почетный караул и духовой оркестр.

Значительное количество встречающих, среди прочего, объяснялось еще и тем, что Ленин появился в Петрограде в выходной день, на второй день Пасхи (на пасхальных открытках в тот год писали как «Христос воскрес!», так и «Да здравствует республика!»). Отсутствие газет помешало широко оповестить рабочие и солдатские массы о политическом воскрешении большевистского Осириса; зато те, кто узнал о нем, располагали досугом; Пасха также лишила возможности противников большевиков своевременно заклеймить в прессе это возвращение как «акт предательства и шпионажа».

«Как он постарел!» — восклицает Нагловский, в дальнейшем зафиксировавший и другие резкие перемены, вроде исчезновения добродушия и товарищеской легкости, которые теперь заменили цинизм и грубоватые повадки. «Это был бледный изношенный человек с печатью явной усталости». Тем не менее его встречали будто мессию: с оркестром, делегациями от разных предприятий, представителями Петроградского комитета РСДРП и Советов — в лице меньшевиков Чхеидзе и Церетели. Точнее прочих, как всегда, тот, кто находился за несколько тысяч километров от Петрограда, — Троцкий: «Ленин претерпевал потоки хвалебных речей, как нетерпеливый пешеход пережидает дождь под случайными воротами. Он чувствовал искреннюю обрадованность его прибытием, но досадовал, почему эта радость так многословна. Самый тон официальных приветствий казался ему подражательным, аффектированным, словом, заимствованным у мелкобуржуазной демократии, декламаторской, сентиментальной и фальшивой. Он видел, что революция, не определившая еще своих задач и путей, уже создала свой утомительный этикет. Он улыбался добродушно-укоризненно, поглядывая на часы, а моментами, вероятно, непринужденно позевывал. Не успели отзвучать слова последнего приветствия, как необычный гость обрушился на эту аудиторию водопадом страстной мысли, которая слишком часто звучала как бичевание».

Был ли это род массового идиотизма — когда мало кому известный эмигрант вызывает эпидемию восторга — или массы в самом деле отчаянно нуждались в «спасителе Петрограда»? Чувствовал ли сам Ленин себя кем-то вроде Хлестакова, которого приветствуют не по чину, — или, наоборот, ощутил себя, наконец, в своей тарелке: в нужное время в нужном месте? Правда ли, что как раз в этот момент он и понял, что движущей силой революции может быть не партия профессионалов, а стихия?

Импровизированное вокзальное выступление с броневика — Германия вот-вот вспыхнет, с войной надо кончать прямо сейчас, да здравствует вторая, социалистическая революция — оказалось размазано в пространстве: Ленин не просто забрался на автомобиль, а затем спрыгнул с него — а, собственно, поехал на нем на Петроградскую сторону — два с лишним часа, останавливаясь чуть ли не на каждом углу, чтобы произнести короткую речь для выстроившихся встречать его — как Гагарина 15 апреля 1961-го — толп. Это не означает, что Ленин ехал на броне на манер десантника. Водитель, М. Оганьян, которого обычно выделяют из десятка лжешоферов как наименее подозрительного свидетеля, утверждает, что во время переездов Ленин сидел рядом с ним, внутри машины. По другим сведениям, сам броневик — английский «Остин» — представлял собой грузовой автомобиль, обшитый стальными плитами, с пулеметом в кузове, но без бронированной башни; и Ленин ехал, по сути, в кузове грузовика. Поиски автомобиля начались только после смерти Ленина, и окончательного мнения о том, как на самом деле он выглядел, странным образом не сложилось; почему у тысяч людей отшибло память — большой вопрос; официально, однако, на роль «того самого» был утвержден двухбашенный броневик «Враг капитала», прописавшийся сейчас на задворках Петербургского военно-исторического музея артиллерии и инженерных войск, за Петропавловкой; конструкция гораздо больше похожа на объект из фильма «Безумный Макс», чем на такси, которое доставило вернувшегося после десяти лет отсутствия эмигранта с чемоданами домой. Впрочем, Ленин не был обычным путешественником, и поэтому вместо дома или гостиницы боевая фура под слышный даже сейчас инфернальный вой повезла его по «дороге ярости» — в «офис».

Штабом большевиков — и центром трансформации буржуазной революции в социалистическую — служила не редакция «Правды» на Мойке, а огромный модерновый особняк на Петроградской стороне — грубо говоря, между Петропавловской крепостью и Соборной мечетью. Он принадлежал балерине Матильде Кшесинской, которая построила его в 1905 году по своему проекту и на свои деньги, однако элегантность объекта так и не смогла избавить хозяйку от репутации любовницы чуть ли не всей семьи Романовых; и если «до войны обыватели сплетничали о расположенном против Зимнего дворца притоне роскоши, шпор и бриллиантов с оттенком завистливой почтительности», то «во время войны, — припоминает частенько бывавший тут Троцкий, — говорили чаще: "Накрадено"; солдаты выражались еще точнее».

27 февраля 1917-го помещение, привлекшее к себе пристальное внимание противников самодержавия, захватили майданным способом — хозяйка сбежала, ее никто не удерживал — солдаты автоброневого дивизиона — и, по просьбе большевиков, которые только-только вышли из подполья и страшно нуждались в помещении, передали его ЦК и Петроградскому комитету РСДРП. Тут работала и Военка — военно-революционная организация большевиков, занимавшаяся поначалу как раз, наоборот, антивоенной агитацией. В апреле здесь прописался «жилец» еще более одиозный — Ленин; разумеется, бульварные газеты на все лады смаковали эту метаморфозу «проклятого особняка» — а затем пикантную «тяжбу Кшесинской и Ленина». Особняк оказался не только удачной находкой, но и — с мая — зубной болью большевиков: хозяйка выиграла у них суд. Впрочем, в дом она так и не вернулась; большевики затягивали исполнение судебного решения, и только в июле их силой вышибли оттуда. Однако если славящиеся хорошей организацией ленинцы поддерживали в здании порядок и даже ухаживали за зимним садом, то самокатчики, которые обосновались там после них, превратили особняк в сквот и авгиевы конюшни.

Поскольку до июля здесь функционировал солдатский клуб «Правды», к особняку устремлялось всё «неблагополучное», что только было в военном Петрограде 17-го года, — к удовольствию Ленина, который на протяжении всех этих месяцев как раз и фокусирует внимание большевиков на тех, с кем не знают, что делать, ни Временное правительство, ни меньшевики, — на солдатах, которых убеждают «наслаждаться свободой», «защищать свободу», но которых не могут ни избавить от инстинктивного ужаса перед капитализмом, ни коррумпировать — образованием и доступом к дешевому качественному потреблению. Эти наиболее социально уязвимые продукты войны, не имевшие возможности по-настоящему воспользоваться плодами демократии, были потенциальными клиентами Ленина. И пока все советовали «подождать» — пока соберется Учредительное, пока не договорятся с союзниками о переговорах с немцами, — Ленин предлагал этим людям то, чего они действительно хотели: прекращение войны и закрытый шлагбаум на пути капиталистического молоха; не абстрактную «свободу», а — конкретные пункты: вас не будут гнать на войну, вам дадут землю и защитят от произвола работодателей. И не просто предлагал сверху, с балкона: они вызывали у него ненасытное любопытство еще и как субъекты — пусть несуразного, но новаторского политического творчества. Пытаются ли они взять под свой контроль распределение дефицита? Как они поступают с самозахваченными (часто вынужденно, после тайной перепродажи бывшим владельцем новому) промпредприятиями? Неудивительно, что солдаты, дезертиры, беженцы-крестьяне, неквалифицированные рабочие стягивались к разукрашенному красными бантами зданию: «гнезду ленинцев».

Особняк в советские времена занимал Пролеткульт, тут была столовая, потом музей революции; здание даже видно в «Шерлоке Холмсе»: карточный якобы клуб «Багатель». Сейчас там Музей политической истории XX века: интерактивные панно, золотые часы Подвойского, перстень с портретом Ленина; нам интересны две комнаты на втором этаже — изначально балерининого сына. Ленин сидел в одном кабинете со Стасовой, во второй размещался Секретариат ЦК и ПК: Свердлов. Именно из этой комнаты — если вы хотите выступить перед толпой людей, которые выглядели как тот тип масс, который начиная с 1917 года и затем весь XX век будет делать успешные революции на пространстве от России до Индонезии, — можно оказаться на балконе, выходящем на Кронверкский проспект и Неву. Балкон идеальный, если вы фигурка, появляющаяся из декоративной дверки часов с боем, и неуютно маленький для оратора; решетка низенькая — кто повыше, может и кувыркнуться. Пол на балкончике покрыт рельефной, фактурной плиткой — наверно, на таком приятно было бы постоять босиком в теплый майский денек; но вряд ли Ленин часто пользовался этой возможностью. В Белом зале, где Ленин ошарашил в ночь с 3 на 4 апреля актив своими «Апрельскими тезисами», жизнь продолжается — он отреставрирован до умопомрачительного состояния; автор этой книги присутствовал там на детском предновогоднем концерте: девочка, ученица музыкальной школы, играла на флейте грустную мелодию. Учениками называет Суханов и слушателей той двухчасовой «громоподобной» — никаких флейт — речи Ленина, потрясшей «собравшихся, и так благоговевших перед "великим магистром ордена"»: «Казалось, из своих логовищ поднялись все стихии, и дух всесокрушения, не ведая ни преград, ни сомнений, ни людских трудностей, ни людских расчетов, носится по зале Кшесинской над головами зачарованных учеников».

Представив ближнему кругу — человек двести-триста — совсем не ту версию музыки революции, что доносилась в тот момент отовсюду, Ленин уже к утру отправился пешком, в компании провожающих, без вездесущего Н. Суханова («Ощущение было такое, будто бы в эту ночь меня колотили по голове цепами. Ясно было только одно: нет, с Лениным мне, дикому, не по дороге!»), ночевать в квартиру сестры — которая, очень кстати, жила неподалеку, в получасе ходьбы по Кронверкскому и Широкой — на Широкой, 2. Этот шестиэтажный модерновый дом — красивый, с затейливыми балконами, арками и балясинами на углу, с мезонинами — напоминает корабль. Просторная пятикомнатная квартира, где с 15-го по 18-й год жили Марк Елизаров, служивший директором пароходного общества, его жена Анна Ильинична, их 11-летний приемный сын Георгий, а также Мария Ильинична, находится на самом его «носу» — и поэтому несколько комнат в ней — треугольные, «неправильной» формы (Анна Ильинична даже пользовалась в 1918 году псевдонимом «Угловой жилец»). Квартира была наполнена всякими безделушками — зеркалами, веерами, скульптурками, которые Марк Тимофеевич привез из своего эпичного — через Японию и Индонезию — путешествия десятилетней давности. Сама Анна Ильинична ходила дома в настоящем японском кимоно; впрочем, последние дни перед революцией она провела в тюрьме; в недешевой квартире, да, царила буржуазность — но очень «ульяновская», подразумевающая обыски и тюрьму для хозяев в любой момент и использование для партийных целей: помимо Ленина, здесь бывали Свердлов, Подвойский, Сталин; «Правда» собиралась.

Несмотря на то, что в июле выяснится, что все прочие жильцы дома ненавидели Елизаровых, не хотели иметь с Лениным ничего общего и даже составили ходатайство с требованием выселить «опасных соседей»; несмотря на то, что здешний швейцар писал на Елизаровых доносы и шпионил за тем, кто ответил в домовой книге на «Откуда приехал» — «Из Москвы», а «На какие средства живет» — «Живет капиталом, а его жена при муже», а дворник, по воспоминаниям Марии Ильиничны, разорялся: «Да если бы я знал раньше, я бы его такого-сякого собственными руками задушил!» — и особенно возмущался тем, что Ленин всегда ездил только на автомобиле с шофером и охранником-солдатом, — в 1927-м здесь открыли музей, один из первых в стране; сейчас, разумеется, квартира «позиционируется» не столько как ленинская, сколько как «типичная старая». На счастье, в советские времена дом успели оснастить неправдоподобно массивной мраморной доской — камень сантиметров двенадцать толщиной и метра полтора-два длиной; такую и захочешь-то — не пропустишь.

В комнате Марии Ильиничны, где положили ВИ и НК, над двумя кроватями гости обнаружили вырезанный из бумаги транспарант: «Пролетарии всех стран, соединяйтесь!» с серпами и молотами — работа, по совету МИ, одиннадцатилетнего Горы.

На следующий день они превратятся в обычную семью — члены которой будут счастливы видеть друг друга и проводить время вместе. Весь вечер 4 апреля ВИ рассказывал за столом «смешные» истории о путешествии в «пломбированном вагоне» — и все хохотали. Да уж, «не обошлось без курьезов»; на границе швейцарцы отобрали у пассажиров продукты — оказалось, их нельзя вывозить (Луначарский, который поедет вторым поездом, будет извещен, что нельзя брать с собой даже и обувь, если она новая, — возможно, узнав о негативном опыте товарищей); однако и выходить из вагона тоже запрещалось. Поездка через Германию — Готтмадинген, Зинген, Штутгарт, Карлсруэ, Франкфурт, Берлин — заняла три дня (не так уж долго, по военным меркам; сейчас то же путешествие — от Цюриха до Зассница — можно совершить на поезде за 12 часов), и чтобы русские не умерли с голоду, Платтену пришлось договариваться с «немецкими партнерами» о поставках питания. Однажды на станции он приобрел для своих друзей в буфете несколько кувшинов пива — и, задержавшись, попросил отнести их в вагон каких-то немецких солдат. Те не только скандальным образом проникли в «герметичный» и «пломбированный» вагон, но еще и подверглись атаке Радека, который решил распропагандировать их против войны; Радека, который вообще должен был сидеть в багажном отделении со своим австрийским паспортом! 32 человека — не так уж много, но в замкнутом пространстве они в какой-то момент столкнулись с дефицитом полезного пространства. Ленину пришлось ввести карточную систему: во-первых, на курение в туалете; во-вторых, уже на финском этапе, когда не хватало полок, на спальные места: как мы знаем из рассказов А. Сковно, «каждый мог спать только в те часы, которые были обозначены на его карточке, после чего уступал место другому. Владимир Ильич, несмотря на наши просьбы, спал также "по карточке", простаивая остальное время на ногах». Какую-то другую компанию такая тревожная, с крайне сомнительными перспективами поездка могла повергнуть в уныние, но эту, похоже, лишь раззадоривала, и глубоко за полночь Ленину приходилось врываться в соседнее купе, чтобы «рассадить» зачинщиков шума и смеха — Радека и Равич; его гнев, впрочем, не длился слишком долго, потому что к дверям его купе время от времени являлись делегации певунов, которые затягивали что-нибудь вроде «Скажи, о чем задумался, скажи, наш атаман», и поскольку хоровое пение было слабостью ВИ — он неизменно начинал подтягивать.

Но байки ВИ будет рассказывать на следующий день, а тогда, в ночь с 3-го на 4-е, пишет НК, они с мужем так и не нашли слов, чтобы обсудить это удивительное Возвращение.

Возможно, Ленин думал о том, что здесь, в этой квартире, провела последние месяцы его мать; во всяком случае, следующим утром, до того, как начать свое историческое турне по петроградским политическим злачным местам с «Апрельскими тезисами», Ленин едет к могиле матери и сестры на Волково кладбище.

Оттуда его путь лежал в Таврический дворец, штаб уже всей революции, где заседал Совет. Там он выступил сначала перед «своими»; доклад был выдержан в стилистике «Also sprach Zarathustra»: «Вы боитесь изменить старым воспоминаниям. Но чтобы переменить белье, надо снять грязную рубашку и надеть чистую». Мы рвем с социалистическим Интернационалом — и создаем новый, Коммунистический. «Не цепляйтесь за старое слово, которое насквозь прогнило. Хотите строить новую партию... и к вам придут все угнетенные».

К началу апреля революция в Петрограде продолжалась уже почти полтора месяца, митинги шли непрерывно — но на них решались уже более-менее конкретные вопросы; относительно произошедшего в обществе сложился консенсус; опоздавшему на пять недель новичку трудно было сказать что-то неожиданное.

«Апрельские тезисы» были дзенским хлопком перед носом собравшихся. Никакой поддержки Временному правительству; вместо войны — братание; выход из двоевластия — отказ от идеи парламентской республики, коммуна; власть — Советам; социал-демократы — неправильное название партии, правильное — коммунисты. Надо отдать Ленину должное, в апреле 1917-го он был человеком, сумевшим проявить себя в жанре, который венчурные капиталисты называют «презентацией для лифта»: у вас есть 30 секунд, чтобы впечатлить меня своей бизнес-идеей. Собственно, уже Финляндский вокзал и стал его «лифтом»; и ровно потому никто и не помнил, как выглядел броневик, что Ленин сообщил оттуда нечто такое, что имело большее значение, чем весь антураж; и вряд ли хотя бы один из тех, кто услышал речь Ленина, пожалел о том, что пришел сегодня, а не вчера — когда встречали гораздо более знаменитого Плеханова. Плеханов говорил то же, что и все, — и приезд его запомнился по оскорбительным стихам Демьяна Бедного в «Правде»: «Ты — наш великий пропагатор! Ты — социал наш демократор! Привет от преданных друзей, Гамзей Гамзеевич Гамзей»; тогда как Ленина многие слушали сначала на вокзале, потом у Кшесинской, потом — дважды — в Таврическом, потом на митинге в Измайловском полку и т. д.

Доведя своих большевиков до коллективного инфаркта, Ленин охотно согласился разорвать рубашку на груди и перед менее лояльной публикой.

«Профессиональные» социалисты, которым довелось оказаться слушателями первой публичной речи Ленина в Таврическом, чувствовали себя примерно так же, как члены британского парламента, когда в 1977-м мимо их окон проплыл по Темзе катер с живым концертом «Sex Pistols»: «Демократия есть одна из форм государства. Между тем мы, марксисты, противники всякого государства» — что?! Обнаружив, что Ленин в эмиграции проделал гораздо более существенную эволюцию на пути в ад, чем предполагалось, — «бывшие товарищи» не замедлили включить проблесковые маячки и сирены. «Ленин претендует на европейский трон, который пустует уже тридцать лет: трон Бакунина. Новое слово Ленина является переложением старой истории примитивного анархизма. Ленина — социал-демократа, Ленина — марксиста, вождя нашей боевой социал-демократии больше нет!» (Гольденберг); «В анархизме есть своя логика. Все тезисы Ленина вполне согласны с этой логикой. Весь вопрос в том, согласится ли русский пролетариат усвоить себе эту логику. Если бы он согласился усвоить ее себе, то пришлось бы признать бесплодными наши более чем 30-летние усилия по части пропаганды идей Маркса в России» (Плеханов); «Как вам не стыдно хлопать этой чуши? Позор! И вы еще смеете называть себя марксистами!» (Богданов). Этика революционного сообщества подразумевала нанесение публичных личных оскорблений; тот, кто не был готов к тому, что его будут называть «клоуном от революции», должен был в 17-м году сидеть дома; возможно, взгляды Надежды Константиновны и Инессы Федоровны, расположившихся в первом ряду зала на 700 человек, несколько подбадривали Ленина (особенно в те моменты, когда он отвечал Церетели на его «как ни непримирим Владимир Ильич, но я уверен, что мы помиримся» — «Никогда!» — и Гольденбергу на «здесь сегодня Лениным водружено знамя гражданской войны» — «Верно! Правильно!»).

Не то чтобы Ленин оказался сразу после приезда в изоляции и в собственной партии; но его дикие выходки встретили всё же кое-какой отпор у него же на заднем дворе. 8 апреля Каменев в «Правде» опубликовал заметку «Наши разногласия»: «Что касается общей схемы т. Ленина, то она представляется нам неприемлемой». «Старые большевики» в самом деле не могли понять, каким образом можно выставить лозунг «Вся власть Советам!»: ведь на протяжении десятилетий им объясняли, что сначала должна быть буржуазная революция, должны пасть самодержавие и феодализм, и уж только потом, когда общество, технологии и отношения созреют, — можно будет приступать к социалистической. Да, Ленин всегда носил прозвище «Ляпкин-Тяпкин» — «до всего своим умом дошел»; от Ленина можно было ожидать всего — например, лозунга «Вся власть РСДРП!» или «Да здравствует вооруженное восстание, долой Временное правительство!»; но «Вся власть Советам»?! Разве роль Советов не в том, чтобы проконтролировать эффективность работы Временного правительства по подготовке Учредительного собрания, которое разрешит все наличные противоречия демократически, парламентским способом? Зачем же Советам, почему?

Выдвинутый в «Апрельских тезисах» лозунг за сто лет выцвел и истрепался настолько, что сейчас крайне сложно реконструировать тот паралич, который он вызвал, когда Ленин впервые «презентовал» его. А меж тем это был его трюк, финт, гол «ножницами»; и именно благодаря этому изобретенному Лениным лозунгу политические дела большевиков пошли в гору.

Как понять ход мыслей Ленина?

Весной 1917-го Ленин столкнулся с сугубо российским политическим курьезом — двоевластием: в стране действовало как «нормальное» для буржуазного государства Временное правительство, готовившее переход от монархии к парламентской республике (хотя теоретически Учредительное собрание могло и монархию восстановить), так и Советы — оригинальные, имеющие в «анамнезе» связь с крестьянскими органами самоуправления инструменты прямой демократии. Ленин осознавал, что в такой конфигурации машина истории работает на него: наличие Советов дестабилизирует ситуацию, не дает революционному цементу застыть — и позволяет в подходящий момент быстро вмешаться, чтобы ликвидировать «двоебезвластие» (бонмо Троцкого) в свою пользу.

То, что для «обычных политиков» представлялось «парадом планет», «концом истории», чем-то не просто ранее невиданным и неслыханным, но неклассифицируемым, не поддающимся рациональному осмыслению, для Ленина ясно как божий день, прогнозируемо и предсказуемо: буржуазная демократическая республика, которая — пока что, на первых порах, не опомнившись — обеспечивает основные свободы граждан — и ровно поэтому является идеальной средой для того, чтобы — отсюда, оттолкнувшись — пойти дальше и преодолеть эту стадию, заменить диктатуру буржуазии диктатурой пролетариата; причем делать это нужно быстро, сама логика событий подсказывает, что буржуазия не станет долго терпеть свободу борьбы против нее — и начнет закрывать для пролетариата возможности, а потом и расстреливать.

Надо понять, что Петроград 1917 года, в который был «инъецирован» Ленин, был больным, с постоянно высокой температурой организмом; да еще сам себя обманывающим, пребывающим в состоянии эйфории. В 1917 году нон-стоп шли съезды самых разных общественных групп — старообрядцев, женщин, железнодорожников, мусульман, кооператоров; среди прочего, как отмечает историк Л. Протасов, в июле работал Всероссийский съезд врачей, который вряд ли случайно «диагностировал в стране наличие "острого социального психоза", потребовал отсрочки созыва Учредительного собрания, введения военного положения и создания твердой власти».

Поскольку именно с подачи Ленина 6 января 1918 года Учредительное собрание будет разогнано — и социальный психоз перейдет в еще более острую стадию, остановимся на отношениях Ленина с этой институцией. Собственно, уже 4 апреля 1917-го Ленин заявил, что Учредительное собрание (в пользу которого, собственно, отрекся последний Романов — брат Николая Михаил, возможно, в надежде, что оно назначит его «обратно») никак не может быть целью революции — и что «сама жизнь и революция отводят Учредительное собрание на задний план». Это вызвало вой всех хоть сколько-нибудь ориентированных на «западный путь» политиков — для которых парламентаризм был розовой мечтой и священной коровой. Мантра про «Вся власть Учредительному собранию» не действовала на Ленина по самым разным причинам. Ему было очевидно, кто именно станет «Хозяином земли Русской» в результате прямых всеобщих выборов в крестьянской стране; нет, не большевики. Что конкретно, спрашивает Ленин, будет означать эта «власть» Учредительного? То, что в ней будут контрреволюционные партии? А если ограничить их заведомо нежелательное присутствие — чем, собственно, это Собрание будет так уж отличаться от съезда Советов? С какой стати нужно поддерживать заведомо неэффективный способ управления обществом, орудие господства буржуазии, которая намеренно разводит законодательную и исполнительную власть ради сохранения своих привилегий, — и не в состоянии принять необходимые радикальные решения? Именно поэтому, когда в сентябре составлялись списки кандидатов-большевиков (Ленин—Зиновьев—Троцкий—Каменев и т. п.), Ленин выступил против того, чтобы компоновать Учредительное из интеллигентов-златоустов: это означало бы еще один парламент, говорильню. Меньше интеллигентов, больше рабочих, которые смогут эффективно влиять на депутатов-крестьян, от которых все равно будет не протолкнуться. «Узнаваемое ленинское недоверие к партийной интеллигенции, равно как и эзотерическая вера в классовое пролетарское сознание, объясняют, — пишет Л. Протасов, — каким он хотел видеть Учредительное собрание — не многоголосым парламентом, а конвентом, издающим революционные декреты по воле якобинского руководства».

До известного момента, впрочем, Ленин — не желая дразнить гусей — избегал публичных радикально негативных оценок Учредительного собрания; более того, затягивание — мнимое или подлинное — созыва Собрания было одним из тех обвинений, которыми Ленин охотно дискредитировал в глазах масс своих правительственных оппонентов.

В любом случае отношения Ленина с Советами были значительно теплее.

Нельзя сказать, что Советы — появившиеся одновременно с правительством — в 1917 году создали большевики. По сути, в 1917-м была реанимирована форма, опробованная еще в 1905-м (неверно говорить, что Троцкий и Парвус в 1905-м «изобрели» Советы: они, возможно, апроприировали идею, сделали ее политическим брендом и действительно способствовали легитимации — но по сути Советами могли называться и крестьянские волостные сходы). Большевики, безусловно, принимали участие в становлении Петро- и других Советов в 1917-м; но в целом это была инициатива не партий, а «низов», которые участвовали в Февральской революции и при дележе «царского наследства» не получили никакого формального властного ресурса. Тон в Советах задавала, по сути, интеллигенция, которая воспринимала Советы как вспомогательную политическую институцию, способную корректировать и контролировать крупную буржуазию. А вот для Ленина буржуазия, «на майдане», при крайне темных обстоятельствах захватившая власть в феврале (Временное правительство было сформировано Четвертой думой — то есть Думой 1912 года, избранной абсолютно непропорционально, рабочие тогда были дискриминированы; именно эта Дума позволила отправить в 1914-м в тюрьму всю большевистскую фракцию), была такими же узурпаторами, какими сами большевики казались буржуазии в октябре 1917-го. Это абсолютная аналогия.

На самом деле и Советы — в апреле 17-го, когда раскол в обществе был еще не очевиден — многопартийные, скорее меньшевистско-эсеровские, чем большевистские — для Ленина — политического практика не были фетишем. То были органы «соглашательские», «обеспечивающие общественную стабильность» — то есть, по сути, препятствующие «пересмотру итогов приватизации» -и закрепляющие привилегии элит, занимающиеся больше коммунальными делами, чем политикой, эффективные на местных уровнях, имевшие возможность организовать местную милицию, договориться о забастовке, но не имевшие опыта политической деятельности в масштабе страны.

Если бы Советы всерьез и надолго спелись с Временным — под лозунгом «в такие времена надо забыть о разногласиях и думать об общей проблеме» — Советы были бы прокляты Лениным. Да, в конце концов для легализации большевистской власти Ленин счел нужным остановиться на них как на наиболее распространенной, опробованной и действительно работавшей как политическая школа для масс форме. Стихийно возникшие Советы представлялись Ленину — у которого в голове была идея необходимости замены старой государственной машины новой, другой — не побочным продуктом революции, а первостепенным: оригинальной, самодеятельной, стихийной формой самоуправления. В Советы входили активисты, за которыми в самом деле стоял «народ», учившийся решать текущие общественные противоречия — пусть не вдаваясь в теорию, в авральном порядке, зато без бюрократии и не по писаным законам, а «по справедливости», как в Парижской коммуне.

Опираясь на Советы как на легальную форму, вы можете захватить власть, назвать ее «советской», после чего делать то, что нужно партии, — с Советами в качестве витрины. Однако теоретически место Советов в ленинской схеме могли занять и их более радикальные клоны — вроде комитетов бедноты или, например, фабзавкомов — стихийно формировавшихся силами неквалифицированных рабочих и конкурировавших с меньшевистскими профсоюзами органов заводского самоуправления; Ленин еще весной присвоил им лестный ярлык «новая форма рабочего движения». «Вся власть фабзавкомам» — почему нет? И если уж на то пошло, то Всероссийский съезд фабзавкомов был назначен примерно на те же 20-е числа октября 1917-го, что и II съезд Советов, и Ленин полагал, что на тамошних делегатов можно было бы рассчитывать как на запасной вариант, если бы Советы подняли бунт против большевиков; в конце концов, СССР мог бы быть и СФСР.

Так или иначе, в апреле Ленин счел разумным выбросить лозунг: «Вся власть Советам!» — потому что чувствовал за ними стихийную энергию масс. Именно на стихию, а не на заговор — как обычно, со времен «Что делать?» — предлагалось опираться большевикам в 1917-м; и когда ситуация созреет — обстоятельства меняются — Советы можно будет превратить в органы подготовки восстания. Ведь у Советов была физическая сила: Временное правительство, теоретически имевшее право распоряжаться силовыми институциями, на практике было не в состоянии разогнать Советы в случае блокировки каких-то его решений.

Большевикам следовало использовать Советы как инструмент управляемой дестабилизации — генерировать помехи для Временного правительства и подталкивать его к ошибкам; в идеале власть должна была сама упасть к Советам в руки в силу некомпетентности «министров-капиталистов».

Ленин выглядел человеком, который стал переходить улицу на красный сигнал светофора — пока все стояли и ждали зеленого: «ведь в Европе все ждут», «это и есть европейская цивилизация — соблюдать правила, о которых договорились». Что сделал Ленин? Он их «освободил» — ну или «соблазнил»: чего вы ждете? Он никогда не включится! Знаете, кто управляет этим светофором? Те, кто хочет, чтобы вы никогда не перешли эту дорогу и остались на своей стороне улицы, кому выгодно держать вас здесь — чтобы вы не мешали тому, что в это время они грабят вас и ваших друзей! Вы уже договорились о правилах? Но их навязали вам те, у кого есть автомобили: сильные — навязали слабым! Валите светофор, это антинародная, буржуазная технология, мы обязаны создать что-то другое!

Почему «бредовые» слова Ленина о том, что Февральская революция была «тренировочной», произвели на толпу впечатление? Или — как он сам неуклюже выразился в «Правде»: «Если я два часа говорил бредовую речь, как же терпели "бред" сотни слушателей?» Почему еще 4 апреля Ленин даже в своей партии воспринимался кем-то вроде «Пуришкевича навыворот», — а уже 24-го, после VII Всероссийской конференции РСДРП, «тезисы» стали официально принятой программой действий большевиков? Были ли те «темные» люди, не понимавшие историческую значимость достижения демократических свобод, которые должны были, наконец, привести Россию «в европейскую семью», просто магнетизированы Лениным? Оставляя в покое неверифицируемые рассуждения о «харизме» и прочем колдовстве: Ленину повезло оказаться в Петрограде в апреле, когда длящаяся уже полтора месяца эйфория начала улетучиваться: работы становилось все меньше, а очереди за хлебом и керосином — все больше; позже ему на руку сыграют Корниловский мятеж, неповоротливость социалистов, не собранное в обещанный срок Учредительное собрание, нерешительность кадетов и пр. Однако все эти факторы тоже были следствиями — следствиями Причины с большой буквы «П».

Война.

Она шла не только на фронте, но и в столице: она наполняла город оружием, солдатами, которые формально, согласно Приказу № 1, принятому Петросоветом за месяц до приезда Ленина, политически подчинялись Совету — и в любой момент не просто могли, но, по сути, имели право устроить «майдан» — демонстрацию и захват зданий беженцами (и насильно вывезенными Ставкой из их мест жительства людьми), дезертирами (которых теоретически нужно было арестовывать, но на практике большевики считали дезертирство формой протеста против войны и классового угнетения), инвалидами, бастующими рабочими — готовыми шантажировать правительство невыполнением военного заказа и простаивающими из-за войны без сырья. Война требовала корректировать любые решения — от восполнения товарного дефицита до решения проблемы переизбытка свободного времени многих околовоенных людей. Именно война заставляла правительство отдавать огромную часть бюджета на военные расходы — вместо того, чтобы пустить средства на социальные нужды. Именно война давала капиталистам — если верить здравому смыслу и подсчетам Ленина — не просто прибыли, а сверхприбыли на военных поставках, контролировать качество и ценообразование которых у правительства не было сил и возможностей; и само наличие этой «околовоенной олигархии», то есть, по сути, авангарда империализма, интенсивно поляризовало общество, не давало ему возможности найти консенсус — особенно при наличии большевиков, подогревавших конфронтацию. Наличие войны определяло логику выстраивания событий; именно война открывала место для входа не кого-нибудь еще, а

именно большевиков — потому что те были лучше всех организованной партией и только они готовы были на радикальные
меры решения проблемы войны. Ленин смотрел на вещи «как
экономист» — не как «должно быть», а «как есть» — и видел то,
что другие предпочитали игнорировать. Теоретически, если бы
не война, — можно было бы и Учредительное собрание созвать,
как было обещано, к 17 сентября, и свободу печати использовать
как средство медиаманипуляции массами в нужную сторону —
внушив им почтение к установившемуся «порядку», и затем аккуратно перевести страну на новые политические рельсы. Война,
собственно, делала нелепыми все интеллигентские, горьковские
стенания о том, что большевизм есть насилие над демократией и
культурой; культура деградировала не из-за большевиков, а из-за
тривиализации насилия. Война была не только на фронте, но и
в Петрограде и, как сбесившаяся пушка, вертелась и раздрабли-
вала общество: любые потуги, альянсы, начинания, программы,
структуры, договоренности. В этом смысле заявление Ленина,
сделанное им в апреле в одной из заметок в «Правде», кажется
трезвым и честным: «Не будь войны, Россия могла бы прожить
годы и даже десятилетия без революции против капиталистов.
При войне это объективно невозможно: либо гибель, либо революция против капиталистов. Так стоит вопрос. Так он поставлен жизнью».

Ленин был редким человеком, не совершившим стандартную
ошибку 1917 года: война когда-нибудь закончится, а новое общественное устройство — останется, и поэтому фокусироваться следует на нем; так давайте не будем смешивать войну и революцию.
По Ленину — он охотно разъяснял это в своих публичных выступлениях, — революция есть продукт империалистической войны;
у нее есть экономические и политические причины, она связана
с интересами определенных классов, банковского и, в частности,
российского капитала. Кадеты за продолжение войны потому,
что идея войны цементирует общество, не дает ему распасться;
помещикам лучше, если крестьяне будут оставаться в окопах — подальше от идеи делить чужую землю; а кадетская «верность союзникам» — их страховка перед европейскими хозяевами, которым
и нужна война.

«Апрельские тезисы» не были инсайтом, озарением — текстом, созданным в момент, когда вдруг в голову приходит новое
видение ситуации, эффектное решение задачи. Ленин «написал»
их, по сути, в июле—августе 1914-го — когда понял, что это та самая война, которая заставит социалистов вновь вспомнить о революции — а не заметать этот вопрос под ковер, как социалисты
II Интернационала.

Керенский умел наряжаться в военный френч — но оставался
политиком мира; Ленин же был политиком войны в том смысле, что сделал все, чтобы вместо попыток выстраивать под дулом

пистолета «стабильное государство», скрутить дуло револьвера и завязать его в узел.

Ленин генерировал идеи, которые выглядели не искрометными — зато логичными; и брал он публику не ораторскими завитушками и манипулятивными техниками, а последовательностью. Его лозунги, пусть не всегда остроумные, казались практичными предложениями, соответствующими стихийным ожиданиям масс; условно говоря, фабрики — рабочим, да, но никогда Ленин не призывал, например, к тотальному огосударствлению предприятий; речь шла всего лишь о рабочем контроле. Обманывал ли он толпу, когда говорил о высокой миссии, которую она выполняет? Разве массы в 1917 году не были на самом деле левее партии, по крайней мере массы солдатские? Разве не могло войти в резонанс ленинское презрение к демократии — и крестьянское непонимание-неприятие ее? Мемуаристы вспоминают, что слушавшие Ленина настолько погружались в его мысли, что даже забывали аплодировать, — и только когда оратор исчезал, принимались реветь от восторга.

Да, Ленин 17-го года играет на контратаках и, меняя лозунги, выглядит «беспринципным»; да, это история про то, как пришел хорошо подготовленный политик и безжалостно воспользовался всеми ошибками противников; но разве не любопытно, что за эти насыщенные событиями семь месяцев 1917-го Ленин, по сути, замер в своей политической эволюции: 3 апреля он прибыл на Финляндский вокзал с намерением совершить революцию и разрушить буржуазное государство — и ровно с этим же намерением явился вечером 24 октября в Смольный. Вся работа в этом смысле была сделана заранее; впечатляющая последовательность; не так много в России 17-го было политиков, которые в октябре твердили практически то же самое, что и в марте.

Уже в начале апреля ленинские идеи о том, что сейчас, когда война сжирает старое государство, самое время воспользоваться трагическими плодами ее деструктивной деятельности: перехватить власть и начать строить общество заново, стали вызывать у коллег-социалистов чувство глубочайшего омерзения; «урод в социалистической семье» (Суханов), он «все испортит». Ленин превращается в персонаж поп-культуры — о нем плетут невесть что (проплаченный Германией шпион поселился в будуаре балерины), распевают частушки («мне не надобно ханжи, поцелуя женина, ты мне лучше покажи спрятанного Ленина»). «Апрельские тезисы» сделались предметом насмешек; в плехановской газете «Единство», например, был напечатан фельетон «Сон Ленина», где изображался триумф ленинских прожектов: вместо капитализма — диктатура пролетариата, Керенский покончил жизнь самоубийством, правительством руководит Ленин, «все идет прекрасно, но тут Вильгельм II вводит в Петроград немецкие войска и распускает Советы. На этом страшном месте Ленин просыпается».

Травля Ленина в газетах — насмешки, слухи, сплетни — началась почти сразу после приезда и нарастала с каждым месяцем.

Вокзальный энтузиазм пролетарских масс, как скоро выяснится, совершенно не разделяли обыватели; в самом появлении Ленина из запломбированного ящика им чудилось нечто жуткое: будто в Петроград привезли того самого «призрака коммунизма», который несколько десятилетий бродил по Европе, а теперь, словно Дракула, в ящике с немецкой землей доставлен в клубящийся болотными испарениями революции Петроград. То обстоятельство, что встреча Ленина произошла именно ночью, усугубляло инфернальность этого приезда: властелин тьмы. Уже через две недели само имя Ленина стало для буржуазии жупелом, синонимом деструктивного, хаотического начала в революции. От Ленина ожидают грабежа банков, взрывов в толпе, резни в транспорте. Особенно гротескно выглядит описание демонстрации инвалидов, состоявшейся менее чем через две недели после приезда: «в повязках, безногие, безрукие», «искалеченные люди, несчастные жертвы бойни ради наживы капиталистов» шли — или, кто не мог, «двигались в грузовых автомобилях, в линейках, на извозчиках» по Невскому — «с надписями и возгласами "Долой Ленина!"»; Ленин, пишет Суханов, было «главное, что мобилизовало инвалидов».

Для человека, который десять лет не был в России, Ленин на удивление легко интегрируется в отечественную действительность. Без особого риска впасть в фальшивый «психологизм» можно предположить, что Ленину было страшно интересно. 1917-й стал для него *annus mirabilis;* началось то, что он всю жизнь проектировал; главный конструктор сам, наконец, оказывается в космическом корабле. Фабрика событий, которая за несколько последних месяцев, кажется, разорилась и встала, вдруг заработала на полную мощность. Надо было разыграть партию, «как учили»; проявить все приписывавшиеся ему бонапартовские, макиавеллиевские, бланкистские и бакунинские способности.

Ленин, такое ощущение, освоился мгновенно; он понял, где что можно говорить, о чем лучше помалкивать (похоже, не стоило орать на каждом перекрестке о превращении империалистической войны в гражданскую — что хорошо для съездов европейских социалистов, то может испугать самих потенциальных противников), понял, как применять марксистские знания к конкретным ситуациям: если вот крестьяне отобрали землю у помещика — это хорошо? А если сожгли его дом при этом? А если рабочие выгнали фабриканта? А если выгнали — и производство тут же встало из-за того, что больше некому договариваться о сырье, и теперь они продают на металлолом детали высокотехнологичных станков?

И дело не только в смене декораций: три месяца Ленин ведет легальную, открытую жизнь, которая ему вот уже двадцать лет несвойственна — и для которой он, профессиональный подпольщик, не так уж хорошо и приспособлен: одно дело виртуозно руководить организацией закрытого типа, состоящей из профессионалов, — и совсем другое дирижировать стихией, толпами, которые пришли к большевизму не через книжки, а стихийно, и дирижировать не на бумаге, а в режиме реального времени, экспромтом. Ленин выступает на митингах, участвует в заседаниях разного рода партийных и внепартийных «свободных» институций — Петроградской общегородской конференции РСДРП, солдатской секции Петросовета в Таврическом, в экстренных заседаниях ЦК, во Всероссийской конференции РСДРП, на I съезде Советов. Он выступает не каждый день — но присутствует на разного рода собраниях и митингах почти каждый. Революция держала Ленина в тонусе — и он чувствовал себя как Дарвин на Галапагосах: идеальная наблюдательная площадка для ученого-первооткрывателя. Особенно его восхищают возникающие в 1917 году стихийно органы самоуправления: советы, профсоюзы, земства, кооперативы, фабзавкомы, городские думы, крестьянские сходы. И не только прагматически — как платформы, пригодные для наполнения их большевистскими элементами, способные перехватывать власть. То, что для всех было хаосом, для Ленина — процессом эволюции, который можно было наблюдать на быстрой перемотке: как под влиянием естественного отбора происходит формирование видовых признаков той коммуны, которая в будущем заменит собой «отмершее» государство.

Ленин в 17-м — это плутовской роман о приключениях философа в молодой демократической республике. «В такие моменты, как теперь, надо уметь быть находчивым и авантюристом», — говорит Ленин Арманд 19 марта.

Пикареска, да; но пикареска крайне опасная — чем моложе демократическое общество, тем больше в нем оружия и тем сильнее там ненавидят политических противников.

Начиная с июля вокруг Керенского, Корнилова, Милюкова постоянно крутились военные и штатские типы, часто иностранцы, которые предлагали им доставить «Ленина в мешке», живого или мертвого. К счастью, газеты не печатали его портреты, и мало кто узнавал его, однако даже и так, чаще, чем хотелось бы, ему приходилось сталкиваться с людьми, которые шли «бить Ленина» — от членов офицерских клубов до двух дам с зонтиками, явившихся в редакцию «Правды». Крупская, скупая на такого рода откровения, признается: «Хотелось также чаще видеть Ильича, за которого охватывала все большая и большая тревога.

Его травили всё сильнее и сильнее. Идешь по Петербургской стороне и слышишь, как какие-то домохозяйки толкуют: "И что с этим Лениным, приехавшим из Германии, делать? в колодези его что ли утопить?" <...> Одно дело, когда говорят буржуи, другое дело, когда это говорят массы". Так что, когда Крупская напишет о Ленине после смерти: «был смел и отважен» — она знает, о чем говорит.

Мы обычно представляем себе Ленина модели «1917» в костюме, однако то был не единственный его «футляр». С апреля по июль Ленин, в качестве повседневной одежды, носил под пальто полувоенный френч из зеленого сукна «с тиснеными кожаными пуговицами, похожими на футбольные мячики», и зеленые же брюки. Жена, две сестры, замечательный шурин и их воспитанник были той семейной конфигурацией, внутри которой Ленину было комфортно. Дома, на Широкой, он устраивал с одиннадцатилетним Горой «шумные игры»: бегал за мальчиком по комнатам — топая своими альпийскими, «с толстенными подошвами» ботинками и сшибая стулья, «здоровался» с ним — после чего начинал зажимать руку, а затем еще и щекотать: «мягкосердечную Надежду Константиновну наши игры приводили в ужас, потому что, по ее словам, муж применял в них ко мне "инквизиторские" приемы». Однажды эта беготня кончилась тем, что Ленин развалил на части шаткий обеденный стол — сшибив графин и банку с цветами. Судя по мемуарам Горы, Ленин представлялся ему кем-то вроде Вилли Вонка — только вместо шоколадной фабрики у него были революция и партия. На следующий день после приезда, узнав, что у мальчика недавно был день рождения, НК подарила ему две тетради со своими собственными карандашными рисунками, самый старый — 1884 года; и женевскую «чернильницу в виде искусно вырезанной из дерева головы медведя с лапами, положенными на подставку», со словами «Это пускай будет от Володи!».

Статус вождя претендующей на власть партии не позволял Ленину вести жизнь литератора — но марать руки в газетных чернилах всегда было его любимым делом, от которого он не хотел отказываться. «Правда» получает по 50 его статей в месяц. Публицистика Ленина — скорострельная, язвительная, совсем не литературная, агитаторская, тезисно-однообразная — будто медведь на металлофоне играет — дает представление скорее о ритме, чем об атмосфере эпохи. Квартира номер 4 на Мойке, 32, где была редакция, музеефицирована; странным образом, штаб этой довольно боевой в 17-м году газеты выглядит как будуар — клетка с канарейкой, клавикорды, граммофон, бюро, конторка, письменный стол; дело в том, что комнаты в квартире номер 4 — те самые, правдинские, но экспозиция посвящена быту жильцов доходных домов. Жильцам этим, надо сказать, крайне не нравились такие соседи, как большевики, и они подвергали всех, кто спрашивал их, как попасть в «Правду», вербальной атаке. Редакция вообще провоцировала нездоровый интерес граждан; часто в ответ на телефонный звонок — «Правда слушает» — секретарям орали в трубку: «Не-е-ет, это НЕ правда! Это — ложь!» Время от времени — когда на Невском происходили манифестации — приходилось выставлять охрану, солдата с винтовкой. Несмотря на все эти характерные для революционной эпохи неудобства, Ленин охотно проводил здесь время — в любом случае это было более камерное, не столь публичное и толкотливое, как особняк Кшесинской, пространство, где можно было и сочинить открытое письмо-приветствие какому-нибудь съезду, и исследовать царские тайные договоры. Возможно, ему и не по чину было реагировать заметкой на каждый чих; однако Временное правительство, по мнению Ленина, само ставшее центром контрреволюции, и товарищи-социалисты давали ему бесконечное количество материала, подтверждающего его выводы, — и, в силу своего холерического темперамента, он просто не мог остановиться: тексты мая и июня — это сплошное громкое хлопанье себя по ляжкам, вытирание пота с лысины и закатывание глаз: Ну, дают! Ну, оппортунисты! Ну, душители! Ну, филистеры! Влезли в революцию, а чего с ней делать, не знаете — потому что Маркса плохо читали! Вылавливание в текстах социалистов всех мастей блох и лыка, которое можно было поставить в строку, не было пустой работой. Эта аналитическая деятельность — работать машиной, перемалывающей газетные новости и выдающей самую точную оценку текущей позиции и указания, каким должен быть следующий ход, — главнее всех прочих в 1917-м. Ленин знал, что слабая, новорожденная буржуазная республика не выдержит политического кризиса в режиме нон-стоп, в какой-то момент сдуется и окажется неспособной защитить даже себя — не то что рабочих — от контрреволюции; и поэтому нужно следить за мельчайшими изменениями в настроении реакционеров и масс, чтобы обнаружить момент, когда уместно возглавить стихийное движение. «Коренной вопрос всякой революции есть вопрос о власти в государстве».

Помимо настоящего и будущего, Ленину приходится разбираться и с «архивными» делами.

Крайне неприятной и унизительной оказалась необходимость дать в конце мая показания Чрезвычайной следственной комиссии при Временном правительстве по делу Р. Малиновского, лидера фракции большевиков в Четвертой думе. То было дело скорее против руководителей Думы, которые знали, что один из депутатов — провокатор, и терпели это, а также против царского министра внутренних дел, который, по-видимому, нарушал закон, отправив своего агента в выборный орган. И не то чтобы кто-то обвинял Ленина в том, что он покрывал провокатора, но он вынужден был объяснять причины, по которым в 1912-м публично защищал Малиновского в прессе — то есть, пусть даже косвенно, участвовал в одном из преступлений царского режима. Неспособность разоблачить провокатора — не преступление, однако и не доблесть. Никаких внятных объяснений Ленину и Зиновьеву, которого тоже допрашивали, представить не удалось: они ссылались на решения партийного суда — ими же и проведенного, да еще, как назло, вместе с Ганецким — чья фамилия через месяц будет фигурировать в «шпионском скандале». 27 мая Л. Дейч — один из тех вернувшихся эмигрантов, для кого идеи Ленина были слишком пикантными и слишком остропахнущими, — опубликовал статью, в которой заявил о симбиозе большевиков и Департамента полиции, назвал Ленина «политическим интриганом и авантюристом» и проехался по «деяниям явно уголовного характера», которые совершали в прошлом «Ленин с его помощниками — Каменевыми-Розенфельдами, Зиновьевыми-Радомысловскими». То был относительно безболезненный укус представителя меньшевистской партии «фарисеев и книжников социализма, надежно замаринованных царизмом в заграничном тылу мировой революции»; однако позже эти намеки войдут в резонанс со слухами о немецком шпионаже — и усугубят и без того плохую репутацию Ленина. Фельетонистке Тэффи, видевшей Ленина как раз в начале лета 1917-го, тот покажется неуклюжим: «Набит туго весь, как кожаный мяч для футбола, скрипит и трещит по швам, но взлететь может только от удара ногой»; неуклюжим именно политически — «этим отсутствием чуткости можно объяснить благоденствие и мирное житие провокаторов рука об руку с честнейшими работниками-большевиками».

За годы войны партия — разъеденная полицейскими преследованиями, подпольем, провокациями и войной — превратилась в скелет самой себя; скелет этот, однако, вылез сразу же после событий 27 февраля из шкафа — и принялся потреблять калории, которые стали доступны благодаря революции. Уже к марту РСДРП, широко открывшая двери, перестала испытывать признаки кадровой дистрофии: партия росла на десятки тысяч человек в месяц. Ничего удивительного: то же происходило в стремительно политизировавшемся обществе и с другими партиями — но меньшевики имели право брать всех подряд, а большевикам теоретически не позволял первый параграф устава. Этот «теремок», в который превращалась РСДРП, беспокоил Ленина. Политическое качество людей, собиравшихся вокруг особняка Кшесинской, вызывало вопросы: именно к большевикам часто лезли анархистствующие элементы и психи; назвать их профессиональными революционерами невозможно было даже при самом либеральном прочтении устава РСДРП; это «Что делать?» с точностью до наоборот (именно поэтому в августе на съезде партии приняли новый устав — есть эпохи, когда толпа на улице превращается в авангард революции). Ленин, однако, понимал, что когда власть в самом деле упадет большевикам в руки, партии быстро понадобятся надежные, проверенные кадры, в идеале способные наладить отношения еще и с европейскими революциями. Именно поэтому Ленин весной встречается с бывшими большевиками — и, узнав о прибытии Троцкого и его «межрайонцев» (Троцкий приехал ровно через месяц после Ленина, когда конфигурация уже сложилась, и поскольку у него не было в рукаве такого туза, как ленинские «тезисы», пришел к выводу, что выгоднее поумерить свои амбиции и играть роль второй скрипки при Ленине), вопреки правилу «сначала размежеваться» и вопреки антипатии, которую он испытывал к этому человеку на протяжении полутора десятилетий, идет на альянс — самый удачный альянс Ленина за весь 1917 год, очень способствовавший и успеху собственно Октябрьского восстания, и будущей непотопляемости большевиков. Сцепившиеся на манер катамарана Троцкий и Ленин представляли силу, которая могла преодолеть любой политический шторм и не позволяла себя использовать.

«Троцкий, — замечает Суханов, — был ему подобным монументальным партнером в монументальной игре». И партнером, игравшим корректнее Ленина, вызывавшим бо́льшие симпатии, пошедшим в июле за Ленина в тюрьму, отсидевшим сколько следует и, косвенным образом, «отстиравшим» репутацию Ленина, поручившимся за него — в прямом и переносном смысле.

Именно Троцкий — как глава делегации большевиков и председатель Петросовета — триумфально хлопнул, по указанию Ленина, в октябре дверью в Предпарламенте — и, произнеся возмутительную речь о нелегитимности всего этого спектакля, увел пять десятков большевиков, дав недвусмысленный сигнал, что большевики теперь готовы устроить вооруженное восстание, а если прямо сейчас не перехватить власть, то Временное правительство сдаст Петроград немцам. Именно Троцкий успешно координировал действия Петросовета с ВРК, обеспечив успешную подготовку восстания. Остроумный, красноречивый, смелый, способный быть и казаться то хладнокровным, то экзальтированным, Троцкий был находкой для Ленина.

Помимо Троцкого за несколько месяцев вокруг Ленина формируется констелляция деятельных людей с хорошим организационным опытом; этот «коллективный ленин» выглядит весьма впечатляюще — Сталин, Каменев, Зиновьев, Свердлов, Бонч-Бруевич, Милютин, Луначарский, Молотов, Дзержинский, Шляпников, Коллонтай, Стасова, Землячка, Орджоникидзе, Раскольников, Ногин, Володарский, Урицкий; плюс «военка» — Подвойский, Невский, Антонов-Овсеенко, Крыленко, Ильин-Женевский, Дыбенко. Именно с «собирательством» связана одна из немногих в первые три месяца после эмиграции поездка Ленина за город. В конце мая он отправляется в Царское Село в гости к Леониду Красину. Тот отошел от дел партии, но сложа руки не сидел — состоял в правлении фирмы «Сименс и Шуккерт», был управляющим Пороховым заводом Барановского, а еще руководил обслуживанием Царскосельской электростанции — и купил в начале войны там дом с садом. Семью в июне 17-го — не после ли визита Ленина? — Красин вывез в Швецию.

Для Красина Ленин был не столько предателем идей социал-демократии, сколько опасным полусумасшедшим; с другой стороны, Красину было что терять — и он был не дурак и видел, к чему идет дело. Поэтому он принял Ленина, показал ему нарядную, похожую на сказочный готический замок электростанцию, где помещался теперь еще и Царскосельский городской совет рабочих депутатов.

Любопытно, что в Царском Селе в это время находился взаперти Николай II с семьей; обыватели, солдаты, крестьяне ходили глазеть на бывшего царя, иногда прорывались к нему через охрану, насильно заставляли его фотографироваться и т. п.; и если Ленин — с Красиным или без — также посетил этот политический зверинец, то, пожалуй, это единственная теоретически возможная встреча Ленина и Николая II. В здании на углу Малой и Церковной Ленин и Красин провели шесть часов; уже тогда Ленина, прочитавшего «Город будущего» Карла Баллода, интересовало все, связанное с электрификацией.

Убедить Красина вернуться в партию не удалось (по воспоминаниям Исецкого, Красин наотрез отказался сотрудничать с Лениным), однако удочки были заброшены; и в какой-то момент Красину придется заглотить крючки; весной 1918-го он поедет в Брест помогать заключать договор с немцами, а позже возьмет на себя организацию внешней торговли Советской России.

В июне 1917-го Ленину все чаще приходилось протискиваться на балкончик особняка Кшесинской — и дирижировать толпой, которая теперь готова была участвовать в трехсоттысячных антивоенных демонстрациях. Она подталкивала большевиков к выступлению — и одновременно боялась их и обвиняла в заговоре. Едкие советы практического свойства перепадали от Ленина также и меньшевикам с эсерами: например, «арестовать 300—400 капиталистов».

Наступило лето, и трехмиллионный город — дорогой, вылинявший, насыщенный электричеством, которое то и дело разряжалось вспышками уличного насилия, — нервничал из-за того, что предпринятое под давлением союзников наступление русских войск Керенского—Брусилова на фронте захлебнулось. Похоже, «расхлябанная революция», как называл ее сам Ленин, уже не столько заряжала политиков энергией, сколько подавляла и утомляла; и неудивительно, что все, у кого были такие возможности, стремились уехать из «пекла» на дачу; взял да и уехал из города и Ленин.

Этот странный предыюльский маневр имеет несколько объяснений. Самое экзотическое состоит в том, что Ленин — германский агент — нарочно уезжает из Петрограда прямо перед готовящимся с его ведома восстанием, чтобы технические большевистские структуры за это время овладели городом, после чего он, Ленин, вернулся бы на все готовое. Версия не имеет документальных подтверждений и не соответствует дальнейшему поведению Ленина.

Версия «официальная» состоит в том, что Ленин поехал на дачу к Бончу «в связи с крайним переутомлением»; и хотя выглядит это блажью — как так: революция в разгаре, а он опять уехал загорать и купаться, в принципе, ленинский отъезд на «отдых» летом 1917-го не противоречит его обыкновению время от времени устраивать себе «детокс-каникулы». Одна даже и эта склонность вряд ли объясняет тот факт, что еще в 20-х числах июня Ленин съехал с квартиры сестры и поселился у отца Елены Стасовой на Фурштадской: «в связи с тем, — сообщает Биохроника, — что ему было небезопасно оставаться в квартире М. Т. и А. И. Елизаровых» («потому что ему нельзя было оставаться на квартире Ульяновых», — уклончиво говорит Стасова). Но переезд из конспиративной, по сути, квартиры в отдаленную дачную местность в таком контексте выглядит попыткой не поправить «пошатнувшееся здоровье» — а уберечься от некоей угрозы. В воспоминаниях Троцкого, что характерно, Нейвола называется «временным финляндским убежищем» — что косвенно свидетельствует о существовании какой-то опасности; по-видимому, документы опубликовали к 40-летию революции — большевикам стало известно о формировании в Петрограде антиленинского заговора сербских офицеров; один из этих сербов сообщал: «Здесь создан клуб, задача которого — арестовать и убрать с этого света Ленина и его главных агитаторов, всего двенадцать человек... Сейчас началось наступление, а эти люди суются в военные дела». Заговор разворачивался с санкции контрразведки и Временного правительства; иностранцев поддерживали экипировкой и деньгами, кормили и обещали, в случае успеха, заплатить крупные суммы.

Видимо, именно поэтому Ленин выезжает из Петрограда 29 июня — в аккурат перед демонстрацией, которая ему не нравилась и которую он, похоже, не мог контролировать, — уезжает «конспиративно»: в компании младшей сестры и Демьяна Бедного, который достал где-то автомобиль; сначала они доехали до домика правдинского ариона — а оттуда прошли пешком к своим друзьям Владимиру Дмитриевичу и Вере Михайловне, которые нашли Ленина похудевшим и крайне уставшим.

Сейчас станция Мустамяки, в 60 километрах от Петрограда, вокруг которой сто лет назад существовала небольшая дачная колония, называется Горьковское: там были дачи Горького, Леонида Андреева, Демьяна Бедного; как и очень многое на Карельском перешейке, дача не сохранилась. Это была Финляндия; и Ленин интересовался не столько политикой, сколько смежными областями: стоимостью еды — чтобы щепетильно разделить с хозяевами расходы — и урожайностью финской земли: еще до того, как стать директором совхоза «Лесные поляны», Бонч-Бруевич экспериментировал в области любительской агрономии. Особое впечатление на Ленина произвели рассказы о регулярных, по пять раз за лето, визитах инструктора «от полуправительственного общества огородников», который «бесплатно дает советы, как и что лучше делать, чего опасаться, сообщает, когда могут быть морозы, появилась ли гусеница или какой червь и как с ними бороться».

Осмыслять потоки новой информации о войне финнов с насекомыми Ленин предпочитал в озере, где, похоже, и проводил большую часть времени. Чересчур энергичная манера Ленина держаться на воде — даже выступление российской женской сборной по синхронному плаванию не вызвало бы, судя по отчету Бонча, у дачников такого интереса, как заплывы его приятеля — привлекла к Ленину всеобщее внимание. Бончу даже пришлось соврать, что это «моряк Балтийского флота, родственник мой... приехал отдохнуть, да вот увидел родную стихию и, как утка, сейчас в воду... По нашим местам понеслась молва о прекрасном пловце — офицере Балтийского флота, и я к ужасу своему заметил на другой день, что в часы купания гуляющих на берегу озера стало больше». Еще большее впечатление на самого Бонча произвели ленинские выходы ню из вод озера: тот казался ему похожим на Иоанна Крестителя — и наводил на мысли следующего характера: «Мы, ничтожные и суетные, недостойны того, чтобы развязать ремень у его ноги, хотя так часто мним о себе высоко и надменно». Бонч был профессиональным религиоведом и одним из авторов посмертного культа Ленина; тем любопытнее его «ранние» замечания на эту тему. Еще интереснее реакция самого Ленина на обстановку, сложившуюся на пляже: он обращает внимание на то, что «купающихся мало, они жмутся к кустам и стесняются». Нижеприведенный диалог приятелей, касающийся особенностей устройства купального отдыха, свидетельствует о том, что́ на самом деле занимало Ленина:

— Вот за границей, — сказал он, — уже иначе. Там нигде нет такого простора. Но, например, в Германии, на озерах такая колоссальная потребность в купании у рабочих, у гуляющей по праздникам публики, а в жаркое лето ежедневно, что там все купаются открыто, прямо с берега, друг около друга, и мужчины, и женщины. Разве нельзя раздеться аккуратно и пойти купаться без хулиганства, а уважая друг друга?

— Конечно, можно, — ответил я ему. — Но, к сожалению, у нас слишком много безобразников и нездорового любопытства, что при общей некультурности нередко приводит не только к неприятностям, но и к скандалам.

— С этим надо бороться, отчаянно бороться... Тут должны быть применены меры строгости: например, удаление с пляжа, недопущение к купанию в общественных местах. Купающиеся должны организоваться, выработать правила, обязательные для всех. Помилуйте, за границей же купаются вместе сотни и тысячи людей, не только в костюмах, но бывает и без костюмов, и однако никогда не приходится слышать о каких-либо скандалах на этой почве. С этим надо решительно бороться... Нам предстоит большая работа за новые формы жизни, без поповской елейности и ханжества скрытых развратников.

История с купальщиками (да и огородниками) крайне замечательна вот в каком отношении. По ней видно, что Ленина в тот момент отчаянно интересуют любые формы самоорганизации граждан. Он напряженно сканирует пространство вокруг себя в поисках каких-то возникших в ходе политической ферментации — когда старые структуры либо исчезли, либо работали неэффективно — органов самоуправления. По сути, мы углядели, пусть в карикатурно-сниженной форме — идеал Ленина: самоорганизующееся общество купальщиков, которые в состоянии сами, без государства и бюрократии, выработать себе правила — и которые сами будут защищать их соблюдение.

Общество должно дорасти до такой модели, выработать культуру поведения для своих членов — и следить за тем, не нарушается ли она.

К чему мы приходим, пристально вглядевшись в эти пляжные силуэты?

Правильно: к «Государству и революции».

Эту маленькую — сотня страничек — книжечку Ленин написал в первые восемь месяцев 1917 года; весьма вероятно, это наиболее драгоценные во всем 55-томнике страницы. Если хотя бы на секунду «забыть» про существование этого текста, все представления о Ленине окажутся заведомо искаженными, превратными; этот текст — ключ не только к его политической деятельности, но и к его личности — стержнем которой обычно называют одержимость властью, волю к власти, стремление добиться власти любой ценой, любыми средствами.

Труд этот очень нехарактерен для Ленина: это не коллекция секретов партстроительства, не учебник по искусству восстания, не аналитический очерк современной политики. Однако именно здесь объясняется смысл революционной деятельности: как на самом деле выглядит марксистский «конец истории», чем именно заменять старый, обреченный на разрушение, мир. Троцкий не ради красного словца писал про «перевооружение», которое Ленин осуществил в 1916—1917 годах («Он к этому готовился. Свою сталь он добела нагревал и перековывал в огне войны») — и которое «при данных условиях мог произвести один лишь» он. «ГиР» стала крайне важным текстом для партии. Перевооружение это — Ленин не из тех, кто пил из сомнительных колодцев, — было стопроцентно марксистским. По сути, Ленин умудрился набрать таких цитат из Маркса и Энгельса, после которых весь «социализм» выглядит совсем не так, как его представляли все остальные на протяжении десятилетий. Разумеется, в эту книжку встроен и красный светодиод, который тревожно мигает: мир, ставший продуктом деятельности ленинской партии, вроде как руководствовавшейся этой книжечкой, катастрофически не похож на тот, что описан в «ГиР». Однако «ГиР» доказывает и другое: хотя Ленин несет ответственность за то, куда мы попали, неверно ставить знак равенства между тем, что он планировал, и тем, чем занималась его партия после его смерти. Курьез в том, что в «ГиР» партия не упоминается, и, похоже, политическая философия Ленина не подразумевает партию как обязательный элемент общества.

Если у вас есть возможность прочесть только один ленинский текст, то лучше выбрать именно его. Это библия коммуниста — но и книжечка для «всех», важная именно для «читателей со стороны» — потому что обывателю, воспитанному на «Собачьем сердце», кажется, что «диктатура пролетариата» — идиотская, заведомо ведущая к экономической разрухе, низкой производительности труда, засилью номенклатуры, тотальной некомпетентности и ограничению элементарных гражданских свобод, к пресловутым «лагерям» для всех несогласных; порождение извращенной ленинской фантазии, Нарочно Плохая Идея, выдуманная назло, из вредности, чтобы превратить нацию в подопытного кролика и провернуть «эксперимент» — злодеяние, объяснимое только трикстерской природой главного ее автора и промоутера.

«Государство и революция» — хорошее противоядие от «Собачьего сердца»; здесь объясняется, что такое на самом деле диктатура пролетариата и какие у этой странной политической формы преимущества и перспективы; в отличие от социального расиста Булгакова Ленин не видел в пролетариях антрополstartческих «других», «элиенов», низшую расу, которая может конкурировать с буржуазией исключительно за счет физической силы; и смысл его, Ленина, деятельности — изменить среду таким образом, чтобы она порождала больше Иванов Бабушкиных, чем Шариковых. И чтобы осуществить это, он предлагал не комическую одномоментную метаморфозу, остроумно высмеянную Булгаковым, а постепенную, на протяжении нескольких поколений, политическую работу, цель которой — отмирание аппарата насилия, который Шарикова и формирует. Он предполагал, что у него хватит на это воли и терпения.

История создания этой книжечки тоже в своем роде замечательна. В апреле 1917-го Ленин привез в Стокгольм уже сформированный скелет текста; в крайнем случае («если меня укокошат...» — очень ленинское словцо) Каменев получил право опубликовать отредактированные заметки. То, что Ленин умудрился продумать мысль о государстве (которая всем остальным просто не пришла в голову, а если бы и пришла, то показалась бы как минимум преждевременной) *до* начала революционных событий в России, «ни с того ни с сего» — и при этом *прямо перед* революцией, — возможно, самое убедительное свидетельство ленинских паранормальных, тиресианских способностей: пусть не угадав даты и места революции в Европе, он почувствовал, что земля дрожит, — и вместо того чтобы наслаждаться эйфорией — вот оно, сейчас хлынет лава — принялся составлять план: что дальше, после извержения. Кто, кроме Ленина, оказался готов разглядеть за множеством конкретных политических вопросов Проблему Проблем: марксизм и государство? Никто. И поэтому сначала трудно избавиться от ощущения, что «ГиР» возникла как метеорит, свалившийся на голову словно бы из ниоткуда, по случайному совпадению. Задним числом, однако, ясно, что эта мысль и *должна* была возникнуть у Ленина — после завершения работы над «Империализмом как высшей стадией», потому что механизм империалистической войны, действие которого описал Ленин, по логике — неизбежно — должен был привести к революции, открывающей историческое окно возможностей.

Однажды году в 1921-м на глаза Ленину, явившемуся выступать на очередной съезд рабочих, попался плакат, на котором было написано «Царству рабочих и крестьян не будет конца». Плакат даже и не висел, а всего лишь стоял в стороне, но Ленин углядел его — и высказал раздражение безграмотностью абсолютно лояльной, казалось бы, «красной» надписью: как это не будет конца? Ведь раз есть рабочие и крестьяне, значит, есть разные классы; тогда как «полный социализм» подразумевает бесклассовое общество; есть классы — нет коммунизма.

Подлинная цель пролетарской революции, по Ленину, – не просто переворот, пересмотр итогов приватизации, замена одного господствующего класса другим; не абстрактный «социализм», где классы мирно сосуществуют; не утопическое «справедливое общество всеобщего благосостояния» и пр.; но уничтожение государства, «т. е. всякого организованного и систематического насилия, всякого насилия над людьми вообще». Коммунизм – это когда государство больше не нужно: «ибо некого подавлять», и раз так, не надо систематически напоминать слабым, что они слабы, и держать машину насилия: «это будет делать сам вооруженный народ с такой же простотой и легкостью, с которой любая толпа цивилизованных людей даже в современном обществе разнимает дерущихся или не допускает насилия над женщиной». Это ленинские слова, в которые надо тыкать всех, кто называет его «кровавым палачом», «бонапартом», «авторитарным монстром». «Ленинский орден» – вертикальная, централизованная, основанная на подчинении организация, описанная в «Что делать?» и выстраивавшаяся им на протяжении десятилетий, – был не идеалом, а технической, временной структурой, которая, выполнив свои цели, должна была отмереть – и уступить место свободному самоуправляющемуся коллективу. Именно поэтому в «ГиР» партия не упоминается. «Государство и революция» отменяет «Что делать?» и – пусть задним числом – снимает с этого сочинения клеймо «гимн тоталитаризму». Не тоталитаризму, как выяснилось, – а обществу, свободному от власти и насилия. К этому стоит отнестись серьезно. Ленин – внимание! – планировал построить не государство, где все с номерами и все по талончикам, а наоборот – мир без государства вообще. Именно это и есть коммунизм.

А вот путь к нему пролегает через Диктатуру Пролетариата (которая, несмотря на грозное название, есть просто форма обычного государства – как стандартная Диктатура Буржуазии, только в другую сторону: со справедливой – в пользу трудящихся – демократией).

Надежды на то, вдалбливает Ленин, что, сделав пролетарскую революцию, можно будет продолжать пользоваться буржуазным госаппаратом, – несостоятельны. Этот аппарат, несмотря на демократию и парламент, – для пролетариата такое же зло, как царизм: тоже форма подавления, механизм угнетения – и что с того, что механизм этот перезапущен самими социалистами. Всеобщее избирательное право – не способ выявления воли большинства трудящихся, но орудие господства буржуазии. Выборы, даже самые «честные», на самом деле жульничество – потому что они устроены таким образом, чтобы низы делегировали буржуазии право представлять их интересы. «Маркс великолепно схватил эту суть капиталистической демократии, сказав в своем анализе опыта Коммуны: угнетенным раз в несколько лет позволяют решать, какой именно из представителей угнетающего класса будет в парламенте представлять и подавлять их!» Капиталистическая демократия лицемерна; она только формально для всех — а «на деле ей могут пользоваться только господствующие классы: общественные здания не для "нищих"». «Свобода капиталистического общества всегда остается приблизительно такой же, какова была свобода в древних греческих республиках: свобода для рабовладельцев. Современные наемные рабы, в силу условий капиталистической эксплуатации, остаются настолько задавленными нуждой и нищетой, что им "не до демократии", "не до политики", что при обычном, мирном течении событий большинство населения от участия в общественно-политической жизни отстранено»; они вытолкнуты из политики, из активного участия в демократии. Демократическая республика — идеальная политическая форма для капитализма. Демократия — организация общества, позволяющая поддерживать систематическое насилие одного класса над другим, одной части населения над другой.

Это очень сильное заявление — и по меркам 1917 года в особенности; сейчас опыт того, что на самом деле представляет собой демократия и чем она чревата, есть у многих; сто лет назад это было далеко не очевидно, а для русского общества — где Учредительное собрание было голубой мечтой — вообще немыслимо.

Старую машину насилия надо не усовершенствовать, ее надо разбить, сломать; именно это, колотит Ленин кулаком по столу, — главное в учении марксизма о государстве. В первое время — раз путь развития общества не «ко всё большей и большей демократии», а к устранению господства эксплуататоров — придется заменить ее на организацию вооруженных рабочих — как это было сделано в Парижской коммуне. Прецедент 1871 года показал, что когда речь заходит об угрозе интересам буржуазии, последняя, не задумываясь, попирает принципы демократии и идет на кровь; именно поэтому — в силу трезвости, а не авантюризма или «трикстерства» — Ленин не фетишизировал ни демократию, ни государство-любой-ценой-лишь-бы-не-анархия. Парижская коммуна была психотравмой, которую Ленин ощущал — и пытался «проговорить» ее; Маркс и Энгельс извлекли из этой трагической репетиции европейской революции множество уроков, которые затем оказались злонамеренно замолчаны: II Интернационал нарочно заметал под ковер и тему постреволюционного государства, и революции вообще; по сути, именно потому, что их устраивало буржуазное государство — им и не нужна была революция. А Марксу и Энгельсу — нужна, и революция для них была не абстрактным, а близким, актуальным событием; не еще одним походом к начальству за повышением зарплаты — а попыткой учредить государство нового типа.

Переходный период между буржуазным государством и коммунизмом, на который Россия конца августа 1917-го может выйти буквально в ближайшие недели, — и есть диктатура пролетариата: демократия — но не для буржуазии, не для меньшинства, а для трудящихся, для большинства. Вооруженные рабочие подавляют буржуазию; у этого насилия есть сверхзадача — избавиться от деления на классы. Потребление и количество труда строго контролируется — не чиновниками, а именно рабочими! Вместо парламента — «нечто вроде парламента», контролирующего аппарат; но сам аппарат будет новым, из рабочих; чтобы ни эти «бета-парламентарии», ни сотрудники аппарата не превратились в бюрократов, им будут платить не больше, чем рабочим, и в любой момент могут сместить; и функции контроля должны исполняться не всё время одними и теми же людьми, а всеми членами общества, по очереди. То есть представительные учреждения есть (и выборы есть — но не для того, чтобы жульнически собирать голоса рабочих) — но разделения труда там нет: они сами и вырабатывают законы, и исполняют их, и проверяют, что получилось в реальности. Заведомая утопия? Нет: Ленин приводит аналогию с почтой — тот же, по сути, механизм; для его работы тоже нужны техники, контролеры, бухгалтеры — но платить им можно столько же, сколько обычным рабочим; они не эксплуатируют рабочих, а тоже работают — в отделе управления. Именно по типу почты и следует организовать народное хозяйство при диктатуре пролетариата.

Тем не менее даже в таком виде нарисованная Лениным картина и в самом деле отдает утопией. Попробуем понять, на что все это может быть похоже в более «сегодняшних» — и более практических — терминах.

Вряд ли Ленин воображал, что государство при коммунизме отсутствует напрочь. Скорее, оно представляет собой нечто вроде платформы для обслуживания самодеятельных политических институций локального, прикладного, невертикального характера. Ленинское «отмирающее» государство похоже на, допустим, *Aliexpress* — платформу, которая сама не продает ничего, но на которую насаживаются много самостийных, образовавшихся снизу организаций, ведущих некую деятельность; в «ленинском» случае на платформе продаются не товары, а доверие; государство нужно для того, чтобы — возвращаясь к купальному опыту Ленина в Нейволе у Бонч-Бруевича — во-первых, купальщики и «хулиганы» нашли друг друга, а еще — чтобы, условно говоря, купальщики и «хулиганы» находились друг с другом в нормальных отношениях, не враждовали, а доверяли друг другу — и имели площадку, где они могут договариваться. Гражданин может вступить и в ту, и в другую группу по интересам — а «отмершее государство» выведет эти общества на свет, наделит политическими правами. То есть это именно государство-платформа, государство, низведенное до технологии; оно не «продает» власть, не имеет аппарата насилия, а увеличивает радиус доверия, стимулирует людей объединяться ради решения общих проблем и самоуправления — в группы доверяющих друг другу граждан, которые удовлетворяют свои потребности и вместе осуществляют некоторые не опасные для других групп действия. Группы самые разные — в диапазоне от Петроградского совета рабочих депутатов до общества купальщиков Нейволы, которое следит, чтобы «хулиганы» у озера воздерживались от сексуальных домогательств к тем купальщицам, которые пришли просто освежиться. Таким группам не нужны ни бюрократический аппарат, ни высокооплачиваемые чиновники — члены групп всё делают сами. Поскольку труд не будет отчуждаться, человек будет работать для самореализации, то есть, по сути, для развлечения, — постепенно будет повышаться общий культурный уровень: то есть, в переводе на другой язык, тот, кто начнет приставать у берега озера с домогательствами, в государстве будущего нанесет больший ущерб своей социальной репутации, чем получит удовольствия от асоциального поступка. Люди — разумные эгоисты, как у Чернышевского, — привыкнут к тому, что они сами ответственны перед своим окружением, — и поменяют свои социальные (если не сексуальные) привычки.

Даже и привычка к насилию — временное явление: избавившись от капиталистического рабства со всеми его гнусностями и мерзкой моралью, люди сами, без принуждения, смогут соблюдать правила общежития. Это дело воспитания, дело культуры; грубо говоря, Ленин верит, что «Аппассионата», Некрасов и Тургенев могут переформатировать сознание; что у «шариковых», выросших в свободных условиях, будет отмирать инстинкт плевать лузгу на пол и они не будут нуждаться в «хламе государственности».

Все это, разумеется, не только вдохновляет, но и озадачивает; «Государство и революцию» легко подвергнуть «недружественному пересказу» и выдать за утопию, в которой описывается положение дел, не имеющее с реальностью ничего общего. Разумеется, Ленин и сам отчетливо осознавал, что для обывателя фраза «каждый будет свободно брать "по потребности"» кажется смешной, нелепой: то есть вы, что ли, обещаете каждому «любое количество трюфелей, автомобилей, пианино»? Да нет, не обещаем, отвечает Ленин; такие обещания — глупость: но можно прогнозировать, что производительность труда будет расти, как и культура, — и человек не будет почем зря претендовать на явно лишнее «и требовать невозможного». Утопия — мошенничество, проект в жанре «мне так кажется»; Ленин же рассуждает научно — ничего не обещая, но демонстрируя крайне сложный и негарантированный путь — не к блажной выдумке, а к логичному варианту развития текущего положения дел. Это конкретный маршрут, с навигацией; по нему можно идти, ориентируясь.

Именно «Государство и революция», заметенные под ковер представления Маркса и Энгельса о государстве, а не мифическая переписка с Парвусом о немецких деньгах — способ заглянуть Ленину апреля 1917-го в голову — и найти рациональное объяснение всем его действиям: почему все вокруг него испытывали революционную эйфорию, а он нет. Если бы у Ленина в голове не было этой книги в 17-м году — то он был бы не Лениным, а политологом из тех, что полагали своей целью в революции «сделать Россию европейской страной»; псевдодирижером, который, как все остальные, махал бы палочкой, делая вид, что руководит музыкантами. Но она была у него в голове — и поэтому он знал, когда какие инструменты должны вступить, сколько еще выдержат исполнители, чем должно кончиться это музыкальное произведение — и кто останется на сцене после финала. И именно поэтому время от времени он мог менять одни лозунги на другие: то были временные, текущие формы, а Ленин занимался не реализацией лозунгов, а целью, поставленной в книге, — установление диктатуры пролетариата вместо демократической республики. Осознание природы «демократии» вело к практическим следствиям, к тактике: «честная победа на выборах» и «легальное» учреждение социализма заведомо невозможны. Если осознавать, как на самом деле осуществляются все эти формально честные победы, с помощью каких манипулятивных технологий, — то с какой стати придерживаться этих формальностей. Если демократия — машина подавления угнетенных классов, созданная буржуазией, то можно действовать, не связывая себе руки заведомым идиотизмом. Массам важнее не принципы демократии, а решение коренных противоречий их жизни: война, земля, работа и пр. Вместо того чтобы играть по правилам буржуазии, Ленин счел правильным сделать акцент на вооруженном захвате власти.

Ленин успел продумать все это, но не успел издать перед Февралем; иначе его публичные выступления выглядели бы не так эпатирующе и не вызывали бы такую нелепую критику. Критика идей из «ГиР» — которыми Ленин широко пользовался на протяжении всей своей публичной деятельности в 1917 году — шла не с научной точки зрения, а по большей части посредством навешивания ярлыков: раз Ленин против государства — значит, Ленин больше не социалист, а анархист, предатель. Идея, что государство есть то, от чего следует избавиться, обычно связывается с анархистами; однако Ленин в высшей степени отчетливо показывает, что разница — в сроках; разделяя анархистский скепсис относительно идеи государства, Маркс и Энгельс спорили с анархистами из-за сроков его отмены; но отмереть — только не сразу, а постепенно — оно должно в любом случае — каким бы странным это ни казалось «ортодоксальным социалистам».

Ленин, кстати, сам стал жертвой дефицита времени: вспомнив в Разливе, что оставил начатую в январе в Цюрихе «синюю тетрадь» с рукописью в Стокгольме, он попросит доставить ее — и примется дописывать в шалаше; однако не успеет; так что и заканчивается книга на полуслове — точнее, знаменитой фразой — с латинским синтаксисом и явно построенной по латинской модели (*dulce et decorum est pro patria mori*): «Приятнее и полезнее "опыт революции" проделывать, чем о нем писать».

Меж тем для самого Ленина опыт революции в начале июля едва ли мог показаться приятным. Спа-процедуры продлились всего ничего — уже 3-го за Лениным приехал Савельев из «Правды»: массы стихийно пришли в движение. Обитателям особняка Кшесинской пришлось выбирать: возглавить бунт или — подставиться под обвинение, что ленинское самоуверенное «есть такая партия» — фикция, что на самом деле большевики — такие же болтуны, как все боящиеся взять власть. Если, конечно, они правильно интерпретировали происходящее: события вечера 3 июля — это еще просто демонстрация — или уже революция? «Должна ли была партия, — пишет историк А. Рабинович, — рисковать всем в надежде на немедленное свержение Временного правительства или ограничить свои притязания в надежде сохранить "по меньшей мере половину сил" на будущее? Именно такой трудный выбор стоял перед Лениным на следующий день после возвращения из Финляндии».

Закрываясь в поезде газетами, чтоб не узнали, Ленин обдумывал: стоит ли возглавить это не ими инспирированное «полувосстание»? Рассказы Савельева про вчерашнюю грандиозную демонстрацию — рабочие Путиловского и солдаты, тысяч 80 человек, с оружием, идут на Таврический дворец и инициируют столкновения с пусть буржуазными, но Советами; в городе стрельба, сотни убитых — не были сюрпризом для Ленина. Первый шанс проверить Временное на прочность представился еще на колоссальной антивоенной демонстрации 10 июня, но Ленин почувствовал: рано. На конференции военных организаций РСДРП он лил масло на штормовые волны: Советы пока еще не большевистские, и прямо сейчас говорить о захвате власти нет оснований; надо быстро провести VI съезд партии, там все решить — и не с бухты-барахты. Всю вторую половину июня Ленин как редактор «Правды» оказывался умереннее своих коллег по «Солдатской правде», представляющей мнение военной организации РСДРП; солдат гнали на фронт, в наступление, и большевистские агитаторы призывали упираться руками и ногами, а на самом фронте устраивать братания. И ладно бы только агитаторы снизу: Зиновьев в последние две недели на каждом углу кричал, что «лучше мы умрем здесь, на баррикадах, чем там, в окопах». Солдаты, которые жили под дамокловым мечом, слушали Зиновьева внимательнее, чем Ленина, — в надежде переложить ответственность за реализацию своих инстинктов на какую-то политическую силу, которая могла бы прикрыть их, — на большевиков. То, что Ленина не оказалось в городе и санкции на прямую атаку на правительство и уж тем более на Петросовет он не давал, могло остановить ЦК и «военку» — но не массы, не «новых большевиков», которые лезли в окно, несмотря на то, что Ленин, рискуя репутацией левака, недвусмысленно закрывал перед ними дверь. Проблема была не в том, чтобы захватить власть в городе, который был наполнен уже стреляющими и убивающими людьми; удержать его — вот вопрос; удержим?

То был, надо полагать, самый неприятный момент за все эти месяцы: Ленина вытолкнули загонять в клетку не им выпущенного тигра. Протискиваясь на балкон дворца Кшесинской, он понимал, что толпа — тысячи матросов, явившихся из Кронштадта «защищать революцию», — ожидали услышать от него «сарынь на кичку». Вместо этого Ленин — шаг вперед, два шага назад, в стиле: «с одной стороны, надо сознаться, а с другой — нельзя не признаться» — призвал их к бдительности и «мирному выявлению воли всего рабочего Петрограда», что бы это ни значило.

После своего подозрительно умеренного спича Ленин отправляется в Таврический дворец, который представляет собой остров, почти захлестнутый океаном солдат и рабочих, очень решительно настроенных. Зиновьев припоминает совещаньице узким кругом в буфете дворца — с участием его, Ленина и Троцкого, когда Ленин, «смеясь», спрашивал их: не взяться ли нам за переворот прямо сейчас — и сам же себе отвечал — нет, рано, не все еще солдатские массы за нас. Время, чувствовал Ленин, работало против большевиков: речь уже не идет о том, чтобы возглавить восстание или получить от него какие-то политические выгоды. Низовые, боевые элементы обвинят большевиков в нерешительности, правительственные структуры — в подстрекательстве. И действительно, со второй половины дня настроения в городе переменились: на защиту Таврического стягиваются лояльные войска — и с каждым прибывшим защитником зона отчуждения вокруг Ленина расширяется: как всегда случается с мятежниками-неудачниками, он превращается в прокаженного; никто из социалистов-небольшевиков в принципе не хочет иметь с ним дело. Никитин — ненадежный источник — в «Роковых годах» передает диалог Иоффе с Троцким, где Иоффе рассказывает, будто Ленин в начале июля 1917-го был «бледный, насмерть перепуганный. Он сидел и даже слова не мог произнести». С апреля Временное правительство искало повод прищучить Ленина — и, разумеется, первый же серьезный кризис, в котором можно было обвинить большевиков, сразу же был расценен как сигнал для атаки. Кому выгодно мутить воду во время наступления российской армии на немецкие позиции? Правильно. Поздно вечером Ленин получает от Бонч-Бруевича сведения, что утром газеты выйдут с обвинениями в шпионаже и его вот-вот арестуют. Временному правительству выгодно было пугать обывателей большевиками-шпионами: хороший способ двигать общественное мнение вправо.

Заехав напоследок на Мойку, в «Правду»: пусть газета предложит солдатам уйти с улиц в казармы, «цель демонстрации достигнута» — Ленин ночует в квартире Елизаровых. Кажется, это последняя ночь в его жизни, которую он проводит более-менее «у себя» дома, как частное лицо. Если бы в эту ночь он задержался в редакции «Правды», его бы наверняка убили на месте погромщики — которые явились туда через полчаса после его отъезда. Утром 5 июля «Живое слово» вышло с заголовком «Ленин, Ганецкий и Козловский — немецкие шпионы»; есть свидетели, есть документы; налицо государственная измена.

«По моим первым сведениям, ключ проблемы в Швеции», — наставлял французского атташе в Стокгольме человек по имени Альбер Тома. Его проблема называлась «Ленин»: во-первых, Тома был социалистом, поддержавшим войну — и разоблаченным Лениным как один из тех, кто предал II Интернационал; во-вторых, он был французским министром по делам вооружения — и очень хотел, чтобы Россия воевала дальше, облегчая Франции задачу на Западном фронте; Ленин же пытался вывести Россию из войны. Разработанный в сотрудничестве с британскими коллегами план кампании по дискредитации Ленина состоял в том, чтобы вбросить в общественное мнение информацию: Ленин берет деньги у немцев; механизм передачи средств, выглядевший наиболее убедительно, был связан со шведским участком переезда Ленина из Цюриха в Петроград: Швеция была «слабым звеном» — нейтральное государство, через которое действительно осуществлялись деловые и шпионские связи между Антантой и Центральными державами; следовало указать на реально существующую коммерческую организацию с немецким капиталом, в которой участвуют члены большевистской партии, и связать таким образом в коллективном сознании Германию и большевиков.

Краткое пребывание Ленина в Швеции в самом деле оказалось весьма насыщенным. В *Moderna Museet* в Стокгольме есть хорошая инсталляция: кусок мостовой, через которую проходит отрезок трамвайного рельса; объект — как будто «фрагмент» «иконической» фотографии, сделанной днем 13 апреля у Стокгольмского центрального вокзала, на Вазагатан — и опубликованной на первой полосе социалистической газеты «Politiken»: в группе людей можно разглядеть Ленина, Крупскую, Арманд, сына Зиновьева, шведского левого политика Туре Нермана и стокгольмского бургомистра Кале Линдхагена. Все они идут, шагают, но эффектность снимка в том, что кажется, будто все статичные, а Ленин — с зонтиком, в шляпе, грубых зимних ботинках на платформе и пальто, которое явно ему великовато, — единственный, кто идет по-настоящему; он не просто «идет энергично», как хороший турист, решивший с толком использовать пару часов в любопытном городе; нет: он идет делать историю. Ленин похож здесь не на рабочего вождя, а на какого-то члена Безвременного правительства; или — по словам одного шведа-очевидца — «на школьного учителя из Смоланда, который поругался со священником и спешит домой, чтобы поколотить его».

Спешит, да: в Стокгольме — за 8 часов 37 минут — Ленин умудрился сделать несколько важных вещей: заставил шведских социалистов из риксдага подписать письмо о том, что шведские товарищи солидарны с его решением вернуться на родину через Германию; позже оно будет напечатано в «Правде»; попросил социалистов помочь русским товарищам деньгами — «несколько тысяч крон», — сославшись на то, что им на поездку дал в долг один швейцарский фабрикант, товарищ по партии, и с ним нужно как можно скорее расплатиться. Шведы объявили подписку в риксдаге и набрали ему несколько сотен крон; одним из спонсоров большевиков оказался министр иностранных дел, пробормотавший, что готов раскошелиться, лишь бы Ленин убрался отсюда побыстрее. На торжественном, устроенном социалистами обеде Ленин съел шведский бифштекс — и сидевший рядом мемуарист был поражен количеством соли и перца, которые употреблял русский; в ответ на предупреждение об опасности, которой чревата такая диета, Ленин высыпал себе в тарелку остатки содержимого солонки: «чтоб ехать сражаться с буржуазией, нужно съесть много соли и перца». В не менее решительной манере Ленин направился в универмаг Поля У. Бергстрёма (PUB) на Hötorget, 13, где приобрел себе костюм и, возможно, пресловутую кепку; продержавшийся целое столетие универмаг совсем недавно переделан под отель — теперь там не отоваришься; но на ютюбе есть сатирический ролик, в котором актер, играющий Ленина, отправляется в PUB и вертится в примерочной, принимая «ленинские» позы, чтобы выбрать головной убор, способный придать немолодому мужчине сколько-нибудь «пролетарский» вид.

Нет, непохоже, что «немецкое золото» наполнило карманы Ленина в Стокгольме. Может быть, раньше?

Дело в том, что хотя в фокус Ленин попадает в столице, но в Швеции он оказался за день до того: паром «Королева Виктория» прибыл из порта Засниц в Треллеборг, рядом с Мальме; и вот тут Ленина встречал как раз Ганецкий — который занимал его целый день, ужинал с ним в ресторане местного «Савоя» и сел с ним в поезд, где всю ночь беседовал — например, о том, что в Стокгольме надо создать свой большевистский центр в составе Ганецкого, Воровского и Радека, который будет чем-то вроде информбюро, обеспечивающего контакты петроградских революционеров с иностранными рабочими.

Этот контакт и оказался роковым для Ленина.

Ганецкий, помимо своего членства в РСДРП, был директором датской фирмы, учрежденной на деньги Парвуса и торговавшей — в том числе в России — лекарствами, порошковым молоком и прочими дефицитными в войну товарами. Теоретически торговая деятельность могла быть — и была — сугубо частным делом того или иного члена партии. Однако в условиях медиаатаки на Ленина — а слухи о его шпионстве циркулировали с момента приезда — любые «открытия» выглядели разоблачениями. «Обнаруженная» в июле 1917-го и растиражированная социалистами В. Бурцевым и Г. Алексинским связка Ленин — Я. Ганецкий — Е. Суменсон — М. Козловский (Суменсон занималась в фирме Ганецкого бухгалтерией, Козловский — юрист и посредник) выглядела гораздо более впечатляющей и по-настоящему компрометирующей. Петроград был заклеен листовками, и во всех газетах это было первополосной новостью; посольства Антанты охотно «подтверждали» любые слухи и «документы».

Оппозиционные партии — и далеко не только РСДРП — имели богатые традиции сотрудничества с враждебными России иностранными спецслужбами: в 1905-м у японцев и англичан, японских союзников, брали не то что деньги — оружие; и если бы пресловутый «германский Генштаб» в самом деле предложил Ленину нечто такое, в чем он крайне нуждался, и он был бы уверен, что факт такого рода договоренности ни при каких обстоятельствах не будет обнародован, то вряд ли спустил бы явившегося с предложением посланца с лестницы: скорее, внимательно выслушал бы его, взвесив все про и контра. В начале XX века для революционера сотрудничество с иностранной спецслужбой ради свержения существующего строя не было смертным грехом. Это означает, что в принципе, сугубо теоретически (доказать это нельзя) Ленин мог бы взять немецкие деньги. Однако состоя с Ганецким в личных и денежных — по делам партии — отношениях, Ленин никак не участвовал в его бизнесе — так же как не участвовал в инженерной деятельности Красина или пароходной — своего зятя Марка Елизарова. То, что Ганецкий имел дела и с Парвусом, и с Лениным, не подразумевает автоматически, что Парвус передавал деньги немецкого правительства Ленину.

На тему «немецкого золота» 1917 года существуют как минимум три созданных уже в постсоветское время исследования, исчерпывающе доказывающих, что обвинения против Ленина были сфабрикованы спецслужбами Антанты и Временного правительства и что все документы, в которых идет речь о платных услугах, которые большевики якобы оказывали Германии (пресловутые «документы Сиссона», «показания прапорщика Ермоленко» и т. п.), злонамеренно фальсифицированы*.

И хотя Ленина, несомненно, использовали немцы; и хотя запах измены — такой же едкий, как запах миндаля, распространявшийся в натопленных вагонах вокруг боевиков, возивших в 1905—1906-м из Европы на себе динамит в обычных пассажирских поездах, — ощущается в этой истории даже сейчас, Ленин не был «немецким агентом» ни если исходить из презумпции невиновности, ни согласно мудрости «не пойман — не вор», ни согласно здравому смыслу: не было причин им быть. Ленин, еще когда договаривался про «вагон», знал, что обвинения в шпионаже возникнут; он знал, что буржуазия должна была перейти к репрессиям — сначала моральным (кампания демонизации и дискредитации), а потом и физическим; он и так чудовищно рисковал, когда принимал решение поехать через Германию. Он не надеялся выйти сухим из воды, понимал, чем это грозит его репутации, — особенно при том, что он становится врагом не только буржуазии, но и контрразведок Антанты (и именно поэтому он настойчиво добивался поддерживающих писем от любых общественных организаций, до которых только мог дотянуться). Договариваться — осознавая все это — с немцами о предоставлении финансирования своей партии, то есть подставляться под угрозу разоблачения, противоречило всякому здравому смыслу; не надо было обладать аналитическими способностями Ленина, чтобы понять — немецкое «золото» убьет его шанс на участие в революции; собственно, ровно это и произошло с самим Парвусом, который тоже очень хотел принять участие в революциях 1917-го, — но с его репутацией вход для него в Россию был закрыт.

Да, антивоенная и антиправительственная деятельность Ленина была объективно выгодна немцам, потому что — в данный конкретный момент, а не вообще — его агитация снижала дееспособность армии и государственных механизмов; но это не значит, что у Ленина были договор, обязательства перед немцами. Если уж на то пошло, в июне 1917-го на большевистских листовках было написано: «Ни войны за Англию и Францию, ни сепаратного мира с Вильгельмом!» За несколько дней до приезда Ленина произошло крайне важное событие — вступление США в войну, и Ленин осознавал, что это означало: что Германия обречена на поражение — а в проигрывающей войну стране революция гораздо вероятнее; именно этими — среди прочего — соображениями обусловлена решительность Ленина в 1917-м: он очень рассчиты-

---

* *Попова С. С.* Между двумя переворотами. Документальные свидетельства о событиях лета 1917 г. в Петрограде. М., 2010; *Старцев В. И.* Немецкие деньги и русская революция: Ненаписанный роман Фердинанда Оссендовского. 3-е изд. СПб., 2006; *Соболев Г. Л.* Тайна «немецкого золота». СПб., 2002; *Он же.* Русская революция и «немецкое золото». СПб., 2002.

вал, что если тут «запалить», то Европа сдетонирует. То есть Ленин мог отговаривать русских солдат воевать с Германией — но ему не было смысла содействовать победе Германии.

Даже если бы Ленин в самом деле зашил в подкладку своего пальто некий мандат на «развал России» — в обмен на возможность проезда по Германии и кайзеровские миллионы — как именно мог он сдержать свои «обещания»? Начать взрывать мосты? Потратить полученные от немцев деньги на оружие? Но оружия в Петрограде и так было хоть отбавляй. На агитацию через СМИ? Действительно, деятельность большевистской прессы весной — в начале лета 1917-го может показаться подозрительной: чересчур быстрое становление «Солдатской правды», первый номер которой вышел уже 16 апреля, приобретение крупной типографии «Труд», где печатались большевистские листовки и брошюры. Стремление во всем видеть подвох не должно, однако ж, перевешивать здравый смысл и факты — свидетельствующие о том, что «краудфандинг» был вполне эффективным источником финансирования: так, после майской речи Ленина даже те солдаты, которые пришли на его выступление, чтобы посмотреть на немецкого шпиона, снимали с себя Георгиевские кресты, передавали на трибуну — и просили принять их на издание «Правды»; и это без единого намека самого Ленина на сбор средств. Известно, что в период гласности, особенно в первое время, оппозиционная пресса чувствует себя неплохо. В 52-м номере «Правды» напечатан отчет о тысячах крестов и медалей, золотых кольцах и деньгах, которые пришли в редакцию от обычных людей, просто хотевших, чтобы большевики закончили войну. «Вот все бы отдал, да нечего больше — все богатство мое в этом кресте,— как сказал после выступления Ленина один солдат. — Продолжайте ваше дело, а мы будем помогать». Всего в ходе политических кампаний в апреле и октябре 1917-го (существуют отчеты о сборах на «Правду», «Солдатскую правду», «Солдата», «Деревенскую бедноту») было собрано от 300 до 500 тысяч рублей; цифры можно корректировать внутри этих рамок, но порядок именно такой — несколько сотен тысяч. От крупных заводов приходило по 5—10 тысяч рублей; наверное, деньги собирались не только по рабочим — но и от частных спонсоров; большевики имели такой опыт и умели это делать. Всего этого более или менее должно было хватить на покупку типографии (самая крупная трата — 225—250 тысяч), а также на бумагу и содержание редакций и типографии.

Поразительно, сколь недолго продлилась публичная политическая практика Ленина — всего три месяца: крайне мало для того, чтобы вынырнуть «премьер-министром»; по стогам, кочегаркам и чужим дачам Ленин промыкался гораздо больше, чем прожил «в открытую» за свой «предпремьерский» период.

С утра 5 июля — когда Свердлов уводит уже «обмазанного» шпионским дегтем Ленина с Широкой на квартиру бывшего депутата Госдумы Полетаева — начинается его финальная пятимесячная подпольная эпопея. Петроград уже другой: «черносотенные элементы» готовы снести голову не то что Ленину и большевикам — вообще всем, кто публично признается в симпатиях к «шпионам». Луначарский, вернувшийся через Германию вторым — «меньшевистским» — поездом, снимал комнату у бывшего учителя географии, и при обыске там нашли ученические карты — как назло, Германии; подозрения в этот момент перешли в абсолютную уверенность; его арестовали. Уже вечером 5-го на Широкую приходят с обыском — и затем на протяжении месяца шесть раз повторили эту процедуру: будут путать с Лениным Марка Елизарова и его гостей, искать Ленина в шкафах и сундуках; кончилось тем, что когда очередной офицер принялся пристально рассматривать внутренности большой стеклянной чернильницы на хозяйском столе, Марк Елизаров спросил: не полагает ли тот, что Ленин способен спрятаться в чернильнице?

Да уж, как говорила Дороти в «Волшебнике из страны Оз»: такое ощущение, что мы больше не в Канзасе; Петроград — наполненный «всеобщим диким воем злобы и бешенства против большевиков» — становится совсем неудачным местом пребывания для Ленина. Улицы патрулируются, мосты разведены и даже на яликах никому не разрешают переправляться на другой берег; до вокзала не добраться.

Принимать окончательное решение: уходить в подполье или, в надежде избежать политического банкротства, сдаться судебным властям — Ленину пришлось в квартире бывшего думского депутата большевика Полетаева. В 1924-м бывшие соседи по Мустамякам Д. Бедный и В. Бонч-Бруевич, навестившие там Ленина (который якобы почти уже принял решение отдаться в руки Временного правительства: в суд так в суд), принялись публично пререкаться: Бонч утверждал, что Бедный описал ему Ленина как «удивительно похожего на Христа, как его рисуют лучшие художники в тот момент, когда он шел на распятие, отдаваясь в руки своих врагов». Бедный в 1924 году от этих своих слов публично отрекся. Однако независимо от того, использовало ли окружение Ленина евангельский код для тех событий — ясно, что «нам было не до насмешек, не до юмористики: положение дел было слишком серьезно, трудно и угнетающе» (Бонч-Бруевич).

Июль 1917-го — Ленин принял решение отступить в тень; «случайное» убийство в тюрьме выглядело слишком правдоподобной перспективой, чтобы проигнорировать ее; Мария Ильинична всерьез предлагала сбежать в Швецию — стал месяцем его временной политической смерти. (Не только политической; куча людей была уверена, что «анархист Ленин» застрелен; показывали его могилу, водружали на ней кресты; Горький упоминает про это в «Несвоевременных мыслях».) И так плохая репутация — фанатик, анархист, бонапарт, макиавелли — усугубляется «бесчестьем». Исчезновение Ленина представлялось социалистам-небольшевикам еще более абсурдным, чем его появление «в плаще анархиста». Все они — судя по Суханову, единодушно — полагали Ленина «виновником» июльских событий; касательно того, был ли при этом Ленин немецким агентом, мнения разделились. В любом случае «бегство Ленина и Зиновьева, не имея практического смысла, было предосудительно с политической и моральной стороны». «Это было нечто совсем особенное, беспримерное, непонятное. Любой смертный потребовал бы суда и следствия над собой в самых неблагоприятных условиях. Но Ленин предложил это сделать другим, своим противникам. А сам искал спасение в бегстве и скрылся. Это было совершенно нестерпимо. У людей, принимавших "новое дело Дрейфуса" так близко к сердцу, как будто оно касалось их самих, опускались руки». «Факт исчезновения Ленина я считаю бьющим в самый центр характеристики личности большевистского вождя и будущего правителя России. Так поступить мог только один Ленин на свете. Наполеону-Макиавелли показалось, что для его дела, для дела его партии будет выгоднее, если он убежит от своих обвинителей, не дав им перед лицом всей страны никакого ответа. И он пошел напролом, осуществляя свое намерение, — пошел прямолинейно и цинично». Легко предположить, что «аморальное» поведение Ленина было связано не с отсутствием нравственного чутья, а с альтернативным представлением о политической сути происходящего. Июльские события в интерпретации Ленина выглядели естественными: массам не нравится (без)деятельность Временного правительства, которое не решает их проблемы; естественно, особенно в условиях, когда большевики поддакивают массам, возникает перегрев двигателя (конечно, не следовало бы допускать этого; тут левые большевики допустили ошибку; тут у него, Ленина, политическое молоко убежало). Керенский и Кº предпочли выстрелить в радиатор, не поняв, что большевики не только подстрекали массы, но и канализировали их протестную энергию — как громоотвод. Что ж, Керенскому придется заниматься массами вплотную; Керенский обречен на гражданскую войну — потому что, если массами не занимаются большевики, то ими попытается заняться контрреволюция, Корнилов. Вопрос в том, сумеют ли большевики извлечь пользу из следующего кризиса — или, обжегшись на этом самом молоке, станут дуть на воду. «Предал», «струсил» и прочие сухановские моральные оценки в ленинской системе координат — мусор, шум в канале связи; власть сухановых вот-вот будет сметена, с Лениным или без Ленина.

Именно поэтому уже через четыре месяца Ленин пережил воскресение — представ в новом качестве: победителя. Нет неисправляемых репутаций; вот какой урок извлекаешь из этой истории.

Даже если в какой-то момент Ленин и выглядел испуганным и затравленным, каким описывает его Никитин, угроза репутации и жизни, судя по его энергичности, генерировала в нем не только страх, но и спортивную злость.

Собственно, после июля он возвращается в состояние, которое ему гораздо привычнее, понятнее, комфортнее: он без оглядки на общественное мнение может выполнять функции серого кардинала партии (и революции); ему не надо преодолевать свою неприязнь к публичным выступлениям, он может работать не с широким «активом», а с самым узким кругом. Одиночество мобилизует его, преследование разжигает азарт.

Ленин не любил ходить в парике — но у него была в известном смысле удачная, позволяющая легко трансформироваться под поставленные цели внешность. Он умл и носить чужие волосы, и гримироваться; запертые двери, условное постукивание, передвижение парами — присматривая и оберегаясь от хвоста и т. п. — работа нелегальным политиком была его профессией более двадцати лет. Хуже была изоляция; только-только наладившиеся было контакты с партийными массами прекращаются — и с каждым днем он оказывается все более зависимым от каналов поставки информации, от газет и чужих слов; воскресенья и праздники превращаются в пытку — он не может знать, что вокруг, он слепнет и глохнет; требует от всех своих квартирных хозяев отращивать уши подлиннее — и тщательно прислушиваться к разговорам в очередях и на транспорте.

Отсутствие, по уважительным причинам, Ленина на таких важных конклавах, как летний полулегальный VI съезд РСДРП(б), дает биографам шанс увидеть его в более экзотических контекстах, в камерной обстановке; некоторые моменты его жизни в этот период оказались если не задокументированы, то зафиксированы в воспоминаниях; было бы странно тоже не просунуть голову в эти каверны: ну-ка, что там.

Несколько дней в июле, пока Керенский и Советы громили большевиков, Ленин провел в квартире без пяти минут зятя Сталина, рабочего Аллилуева.

Музей-квартира Аллилуевых находится в мещанско-рабочем районе Пески — очень недалеко от Смольного, на 10-й Советской (с номерными улицами — это не советский идиотизм: до революции были 1-я, 2-я, 3-я Рождественские, по названию храма). Шестой этаж, квартира 20, дом 17: на доме — мрачноватое типично питерское здание — есть зеленая вывеска: музей-квартира. Связь с Лениным не обозначена, блещущая компетентностью хранительница Анна Евгеньевна иронизирует: «Да, мы действующая конспиративная квартира». Она не забывает упомянуть, что именно тут написаны «Дрейфусиада», «Три кризиса», «К вопросу о явке на суд большевистских лидеров» — попытки Ленина публично объяснить в печати, кому выгодна его травля. Однако даже и в этой квартире Ленин маргинализован — он был здесь среди прочих; квартира должна «рассказать» не столько о Ленине, сколько об истории государства через историю одной семьи; Большая История — через малую. Малая привлекает сюда даже киношников: интерьеры этого «временно́го кармана» — несколько небольших мещанского вида комнат: лампы, покрывала, этажерки — позволяют создать атмосферу от конца XIX века до 1950-х годов.

Вот подлинная медная ванна — в которой мылись Ленин, Зиновьев и Сталин. Аллилуев был квалифицированный рабочий, с зарплатой 140 рублей, большевик, имевший двух дочерей. С одной из них, Надеждой, как раз здесь познакомился Сталин, который в этой квартире прописался и баллотировался летом 17-го в городскую думу. (Это одна из демократических институций 1917 года, занимавшихся муниципальными делами и политикой; и если на I Всероссийском съезде Советов в июне большевиков было 10 процентов, то после выборов в эти районные думы — у них уже там было 20 процентов; разумеется, Сталин занимался не только депутатской деятельностью — но это давало ему статус и некоторые преимущества; во всяком случае, скрываться в июле ему не приходилось.)

Вот «комната Ленина» — то есть на самом деле Сталина, но тот уступил ее: самая уютная. Вот кровать, где спал Зиновьев — которого Аллилуев описал в воспоминаниях 1927 года, а потом, конечно, вычеркивал. Вот подборочка карикатур на Ленина и большевиков из июльских газет. Тэффи писала, что даже само слово «большевик» «теперь дискредитировано навсегда и бесповоротно. Каждый карманник, вытянувший кошелек у зазевавшегося прохожего, говорит, что он ленинец!». Аллилуев вспоминает, как пришла его дочь Анна со специально купленной для гостя корзинкой клубники (неудачно, потому что Ленин не любил ни клубнику, ни землянику: тогда он сослался на аллергию) и, хохоча, принялась рассказывать, что слышала по дороге, будто Ленин переоделся матросом и уплыл не то на миноносце в Кронштадт, не то на подводной лодке в Германию. Матросом не матросом, однако перед отступлением Ленин — впервые за 1917 год — меняет внешность.

Вот подлинная бритва Аллилуева; пикантная деталь — в роли брадобрея Ленина выступил Сталин, занимавшийся, по-видимому, не столько усами или бородкой, сколько волосами на черепе. Кепка на хрестоматийной фотографии, где Ленин в парике и выдает себя за рабочего, — аллилуевская.

В «Хрониках молодого Индианы Джонса» есть серия про то, как Инди приезжает в Петроград в июле 1917-го: он воюет за Францию и послан в Россию с заданием узнать, когда будет выступление большевиков; его хозяевам надо любой ценой удержать Россию, и они понимают опасность антивоенной пропаганды. В какой-то момент Индиана оказывается на выступлении Ленина — и тот, несмотря на свой вид карикатурного демагога, производит на него неизгладимое впечатление; еще убедительнее выглядят рабочие, которым не нужна война и которых на мирной демонстрации расстреливают казаки. Новые друзья-большевики устраивают Индиане Джонсу незабываемый русский день рождения с чаем и плясками — и искатель приключений, который поначалу кажется кем-то вроде Сиднея Рейли, превращается в кого-то вроде Джона Рида; он, по сути, отказывается воевать против этого славного народа, у которого есть все основания пойти за большевиками. Разумеется, это клюквенная, голливудская, поп-культурная версия истории — однако характерная. Даже Индиана Джонс оказывается ленинцем; вот вам и объяснение, почему беспрецедентные попытки демонизации Ленина в 1917 году оказались безуспешными: версия о «немецком шпионе» получила широчайшее распространение, но так и не укоренилась в сознании масс, так что не прошло и четырех месяцев после репутационной катастрофы, которую потерпел Ленин, как оказалось, что его можно представить в качестве диктатора — просто потому, что именно Ленин был в 1917 году тем политиком, который представлял их интересы.

Июль надо было не забыть как психотравму, а использовать как урок. Именно после неудачного мятежа — и после того, как стало ясно, что мирным путем от буржуазии власть получить не удастся, — в голове Ленина возникает словосочетание «искусство восстания».

И то, что между безоговорочной капитуляцией, которую подписал Ленин 6 июля в сторожке завода «Рено», и второй половиной сентября, когда он сделался одержим идеей немедленного вооруженного восстания, прошло всего два с половиной месяца, многое говорит о его характере.

9 июля Ленин, тщательно изучив карту, выбрался с Аллилуевым и Сталиным через черный ход и отправился в девятикилометровое, словно бы тренировочное перед октябрьским марш-броском в Смольный, путешествие через полгорода: через Кирочную, Литейный, Большой Сампсониевский — аж до Приморского проспекта. Шли друг за другом, чтобы отсечь возможные «хвосты». На вокзале — сейчас его там нет — эскорт передал Ленина рабочему Сестрорецкого завода Емельянову. Петроград был оставлен в чудовищном, но не безнадежном состоянии.

Несмотря на разгром, на арест практически всей верхушки Военной организации, на отсутствие возможности выпускать собственные газеты, Ленин принял поражение с достоинством и не собирался цепляться за призрачные шансы захватить власть в неподходящих условиях. Большевики отступили — организованно в том смысле, что понесли не слишком большие потери. Ленин был временно скомпрометирован, но сама партия ни его, ни себя таковыми не считала. Лозунг «Вся власть Советам!» временно был снят — с заменой на «Вся власть рабочим и их партии — большевикам!».

Интересно, что про историю с Разливом сам Ленин особо никогда не распространялся; Молотов, например, даже полагал, что байка про шалаш целиком выдумана. Известно о ней стало лишь в 1924-м, когда на одном из траурных митингов выступил с воспоминаниями Н. Емельянов; информация о Ленине в стогу произвела тогда сенсацию.

Момент тотчас решено было увековечить; видимо, история соответствовала представлениям о том, что перед возрождением, воскресением в Октябре, Ленин должен был претерпеть символическую смерть; травяная могила выглядела для этого подходяще. Нашли скульптора, и Емельянов возил его в лес показывать место — вроде тут. К десятилетнему юбилею на болоте возникло гранитное розоватое фолли, снабженное красивой, рублено-аритмичной, с безумным капслоком, надписью: «На месте, где в июле и августе 1917 года в шалаше из ветвей СКРЫВАЛСЯ от преследования буржуазии ВОЖДЬ мирового октября и писал свою книгу "Государство и революция" — на память об этом ПОСТАВИЛИ МЫ — ШАЛАШ ИЗ ГРАНИТА — рабочие города Ленина. 1927 год». Сооружение, напоминающее мавзолей — ступенчатость, золотые буквы, площадка для трибуны, — кажется гротескным, однако в нем есть свое величие; не только теремок — но и ворота Дарина, ведущие в Морийское царство; вход в царство мертвых — и одновременно лаз в будущее.

Уезжая из Петрограда на «пьяном», с «опоздашками», последнем вечернем поезде, Ленин не предполагал, что окажется в лесу; конспиративное логово намечалось в Сестрорецке. Сестрорецк — километров в тридцати от Питера — к концу XIX века постепенно эволюционировал из промышленного пригорода в дачное место. Песчаные дюны между полотном железной дороги и берегом озера Разлив привлекали как богатых петербуржцев (знаменитая дача Авенариуса), так и квалифицированных рабочих. Около заводи «Жучки» принялся строиться и Емельянов; на его участке оказались несколько строений, в том числе не то сарай, не то сеновал; странным образом, в июле 1917-го в других домиках Емельянова шел ремонт, и семья — отец, сын, семеро сыновей — жила в том же сарае, что и скрывающийся «Константин Петрович»: они внизу, Ленин на чердаке. Емельянов был большевиком, и к нему могли нагрянуть в любой момент; заросли сирени и шиповника казались недостаточной маскировкой, поэтому решено было перевезти Ленина подальше. Сарай, удивительным образом, уцелел и сейчас выставлен за стеклом, в огромном аквариуме, как «Волга» Гагарина в Гжатске.

Емельянов распространил среди соседей слух, будто покупает корову и ему нужно сено, для чего он арендовал на восточном берегу озера участок для покоса и нанял двух чухонцев-косцов — которых и переправил туда на лодке. Это была хорошая версия — разве что недолговечная; в августе уже все покошено, и бездельники-косцы могли вызвать подозрения.

Полчаса плавания на веслах — и десять минут пешком по лесу, вглубь, до прогалины. Общественного транспорта нет; сначала едешь на маршрутке от Черной Речки по Приморскому шоссе минут сорок до Тарховки, там выходишь у памятника: Ленин, скрючившись, с накинутым на плечи спинджачком, пишет на пеньке «Государство и революцию»; пропорции абсолютно египетские — как у кубообразных статуй писцов. Отсюда расходятся две тропы — налево как раз к Сестрорецку, к Сараю, а прямо и затем направо — к Шалашу.

Один из ораторов, выступавших на открытии памятника в 1927-м, проницательно заметил про Разлив: «Сюда следует приходить учиться диалектике истории». Это верно и по сей день — особенно когда проходишь мимо растянувшегося чуть не на километр коттеджного жилого комплекса, каждый кирпич в котором выглядит вызовом самой идее диктатуры пролетариата. Вдоль берега озера Разлив (на сайте написано: «красивейшего берега», но это, пожалуй, преувеличение) проложена асфальтовая тропа: кое-где песчаные, с пляжными грибками участки; местность болотистая, осинничек; в одной рощице — маленький памятник: здесь в сорок каком-то году стояла единственная на Ленинградском фронте женская батарея — и лежат свежие цветы; трогательно. Очевидно, что до появления асфальтовой дороги места были глухие, непролазные, и никаких особых дел тут ни у кого быть не могло. Дорожка вьется аж четыре с половиной километра, а затем приводит на заасфальтированный круг с интуристовской вывеской: «Lenin's Shalash» — гигантской, на фоне красного флага; внутри круга — не то садик, не то скверик с зоопарком гигантских проволочных скульптур: очень страшная обезьяна, носорог, слон, медведь; похоже на иллюстрацию к «Where The Wild Things Are». Именно так — как мальчик из сендаковской сказки, по-видимому, чувствовал себя Ленин, приплывший сюда ночью; впрочем, рядом с ним был Зиновьев.

Как ни крути, Разлив — одно из самых романтических во всей географической «лениниане» местечек: озеро, лес, травяной домик; экология, что называется, и все натуральное. Попробуйте, однако, прожить пару недель — хотя бы и летом — в стоге сена, и посмотрим, будете ли вы похожи на человека, которому по роду занятий нужно выполнять представительские функции и много выступать публично. Рахья рассказывал, что, оказавшись в Разливе, он увидел стог сена и пошел дальше: стог и стог. И только Шотман «остановился возле двух посадских, имевших самый несуразный босяцкий вид, и поздоровался с ними. Я думал, что остановили его какие-то проходимцы, какие-нибудь воры, которые грабят на проселочной дороге... когда подошел, обомлел. Вижу — стоит передо мною Ленин. А я принял его за бродягу».

Кроме гранитного шалаша работники музея сооружают и «естественный», сенной: размером с палатку, на жердях. Хрупкость сооружения наводит на мысли о визборовской атмосфере и соответствующем прохладным ночам эн-зе. Между прочим, в здешнем музее, кроме котелков, весел и прочей туристической экипировки, висит сочащаяся тотальной иронией «против-всех» табличка: «В. И. Ленин был достаточно скромен в еде, чего не скажешь о его последователях. Примером тому служит "Меню столовой ЦК КПСС за 15 апреля 1977 года"» (прилагается: впечатляющее разнообразие в сочетании с дешевизной). «Сегодня подобным меню никого не удивишь, и мы предлагаем отведать блюда из него в ресторане "Шалаш"». Гротескный магнетизм этого места — здесь довольно много посетителей — усугубляется парящей над полянкой гигантской, как из «Руслана и Людмилы», Головой Ленина; не вполне понятно, как она, стоя на тоненькой грани шеи, не падает.

Вести жизнь болотной твари — не сахар даже для привыкшего к походным условиям Ленина. Шотман, заночевавший однажды в шалаше, признается, что «дрожал в своем летнем костюме от пронизывающего холода... Несмотря на зимнее пальто, которым меня укрывали, и на то, что я лежал в середине между Лениным и Зиновьевым, я долго не мог заснуть». Дождливые дни оборачивались простоями: навеса нет — писать в дождь невозможно. Да и в вёдро — неудобно, плюс насекомые; в «Зеленом кабинете» много не напишешь. Днем Ленин и Зиновьев иногда клали на плечи косы и отправлялись «на работу» — на самом деле с ружьями, поохотиться; кончилось все это однажды плохо — потому что Зиновьева поймал лесник. Чтобы не отвечать на неудобные вопросы, тот притворился глухонемым; от разоблачения его спасло только вмешательство «хозяина», Емельянова.

Пребывание здесь можно было расценивать как экстремальные, но всё же каникулы: природа, не слышно шума городского, купание, грибы. Другое дело, что в любой момент сюда могли прийти и проткнуть тебя штыком — это ощущение, надо полагать, несколько убивает идею отпуска.

Так или иначе, Ленин действительно много здесь работал. Под вопросом остается утверждение, что он руководил отсюда полулегальным VI съездом РСДРП(б) — технически это было не более реально, чем руководство Тиберием Римской империей с Капри; однако делегаты и так были осведомлены о позициях Ленина и поставленных им задачах — и, кажется, неплохо справлялись: курс на вооруженное восстание и отказ Ленина явиться на суд поддержали, в ЦК его выбрали; новый устав партии приняли; Сталину — основному докладчику о политической ситуации и автору отчета ЦК — аплодировали; «души пролетарские, а головы министерские», умиляется в фильме «Синяя тетрадь» приплывший в гости к Ленину Серго Орджоникидзе. По этой кулиджановской экранизации шестидесятнической повести Э. Казакевича, в самом деле, кажется, можно судить о разливской жизни. «Синюю тетрадь» доставляет Ленину Дзержинский (в исполнении артиста В. Ливанова, который невероятно, один в один похож на памятник с Лубянки, но говорит при этом карлсоновским голосом — в силу чего возникает сильнейший когнитивный диссонанс, особенно когда понимаешь, что тетрадь эту Дзержинский доставляет Ленину из Стокгольма); в ней Ленин пишет «Государство и революцию». Кует, так сказать, оружие; и отказывается от предложения Емельянова прихватить с собой винтовки: «Не надо. Винтовки понадобятся скоро, но потом. Много винтовок. Три мильона винтовок». Здесь есть Зиновьев — интеллигент-оппортунист, но не лишенный остроумия: именно он замечает, что они живут здесь, словно на необитаемом острове: Ленин Робинзон и он при нем — Пятницей. Помимо дискуссий с Зиновьевым вслух (Ленин решительный: «старая схема — французы начнут, немцы закрепят — неверна. Начнет Россия»; Зиновьев — тряпка: «Вы забегаете вперед! вас надо держать за фалды!»), они обмениваются репликами «в сторону», слышными только зрителям.

Зиновьев, слушая шуточки Ленина относительно незавидного положения, в котором они оказались: интересно, а вот Иисус перед тем как его схватили, загнанный, тоже наверно шутил?

Ленин (глядя на товарища): «Неужели, как там сказано, еще три раза не пропоет петух — и...»

Евангельский код к событиям 1917-го, как видим, был неизбежен даже в советские времена.

В финале кинокартины шалаш еле держится под дождем; тетрадки отсырели, надо уезжать.

Всего Ленин провел в Сестрорецке и окрестностях около девятнадцати дней: примерно с 10 по 29 июля — то есть, по нынешнему календарю, начиналась вторая декада августа: холодно и дождливо. Перебираться решено было за границу, в Финляндию. Нужны были документы, и в какой-то момент Шотман умудрился притащить в лес фотографа-большевика со здоровенным фотоаппаратом. Поскольку ни штатива, ни лампы не было, фотографу пришлось держать камеру на груди — а Ленина и Зиновьева ставить на колени. «Владимир Ильич, как видно из тогдашних снимков,— в парике и кепке, бритый, в каком-то невероятном одеянии. Узнать его по этим фотографиям очень трудно, что именно и требовалось для карточки на удостоверение». Однако одной фотографии было недостаточно: Шотман и Рахья в течение нескольких дней рыскали вдоль границы, пытаясь найти слабое звено в контрольно-пропускной системе, — и убедились, что переходить легально опасно: «при каждом переходе пограничники чуть ли не с лупой просматривали наши документы и чрезвычайно внимательно сличали физиономии с фотографическими карточками».

Именно с этого момента начинается излюбленная авторами рассказов о Ленине для детей чехарда с нелегальными поездками на поездах и паровозах.

Около полутора месяцев Ленин провел в Финляндии — в деревне Ялкала (теперь Ильичево — рядом с Зеленогорском, на Карельском перешейке, ближе к Петрограду, чем к Выборгу; километрах в тридцати от бончевской дачи в Нейволе), в Хельсинки и в Выборге. Подробностей об этих суперконспиративных квартирах немного — и все они несколько анекдотического характера. Десять дней в середине августа он промариновался в доме ни много ни мало начальника полиции Хельсинки — сторонника независимости, естественно, однако формально служившего России — и знавшего, под какими обвинениями ходил в тот момент его жилец. Этот молодой, из рабочих, полицеймейстер носил интересную, ангрибёрдзовскую фамилию Ровио. Его невычурный модерновый дом сохранился (Hakaniementori, 1, пятый этаж; километра полтора от ж.-д. вокзала — не на юг, к Кафедральному собору, Сенатской площади и гавани, куда обычно выносит всех туристов, а, наоборот, на север, через мост — в район Каллио). На доме есть скромная мемориальная доска-табличка. Tori в названии — явно родственно «торгу»: на площади по-прежнему работает большой двухэтажный продуктовый рынок, куда наверняка заходил Ленин; сам Ровио, впрочем, вспоминал, как вечером они с Лениным ходили в парк на прогулки, — вокруг действительно много небольших скверов. Хельсинки в августе — приятное место: не зря там нон-стопом идут опен-эйры. Ленин, можно не сомневаться, в целом чувствовал там себя лучше, чем в опасном, взбаламученном, неухоженном Петрограде. Ровио достал Ленину хороший парик, каждый день бегал на вокзал за русскими газетами и регулярно вынужден был заниматься валютными спекуляциями: в распоряжении Ленина были только рубли, курс постоянно падал, но обменять все деньги разом было неловко, источник появления русских денег у финна мог привлечь внимание, и приходилось сбывать их небольшими порциями.

После Ровио Ленин пожил еще у нескольких финнов. С продуктами везде было неважно, кормили Ленина чем придется — например, жаренной в масле свеклой. В один из двух своих визитов Крупская привезла Ленину баночку черной икры. Она была хорошо закрыта, и Ленин попросил госпожу Блумквист (хозяйку) помочь ему открыть. «Когда я увидела содержимое, — вспоминала та, — мне показалось, что это сапожная вакса (я никогда до этого не видела черной икры). Поэтому я взяла сапожную щетку и вместе с банкой внесла в комнату Ильича. Увидев это, Владимир Ильич пришел в ужас и, как сейчас помню, с шаловливой искринкой в глазах по-русски воскликнул: "Нет, нет, это надо кушать!" — и показал мне жестом, что икру кушают, а не чистят ею сапоги».

Факт тот, что Ленин в самом деле очень многим обязан финнам, — и несмотря на нежелание отдавать Финляндию, в декабре 1917-го он подписывает декрет о независимости; ненадолго, полагал он.

Именно к этому периоду, самому началу сентября (когда после неожиданно легкого разрешения «инцидента с Корниловым» выпускают Троцкого и Каменева, большевики оказываются в Смольном, партия снова разрастается и отхватывает всё больше мест в Советах), относится ошарашивающе «мирная» заметка Ленина. Ему вдруг показалось, что «во имя этого мирного развития революции» большевики могут «как партия, предложить добровольный компромисс — правда, не буржуазии, нашему прямому и главному классовому врагу, а нашим ближайшим противникам, "главенствующим" мелкобуржуазно-демократическим партиям, эсерам и меньшевикам. Лишь как исключение, лишь в силу особого положения, которое, очевидно, продержится лишь самое короткое время, мы можем предложить компромисс этим партиям, и мы должны, мне кажется, сделать это. Компромиссом является, с нашей стороны, наш возврат к доиюльскому требованию: вся власть Советам, ответственное перед Советами правительство из эсеров и меньшевиков».

Всю вторую половину сентября и октябрь 17-го, после Хельсинки, Ленин проводит взаперти и, по сути, в изоляции; сначала в Выборге, а затем, вернувшись при помощи Рахьи из Финляндии, окапывается на северной окраине Петрограда. Это была «самоволка», нарушение партдисциплины: ЦК ему сюда приезжать не разрешал.

Квартира Фофановой на Сердобольской, 4, — это у станции Ланская, следующей после Финляндского вокзала по направлению к Дибунам и Репино — где Ленин почти безвылазно провел в заточении, до самого своего окончательного Смольного финала, не так хорошо известна широкой публике, как разливский Шалаш или даже аллилуевская квартира; тут как в последнем «Бонде»: «Никогда прежде не слышал про эту квартиру. — Ну как раз в этом и есть смысл конспиративных квартир».

Странным образом, мы даже не знаем, сколько именно он просидел там: не то две с половиной, не то все четыре недели. Точных сведений о дате прибытия нет: «официально» считается, что он приехал 7 октября, Фофанова настаивает, что 22 сентября. Разница впечатляющая; в лениноведении существовали даже две «партии» историков — «сентябристы» и «октябристы»: в сентябре вернулся Ленин или в октябре важно потому, что местоположение является косвенным признаком степени участия в подготовке вооруженного восстания. Кажется, разумнее верить Фофановой, которая уж точно знала, с какого момента Ленин у нее поселился: «в пятницу 22 сентября вечером. О том, что день приезда Владимира Ильича была пятница, я помню совершенно точно, так как он пришел ко мне на квартиру в момент, когда у меня происходило совещание группы педагогов, работавших вместе со мной по внешкольному образованию подростков, а эти совещания происходили у нас по пятницам». Октябрьская же датировка восходит к «Краткому курсу», автор которого был заинтересован в том, чтобы приписать себе бо́льшую самостоятельность. Одно дело, когда Ленин изолирован в Финляндии, — и другое, когда он тут, в Петрограде.

С 1938-го здесь работал музей — площади которого в 1991-м передали обществу «Знание», которое — сила — в 1997-м продало их, и теперь это — позор для государства — частные владения. Правда, в крохотном скверике есть бюстик Ленина, а на фасаде — нарядная мраморная доска. Дом выглядит слишком заметным для убежища: он красив и красноват — не то крейсер «Аврора», не то Михайловский замок; практически это уже три модерновых дома, слившихся в один; однако в 1917-м он был ниже, без надстройки, некрашеный кирпич без всякой облицовки, и стоял отдельно, на юру; барак не барак, но — непримечательный доходный дом; и строеньица вокруг тоже были — не Париж: неказистые, деревянные; улицы немощеные, грязные.

Фофанова рассказывала, что Ленин, явившийся со своим ключом и обнаруживший в конспиративной квартире посторонних, сначала накричал на нее за чужих (это были как раз педагоги), затем за то, что та назвала его «Владимир Ильич»: «А вот и совсем не так: я Константин Петрович Иванов, рабочий Сестрорецкого завода. Прочитайте, — стал тыкать ей паспорт, — заучите и называйте меня: Константин Петрович!»; потом попросил: «Маргарита Васильевна, и если я к вам в столовую буду приходить без парика — гоните меня, я должен к нему привыкать!»; потом потребовал не заклеивать на зиму окно в фофановской комнате — установив, что рядом с его окном водосточная труба не проходит, а с ее — есть, а черного хода из квартиры — нет. В довершение он дал озадаченной хозяйке поручение выломать две доски из забора — так, чтобы они держались, но в случае чего вынимались.

Скромно именуя себя в статьях: «публицист, поставленный волей судеб несколько в стороне от главного русла истории», или даже еще более самоуничижительно — «посторонний», он питается свежими газетами, исступленно пишет — по десять–двадцать страниц каждый день: заметки, брошюры, открытые и частные письма — и явно кипит яростью от того, что приходится работать на холостом ходу, что его держат на чердаке, как мистер Рочестер сумасшедшую жену, и либо игнорируют его советы, либо вовсе даже не публикуют их. Он нервничает до кровавого пота — что ототрут от ЦК, что тот нарочно преувеличивает грозящую ему опасность, лишь бы держать его подальше. Рахья рассказывал, что Сталин, узнав от него, что тот привез в Петроград Ленина, едва не поколотил его.

Но если ярость Сталина уже тогда, похоже, выплескивалась в неконструктивные поступки, то Ленин умел конвертировать свое внутреннее бешенство в писательство — со скоростью, наводящей на мысль о Книге рекордов Гиннесса. В Выборге у него постоянно заканчивались чернила — и хозяевам приходилось бегать подкупать их ему. «Марксизм и восстание», «Из дневника публициста», «Удержат ли большевики государственную власть» — все здесь, на Сердобольской. Плюс «Советы постороннего» — где Ленин, со ссылками на Маркса и Дантона, рассказывает об «искусстве восстания» — и цитирует свою любимую фразу: «Il nous faut de l'audace, encore de l'audace, toujours de l'audace, et la France est sauvée». «Смелость, смелость и еще раз смелость — и Франция спасена».

Ленин занял фофановскую комнату — самую большую; всегда запирался там на ключ — и заставлял хозяйку стучать к себе условным стуком. Утром, к десяти, его должны были ждать свежие газеты — которые он читал в странной, напоминающей блок в муай-тай, позе: стоя на правой ноге, левая — на сиденье стула, локоть опирается о колено, ладонь под левой щекой, другая рука — на столе, на газете.

Вечерами они беседовали о политике и сельском хозяйстве, часто о минеральных удобрениях: Фофанова была агрономом по образованию. В последние дни — когда события разворачивались быстро и ясно было, что Временному правительству не до поисков Ленина, — конспирация соблюдалась плохо; несмотря на договоренность вести себя тихо, Ленин громко комментировал газетные новости («Окружить Александринку и сбросить всю эту шваль!») и смеялся: нервы. Не следовало ли ему, как Троцкому (который в эту осень все делал правильно — и даже эффектно увел 7 октября большевиков с заседания Предпарламента: «браво, товарищ Троцкий!»), отсидеть пару месяцев — и оказаться после Корниловского мятежа на свободе, чтобы с развязанными руками не оказывать опосредованное влияние, а пинками, чем больнее, тем лучше, гнать товарищей на штурм? Он часто срывается на крик; его язвительность, и так близкая к пороговым мощностям, загоняет стрелку на самый край красной зоны; карикатурная взвинченность, далеко перешедшая границы обычного чудачества «ненормальность», пусть с юмором, но показана даже и в «Ленине в Октябре». Начинать восстание немедленно, Временное правительство себя уже дискредитировало, массы уже за нас, «промедление смерти подобно». Нетерпение — Крупская иронизирует: утром попросит послать письмо в Америку — а вечером спрашивает: отослала? Хм, хорошо. Хорошо. И через пять минут: ответа — не было пока?

Имея представление о темпераменте Ленина, можно вообразить, чего ему стоили эти недели в изоляции — когда в голове у него: «Если бы мы ударили сразу, внезапно, из трех пунктов, в Питере, в Москве, в Балтийском флоте...» Анализирующий события в развитии: каким образом, вероятнее всего, будут разрешены текущие противоречия, на которые обыватели обычно не обращают внимания, полагая их замороженными, — Ленин был тем «осьминогом Паулем», который должен был выбрать нужный момент. Одиночество обостряет его чувства; начиная со второй декады сентября он принимается истошно колотить ложкой по столу — пора, пора, уже сейчас, прямо сейчас, чего вы ждете?!

Предпарламент? Уйти оттуда, хлопнув дверью, и вернуться — с оружием. Вместо всех этих псевдодемократических органов — идти в казармы и на фабрики; заниматься не игрой в демократию, а технической стороной восстания. К черту надежды на Учредительное собрание, к черту парламентаризм; к черту съезд Советов, когда есть Советы сами по себе: это «есть идиотизм, ибо съезд ничего не даст!» (кроме того, что захочет сформировать правительство, в котором большевикам придется делиться властью с меньшевиками и эсерами); «Мы имеем тысячи вооруженных рабочих и солдат в Питере, кои могут сразу взять и Зимний дворец, и Генеральный Штаб, и станцию телефонов, и все крупные типографии...»

Джон Рид рассказывает историю про иностранного профессора социологии, который отправился путешествовать по России, где, по словам его интеллигентных знакомых, «революция пошла на убыль», — однако, к своему изумлению, обнаружил, что на деле всё ровно наоборот: провинция — и крестьяне, и рабочие — настроена на ее продолжение. Запасы хлеба в Петрограде тают, работы на предприятиях — всё меньше (владельцы избавлялись от этих «токсичных активов»). Хуже всего сейчас — проспать момент. Ведь Временное правительство тоже не сидит после Корниловского мятежа сложа руки; Керенский мечется между Петроградом и Ставкой — и всячески демонстрирует, что он и «его» министры компетентны и настроены всерьез: Учредительное вот-вот будет созвано, приготовления идут полным ходом, армия боеспособна и снабжается должным образом. Объявлена Директория — чрезвычайная коллегия Временного правительства. Советы — которым тоже надо ведь чем-то оправдать себя политически — объявляют о собрании Всероссийского демократического совещания и формировании Предпарламента. Наблюдая за тем, как Советы на глазах стремительно большевизируются, Ленин понимает, что надо опереться на них, — но опереться для того, чтобы забрать власть себе целиком, а не разделять ее с кем-то еще, давая вовлечь себя в участие в каких-то «демократических органах».

Мысли о технических особенностях разного рода реквизиций, осуществляемых пролетарским государством, видимо, всерьез занимали голову засидевшегося в одиночестве в фофановской квартире Ленина. Ему рисовались целые сцены, которые отчасти вошли в брошюру «Удержат ли большевики государственную власть», — как, например, эта, «квартирная» миниатюра: «Наш отряд рабочей милиции состоит, допустим, из 15 человек: два матроса, два солдата, два сознательных рабочих (из которых пусть только один является членом нашей партии или сочувствующим ей), затем 1 интеллигент и 8 человек из трудящейся бедноты, непременно не менее 5 женщин, прислуги, чернорабочих и т. п. Отряд является в квартиру богатого, осматривает ее, находит 5 комнат на двоих мужчин и двух женщин. — "Вы потеснитесь, граждане, в двух комнатах на эту зиму, а две комнаты приготовьте для поселения в них двух семей из подвала. На время, пока мы при помощи инженеров (вы, кажется, инженер?) не построим хороших квартир для всех, вам обязательно потесниться. Ваш телефон будет служить на 10 семей. Это сэкономит часов 100 работы, беготни по лавчонкам и т. п. Затем в вашей семье двое незанятых полурабочих, способных выполнить легкий труд: гражданка 55 лет и гражданин 14 лет. Они будут дежурить ежедневно по 3 часа, чтобы наблюдать за правильным распределением продуктов для 10 семей и вести необходимые для этого записи. Гражданин студент, который находится в нашем отряде, напишет сейчас в двух экземплярах текст этого государственного приказа"».

Связным между Лениным и ЦК и редакцией «Правды» (на тот момент «Рабочего пути»), куда отсылались такого рода фантазии, был Эйно Рахья — от которого Ленин требовал еще и «прощупывать настроения» солдат и рабочих: чутко прислушиваться к беседам в трамваях, кино и театрах — «как сказали, каким тоном говорили»; судя по тому, что вечером 24-го Ленин чуть не проехал свою остановку по дороге в Смольный, разговорившись с кондукторшей, отчеты Рахьи не производили на него впечатление исчерпывающих.

В целом, похоже, жизнь у без пяти минут председателя Совнаркома в последние два месяца «вольных хлебов» была тихая, но небезмятежная. Из рассказов многих мемуаристов выходит, что если в первые недели подполья Ленин напоминал одуревшего от одиночества Робинзона Крузо, то в последние — Ипполита Матвеевича Воробьянинова в финальной стадии погони за сокровищами; в тот момент, когда он появляется, наконец, перед членами своего ЦК — с голым лицом, но в парике — он похож на персонажей Луи де Фюнеса, которые комически агрессивно жестикулируют, резко хлопают своих подчиненных по плечам и груди, с криками: «Остолопы!», «Скорей! Скорей!»

Эта спешка едва не погубила его. И так свойственная ему соматическая подвижность в одиночестве усиливается: Фофанова и спустя годы вспоминала, что он все время вышагивал по комнате: соседи могли обратить внимание на скрипящие половицы, когда ее самой нет дома. Он совершает нелепые ошибки по части конспирации: однажды Крупская обнаружила на лестнице у квартиры Фофановой ее двоюродного брата — студент Политехнического института, оставлявший там какие-то свои вещи, сообщил ей, что к сестре «забрался кто-то»: «прихожу, звоню, мне какой-то мужской голос ответил; потом звонил я, звонил — никто не отвечает». Крупской удалось заморочить студенту голову — «показалось», но когда она, наконец, вошла в квартиру (два коротких звонка и два коротких удара), то устроила мужу головомойку. И что же? «Я подумал, что спешное».

В 20-х числах сентября Ленин пишет в ЦК письмо, где требует не просто начать восстание, а арестовать всех членов Демократического совещания. Это шокировало ленинских апостолов настолько, что они постановили — единогласно, всем ЦК — сжечь письмо Ленина; автору решили не отвечать. Ничего не добившись в высшей инстанции, Ленин принимается бомбардировать письмами городские комитеты — Петроградский и Московский. Ленин даже написал листовку, обращенную непосредственно к массам: «Нет, ни одного дня народ не согласен терпеть больше оттяжек!..»

Немцы в конце лета устроили нечто вроде восстания на флоте — и это не имея ни Советов, ни вождей, ни свободных газет, ни свободы собраний; тогда как у нас всё это есть — а мы валяемся на диване. Правильно, иронизирует Ленин: «благоразумнее всего не восставать, ибо если нас перестреляют, то мир потеряет таких прекрасных, таких благоразумных, таких идеальных интернационалистов!!» Такого рода доводы больше похожи на эмоциональный шантаж — однако это кажется убедительным: возьмем власть — и Германия тоже вспыхнет; и, что хуже, если мы НЕ возьмем ее — то предадим европейский пролетариат, не дадим ему шанса — и он по-прежнему, вместо того чтобы строить социализм, будет умирать на империалистической бойне. Сегодня этот аргумент кажется нелепым или заведомо демагогическим, но на большевиков, воспитанных в интернационалистском духе, он действовал, и они в самом деле готовы были рисковать собственной — и своей страны — судьбой ради «товарищей немцев».

Есть, впрочем, ощущение, что историки склонны преувеличивать те надежды, которые Ленин питал по отношению к мировой революции: наверняка он с самого начала держал в голове и «плохой сценарий», «план Б», при котором российская революция остается в одиночестве.

3 октября ЦК пришлось признать, что Ленин имеет право вернуться — то ли дав таким образом добро на переезд, то ли зафиксировав *fait accomplit*.

В «Кратком курсе» категорически сказано, что Ленин вернулся из Финляндии в Петроград 7 октября; по словам Сталина, 8 октября состоялась их встреча на квартире рабочего Никандра Кокко. Повестка этой встречи очевидна: «официальный» приезд подразумевал устройство совещания. Разумеется, члены ЦК знали, о чем будет говорить Ленин на встрече, — и понимали, к чему она может привести. Скептичнее всего были настроены Каменев и Зиновьев, которые до конца стояли на том, что Ленину вообще надо запретить пребывание в Петрограде: неадекватно агрессивный психопат, вызывающий у друзей больше опасений, чем симпатий; спасибо, мы сами справимся.

В какой-то момент, заявив, что он уловил «тонкий намек на зажимание рта и на предложение мне удалиться», Ленин открытым текстом подает «прошение о выходе из ЦК» — с тем, чтобы «оставить за собой свободу агитации в низах партии и на съезде партии». Было ясно, что на практике эта угроза осуществлялась бы не буквально: находящийся с июля 1917-го под судом, «в федеральном розыске», Ленин не мог сам агитировать за себя «в низах» — но попытался бы расколоть партию, уведя с собой радикальные элементы из «военки» плюс, например, Троцкого: я выхожу из всех партийных органов, а вы управляйте сами. Утрата дистанции подразумевала готовность принять ленинскую резолюцию «всемирно-исторического значения»; единственным способом удержаться от этого было избегать встречи с ним — или договориться между собой заранее в надежде, что Ленин не успеет расколоть их за один сеанс. Но договориться успели только Каменев и Зиновьев.

Словом, дальше отказываться от свидания с Лениным означало разрыв и низложение Ленина — немыслимо. Заседание назначили на 10 октября.

Один из самых удивительных моментов «Записок о революции» меньшевика Николая Суханова*. Квартира Сухановых находится на Петроградской стороне; набережная реки Карповки, красивый модерновый, 1911 года, красный шестиэтажный дом под номером 32; напротив через речку — Иоанновский монастырь; в этот тихий уголок Петербурга обязательно стоит прийти, чтобы ощутить себя в «кармане истории». Ленин был там всего несколько часов — но из десятков «ленинских мест» это помещение производит едва ли не самое сильное впечатление. Если восстание — в самом деле искусство, то эта квартирка — Сикстинская капелла и гробница Тутанхамона: сокровищница.

Дом был «доходный», квартира съемная; на тот момент в ней жили 11 человек — несколько детей, пара приезжих студентов, домработница; и всех их Галина Флаксерман, получившая задание обеспечить высочайший уровень конспирации, умудрилась выпроводить в эту ночь под разными предлогами. Выбор адреса

---

* 1917 год — типичный случай «расёмоновского», то есть воспроизведенного разными свидетелями, чьи версии драматически не совпадают, события. Среди нескольких крайне интересных «камер наблюдения», которыми он был «заснят», — Троцкий, Горький, Крупская, Джон Рид, Альберт Вильямс, Пришвин, — выделяются мемуары Николая Суханова — меньшевистского политического деятеля и отличного рассказчика с GoPro на голове, успевавшего оказываться в разных местах одновременно — или, по крайней мере, производящего такое впечатление. И даже когда он где-либо отсутствует, то делает это блистательно — как раз 10 октября, когда его жена, большевичка Галина Флаксерман, попросила его скоротать ночь где угодно, но не дома. И, конечно, Суханов дорого бы заплатил, чтобы обмануть ее, если бы узнал, что в его собственной квартире состоится совещание ЦК большевиков — с участием главного, по сути, героя «Записок», Ленина; вот ирония судьбы. Это замечательное чтение — и тот источник информации о событиях 1917 года, который не позволяет себя игнорировать; «Записки» вынуждены были читать — и рецензировать — даже Ленин и Троцкий, не говоря уж об «обычных» историках; по сути, этот текст — не просто документ, но тоже часть революции. Однако следует иметь в виду, что Суханов — при всей своей живости, обаятельности, остроумии и беспристрастности — на самом деле тоже «ненадежный рассказчик». Схема, в рамках которой он отчитывается о том, что видел, — по сути меньшевистская, идеологически ангажированная, отражающая «интеллигентский» взгляд на события 1917 года. Суханов хороший репортер, но никудышный портретист: он не улавливает логику Ленина — и расшифровывает все его действия одним кодом: инстинкт захвата власти. Для Суханова Ленин — ловкий манипулятор, исступленно добивающийся власти; тот, кто лишил его мечты об Учредительном собрании.

был обусловлен не только статусом и партийной принадлежностью хозяина, но еще наличием телефона (555-94), черного хода в проходные дворы (мало ли что) и близостью к квартире Фофановой: тоже северная часть города, километра четыре быстрой ходьбы по не самому людному району города — через Большую и Малую Невку, для Ленина — минут сорок. У самой Фофановой устраивать собрание было неконспиративно.

Зайти внутрь не так просто — раньше тут был музей-квартира, теперь «фонды» музея Смольного. Из-за того, что все забито металлическими шкафами и коробками, помещение кажется еще меньше; как раз от тесноты-то дух и захватывает. Ленин, Сталин, Троцкий, Зиновьев, Каменев, Свердлов, Дзержинский, Орджоникидзе, Ломов, Сокольников, Бухарин, Урицкий, Бубнов, Коллонтай; поразительная компания — и все здесь. Сейчас призраки прошлого уплотнены за счет музейных мойр, наматывающих на свои веретена архивную кудель; но и они чувствуют концентрацию Истории; директор квартиры Наталья Сергеевна поднимает бровь: «Да уж, дверные ручки таких людей помнят!» Каждый предмет — вот подлинный буфет Сухановых — напитан фатальностью «решения», которое здесь было принято. Парадную люстру, под которой сидели члены ЦК, отдали в квартиру Елизаровых; плита забита панелями; всё законсервировано — но откроется сразу же, когда потребуется.

Квартира представляла собой пять тесных — какое уж тут искусство восстания: не развернешься — комнаток: четыре жилые и столовая. О том, чтобы расхаживать во время выступления, да еще с напрыгиваниями и ретирадами, как это обычно делал Ленин, не могло быть и речи. Заговорщики, подтянув животы и приведя плечи в максимально компактное положение, ютились в длинной и узкой столовой. Окно было тщательно заштрено, лампа давала глубокие тени; странно, что не существует официальной иконографии этого секретного ужина — только потому, видимо, что пришлось бы изображать слишком много персонажей, чьи политические репутации не выдержали испытания временем. Тайная вечеря, да; но не в леонардовском или тинтореттовском, а скорее в пуссеновском духе: тени среди теней.

Особую, «евангельскую» пикантность придает этому собранию в сухановской Сионской Горнице присутствие не то что одного, а сразу двух иуд. Сам Ленин, правда, избегал этих «поповских» терминов — и предпочитал слова «предатели», «штрейкбрехеры», «изменники»; в одном из писем он даже процитировал — опять очень в духе Тайной вечери — французскую пословицу «On n'est trahi que par les siens»: «Изменником может стать лишь свой человек». (Если уж на то пошло, Каменев и Зиновьев напечатали свой «донос» в «Новой жизни» — где редактором работал хозяин квартиры Суханов; раз можно собираться у него в квартире — почему нельзя печататься у него в газете?)

Фантазия Коллонтай нарисовала Ленина — в парике, без усов и бороды — лютеранским пастором; многие члены ЦК с июня не видали своего предводителя и теперь энергично подпирали свои челюсти снизу. Часовая проповедь, которую «обычный член ЦК» прочитал собравшимся, — «доклад о текущем моменте», — как и ожидалось, произвела на них эффект встречи с лихорадкой чикунгунья: никакая психологическая готовность к встрече с «советами постороннего» не уберегла его товарищей от моментального повышения температуры, ломоты в суставах и подавления воли. «С точки зрения политики» Ленин не давал оппоненту возможности положить себя на лопатки: да, еще не собрали все силы, да, «пролетариат еще не дозрел», да, за пределами Питера и Москвы «массы пока еще не за нас», да, армия еще недостаточно деморализована, да, нецелесообразно отказываться совсем от сотрудничества с буржуазией, да, нельзя, в случае взятия власти, воевать против всех партий сразу, да, уместнее сначала добиться большинства в Учредительном собрании, всё так, миллион причин. Никакой «гарантии» успеха революции нет и быть не может; объективно идеальные условия для захвата власти существуют только в фантазиях меньшевиков, которые рассуждают о революции не как о повестке дня, а как об утопии; и не наступят никогда. Нет? Ну так в таком случае вы ничем не отличаетесь от меньшевиков, природных оппортунистов. А если... Если власть возьмем, а технически овладеть государственным аппаратом не сможем? А если немцы не согласятся на мир? А если солдаты не захотят воевать за революцию? Что тогда? Да что-что; а если Керенский вот-вот сдаст Петроград немцам, чтобы избавиться от большевистской угрозы? «Один дурак может вдесятеро больше задать вопросов, чем десять мудрецов способны разрешить».

Это был гипноз, настоящее выкручивание рук, вытягивание бегемота из болота — бегемота, который, одурев от побоев и понуканий, сам в конце концов выползает на опасный сухой участок.

Ленин никогда не был профессиональным агитатором и обычно предпочитал делегировать роль коммуникации с массами — с петроградским гарнизоном, с фабричными рабочими, с моряками Балтфлота — кому-то еще. Его коньком были камерные собрания в жанре «совещаний двадцати двух большевиков»: раскалывать оппонентов и гиперболизировать угрозы. Можно не сомневаться, что если бы не Ленин, то решение о взятии власти было бы отложено; но он буквально вцепился в горло ЦК и заставил полтора десятка здравомыслящих людей — не пьяных, не под наркозом — пуститься на авантюру. Возможно, сами размеры квартиры — и комнаты, где шло совещание, — позволили Ленину осуществить «направленный взрыв» в головах своих товарищей; в более просторном помещении его флюиды бы просто рассеялись.

В этой пьесе был и свой момент ужаса — Ленин как раз произносил свою мантру про «коренной вопрос всякой революции есть вопрос о власти в государстве», когда в дверь вдруг постучали и стало понятно, что сейчас всю верхушку большевиков либо перебьют на месте, либо пересажают. Ленин принялся орать на Флаксерман: провалили! Словно нечисть в «Вие», члены ЦК уже полезли было в окна — но, к счастью, оказалось, что вторжение устроил брат Флаксерман Юрий, тоже большевик, явившийся из Павловска сообщить, что его офицерская школа тоже большевизировалась.

«Заговор, — пишет Троцкий, — не заменяет восстания. Активное меньшинство пролетариата, как бы хорошо оно ни было организовано, не может захватить власть независимо от общего состояния страны: в этом бланкизм осужден историей. Но только в этом. Прямая теорема сохраняет всю свою силу. Для завоевания власти пролетариату недостаточно стихийного восстания. Нужна соответственная организация, нужен план, нужен заговор. Такова ленинская постановка вопроса». Октябрьский переворот как историческое событие не был продуктом «кучки заговорщиков»; но в техническом смысле эта кучка заговорщиков, координировавшая стихийное недовольство масс, возмущенных некомпетентностью и нерешительностью Временного правительства, действительно существовала — и оформилась здесь, на набережной Карповки; в высшей степени историческое место. Именно здесь Ленин продавил решение, изменившее мир, здесь — историческое «горло», отсюда история XX века пошла именно так, как пошла.

После того как было сформировано — тоже здесь и тоже впервые в истории — Политбюро ЦК КПСС, совещание, сообразно жанру Тайной вечери, перетекло в поздний ужин. Хозяйка, Флаксерман, сочла уместным опубликовать свой шокирующий даже сто лет спустя шопинг-лист, согласно которому она отоварилась в тот день: «сыр, масло, колбаса, ветчина, буженина, копчушки (небольшие рыбки), красная соленая рыба, красная икра, хлеб, печенье и кэкс. Если бы не кончились все мои наличные деньги, — вероятно, еще бы покупала. Покупок было много, тяжело нести, неудобно, трамваи переполнены» — но дело того стоило; большевики уминали снедь, добродушно посмеиваясь над нерешительностью Каменева и Зиновьева; последний, как и Ленин, изменился «до неузнаваемости»: «с длинными усами, остроконечной бородкой, придававшими ему вид не то испанского гранда, не то бродячего итальянского певца» (из воспоминаний А. Иоффе).

Собственно, все, что происходило после чаепития с кэксами, было делом техники. Пусть неохотно, но ЦК — и в особенности Свердлов, Троцкий, Сталин — принялся заниматься техническими деталями вооруженного восстания. Раскочегарившись, они передали ленинский импульс ВРК, «военке», — порожденной двоевластием оргструктуре, которая была создана для борьбы с Корниловским мятежом, а в октябре станет заниматься непосредственно военным переворотом, перехватом власти: под предлогом защиты Петрограда от немцев и съезда Советов от контрреволюции «военка» — Невский, Подвойский, Антонов-Овсеенко — примется выставлять требования официальному военному командованию и правительству Керенского. Даже и эта организация оказалась в те дни умереннее Ленина — и они таки дотянули, пропуская мимо ушей проклятия «Постороннего», до привязки восстания ко II съезду Советов: чтобы это выглядело как защита съезда, оборона, ответ на вторую волну арестов большевиков — а не наглое нападение, рейдерский захват власти.

Впрочем, на тот момент это было уже не так существенно.

Ленин, разумеется, не знал этого — и ближе к утру под диким дождем и ветром, покинув комнату совещаний в сопровождении Дзержинского и Свердлова, вызвавшихся проводить его на квартиру Рахьи, страшно ругался на Зиновьева. Дзержинский одолжил Ленину свой плащ, но тем решительнее непогода атаковала Ленина; в какой-то момент у него даже парик снесло ветром — и он вынужден был напялить его на голову грязным.

Воспользуемся возможностью монтажа; ровно две недели спустя мы вновь видим, как Ленин поправляет на улице парик — только направляется на этот раз не домой, а из дома.

Те, кто занимался технической подготовкой восстания, всё же решили привязать его к съезду Советов — который должен был открыться в Смольном 25 октября; к моменту открытия все важные коммуникации должны были оказаться в руках большевиков.

Ленин отправился в путь 24-го, загодя, не потому, что планировал добраться не спеша. Последние две недели о готовящемся большевистском восстании говорили не только в правительстве, но и бабушки на лавочках. Ленинская брошюра «Удержат ли большевики государственную власть» продавалась чуть ли не на каждом углу Невского; Керенский цитировал статьи Ленина на выступлении в Мариинском дворце. Правительство попыталось опечатать редакции большевистских газет, а как раз 24-го стали готовиться к разводу мостов — чтобы рассечь город на сектора и не допускать бесконтрольные перемещения; уже были выставлены юнкера для охраны. Именно поэтому Рахья прибежал к Ленину — и тот решил, что лучше подвергнуться риску попасться в Гефсиманском саду, чем упустить момент для штурма дворца Ирода.

Явившись вечером из очередного городского турне с ленинскими буллами, Фофанова обнаружила, что стекла керосиновых ламп еще теплые, а на кухонном столе покоится записка, самая интригующая – странно, что в сувенирных магазинах не продают такие жестяные таблички – из тысяч нацарапанных ее жильцом; с голгофической надписью: «Ушел туда, куда вы не хотели, чтоб я уходил». Подписана она была уже никаким не Константином Петровичем, а много теплее: «Ильич».

Этот самочинный, потенциально роковой побег – закономерный финал 17-го года: года, который ему смертельно надоел, потому что сам он был быстрее, прозорливее, сообразительнее, энергичнее, хитрее, дальновиднее тех, кого история поднимала вместе с ним по эскалатору; а все заставляли его ждать и проводить все решения через демократические процедуры, в рамках которых меньшинство подчиняется большинству; но он знал, что обычно только начинает в меньшинстве – а дальше в состоянии раскачать тюрюков и байбаков, перетащить на свою сторону столько голосов – в ЦК, ВРК, расширенном ЦК – сколько потребуется.

Разумеется, странно оказаться у дома Фофановой – и не совершить ознакомительную экскурсию туда-куда-она-не-хотела-чтобы-он. На случай, если вы забыли, как туда попасть, на противоположной стороне Сердобольской, на доме номер 2 имелось панно во весь брандмауэр: «Путь Ленина в Смольный»; писатель С. Носов иронизировал в «Тайной жизни петербургских памятников», что там есть кто угодно – рабочие, работницы, матросы – кроме самого Ленина: ведь не изобразишь же его с подвязанной щекой и в парике, да еще – так описывал своего клиента в этот вечер Рахья – «в донельзя замасленной кепке». Неживописный, унылый Сампсониевский – на дворе снова поздняя осень – уже в пол-девятого вечера пуст; идешь – конца-краю не видно. Не удивляйтесь, если очень скоро, как раз на повороте на 1-ю Муринскую, вас тоже нагонит трамвай, тоже пустой и тоже – «в парк»; пусть не 20-й – на котором Ленин с Рахьей доехали по Сампсониевскому до угла Боткинской, – но 5-й; можно выйти у метро «Выборгская» и продолжить путь. Ленин поклялся Рахье, что по дороге будет молчать как рыба, однако как только они сели в трамвай, завел беседу с кондукторшей – хорошо ли ей работается да как положение в городе. «Она, – вспоминает Рахья, – сперва было отвечала, а потом говорит: "Неужели не знаешь, что в городе делается?" Владимир Ильич ответил, что не знает. Кондукторша его упрекнула. "Какой же ты, – говорит, – после этого рабочий, раз не знаешь, что будет революция"». В нынешнем вагоне тоже только кондукторша, киргизка – суммирует набранную за день мелочь, бормочет: «Ой как много, ой не сосчитать мне»; не отвлекать же, собьется.

Разговаривали ли Ленин с Рахьей на ходу — или помалкивали?

Дошагать от Сердобольской до Смольного — не так просто, как кажется, даже по нынешним временам, когда за вами не охотятся юнкера и — за четыре дня до «исхода» в газетах появились уведомления: Ленин в городе, ату! — ищейка Треф. Между конспиративной квартирой и штабом восстания — десять километров по не самым парадным и хорошо продуваемым зимним ветром районам Петербурга; два часа интенсивной ходьбы.

Ирония в том, что «маршрут в Смольный» пролегает через Финляндский вокзал: 3 апреля он приехал сюда и через 203 дня, чего только ни нахлебавшись, снова здесь — пешком, мимоходом.

Дальше Нева. Литейный мост не развели, но охраняли; Рахья отправился отвлекать караул, а Ленин просочился. Именно здесь, в начале Шпалерной, у здания изолятора, где ВИ просидел двадцать лет назад 14 месяцев, эти двое встречают конный разъезд юнкеров; эпизод, описанный Пелевиным в «Хрустальном мире» — про то, как неглупые молодые люди, злоупотребляющие, к сожалению, кокаином, с третьего раза пропускают подозрительную пару, которой очень надо пройти по Шпалерной. Пелевинский Ленин — на самом деле демон; он предстает то в виде обычного прохожего, то инвалида, то... «лицо его с получеховской бородкой и широкими скулами было бы совсем неприметным, если бы не хитро прищуренные глазки, которые, казалось, только что кому-то подмигнули в обе стороны и по совершенно разным поводам. В правой руке господин имел трость, которой помахивал взад-вперёд в том смысле, что просто идёт себе тут, никого не трогает и не собирается трогать, и вообще знать ничего не желает о творящихся вокруг безобразиях. Склонному к метафоричности Николаю он показался похожим на специализирующегося по многотысячным рысакам конокрада». Неспроста: Ленин многим своим современникам казался вором, укравшим Февраль со всеми его завоеваниями — от свободы слова до Учредительного собрания; Пелевин не упоминает о противоположной версии (основывающейся на наблюдении, что все предыдущие опыты устранения института монархии «демократическим путём» заканчивались Смутой и иностранной интервенцией, так что как раз Ленин-то и не позволил отдать плоды Февральской революции тем, кто сумел ловчее ими воспользоваться ввиду исторически лучшей приспособленности: буржуазии), однако в его рассказе — за десятилетия не растерявшем обаяния — чувствуется не только печаль из-за того, что старый, юнкерский мир обречён, но и историческая неизбежность нового; «Хрустальный мир» не карикатура: реальность, лишившись пропагандистской позолоты, предстаёт здесь в химически чистом виде; под «вульгарным», слишком часто тиражировавшимся сюжетом обнажается архаическая подоплёка мифа.

Немудрено, что Ленин — видимо, изнервничавшийся, понятия не имеющий, как его примут и чем кончится авантюра с восстанием, «затекший», давно физически не упражнявшийся, — оказывается поздно вечером 24-го в Смольном не в лучшем состоянии. Кто-то другой, не имевший зёренбергского и чудивизевского опыта пеших прогулок по горам, пожалуй, огляделся бы по сторонам да и отправился восвояси: утро вечера мудренее. Неудивительно, что добравшись по двух с половиной километровой Шпалерной до Смольного, ВИ не распахнул дверь в комнату ЦК большевиков ногой, а приютился у окошка во втором этаже, попросив Рахью найти кого-нибудь из знакомых. Так и не решившись раскрыть инкогнито, он — по-прежнему с подвязанной челюстью и в парике — одеревенел в позе отчаявшегося Бунши в «Иване Васильевиче»; карикатурным Иисусом-в-темнице.

В таком-то обличье его обнаружили меньшевистские вожди Дан, Либер и Гоц, присевшие рядом поужинать, — и, опознав в статуе рядом с собой того самого человека, который еще десять лет назад окрестил их «партией ужинающих девиц», испытали, надо полагать, ощущения, в целом совпадающие с теми, что почувствовали пелевинские юнкера. Они встретились взглядами. Демон пробудился, воскрес — и готов был, выпроставшись из символической домовины, выползти под свет софитов II съезда Советов.

Смольный
Октябрь 1917-го — март 1918-го

На карте Смольный находится в центре города, но на самом деле — на отшибе, у излучины Невы; «формально правильно, а по существу издевательство», как сказал бы сам Ленин: метро нет; на то, что добираться туда без автомобиля неудобно, жаловался еще Джон Рид. Сейчас там администрация Петербурга: сначала пропилеи с постом ДПС под надписью: «Первый совет пролетарской диктатуры», затем парк — чахловатый, зато общедоступный, потом — решетка, за ней — курдонёр с памятником Ленину, а уж за ним чиновничья твердыня, крупнотоннажный, с двумя крыльями, кваренговский бегемот. Ленин — мелкий, вертлявый, петушистый, один в один — психопат Бегби из «Трэйнспоттинга»: изображен не столько оратором, сколько хулиганом, затевающим драку: «Чё ты сказал?»; и хотя шоферы казенных «ауди», коротающие время за своими планшетами в ожидании «первоначальствующих лиц», пропускают этот вызов мимо ушей, надпись «Диктатура пролетариата» на постаменте выполнена достаточно крупными литерами, чтобы задуматься хотя бы на секунду перед тем, как привычно нажать кнопку «Игнорировать».

«Партия, — заметил однажды Ленин в разговоре с Валентиновым, — не институт благородных девиц». И, выходит, ошибся: потеряв особняк Кшесинской, партия угодила именно что в институт благородных девиц. Смольный, по сути, был пансионом — в нем обретались около семидесяти воспитанниц, девочки от одиннадцати до семнадцати лет. Изначально у них даже не было собственных комнат — жили в дортуарах, на английский манер; их и домой не отпускали годами; затем, впрочем, нравы смягчились, залы — к счастью для владельцев используемых под офисы помещений — разгородили, а из девушек стали воспитывать не неприступных мегер, а «ангелов-утешительниц» для интеллигентных дворян с достатком выше среднего («пела ему романсы, утешая его в несчастье», как написано под портретом М. Голицыной на коридорной, у входа в кабинет Ленина, выставке «Смолянки в жизни писателей»; несчастья этого писателя, кем бы он ни был, явно преувеличены — помимо Голицыной, при нем состояла еще одна гурия, Т. Ведемейер, которая «разделяла его литературные интересы, была поверенной в его литературных делах»). Летом 1917-го этот джаннат был самозахвачен; здание поделили по вертикали между Исполкомом Петросовета и институтом. С сентября 1917-го — после того как в Таврическом начали подготовку к Учредительному собранию — сюда переехали ЦИК, центральные комитеты партий, редакции газет и прочие «советы собачьих депутатов», как их называла буржуазная интеллигенция; а поскольку председателем Петросовета оказался Троцкий, уже большевик, то и большевики получили здесь изрядное количество учительских, спален и классов. К октябрю здание превратили в охраняемую, с пулеметами и артиллерией крепость; идеальное место, чтобы свить гнездо заговорщиков — и объявить излюбленное Лениным (и проклинаемое Мартовым) «осадное положение».

Воспитанниц, пепиньерок и классных дам, кого получилось, отправили по домам; институт как образовательная организация переезжал в Новочеркасск. Нет никаких сведений о взаимодействии большевистского и женско-дворянского секторов Смольного после октября 17-го: истории какой-нибудь Гермионы, которая услышала выступление Ленина на II съезде Советов — и... Известно лишь, что директриса этого царского Хогвартса воспринимала происходящее не вполне адекватно: давно уже свергли самодержавие, отменили сословия и дворянские привилегии — а она, в ноябре 17-го, всё писала императрице письма: ко мне заселились какие-то люди, которые называют себя «Sovnarcomme», какие, Ваше величество, будут указания? Собственно, миров было целых три — еще и поповский: в комплекс зданий входил бело-голубой Смольный собор, куда новая власть при Ленине не совалась вовсе. В основном же здании большевики живо наладили сугубо деловую, без панибратства со старым режимом, обстановку; Смольный был чем угодно, но точно не Белым домом в октябре 1993-го: костры в помещении не жгли; дикость, анархизм и антисанитарию истребляли комендант Мальков (по военной части) и управделами Совнаркома Бонч-Бруевич.

Пропускная система — сложная и сейчас (но не такая сложная, как в октябре 17-го, когда все опасались шпионов и перед воротами стояла двойная цепь часовых). Попасть в ленинские резиденции можно; особенно если вы китаец и явились в составе группы не более 15 человек. По коридорам снуют мужчины в недурно скроенных костюмах и галстуках розово-фиолетовых оттенков; обилие высоких, ухоженных и выглядящих сытыми девушек в коротких юбках и туфлях на каблуках позволяет предположить, что обретенный в 1917-м баланс инь и ян сохраняется в этих стенах и поныне.

Отношения большевиков с женщинами были, казалось, безнадежно испорчены инцидентом 25 октября 1917-го: после штурма Зимнего, который охранял батальон ударниц, человек 150, женщин заперли в казармах гренадерского полка (и трех даже изнасиловали), выпустив только после визита в Смольный британского военного атташе, на чьей совести и остается не подтвержденная другими свидетелями правдивость самой истории с изнасилованием. К счастью, дальше отношения потеплели — красноармейцы даже разыскали для женщин, которые боялись ходить по улицам в униформе, платья, оставшиеся от институток, и отпустили их восвояси; в истории те остались, по Маяковскому, «бочкаревскими дурами».

Женщины стали важной силой, не только позволившей начать в 1917-м февральский бунт против хлебных очередей (в день женской солидарности), но и обеспечившей «узурпаторов» неплохими результатами в конце того же года на выборах в Учредительное; и Ленин не ради красного словца, встречаясь в ноябре с десятью делегатками конференции работниц по созыву Собрания, констатировал, что «прочность революции зависит от того, насколько активно в ней участвуют женщины». Большевики, желавшие опираться не только на матросские штыки, активно внушали своим слушательницам, что твердая власть, способная победить разруху во всех областях, добиться немедленного мира и защитить слабых, — лучший выбор. Равные права, в том числе избирательное, были предоставлены женщинам еще Временным правительством, но большевики акцентировали внимание на правах детей и социальных льготах для матерей; законы быстро принимались и, по возможности, исполнялись; касательно детей у Ленина на протяжении всей жизни (он стал бы очень хорошим отцом) был пунктик. «Мягкая сила» всегда была одним из элементов политической стратегии большевиков: они затеяли Конференцию работниц Петрограда, давно и успешно издавали журнал «Работница», у них были хорошие, яркие агитаторши — Л. Сталь, автор брошюры «Женщина-работница» Н. Крупская, И. Арманд и, главная сила, А. Коллонтай, только что назначенная на пост министра по социальным вопросам. Пусть даже всего одна в ленинском кабинете, но — первая в мире женщина-министр; убедительный сигнал избирательницам. Этот симбиоз не был сугубо конъюнктурным — большевики занимались женскими вопросами, начиная со II съезда РСДРП, существенная часть которого была посвящена проблемам грудного вскармливания; неудивительно, что в 1919-м была учреждена особая секция при ЦК — Женотдел (в просторечии — «Центробаба»). Ленин охотно встречался с женскими делегациями — например, работницами парфюмерной фабрики Броккар, попросившими председателя Совнаркома не закрывать и не перепрофилировать брошенное хозяевами предприятие (так что именно благодаря Ленину в России сохранились духи «Букет императрицы» — превратившиеся в «Красную Москву»), и выступал перед сугубо женской аудиторией — например, в 1918-м перед 1147 работницами (как он чувствовал себя в этом курятнике: смущался ли — или, наоборот, ощущал прилив сил?). Еще через пару лет, в конце марта 1920 года Ленин на встрече в Кремле с делегатом очередного женского съезда обратит внимание, что *тот* плохо обут — и даст распоряжение выдать *участникам* мероприятия обувь с казенного склада; возможно, это единственный раз, когда документально зафиксирован интерес Ленина к женским ногам*.

---

* Судить об идеях Ленина, касающихся отношений между полами, можно лишь косвенно; как уже говорилось, они сформировались при чтении «Что делать?» Чернышевского, посвященного во многом именно морали и физиологии «новых людей». Эксплицитно они выражены, кажется, лишь однажды — в воспоминаниях Клары Цеткин, очень подробно пересказавшей целый монолог Ленина относительно распространенной в первой половине XX века якобы революционной — а по мнению Ленина, декадентской — «теории стакана воды». Ленин, по словам Цеткин, осознает, что политически смутные времена вызвали «неурядицу» также в «области брака и половых отношений», — и готов признать, что и в этой сфере «близится революция, созвучная пролетарской». «Вы, конечно, знаете, — берет Ленин под локоток Цеткин, — знаменитую теорию о том, что будто бы в коммунистическом обществе удовлетворить половые стремления и любовную потребность так же просто и незначительно, как выпить стакан воды. От этой теории "стакана воды" наша молодежь взбесилась, прямо взбесилась». После многозначительной паузы Ленин сообщает, что, по его мнению, ничего марксистского в этой теории нет; ведь секс не сводится к голой экономике (есть дефицит, есть товарный рынок, при наличии договоренности о цене дефицит удовлетворяется), в сексе присутствует, во-первых, культурный аспект («разве нормальный человек при нормальных условиях ляжет на улице в грязь и будет пить из лужи? Или даже из стакана, край которого захватан десятками губ?»); во-вторых, общественный (секс ведет к деторождению, и вот тут уже «сделка» двоих участников рыночной ситуации приобретает социальную значимость).

Осознает ли он, что любая критика free-love, да еще со «здоровым спортом, гимнастикой, плаванием и экскурсиями» в качестве альтернативы, автоматически воспринимается как ханжество и проповедь «аскетизма»? Разумеется, да — и заранее протестует: нет, «мне это и в голову не приходит». Коммунизм = жизнерадостность и бодрость, «вызванная также и полнотой любовной жизни». Однако, по мнению Ленина, избыток секса ведет не к бодрости, а к унынию; революция же требует стойкости и сосредоточения; «я не поручусь также за надежность и стойкость в борьбе тех женщин, у которых личный роман переплетается с политикой, и за мужчин, которые бегают за всякой юбкой и дают себя опутать каждой молодой бабенке». Персональная брезгливость к захватанному губами стакану подкрепляется классовым анализом: «Несдержанность в половой жизни буржуазна: она признак разложения. Пролетариат — восходящий класс. Он не нуждается в опьянении, которое оглушало бы его или возбуждало. Ему не нужно ни опьянения половой несдержанностью, ни опьянения алкоголем». Секс, таким образом, для Ленина (которого еще в Лондоне издательница Калмыкова в письмах Потресову называла «наш златокудрый Аполлон», «была в Лондоне у Аполлонов») — дионисийская, оргиастическая стихия; в особенности чрезмерное увлечение сексом могло повредить женщинам, которых следовало всячески вовлекать в общественную жизнь — уводя «из мира индивидуального материнства в мир материнства социального».

Ноги самого Ленина, кстати, также вызывали кое-какие вопросы; глазастый Молотов, например, запомнил, что, провозглашая советскую власть, Ленин время от времени приподнимал ногу — демонстрируя подошву, протертую до дырки. «Малопрезентабельный вид» («он был страшно измучен, еле держался на ногах, в истоптанных штиблетах и измятом пиджачишке», — вспоминает Н. А. Угланов), который Ленину приписывали мемуаристы еще в 1906-м, отчасти и позволил ему беспрепятственно проникнуть в Смольный поздно вечером 24 октября. В два часа ночи начались открытые столкновения с «пелевинскими», из «Хрустального мира», юнкерами, драки за мосты и материализация большевистских «зеленых человечков» в военных училищах: юнкеров запирали в помещении — от греха подальше. Захваты организовывал ВРК, провоцируя на бунт солдат, которые не хотели, чтобы их отправляли на фронт, и в особенности матросов, которые из-за немцев оказались, по сути, заперты в Финском заливе и коротали небоевую службу в кокаиновом ничегонеделании, становясь легкими жертвами большевистской пропаганды. Несмотря на то, что 25 октября весь город был уже в руках большевиков, Зимний оставался островом старого режима, то есть формально двоевластие продолжалось. Странным образом, городская жизнь не замерла, ни в одном театре не отменили представления, и даже по Дворцовой набережной весь этот день продолжал ходить трамвай — пассажиры которого слышали, должно быть, доносящиеся из Смольного душераздирающие вопли Ленина, требовавшего разрушить эту идиллию: арестуйте мне Временное правительство, немедленно!

Драматизм ситуации состоял в том, что уже давно должен был прозвенеть председательский колокольчик — но большевики всё медлили, чтобы поставить депутатов съезда Советов перед фактом: власть — ваша. В Петропавловке никак не могли настроить орудия; наконец, пальнула «Аврора»; без пятнадцати 11 вечера съезд открывается; начался штурм Зимнего, арест «министров-капиталистов» произошел только в два часа ночи — и вот уж тут, наконец, съезд «узнал» об этом официально.

Несмотря на то, что вся дальнейшая самоидентификация большевиков будет идти не через съезд Советов, но, акцентирует исследователь А. Рабинович, через народное восстание, — смольненская бальная зала с колоннами, где Ленин предстал городу и миру после четырехмесячного отсутствия, — место историческое. Нарядное и белоснежное, будто аналой в церкви: вообразить здесь процедуру бракосочетания членов нынешней правящей партии гораздо проще, чем Мартова, орущего с трибуны: «Гражданская война началась, товарищи!» Ирония в том, что Ленину — которого теперь обвиняли не в бонапартизме, а в аракчеевщине и пугачёвщине разом — приходится иметь там дело с фактически теми же людьми, перед которыми 14 лет назад он появился после своего эпичного падения с велосипеда в женевском Хандверке, на другом съезде — Заграничной лиги. Могли ли те меньшевики и те большевики предположить, в какой ситуации они снова встретятся 26 октября 1917-го, когда состоялась формальная передача отобранной у Временного правительства власти Советам и сформировано «Советское» — представляющее Советы (где были только социалисты и не было буржуазных партий) правительство (где не было уже и никаких «лишних» социалистов: они ушли, оставив большевиков хозяевами и ответчиками за всё). По сути, на этом завершились разом и двоевластие, и многопартийность; и мало кто сомневается — и тогда и сейчас — что, если бы не Ленин, невозможно было изменить общественный строй в считаные часы. Скорее всего, если бы Ленин не вышел из квартиры Фофановой, большевики дотянули бы резину не то что до съезда — но до Учредительного собрания. Любопытно, что сам Ленин триумфально залез на табуретку только через сутки после открытия съезда, обнародовав свои Декреты о мире и земле, на которых еще не просохли чернила. Что касается последовавшей склоки с «прочими» социалистами из-за состава правительства, то нам важно, что еще 25 октября Ленин отказывался сам входить в его состав и премьер-министром предлагал стать Троцкому, заявив о своем желании работать в ЦК; это свидетельствует о том, что он не хотел перехватывать у Керенского звание «диктатора», ему психологически комфортнее было оставаться теоретиком, руководителем партии, «авангарда» — и что никакого плана практических, хозяйственных мер по переходу к социализму у него не было. Однако его, по сути, силой выпихнули на железнодорожное полотно — договариваться с мчащимся на него паровозом истории.

Следующие несколько дней жизни Ленина заняла демонстрация того, что он намерен придерживаться только одного принципа, им самим и сформулированного: «в политике нет морали, а есть целесообразность»; никакие, даже самые кровавые события, никакие, даже самые вероломные нарушения обещаний не могли заставить его ослабить бульдожью хватку. Большевики вели вызывающе бессовестную по отношению к другим партиям — и вполне разумную по отношению к большинству населения страны — политику: обещали многопартийное, ответственное перед ВЦИКом правительство — но сделали всё, чтобы не допустить туда никого, кроме своих. В первых днях советской власти не было массового кровопролития — никаких хрустальных или варфоломеевских ночей; но дни эти были грязные, кровавые, пьяные — и в самой столице, где банды люмпенов, ходившие под местными Советами, громили погреба Зимнего и устраивали буржуям «злые улицы», сводя с ними личные счеты, и под Петроградом, на Пулковских высотах, где 31 октября, с большими потерями с обеих сторон, дрались казаки Краснова и матросы Дыбенко, и в Москве. Ленин, трагикомический курьез, использовался агентами хаоса в качестве своеобразной валюты: сначала Каменев, Ногин и Рязанов чуть не сдали Ленина профсоюзу железнодорожников, требовавшему убрать из правительства одиозных большевиков и допустить туда эсеров и меньшевиков; затем в ходе переговоров с красновскими казаками Дыбенко предложил «в шутку» обменять Керенского на Ленина. Краснова и его штаб большевики вскоре взяли в плен — а затем тоже, видимо, ради пущего комизма, отпустили под честное слово, и Краснов продолжил воевать на Дону, сам заключил мир с немцами и менял продовольствие на оружие. Разумеется, Ленин прекрасно знал — ему жаловались, он читал об этом в газетах, — что происходит на улицах, за которые большевики приняли ответственность. Знал, как матросы, пользуясь безнаказанностью, «уплотняли» квартиры буржуазии, какими издевательствами — моральными и физическими — сопровождались «реквизиции». Ответ Ленина — ответ политика: все это пережитки старой эпохи. Прежний строй умер — но, к сожалению, этого мертвеца нельзя просто так вынести из общества. Он находится здесь же, в одной с нами комнате, и разлагается. Очень неприятно. Точка. Но, кроме трупного смрада, ноздри Ленина щекотали и другие ароматы — и ему нравится, когда что-то «пахнет революцией»: например, название «Совет народных комиссаров» вместо «кабинет министров», или когда матрос Маркин выполняет обязанности министра иностранных дел, а прапорщик Крыленко — Верховного главнокомандующего.

Работа, произведенная Лениным в «смольные» месяцы, кажется сверхъестественной. Никто и никогда не делал ничего подобного за такое короткое время. Уже в середине ноября английский дипломат Линдли, — не репортер «Правды», не зять Ленина, не ткачиха с Торнтоновской фабрики, — описывая свои впечатления от петроградских улиц, заметит: «Люди спокойны, благоразумны и восхищены руководством Ленина. Инстинктивно они чувствовали, что имеют хозяина»*. Штука в том, что Ленин не просто принял управление от предыдущей власти — но умудрился руководить расползающейся, разрушающейся, выгорающей страной, одновременно перепридумывая заново и выстраивая на ходу, на полной скорости новый аппарат управления, не имея ни заранее составленного плана, ни специальных знаний, ни квалифицированных кадров и в ситуации, когда внешние противники изводят его саботажем, а товарищи и коллеги — говорильней, дискуссиями.

---

* Архив Музея Дипломатического корпуса (г. Вологда). Ф. 5. Д. 1. Цит. по: *Быков А. В.* Фрэнсис Линдли: Британский дипломат и русская революция // Новый исторический вестник. 2011. № 4.

В массовом представлении, закрепленном кинематографом, «смольный» период сводится к самому драматичному эпизоду — истории о заключении Брестского мира, но то был лишь один из десятков, сотен кризисов тех четырех с половиной месяцев: II съезд Советов, Викжель, требовавший представления всех социалистов в правительстве и смещения Ленина, атака Краснова на Пулковских высотах и т. п.

На самом деле, надо было фактически заново «перезапустить» систему, придумать новые законы, порядки, ритуалы, создать новый язык в конце концов — адекватный не в смысле выразительности, а юридически. «Богатые» — это теперь кто: в конкретных цифрах? А буржуазия? Квалифицированный рабочий вроде Аллилуева, снимавший на Песках пятикомнатную квартиру на семью из пяти человек, — богатый? Финн по национальности, у которого не было недвижимости в Финляндии, а была в Петрограде, — какой страны теперь, после отделения Финляндии, он гражданин — и с какими правами? И, похоже, какое-то подобие системы, внутри которой на все эти вопросы находились ответы, было только в голове у Ленина; даже Троцкий в этом смысле не был ему соперником, принимая скорее инстинктивные, чем рациональные, с учетом долгосрочной перспективы решения.

Жена Троцкого, вошедшая утром 26 или 27 октября в одну из комнат Смольного, обнаружила там главных фигурантов переворота: «Цвет лица у всех был серо-зеленый, бессонный, глаза воспаленные, воротники грязные, в комнате было накурено... Кто-то сидел за столом, возле стола стояла толпа, ожидавшая распоряжений. Ленин, Троцкий были окружены. Мне казалось, что распоряжения даются, как во сне. Что-то было в движениях, в словах сомнамбулическое, лунатическое, мне на минуту показалось, что все это я сама вижу не наяву и что революция может погибнуть, если "они" хорошенько не выспятся и не наденут чистых воротников».

Вот комната на втором этаже, где Ленин с Троцким провели пару-тройку ночных часов с 25 на 26 октября — улегшись отдыхать на расстеленных газетах: в Смольном было принято спать на полу или на столах. Теперь в коридоре в этом месте картинная галерея послереволюционных хозяев города: и если в глазах писанных маслом Зиновьева, Яковлева, Матвиенко Ленин с Троцким наверняка прочли бы укор, то друг на друга они смотрели с доброжелательным скепсисом, каждый радовался, что нашел, наконец, равноценного — но вот надежного ли? — партнера. «Власть завоевана, по крайней мере в Петрограде. <...> На уставшем лице бодрствуют ленинские глаза. Он смотрит на меня дружественно, мягко, с угловатой застенчивостью, выражая внутреннюю близость. "Знаете, — говорит он нерешительно, — сразу после преследований и подполья к власти... — он ищет выражения, — es schwindelt*, — переходит он неожиданно на немецкий язык и показывает рукой вокруг головы. Мы смотрим друг на друга и чуть смеемся».

Первый кабинет Ленина — на максимальном удалении от входа, третий этаж, правое крыло, дальний угол, окна на две стороны — музеефицирован; здесь Ленин подписал вольную Финляндии — что отчасти компенсируется выставкой неполиткорректных военных плакатов 1940 года: «Дожмем финскую гадину!» — гадина представляет собой паука с гитлероподобной мордой. Между прочим, изначально тут был кабинет председателя Петросовета Троцкого; здесь его интервьюировал Джон Рид; но Троцкий любезно уступил «шестьдесят седьмую» Ленину.

Перед входом — где сейчас мемориальная доска и картина в золотой раме «Ленин во дворе Смольного» Бродского — дежурили двое красноармейцев-рабочих; если они просто торчали на посту, Ленин журил их за потерю времени, выносил стул и предлагал погрузиться в чтение: учитесь управлять своим государством. Если бы часовые просидели здесь чуть дольше положенного, то могли бы развлечь себя разглядыванием гигантского мраморного панно, на котором золотыми буквами — как будто это кодекс Хаммурапи — выдолблен текст первой советской Конституции 1918 года (где, сколько ни смотри, не сыщешь равноправия избирательных прав: буржуазия лишена их вовсе, а один голос рабочих приравнен к пяти крестьянским).

На двери ленинского кабинета висят таблички: «67» и «Классная дама» (выглядит издевательски, зато конспирация: береженого бог бережет) и напечатанное объявление, запрещающее пускать в кабинет без договоренности кого-либо, кроме Бонч-Бруевича, с — роковой? — припиской: «и наркома индел Троцкого и наркома национальностей Сталина». Задняя часть кабинета выгорожена дощатым барьером — условным, до потолка не доходит; в боксе — кровать и зеркало; это горница таинственной, не идентифицированной историками классной дамы. Местечко по-своему уютное; из одного окна открывается панорамный вид на Неву, из второго — на какие-то не то фабрики, не то офисы; но ВИ не жил здесь, ему не нравилось путать кабинет с квартирой; ночевать и ужинать он до 10 ноября ходил на соседнюю Херсонскую улицу, к Бонч-Бруевичу. В первой комнате Миссис 67 принимала воспитанниц: Горбунов и Бонч-Бруевич установили там сейф — для декретов и наличных денег; в кабинете собирались первые совещания раннего, чисто большевистского Совнаркома: Троцкий, Рыков, Луначарский, Шляпников, Коллонтай, Сталин, Теодорович, Дыбенко, Крыленко, Антонов-Овсеенко (какое-то гоголевское, с абсурдинкой, созвучие этих трех все вре-

---

* Голова идет кругом (*нем.*).

мя употребляющихся в одной связке фамилий производит ложно комическое впечатление; хорошо бы знать, что В. А. Антонов-Овсеенко учился в кадетском корпусе, был блестящим шахматистом и математиком, Н. В. Крыленко окончил истфил Петербургского университета и много лет работал преподавателем литературы и истории, да и П. Е. Дыбенко стал председателем Центробалта и наркомом по морским делам не за красивые глаза; про деятельность их ВРК Джон Рид писал, что «искры летели от него, как от перегруженной током динамо-машины»). Единственным способом успеть хоть что-нибудь было отказываться от сна; совещания начинались в 11 вечера — и к пяти-шести утра лица комиссаров приобретали «эффект глаз енота» — или панды, если угодно. Бонч вспоминает, что по ночам Ленин сидел и сочинял свои «игуменские» — наполненные кустарной терминологией — декреты («Богатой квартирой считается также всякая квартира, в которой число комнат равняется или превышает число душ населения, постоянно живущего в этой квартире»). В отличие от квартиры на Херсонской, как раз небедной, Смольный был «толкотливым» местом — «всегда переполненный», он, по словам Коллонтай, «гудел в те дни, как потревоженный улей. По бесконечным его коридорам лились два людских потока: направо — к Военно-революционному комитету, налево — в комнату, где приютился Совнарком». По настоянию Ленина, в советские учреждения — и Совнарком в том числе — могли прийти со своими вопросами и жалобами «простые люди»; они и являлись, часто без дела, — просто сделать «селфи» с Лениным («Не могу уехать домой, не повидавши товарища Ленина. С таким наказом послали меня сюда мои односельчане. Они мне сказали: "Непременно от самого Ленина узнай, что и как надо делать"»). Коллонтай рассказывает о безруком рабочем, который пришел в Смольный с планом, как спасти от голодной смерти текстильщиков-инвалидов: купить особые вязальные машины, вокруг которых он сам взялся бы устроить особые артели; с этим планом он и настиг в коридоре Ленина. Время от времени Ленин выезжал в город — чаще на выступления, чем на деловые встречи. С ноября, когда в жизни образовался какой-никакой ритм, они с НК гуляли вечерами в чахлом садике вокруг Смольного и вдоль Невы; без всякой охраны, никто его в лицо тогда не знал. Поговорить им было о чем: Ленин одновременно проводит выборы в Учредительное собрание, объявляет суверенный дефолт, дарует независимость странам и народам, пытается продать винно-водочные изделия из погребов Зимнего в Швецию, принимает союзных послов, напоминает охранникам о том, чтобы те покормили его кота, реформирует здравоохранение, финансирует экспедицию по обследованию охотничьих промыслов на Камчатке, подписывает декрет о праве граждан изменять свои фамилии и прозвища, играет в «морской бой», помогая расставить миноносцы в Финском заливе и на Неве, общается в коридоре с жалобщиками, рационализаторами и семьюдесятью китайцами, которые приехали в войну как гастарбайтеры, а затем поступили на службу к большевикам охранять Смольный, перепридумывает налоговую и банковскую системы, достает дефицитные товары симпатичным ему посетителям, распоряжается временем и пространством, вводя метрическую систему, подвижку календаря на 13 дней вперед и времени на час назад, — и всё это в условиях постоянно меняющейся политической и экономической конъюнктуры, «идеального шторма»: «голливудская» езда вниз с горы по лесной местности с отказавшими тормозами.

По большому же счету после 25 октября Ленину приходилось заниматься всего двумя колоссальными задачами. Первая — удержать власть. Ради этого можно было душить демократию, гнать из Советов товарищей-социалистов, терять территории, носить на спине табличку «тиран» и «узурпатор». Ради этого следовало выстроить государство — с границами, аппаратом, репрессивными механизмами и социальной ответственностью перед инвалидами, учителями и кормящими матерями. Именно эта деятельность ассоциируется с Лениным Послеоктябрьским: история про то, как человек с репутацией шпиона и узурпатора выиграл все войны и, планомерно разрушая всё «старое», через несколько лет остановил неуправляемые процессы хаоса и деградации.

О второй задаче — еще менее понятной, чем «созидательное разрушение», — Ленин объявил уже депутатам II съезда Советов: «Теперь пора приступать к строительству социалистического порядка!» Но похоже, в этот момент никакого «плана Ленина» по этой части не существовало. Большинству тех, кто оказался без касок и спецодежды на стройплощадке, казалось, что они просто должны подменить одного гегемона другим, трансформировать буржуазное государство в диктатуру пролетариата. Однако для Ленина, автора «Государства и революции», под социализмом подразумевалось ровно противоположное — исчезновение государства как машины насилия; отсюда проблема — что же такое социализм здесь и сейчас, на территории анархии? Судя по всему, конкретная, наличная реализация идеи социализма ассоциировалась у Ленина с понятием «обобществления»: не «взять и поделить», как это представляется условному «шарикову», а — «взять и начать пользоваться и контролировать сообща» (дьявольская разница). Главный текст этого «головокружительного» периода — написанная в апреле 18-го брошюра «Очередные задачи советской власти»: в ней Ленин, уже обладающий опытом деструктивной деятельности как раз первых послеоктябрьских месяцев, окорачивает леваков-радикалов — и самого себя как автора «Государства и революции»; на задворках «Задач» бродит призрак Ленина с табличкой «НЭП». Да, «грабь награбленное» — но потом «награбленное сосчитай и врозь его тянуть не давай, а если будут тянуть к себе прямо или косвенно, то таких нарушителей дисциплины расстреливай».

Не забастовки, а напряженная, соревновательная работа, повышение производительности труда. Не раздача привилегий «классово близким», а привлечение буржуазных спецов — с оплатой выше, чем у рабочих: ничего страшного, научимся — и всех выгоним (кого-то, может, и сразу: например саботажников).

«Органическая» работа, практицизм и «постепеновщина» — лозунги, разительно отличающиеся от дантоновского «Смелость, смелость и еще раз смелость».

Все это, однако, были инициативы сверху — тогда как идеей фикс Ленина в первые месяцы была творческая самодеятельность пролетариата: именно частные инициативы должны были диалектически преобразоваться в «общее»: социализм. Одновременно пролетариат должен был участвовать в управлении государством по составленному Лениным расписанию: идеальный рабочий день — 6 часов физической работы + 4 часа административной деятельности бесплатно; «чтобы действительно поголовно население училось управлять и начинало управлять». В самом деле, раз уж они оказались достаточно предприимчивы и энергичны, что пришли в Советы — почему бы им не продемонстрировать свои таланты при управлении государством, не менее «своим»?

Именно сами рабочие, по мысли Ленина, — в свободное время, не выделяя из своей среды профессиональных бюрократов, — должны контролировать и учитывать работу промышленных предприятий, количество и качество труда, а также распределять дефицитные товары и продукты. На практике окажется, что привлечение неквалифицированных управляющих и замена администраций предприятий фабзавкомами только усугубят экономический кризис и усилят падение производства. Не справляющиеся с административными функциями фабзавкомы компенсировали свою некомпетентность, берясь за выполнение полицейских задач — разгоняли митинги и забастовки, поощряли лояльных рабочих при распределении продовольствия и цензурировали прессу.

Что же касается достижения социализма в шестимесячный срок — а именно такие цифры поначалу назывались, то кратчайший путь к нему для обычных людей, по мнению Ленина, лежал в резком увеличении производительности труда: мир изменится от того, что работа теперь будет не из-под палки, не на хозяина, а на себя и на свой коллектив.

Значит ли это, что социализм, по Ленину, есть совокупность реализованных инициатив, поступивших от разных сообществ — купальщиков Нейволы, рабочих Путиловского завода, нянек-кормилиц? Неточно. Тут все дело — в отношениях с собственностью; собственность — по крайней мере, на средства производства, а может быть, и на недвижимость — должна быть обобществлена. Добровольно — или принудительно? В чью именно пользу — «трудящихся»? А если трудящиеся воспротивятся такой инициативе, что — сидеть и ждать, пока они дорастут до социалистических идей? Или национализировать в пользу пролетарского государства? И позволительно ли вообще экспериментировать со сменой форм собственности сейчас, когда стране грозит интервенция, на которую надо ведь отвечать военным способом, а для этого нужна не демобилизованная, как армия, а работающая промышленность? И если вводить социализм будут сверху — то есть государство, не возникнет ли конфликт интересов: ведь цель коммунизма — отмирание государства? Или просто издать декрет — объявить «обычное» государство социалистическим, а там посмотрим, как будут вести себя люди, начнется ли эпидемия обобществления?

Неясно — или ясно не всегда; в конце концов, Ленин был профессиональный заговорщик, строитель некрупных сплоченных структур, а не государств, тем более — государств, не имеющих аналогов в мировой истории.

Есть ощущение, что, несмотря на готовность экспериментировать со строительством социализма в отдельно взятой стране, Ленин все же очень рассчитывает на поддержку заграничных революций — еще и потому, что тамошние массы сознательных рабочих смогут подсказать ему, как именно следует «вводить» социализм. Впрочем, и у них такого опыта не было: даже Парижская коммуна была историей скорее про выживание — но Делеклюз, Пиа и Варлен не доросли до инсталляции социализма.

Вот чем на самом деле была занята голова у Ленина — потому что Брестский мир, разгон Учредительного, борьба с голодом — всё это рутина, проблемы, которые в принципе имеют решение: разогнали — не разогнали, заключили — не заключили. Ленин был опытным литератором и журналистом с юридическим образованием; просидев всю жизнь в библиотеке, он прочел много книжек и научился извлекать выводы об экономическом положении страны по статистическим данным о количестве безлошадных хозяйств — но ни у Гегеля, ни у Гобсона не было ответа на вопрос, надо ли поддерживать курс стремительно обесценивающейся национальной валюты в обществе, стремящемся к коммунизму, где всё равно деньги отомрут; и Ленин понятия не имел, когда именно следует после увещеваний саботажников приступать к расстрелам, если из-за их бездеятельности дети рабочих умирают с голода. Нужно ли для того, чтобы «переходить на социализм», полностью почистить диск со старой операционной системой — или просто потихоньку удалять один за другим баги, постепенно меняя «прошивку»? Разумеется — особенно в условиях экономического коллапса — следовало быть конструктивным; и все же в первые месяцы Ленин — еще точно не зная, чего хочет добиться, в порядке бескомпромиссной войны против буржуазии — больше внимания и усилий посвящает «разбиванию машины»; следовало сломать не только государственный строй, но и систему владения землей, юстицию, национальные границы, общепринятую систему собственности (государственная, частная), наконец, войну, которая была не только собственно фронтом, но и загружала промышленность военными заказами; мы плохо осознаем, что демобилизовать — организованно! — нужно было не только саму армию, но и настроенную на военное производство промышленность. И Ленин идет на это уже в конце ноября — осознавая, что куча людей останется без работы и разруха усугубится. Чтобы принимать такие решения, нужно переступить через разумные, рациональные соображения, и цитаты из Писарева — которыми, если верить испытывающему по отношению к нему антипатию Соломону-Исецкому, охотно пользуется Ленин в это время — достаточно красноречивы: «"Ломай, бей все, бей и разрушай! Что сломается, то все хлам, не имеющий права на жизнь, что уцелеет, то благо..." Вот и мы, верные писаревским — а они истинно революционны — заветам, ломаем и бьем все, — <...> бьем и ломаем, ха-ха-ха, и вот результат, — все разлетается вдребезги, ничто не остается, то есть все оказывается хламом, державшимся только по инерции!.. Ха-ха-ха, и мы будем ломать и бить!» Ирония и провокация собеседника? Не слишком-то убедительное объяснение, если посмотреть на то, что осталось к весне 1918 года от питерской промышленности.

Разумеется, в квесте для Ленина были заготовлены не только трудноразрешимые загадки и набор кувалд, но и какие-никакие подсказки.

Социализм предполагает участие как можно большего количества людей в созидательном труде; на практике Россия представляла собой страну, где бегущие из армии солдаты, отвыкшие от труда и привыкшие к насилию, пробегали мимо работы, подняв воротник повыше, — по множеству объективных причин. Как вернуть рабочих на фабрики? Ответ Ленина — через профсоюзы. Как обеспечить повышение производительности их труда на фабриках? Пусть рабочие привлекают профессиональных хозяйственников — и быстро учатся у них (и при строительстве новой, классовой, рабоче-крестьянской армии Ленин согласился с Троцким: нужно и должно привлекать царских офицеров; несмотря на факты измены и саботажа). В конце 1917-го в России было множество неработающих непролетариев — ну так почему бы не заставить их работать принудительно: так появляется идея введения «трудовой повинности с богатых». Одновременно крайне остро стоял вопрос безработицы — и Ленин моментально принялся создавать рабочие места, причем не самого очевидного свойства. Уже в декабре 1917-го (!!) — с подачи Ленина и под его личным контролем (он даже придумал нечто вроде лозунга: «век пара — век буржуазии, век электричества — век пролетариата») — запущено проектирование, а с весны 1918-го — строительство Шатурской электростанции, Каширской, Волховской и Свирской ГЭС; Ленин требовал, чтобы стройки были завершены в два-три года; разумеется, на план выхода из великой депрессии это не тянуло — однако все объекты действительно начали возводиться.

Навязчивой идеей Ленина-руководителя была артистическая — нетривиальными способами — оптимизация всего, что только можно: назначения на ключевые должности компетентных людей, даже если они были его политическими противниками (как Красин) или иностранцами; если бы Ленин был главным тренером разваливающегося футбольного клуба, то выбрал бы стратегию покупки звезд-легионеров. В одной из записей Ленина можно найти нечто вроде «формулы социализма»: «Черпать обеими руками хорошее из-за границы: Советская власть + прусский порядок железных дорог + американская техника и организация трестов + американское народное образование etc. etc. + + = Σ = социализм». Одной из светлых идей такого рода стало предложение пересадить матроса-вестового, мотавшегося по Смольному между расположившимися в разных концах кабинетами Ленина и Троцкого, на велосипед; этот матрос, в бескозырке, шинели и с посылками, видимо, и навел впоследствии писателя Успенского на образ почтальона Печкина.

Сам Ленин, спортсмен по духу, надеялся, что и другие люди устроены подобным образом, — а потому еще одной светлой идеей, направленной на стимуляцию производительности труда, стало устройство социалистических соревнований между рабочими коллективами.

Соревнование — которое выглядело в голове Ленина как состязание двух деревень из рекламного ролика для домохозяек: а ну, кто быстрее помоет посуду после праздника, у кого тут больше талантов? — должно заменить капиталистическую конкуренцию (которая, как мы помним из «Империализма как высшей стадии», отмирает, так как крупные монополисты просто делят рынки по кулуарной договоренности). И раз капитализм исчерпал свои возможности как прогрессивной системы — почему не посоревноваться с ним? Ведь потенциал у социализма — строя, где средства производства принадлежат самим трудящимся, — безграничен. Принуждение к веселому соревнованию — не только завуалированная попытка заставить людей надрываться за меньшие деньги; какой бы нелепой или лицемерной ни казалась эта идея Ленина, в тех обстоятельствах, в том контексте, она выглядела перспективной. Для раздираемого классовым конфликтом и бытовыми неурядицами общества, разочарованного результатами Февральского майдана, который принес только ухудшения, строительство такого понятного — как потопаешь, так и полопаешь — социализма выглядело не таким уж плохим стимулом: поверить, собраться — и еще раз пойти на жертвы ради новой мечты.

Действительность, однако, вносила в планы Ленина свои коррективы. Рабочие, которым внушали, что это они проделали колоссальный, исторический труд — совершили революцию, полагали, что теперь самое время откинуться в кресле, положить ноги на стол и насладиться привилегиями и благами, о которых позаботится их, пролетарское, государство. Ленина, трудоголика и перфекциониста, бесили «босяческие привычки» и «бестолочь», и он изо всех сил пытался внушить рабочим, что теперь-то как раз и надо засучить рукава: учись у немца, дергал он за рукав русского рабочего, учись работать так, как немец (и даже позднейшее ленинское планирование, по мнению историка Хобсбаума, «вдохновлялось немецкой военной экономикой 1914—1918 годов»).

Поскольку, к счастью или к сожалению, мы лишены возможности вдохнуть в себя выхлоп революционного двигателя, идеи и особенно рабочие термины той эпохи («трудовой энтузиазм», «великий почин» и пр.) кажутся фальшивыми и абсурдными; поиски Лениным — поиски доморощенные, самодеятельные, ненаучные — новаторского способа организации труда с использованием социальной энергии, высвободившейся при распаде старого уклада, выглядят нелепо; но тогда, в декабре 17-го, Смольный был островом Просперо, где на каждом углу можно было расслышать «музыку новой эпохи»; это был момент, когда люди готовы были бесплатно тратить свою социальную энергию — как соглашаются сейчас бесплатно играть друг с другом в футбол или публиковать заметки в Википедии.

Что касается товарищей Ленина, которые понимали, что управлять все же придется им, то идея молниеносного построения социализма, по факту, в отдельно взятой стране, озадачивала их. Они понимали, что такого рода планы слишком расходятся с марксистскими догмами, — однако вслух не особо протестовали; само присутствие Ленина оказывало на них тонизирующее воздействие; они не знали про конспекты Гегеля в дорожных ленинских корзинах, но их завораживала способность Ленина сражаться на нескольких досках сразу — и обыгрывать противников даже в ситуации, когда выбирать приходится из плохого и очень плохого, даже когда его государственная деятельность производила впечатление авантюрной и проще всего объяснялась упрямством экспериментатора, который готов поставить на кон все что угодно — от жизни товарищей до коренных русских территорий. Вера в математически шахматный — а не авантюрный — интеллект Ленина помогала большевикам справляться с обескураживающими внешнеполитическими новостями: сама интенсивность и «регулярность» «естественного» распада России, усугубленного немецкой интервенцией и стремлением Ленина разворошить деревню, разом избавиться и от тамошней мелкой буржуазии тоже, вызывала панику — и требовала психологической опоры на какую-то сверхъестественную силу. В шахматных терминах описывает деятельность Ленина в послеоктябрьские месяцы его давний партнер П. Лепешинский: «Вот "делает гамбит", соглашается на брестскую жертву. Вот производит неожиданную рокировку — центр игры переносит из Смольного за Кремлевские стены»*.

На протяжении осени и зимы Ленин — без особого удовольствия — наблюдает «майданный» захват рабочими транспорта, фабрик, рудников и пр. В принципе, Ленин не протестовал против подобного рода действий — на начальном этапе: да, вредно в экономическом смысле, однако полезно в политическом — инициатива масс: пусть экспериментируют, пусть почувствуют, что они и правда теперь хозяева — а не буржуазия.

Нередко рабочие — видя, как владелец, частный собственник, почуяв, куда ветер дует, пытался свернуть производство, прекратить закупки сырья, продать оборудование, не заплатить, — выгоняли его, чтобы «взять всё в свои руки», после чего извещали явочным порядком, что теперь передают предприятие на баланс государству. Это были щедрые, неподъемные и не подлежащие возврату подарки — глубоко озадачивающие Ленина. Что дальше? Должны ли рабочие просто контролировать производство — или управлять им? Была создана спецкомиссия, которая ограничивала права слишком уж далеко накренившихся влево фабзавкомов. (Но и тут Ленин был крайне «демократичен»: при выборе, каким быть рабочему контролю — стихийным или государственным, он был за стихийный.)

Наставляя леваков, Ленин объяснял, что национализировать гораздо легче, чем управлять национализированным: ведь теперь государству придется обеспечивать работников заданиями и зарплатой, и — «как бы не "обожраться", как "обожрется" германский империализм Украиной». И пока можно было не национализировать предприятия — их не национализировали; и, собственно, до марта 1918-го — до переезда в Москву — массовой национализации не было.

* О том, что Ленин шахматист, быстро станет известно за границей, и западная пресса полюбит изображать противостояние Советской России и капиталистического Запада персонифицированно, как шахматную игру между Лениным и главами западных государств. Так, в апреле 1920-го журнал «Liberator» нарисовал Ленина, играющего против Вильсона, Клемансо и Ллойд Джорджа. Карикатура называлась: «Вам шах, джентльмены!» и сопровождалась подписью: «У них в запасе всего два хода: война с Россией, означающая революцию в тылу; или мир с Россией, подразумевающий распространение Советов по всему миру».

До весны 1918-го Совнарком, когда мог, бывало, даже кредитовал частных собственников, поощряя их продолжать производство — разумеется, подотчетное рабочему контролю. Некоторые рабочие тоже понимали, что просто переложить свои заботы на государство — не лучший способ получить в конце недели жалованье, и преподносили Ленину светлые идеи, касающиеся компромиссных форм собственности. Тот пока и сам не понимал, как именно должен выглядеть «госкапитализм» в текущих условиях, — и, неопределенно-доброжелательно помахивая рукой в воздухе, предлагал: пробуйте, в конце концов это ведь политическое творчество.

С весны 1918-го, однако, началась настоящая эпидемия национализации предприятий. Во-первых, из-за Бреста. В число условий мира входила выплата советским правительством компенсаций немецким собственникам — и вот тут хозяева фабрик принялись правдами и неправдами продавать акции немецким гражданам и компаниям, которые с удовольствием за бесценок скупали российскую индустрию; более того, когда Совнарком все же начал национализацию черной и цветной металлургии, топливной промышленности и прочих стратегических отраслей (скорее формальную, юридическую — поменявшие владельца предприятия тут же передавались бывшим хозяевам в аренду бесплатно, лишь бы те не останавливали производство), немцы подняли шум из-за нарушения прав немецких собственников; эти чудовищно наглые требования и стали одной из причин антигерманского левоэсеровского мятежа лета 1918 года. Во-вторых, к весне у заводов стали накапливаться задолженности — и они сначала переходили в казну по финансовым соображениям, а затем быстро национализировались в связи с угрозой оккупации; именно так национализировали Путиловский.

Чтобы каким-то образом сбалансировать творческую самодеятельность низов и неотвратимую тенденцию к огосударствлению промышленности и финансов, в декабре создается Высший совет народного хозяйства (ВСНХ). Это уникальное, не имеющее аналогов учреждение, по мысли Ленина, должно было дирижировать (то есть централизованно осуществлять рабочий контроль) страной, которой по разным причинам расхотела распоряжаться невидимая рука рынка. Или, ближе к реальности, решать задачки вроде того: сколько потребуется угля для выплавки такого-то количества стали, из которой нужно сделать такое-то количество плугов, для чего понадобится такое-то количество рабочей силы, транспорта — и не на одном предприятии, а на протяжении всей технологической цепочки? Идея создать нечто вроде платформы, на которой сходились бы потребители-крестьяне с производителями-рабочими: нам нужны гвозди, плуги, телеги, мануфактура и лопаты, сделайте нам столько-то, — казалась Ленину особенно удачной еще и потому, что способствовала «смычке» города и деревни. Полномочиями ВСНХ наделялся самыми широкими — он мог конфисковывать, реквизировать, синдицировать и делать еще бог знает что с предприятиями — в ответ на саботаж буржуазии, лишавшей питерские заводы заказов.

Вместо конкуренции — планирование и социалистическое соревнование; вместо рынка — контроль: согласно идее Ленина, такая экономика должна была оказаться более эффективной, чем традиционная, рыночная; но еще важнее, что именно таким образом — методично, а не наскоком — буржуазия «вышибалась из седла ее собственности».

Одновременно шли и обратные процессы — формирования новой элиты. Весь конец 1917-го — 1918 год Ленин провел в охоте за своими бывшими знакомыми, которые в силу разных причин «отошли от революционной деятельности». Не мытьем, так катаньем он уговаривал их; часто эти «спецы» уже тогда получали бо́льшую, чем у других, зарплату — и неминуемо обосабливались. Так большевистское ядро — ВРК, Петроградский комитет и ЦК — стало обрастать аппаратом. Возникновение номенклатуры было естественным процессом; поскольку большевистские кадры были хуже подготовлены для выполнения разного рода бюрократических должностей, приходилось брать числом, а не умением; не у всех руководителей был такой талант оптимизации, как у Ленина; но и у него аппарат разрастался. Надо было получить кабинет, обеспечить рабочую обстановку, сферу паблик-рилейшнз, канцелярию; образовался секретариат. Чтобы сломить саботаж, в декабре из намеренно разрушенной «военки» (которая попыталась стать альтернативным центром) было создано специальное учреждение — ЧК (изначально небольшая, имеющая в подчинении несколько десятков сотрудников комиссия *при* Совнаркоме, то есть при Ленине) по борьбе с контрреволюцией, саботажем и спекуляцией. Она, разумеется, не могла моментально победить уличную преступность, пьяный беспредел, черный рынок и террористические заговоры против большевистских руководителей, однако сэкономила большевикам много здоровья, сил и денег: например, когда возникла тема спекуляции акциями промпредприятий, которые продавались немцам, а те требовали «возмещения». Быстро доказав свою эффективность, ЧК начала пополняться особого склада людьми (профессиональных революционеров со стажем тошнило от деятельности, похожей на охранную, — и приходилось набирать туда «зеленых» партийцев, а иногда, при тогдашнем хаосе с документами, — преступников и бывших агентов охранки) — которые, раз за разом отвоевывая себе полномочия вершить внесудебную и неподконтрольную расправу, обосабливались, при невольном попустительстве Ленина, в отдельный орден. Едва ли контролируемый в принципе процесс, потому что полномочия ЧК увеличивались пропорционально росту сопротивления и террору контрреволюционеров; зеркальная мера.

Ленин сам никогда не участвовал в процедурах технической смены управленческих декораций «на местах» — однако обладал талантом находить нужные слова для того, чтобы его подчиненные, которые нередко переживали из-за недостаточной компетентности, выполняли свои необычные обязанности с должной твердостью. Луначарский вспоминает, «как на одном из первых Советов Народных Комиссаров Ленин заявил: "Надо, чтобы каждый ехал в порученное ему бывшее министерство, завладел им и живым оттуда не уходил, если будут посягать на то, чтобы вырвать у него порученную ему часть власти"». Отказ назначаемых во власть большевиков, даже со ссылками на отсутствие опыта, житейские неурядицы, расхождение во взглядах и прочие объективные причины Ленин отвергал с гневом: «Это не власть, а работа. Отказываться от комиссарства сейчас хуже, чем отказаться машинисткой стучать: худшая форма саботажа». Идеологические разногласия? «Роскошествуете. Взгляды — взглядами: надо в общую лямку». Это «надо» подразумевало необходимость являться в министерства с отрядом матросов или группой «народных контролеров», сталкиваться с демонстрацией презрения и прямой физической агрессией, за шкирку вытаскивать из-за столов саботажников, увольнять ненужных заместителей, повышать по службе малоизвестных чиновников, желавших продвинуться ценой предательства бывших хозяев. О том, какой эффект производила на наркомов ленинская решительность, можно судить по анекдоту от американского журналиста Вильямса: «Подвойский сказал Ленину: "Я подаю в отставку". Ленин ответил: "Тогда я прикажу вас расстрелять. Вы не можете покинуть пост"».

В воспоминаниях Г. Соломона Ленин жалуется на то, что его окружают «люди прекраснодушные, но совершенно не понимающие, что к чему и как нужно воплощать в жизнь великие идеи... Ведь вот ходил же Менжинский в качестве наркомфина с целым оркестром музыки не просто взять и получить, нет, а реквизировать десять миллионов... Смехота»*. Пожалуй, единственная задокументированная более-менее контактная «реквизиция» с участием самого Ленина — беседа по телефону с Верховным главнокомандующим Духониным. Яркий эпизод, когда Ленину требовалось: а) отобрать у генерала его армию; б) объяснить Верховному главнокомандующему, что никакой он больше не командующий, а вместо него приедет прапорщик Крыленко, которому следует немедленно передать всю власть; можно предположить,

---

* Это правда. Троцкий и Менжинский устроили перед зданием Госбанка музыкальный флэшмоб, пригнав туда несколько солдатских оркестров — требовать деньги.

что опубликованная стенограмма диалога: «Именем правительства Российской республики, по поручению Совета Народных Комиссаров, мы увольняем вас от занимаемой вами должности за неповиновение предписаниям правительства и за поведение, несущее неслыханные бедствия трудящимся массам всех стран и в особенности армиям» — дает лишь общее представление о характере беседы.

Если первые месяцы осени здание Кваренги извергало из себя агитаторов, пытавшихся «разложить» гарнизон, то после 25 октября оно превратилось в штаб де-анархизации: большевистские наркомы должны были возвращаться сюда и докладывать о своих успехах по захвату министерств, ведомств, банков, узлов связи и коммунальных структур.

Сам Смольный тоже был местом, где надо было каждый день доказывать, что власть здесь — ты, а не какой-нибудь красногвардеец с винтовкой, который в состоянии пристрелить любого, кто ему не нравится; а те, кто, имея на то весьма достаточные основания, считает тебя самозванцам, должны помалкивать — и не мешать.

Первые пару дней в новом своем статусе Ленин, как и все, целый день пробавлялся исключительно бутербродами, получая нечто калорийное и горячее только поздно вечером, на Херсонской у Бонч-Бруевича. Затем какой-то приварок стала носить Мария Ильинична, едва ли не по несколько раз в день, но в какой-то момент это сделалось неудобно — и, по решению коменданта, в соседней с кабинетом комнатке поселилась мать не то Шаумяна (версия Крупской), не то Шотмана (версия Малькова), которая взяла супругов Ульяновых «под свою опеку»; иногда Ленин обедал в смольненской столовой. Организованная еще до переворота, славившаяся своими двухрублевыми обедами по талонам и впоследствии, в период правления Зиновьева, поставленная на еще более широкую ногу, эта институция по-прежнему на плаву, и на 200 рублей здесь можно неплохо отобедать набором из трех-четырех блюд с кофе; и если тыквенные оладьи и при Ленине были так же хороши, как при Полтавченко, то расставание со Смольным должно было причинить Ленину серьезные страдания.

По прошествии двух недель Ленину с женой подготовили на втором этаже пару комнат (№ 86) рядом с офисом Совнаркома. Даже внутри большевистской крепости требовалось соблюдать меры безопасности: квартиру — раньше там жила классная дама Е. Ф. Гут — выбрали с учетом того, что у нее было два выхода. Даму выселили — и, судя по тому, что Ленин подписал распоряжение не только удалить ее из своей квартиры, но и закрыть ей доступ вообще в какие-либо смольненские помещения, она бродила там, как привидение из викторианских романов, и предъявляла претензии; вытесненная призраком коммунизма на городские окраины, эта Гут дожила до 1942 года, работая преподавательницей музыки и немецкого языка.

Тут уже было сугубо ленинское пространство, первая в его жизни настоящая казенная квартира; ему выдали ключ, и посторонние сюда не допускались. Справа от входа сейчас выставлены подлинные костюм ВИ и пальто НК: еще одно подтверждение, что Ленин не был великаном (экскурсовод, растягивая рулетку, указывает на цифру 157; Крупская якобы — 162 сантиметра; и если это так, то ВИ, доживи он до нашего времени, испытывал бы при заказах одежды в интернет-магазинах определенные трудности).

За перегородкой — две кровати. В 1919-м Ленин напечатал в «Правде» ответ на письмо одного профессора, который пожаловался ему на вторжение в интимную жизнь: в его учебном заведении расквартировали отряд, и командир, намереваясь реквизировать «лишнюю» кровать, потребовал, чтобы профессор спал с женой в одной. Аналитический комментарий Ленина безупречно диалектичен: «Желание интеллигентных людей иметь по две кровати, на мужа и на жену отдельно, есть желание законное (а оно, несомненно, законное), постольку для осуществления его необходим более высокий заработок, чем средний. Не может же автор письма не знать, что в "среднем" на российского гражданина никогда по одной кровати не приходилось!» Но ведь и расквартированные солдаты, защищающие социалистическую республику, тоже имеют право отдыхать — война есть война — и, стало быть, реквизировать кровать для этой цели; да, мы против ущемления интеллигенции — однако «ради отдыха для солдат интеллигенты должны потесниться. Это не унизительное, а справедливое требование».

(Если уж зашла речь о кроватях и солдатах, то нельзя не вспомнить курьезный эпизод, когда сразу после переезда в Кремль солдаты пожаловались на некомфортный сон: оказалось, они спят не просто на полу, покрытом палатками, но и еще на трех мешках реквизированного из банков золота, которое вручил им для охраны перед отъездом в Москву Бонч-Бруевич — да тут же и забыл о нем. Ленин, которого развеселила эта история, устроил жалобщикам шутейную распеканцию: «Что у вас делается в отряде? Избаловались стрелки, на золоте им спать жестко!»)

Уже 27 октября у Ленина появился персональный шофер — бессменный Степан Гиль, за которым был закреплен автомобиль «Тюрка-Мери», побывавший во многих переделках: однажды его обстреляли, затем угнали — прямо от Смольного, средь бела дня; Ленин отреагировал на это похищение с гневом, как на проявление расхлябанности: «Ищите ее, где хотите. Пока не найдете, со мной будет ездить другой». Гиль нашел пропажу в чьем-то сарае на окраине Петрограда, сохранив за собой должность ленинского Автомедонта до конца жизни.

При квартире Ульяновых обретался солдат — к счастью, не предъявлявший претензий на ульяновские кровати. Его звали Желтышев, он был пулеметчик, молодой, из Волынского полка, подвергшегося репрессиям — сначала Временного правительства после Июльских событий, затем большевистского, за «разговорчики». Приставленный к Ленину комендантом Малькова, этот Желтышев стал чем-то средним между охранником и денщиком: убирал комнату, носил своему патрону паек, суп и кашу в котелке, топил печку: сами комнаты скромны по площади, это скорее гарсоньерка, чем семейное гнездо, но вот потолки там — шесть с лишним метров, поэтому топка требовалась порядочная. Иногда они с Лениным перекидывались словечком, и солдат так полюбил своего собеседника, что явился однажды в свой полк достать «для Ильича» белого хлеба — и затем несколько раз сподабливался ленинских выговоров за попытки накормить его фруктами и прочими деликатесами. Гораздо больше вопросов, однако, эта фигура вызывала у Крупской, которая дивилась желтышевской «первобытности»: солдат даже не знал, как работает спиртовка, и едва не сжег Смольный, поливая ее при горении спиртом. Отношения потеплели после того, как молодой человек подарил Надежде Константиновне добытое из разоренных при помощи штыков шкатулок смольненских институток «кругленькое зеркальце с какой-то резьбой и английской надписью "Ниагара"». У Ленина, кстати, также была своя шкатулка — «небольшая изящная деревянная» и тоже запертая: потеряв, видимо, ключ, он обратился к Малькову с просьбой аккуратно, ничего не испортив, вскрыть ее: «Я очень дорожу ею, тут письма от моей мамы».

Это расковыривание невесть откуда взявшейся шкатулки рифмуется с совершающейся примерно в те же дни «ревизией стальных ящиков» — возможно, именно там, в каком-то из банков, теперь потерявших защиту, и хранил Ленин свой мемориальный бокс летом 1917 года.

Рецепты, как добраться до «царских денег» и зажить, наконец, на широкую ногу, публиковались в «Правде» и до приезда Ленина — но, разумеется, никто до Ленина палец о палец не ударил, чтобы перевести эти соображения в практическую плоскость. Внимательно изучив подлинную роль банков при капитализме — на протяжении многих лет он долдонил, что главной ошибкой Парижской коммуны был отказ национализировать банки, — Ленин осознавал, что нельзя просто закрыть их и обчистить, «уплотнить» богатых, по той же схеме, что с недвижимостью: это означало бы крах банковской системы: кто б стал хранить свои деньги в банке, если они заведомо обречены на разграбление. Даже диктатуре пролетариата нужна функционирующая банковская система: да, у опоры большевиков не было счетов в банках, за судьбу которых они могли тревожиться, — но получка рабочих очень беспокоила.

Технически можно было захватить хранилища и конторы и основательно «тряхнуть буржуев» уже 25–26 октября — но что дальше? Кто будет обеспечивать еженедельные поступления зарплат в заводские конторы, финансировать строительные проекты, управлять деньгами?

Земля — крестьянам, мир — народам, а банки? Кем заменить аппарат банковских служащих? Дыбенко и Антонова-Овсеенко, что ли, следовало учить нормальной, не кавалеристской административной деятельности: составлять бюджеты — а не просто требовать такую-то, с потолка, сумму, угрожая, что иначе промышленность остановится, пролетариат умрет с голода, а армия бросит позиции? Сначала ВСНХ предоставляет проект, его одобряют Наркомфин и Госконтроль — и уж затем банк выделяет деньги; сейчас это кажется естественным — но не поздней осенью 1917-го в Смольном. Именно в силу острого кадрового голода большевиков по этой части в первые недели Ленин вместо «национализации» банков предпочитал термин «принудительное синдицирование». Финансовый центр большевиков в Смольном расположился по соседству с Лениным, но Менжинский, украсивший стену надписью «Народный комиссар финансов» и притащивший диван, чтобы тотчас же улечься спать на нем, вызывал у Ленина скорее скепсис, чем доверие: «это очень хорошо, — расхохотался он у тела спящего коллеги, — что комиссары начинают с того, что подкрепляются силами и что, действительно несомненно, дело наше должно двигаться вперед быстро». Особенно комично выглядела комната соседей Ленина в разгар «красногвардейской атаки на капитал», когда в ней ночевал арестованный за отказ выдавать большевикам деньги директор Госбанка: «кровавые палачи» поселили саботажника в собственном жилье, причем обитавший вместе с Менжинским секретарь Ленина Горбунов еще и уступил капиталисту свою койку, а сам спал на стульях.

Дело в том, что уже 26 октября банкиры сговорились в течение трех месяцев платить чиновникам Госбанка, казначейства и прочих финансовых организаций за то, чтобы те саботировали распоряжения большевиков предоставить те или иные суммы; та же история разворачивалась и в частных банках.

Совнарком голодал без бумаги и чернил. В начале ноября Ленин вынужден был за шкирку оттаскивать Менжинского, который собрался было сделать частный заем в пять миллионов рублей для нужд Совнаркома у некоего польского банкира. Банкиры, потирая руки, наблюдали за тем, как рабочие, которым не выдали зарплаты, приходили либо в Смольный, либо к Коллонтай, в Комиссариат общественного призрения, и грозили погромами. Конфискации частных капиталов — и уж тем более денежные контрибуции с «буржуев», которые распространятся в провинции, а в 1919-м будут «узаконены» в виде «чрезвычайного революционного налога», в первые недели не производились;

иногда Ленину казалось важным соблюдать законы, хотя бы и установленные при старом режиме. Счета не трогали, наоборот, решено было поощрять население держать личные деньги — излишки, которые не уходят на немедленное потребление, — в банках; не трогали до поры до времени и самих банковских служащих, злостных саботажников.

Представления Ленина о функциях главного банка страны также носили не вполне конкретный характер: «единый аппарат счетоводства и регулирования социалистической хозяйственной жизни»; однако он сразу стал настаивать на том, чтобы открывать побольше отделений — во всех деревнях. Но достаточно ли было оставить один Госбанк — или нужно было выделить из него несколько подструктур: банк для внешней торговли, банк, кредитующий сельское хозяйство, и т. п.? Наконец, национализировать банки — раз и навсегда или сделать это в мягкой форме? При всем желании «разбить аппарат», гораздо более приемлемым вариантом для Ленина — который и стал закоперщиком реорганизации банковского сектора — было «принудительное синдицирование»: когда основная часть управления остается за уже работающими сотрудниками, но, помимо преследования собственной, банковской выгоды, они еще и выполняют указания большевистской власти — выгода которой состоит вовсе не в развале банковской системы. Чуть проще была ситуация с иностранными банками: национализация — готовый повод для интервенции; позволять им выкачивать деньги из Госбанка под разными предлогами невозможно, поэтому решено было просто запретить их деятельность в Советской России, не предъявляя претензии на их капиталы.

Меж тем неспособность «расковырять» захлопнувшийся, как раковина, Госбанк крайне удручала большевиков. Тотальное отсутствие денег могло вызвать голодные бунты и новый переворот. Сам Ленин прекрасно понимал не только катастрофичность, но и комизм этой ситуации; выступая перед близкими к истерике товарищами, он заявил, что положение не просто «плохо», как утверждает оппозиция, но — «отвратительно».

В середине ноября Ленин послал своего секретаря Горбунова и будущего председателя ВСНХ В. Оболенского в Госбанк с декретом за своей подписью — выдать «вне всяких правил и формальностей» 10 миллионов — и с наказом: «Если денег не достанете, не возвращайтесь». Угрожая Красной гвардией, которая якобы окружила здание, Пятаков, Горбунов и Оболенский выбили нужную сумму — но ее никак нельзя было распихать по карманам; пришлось одолжить у курьеров мешки, которые они и набили доверху купюрами, насилу дотащили до автомобиля — а затем сложили в кабинете у Ленина, который «принял их с таким видом, как будто иначе и быть не могло, но на самом деле остался очень доволен. В одной из соседних комнат отвели платяной шкаф под хранение первой советской казны, окружив этот шкаф полукругом из стульев и поставив часового. Так было положено начало нашему первому советскому бюджету».

Эти первые миллионы, доставшиеся после трех недель, были потрачены на канцтовары; собственно, то был первый финансовый декрет, подписанный Лениным. Происшествие вызвало вой в газетах: большевики опять — как в 1907-м в Тифлисе — грабят государство. Джон Рид одобрительно писал, что «Ленин распорядился взорвать подвалы Государственного банка динамитом».

Госбанк, выступавший в России финансовым регулятором, поменял вывеску; в этом «Народном» теперь банке воцарился давний ленинский партнер Якуб Ганецкий, на которого и была возложена функция поглощения частных банков — вместе с их балансами и кредитами. 4 декабря большевики разрешают частным банкам открыться — и в течение восьми дней почти не вмешиваются в их работу (позволив, однако, снимать со счетов не более установленной суммы и ограничив время работы офисов двумя часами в день). За это время банки выкачали из Госбанка несколько десятков миллионов рублей — теоретически для вкладчиков, а возможно, для своих махинаций; официально было запрещено выводить капиталы за границу.

План Ленина, реализованный 14 декабря, действительно напоминал идеальное ограбление; возможно, это и было самое масштабное ограбление банков в мировой истории.

Еще с начала ноября Бонч коллекционировал адреса директоров банков. Утром 14-го бойцы Латышского стрелкового полка — которым до последнего не говорили, какую миссию им предстоит выполнять, — арестовали всех одновременно в их квартирах, отобрали ключи и свезли в специально подготовленное помещение в Смольный. На полдня были выключены телефоны банков — чтобы те не могли предупредить друг друга.

Слухи о национализации банков поползли сразу после выстрела «Авроры», да и красная пресса в начале декабря вовсю печатала извещения с просьбой к большевикам и сочувствующим, служащим в частных кредитных учреждениях, объявиться для интересного для них разговора, а также полемику о том, что лучше: национализировать разом банки и промышленность — или можно ограничиться только банками? Ленин, разумеется, был за второй вариант — однако с национализацией банков предлагал не церемониться: утром занимать банки, с матросами, а вечером обнародовать декрет о национализации — никак не наоборот.

Офисы были опечатаны всего на два дня: уже 16-го все было открыто, таблички «Business as usual» выставлены в окошечках, только вот со счетов теперь выдавали по 250 рублей в неделю — по разрешению прикомандированного к банку комиссара. В декрете упоминалось еще и «о ревизии стальных ящиков» — просто «проконтролировать». Представители народа высверливали замки ячеек (там, где банкиры отказались предоставить ключи) — и изымали все «лишнее»: золото, серебро и платину в слитках, иностранную валюту. Разумеется, все эти пертурбации открывали широкий простор для коррупции (давайте вы мне — 50 процентов, а я заберу ваши ценности из сейфа) и мошенничества (нашествие фальшивых уполномоченных от разных комитетов, которые, предъявляя некие авизо «от Совнаркома», получали в банке миллионные суммы якобы для работников своего предприятия).

Банковское дело, формально теперь монополизированное государством, не было полностью передано «на аутсорс» Менжинскому, Ганецкому и Гуковскому: Ленина страшно занимал этот опыт — доселе никем не проделываемый, он сам раздумывал над тем, как поступить с банками наилучшим образом — и давал указания своим подчиненным.

К началу декабря, «заглотив» Госбанк, большевики получили привилегию контролировать золотой запас страны — продавать, если кто-то был готов его у них купить, золото и осуществлять денежную эмиссию. Пользовались они ею сначала с той же интенсивностью, что Временное правительство, а в 1920 году еще чаще; сам Ленин якобы не был в восторге от искусственного разгона инфляции, но полагал эту меру временно приемлемой.

Представления Ленина о судьбе денег в Советской России на поверку оказываются достаточно туманными. Сначала он предполагал вовсе от них избавиться, затем мечтал, чтобы советский рубль высоко котировался на иностранных биржах; но какое бы время ни показывали часы «диктатуры пролетариата», деньги оказывались необходимы — хотя бы как условный эквивалент ценности, даже мало чем обеспеченные, — чтобы платить зарплату рабочим, содержать Советы, финансировать закупки сырья и запчастей на национализированных предприятиях и не сводить всю торговлю в стране к неэффективному бартеру; отсюда и эмиссия ассигнатов, против которой сам Ленин, по крайней мере публично, не возражал и которая оправдывалась тем, что коммунизм очень близко, и раз всё равно «скоро денег вообще не будет», можно игнорировать показатели инфляции как несущественные.

Эта химера долгое время — полтора года — позволяла большевикам обходиться без собственных дензнаков. Изначально, в 1918-м, вспоминает большевистский Кольбер Е. Преображенский, по настоянию Ленина готовилась денежная реформа: старые дензнаки заменяются на новые, с социалистической атрибутикой, но обменять граждане имеют право лишь определенную сумму; все прочие — «нетрудовые» — накопления превращаются в резаную бумагу. По ходу, однако, решено было притормозить и потихоньку разбавлять старые деньги новыми, допечатывая царские рубли и керенки, — чтобы таким образом лишить буржуазию источника ее мощи, посеять в обществе недоверие к силе денег в целом. Пусть шнурки или фунт луку стоят 10 миллионов —

для государства ничего страшного, а психологически такой урок даже полезен для обывателя. Печатный станок, по меткой метафоре того же Преображенского, стал «пулеметом Наркомфина, который обстреливал буржуазный строй по тылам его денежной системы, обратив законы денежного обращения буржуазного режима в средство уничтожения этого режима и в источник финансирования революции».

Словом, в области финансов деятельность Ленина в самом деле напоминает осознанный лабораторный эксперимент: что будет, если продолжать использовать деньги, но относиться к ним пренебрежительно, как к временной мере, не стесняясь девальвировать свою валюту сверх всяких разумных пределов, так, будто деньги — атавизм, хотя на самом деле все понимают, что экономика устроена «на безденежно-плановых началах»: всё равно ведь страна сошла с орбиты, по которой движутся все «обычные» мировые экономики, городская торговля практически замерла. «Настоящие» деньги — золото — требовались лишь для внешней торговли, которой до открытия «эстонского окна» практически не было.

Мало кто вспоминает, что в январе 1918-го ленинская Россия объявила суверенный дефолт на 60 миллиардов рублей, аннулировав займы царской России и Временного правительства и госгарантии по займам; с этого момента Госбанк уже не мог легально торговать золотом на «официальном» рынке — конфисковали бы; собственно, вопрос царских долгов останется номером один до конца 1920-х — да и тогда не будет разрешен.

В 1920-м, когда стоимость рублей приблизилась к стоимости бумаги, большевистские экономисты всерьез обсуждали введение некой условной единицы, которая могла бы стать эквивалентом участия в экономической деятельности: «трудовая единица», «тред»; ею и расплачиваться с работниками. Попытки Ленина высмеять это начинание не зафиксированы.

Однако к 1921-му Ленин понял, что с экспериментом пора завязывать, — осознав возможности, которые открывает правительству сильная национальная валюта в ситуации, когда ваше государство признано другими и вы можете рассчитывать на внешнюю торговлю и кредиты. Мирон-«Лева» Владимиров рассказывал в 1925 году Н. Валентинову (к тому моменту не столько меньшевику-эмпириомонисту, сколько профессиональному экономисту), что Ленин перед смертью мечтал о «хорошем рубле, а не хламе в виде "совзнака"»: «Без твердой валюты НЭП летит к черту. В качестве одного из руководителей нашими финансами, нашей денежной системой, будьте, товарищ Лева, скопидомом, Плюшкиным. У нас во время военного коммунизма люди развратились, привыкли без счета, без отдачи залезать за деньгами в казну. Эта привычка не изжита, охотников "давай деньгу" у нас десятки тысяч. При напоре таких людей инфляция неизбежна и заменить совзнак твердым рублем мы не будем в состоянии. Не будьте мягкотелым поэтом, не слушайте болтовни людей, которые вам будут расписывать чудесное время военного коммунизма, презиравшего деньги».

Что касается отношений самого Ленина с деньгами после возвращения из эмиграции, то они были, что называется, глубоко платоническими. К лету 1917-го, если верить беллетризованной «декларации» Крупской, на счету супругов Ульяновых лежало 2000 рублей в Азовско-Донском банке — некое наследство Крупской то ли от матери, то ли еще от каких-то родственников. В августе Ленин испытывал сложности из-за того, что не мог в Финляндии приобретать русские газеты в необходимых количествах: курс рубля падал по отношению к марке. Зарплата же председателя Совнаркома составляла 500 рублей — на 200 рублей меньше, чем, например, у секретаря того же учреждения. Эта сумма также могла скорректироваться вниз: за получасовое опоздание на заседание Совета народных комиссаров взималось 5 рублей, более получаса — 10. Перед переездом в Москву, в марте 1918 года, Бонч, получавший как управделами 800, повысил Ленину оклад — и Ленин тотчас же объявил своему приятелю строгий выговор за нарушение декретов Совнаркома («Вас надо четыре раза расстрелять», как он выражался в таких случаях). Когда на Рождество 1917-го Ленин выехал в Финляндию, то по дороге понял, что у него нет финских денег; ему пришлось просить сопровождавшую его секретаршу достать где-то хотя бы 100 марок для носильщика и на прочие мелочи; та не смогла наскрести всю сумму, но что-то все же нашла — и по возвращении Ленин скрупулезно вернул ей деньги с запиской: «Финских марок Вам пока не посылаю, но я приблизительно подсчитал, что составляет это в русских деньгах, то есть 83 рубля, их и прилагаю».

Любопытную деталь приводит в своих воспоминаниях цюрихская знакомая Ленина Р. Харитонова, которая играла в тамошней большевистской ячейке роль казначея. Уже после октября 1917-го, положив в сумочку оставленную ей сберкнижку на имя Ульянова, она отправилась в известный ей цюрихский банк со странной миссией — объяснить клеркам, чьи деньги у них хранятся. Выполнив свое намерение, она столкнулась с вопросом: что именно ей хотелось бы сделать? Получить вклад и закрыть счет? Нет: «Я везу сберегательную книжку в Россию, а вклад пусть остается у вас. Не велик вклад, зато велик вкладчик. Именно это мне хотелось довести до вашего сведения». Клерки остались в изумлении; сумма вклада составляла 5 франков; немного, однако за сто лет на нее, несомненно, набежали проценты; и если бы Ленин, как герой «Футурамы», воскрес — не прямо сейчас, так еще через какое-то время — и предпринял усилия добраться до своих денег, то, верно, смог бы позволить себе путешествовать в свое удовольствие, не прибегая к внешним заимствованиям.

Чтобы осмотреть второй рабочий кабинет Ленина, нужно придумать предлог, как попасть на прием к губернатору: помещение не музеефицировано. Виден только коридор с охраной: при Ленине у окон секретариата стояли два пулемета, при них дежурили солдаты.

Ленин осознавал уникальность, головокружительность этого периода — и в своих выступлениях скромно обозначал его словосочетанием «триумфальное шествие» (с 25 октября 17-го по 11 марта 18-го). Для тех, кто главными «смольненскими» событиями полагает Брестский мир и разгон Учредительного, такая аттестация кажется идиотической или лицемерной; однако Ленин не фокусировался на них так, как позднейшие историки; и то и другое было элементами суперкризиса, в котором он чувствовал себя как рыба в воде — гораздо лучше, чем в Шушенском в 1897-м, где главным событием была удачная рыбалка. В ноябре 1918-го политическая конъюнктура менялась по несколько раз в неделю, и приходилось принимать решения, опираясь не на абстрактную правду/истину (например: плохо проигрывать в войне, быть оккупированными и платить контрибуции), а на сегодняшнее положение — которое не совпадает с завтрашним. Сегодня вы, в соответствии с большевистским принципом признания права наций на самоопределение, подписываете декрет о независимости Финляндии — но надеетесь на то, что завтра финский пролетариат поднимет восстание против своей буржуазии, затеет гражданскую войну, свергнет выцыганивший у Ленина «вольную» Сенат — и попросит включить Финляндию в Союз советских социалистических республик. Или не попросит — если белофиннам помогут немцы, которым Финляндия нужна как плацдарм контрреволюции. (История с «самоопределением» повторялась в самых разных изводах; хуже всего было не разнообразие форм, а регулярность: только за «Смольный» период, кроме Финляндии, из России вышли Украина (22 января), Бессарабия (24 января), Литва (16 февраля) и Эстония (23 февраля).) Коньком Ленина всегда был анализ ситуации с учетом противоречий в динамике; динамика меж тем состояла в том, что в это время большевизм — не как «течение», а как власть — распространялся из Петрограда во все концы бывшей Российской империи, а не съеживался, как в следующие несколько лет. Поэтому — «триумфальное»; каждый день у власти воспринимается как маленькая победа — и спортивное достижение: Ленин соревновался с Парижской коммуной — та продержалась в 1871-м 72 дня; Ленин в Смольном — 124, и дни эти не были растрачены зря. Ленину нравилось начинать предложения в докладах: «Первый раз в мировой истории мы...» В ноябре 1917-го самого Ленина едва не выдвинули на Нобелевскую премию мира: это предложение в Комитет по премиям внесла Норвежская социал-демократическая партия: «для торжества идеи мира больше всего сделал Ленин, который не только всеми силами пропагандирует мир, но и принимает конкретные меры к его достижению». Формально выдвижение не состоялось из-за опоздания — заявки принимались в начале года; в решении, однако, указывалось, что «если существующему русскому правительству удастся установить мир и спокойствие в стране, то Комитет не будет иметь ничего против присуждения Ленину премии мира на будущий год...».

Ситуацию с ноября по февраль—март можно определять апофатически — через отрицание, как период, когда много чего *не* происходит. Верхушке большевиков еще не приходится отступить вглубь страны, подальше от немцев; из Советов не изгнаны социалисты; большевики не проявляют чрезмерного аппетита к физическому истреблению своих классовых и политических врагов — и отпускают их под честное слово; ЧК не прибегает к внесудебным казням; еще нет катастрофического голода; не запрещена рыночная экономика; не начались ни полномасштабная гражданская война, ни прямая интервенция Антанты. Даже у самого Ленина, пусть на самое короткое время, создалось эйфорическое впечатление, что сопротивление буржуазии в целом подавлено, что эксцессы с Антантой, немцами и тлеющими там и сям очагами гражданской войны носят временный характер, что обваливание России по национальным окраинам можно повернуть вспять за счет их быстрой советизации, что в Германии может произойти революция по «спартаковскому» варианту.

Именно поэтому двадцать послеоктябрьских недель — когда Ленин еще не только титан в области государственного управления, охотно демонстрирующий всем желающим бульдожьи и бульдозерные черты приписывавшегося ему политического стиля, но и новичок, первоклассник, политический желторотик, только-только встающий на ноги, — наиболее любопытный период его государственного творчества: несмотря на отвратительные стартовые условия и перманентные катастрофы по всем направлениям, у него оставались возможности не только действовать реактивно — как позже, в эпоху военного коммунизма, когда сфокусироваться на укреплении государства стало насущной необходимостью. Надежда — или опьянение революционным эфиром — позволила Ленину экспериментировать в практике «быстрого социализма», попутно укрепляя силовые структуры, чтобы защитить революцию от буржуазии.

Собственно, этот просчет — сделанный лишь перед самым Новым годом прогноз, что «восходящий тренд» уже в январе исчерпает себя и сменится противоположным, что «не только острота (гражданской войны) изменится, но изменение это таково, что количество (изменений) перейдет в качество», — и делает Ленина в высшей степени аттрактивным; в конце 17-го — самом начале 18-го он похож не только на шахматиста, но еще и на художника из кабаре «Вольтер», рисующего живьем, экспромтом, прямо на телах. Особенно завораживает то, что это была практическая деятельность в мире борхесовских классификаций — в мире со странной топологией, деформированных общественных структур, заклинившихся друг о друга плоскостей; когда приходилось оперировать одновременно целыми классами, отдельными людьми, фронтами, представителями профессий, партиями; когда политический характер приобретали сугубо бытовые вопросы.

Мы видим, как Ленин пытается организовать сырой материал реальности в тот момент, когда та кипит, бурлит, ферментирует, стихийно преобразуется; когда утренние новости каждый день «хуже», чем вчера, — зато есть динамика, и в целом «массы за нас». Импровизация, импровизация и импровизация; смена стратегий — то «опора на стихию», то апология строжайшего контроля; пора самодеятельности, кустарничества, когда всё на ходу, на коленке — выданные мандаты, назначения на высшие государственные должности, расправы и примирения с противниками.

Эффективность первых декретов советской власти остается под большим вопросом, однако даже в качестве деклараций о намерениях они воспринимались как перформативы: там, где все другие продолжали бы по объективным причинам дискутировать про и контра, Ленин решительно ставил конкретную цель, сформулированную на языке юриспруденции. Это, замечает Осинский, первый председатель ВСНХ, давало массам — «в моменты массового штурма на капитал» — «духовный толчок», «развязывало им руки». Набросанный Лениным на коленке Декрет о мире действительно изменил ход войны — хотя сам мир был заключен через много месяцев; это классический пример, но иногда то же происходило и с другими законами. «Только "демократический" кретин Каутский может думать, что "смешно" сперва объявлять национализацию производства, а потом проводить ее на деле». Ленин также в своих текстах и выступлениях с одинаковой брезгливостью относится и к «революционной фразе» («умрем-но-красиво») — и к «позорному отчаянию».

Жанр «один день из жизни X» будто нарочно придуман для рассказов о Ленине; в его биографии можно найти десятки, сотни коротких временных отрезков, по которым отчетливо ясны масштаб личности, размах деятельности, груз ответственности и все такое. Однако и среди них выделяется серия сюжетов, начавшаяся утром 31 декабря 1917-го и закончившаяся в ночь с 1 на 2 января 1918-го. Это удивительная феерия кризисного менеджмента — замеченная, конечно, знатоками вопроса; полвека назад Савва Дангулов сочинил по мотивам «дела Диаманди» сценарий для замечательного — может быть, лучшего из всех о Ленине (его играет там, странным образом, И. Смоктуновский) — фильма «На одной планете»; но и там не хватило места для всего.

Утро 31 декабря для Ленина началось с известия о том, что румыны, решившие урвать у оказавшейся в сложных условиях России кусок — Бессарабию, разоружили целую дивизию русской армии, возвращавшуюся из боев, конфисковали имущество, а главное, арестовали и расстреляли большевиков. В ответ Ленин, не мешкая, предпринимает беспрецедентный, скандальный для «цивилизованного общества» шаг — приказывает арестовать румынского посла Диаманди: и его, и весь наличный состав посольства — в Петропавловку, и ультиматум: немедленно освободить русских солдат. Посол — член своей корпорации, и уже через несколько часов целая группа дипломатов присылает председателю Совнаркома — которого до того по большей части игнорировали как несуществующую инстанцию — решительный протест, причем выглядящий скорее как угроза, чем обиженное всхлыпывание. В ответ Ленин довольно щелкает пальцами: он давно пытается наладить с дипкорпусом отношения; всей «оппозиции» он предлагает явиться к нему на прием — завтра.

Вечером — а это канун Нового года — верный своей привычке присутствовать на околопартийных суаре с молодежью, возможно, чтобы отвлечься от неприятных мыслей о предстоящей ему неравной битве со всем дипкорпусом, Ленин с Крупской (пока еще скромной чиновницей; в Москве она станет председательницей Главполитпросвета) неожиданно для всех приезжает на Выборгскую сторону, в зал бывшего Михайловского артиллерийского училища на «общерайонную встречу Нового года». Юноши и девушки, танцевавшие вальс, остолбенели от такого визита; быстро сообразив что к чему, они грянули Интернационал — в тысячу глоток. Знают ли те, кто выступает сейчас перед боем курантов по телевизору с «новогодним телеобращением», что, по-видимому, именно от этой экскурсии Ленина к молодым рабочим пошла традиция новогодних поздравлений главы государства в жанре: «это был важный год, и новый тоже станет годом испытаний»? Визит продлился недолго — Ленин находился не в том состоянии, чтобы гулять всю ночь; да и знаки внимания, которые оказывали Ульяновым, — папиросы, приглашения потанцевать — смущали его излишней назойливостью. В фильме 1965 года Ленин утром 1 января едет в МИД, где обнаруживает замещающего соответствующего наркома (не названного Троцкого) кронштадтского матроса Маркина — того самого, который действительно состоял при Троцком и действительно был «нечто вроде негласного министра»; именно он, между прочим, организовал публикацию тайных дипломатических договоров царской России (шаг, подозрительно напоминающий реализацию каких-то, еще дореволюционных договоренностей, потому что, как замечает исследователь Фельштинский, «секретные договоры, имевшие отношение к мировой войне, были, естественно, заключены Россией с Францией и Англией, а не с Центральными державами, последние, конечно же, оставались в выигрыше»). Вместе с колоритным матросом, который до прихода председателя Совнаркома развлекается стрельбой в помещении из присланного ему «максима», Ленин готовится к встрече с послами; в реальности ассистировать Ленину будет не Маркин, а кое-кто еще.

К четырем часам дня в Смольный съезжаются автомобили с послами. Ленин ожидал их у себя в кабинете; при нем находились старорежимный мидовский работник в качестве переводчика с английского и французского и — Сталин. Эти двое помалкивали: первый — потому что Ленин сам прекрасно справлялся с иностранными языками, второй — потому что Ленин справлялся и с дипломатией в целом. Холодно поздоровавшись с дипломатами, Ленин выразил свое восхищение тем, что послы, которые ранее не желали и слышать о Смольном, не задумываясь, явились в обитель зла, лишь только зашла речь о нарушении иммунитета их коллеги; ради своих солдат они и пальцем не пошевелили. Послы оценили иронию, но они пришли сюда, чтобы поставить Ленина на место, а не наоборот. Дуайеном тогдашнего дипкорпуса был американский посол, он и вручил Ленину ноту; тот объяснил, что арест — мера вынужденная, единственно доступный большевикам ответ на недружественный акт по отношению к своим законным представителям. Если американский посол соблюдал по крайней мере такт и всего лишь наотрез отказался дать Ленину гарантию невступления Румынии в войну, то посол Франции принялся Ленина поучать: что можно, а что нельзя в дипломатии; затем к атаке подключился сербский посол Спалайкович — именно он в 1914-м втянул Россию в войну, именно он в июле 1917-го пытался организовать покушение сербов на Ленина, а во Вторую мировую, разумеется, сам стал коллаборационистом. Сначала он принялся поносить большевистских бандитов, предавших славян, а затем заявил Ленину ни много ни мало: «Je vous crache a la figure» («Я плюю вам в лицо»). Ленин, по воспоминаниям английского дипломата Линдси, остался спокоен, опустился в кресло и ответил: «Eh bien, je prefere ce langage au langage diplomatique» («Ну что ж, я и сам предпочитаю такой язык языку дипломатическому»)*. На этом получасовая встреча закончилась; Ленин сухо пообещал обсудить предложение освободить Диаманди на Совнаркоме; соль была не в том, чтобы наказать Румынию — разумеется, Ленину не нужна была еще и война с Румынским королевством, а в том, чтобы дать понять: Советская Россия не позволит обращаться с собой как с тряпкой — и продемонстрировать это не только Румынии, но и — через послов — великим державам.

---

* Цит. по: *Быков А. В.* Фрэнсис Линдли: Британский дипломат и русская революция.

В дверях Смольного с послами сталкивается еще один иностранец — Фриц Платтен, тот самый, что провез Ленина через Германию. Ленин зовет его с собой — ему надо выступать в Михайловском манеже, на митинге перед отправкой на фронт бойцов новой армии. Привычно взобравшись на специально загнанный внутрь манежа «ораторский» броневик, Ленин произнес стандартную получасовую речь о том, что социализм не за горами, революция выдюжит и в целом дела налаживаются. По словам другого оратора — американского журналиста А. Вильямса (товарища Джона Рида), эта речь Ленина, в отличие от всех прочих, была не слишком убедительной: видно было, что он не мог сказать людям, отправляющимся на фронт, ничего внятного: шло перемирие, в Бресте бодалась с немцами и австрийцами делегация во главе с Троцким, и Ленину больше нужен был мир, чем храброе поведение этих людей в окопной драке с немцами. Вильямс утверждает, что речь Ленина не поняли; Суханов, слышавший Ленина раз сто, замечает, что после октября Ленин «выгорел» как оратор. Сам Ленин, что характерно, тем же вечером в разговоре с норвежским социалистом признается: «Я больше не оратор. Не владею голосом. На полчаса — капут». И все же, похоже, эта осечка была исключением — потому что, как мы увидим, обычно речи Ленина производили на менее искушенную аудиторию глубочайшее впечатление (и Джон Рид, к примеру, называет реакцию на публичные появления Ленина «человеческой бурей»). Испытав желание подставить плечо уставшему русскому политику, Вильямс сам карабкается на броневик. Ленин предлагает поработать переводчиком, но Вильямс — не столько турист, сколько экспат (уже семь месяцев в России, и каких!) — отважно отказывается: «ya budu govorit' po-russki!» «Ленин пришел в восторг. Глаза его засверкали, и все лицо озарилось смехом, мимические морщины собрались, он стал похож на гнома, а не на эльфа, из-за высокого лба и лысеющей головы». Вильямс был не дурак и начал со здравиц России и шутки, вызвавшей приступ хохота как у публики, так и у Ленина: «Русский язык — очень сложный. Когда я пытался говорить по-русски с извозчиком, он подумал, что я говорю по-китайски. Даже лошадь немного испугалась». Похвалив Вильямса — которому пришлось-таки суфлировать (подсказать слово «вступить» — *enlist*, когда Вильямс объявил о своей готовности самому вступить в Красную армию), — Ленин, во-первых, попытался экспромтом организовать Интернациональный легион («Один иностранец может сделать многое. А может быть, вы сумели бы найти еще кого-нибудь?» — и написал записку главнокомандующему Крыленко с требованием содействия), а во-вторых, дал ему первый урок по своему методу изучения иностранного языка и пообещал следующий (и сдержал его 5 января в Таврическом, на открытии Учредительного), после чего сел вместе с Платтеном и Марией Ильиничной в автомобиль и укатил.

А еще через минуту так и не состоявшийся легионер (позже, давая показания о революции в Сенате, Вильямс заявил, что Америке выгодно признать и поддерживать Советы, потому что «при советском правительстве промышленная жизнь будет развиваться намного медленнее, чем при обычной капиталистической системе» — и индустриальная Америка таким образом защищает себя от риска возникновения сильного государства-конкурента») услышал три выстрела.

Еще за несколько недель до этого вечера, сообщает Вильямс, они с Ридом рассказали знакомым большевикам о том, что предложение одного их знакомого коммерсанта заплатить миллион за убийство Ленина спровоцировало в буржуазной среде едва ли не аукцион: каждый готов был заплатить больше, чем в предыдущей ставке, — и немудрено: уже в декабре 1917-го Ленин рекомендовал отправлять арестованных миллионеров-саботажников на принудительные работы в рудники. Настоящая охота на Ленина начнется уже после закрытия Учредительного — и вести ее будут профессионалы-эсеры с большим опытом индивидуального террора. Альтернативой «быстрому» убийству был захват в заложники и увоз с последующим выставлением требований; за его автомобилем следили, расспрашивали караульных и шоферов. Особенно сложным окажется момент переезда Совнаркома в Москву — в марте. Эвакуировать Петроград — правительство и стратегически важные промпредприятия — собиралось еще осенью, после взятия немцами Риги, Временное правительство; слухи о бегстве подняли волну возмущения в пролетарских районах — все понимали, что город достанется либо военным, либо действительно немцам — и не важно, кто именно из них «продезинфицирует» столицу от большевиков. В марте 1918-го Ленин, возможно, и не был стопроцентно уверен, что немцы возьмут Петроград, и опасался скорее расформированной Красной гвардии и гнева возмущенных рабочих — но в любом случае управлять страной следовало из центральной области, подальше от дамоклова меча, и Кремль для террористов был более сложной мишенью, чем Смольный. Официально Совнарком постановил: переезжаем 26 февраля. На подготовку дали две недели, за которые надо было заключить Брестский мир и созвать чрезвычайный съезд партии для его ратификации. Отъезд вечером 10 марта сопровождался эксцессами: машинисты, запуганные угрозами эсеров взорвать паровозы, отказывались вести поезда; эсерка Коноплева караулила Ленина на платформе станции Цветочная площадка с пистолетом — но охрана Ленина перехитрила потенциальных убийц; те проморгали момент отъезда.

Но по-настоящему повезло Ленину все же именно 1 января, после выступления с Вильямсом. Выстрелы, которые услышал американец, как раз и были первым покушением на Ленина — в котором пострадал Платтен и в котором участвовал Герман Ушаков, тот самый, что решил не бросать бомбу и спас Ленина. По-видимому, то был не единственный случай: если бы Ленин окопался в Смольном и совсем не показывался на людях, то его рано или поздно убили бы зимой 1917/18 года во время конспиративных перемещений по городу; участие в митингах было крайне опасным — однако выступая, он таким образом демонстрировал себя и противникам — и, похоже, умел сказать что-то такое, после чего те опускали оружие; несколько раз потенциальные убийцы в последний момент сами являлись с повинной.

Однако и отправкой окровавленного Платтена в госпиталь бесконечный день не закончился. В восемь вечера Ленин как ни в чем не бывало ведет в Смольном заседание Совнаркома, где обсуждает инцидент с послом, вопрос аннулирования госзаймов и создания ревтрибуналов. Затем — фестиваль иностранцев в разгаре — к нему является член французской военной миссии, приятель Троцкого, «неофициальный посол» и неплохой мемуарист Садуль; точек для соприкосновения не найдено, воевать за Антанту Ленин не хочет; но рабочие контакты следовало налаживать, и Садуль, по крайней мере, фиксирует для себя, что Ленин не похож на человека, работающего на немцев. Уже за полночь Ленин отправляется в смольненскую столовую выпить чаю с норвежским социалистом, десять лет назад помогавшим РСДРП возить нелегальщину (а через десять лет — активнейшим коминтерновцем); среди прочего, Ленин признается ему в утрате ораторских способностей и двух заветных желаниях: «иметь голос Александры Коллонтай» и «полчасика вздремнуть». Третий час ночи — и тут Ленин вспоминает про проклятого Диаманди; отпускайте, звонит он в Петропавловку, румын, «заявив им, что они должны принять все меры для освобождения окруженных и арестованных русских войск на фронте»; а вдогонку отправляет еще одну записку: «взять, при их освобождении, расписку, что это заявление им сообщено».

Занавес.

Техника Ленина состоит в том, чтобы использовать не только попутный, но любой, даже встречный ветер в своих парусах. Идет война, отваливаются территории — значит, надо представить большевиков как единственную силу, которая сможет демобилизовать исчерпавшую свои возможности армию организованно — и выстроить заново другую. Нет денег, банковская система не работает — ну так нужно консолидировать то, что есть, избавиться от токсичных активов — и выстроить принципиально новую финансовую систему, которая должна стать прочнее прежней. Не хватает компетентных специалистов, не хватает средств и времени всех самому контролировать — значит, надо пробовать некомпетентных, да, будут ошибаться — но а как иначе? Как говорил давнишний чемпион мира в «Формуле-1» Марио Андретти, «если тебе кажется, что всё под контролем, то ты недостаточно быстро едешь». С какой скоростью перемещался Ленин, мы видим.

Сейчас это трудно понять, но в этих отношениях творца и творения участвовали обе стороны — не только Ленин (верящий в самодеятельность масс и/или ставящий свой вдохновляющий/злокозненный эксперимент), но и массы. И массам нравилась возникающая при этом алхимия; массам — которые на самом деле совершили революцию, которыми никто раньше не занимался и которых никто не спрашивал, хотят ли они строить капитализм, — тоже доставляло удовольствие участвовать в этом творческом акте, в пьесе, в Большой Истории; они испытывали благодарность за то, что оказались «перед камерами» Истории, получили свои «15 минут славы». Революция и революционное преобразование принадлежали не только Ленину и большевикам, но и им, массам. Так, по крайней мере, казалось поначалу; и в особенности — в эти уникальные первые месяцы, когда, придавая социальной стихии некое общее направление, Ленин и сам не понимал, к чему удастся прийти раньше: к государству с четкими границами и вертикалью власти — или к идеальному политическому состоянию, коммунизму. О вере Ленина в быстрое переформатирование общества можно судить по его редкому публично высказанному — в начале 1918 года — прогнозу о том, что текущий исторический период продлится лет десять; 1 мая 1919-го он заявил, что большинство присутствующей молодежи «увидят расцвет коммунизма». «Ничего, Анатолий Васильевич, потерпите, — сказал он Луначарскому примерно в это же время, — когда-то у нас будет только два громадных наркомата: наркомат хозяйства и наркомат просвещения, которым даже не придется ни в малейшей мере ссориться между собою»; в сущности, это и есть идеал государства по Ленину — платформа, на которой экономические субъекты договариваются друг с другом, и система образования. Вся прочая деятельность — от охраны правопорядка до культурной политики — делегируется гражданам.

Однако безудержная ненависть оттертых от власти социалистов и отсутствие средств массовой информации, способных адекватно транслировать идеи Ленина, приводили к тому, что противники и обыватели судили о нем либо по газетным нападкам, либо по слухам. Социалистам меньшевистского направления — западнической интеллигенции, вроде Горького и Мартова, — Ленин представлялся не рачительным хозяином, но отвратительным мотом, который «расходует» и без того немногочисленный в России сознательный пролетариат, рекрутируя из него кадры для армии, ЧК, административных структур — одновременно «разрушая» промышленность; место воспитывавшегося десятилетиями пролетариата в России занимает выварившаяся в фабричном котле «чернь», темные фабзавкомовцы, вчерашние крестьяне, с которыми страна оказывается дальше от Европы, чем при царизме. В январе 1918-го Горький заявил, что Ленин использует элиту русского пролетариата как горючий материал, чтобы, спалив его, зажечь европейскую революцию. Демонизация Ленина привела к тому, что любое кровопролитие, любые убийства — от расстрела демонстрации за Учредительное в Калуге до зверского линчевания матросами политических противников Ленина кадетов Шингарева и Кокошкина — приписывались приказам из Смольного, отданным лично Лениным (на самом деле кадетов убили матросы-анархисты с корабля «Чайка», «в отместку» за царские репрессии; Бонч-Бруевич, председатель комиссии по погромам, провел расследование, установил виновных, хотя они так и не были наказаны). Гражданская война никогда не была для Ленина абсолютным табу — просто потому, что воспринималась не как «братоубийственное самоистребление», но как систематическое использование оружия одним классом против другого, как конфликт двух разных государств — старого и нового, красной звезды против двуглавого орла, республики рабочих против государства царизма и демреспублики буржуазии (и крестьянства, если угодно; буржуазия могла вовлекать любые классы в войну против Советской республики). «Ибо в эпоху революции, — это, правда, уже Ленин образца середины 1918-го, — классовая борьба неминуемо и неизбежно принимала всегда и во всех странах форму гражданской войны, а гражданская война немыслима ни без разрушений тягчайшего вида, ни без террора, ни без стеснения формальной демократии в интересах войны». Однако в первые — «смольненские» — месяцы совсем уж массового террора не было; не были арестованы даже Алексинский и Бурцев, которые в июле 17-го организовали кампанию «Ленин — немецкий шпион»; мало того, жена Алексинского, относившаяся к Ленину с еще большим отвращением, чем ее муж, вспоминает, что Ленин, через общих знакомых, в 1919-м звал Алексинского на работу.

Редко вспоминают, что один из первых декретов за подписью Ленина — наряду с декретами «О мире» и «О земле» — подтверждал, что большевики обязуются провести выборы в Учредительное в срок, 12 ноября. Трудно сказать, уверен ли был Ленин заранее, что «Учредилку» придется разгонять силой — как это и произошло 6 января, однако ясно было, что большинство там будет эсеровским, и такой «Хозяин земли русской» Ленина не устраивал. Он не испытывал вообще никакого пиетета перед этой институцией, по его мнению, бесполезной и неоригинальной; очередная говорильня, которая превратится в инструмент власти буржуазии над пролетариатом. Участие в выборах большевиков – и самого Ленина – происходило по инерции, для того чтобы соблюсти декорум. Запретить выборы в стране, где девять месяцев из каждой глотки доносилось, что Собрание – аналог Второго пришествия, было политическим самоубийством.

В отличие от Керенского, обещавшего выборы сначала 8 июня, потом 17 сентября, Ленин не стал затягивать организацию выборов. Большевики получили чуть меньше четверти голосов: ничего сенсационного, ровно столько, сколько и можно было набрать пролетарской партии в крестьянской стране, ведущей войну с теми, чьими шпионами они еще несколько месяцев назад назывались. Пристрастные наблюдатели интерпретировали результаты выборов как вотум недоверия большевикам: три четверти населения недовольны переворотом; тем глубже было то презрение и омерзение, которое испытывал Ленин к этой «буржуазной» институции; по крайней мере, ясно, где теперь находится центр контрреволюции. Внимание Ленина, впрочем, привлекли результаты по Петрограду – похоже, здешний пролетариат поддерживает имеющую две с половиной недели от роду власть и полагает ее легитимной; и раз на массы можно было положиться – следовало решительнее продолжать распространять большевистскую власть на регионы, попутно дискредитируя идею Учредительного собрания.

Однозначная победа эсеров давала им негласное право начать против «узурпаторов» открытую гражданскую войну. К счастью для Ленина, они колебались, брать ли на себя такую ответственность. С этим была связана и официальная, принадлежащая Ленину версия объяснения заведомой никчемности – и, стало быть, нецелесообразности – состоявшегося предприятия: значительная часть эсеров – левые – шли в общем эсеровском избирательном списке, но в постоктябрьской реальности откололись и вовсю участвовали в большевистском правительстве. Раз так, правые эсеры украли голоса левых эсеров – которые должны были отойти большевикам; выборы – по сути, не вполне легитимны.

На протяжении полутора месяцев после выборов большевики открыто «троллили» Учредительное – разговоры о том, что это кадетский проект, усилились: зачем Учредительное, когда есть подлинно пролетарские и справляющиеся с функцией управления Советы? И чем доводить до роспуска, может быть, сразу назначить перевыборы? Ленин, публично сомневавшийся в целесообразности работы Собрания с участием буржуазных партий, требовал жестких мер: объявить прошедших в депутаты кадетов вне закона, назначить перевыборы, уменьшить возрастной ценз; в ноябре с подачи Ленина Совнарком принимает откровенно издевательский декрет о том, что Советы могут отзывать депутатов Учредительного, не разъяснив, какая связь между Советами и избирателями; на практике это не работало. Весь конец ноября и декабрь Ленин проводит серию личных встреч с руководителями левых эсеров, внушая им идею поддержать разгон Учредительного — которое наверняка превратится в витрину контрреволюции. Эти маневры не составляли секрета для газет: все понимали, что Ленин хоть и выбран членом Собрания (от армии и флота Финляндии, если кому-то интересно), но на деле — его противник; ясен был и механизм низложения: подменят его фальшивым съездом Советов. Депутатская неприкосновенность? Да, большевики теоретически готовы терпеть некоторую фронду на заседаниях — но никак не публичную политическую борьбу против себя.

Тем не менее мало у кого, даже среди большевиков, хватало авторитета, чтобы публично усомниться в эффективности фетишизированной институции. Именно поэтому Ленину самому приходилось участвовать в публичных атаках на Учредительное — сначала, сразу после выборов, на съезде крестьянских депутатов, затем собственно 5 января 1918 года. По любому поводу Ленин апеллировал к Советам и стращал ими Учредительное. Это бессовестное пренебрежение Ленина к Собранию усугубило его, Ленина, демонизацию — и провоцировало на решительные действия террористов — как организованных, вроде правоэсеровских и вернувшихся с фронта обиженных офицеров, так и одиночек, желавших убить Ленина.

5 января, в день открытия Учредительного, Ленин тоже поехал в Таврический (с браунингом в кармане пальто, который он благополучно забыл в гардеробе) — но пробыл там недолго, а уже на следующее утро, корчась от истерического смеха, выслушивал историю про «караул устал» — как председатель эсер Чернов подчинился матросу Железняку и... просто ушел домой. Знал Ленин и о том, что Красная гвардия и солдаты расстреляли демонстрацию в поддержку Собрания, в которой участвовали тысячи петроградских рабочих.

А уже вечером 6 января «Правда» взахлеб проклинала эсеровских депутатов: «холопы американского доллара» и «враги народа». Все эти события поспособствовали закреплению в массовом сознании мысли, что большевики не остановятся ни перед чем и планируют править «всерьез и надолго».

Задним числом представляется, что именно благодаря бескомпромиссности Ленина Россия так и не обзавелась «демократической» — заведомо не естественной для своей культуры и географии — институцией, к которой страна была тотально не готова — как технически, так и идеологически; учреждением, которое, даже если и согласилось бы закончить войну, было недостаточно мобильным — и, скорее всего, просто увязло бы в дискуссиях, став еще одним очагом гражданской войны и продолжая попутно снабжать пушечным мясом фронт войны империалистической. Собственно, председатель Учредительного собрания Чернов работал и во Временном правительстве – и уже там продемонстрировал свои таланты.

О том, что Ленин мыслил принципиально иными категориями – и действовал иными способами, нежели Временное правительство (и, скорее всего, чем любой «обычный» политик), можно понять по той эволюции, которую пережила армия. Ленин ведь не просто назначил главнокомандующим прапорщика Крыленко вместо генерала Духонина; штука в том, что к тому моменту находящаяся в состоянии войны армия была деморализована, целые фронты разваливались, солдаты не слушались офицеров и штурмовали поезда, идущие на восток; сам Духонин, даже и не оказавший сопротивления «карательной экспедиции» Крыленко, был выволочен из крыленковского вагона своими же пьяными солдатами и убит (отсюда не лишенное мрачной экспрессивности выражение «отправить в штаб к Духонину»). Даже и при таких условиях мало нашлось бы в мире руководителей, которые стали бы не укреплять – как Керенский – дисциплину и применять высшую меру, а, наоборот, распустили бы армию – воюющую! Именно это, однако, и сделали Ленин с Троцким; трюк состоял в том, чтобы не просто «отменить» армию – но именно организованно демобилизовать ее. Ленин пошел на этот немыслимый шаг потому же, почему в 1902-м не хотел брать в партию профессора египтологии: нужна была организация, способная передавать и выполнять приказы, а не стадо, пусть даже единомышленников; лучше маленькая структура, ориентированная по вертикали, – несколько полков стопроцентно лояльных латышских стрелков, чем большая и опасная в силу самой стихийной своей природы ризома. И уже в январе 1918-го Ленин выпускает декрет о формировании Рабоче-крестьянской Красной армии – теперь уже на добровольных принципах, с учетом классовой принадлежности, с рекомендациями. «Мы оборонцы с 25 октября 1917 г. Мы за "защиту отечества", но та отечественная война, к которой мы идем, является войной за социалистическое отечество, за социализм как отечество, за Советскую республику как отряд всемирной армии социализма». И когда весной 1918-го все-таки придется ввести всеобщую воинскую повинность (из-за интервенции), это будет несколько иная армия; не с нуля, конечно, выстроенная, но другая.

В чем разница? Удачный ответ на этот вопрос Ленину посчастливилось подслушать, странным образом, в общественном транспорте. Дело в том, что перед Новым годом председатель Совнаркома, в свойственной ему манере, вновь стал нащупывать в кармане кольцо невидимости. Время для неожиданного исчезновения было подобрано ювелирно – рождественские три дня, делегация переговорщиков с немцами только что выехала в Брест –

и планировала там как следует потянуть резину, не подписывая никакие судьбоносные документы; до открытия Учредительного собрания оставалось почти две недели. Финляндию в качестве направления для каникул посоветовали А. Коллонтай и Я. Берзин: примерно на полпути между Петроградом и Выборгом есть чахоточный санаторий «Халила», до революции принадлежавший непосредственно царской семье (одна из великих княгинь даже вытребует потом с Финляндии компенсацию за реквизицию — 15 тысяч фунтов). Компетентный медперсонал, отдельный комфортный коттедж, конка-трамвай на территории, телефон. Безопасно ли? Сам Ленин на днях подписал в Смольном «вольную» Финляндии; страну формально пока контролировали большевики во главе со Смилгой; где-где, а там Ленина не тронут. Сейчас санаторий называется «Сосновый бор», и экономика этого места больше не заточена под оказание медуслуг, как в начале XX века, когда вся деревня работала на богатых пациентов из России; корпуса подобветшали, и часть территории занимает подворье, где под надзором священнослужителей разводят страусов и новозеландских козлов. Ленина сопровождали НК, Мария Ильинична, Рахья и два переодетых красноармейца; Коллонтай, зная, что у Ленина нет ничего, кроме пальто, в котором он приехал из Швейцарии, а на улице мороз, прислала Ульяновым к вагону три шубы и три ушанки — во временное пользование, со склада наркомата (Ленин вернет их «с благодарностью и в полной сохранности»: «они нам очень пригодились. Нас захватила снежная буря. В самом "Халила" было хорошо»). Ехали в обычном вагоне — и вот там-то от какой-то финки-старушки он и подслушал фразу, которую затем часто цитировал на выступлениях перед разного рода военными людьми — от новобранцев до командующих фронтами, объясняя, чем Красная армия должна отличаться от царской. «Раньше бедняк жестоко расплачивался за каждое взятое без спроса полено, а теперь, если встретишь в лесу солдата, так он еще поможет нести вязанку дров». «Теперь не надо, говорила она, бояться больше человека с ружьем».

В целом финские старушки не были основным источником, из которого черпал мудрость Ленин; обычно несколько чаще он цитировал Гегеля, в частности, тезис о том, что истина всегда конкретна; в данном случае существенно, какого именно человека с ружьем можно было встретить в начале 1918 года на Карельском перешейке. К глубокому сожалению, все шло к тому, что человек этот окажется в германской полевой форме — и заломит за не принадлежащее ему полено столько, что старушке вряд ли хватит на билет на поезд. Несмотря на обещания — и усилия — большевиков, России не удавалось выйти из империалистической войны «без аннексий и контрибуций»; и именно за дни, проведенные в прогулках вокруг «Халила», где у него выдалось несколько часов на размышления без смольненской суеты, Ленин пришел к шокирующему выводу, что надежды на скорую революцию в Германии политически вредны и мир надо заключать прямо сейчас, пусть даже с аннексиями.

Есть основания полагать, что Брестский мир закрепился в массовом сознании как «самый драматичный эпизод ленинской биографии» прежде всего за счет вошедшего в позднесоветскую интеллигентскую поп-культуру драматургического произведения М. Шатрова — которое сначала было экранизировано (фильм «Поименное голосование» из цикла «Штрихи к портрету Ленина»), а затем поставлено в театре Вахтангова. Прячущий за ехидством титаническую внутреннюю борьбу Ленин в исполнении конгениального Михаила Ульянова, несомненно, переживал величайшую моральную катастрофу (казавшуюся еще более жуткой из-за мелкотравчатости его политических партнеров: тонкогубого позера Троцкого — В. Ланового и недостаточно компетентного в качестве руководителя Бухарина — за которого мельтешит А. Филиппенко). Шатров рассказывает историю про мучительный выбор Ленина между плохим и очень плохим решением: потерять треть России и репутацию — или сохранить революцию. Шатровский Ленин только делает вид, что знает решение: он колеблется, и эти колебания разрушают его изнутри; он такой же человек, как все, — но наделенный уникальной силой, позволяющей ему сохранять невозмутимость там, где все вокруг визжат от нутряного ужаса.

В целом смысл — и урок — ситуации транслирован точно: большинство товарищей Ленина были недостаточно реалистами — либо пали жертвой «революционной фразы», как Бухарин, либо изворотливости, как Троцкий со своей эффектной, отчеканенной, по Шатрову, сразу для того, чтобы войти в историю, но в практическом плане бессмысленной формулой: «Ни мира, ни войны»; и только Ленин — которому, разумеется, так же обидно отдавать территории, бросать Советы на Украине и в Прибалтике, оставлять перспективных в плане революции поляков на произвол судьбы и предавать революцию в Германии — долдонит, что надо подписывать капитуляцию сегодня, на любых условиях — потому что завтра будет еще хуже. Его диалектический анализ оказывается точнее, чем чей-либо еще; он гениальный аналитик — а «левые коммунисты»-интеллигенты — пустомели и пустолайки, которые скрывают за своей нервической активностью боязнь принять ответственность.

Несмотря на то, что в пьесе нет ничего, кроме разговоров, произведение держит интеллигентную публику в напряжении — достаточном, чтобы а) позволить убедить себя в необходимости усвоить горький урок: мягкотелость гибельна, хвост надо резать сразу, а не по частям; б) воспринимать шатровскую интерпретацию событий как стопроцентно достоверную — и поверить хотя бы и в то, что в принятии решений по этому вопросу участвовала

И. Ф. Арманд — которая, как и многое другое, интегрирована в список действующих лиц для пущего драматизма: видимо, чтобы подчеркнуть внутреннюю раздвоенность Ленина, усугубить тлеющий в нем конфликт долга и страсти, чести и прагматизма, морали и целесообразности; между прочим, Инесса Федоровна действительно в какой-то момент оказывалась в поле зрения Ленина — приехав из Москвы в Петроград на ноябрьский съезд крестьянских депутатов.

Есть меж тем и другой источник сведений об обстановке, в которой обсуждался мир. 6 марта в Таврическом дворце открылся «экстренный» (еще бы, немцы вот-вот Петроград возьмут) блицсъезд РСДРП, наполовину посвященный ратификации заключенного три дня назад в Бресте мира; теоретически съезд победителей, на практике он проходил в условиях конспирации, за закрытыми дверями Таврического, втайне от союзников и немецких шпионов. Опубликованные лишь в 1923 году стенограммы включают в себя дискуссии — да, небезынтересные, однако и близко не похожие по накалу на те, что были, к примеру, на II съезде или Женевской конференции Заграничной лиги. Шатров, к своей чести, выжал из этих протоколов всё, что можно. Но сами документы свидетельствуют о том, что он намеренно «передраматизировал» ленинские муки выбора — и гиперболизировал значение этого эпизода для отечественной истории в целом.

Суматоха вокруг Брестского мира, по сути, была явлением того же рода, что биржевая паника. Дело в том, что всю осень и начало зимы на политической бирже наблюдался бурный рост — обозначаемый Лениным словосочетанием «триумфальное шествие советской власти»: гражданский блицкриг выигран у Керенского, Краснова и Каледина киндерматом, большевизм распространяется едва ли не до Камчатки. При этом Ленин прекрасно понимает, что этот рост, в некотором роде, неестественный — и происходит только потому, что «империалисты» слишком заняты друг другом; в какой-то момент щель между германо-австрийским и англо-американским капиталом, куда проскальзывали большевики, сомкнется и «хищники» непременно вонзят зубы в абсолютно беззащитную большевистскую Россию. Тактика, спускавшаяся большевиками сверху в армию, выглядела и впрямь идиотической или предательской — во время «перемирия» солдатам предлагалось самим осуществлять «народную дипломатию» — идти «брататься»; на практике это означало разрушение защитных линий, допущение в расположение российских войск немцев — которые за здорово живешь проводили развед-действия и еще больше разлагали армию, и так деморализованную политическим хаосом в тылу; военный нарком Крыленко рассказывал Ленину о том, что не то что фронта нет — солдаты немцам пушки продают. Мир на немецких условиях можно было оттягивать, только пока немцы были отвлечены; но если революция в Германии не случится — а похоже, на такой сценарий лучше было не рассчитывать, — то на биржах неминуемо начнется «черный день». Ленин, таким образом, был изначально готов к февральскому кризису — и готов был принять самые «похабные» условия — не потому, что был «немецким шпионом», а потому, что другого варианта заведомо не существовало; Ленин понял это еще в конце декабря, когда анкетировал депутатов военного съезда; это сделалось совершенно очевидным после серии немецких шахов — ультиматумов, чтобы укрыться от которых большевикам приходилось жертвовать все новые и новые ресурсы. Какая там «революционная война»: Псков был взят сотней — это не преувеличение — человек.

Сам Ленин не выезжал в Брест-Литовск и непосредственно с немцами переговоры не вел, делегировав эту отвратительную миссию Троцкому. Тому пришлось столкнуться при немецком «дворе» с делегацией украинской Рады. Украина еще летом 1917-го стала дестабилизирующим для российской политики фактором — из-за нежелания отдавать Украину ушло в отставку кадетское правительство; Ленин тогда всячески публично поддерживал стремление к самостийности — однако тогда Украина играла против Временного правительства, а теперь, в Бресте, — против большевиков, которые пытались советизировать ее, чтобы выступать против немцев одним переговорщиком. Делегация Рады договорилась о признании немцами Киева. Взамен Киев обещал выплачивать чудовищный продналог; однако затем немцы вышвырнули и Раду, посадили более лояльного гетмана Скоропадского и, чтобы отобрать еще больше продуктов, оккупировали саму Украину («обожрутся» — спрогнозировал Ленин, и, как почти всегда, в яблочко). Прав Шатров: проблема Троцкого состояла в его «убеждении» — сложившемся скорее на основе чтения немецких газет, чем сведений из немецкого Генштаба, — что немцы «не будут наступать», потому как атака на революционную Россию вызовет в уставшей от императора и войны Германии бунт пролетариата; отсюда и стратегия «затягивания» — запросы: что понимать под аннексиями; является ли аннексией проведенное в соответствии с демократическими процедурами вхождение в состав враждебной державы области, где враждебная держава сначала формирует марионеточное правительство, которое и устраивает референдум по «вхождению», и все такое; немцы, однако, не были идиотами — и не собирались терпеть эти, по словам Ленина, попытки «обмануть историю, надев шапку-невидимку».

Товарищи Ленина привыкли к состоянию эйфории — и ерзали, как жучка на переправе: когда уже начнется революция в Германии? Нападая на Ленина, настаивавшего на официальной капитуляции, они могли оперировать только слухами о стачках в Берлине и моральными аргументами (измена, предательство, аморально, бесславно), которые не выглядели для трезвого политика достаточно убедительными (да, позор перед всем миром; да, невыгодно — по заключенному в августе финансовому соглашению Советы выплачивали контрибуцию в шесть миллиардов марок; да унизительно, что, по одному из условий, большевистская Россия обязана поддерживать независимость от Англии Персии и Афганистана, то есть превратиться в колониального жандарма при немцах и т. п.). Если бы можно было не заключать этот мир, Ленин бы, конечно, его и не заключал; собственно, он еще в начале марта принимает американского атташе и торгуется с ним — что именно советская власть получит от Антанты, если не ратифицирует уже заключенный договор с немцами и возобновит войну; ничего внятного американец не предложил. В таких условиях подписать этот договор для Ленина было не моральной, а всего лишь, так сказать, физиологической проблемой: да, дело сейчас очень плохо, но «организм в целом здоров. Он преодолеет болезнь» (его слова на VII съезде).

Организм самого Ленина в феврале—марте также не подает никаких признаков депрессии или «отчаяния»; он не перестал шутить, не потерял работоспособность из-за депрессии, не погрузился в алкогольную или кокаиновую нирвану. Брестский мир был обычным, рабочим кризисом — из тех, что не только изматывали, но и тонизировали его. Ленин-журналист, разумеется, нагнетал обстановку: его февральская статья о том, что «завоеватель стоит в Пскове и берет с нас 10 миллиардов дани хлебом, рудой, деньгами», снабжена лавкрафтовским — и превратившимся в мем — подзаголовком: «Странное и чудовищное», однако смысл этого текста — подбадривание читателей: «...позорнее всякого тяжкого и архитяжкого мира, позорнее какого угодно позорного мира — позорное отчаяние. Мы не погибнем даже от десятка архитяжких мирных договоров, если будем относиться к восстанию и к войне серьезно. Мы не погибнем от завоевателей, если не дадим погубить себя отчаянию и фразе».

Ленин выглядит гораздо убедительнее своих оппонентов, и даже не только потому, что воевать без армии, хоть ты тресни, все равно невозможно, а еще и потому, что производит впечатление человека, который не поддался панике. Это располагало аудиторию к нему, даже если бы его аргументы были плохими; но и аргументы у него были хорошие. Объясняя разумность «похабной» капитуляции, Ленин прибегает к двум аналогиям. Во-первых, Тильзитский (по иронии истории Тильзит сейчас называется Советск, это Калининградская область) мир немцев с Наполеоном 1807 года — по которому немцы были еще и обязаны предоставлять французам войска; Тильзит был для побежденных более тяжким, чем Брест, — и ничего: немцы получили передышку, собрали силы и обеспечили себе национальный подъем. Убедительно? Убедительно. Вторая аналогия — бойкот Думы, на котором в 1907 году настаивали левые большевики, тогда как

Ленин, ранее сам агитировавший против царского парламента, осознал, что в условиях поражения революции надо использовать любые возможности для агитации. «История сделала определенный зигзаг, завела в вонючий хлев. Пусть. Как тогда шли в вонючую Думу, так пройдем и теперь». Не пойдете, говорите? «Пойдете. А не пойдете, так вас история заставит». Дождетесь: «неприятель окажется в Нижнем и в Ростове-на-Дону и возьмет с нас дани 20 миллиардов». Убедительно? Еще как.

Всегда более трезвомыслящий и прагматичный, чем его окружение, Ленин не слишком обращал внимание на прогнозы и истерики «Новой жизни», «Таймс» и «Берлинер моргенпост»; журналисты никогда не были способны заглянуть в будущее хотя бы на несколько месяцев вперед. Сам он анализировал текущие противоречия в динамике: немцы обозначат свое присутствие в Прибалтике, Белоруссии, на Юго-Западе, скорее всего, возьмут Петроград — но дальше не пойдут, потому что по украинскому опыту поймут, что цена, которую им придется заплатить за оккупацию «на земле», слишком высока: партизанская война. Теоретически одновременно японцы могут захватить всю Сибирь — однако вряд ли им позволят это американцы, которым невыгодно такое усиление Японии. Немцы не смогут грабить Россию слишком долго: у Антанты стратегическое преимущество за счет вступления в войну Америки, и рано или поздно Америка, Англия и Франция должны додавить Германию; значит, капитуляция — симуляционная, временная, и раз так, прямо сейчас, вместо того чтобы цепляться за оборону, надо организованно отступить и заниматься внутренними делами, попутно выстраивая армию заново.

Ленин поэтому и угрожал — всерьез! — выйти из ЦК и даже готов был вдрызг разругаться с главным своим союзником — решившим сыграть с немцами в кошки-мышки Троцким, что вероятность революции в Германии была математически меньше, чем вероятность того, что ее не случится вовсе или что она случится по какому-то не выгодному для большевиков сценарию. Германия беременна революцией? Wishful thinking — принятие желаемого за действительное: молиться на каждую стачку в Германии, объявлять ее началом социалистической революции и первым шагом превращения старой Европы в пролетарские Соединенные Штаты Европы? «Это "кажинный божий раз на этом месте" мы слышали и набили оскомину». В России уже родился ребенок — и поэтому разумнее сохранить состоявшуюся революцию здесь.

Ленин не колебался — и раз так, никакого особенного драматизма в этом эпизоде не было. Прекратить близкие отношения с подругой или развестись с женой — тут был выбор с непредсказуемыми последствиями решения; а вот с миром на любых условиях выбора не было, поэтому надо было по-бульдожьи прогрызть щенячий революционный энтузиазм товарищей; не первый и не последний раз. Ленин знал, что его условия будут приняты, что даже если ему в самом деле придется выйти из ЦК, даже если, как предлагали левые эсеры Бухарину, Ленина арестуют на пару дней и начнут войну, в финале «левые коммунисты» придут к его решению, потому что не было альтернативы: что, превращать Петроград в мясорубку, что ли?

Более того, он и не собирался «зависать» на этом временном, тактическом решении — и без паузы перескакивал от неизбежных потерь к дивидендам, которые можно получить: «учись у немца! — бубнит Ленин. — История идет зигзагами и кружными путями. Вышло так, что именно немец воплощает теперь, наряду с зверским империализмом, начало дисциплины, организации, стройного сотрудничества на основе новейшей машинной индустрии, строжайшего учета и контроля». Немецкая оккупация рано или поздно закончится, вместо немцев-империалистов на политической сцене появятся немецкие рабочие, которые протянут русским руку помощи; а вот экономический спад — если не научиться у немцев их дисциплине — может длиться десятилетиями, и это хуже для большевиков, потому что их «наняли» для того, чтобы они с этим как раз справились. Более того, и аргумент Бухарина: революционная война должна сплотить пролетариат, предотвратить его люмпенизацию из-за безработицы — в целом будет принят Лениным: просто новую, классовую армию следовало строить, пройдя унизительную, но неизбежную процедуру банкротства — а не оттягивая расплату правдами и неправдами.

Именно поэтому вряд ли Ленин в своих мемуарах назвал бы главу про Брестский мир — «Самый Тяжелый Выбор в Жизни», каким этот эпизод предстает в условно шестидесятническом дискурсе. Канитель с выходом России из войны продлится больше года; то, что в массовом сознании закрепилось как Брестский мир, подразумевает лишь один из этапов сложной сделки, которая была заключена одним из участником под давлением других — и затем расторгнута как ничтожная. В политической карьере Ленина было множество таких компромиссов — и мы либо не знаем о них, как не знали до 1924 года про шалаш в Разливе, либо не осознаем их значение. Возможно, известие об убийстве немецкого посла Мирбаха 6 июля 1918-го стало для Ленина куда более сильным шоком; еще большей проблемой — хотя и «размазанной» — была «бестолочь»: невозможность доверить рабочим управление, осознание идиотизма на местном уровне — и отсутствия материала, которым можно было заменять старый аппарат. Однако все это скорее домыслы: Ленин играл с картами, плотно прижатыми к груди, и мало кому давал в них заглядывать.

Карты, да; для посторонних Брест представляется триумфом Ленина-картежника: как безответственно он рискнул страной, которую формировали до него много поколений, — чтобы отыграться, сохранить выпавший ему 25 октября выигрыш; выиграл, да — но как!

На самом деле, в карты Ленин играл только с тещей, которая к тому времени уже скончалась. Брест — триумф Ленина-шахматиста, осознававшего, что в данной позиции другого хода, кроме того, который в данный момент представляется наихудшим, просто не существовало, — и замыслившего сделать эту жертву частью большого гамбита. Казалось бы, абсолютно неприемлемые потери — однако по большому счету обеспечивающие стратегическое преимущество. Как и всегда, преимущество Ленина в том, что он видит вещи в динамике, а все остальные — в текущем состоянии; отсюда и «профетические способности».

К ноябрю 18-го, моментально среагировав на Компьенское перемирие, Ленин аннулирует Брестский мир — и получает колоссальный кредит доверия от общества; выигравший эту шахматную партию невероятным немецким гамбитом, он отныне воспринимается как не просто «вождь», но и «шаман», обладающий сверхъестественным знанием будущего; собственно, с этого момента начинается массовый культ Ленина.

Подлинно «странным и чудовищным» последствием Брестского мира было не нашествие немцев, а ярость и неудовлетворенные экономические амбиции бывших союзников по Антанте, которые и так были раздражены объявленным большевиками дефолтом, а теперь, оказалось, еще и теряли доступ к послевоенному российскому рынку, оставшемуся за Германией; именно за счет этих неудовлетворенных желаний и реализовался — гротескно, но очень всерьез, с финансовой поддержкой заинтересованных иностранных государств, циммервальдский сценарий: «превращение империалистической войны в гражданскую».

Москва. Кремль
1918—1920

Отвечая однажды на скептические колкости Красина относительно того, как на самом деле выглядит революция, Ленин, если верить рассказавшему это Нагловскому, заливался хохотом: «Представьте себе, вы едете в экспрессе, за столиком у вас шампанское, цветы, вы наслаждаетесь с такими же буржуями, как и вы сам. Но вот входит кондуктор и кричит:

— Die nächste Station — Diktatur des Proletariats! Alles aussteigen!»

Именно так — станцией «Диктатура Пролетариата» — и выглядела Москва, когда отправившийся 10 марта — без цветов, но с платформы Цветочная площадка — поезд № 4001, на котором утек из Петрограда Совнарком, спустя сутки, пережив в Малой Вишере неприятный инцидент с нарочно тормозившим попутным эшелоном матросов-дезертиров, прибыл наконец на Николаевский вокзал. Но едва ли попадание в собственное сбывшееся пророчество вызвало у Ленина прилив счастливого хохота.

Если Петроград, где по словам ссылавшегося на «разговоры» историка Хобсбаума, «больше людей пострадало на съемках великого фильма Эйзенштейна "Октябрь", чем во время настоящего штурма Зимнего дворца в ноябре 1917-го», даже через полгода после окончательной смены власти, окропленный кровью расстрелянной рабоче-интеллигентской демонстрации 6 января, сохранял европейский лоск, то Москва была азиатским — грязным, темным, заснеженным, засыпанным лузгой и окурками, торгующим, орущим, опасным — двухмиллионным мегаполисом, пережившим неделю ожесточенных уличных боев. Кажущиеся нынешним москвичам невразумительными иероглифами топонимы — Добрынинская, Люсиновская, Савельева, Жебрунова, Барболина, Русаковская — как раз отсылают к событиям, при которых большевики за неделю перехватили в Москве власть у Временного правительства в конце октября — ноябре 1917-го. По Кремлю, где сначала утвердилась Красная гвардия, а потом засели юнкера, лупила настоящая артиллерия — с Воробьевых гор и со Швивой горки — под руководством красного астронома

Штернберга. В самом Кремле произошла бойня, и не одна: сначала юнкера из пулеметов полосовали вроде как сдавшихся им, но
сдавшихся не вполне красногвардейцев; потом, когда выживших
освободили из пятидневного голодного плена товарищи, они
сами линчевали юнкеров; братские могилы у Кремлевской стены
глубже, чем обычно думают.

Не Сталинград и не Алеппо, но и не 1993 год, когда пострадало
лишь одно «иконическое» здание. Луначарский, узнав в ноябре о
масштабах ущерба, испугался до смерти — и даже пошел подавать
в отставку в знак протеста против вандализма; Ленин тогда, если
верить наркому, якобы убедил его остаться на посту сомнитель-
но-пролеткультовским доводом: «Как вы можете придавать такое
значение тому или другому старому зданию, как бы оно ни было
хорошо, когда дело идет об открытии дверей перед таким общественным строем, который способен создать красоту, безмерно
превосходящую все, о чем могли только мечтать в прошлом?»

Явившись осматривать свою будущую резиденцию, Ленин не
обнаружил видимых попыток ликвидировать следы ущерба: пара
провалившихся куполов Василия Блаженного, сбитые верхушки
нескольких кремлевских башен, следы прямых попаданий на Малом Николаевском дворце, Успенском соборе, Чудовом монастыре и колокольне Ивана Великого, провалы от снарядов и гранат-
ных взрывов, выщербины и сколы от ружейного и пулеметного
огня. Все было «до ужаса запущено и изуродовано» (Бонч-Бруевич),
окна едва ли не во всех дворцах перебиты, дворы и дороги завалены бумагами и мусором, электричество постоянно отключалось;
таявший снег — середина марта — обнажал кучи хлама.

Тем не менее Москва выглядела явно предпочтительнее
Петрограда, где, особенно после разгона Учредительного, поддержка большевиков в Советах и на фабриках резко снизилась,
а репутация осуществлявшей атаку и на капитал в целом, и на
конкретных капиталистов Красной гвардии опустилась до такого уровня, что Ленину пришлось перед отъездом распустить ее.
Резиденцией для сбежавшего не только от немецкой, но и от пролетарской угрозы правительства был выбран именно Кремль —
пускай и слишком громоздкий, чтобы защищать его: общественных зданий в Москве было меньше, чем в Петербурге, и все либо
плохо оборудованы технически, либо более камерного характера, либо плохо защищаемые, либо не подлежащие реквизиции.
Поскольку сразу въехать в Кремль оказалось невозможно — следовало создать систему охраны, осмотреть чердаки, подвалы и под-
земные ходы (их полулюбительское исследование продолжалось
еще летом 1918-го) — первую неделю Ленин с женой, словно туристы, перекантовались в двухкомнатном номере в гостинице «Националь» — которую для приличия переименовали в Первый дом

607

Советов (Вторым стал «Метрополь», а всего таких домов Советов было около трех десятков); доска на гостинице подтверждает факт проживания. В этот же теремок набились и все правительство и весь аппарат — от Сталина до Инессы Арманд. Даже в этом страшно «бойком» месте, у самого впадения Тверской в Кремль, Москва выглядела гигантской толкучкой; это сейчас из 500-евровых «кремлевских люксов» открывается «чарующий» вид на Кремль — а тогда пространство, где сейчас Манежная, было густо и беспорядочно застроено; вместо гостиницы «Москва» — торговые ряды с лабазами, часовня Александра Невского, церковь Параскевы Пятницы; расчищать Охотные ряды начнут только в 1920-е — когда там соберутся возводить авангардный небоскреб — Дворец Труда. Ленин прожил в Москве не меньше, чем в Петербурге, и «Ленинградом», по справедливости, следовало бы назвать ее; однако при жизни Ленин не вполне врос в московский антураж и не омосквичился, да и заслуга коренной реконструкции города принадлежит не ему. Впрочем, благодаря Ленину у москвичей есть ЦПКиО — именно он придумал, чтобы продемонстрировать перспективы смычки города и деревни, устроить на месте огромной свалки в Нескучном сельхозвыставку; нынешний здешний альянс хипстеров и ветеранов ВДВ демонстрирует, сколь далеко могут зайти изначально хорошие идеи.

Три с половиной года, с весны 1918-го по осень 1920-го, похожи на эпизод из сериала *Gravity Falls*, где изображается затянувшееся падение героев в бездонную пропасть — когда лететь так далеко и так долго, что персонажи, кувыркаясь в воздухе, успевают рассказать друг другу по несколько историй: про гражданскую войну, про невиданный экономический кризис, про технологическую революцию, про террор и голод — и при этом всё падают и падают, а дна так и не видно. Среди прочего, эта аналогия помогает понять смысл деятельности (и природного таланта) Ленина: организовывать беспорядочно кувыркающиеся объекты — 170 миллионов объектов, если уж на то пошло, — падающие с ускорением; организовать таким образом, чтобы не просто выжить, но потратить время с толком и оказаться в момент приземления в наилучшей из возможных позиции и конфигурации.

«Всякий, кто знает Москву, — вздыхала газета «Новая жизнь», — с трудом представит себе сочетание Иверской и народного комиссара Троцкого, Спасских ворот, где снимают шапки, и Зиновьева, московское купечество и мещанство, насквозь пропитанное истинно-русским духом, и интернационалистический Ц.И.К. Что из этого выйдет, скоро увидим». Судя по воспоминаниям Троцкого, комиссары, многие вчерашние эмигранты: ни кола ни двора, разумеется, ощущали иронию истории: ультрасовременная, отринувшая все национальные и конфессиональные предрассудки советская власть, молодое вино, плещется в совсем уж ветхих мехах, внутри нафталинного, средневекового, «загоскинско-забелинского» заведения.

Комендантом Кремля стал Мальков, бывший матрос крейсера «Диана» и кастелян Смольненской крепости, комтуром и управделами администрации — Бонч-Бруевич. Улицы в Кремле с шариковской молниеносностью — пропечатал в газете и шабаш — переименовали: которая с дворцами, Потешным, Кремлевским, и Фрейлинским корпусом, от Арсенала к Боровицкому холму была Дворцовая — стала Коммунистическая. Поначалу, когда не вполне ясно было даже то, временно ли перенесли столицу в Москву или навсегда, никто не понимал, как должен быть устроен большевистский Кремль. Как образцовая, открытая, супер-«прозрачная» коммуна — или как чиновничий анклав, куда заказан вход посторонним?

Уже летом 18-го Кремль поражал тех, кто попал сюда, — по контрасту с московской сутолокой — «тишиной и пустотой». «Точно все вымерло», — вспоминает проникший туда белогвардейский шпион А. Борман. Кремль словно готовился к осаде: «все ворота, кроме Троицких, не только были закрыты, но наглухо чем-то завалены», повсюду ящики со снарядами, пушки, а между ними «бродят военнопленные в немецкой и австрийской форме... в Кремле формировались коммунистические германские и мадьярские части». Катализатором герметизации Кремля стали июльские события 1918 года в Москве: если бы левым эсерам, которые заняли почтамты и телеграфы, удалось захватить Кремль, это кончилось бы для большевиков катастрофой; восстание, кстати, началось с того, что, сразу после убийства немецкого посла Мирбаха, они пальнули из орудия по Кремлю — и с ходу попали в Благовещенский собор. С июля 1918-го Кремль функционировал именно как крепость: пропускная система, меняющиеся пароли, пулеметы на башнях, свежепостроенные будки для часовых; в ночь с 6 на 7 июля Ленин сам обходил посты вдоль Кремлевской стены. Однако непроницаемость этой крепости обычно преувеличивалась. Н. Махно рассказывает о слухах, будто до Ленина и Свердлова «добраться недоступно. Они окружены, дескать, большой охраной, начальники которой на свое лишь усмотрение допускают к ним посетителей, и, следовательно, простым смертным к богам этим не дойти» — и тут же опровергает их: достаточно было показать латышу-часовому ордерок от Моссовета — и пожалуйста; так мало кому известный летом 1918-го красный анархист без особых затруднений оказался у обоих советских правителей — и расценил их манеры как вполне товарищеские.

Распорядиться Кремлем означало разрешить множество проблем, к которым мало кто знал, как подступиться: куда девать прежних обитателей, монахов, чиновников, вахтеров, как обеспечить охрану, как организовать связь с городом, как отремонтировать разрушенные здания и наладить поставки снабжения, как быть с предыдущими символами — от двуглавых орлов до трезвонивших «Боже, царя храни» курантов на Спасской башне, на каких юридических основаниях распределять имущество, в котором к тому же было множество вопиюще-старорежимных предметов, вроде ломберных столиков из карельской березы, персидских ковров, амуров и психей, кресел с царскими гербами... может ли, к примеру, заседать Совнарком на такой мебели, если другой нет? Несмотря на то, что еще в ноябре 1917-го Ленин время от времени злословил над вторым участником большевистского дуумвирата («А посмотрите, — якобы сказал он Исецкому, — на Троцкого в его бархатной куртке! Какой-то художник, из которого получился только фотограф, ха-ха-ха!»), сам Троцкий сконцентрировался на моментах, когда они с Лениным ловят друг на друга на некоем общем чувстве, родстве душ. Одно из таких «совпадений» произошло в Москве: «Со своей средневековой стеной и бесчисленными золочеными куполами Кремль, в качестве крепости революционной диктатуры, казался» — им обоим — «совершеннейшим парадоксом».

Такая же дичь и неразбериха царили и в политической жизни. Ленин очень смеялся, узнав, что в рыковской Москве — для этого нужно было сюда приехать — существует свой, будто в удельном княжестве, совнарком с полным набором комиссаров, вплоть до иностранных дел; это «Московское царство» было тут же уничтожено. Хорошей новостью, связанной с Кремлем, было то, что золотой запас России сохранился в погребах в целости; никуда не делись и ценности Патриаршей ризницы и Оружейной палаты. Ленин требовал от Бонча и Малькова, чтобы все «добро» — вообще все, до последней табуретки, — было «взято на учет».

При всей своей старозаветности и руинированности Кремль в качестве символа нового государства выглядел лучше «девичьего» Смольного: красный, азиатский, источающий торжественность, с длинной трагической и на глазах продолжающейся историей. Руины выглядели патетическими и романтическими — революция продолжается, старый мир еще только предстоит победить, штурм его сопряжен с жертвами; после октябрьской бойни в Москве хоронили у Кремлевской стены кого-то регулярно, и это тоже было проявлением амбиций большевиков монополизировать историю.

После недели в суматошном, словно ильф-петровский «Дом народов», «Национале» Ленина переселили в Кавалерский корпус: направо от Троицких ворот, как раз на Дворцовой-Коммунистической; две комнаты (№ 24).

Через коридор там жил Троцкий. «Столовая была общая. Кормились тогда в Кремле из рук вон плохо. Взамен мяса давали солонину. Мука и крупа были с песком. Только красной кетовой икры было в изобилии вследствие прекращения экспорта. Этой неизменной икрой окрашены не в моей только памяти первые годы революции». Икорную диету припоминают и другие: «Питался Ильич плохо, нередко оставался без сахара, чая, без крупы, уж не говоря о мясе, масле. Обеды он получал из той же кремлевской столовой, но обеды-то были никудышные. Жидкий суп, пшенная каша, одно время была солонина, красная кетовая икра — и всё». Происхождение этих продуктов могло быть двояким: либо они были получены по нарядам, в ходе распределения реквизированных товаров, либо — с черного рынка, «Сухаревки». Москва была городом, настолько неприспособленным для жизни, что нынешним горожанам, устраивающим скандалы из-за перекрытого на месяц тротуара, трудно даже вообразить, как можно прожить в этом городе не то что три года — три минуты. Выброшенный Лениным лозунг «Или вши победят социализм — или социализм победит вшей!» кажется интернет-мемом, но в 1918-м, когда жертвы эпидемии сыпняка исчислялись миллионами, политикам, опасно маневрирующим на краю пропасти, было не до иронии. Летом вы видели, как в лужах нечистот, среди трупов животных в вашем дворе кишат черви, зимой температура в вашем жилье в лучшем случае достигает 10—12 градусов, у вас нет мыла, чтобы помыть руки и избавиться от насекомых, нет горячей воды, нет еды, которая обеспечит вас калориями, вы вдыхаете дым сожженного мусора и миазмы засорившейся канализации; и время от времени, словно в насмешку, в вашем рационе появляется красная — тоже будто с намеком — икра. Постреволюционное возбуждение первых месяцев, когда казалось, что либо революцию вот-вот задавят, либо, наоборот, война всех против всех закончится и начнутся «мир» и строительство настоящего, социалистического нового мира, сошло на нет. К марту 1918-го стало ясно, что дело не только в удаче, но и в «судьбе», которая, с дальним прицелом, выбрала красных; все рекорды Парижской коммуны побиты, власть досталась всерьез и надолго, худшего (смычки англо-французского империализма с германским и американского с японским против Советской России) пока так и не произошло, началась тяжелая повседневная работа; лямка.

Еще через пару недель, в самом конце марта, Ульяновы перебрались, наконец, в Сенатский дворец — казаковской, конца XVIII века, постройки, на третий этаж, в ту часть, что ближе к Троицким воротам, в бывшую квартиру прокурора судебных установлений. Составить общее представление об атмосфере ленинского жилья можно, конечно, по выставке в Горках, куда при Ельцине «трансплантировали» из Кремля интерьеры (кровать Ленина, застеленная материнским пледом, египетская, с тутанхамонами, ширма Марии Ильиничны) — в совсем другие помещения, в неточных пропорциях, без одной комнаты; но целиком на волшебный эффект от этого фокуса лучше не полагаться.

Если вы стоите лицом к Мавзолею, то за ним видна Сенатская башня, а за ней здание, с куполом и флагом. Оно треугольное, и в наиболее отдаленном от Мавзолея секторе «гипотенузы» — с Красной площади совсем не видно, и находилась квартира Ленина. С окнами на площадь имени Каляева — до революции, а после перестройки — Сенатскую; именно там в 1905-м Каляев швырнул бомбу в князя Сергея Александровича; сейчас, говорят, здесь резиденция Путина, с окнами во двор здания-треугольника. Примерно в это здание, судя по всему, прорывался за какими-то документами Том Круз в четвертой «Миссии невыполнима»: сначала прогуливался по Красной площади, а потом, через Спасскую башню, которую через полчаса взорвут, как раз на Сенатскую площадь. Интерьеры Кремля, разумеется, снимали где-то еще, но парадно-классицистские, с золотом и кумачом декорации выглядят очень аутентичными, особенно под тревожно-милитаристские православно-голливудские хоралы; да и ведет себя с охранниками на посту переодетый в генеральскую форму Том Круз как Ленин, которого страшно раздражало, что курсанты постоянно дергали его во время вечерних прогулок по Кремлю: «начальство надо знать в лицо, майор Егоров. Проверь еще раз — РЯДОВОЙ Егоров».

В квартире были высокие и полукруглые, как в тереме, беленые потолки. С приемной и библиотекой квартира занимала около 300 метров, и жилая часть была сильно меньше офисной, а спальня Ленина — как в швейковской задаче: в каком году умерла у швейцара бабушка? — меньше по площади: 18,8 квадратного метра (36 квадратных аршин), против 23,7, — чем комната домработницы Олимпиады Никаноровны Журавлевой, служившей уборщицей в редакции «Правды»; затем ее заменила Александра Сысоева, родственница Ивана Бабушкина. «3 комнаты для 3 членов семьи, 1 для прислуги — казенная квартира», — описывал сам Ленин свое жилье в заявлении о доходах за 1918 год; трех — в смысле он сам, НК и Мария Ильинична. После каплановского покушения, когда Ленин болел, к квартире присоединили «докторскую», где раненого Ленина осматривали врачи, и заодно гостиную, с роялем, а в 1922-м еще и достроили застекленную веранду, куда можно было попасть из прихожей на специальном лифте; там Ленин часто проводил время осенью 1922-го, любуясь невероятным панорамным видом на куранты Спасской башни — так близко, как только возможно — и на Москву.

У Герберта Уэллса, совершившего турне по переживающей не лучшие дни экзотической стране, «кремлевский мечтатель» Ленин — лицо новой России, проступающее из вековой азиатской мглы; однако сам Кремль, надо сказать, мог считаться маяком, сияющим посреди океана тьмы, лишь условно. Электричество худо-бедно (из-за частых отключений все жители Кремля носили с собой свечи — и часовые тоже) поступало в здания, но на улицах продолжали гореть газовые фонари, которые каждый вечер, один за другим, зажигал фонарщик.

Обладавший не лучшим, похоже, зрением офтальмолог Ленина М. И. Авербах не увидел в квартире Ленина не только «никаких предметов роскоши», но и «никаких вещей неизвестного назначения»; здесь, однако, есть несколько объектов, назначение которых не вполне очевидно. Странный письменный прибор, почему-то с двумя причудливыми лампочками, из таинственного материала, похожего на пластмассу — на самом деле это карболит, модный в 20-е изолятор — подарок от рабочих орехово-зуевского завода «Карболит». Настольная лампа, преподнесенная рабочими Кусинского завода: кузнец лупит молотом, перековывая меч на плуг, а над ним звездочка с лампочкой. Пепельница в форме снарядной гильзы с зажигалкой — от рабочих-михельсоновцев. Шокирующе «неофициальная» среди казенной простоты статуэтка — сидящая на куче книг, в том числе на томе Дарвина, обезьяна, разглядывающая предположительно человеческий, очень напоминающий ленинский, череп — презент Арманда Хаммера, который получил на Урале асбестовую концессию и построил в Москве карандашную фабрику, нынешнюю имени Сакко и Ванцетти. Ленин истолковывал обезьяну аллегорически: «Скульптор хотел предупредить человечество, что оно может выродиться в первобытное состояние, если люди не положат конец войнам и не научатся жить в мире друг с другом»; не исключен, однако, и намек миллионера на неандертальский характер самого большевизма. В квартире была крупная библиотека; сохранилось письмо, где Ленин настаивает, что книги приобретаются за его личные деньги. Набор печатной продукции не так уж легко предсказуем: не только политика, экономика и философия. Здесь много серьезного религиоведения, особенно изданий, касающихся личности Христа («Я никогда не собирался и не собираюсь сжигать молитвенники, ибо верю, что придет время, молитвенники исчезнут сами собой», — заявил он на одном заседании Совнаркома; Ленину нашлось бы что сказать в разговоре Берлиоза с Бездомным на Патриарших; и распространенная версия о том, что булгаковский Воланд одним из прототипов имеет Ленина, совсем не лишена оснований); зачем-то Ленин коллекционировал плакаты Белого движения.

Бонч, сделавший за первые годы революции для москвичей больше, чем любой другой советский чиновник (он был председателем Оскона, Особого строительно-санитарного комитета Москвы, который в 1920-м спас город от полного разрушения: отремонтировал несколько тысяч зданий, восстановил водопровод и организовал вывоз мусора; в Москве, бушевал Ленин, «надо добиться образцовой (или хоть сносной, для начала) чистоты, ибо большего безобразия, чем "советская" грязь в "первых" советских домах, и представить себе нельзя. Что же не в первых домах?»), настелил было в ленинском секторе ковры — но тотчас столкнулся с требованием убрать их: не привык, батенька. Гневливость и ворчливость по мелочам к концу жизни сделались свойством характера — и, видимо, следствием хронической усталости Ленина: он не скрывал раздражения, когда окружающие совершали нелепые ошибки или, того пуще, манкировали своими обязанностями. Он мог накинуться на хозяйственников, если те в качестве дров привозили в Кремль ценные железнодорожные шпалы. Ходил ругаться с рабочими, когда видел, что те небрежно сбрасывают снег с крыш: провода попортят. Однажды ночью во время прогулки он обнаружил, что кое в каких квартирах горит свет, вызвал Малькова, заставил проверить, кто жжет «народные деньги» почем зря, — и «взгреть» их за «иллюминацию» (как известно, в первые годы советской власти, в рамках военного коммунизма, коммунальные услуги предоставлялись бесплатно, а в конце 1920-го, в ходе попытки окончательно перейти в безденежный режим, бесплатными стали вообще все госуслуги и продукты, товары широкого потребления, почта, телефон, телеграф; чудовищно обесценившийся рубль оправдывал такого рода эксперименты). Раз поздно вечером Ленин прошел через приемную во время заседания СНК и обнаружил, что вся она наполнена «измученными, усталыми людьми, которые в клубах табачного дыма сидели кто за шахматами, кто за газетой, кто беседуя с соседями, в ожидании вызова» или просто понапрасну, если дело их откладывали; и хотя всех докладчиков тут же впустили в зал и их оказалось так много, что последние из входившей вереницы встречались гомерическим хохотом наркомов, Ленин пришел в бешенство, узнав, что время чиновников тратится так неэффективно; «безобразие и дикость» немедленно разогнали и учредили новый порядок. Манера Ленина строго наказывать за невыполнение возложенных заданий была печально известна его коллегам и подчиненным. Бадаев, например, — тот самый, бывший депутат Государственной думы от фракции большевиков — однажды, допустив некий промах, подвергся настоящему аресту; причем арестовать его Ленин поручил на воскресенье — чтобы не отрывать от работы в будни. Неподобающее поведение в выходные также не поощрялось. Лепешинские, пригласившие однажды Ульяновых на обед и подавшие к столу настоящие пельмени, вынуждены были выслушать лекцию о недопустимости приобретения продуктов у спекулянтов. Мальков, Бедный и Скворцов-Степанов летом 1918-го привезли Ленину с рыбалки улов — и Бонч проговорился своему патрону, что рыба глушеная, «наловленная» гранатами (тогда многие так делали из-за голода; да что там рыбу — и городских голубей из винтовок стреляли); и хотя Бедный пытался отшучиваться: мол, и вы сообщник, тоже кушали, Ленин посмотрел на него взглядом Горгоны: в следующий раз пойдете под суд за браконьерство.

В те месяцы Демьян Бедный с Мальковым занимались не только рыбной ловлей. Например, 4 сентября они уничтожили в железной бочке в Александровском саду — теоретически, до ноздрей Ленина, лежавшего с двумя ранениями в 500 метрах от погребального костерка, должен был дойти соответствующий запах — труп Фанни Каплан.

Утром 30 августа 1918 года — тем самым, когда в Петрограде был убит Урицкий, а у Свияжска решалась в бою с белочехами и каппелевцами судьба Казани и золотого запаса России — на столе у Ленина оказались две путевки на митинги. Первый раз ему предстояло выступить с публичным рассуждением на тему «Две власти (Диктатура рабочих и диктатура буржуазии)» в Басманном районе, в здании Хлебной биржи, а второй — на Щипке, заводе Михельсона.

Про то, что Каплан стреляла в Ленина «на заводе Михельсона», знают многие; однако едва ли многие москвичи осознают, что Михельсоновский завод по-прежнему существует и находится в центре города. «Завод имени Владимира Ильича» — целый сектор между Павелецкой и Серпуховской. И сам завод, и меланхоличная безымянная площадь-сквер перед ним (впрочем, скриншот с Яндекс-карт, сделанный осенью 2015-го, подтверждает, что «в народе» ее кощунственно называют «Площадь Фанни Каплан») напоминают карман времени: ленинская кровь словно «заговорила» эти места, и «московский» ритм здесь не ощущается. Два ленинских монумента — исполинский памятник и скромный камень непосредственно на месте покушения — кажутся чужеродными объектами; в надписи на камне слышен ритм древнего заклинания: «Пусть знают угнетенные всего мира, что на этом месте пуля капиталистической контрреволюции пыталась прервать жизнь и работы вождя мирового пролетариата — Владимира Ильича Ленина».

Ленин оказался на этом митинге не случайно и, конечно, сделал заводу судьбу. Однако и без Ленина Михельсоновский был примечательным местом, в миниатюре представляющим историю индустриализации России. Завод основал в 1847-м — для починки иностранных машин, в основном с близлежащих текстильных фабрик — англичанин Гоппер (видимо, Хоппер). Интересно, что к 1905-му заводом владели уже не Гоппер, а Гопперы — с экзотической комбинацией имен: Яков, Василий, Аллан и Сидней; братья построили там себе еще и футбольное поле и сколотили команду; похоже, первую заводскую в России. К 1888-му возвели механический и крупнолитейный корпуса, где строили крупноразмерные паровые машины и нефтяные двигатели; отливали и отдельные стальные изделия — от перекрытий до крестов на кладбищах. От Павелецкой дороги сюда была проложена отдельная ветка. В войну предприятие перекупил московский фабрикант Михельсон — про которого поговаривали, что у него были хорошие отношения с околораспутинской кликой; он тут же переоборудовал производство под военные нужды: снаряды и машиностроение.

Первый марксистский кружок появился здесь еще в 1880-х, а в октябре 1917-го михельсоновцы разобрали стену в арсенале и захватили склад оружия — воевать с юнкерами. Многие имена замоскворецких рабочих известны по табличкам на московских улицах: Павел Андреев был «московский гаврош», с Михельсона — он погиб в 14 лет, Люсик Люсинова и Павел Добрынин — большевистские агитаторы. Собственно, именно потому, что завод был «чертовым гнездом» (ну или «большевистским оплотом Замоскворечья»), а не только из-за близости к Кремлю Ленин и выступал там аж семь раз.

Для сеанса коммуникации с рабочими Ленину обычно требовалось минут двадцать пять. Он излагал мысли быстро, внятно, энергично: обходился без шуток и каскадов метафор, апеллировал к логике, игнорировал тех, кто его перекрикивал. Он не был такой ораторской машиной, как Троцкий, каждое появление которого перед аудиторией больше трех человек напоминало извержение вулкана, но практика у него была впечатляющая: за послеоктябрьский — и до окончательного выхода из строя — период Ленин выступал с публичными речами 350 раз.

Смысл конкретно того спича заключался в том, что обвинения большевиков в недемократичности — демагогия («Где господствуют "демократы" — там неприкрашенный, подлинный грабеж»), и чтобы защитить свой подлинный социализм, рабочие должны дать отпор белочехам. Это кажется простой и легко усваиваемой мыслью, но надо сознавать, что Ленин был в тот момент далеко не в самой комфортной позиции, чтобы запросто отдавать рабочим распоряжения такого рода.

Репутация большевиков, никогда не отличавшаяся безукоризненностью, к лету 1918-го устойчиво закрепляется на отметке «чудовищная». Эйфория от первых декретов прошла, законы, выгодные для рабочих, по-прежнему принимаются — но рассчитаны скорее на долгосрочную перспективу (например, июльское постановление, позволяющее учиться в университетах даже тем, у кого нет школьного диплома; но кто пойдет учиться, если одновременно в стране создается «трехмиллионная армия» для «революционной войны на сплошном кольцевом фронте»?). Рабочие завода Михельсона принадлежали к наиболее политически сознательным в стране, вровень с путиловцами; они были полностью загружены военными заказами (снаряды, гранаты), но они видели, что страна разваливается на глазах, войска Антанты орудуют на юге и на севере, отношения с Англией, Францией и Японией разорваны, а немцы в любой момент — их дипломаты уже покинули столицу — могут занять Петроград и Москву; большевикам просто везет, что немцы почти сразу после убийства Мирбаха начинают терпеть поражение на западе; кроме того, их несколько притормаживают миллиардные контрибуции золотом, которые через несколько дней начнет выплачивать большевистское правительство. Возможно, михельсоновцам и лестно было, что к ним ездит выступать сам Ленин, но столь же вероятно, что они разделяли мнение Горького относительно того, что Ленин — «не всемогущий чародей, а хладнокровный фокусник, не жалеющий ни чести, ни жизни пролетариата»; что он «взваливает на голову пролетариата позорные, бессмысленные и кровавые преступления, за которые расплачиваться будет не Ленин, а сам же пролетариат».

Да, это было «рутинное» выступление — но надо понимать, в каких обстоятельствах оно проходило и чего на самом деле стоило Ленину.

Последними его словами было ни много ни мало: «Победа или смерть!»

Интерактивная часть не предполагалась; однако по дороге к своему автомобилю Ленину все же пришлось вступить в разговоры с несколькими работницами. Подойдя к этой группе, уже почти перед автомобилем, Каплан и открыла огонь.

Ленин упал на землю лицом вниз.

Примерно в этот момент солнце зашло над Филями. Начало темнеть.

Идиоматическое и худо-бедно пережившее XX век выражение «лампочка Ильича», метонимически означающее еще и весь план ГОЭЛРО, электрификацию России, подразумевает буквалистское, очевидно крестьянско-религиозное, понимание Ленина как носителя идеи Света (и неизбежно также Люцифера, Светоносца), рассеивателя тьмы или «мглы», если пользоваться традиционным переводом уэллсовской книги очерков о поездке в Россию в 1920 году, в ходе которой и произошла встреча писателя с «кремлевским мечтателем» — мечтателем об электрификации. На самом деле, план Ленина состоял не (только) в том, чтобы осветить жилые и нежилые помещения во всей стране в темное время суток; в конце концов, в самом Кремле на улицах газовые фонари каждый вечер зажигал фонарщик, и это не слишком беспокоило или огорчало Ленина.

Смысл электрификации, по Ленину, состоял в максимально быстрой и эффективной оптимизации не просто быта жителей, но всей экономики России — из «ручной», работающей на мускульной силе, она должна была, обретя новый фундамент, превратиться в механизированную, способную вывести страну из полуфеодального состояния на путь социализма. «Не "Дубинушка", — выражаясь словами «Правды» 1920 года, — а "Машинушка" должна вдохновлять нашу трудовую деятельность». Разница между «стоном-песней» и динамо-машиной, однако, не только в эффективности стимуляции труда. Электричество просвещало и объединяло; люди должны были «увидеть» друг друга — и начать доверять коллегам; электрификация должна была стать способом «мягкой» коллективизации, обобществления фрагментированной — распавшейся, разбредшейся, растащенной летом 1917-го — деревни; с ее помощью предполагалось форсировать процесс отмирания мелкособственнической психологии и быстро превратить единоличные хозяйства в совместные, более высокопроизводительные. Электричество должно было изменить полуфеодальную среду, привести к созданию множества социальных хабов, инновационных баз, расширению, за счет мелиорации, сельхозземель. Дело, таким образом, не в том, что Ленину хотелось гуртовать людей, чтобы легче управлять ими; из научных книг по организации труда ему было известно, что обобществление дает синергический эффект, резко увеличивается производительность труда — которая и была после революции подлинным граалем Ленина; чтобы от революции был какой-то прок, все должны были работать хотя бы как он сам — а в идеале еще более производительно; тогда, и только тогда и можно будет попасть в мир, описанный в «Государстве и революции».

По кажущемуся удивительным совпадению, записная книжка Ленина еще с 1890-х была заполнена именами людей, знакомых ему по Петербургу и «Искре», которые к середине 1910-х занимали ключевые позиции в российской электроэнергетике. Кржижановский был директором подмосковной электростанции «Электропередача»; Красин — Царскосельской; инженер Классон, в марксистский салон которого Ленин заглядывал еще в середине 1890-х, — в обществе «Электрическая сила»; Василий Старков, товарищ Ленина по Союзу борьбы и Минусинску, после 1907-го занимался электрификацией Баку и Москвы все в той же компании; Енукидзе работал у Красина в Баку электротехником; бывший агент «Искры» Иван Радченко — на «Электропередаче» инженером. Задним числом выходило, что слово «Искра», которое в 1900-м было символом разрушительно-очищающего потенциала марксизма, оказалось еще и паролем к миру статического электричества.

Ленин тоже, разумеется, услышал о перспективах электричества не от электроэнергетической «мафии» из Петербургского технологического университета, с которой был тесно связан и в среде которой формировался; и не только после революции.

Систематический читатель книг о современных способах пере-оснащения хозяйства, он прекрасно осознавал связь прогресса с электрификацией, и еще в искровские времена электричество представлялось Ленину-экономисту эффективным способом интегрировать российские пространства в единую сеть и пре-одолеть индивидуалистическую психику населявшего его кре-стьянства; крестьянские хозяйства могли превращаться в аналог фабрик, стать агропромышленностью.

К счастью, проекты по крайней мере трех электростанций — Каширской, Шатурской и Волховской — существовали еще до ре-волюции, и тотальную электрификацию Советской России мож-но было начать с конкретных, быстро реализуемых — сама жизнь подгоняла — проектов.

Однако с масштабным проектом электрификации — который, согласно планам Ленина, был задачей-максимум, подлежащей ре-ализации за десять-пятнадцать лет, — связывалась более острая, сиюминутная задача: преодолеть топливный дефицит в стране, отрезанной от донбасского угля и закавказской нефти. Уже в 1918 году Ленин, понимая, чем грозит энергетическая блокада страны, предпринимает отчаянные попытки нашарить впотьмах какое-то близкое и легко добываемое топливо. Горный инженер Губкин, услышавший об обнаружении горючих сланцев у села Ун-доры под Симбирском, убеждает Ленина отправить на Волгу экс-педицию — которая возвращается с вагоном образцов и докладов о залежах в 25 миллионов пудов. Ленин умудряется выбить для Губкина деньги, оборудование и геологов — начать строитель-ство под Сызранью инновационного сланцеперегонного завода. Но оборудование рудников, шахт и перерабатывающих предпри-ятий, даже при «бешеном» Ленине, занимало не месяцы, а годы; надо было искать что-то еще.

Московские электростанции работали на привозном жидком топливе; другие надо было проектировать таким образом, чтобы не зависеть от поставок извне, топить их чем-то местным.

Этим чем-то был торф.

Ленин был одержим торфом.

Сейчас торф кажется скорее синонимом слова «экологиче-ская катастрофа», более «дымом», чем топливом; он «морально устарел». Однако сразу после революции он был единственно до-ступным во многих областях Центральной России источником тепловой энергии; когда от того, сможете ли вы довести зимой в своем жилище температуру хотя бы до 10 градусов, зависит ваша жизнь, леса вокруг городов уже вырублены, а доставить их по же-лезной дороге невозможно, потому что локомотивов нет и угля для топок тоже нет, вы начинаете всерьез интересоваться тор-фом; не потому, что вы большевик и вам нравится все новое, а потому, что прочие источники топлива исчерпаны в 1914—1917-м. Кржижановский подсчитал, сколько киловатт электроэнергии можно выработать с десятины торфяника; оказалось — очень много, гораздо больше, чем если сжигать растущий на той же площади лес. По части торфяников центральная часть России была клондайком.

Задача добыть торф в товарных количествах представлялась сложной, но в принципе разрешаемой. К середине 1910-х годов Классон изобрел «торфосос» — машину для механизированного торфодобывания, которая перла в будущее грубо, зато настойчиво: она размывала торфяные залежи водой, засасывала в себя всю болотную дрянь разом — воду, торф, ветки, мох, умудрялась не захлебнуться всей этой гидромассой — и перерабатывала ее в материал для сухого брикета.

Этот продукт механизированного торфодобывания, кирпич прессованного торфа, Ленин притащил осенью 1920-го на устроенную в Кремле для Малого Совнаркома и ближнего круга премьеру фильма про гидроторф и торфосос. Горький (режиссером был его пасынок, Желябужский, от объектива которого Ленин уворачивался еще на Капри), иронизируя, спросил, что это за «таинственный сверток шоколада»; Ленин, для которого фильм, где наглядно сравнивались грязный труд рязанских мужиков, лопатами вручную рубивших торф, и работа классоновского левиафана, показывал метафору революции — и саму революцию, настоящую, похлопал писателя по плечу: «Подождите — и шоколад будем вырабатывать при помощи этого топлива». Луначарский получил задание снять еще 12 фильмов про торфодобычу и ввести в школах курс по торфодобыванию.

В торфе, орал Ленин в 1920-м на каждом углу, наше спасение.

Этот торфосос годится как метафора и для самого Ленина; другое дело, что, как часто бывает с техническими новинками, на практике все оказалось не так гладко — сама размывочная машина, да, работала, но добытый ею мокрый торф следовало отжимать, высушивать, производить брикеты, собирать кирпичи в штабеля; для всего этого нужны были свои технологии, расходные материалы, валюта для закупки за границей деталей и т. п. Ленину приходилось разбирать конфликты Классона с советской бюрократией; тем не менее именно классоновские торфососы стали первым удачным опытом машиностроения в ленинской России — впечатляющим: российское болото, буквальное, между Москвой и Владимиром, превращается в источник созидательной энергии, которую можно передавать на расстоянии. И именно торф, на котором работала «Электропередача», не дал во время самых жутких месяцев разрухи остановиться приводам на московских фабриках.

Ленин почувствовал это «сильное звено» — и стал направлять туда средства и усилия.

Есть нечто символическое в том, что именно на Михельсонов-ском заводе — там, где Каплан стреляла в Ленина, — и стали через два года производить детали для машин, добывающих торф, на котором работала Шатурская ГЭС. И если бы 19 октября 1923 года Ленину хватило сил по пути в Горки заехать в Нескучный, на сельхозвыставку, он бы увидел эту машину «живьем».

Сам Ленин ничего не изобретал и даже автомобиль не водил — но еще до революции имел обыкновение тщательно вглядываться в хрустальный шар, предсказывающий будущее. Он проглатывал фантастические романы про инопланетян, проявлял интерес к разного рода паранормальным явлениям и альтернативным технологиям; после 1917 года эта страсть получила новый импульс. Идея Ленина состояла в том, что так же, как обычным гражданам, новая власть должна была продемонстрировать, что ждет не дождется их в победивших царскую бюрократию, подлинно народных госучреждениях, так и изобретатели и рационализаторы должны были получить зеленую улицу на всех направлениях и увидеть, что новый режим не бегает от технологической революции, а, наоборот, заинтересован в ней. Резкий рост числа самодеятельных ученых — прогнозировавшийся и случившийся — имел, по мнению Ленина, социальную подоплеку: после Октября в России изменились производственные отношения, рабочие теперь сами контролируют свою технику и, раз так, трудятся не механически, а «одухотворенно». Это высвобождение ранее скованных царским окостенелым режимом творческих сил приветствовалось и пропагандировалось; проблему дефицита топлива и сырья надо было решать, хотя бы и при помощи магии. Уже в январе 1918-го появился первый советский венчурный фонд, инвестирующий в технологические инновации, — Комподиз, специальный Комитет по делам изобретений и усовершенствований; в августе — Экспертное бюро.

Ленин был страстным охотником за изобретателями и умельцами; он тщательно сканировал новостной поток в поисках свежих идей, касающихся техники, вылавливал сведения об отечественных гениях в разговорах со знакомыми и направлял значительную часть своей энергии на скорейшее внедрение инноваций; Ленин был бы идеальным ведущим какого-нибудь шоу в духе «Безумных изобретателей» на телеканале «Эврика».

Узнав, что двери ленинского кабинета широко распахнуты для всех, кто в состоянии выговорить пароль «перпетуум мобиле», хозяин не покоится в кресле за пять тысяч долларов с руками, томно сложенными на груди, и полузакрытыми глазами, а сам выбегает гостям навстречу, при этом в голове его напрочь отсутствует прибор, который Карл Саган называл «детектором чепухи», в Смольный, а затем и в Кремль устремились чудаки всех мастей. Одним из первых был изобретатель уникального, по слухам лучше американских, дизельного трактора и владелец завода двигателей Яков Мамин, которого Ленин пытался вызвать еще в Смольный в конце 17-го — но встретился уже в Москве, в марте 18-го. К тому времени рабочие, взявшие под свой контроль маминский завод в Балакове, выбрали конструктора и хозяина директором. Встреча вышла скомканной, Ленин в спешке перепоручил перспективного изобретателя кому-то еще — и всё зависло; когда в 1921 году Мамину, наконец, выделили средства на производство его «Гномов», выяснилось, что оборудование на заводе растащено и продукцию с ходу выпустить невозможно. Мамин не сдался, и когда не получилось с «Гномами», спроектировал 12-сильного «Карлика» — который стал жертвой идиотизма власти — или, что более вероятно, негласных договоренностей с Америкой: за золото десятками тысяч покупали «фордзоны», а маминский проект прикрыли как кулацкий. Зато осенью 1921-го Ленин нашел время приехать в Бутово для личной поддержки идеи «электропахоты»: по разным сторонам поля установили две лебедки, барабаны которых вращались силой электромотора, а между ними туда-сюда катался на тележке «электроплуг» — неэффективный, кустарный, варварский, в стиле «кин-дза-дза» технический фокус, разрекламированный Ленину «архиполезным» монтером Есиным; затея нравилась Ленину больше, чем трактор, потому что сеть, по которой к мотору идет электричество, — общая, это способствует сплочению людей в коллектив — а не разъединяет их, как трактор, увеличивающий благосостояние владельца.

Идеей фикс Ленина на протяжении 1920 года оставалось изобретение некоего инженера Ботина, который еще в 1916-м в Тифлисе (Ленин прочел об этом в «Донской газете») якобы взорвал артиллерийский снаряд, находясь на расстоянии пяти верст, при помощи электромагнитных волн. Судя по реакции Ленина, прибор, обладающий колоссальной разрушительной силой, представлялся ему оружием, способным решить все военные проблемы Советской России; очень кстати в 1920-м, при Польше, Врангеле и грозящей войне с Англией. Ботин — видимо, с него Алексей Толстой писал главного героя «Гиперболоида инженера Гарина», — заметив жадный интерес к себе, принялся темнить, настаивать на тотальной секретности и требовать разного рода оборудование. Ему выделили целую военную радиостанцию, вагон с правом прицепки к пассажирским и скорым поездам, квартиру, персональный автомобиль, охрану — лишь бы он воспроизвел свой «тифлисский опыт». Всего сохранилось более двух десятков (!) ленинских записок, посвященных «изобретению». Специально приставленный к Ботину «красный спец» инженер-электрик Попов обнаружил, что из путешествия на Северный Кавказ в спецвагоне Ботин привез некий опечатанный ящик, где якобы находились необходимые для «монтажа» детали, однако при ближайшем рассмотрении там оказались «самые распространенные в старых физических лабораториях аппараты: обычная катушка Румкорфа, соленоид и, кажется, амперметр. Я сообщил Владимиру Ильичу, — пишет Попов, — что аппаратами, которые привез "изобретатель", обещанного опыта произвести нельзя. Владимир Ильич сказал мне, что "изобретатель", по всей вероятности, просто хитрит, обманывает меня и показал не те, что привез. "Ждите спокойно и не нервничайте"». Сам Ленин грызет ногти от нетерпения; в начале июня он едва ли не на коленях умоляет «нашего капризника» произвести его опыт прямо сегодня, не откладывая: «...случилось одно особое, военно-политическое обстоятельство такого рода, что мы можем лишних много тысяч потерять красноармейцев на этих днях. Поэтому мой абсолютный долг просить вас настойчиво...» и т. п. Несмотря на рост потерь на польском фронте, «канитель» продолжилась; выяснилось, что Ботин «теоретически ни объяснить, ни формулировать своего изобретения не может, а наткнулся на него случайно», но «идея, выдвинутая изобретателем, была очень ценной, и нельзя сказать, что она вообще неосуществима. Для нас в то время (1920 год) очень важно было иметь такое открытие, и Владимир Ильич вел дело так, чтобы исчерпать все возможности и прийти к любому концу: или изобретатель сам признается, что он не в состоянии произвести этого опыта, или хоть что-нибудь да удастся. "Нужно сделать так, чтобы он (изобретатель) не обвинил нас в том, что мы ему помешали в чем-нибудь"».

Следующим проводником Ленина в мир будущего оказался инженер Бекаури, который продемонстрировал председателю Совнаркома некий «несгораемый шкаф остроумнейшей конструкции, гарантирующей от взломов», — тоже при помощи «силы тока»; именно ему и были переданы материалы, оставшиеся от недоразоблаченного Ботина, — с тем, чтобы тот продолжил опыты дистанционного подрыва чего-то ненужного при помощи звуковых сигналов. Дело было поставлено с еще большим размахом: Ленин снабдил своего нового протеже не просто аппаратурой, но целым НИИ с лабораторией — ЭксМаНИ: «экспериментальной мастерской по новейшим изобретениям», куда доставлялась новейшая западная военная техника на предмет изучения возможности копирования и усовершенствования. Бекаури сделался кем-то вроде советского прототипа Кью в «Бондиане», и хотя деятельность его была засекречена, похоже, что кроме мин, активирующихся дистанционно, он пытался (пока в 1937-м его не «разоблачили» как немецкого шпиона) создать что-то вроде современных беспилотных летательных аппаратов — дронов.

Из внимательного чтения ленинской Биохроники можно почерпнуть уйму любопытных сведений — вроде того, что в начале января 1919-го на заседании Совета обороны рассматривается заявление об изобретении «беспроволочного телефона». Бонч-Бруевич упоминает о сибирском крестьянине, который принес в Совнарком «сделанный из дерева и шнурочков перпетуум мобиле», и физике-самоучке, «которому казалось, что он опроверг основные законы Кеплера»; Либерман — об изобретателе мотора, который подвешивался «каждому рабочему, занятому рубкой деревьев в лесу. При падении первого срубленного дерева мотор аккумулирует энергию падения, и, таким образом, при дальнейшей рубке, благодаря накопленной механической энергии, от рабочего требуется ничтожная затрата его физической силы. В результате, для пропитания рабочих потребуется, соответственно меньшей затрате сил, и гораздо меньше продовольствия». Продовольствие, конечно же, — на дворе 1919 год, и Ленина не могут не занимать алхимические перетекания несъедобного в съедобное; отсюда идея производства искусственного шоколада, приготовления сливок из подсолнухов и сахара из опилок; последний пример особенно излюблен новейшими комментаторами как иллюстрация ленинского «идиотизма»: «...т. Зиновьев! — пишет Ленин. — Говорят, Жук (убитый) делал сахар из опилок. Правда это? Если правда, надо обязательно найти его помощников, дабы продолжить дело. Важность гигантская! Привет!» Мертвый Жук, сахар из опилок, полный привет; критики не всегда отдают себе отчет, что из древесины, целлюлозы, действительно легко получить глюкозу, то есть виноградный сахар путем гидролиза и реакции с раствором серной кислоты; в условиях, когда еще немного — и люди нарушат табу на каннибализм, нет ничего удивительного в том, что Ленин обратил внимание на работу Иустина Жука, погибшего в Гражданскую в 1919-м. Вычитав о колоссальных преимуществах кукурузы сравнительно с пшеницей, Ленин предлагает начать широкую пропаганду этой культуры среди крестьян — как в плане выращивания, так и употребления; осенью 1921-го он требует, чтобы ближайшей весной все яровые площади во всем Поволжье были засеяны кукурузой.

Целую плеяду изобретателей — перед которыми в Кремле также раскатывали красные ковровые дорожки — породили дефицит топлива и возможности его экономии. В 1920-м Ленин курировал проект «Главшишка»: некий дантист Равикович, качавшийся однажды, во время дачного отдыха, в гамаке и ушибленный, как Ньютон яблоком, по лбу шишкой, сообразил, что это прекрасный горючий материал. Человек обстоятельный, он подсчитал средний урожай шишек с сосны, примерное количество хвойных лесов в России, понял, что проблема топлива в России решена — и явился с проектом к Ленину. План был продуман до мелочей: шишки объявлялись национальным достоянием; государство должно было мобилизовать население — в основном детей и стариков — на их сбор; разумеется, оно же обеспечивало сборщиков спецкорзинами; следовало «построить недалеко от железнодорожных центров склады, куда будут сносить шишки; каждый мобилизованный будет обязан собирать определенное количество шишек — это будет его трудовая повинность». Затем шишки поступали на заводы, где раньше, до войны, выжимали подсолнечное масло; здесь их прессовали — и так появлялось топливо для обогрева жилищ и паровозов. В теории все выглядело как прорывная технология; два миллиона рублей было выделено на опыты на местах; в Кремль пригнали вагон шишек, в кабинете у Ленина пыхтела чугунная печка, отапливаемая прессованным топливом будущего, Равикович сделался на заседаниях Совнаркома своим человеком. Запуск проекта «Главшишка» стал реальностью — Ленин поставил свою подпись под сонаркомовским постановлением «о шишечном сборе» и заставил сочинить инструкцию по алгоритму принуждения и стимулирования сборщиков «шишечного топлива» (удачным образом, реформа образования как раз предполагала приобщать детей к труду в рамках школьного обучения), и только С. Либерман, руководивший лесной промышленностью, вернувшись из загранкомандировки, объяснил, чтó здесь не так: хвойные леса в основном находятся на севере и в Сибири, а маслобойные заводы — в безлесных районах, и чтобы гонять поезда туда-сюда, уйдет в десять раз больше топлива, чем получится от шишек; именно поэтому ни один состав с шишками, ушедший к выбранному для экспериментов маслобойному заводу, так и не дошел до места назначения — он поглощал в пути весь груз; склады, корзины и управление мобилизацией населения тоже обойдутся дороже, чем простая рубка леса. «Это произвело», говорит Либерман, «впечатление на Ленина, который всегда искал здравого смысла в приводимых аргументах. По своему обыкновению, он читал во время заседания какую-то книгу, но все высказываемые соображения доходили до него — он их схватывал, взвешивал и умственно переваривал. Я заметил по движению угла его губ, что Ленин чуть усмехнулся».

В целую эпопею вылилось покровительство Ленина инженеру А. Барышникову, который изобрел искусственную подметку. Ленин засыпал профильные ведомства — Комподиз и Главное управление кожевенной промышленности ВСНХ — запросами: правда ли, что это полезная вещь? Когда будут проведены испытания? Звучит нелепо — но не для руководителя государства, размещающего у кустарей заказы на миллионы лаптей для армии; за отсутствием кожевенного сырья. Испытания шли медленно, и, несмотря на ленинские понукания, на протяжении всего 1920 года Главкожа не давала разрешения на внедрение изделий из суррогатной кожи; кончилось тем, что подметка показала «неудовлетворительные результаты», и Барышникова выпроводили из Кремля — усовершенствовать изобретение.

Широко известен ленинский интерес лишь к электрификации (формула «советская власть плюс электрификация всей

страны»), но на самом деле он протежировал всех левшей и ку-
либиных без разбора; в круг его интересов вошли кипятившие
воду без огня «термосы профессора Артемьева», электрический
рупор-громкоговоритель, синтетический каучук, производство
спирта из торфа, тормоза паровозов и электрические музыкальные инструменты (терменвокс). Горький, также обративший
внимание на причуду Ленина по этой части, вспоминает о некой энигматической «гомоэмульсии», которую обещал создать
какой-то генерал из бывших; Ленин, всего лишь услышав, что
тот «варит» «карболку какую-то», ринулся выручать генерала из
лап ЧК: «Ну вот, пусть варит карболку. Вы скажите мне, чего
ему надо».

Надежда Константиновна замечает, что Ленин бредил созданием *Wunderwaffe*, которое будет настолько мощным и разру-
шительным, что война «вообще станет невозможной». Обретя
в юности абсолютное философское оружие — марксизм, Ленин
всю жизнь гонялся за неким естественно-научным его аналогом,
который форсировал бы прогресс, обеспечил окончательную
защиту революции и решил бы проблему военных расходов.
В сущности, Ленин искал себе кого-то вроде С. П. Королева — и
стремился организовать дело таким образом, чтобы тот, если появится, нашел путь реализовать свое открытие (любопытно, что
в Музее-квартире С. П. Королева в Останкине можно увидеть над
рабочим столом картину с Лениным, причем не официальный
портрет-икону, а нечто оригинальное и свидетельствующее о
личном интересе: рисунок, на котором Ленин бредет по опасно-
му льду из Финляндии в Швецию в декабре 1907-го). Предполагалось, что превращение Советской России в инкубатор новых
технологий позволит сделать резкий индустриальный скачок —
и очень кстати: разумеется, Ленин осознавал, что одно из слабых мест в его теоретической базе — отсутствие в России объективных, связанных с технологической стороной капитализма,
условий для социалистической революции, и поэтому задним
числом, уже совершив ее, пытался эти условия создать. Ускорен-
ное внедрение технологий должно было, среди прочего, увеличить «поголовье» сознательных рабочих: управление сложными
машинами стимулирует развитие классового сознания, политической активности и приобщения к культуре. Кроме того, обо-
стренное внимание Ленина к любого рода «прорывным» изобретениям объяснялось желанием срезать углы: быстро поднять
руинированную войной и экономическим хаосом, не поддающу-
ся оживлению промышленность и преодолеть дефицит сырья,
смазочных материалов, технологий, квалифицированной рабочей силы, продовольствия — за счет резкого повышения производительности труда и КПД.

Деятельность Ленина в качестве коллекционера новых технологий и патрона изобретателей стала известна даже за рубежом.

Дельцы из Америки и Европы специально приезжали в Москву, чтобы продать ту или иную технологию; иногда рецепты присылали бесплатно, как знак любезности: так, в 1921 году некий американец подарил Ленину патент на «колпачную защиту растений». Дичь и бессмыслица, как выяснилось из отзыва Наркомзема; разве что для «утонченного цветоводства и деликатесного огородничества».

Разумеется, накапливающийся негативный опыт по этой части научил Ленина — далеко не сразу, году к 1921-му, — держать по отношению к инноваторам, чья «склонность к креативной деятельности» часто сочеталась с неуважением к технологическим стандартам и вообще соблюдению «правил», «немецким выдумкам», известную дистанцию. «Изобретатели, — сухо уведомляет Ленин Ивана Радченко, — чужие люди, но мы должны использовать их. Лучше дать им перехватить, нажить, цапнуть — но двинуть и для нас дело, имеющее исключительную важность для РСФСР». Сколько можно понять, изобретатели требовали за национализацию открытых ими «секретов» от 5 до 12 процентов стоимости производства; например, в декабре 1921-го Ленин рассматривал проект «Торфит», который позиционировался как «наш новый союзник против разрухи». (Быстро отчеканен был и слоган: «"Торфизация" — родная сестра электрификации и ее помощник».) «Специалист-любитель» открыл способ обрабатывать торф таким образом, что он становился «легче воды, тверже камня»: «можно делать дома, избы, бараки, черепицу, лодки, ульи, посуду, колеса, лопаты, игрушки». Перед тем как перейти к разговору о деньгах, изобретатели обычно напирали на то, что продукцию, произведенную по их рецептам, можно экспортировать за валюту или что «иностранцы уже пронюхали и пытались купить секрет».

Можно сколько угодно смеяться над доверчивостью Ленина, но сам характер атмосферы изменился и дело двинулось; несмотря на все курьезные случаи, в сущности, именно благодаря Ленину Циолковский из чудака-учителя смог обрести статус настоящего ученого — и «разбудить» поколение С. П. Королева; видимо, Ленин также успел инфицировать этой своей «болезнью» и Сталина, и СССР в конце концов превратился сначала в шарашечный ад, а затем и в рай для технарей с оригинальной высокой культурой технологий.

В «сталинском» фильме «Ленин в 1918 году» готовящие покушение враги Ленина каким-то образом связаны с двуличным Бухариным — по лицу которого змеится улыбка: он знает о том, что должно произойти. В действительности Бухарин, осознавая, что убийство Урицкого — начало нового витка противостояния с эсерами, как раз предлагал Ленину не ехать на митинг.

Не вполне ясно, стоял ли кто-то еще за Каплан и кто были ее сообщники – эсеры или иностранцы. На протяжении второй половины лета ЧК пристально наблюдала за развертыванием «заговора трех послов», в ходе которого предполагалось захватить с помощью подкупленных латышей Ленина и Троцкого и не то убить их, не то вывезти из России, доставив в Архангельск на военные английские суда. Покушение на заводе Михельсона стало триггером: на следующий день решено было наплевать на дипломатическую неприкосновенность; ЧК штурмует британское посольство в Петрограде и квартиры иностранных дипломатов в Москве.

Несмотря на то, что Каплан была взята с поличным, дело о покушении всерьез расследовалось – с протоколами («Недалеко от автомобиля найдены четыре распиленных гильзы, приобщены к делу в качестве вещественных доказательств»), допросами других подозреваемых (эсер Новиков рассказал, как Каплан распиливала мельхиоровые пули для браунинга, чтобы начинить их стрихнином; по словам Семашко, в них был «яд кураре, которым индейцы мажут свои стрелы, чтобы бить слонов»), свидетелей («Стрелявшая Фанни Каплан стояла у передних крыльев автомобиля со стороны хода в... зал митингов») и самой Каплан («Я сегодня стреляла в Ленина. Я стреляла по собственному побуждению. Сколько раз я выстрелила, не помню. Из какого револьвера я стреляла, не скажу. Я не была знакома с теми женщинами, которые говорили с Лениным. Решение стрелять в Ленина у меня созрело давно»). Несмотря на мнимую очевидность произошедшего, 2 сентября на площадке перед заводом устроили следственный эксперимент – «Инсценировка покушения на В. И. Ленина». Любопытно, что, судя по документам, проводил его Яков Михайлович Юровский – тот самый, который за полтора месяца до этого расстрелял царскую семью. Не менее любопытно, что Каплан была неплохо знакома с Дмитрием Ульяновым – который пристроил ее после революции в санаторий подлечиться*.

_____

* В не лишенной остроумия – и отчаянно антиленинской – книге В. Осипова «Моя Крупская» утверждается, будто Каплан была лишь ширмой, «городской сумасшедшей», которая сама стрелять не могла физически, но которую подлинные террористы нарочно взяли с собой, чтобы повесить на нее покушение; палили же в Ленина – из разного оружия – двое других людей, имевших отношение к ЧК и конкретно к Свердлову. Автор обращает внимание на множество действительно подозрительных нестыковок, особенно касающихся использованного оружия, яда кураре и пр. Однако объяснения, в чем заключается мотивировка Свердлова и как именно он планировал воспользоваться убитыми слонами в случае успеха своей затеи, в книге нет. По-видимому, все странности всё же можно списать на ту обстановку, в которой произошло это покушение: вторая половина лета 1918-го была, наверное, худшим моментом для большевиков: они готовились к поражению и уходу в подполье; при Московском губисполкоме уже открыли мастерскую

Кровь Ленина наделила завод — в 1922-м рабочие прислали в Кремль просьбу называться заводом имени Владимира Ильича, и с тех пор он единственный с таким названием, не «Ленина», а именно «ЗВИ» — сакральным статусом: в 50—60-е сюда толпами валили иностранные делегации, наведывался Гагарин, здесь даже принимали присягу бойцы из соседних казарм. В 1920-х завод обеспечивал техникой план ГОЭЛРО, затем выпускал ракеты для «катюш», стиральные машины, дело едва не дошло до ускорителей частиц. Уже через пару месяцев после покушения рабочие установили самодельный памятник, нечто геометрическое и неантропоморфное: огромная четырехгранная стела на массивном постаменте, а сверху шар-колобок. Еще в 10-е годы XX века братья Гопперы планировали вместо цехов построить доходные дома; похоже, через 100 лет их мечта вот-вот осуществится. На месте гранатного цеха — огромного корпуса красного кирпича, в котором как раз и выступал 30 августа 1918-го Ленин, — торчит павильон с пунктом выдачи детских товаров *Mamsy*; под лофты промархитектура 1960-х пока еще не годится, нужны корпуса постариннее. Завод, однако, не выглядит заброшенным, во внутреннем дворе оживленно, и памятник Ленину — третий на пятистах квадратных метрах — утопает в море грязных внедорожников. Скорее всего, их хозяева — арендаторы; однако ЗВИ худо-бедно функционирует — и может служить иллюстрацией скромных, но все же перспектив промышленного пролетариата в условиях общей деградации индустриальной культуры в современной России: здесь по-прежнему — в паре километров от Кремля! — производят электромеханическое оборудование для эскалаторов в метро. Действует и музей завода — где выставлены не только портреты передовиков производства, домашние электроплиты и армейские портативные бензиновые двигатели, но и копии следственной документации и трехмерная модель сцены покушения на Ленина — с автомобилем Гиля.

Каплан была схвачена сразу же, и только Гиль уберег ее от самосуда толпы.

Шофер быстро отвез истекающего кровью — одна пуля засела в нижней части шеи, вторая в плече — Ленина в Кремль; там тот зачем-то сам поднялся по лестнице на высокий третий этаж; весь остаток дня над ним хлопотали близкие женщины, и только позд-

---

по подделке паспортов: имена смывали, заполняли бланки из старых архивов фамилиями умерших и фальсифицировали подписи волостных старшин и губернатора Джунковского. Именно поэтому документы, касающиеся покушения, тоже могли быть намеренно искажены. Поскольку проверить противоречащие друг другу показания свидетелей нет возможности, перспективнее, чем на «загадочные» нюансы, полагаться на общую логику ситуации.

но вечером его осмотрели врачи: пульса почти не было, кровь из пробитого легкого заполняла плевру. Ленин просил предупредить его, если это конец: «кое-какие делишки не оставить».

Осенью 1918-го, после покушения, поползли слухи, будто Ленин умер и большевики скрывают эту смерть; словосочетания из бюллетеней в газетах — «высокая температура», «кровь в плевре», «подкожные гематомы» — только усугубляли подозрения. Семашко, автор версии об отравлении кураре, задним числом рассказал, что «Владимир Ильич корчился в судорогах, скрежетал зубами от боли»; через месяц Бонч-Бруевичу даже придется устроить засаду киношников около Царь-пушки, чтобы те смогли заснять — без согласия клиента — гуляющего и беседующего ВИ.

После покушения на Ленина Свердлов официально, через газеты, объявляет о начале красного террора — с заложниками и массовыми казнями. Ленин требовал террора — хотя бы локального, в Питере — еще в июне, сразу после убийства Володарского; показать, что «не тряпки».

Политическую ситуацию осени 1918-го можно назвать очень «ленинской» — имея в виду ее одновременно потенциальную гибельность, непредсказуемость, но и невероятную, заставляющую ноздри раздуваться перспективность: пожароопасность, причем такую, которая угрожает прежде всего вам, но если вы спрогнозируете сценарий развития ситуации раньше других участников и рискнете затеять «встречный пал» — то можете решить очень многие свои проблемы и выйти из этого кризиса с баснословной прибылью. Война заканчивалась — но что было делать с этим Советской России, которой пока удавалось лавировать между двумя блоками? Остается одна Антанта — с которой надо либо воевать, либо договариваться о том, как поступить с Украиной, Польшей, Прибалтикой, чье это теперь. Если поднимутся Германия, Австрия, Венгрия, австрийская Польша (но как поднимутся — тоже вопрос: радикально, как Россия в октябре, или умеренно, как Россия в феврале?) — нужно ли просто аплодировать, оставаясь в стороне, или перебрасывать туда людей, продовольствие и оружие, что в переводе на язык обычной дипломатии означало вступление в еще не кончившуюся войну на стороне Германии против Антанты.

Гражданская война была грязным делом как «снизу», на уровне исполнения, так и «сверху», на уровне планирования. О низовой стороне ее можно судить по запросам Ленина в ЧК и другие органы — касательно судеб разного рода людей, арестованных, ограбленных, обиженных и расстрелянных другими людьми, которые либо формально напрямую подчинялись Ленину, либо следовали его указаниям, стимулирующим насилие, либо руководствовались личной ненавистью к нему. Точное количество жертв и степень «виновности» Ленина в организованном и, особенно, хаотическом насилии не поддается учету; но даже по тем смертям, которые очень частым и очень трагическим гребнем проредили состав знакомых, родственников, одноклассников и однофамильцев Ленина, ясно, что масштабы войны были огромны; и любая из этих историй, достаточно войти в подробности, подтверждает самые худшие представления о человечестве.

Не менее отвратительной была и война как инструмент большой политики — то, чем занимался непосредственно сам Ленин.

Главным результатом этой войны не для масс, а для элиты — и Ленин осознавал это — станет то, кто окажется выгодоприобретателем от трансформированного войной российского рынка; кто сможет эксплуатировать выживших людей — способных потреблять произведенные где-то еще товары и платить за них своим подешевевшим трудом на сжавшемся — и готовом к взрывному росту рынке; кто сможет поставлять продовольствие, машины и оружие на рынок, где на протяжении многих лет поддерживался искусственный дефицит всего; кто получит максимальную прибыль от умирающего от недофинансирования, задавленного экономическими санкциями Советского государства, которому придется преодолевать нанесенный во время войны и террора ущерб за счет торговли движимой и недвижимой госсобственностью, включая золотой запас, инфраструктуру и природные ресурсы; кто будет распоряжаться территорией, которая является естественным буфером между другими, по-своему перспективными рынками. Как за статистикой разного рода человеческих «потерь» стоят личные и семейные трагедии, так и за военными терминами — вроде «изгнание белых из Крыма» — скрываются дипломатические балансы и шокирующие обывателя компромиссы, достигавшиеся, обычно негласно, кабинетами Ллойд Джорджа, Ленина и Вильсона.

Обычно принято считать, что экономика — следствие политики и, условно говоря, «демократическая Америка» и «тоталитарный СССР» — антиподы прежде всего политические. На самом деле, политика только инструмент определения цены за тот или иной участок для эксплуатации. Ленин прекрасно осознавал это — и умел, абстрагируясь от таких понятий, как «патриотизм» или «верность идеологии», заключать «грязные», в смысле вроде как не подобающие «рабочему вожаку» — сделки. Можно идеализировать или демонизировать Ленина, в зависимости от веры в его стремление прийти к финалу истории, описанному в «Государстве и революции», но даже в его случае руководить страной — в данных конкретных обстоятельствах — означало стремиться к увеличению возможности своего правительства дорого продавать и дешево покупать.

По некоторым версиям истории Гражданской войны может создаться впечатление, что между 1918-м и 1920-м Ленин — не являвшийся специалистом в военном деле — отходит в тень, уступает место на авансцене Троцкому — подлинному большевистскому Бонапарту, создателю Красной армии, демону и «разящему мечу» революции; это ведь, по сути, именно благодаря его решительности и мудрости — разве не он настоял на привлечении военспецов, царских офицеров в Рабоче-крестьянскую Красную армию? — выиграна Гражданская?

Мнение, будто Ленин не был знатоком собственно военного дела и пользовался услугами более приспособленных к этому лиц, укоренилось с легкой руки Сталина, который не раз иронически ухмылялся относительно «штатского» Ильича и поощрял это мнение транслировать. На самом деле Ленин интересовался военным искусством, еще когда Сталин учился в семинарии, — и прочел, судя по его библиотечным формулярам, на эту тему гораздо больше книг, чем Сталин и Троцкий вместе взятые. В 1905-м он активно изучал опыт Парижской коммуны, техники уличного партизанского боя, перевел с французского часть книги «Уличная борьба», сам много писал об этом, заказывал как редактор специальные брошюры для большевистских боевиков, обращал внимание на методику захвата важных общественных зданий и инфраструктуры, от телеграфа до сточных труб; Бонч-Бруевич вспоминает, что весной 1917-го в Петрограде Ленин сам разрабатывал для большевистских демонстраций тактику действий на случай необходимости вступления в уличный бой с черносотенцами и буржуазией.

Гражданская война Ленина была не такой, как у его коллег. Ленин не метался по стране на собственном бронепоезде и не вел красноармейцев на Кронштадт, как Троцкий; не скакал с шашкой в атаку, как Чапаев; не оборонял Царицын, как Сталин и Ворошилов. Скорее всего, он никогда не видел ни Колчака, ни Деникина, ни Юденича, ни Врангеля. Он вел переговоры с иностранцами, разводил по углам командующих — далеко не только Троцкого и Сталина, штамповал резолюции, назначал комиссии, укомплектовывал их, боролся на съездах, совещаниях, за кулисами с оппозицией внутри партии, обеспечивал снабжение голодающего без продовольствия и топлива бюрократического аппарата, выступал на фабриках, ликвидировал последствия снежных бурь и неурожаев, разгребал «вермишельные», мелкие, жалобы — почему посадили такого-то и реквизировали то-то, ругался — почему от санитарных поездов самовольно отцепляют вагоны-кухни и перевязочные-аптеки; всё в пожарном порядке, быстро, срочно, горит. Пожалуй, у кого-то может создаться впечатление, что Ленин в эти годы играл второстепенную роль тылового бюрократа, распорядителя и министра по чрезвычайным ситуациям при генераторе идей Троцком.

Ленин был гироскопом войны; метафора «диалектика — оружие» представляется в этом аспекте особенно точной. Участие Ленина в Гражданской войне следует охарактеризовать скорее как обеспечение Красной армии политического преимущества над противниками; его способность осуществлять «конкретный анализ конкретной ситуации», умение применять теорию классовой борьбы, пользуясь описанными у Маркса и Энгельса прецедентами, талант находить в трудном положении самых неожиданных союзников (Махно, Уолл-стрит, Афганистан) позволяли выстраивать отношения советской власти с главным ресурсом обеих противоборствующих сторон — крестьянством, обеспечивать манипулирование «слабыми звеньями» — этнически маркированными регионами и национальными окраинами, нащупать долгосрочную стратегию Красной армии — немаловажно, при почти постоянно открытых нескольких фронтах, то есть постоянно и непредвиденно возникающих угрозах и тотальном дефиците ресурсов. Даже в худшие месяцы 1918-го Ленин не верил в перспективы Белого движения, зная, что у того не было никакого проекта, внятной идеи, кроме «за свободу и Учредительное собрание» или — кто в лес, кто по дрова — за Бога, царя и отечество; да и Антанте выгоднее была Россия, распавшаяся на мелкие государства, поэтому она поддерживала белых с большими оговорками, настаивая на «демократии» — то есть позволяла белым воевать не за восстановление Российской империи, а за зависимый от Антанты центр без окраин. И именно этим, а не идиотским упрямством и жестоким желанием «еще поэкспериментировать» («Ленин хоть всю Россию отдаст, лишь бы оставили ему маленький клочок земли, хотя бы Московский уезд, для социального опыта» — фраза Плеханова, брошенная весной 1918-го), объясняются его планы в случае реализации худшего сценария (захвата белыми или интервентами Москвы и Петрограда) уйти за Урал и создать там — где есть уголь для локомотивов и индустриальный пролетариат — «Урало-Кузнецкую республику». Ленину было ясно, что контрреволюционеры могут добиваться любых сиюминутных успехов, но в долгосрочной перспективе с такой программой они не в состоянии восстановить государство и обеспечить соблюдение общественного договора в анархизированной России. А раз так, можно было отступать и платить за «передышки» любую цену. И поскольку победа в так называемой Гражданской войне должна достаться большевикам, у Ленина были основания, — помимо некомпетентности в сугубо военных делах, — оставшись «мозгом» войны, делегировать ее непосредственное ведение другим, компетентным людям и организациям: Троцкому, Сталину, Дзержинскому, а самому обеспечивать эту войну с политических позиций.

Лавирование между разными противниками — намеренная уступка позиций на одном участке фронте, с тем чтобы пропорционально усилить позиции на другом, — было излюбленным боевым искусством Ленина; он умел театрально, не заботясь о «сохранении лица», заваливаться «кверху лапками», изображать из себя побежденного, — но зато умел и нападать так, как по правилам политической драки не нападают, — из вроде бы слабой, заведомо ущербной, а на самом деле временно обретшей силу позиции (поход на Польшу летом 1920-го).

Самой яркой, самой успешной — моделью для прочих — стала советизация Украины, на значительной части которой еще поздней осенью 1917-го установилось перспективное для петроградских большевиков двоевластие — Рады и Советов. Н. Махно приводит в мемуарах свой диалог с Лениным, из которого ясно, что Ленин «про себя» рассматривал Украину как российский юг, но политически взаимодействовал с ней как с независимой, отдельной, *другой* страной, население которой не следует травмировать новой атакой со стороны «нации угнетателей». Политическая модель понятна: сразу после денонсации Бреста — большевизация индустриальных центров (Харьков), «майдан» в столице, формирование «советского правительства», ревком обращается за помощью к Москве, та вводит уже не на чужую, а на «советскую» территорию Красную армию. («Побочный ущерб» этой технологии Ленин осознает лишь в 1919-м, когда к нему пойдут страшные отчеты о том, что происходит на Украине: титульная нация по большей части не принимала большевизм, и для проведения совнаркомовской политики в жизнь рекрутировалась еврейская молодежь, охотно менявшая свой социальный статус; в результате в 1919-м Украина превратилась в арену объективно спровоцированных этой неосторожной национальной политикой событий, жестокость которых даже по рамкам XX века — с Саласпилсом, красными кхмерами и Руандой — выглядит запредельной.)

Колоссальная практика расколов, накопленная Лениным к 1918 году, позволила ему применить этот тактический прием из корпоративной культуры РСДРП в военном деле — и, безусловно, способствовала успешному разрешению военных кризисов 1917—1920 годов.

Легкость, с которой ленинская Россия в ответ на ультиматумы то переходила из обороны в наступление, то сворачивала наступление: Германии, Польши — озадачивала и нервировала противников, осознававших, что выиграв в территориях, они либо получали что-то не то у себя в тылу, либо позволяли большевикам уйти от поражения на другом фронте. И судя по тому, как отличалась карта Советской России в 1919-м от карты в 1922-м, эта озабоченность имела под собой почву. Для Ленина не существовало табу, связанных с потерей коренных территорий; гораздо важнее вовремя закончить войну. Ленина интересовала не «классическая», с аннексиями, победа, а достижение глобального стратегического преимущества. Когда обстоятельства переменятся, можно и нужно будет ими воспользоваться (активировав пропагандистский ресурс) в следующей по времени или соседней войне. Можно было «отдать» Псков или Украину — и «получить» доступ в Иран или Китай; ни «отдать», ни «получить» не подразумевали буквальный и окончательный передел границ. Война полководца конечна, война политика — нет.

Ленин не был «этническим» политиком, как Пилсудский, не был привязан ни к каким «естественным» границам — и, соответственно, к идее национального государства. Внешняя политика большевистской России — на круг очень успешная — носит на себе отпечаток эксцентричной личности Ленина, уникального для своего времени типа военачальника-политика, для которого «вопрос территориальных границ — вопрос 20-степенный».

Ленинский принцип — «лучше маленькая рыбка, чем большой таракан», остаться в мизерном меньшинстве сейчас, чтобы в перспективе не распылять ресурс власти — применялся последовательно и повсеместно. Большевики играли на противоречиях и не давали договориться — англичанам в Мурманске с белочехами в Казани, Врангелю и Пилсудскому, Ллойд Джорджу и Мильерану, Махно и Петлюре, Колчаку и японцам; раскалывали — церкви и уммы, национальные автономии и банды, квазигосударственные образования и армии. Давным-давно Богданов назвал Ленина «грубым шахматистом»; Ленин еще в 1903 году, объясняя тактику раскола, пользовался термином «война»: «И надо всем и каждому втолковывать до чертиков, до полного "внедрения в башку", что с Бундом надо готовить войну, если хотеть с ним мира. Война на съезде, война вплоть до раскола — во что бы то ни стало. Только тогда он сдастся несомненно». Расколы использовались не только при атаке на очевидных врагов; применяемая по отношению к «своим», эта тактика позволяла преодолевать инерцию того или иного общественного объединения (партии, политбюро) — и обновлять его, приноравливая к изменившимся условиям. Ни Деникин, ни Колчак, ни Махно такой техникой не владели в принципе, они вообще не были политиками и «просто воевали», выжимая что могли из своих окостенелых структур; в ситуации, когда игра шла на нескольких досках, у Ленина было колоссальное преимущество над ними. Ленин был мастером заставить противников путаться друг у друга в ногах, а если им все-таки удастся организоваться — бросить такую кость, из-за которой они начали бы грызться. Сам он знал об этом и иногда даже позволял себе нечто вроде публичной лекции на материалах из недавней хроники — например, ему нравилось припоминать про свое согласие «вступить в известное "соглашение" с французскими монархистами» в феврале 1918-го, когда наступали немцы, и «французский капитан Садуль... привел ко мне французского офицера де Люберсака. "Я монархист, моя единственная цель — поражение Германии",— заявил мне де Люберсак. Это само собою, ответил я (cela va sans dire). Это нисколько не помешало мне "согласиться" с де Люберсаком насчет услуг, которые желали оказать нам специалисты подрывного дела, французские офицеры, для взрыва железнодорожных путей в интересах помехи нашествию немцев». «Мы жали друг другу руки с французским монархистом, зная, что каждый из нас охотно повесил бы своего "партнера". Но наши интересы на время совпадали».

Да и в целом представления Ленина о характере и желаемых результатах текущих событий отличались от представлений «обычных», рационально мыслящих, пусть даже в рамках заданной Лениным большевистской парадигмы, людей. Финал Гражданской войны в сознании «нормального человека» выглядит очевидным; как говорит В. И. Чапаев Петьке с Анкой в васильевском фильме — вот разберемся с белыми, построим социализм — такая жизнь начнется, помирать не надо. Для Ленина такая модель финала — слишком одномерная.

Гражданская война в ленинском понимании не сводилась к проблеме подавления выступлений Деникина, Колчака и задаче удержания власти при помощи организованной системы насилия над буржуазией; гражданская (и продолжающаяся империалистическая) война воспринималась им как постоянно обновляющаяся — то более концентрированная, то разряженная — серия кризисных ситуаций; искусство политика состояло в том, чтобы пользоваться этими колебаниями для улучшения своей позиции и из каждого такого кризиса выходить с прибылью: например, признание Советской России какой-то «сложной» страной или заключение мирного договора с какой-то «важной» республикой (именно поэтому в марте 1919-го Ленин едва не заключает, при посредничестве Америки, мир со всеми белыми и Антантой на их, немыслимо тяжелых условиях; именно поэтому в 1920-м Ленин радовался заключению мира с Эстонией так, будто выиграл «битву народов» — при том, что за Эстонией остались Ивангород, Печоры и Изборская долина; но Эстония была финансовым и товарным окном в Европу, через которое можно было быстро, здесь и сейчас, нейтрализовать эффект от душащих республику «санкций»; ни Юденич, ни Колчак не признали Эстонию, хотя эстонские войска помогали белым и могли бы в 1919-м взять Петроград, — а Ленин признал). Ровно поэтому для Ленина выход из войны с немцами, чаянный «мир», достигнутый к весне 1918-го, на деле был именно «передышкой» — слово, которое так раздражало ленинское окружение: какая ж передышка, когда немцы вот-вот Петроград захватят. Мало кто понимал, что «передышка», подразумеваемая Лениным, — не в войне с немцами, а в Большой империалистической войне, которая будет продолжаться и продолжаться. То же и с Гражданской: для Ленина она — этап мирового кризиса империализма, природу которого Ленин описал в «Империализме как высшей стадии»; воспринимаемая населением как «братоубийственная», для Ленина она была войной Советской России с Антантой (наемниками Антанты); а до ноября 1918-го — так и вовсе войной Англии и Франции против Германии на территории России.

В том и состоит радикальное отличие Ленина от всех других военных практиков, вроде Антонова-Овсеенко, Буденного и Тухачевского, — которые мыслили категориями либо защиты (социалистического) отечества, либо мировой революции. Как заметил один развеселивший Ленина солдат, «Россия непобедима на предмет квадратности и пространственности»; обнаружив себя на месте руководителя страны, которой угрожало военное поражение сразу с нескольких сторон, Ленин быстро пришел к выводу, что такой колоссальный географический и антропологический (с массами, способными энергично мобилизоваться) капитал, как Россия, — замечательное поле не только для решения сиюминутных задач, но и для политической — обеспечивающей стратегические преимущества — деятельности; именно поэтому уже в 1918-м, когда все вокруг него беспокоятся исключительно о выживании, Ленин обдумывает оргструктуру III Интернационала.

То, что называлось Гражданской войной, для Ленина было генератором ситуаций, которые следовало использовать для укрепления международных позиций России. Возможно (не факт), Ленин был бы никудышным полевым командиром — потому что такого рода деятельность не подразумевает политической компоненты. В этом смысле в лучшую сторону от прочих «комдивов» отличается Чапаев — по крайней мере, кинематографический. Мы помним, как Бабочкин-Чапаев сначала замялся, когда крестьянин задал ему вроде как абсурдный, по-мужицки глупый вопрос — а за кого он, за большевиков или за коммунистов? — а потом нашелся: «Я... — за Интернационал!» Это проницательный и тонкий ответ; ведь Чапаеву, в сущности, необязательно разбираться в нюансах политической терминологии. Главное для него — знать политический вектор власти, которую он проводит в жизнь. А власти, то есть Ленину, внутренние, терминологические нюансы — большевики—коммунисты, большевики—меньшевики — представляются не такими уж существенными; это важные, но детали. Существеннее Глобальная Политика, возникновение второго центра в противостоянии Запада и Востока. Ленинский Интернационал — идея, не сводящаяся к задаче зажечь революционный пожар в Германии или Шотландии или реализовать партийную программу какого-то типа социалистов. За Интернационал «в мировом масштабе», выражаясь словами все того же Василия Ивановича, — отвечает и Ленин.

Создание Коминтерна — организации-платформы для идеологической и материальной поддержки компартий разных стран — было обусловлено вовсе не только намерением форсировать «мировую революцию».

Коминтерн был остроумным ответом большевиков на ситуацию, возникшую после победы Антанты в Первой мировой войне.

Дымящимся, в плаценте и пуповине, государствам, народившимся из трупов европейских империй, нужно было предложить свой проект, альтернативный «очевидным» — и поддерживаемым Америкой и ее президентом Вильсоном — идеям создания сильных национальных государств — как в Польше, Венгрии, Финляндии. Бойня красных в Финляндии в 1918-м, надо сказать, стала для Ленина тем уроком, который он хорошо усвоил: новые власти, национальная буржуазия вовсе не собираются отдавать другим, более слабым классам причитающийся им по справедливости кусок власти. Модель везде была похожая: сначала волнения — в диапазоне от голодного бунта до революции, затем расслоение активистов, недовольные рабочие образовывают Советы, начинается двоевластие, буржуазия расправляется — иногда расстреливает массы, как в Цюрихе в ноябре 1918-го, иногда расправляется с вожаками, как 15 января 1919-го в Германии с Р. Люксембург и К. Либкнехтом. Эта «Финляндия» — в широком смысле — и оказалась лучшим ответом Каутскому: вот что происходит, когда империя «просто отпускает» — демократично, уважая мнение меньшинства, — одну из своих национальных окраин; когда с буржуазией — которую у Ленина хватило жесткости отстранить от власти — договариваются, делегируя ей обязанность соблюдать демократические принципы. Буржуазия разворачивает против пролетариата гражданскую войну — с десятками тысяч убитых, с концлагерями.

Даже если первое время Ленин в самом деле разделял оптимизм своих товарищей касательно пролетарской революции на Западе, уже к началу 1918-го — за год до разгрома немецких спартаковцев — Ленин, хотя и готов был к «идеальному сценарию», стратегию поменял.

Прекрасно, если Германия вспыхнет от «революционной периферии», — но судьба России не может полностью зависеть от немецкого фактора.

Когда революция в Германии захлебнулась, Ленину — хозяину крайне одинокой страны, которую нужно было быстро модернизировать, не имея ресурсов, — не оставалось другого выхода, как начать делать мировую политику самому; вот откуда возникает Коминтерн. Проверенной моделью «большевизации» неосвоенных пространств было создание структуры по описанной в «Что делать?» модели: с уставом, сложной процедурой вступления новых членов и пр., имеющую подводную, нелегальную, и надводную часть — которая остается на поверхности и сотрудничает с буржуазной парламентской демократией в плохие времена, а в «хорошие» — моменты стихийного восстания масс — берет на себя задачу дирижировать ими.

Коминтерн стал для Ленина новой «Партией»; еще один заговорщический орден, аналог средневековых монашеских. Но масштаб ее деятельности теперь расширяется до целого мира.

Несмотря на декларативные заявления Ленина после 25 октября 1917-го о превращении из пораженца в оборонца, его послереволюционную деятельность иногда трактуют как чересчур интернационалистскую и даже «русофобскую» — обвиняя его в намерении если не очистить Россию от великороссов вовсе, то по крайней мере «сжечь» Россию и «мужичка», как первую ступень ракеты, летящей в революционное будущее. Правда ли, что Ленин выкачивал из России ресурсы для коминтерновских фронтов так, как немцы из Украины в 1918-м? Да, после 1920-го через Эстонию и другие, менее легальные коридоры на деятельность Коминтерна вывозились миллионы золотых рублей. Однако те, кто полагает, что Ленин заливал золотом весь мир ради химеры мировой революции, пусть почитают его написанное в 1921-м гневное письмо «насчет каждой копейки расходуемых за границей и получаемых от Ком[мунистического] И[нтернационала] денег». «Всех виновных в подобного рода сокрытии правды, как умышленном, так и по небрежности, ЦК будет третировать как воров и изменников, ибо вред, приносимый неряшливым (не говоря уже о недобросовестном) расходованием денег за границей, во много раз превышает вред, причиняемый изменниками и ворами. Всякий, получивший деньги и не представивший в срок отчета, предается партсуду, хотя бы даже он был арестован, и без решения партсуда не освобождается от подозрения в воровстве».

Конкретные суммы трат, на самом деле, не столь существенны.

Дело в том, что Ленин вообще не рассматривал политический процесс в терминах «окончательной потери», жертвы: «принести Россию в жертву Мировым Социалистическим Штатам». Несмотря на то, что ленинская Советская Россия под конец его жизни подозрительно напоминала очертания Российской империи и даже некоторые «белые» задним числом склонны были признать Ленина «собирателем России», целью ленинской внешней политики не было восстановление Российской империи. Такая цель представлялась ему абсурдной: зачем восстанавливать то, что исторически не выжило, что показало свою неэффективность и нежизнеспособность? Однако Ленин осознавал, что в новых политических условиях у России появляется хороший потенциал сделаться альтернативным центром — который мог бы притягивать к себе как нации, так и не вполне сложившиеся государства, колонии и полуколонии вроде Персии, Индии и Афганистана; Кремль представлялся Ленину местом, куда стекаются люди, идеи и технологии; открытой для левых всего мира платформой, постоянно действующей лабораторией и площадкой, где обсуждаются стратегии распространения «революционной бациллы», интернациональной экономической кооперации, взаимодействия с реакционными классами и методы повышения сознательности пролетариата. Возможно, экономическая схема нового порядка будет соответствовать традиционной — в таком виде ее представлял Кейнс: Россия вывозит сельхозпродукцию и получает от Запада технологии; а возможно — вариант, более предпочтительный для Ленина: Россия становится и технологическим центром и «вывозит» идеологии. И именно ради того, чтобы Россия преодолела статус сырьевого придатка Запада, ради укрепления этого центра — пусть не маркированного как «русский», но находящегося на Востоке, в Азии, в России, — Ленин думал о советизации Венгрии и Италии.

В июле 1918-го левые эсеры убили в особняке Берга в Денежном переулке — посольстве Германии — немецкого посла Мирбаха. В тот момент это казалось окончательной катастрофой, перечеркнувшей все усилия большевиков остановить войну, фиаско всего советского-большевистского проекта. Мало кто мог представить себе это летом 1918-го, однако уже на следующий год здание превращается в штаб-квартиру исполкома Коминтерна, где вместо немцев-империалистов хозяйничают рабочие со всего мира. Нельзя, учит своих товарищей Ленин, полагать, что нынешняя ситуация — постоянная; да, немцы имели все возможности занять российские столицы — но немцам одновременно приходится опираться на большевиков, за неимением другой политической силы, желавшей договариваться с ними. Мир состоит из противоречий — которые приводят к изменению. Поэтому любого рода «красивое самоубийство» — умрем, но позорного мира с немцами не подпишем; спалим Россию, но зажжем Европу — воспринималось Лениным как род «революционной фразы»: неконструктивно и неэффективно; позже именно поэтому Ленин окорачивал леваков в «Детской болезни левизны»: цель «завоевать» главные западные твердыни капитализма подразумевала не мгновенную прямую атаку, а сложное маневрирование — ради сбережения собственных сил, которые понадобятся во время кризиса.

Россия была для Ленина ресурсом, который можно было эксплуатировать — иногда чем-то жертвовать, иногда что-то приобретать, — и чем более силен этот ресурс, тем лучше позиция; ни о какой «утилизации», «сожжении» речь не идет. Революции в Германии, Франции, Англии, Америке, безусловно, помогли бы новой, революционной России — и защититься, и быстро модернизироваться, и решить проблему низкой производительности труда — и поэтому Ленин не видел проблемы в том, чтобы забирать из бюджета страны какую-то часть средств на финансирование революций в других государствах; пресловутые бриллианты, которыми Каменев в Лондоне пытался подкупать членов британского парламента, и золотые миллионы на закупку оружия для Турции и Афганистана, спонсирование левацкой прессы в Германии и прочей нелегальной и полулегальной антиправительственной деятельности — не столько «принесение России в жертву идолам мировой революции», сколько инвестиция крупного государства в деятельность своих спецслужб за границей и в институции «мягкой силы»; стандартная практика. По сути, Коминтерн и был такой «мягкой силой» российских большевиков — которая в любой момент могла трансформироваться в военную.

Следовало обозначить для потенциальных партнеров — добровольных, привлеченных удачным примером модернизации общества — маяки, цели; и для этого построить пропагандистскую машину; с этим — среди прочего — связано возведение Шуховской башни, стоившей правительству много средств и сил, и мечты Ленина о «газете без бумаги» и «телефоне без проводов» — преодолеть расстояния за счет технологий XX века.

Соответственно, меняются формулировки задач: не «итальянизировать», например, Россию — а «советизировать» Италию.

Превращение Советской России с подачи Ленина в «осевое» государство — причем не только для Европы, но и для Азии тоже — началось сразу после заключения Версальского мира.

Уже в январе 1919-го круг знакомств Ленина — как «офлайновых», так и эпистолярных — любопытным образом расширяется за счет разного рода экзотических персон в диапазоне от индийских революционеров-мусульман А. Джабара и А. Саттара до афганского эмира, переписка с которым позволяет составить представление о ленинской идее ориентального стиля: «Ваше высокоценное письмо» и т. п.

Когда немецкая, венгерская и прочие европейские революции захлебываются и ясно, что пятимиллионной советской армии там мало что светит, Троцкий пишет энергичную — и поражающую грандиозностью масштаба — докладную записку, где предлагает план быстрой экспансии на Восток, открытие новых фронтов. «Путь на Лондон и Париж лежит через Афганистан и Индию». Восток может и должен быть советизирован и большевизирован; это идеальное направление для экспорта революции.

Внешнеполитическая стратегия Ленина тоньше; Ленин осознавал не только потенциал, но и «диалектику» Азии. Восток для него был не столько путем в условную Англию, сколько возможностью существенно улучшить собственную позицию для будущего торга. Англия и Америка не перестанут править миром, даже если лишатся своих основных колоний, но Англию можно раскачать изнутри, используя Индию; Америку — «расковыривая» Мексику и т. д. Возможно, Ленин и не знал в точности, как именно будет «использована» Сибирь; но он осознавал, что подоплека нахождения Колчака в Сибири состоит в том, что на Сибирь зарится Япония, а Америке, спонсирующей Колчака, очень не хотелось бы, чтобы у Японии появилась такая ресурсная база; то есть они поддерживают Колчака не только потому, что он воюет с большевиками — но еще и потому, что не дает захватить Сибирь японцам.

Сигналы, поступающие из «коминтерновской» России, могли производить впечатление агрессивных, а экспансия красного цвета на карте — угрожающей, однако целью Ленина было не приобретение территорий, но превращение большевизма из регионального дестабилизирующего фактора в «международную силу» с центром в Москве. Речь идет не о буквальной колонизации, как в «обычном», неизбежно загнивающем империализме, а об идеологической, причем не насильственной, а добровольной: в качестве морковки новым государствам предлагалась идея мировой революции и коммунизма. На практике это означало проект модернизации с опорой не то что исключительно на собственные силы — но и не на Запад. Да, Запад для «новых наций» выглядел проверенным направлением: вон как использовала вестернизацию Япония! Но ясно было и то, что Запад больше не будет модернизировать таким образом чужие экономики, которые быстро входят с ним в режим конкуренции; ему выгодно держать полуколонии в состоянии технологической, военной и культурной зависимости, беспрепятственно вывозя сырье и экспортируя туда свой капитал и товары. Проект же Коминтерна включал в себя обещание, что, объединившись друг с другом, новые, ориентированные на социализм страны — в основном аграрные, не располагающие промышленным пролетариатом, — помогут друг другу с индустриализацией — и сохранят при этом независимость от Запада. «Красная глобализация» также подразумевала привилегированное положение России — «метрополии» для революционных «доминионов»: те импортируют из Москвы не деньги, но «ленинизм» и дипломатическую поддержку — и за счет этого получают возможность пользоваться своим сырьем и модернизировать страну, имея защиту от настоящих, тормозящих индустриализацию империалистов.

В ноябре 1919 года по инициативе Ленина собирается 2-й Всероссийский съезд коммунистических организаций народов Востока: объявлено о «создании восточной интернациональной Красной Армии как части международной Красной Армии».

Даже и «пощупать штыком», «открыть восточный фронт» для Ленина не означало действительную попытку экспорта революции — скорее, попробовать продавить позицию противника, оттеснить его — но никак не пытаться менять его ферзя на своих пешек. В его интерпретации это скорее — «путь на социализм лежит через Афганистан и Индию»; если не заниматься Афганистаном, Турцией, Индией и Китаем, то у Англии будут развязаны руки и она придет непосредственно в Россию. Разумеется, «восточный фронт» был не только превентивным. В идеале Красная армия должна была вступить в Константинополь, Тегеран, Кабул, Дели, Бомбей, Пекин, Улан-Батор и т. д. Где-то советизация пришлась бы кстати и прижилась; где-то — совершенно неуместна и поэтому прямое военное вмешательство стало бы способом передать власть от колониальной (полуколониальной) власти к власти, лояльной Советской России.

Ответ Ленина оскорбившему его 1 января 1918-го сербскому послу: «Я тоже предпочитаю такой язык» — не был лживым. «Прощупывания» разного рода стран Запада и Востока и были репликами в диалоге, который происходил именно на «таком языке». Они же позволяли Ленину гораздо более уверенно и свободно чувствовать себя в традиционной дипломатии; паритет следовало искать посредством предъявления взаимных претензий — англичане вам: дайте независимость Грузии, а вы им: хорошо, а вы тогда — Индии. Они: вы утопили Грузию в крови; вы: а вы вспомните резню в Амритсаре. Шахматы; все дело в силе позиции. Создавать баланс, стремиться к достижению перевеса; и даже при том, что на круг политика «прощупываний» оказалась не слишком удачной — вокруг Советской России возник вал из антисоветски настроенных правительств: от Польши до Афганистана и Китая — даже и так, все это были лишь временные диспозиции; в этой цепи всегда можно было найти слабое звено*.

* В начале 1920-го нарисовался сюжет с кораблями на Каспии, которые разгромленные деникинцы увели к англичанам, в персидский порт Энзели. Командующий Волжско-Каспийской флотилией Федор Раскольников обратился в Совнарком с предложением: не попробовать ли отобрать украденные корабли и — подразумевалось — пощекотать персидский пролетариат, с перспективой выхода на индийские рубежи, раз уж не получилось экспортировать революцию на Запад (только что захлебнулось польское наступление Красной армии)? Разговоры о том, чтобы форсировать мировую революцию, перейти от оборонительной тактики к наступательной и открыть «азиатский фронт», пошли еще раньше; узрев «восточное зарево», Бухарин отчеканил термин «красная интервенция». 25 сентября на имя Ленина от делегатов Всетатарского съезда Советов, что характерно, ушла телеграмма, в которой упоминались «братья, томящиеся на Востоке под гнетом мирового капитала». Среди прочего им предлагалось «следовать за нами, не страшиться борьбы, ступить под сень коммунистического Интернационала» — ради результата, описываемого довольно туманно: «и вы победите».

Ленин и Восток, Красный Восток — возможно, наиболее актуальная, горячая, живая тема из всех, связанных с этой исторической фигурой; именно Ленин — благодаря Гегелю? — обратил внимание и социалистов, и коммунистов на то, что Европой и Америкой мир не ограничивается; существуют предпосылки для

В сущности, в предложении проломиться в Индию через Иран в тот момент не было ничего слишком необычного: русские войска на протяжении всей Первой мировой активно воевали на территории Ирана с турками. Да, в Иране не было промышленного пролетариата, но и тем не менее в своем выступлении на 2-м конгрессе Коминтерна в 1920 году, ссылаясь на опыт создания советских организаций в непролетарских местностях, Ленин заявил, что «крестьянские Советы, Советы эксплуатируемых, являются средством, пригодным не только для капиталистических стран, но и для стран с докапиталистическими отношениями» — и раз так, «Советы должны быть приспособлены к условиям докапиталистического общественного строя». В переводе на язык политики, бедное крестьянство, по расчетам Ленина, должно было испытывать националистические чувства и быть признательным Советской России за деколонизацию. Признательность на политическом языке означает лояльность. Где-то эта лояльность достигалась с помощью националистических лозунгов, где-то — социалистических; в первом случае агентами России были контрэлиты, во втором — массы, подталкиваемые к действиям агентами Коминтерна. Агенты Коминтерна выходили из иранцев не лучше и не хуже прочих: часто их вербовали среди трудившихся в России гастарбайтеров; по возвращении из эмиграции, предполагалось, они смогут подтянуть к себе аборигенов, чтобы создать национальную компартию, которая и сможет взять на себя бремя управления страной, только что избавившейся от империалистов и собственных эксплуататоров. В Ташкенте из бойцов двух фронтов, Туркестанского и Кавказского, формируется Отдельный персидский интернациональный отряд. Ударной силой начавшегося-таки осенью «персидского похода» стала Волжско-Каспийская военная флотилия. Англичане восприняли ее появление в Энзели с крайним недоумением, которое только усугубилось, когда на вопрос: «Означало ли появление русского флота объявление войны Британии?» — представители командования заявили, что поход за деникинскими кораблями — их «личная инициатива». По сути, это была классическая «гибридная война» («застенчивая интервенция» — по определению историка М. Персица, глубоко исследовавшего этот эпизод), развивавшаяся по той же модели, что на Донбассе после «майдана». Несмотря на очевидность попыток создать самопровозглашенные советские республики — сначала Гилянскую, потом Хорасанскую, большевики упорно отрицали участие своих войск в военных событиях в Персии: возможно, кто-то воюет, но кто? Только добровольцы, отказавшиеся от советского гражданства. Формально провозглашением республики, образованием Совета народных комиссаров, созданием Персидской Красной армии и ведением гражданской войны занимался полевой командир Кучук-хан — да, ему «помогали» консультациями, живой силой и техникой, но именно на нем лежала задача раскачать и советизировать Персию, чтобы потом превратить ее в плацдарм для движения народов Востока. Кончилась вся эта кавалерийская демократизация в экзотических политических условиях скверно: Кучук-хан,

колониальных революций в Азии и Латинской Америке; исход битвы между капитализмом и коммунизмом будет решаться на Востоке, где мало пролетариата, зато «гигантское большинство населения», и мирным путем деколонизация не произойдет; ненависть угнетенных наций к колониальному игу — неисчерпаемый запас революционного «топлива». И раз так — тем более что

a loose cannon, поссорился и со своими северными друзьями, и с англичанами, и с шахом; из похода на столицу ничего не вышло; однажды холодной зимней ночью он замерз в горах; шахские офицеры, обнаружившие его труп, отрубили ему голову и доставили в Тегеран как военный трофей. И все же вряд ли Ленин упрекал себя за авантюризм: момент был выбран правильно, исторические условия давали шанс перекрасить феодальный Восток в красный цвет, рисковали только политическим престижем, непосредственной угрозе России не было; та же история, что с Польшей — «полунаступление», «полуреволюция».

Не менее опасной для престижа Советской России могла стать другая военно-политическая «многоходовка» 1920 года — попытка, с ведома Ленина, захватить Константинополь посредством врангелевских войск (не для реализации милюковской идеи аннексии проливов, а чтобы затем отдать город левым кемалистам и «имеющемуся в городе рабочему элементу», которые, в обмен на такую щедрость, подкрепленную оружием и инструкторами, будут проводить пробольшевистскую политику: «Формально же Константинополь будет нами передан турецкому государству»). Предложения такого рода обычно направлялись к Ленину от Троцкого и Чичерина, в этот раз только от Чичерина: Троцкий, при всех его бретерских наклонностях, предупреждал, что после того, как большевики десять лет обличали царское правительство в империалистской одержимости захватом проливов, «быть застигнутыми на попытке овладения Константинополем руками врангелевцев — это невероятный международный позор. Нам не поверит никто, что собирались "подарить"... город туркам». Агентам тем не менее были выписаны некоторые средства. Реализацией идеи занимался человек по имени Е., у которого дела с самого начала пошли неважно: предполагалось нанять моторную дрезину, переправить куда-то деньги, приобрести оружие — и уж затем попытаться «бомбануть» Стамбул. Однако в момент появления агента большевиков, которого почему-то арестовали даже не в Стамбуле, а бог весть где, в Анатолии, за отсутствие визы, в городе осталось всего 15 тысяч врангелевцев, и оружия им не хватало; они не выступили.

Теоретически советские войска могли разворошить и Афганистан, но там Ленин предпочел действовать иначе: в начале 1921-го он заключает договор (по факту скорее декларацию о намерениях, выделить эти средства целиком было в этот момент не под силу) с афганским правительством — которому русские обязались поставить самолеты, винтовки, построить заводы и радиостанции и дать безвозмездную ссуду в миллион рублей золотом. Первая, кабульская, отправленная королем радиограмма была: «Выражаю, наш высокоуважаемый товарищ Ленин, свою признательность». Да, так не строят колониальные империи — но так ломают сложившийся миропорядок и учреждают новый, второй центр — к которому тянутся потому, что так соблюдается принцип взаимного уважения: у вас король, у нас предсовнаркома, и каждый отслеживает свой участок совместной работы.

революции в странах Антанты откладываются — есть смысл перенести вектор деятельности на Восток, колоссальную энергию которого и использовать; поэтому кадры надо формировать здесь, в Москве; отсюда управлять этим процессом: внушить им, что вместо того, чтобы дожидаться, пока в недрах капитализма появятся предпосылки социализма — захватывать власть и самим из аграрного феодального строя, минуя капитализм, модернизироваться сразу до социализма. Коминтерн был способом обозначить свое присутствие на дальних рубежах; сформировав партийные ядра, держать порох сухим в ожидании, пока подвернется момент, революционная ситуация, которую можно быстро реализовать, — и раскачивать ситуацию в любой точке мира; Италия, Корея, Мексика, Уругвай. Особенно важным наличие Коминтерна сделалось после Польши и Ирана, в 1920-м, когда стало ясно, что быстрые агрессивные войны не дают мгновенного эффекта — зато вполне годятся в качестве первого пакета мер. Проникая в тыл Англии и Америки — в колонии, Москва не просто могла успешнее обороняться от Антанты, но и представляла угрозу для самой Антанты.

Именно благодаря ленинскому импульсу — и по ленинским политтехнологиям — Восток и Юг на протяжении XX века деколонизировались; да и сейчас, сто лет спустя, мы можем наблюдать движение, по сути, той самой волны, которая была запущена Лениным. Возможно, на Западе проект «диктатуры пролетариата» кажется исчерпанным и тупиковым, однако на так называемой мировой периферии, куда он сейчас сместился, ни о каком исчерпании говорить не приходится.

Смысл Коминтерна для самого Ленина следует искать не только в шапкозакидательских декларациях Зиновьева про неизбежность мировой революции. «Пока, — говорил сам Ленин в марте 1918-го, — это очень хорошая сказка, очень красивая сказка — я вполне понимаю, что детям свойственно любить красивые сказки». Как РСДРП в 1903-м планировала не столько пролетарскую, сколько для начала буржуазную революцию, так и Коминтерн не был инструментом моментального превращения мира из капиталистического в коммунистический; нелепо приписывать Ленину представления о том, что мир будет поделен на два лагеря условно к 1930 году, а к 2017-му станет полностью коммунистическим; «советизация» Франции, Англии и Америки по образцу России относится в некое неопределенное будущее, связывается с циклическими кризисами; капитализм в процветающих, выигравших войну национальных государствах вышел из войны достаточно сильным.

Однако как и экономист Дж. М. Кейнс (Ленин прочел его книгу и всячески расхваливал ее на конгрессе Коминтерна), описавший непросчитанные последствия Версальского договора (деиндустриализация немецкой экономики — катастрофа для всей Европы; чтобы преодолеть войну, надо, наоборот, сделать, чтобы все богатели, и если немцы продолжат производить промышленные товары, чтобы обменивать их на сельхозпродукцию из России, к власти в этих странах не будут приходить крайние политические партии и государства станут «добрыми соседями», а не врагами, только и ждущими шанса отомстить), Ленин знал, что «незыблемость Антанты» — миф, Версальский договор — несправедливый и непрочный, он наполнен противоречиями, которые зреют и выплеснутся; Европа с Версальским миром идет к банкротству — экономическому и политическому.

Когда Каутский писал о том, что большевизм есть попытка не европеизации России, а азиатизации Европы, он сделал точный выпад. Хотя сам Каутский, видимо, помимо «бескультурья» и антидемократичности большевизма, намекал еще и на расу Ленина — нового Чингисхана, родившегося на стыке Азии и Европы (Ленин на многих людей производил впечатление «монгола», «азиата» — у европейцев с ним подсознательно связывалось ощущение опасности с Востока, угроза нашествия «большевистских орд»). Азиатизация — подходящее слово; но «азиатизация» в случае Ленина есть попытка не перекроить в свою пользу традиционные границы европейского государства-нации, включить европейскую нацию в другую, азиатскую (недемократичную); но — сформировать глобальную систему, в которой Запад больше не будет играть роль единственного центра.

7 ноября 1918 года, в день первой годовщины революции, над Красной площадью пролетел аэроплан — демонстрируя всем, кто готов был поверить, что баки аппарата заправлены керосином хотя бы на четверть, готовность большевиков экспортировать свою революцию в Германию.

К тому моменту к большевистской власти возникло множество вопросов — и помимо житейских, обывательских, вопросы политического характера: как объяснить теоретически и исторически совершенный *de facto* захват власти, почему закрыли Учредительное, почему демобилизовали во время войны армию, почему изгнали из Советов социалистов, почему главным методом изменения мира у большевиков стало систематическое насилие, почему в Советской конституции буржуазия поражена в избирательных правах и т. п. Возможно, в XXI веке Ленин, ответственный за принятие главных политических решений, устроил бы теле- или онлайн-конференцию, однако в 1918-м и телеграф-то работал с перебоями, и предсовнаркома посчитал нужным издать ответы — и обосновать свои нестандартные действия теоретически — в виде «итоговой» брошюры. Непосредственным поводом опубликовать такого рода тезисы стала антибольшевистская по сути брошюра Карла Каутского «Диктатура пролетариата», где тот раз тридцать упомянул ленинскую фамилию — и предъявил Ленину понятные обвинения: слишком много диктатуры, слишком мало демократии, права меньшинств не соблюдаются; и когда партия, изначально стремившаяся сделать царскую Россию «свободной и демократичной», устраивает политический террор — никакой это не социализм, а азиатское извращение идеи социализма, прикрывающее строительство тоталитарного общества. В сущности, Каутский выдвинул Ленину претензии меньшевиков и эсеров: вы не должны были брать власть при помощи восстания, но должны были довольствоваться Учредительным собранием. (Меньшевики и эсеры, изгнанные из Советов в июле 1918-го, описывали эти доставшиеся большевикам органы как «бюрократические канцелярии, захваченные партийными кликами и авантюристскими элементами»; «форменные "живопырни" с обеспеченным во всяком случае господством большевиков».)

Ленин, однако ж, практик, большевизм для него — не догма, а живое руководство к действию, теория, которая живет за счет способности меняться в зависимости от обстоятельств. Поэтому он огрызается на все замечания защитников «чистой», абстрактной демократии с крайним раздражением (даже название брошюры Каутского для него псевдотеоретическое, лицемерное; на самом деле тот должен был прямо назвать брошюру: «Против большевиков»). Ленин и за двадцать лет до этого, никому не известным молодым человеком, писал про Михайловского так, что его анонимные рефераты квалифицировались как ульяновские потому, что были «с ругательствами»; а уж теперь, премьер-министр России, он не нуждается в соблюдении декорума, ему не нужно сохранять «связи» в социалистических кругах Европы. Начиная с недружественного, оживленного комической экспрессией пересказа («Показал нечаянно свои ослиные уши», «Поистине, точно во сне мочалку жует!», «Право же, видно, что Каутский пишет в такой стране, в которой полиция запрещает людям "скопом" смеяться, иначе Каутский был бы убит смехом»), постепенно Ленин входит в свой стандартный режим «hatchet job» — прямых оскорблений оппонента: «сладенькая фантазия сладенького дурачка Каутского».

Никакой чистой демократии, по Ленину, нет; просто попробуйте взглянуть на самую лучшую демократическую систему с точки зрения угнетенных классов. Демократия — для кого? В Античности была демократия — для рабовладельцев (но никак не для рабов), до октября была демократия — для буржуазии (но не для пролетариата), а сейчас есть диктатура пролетариата (против буржуазии). Ленин предпочитает называть вещи своими именами: «Диктатура есть власть, опирающаяся на насилие, не связанная никакими законами» — и затем еще «расшифровывает», что именно за насилие: «революционное насилие пролетариата над буржуазией для ее уничтожения». Вот действительно важный для Ленина вопрос — возможна ли диктатура пролетариата без нарушения демократии по отношению к классу эксплуататоров? К сожалению или к счастью, констатирует Ленин, пролетариат не может победить, не сломив сопротивление буржуазии; а раз есть насильственное подавление — то и нет свободы/демократии.

Соблюдение прав политических меньшинств? Но ведь до того нынешнее политическое меньшинство эксплуатировало своих жертв; и теперь — буржуазия сопротивляется: она организовала «дутовские, корниловские, красновские и чешские контрреволюционные восстания», платит саботажникам. Пролетариат намерен сохранить достигнутое в ходе революции господство и, имея право на насилие против своих бывших эксплуататоров, «внушает реакционерам страх», «поддерживает авторитет вооруженного народа против буржуазии».

Есть насилие реакционное — и революционное. Ленин против реакционного — и обеими руками за революционное. Что значит «примириться с буржуазией, не доводить разрыв до конца»? Если бы в принципе можно было примириться — почему же меньшевикам не удалось это сделать с февраля по октябрь?

Классовый анализ — азы, и Ленина раздражает, что нужно разжевывать это такому динозавру марксизма, как Каутский — который хочет оставаться в поле теории и как огня боится замараться о практику. «О, ученость! О, утонченное лакейство перед буржуазией! О, цивилизованная манера ползать на брюхе перед капиталистами и лизать их сапоги!»

Несмотря на рекомендации Каутского Советам не брать власть, но продолжать соревноваться с буржуазией посредством демократических процедур, Советам, объясняет Ленин, пришлось превратиться в государственные организации, стать властью в прямом смысле, диктатурой — потому что Советы — более высокая форма демократии, чем Учредительное собрание: «объединяя и втягивая в политику массу рабочих и крестьян, они дают самый близкий к "народу", самый чуткий барометр развития и роста политической, классовой зрелости масс». Ленин подчеркивает, что говорил это с самого начала, с апреля 17-го, а не тогда, когда обнаружил после выборов, что большевики оказались в Учредительном в меньшинстве. Впрочем, он указывает и на анализ конкретной политической ситуации — когда выяснилось, что формально приемлемый для большевиков лозунг «Вся власть Учредительному собранию» в декабре 17-го стал означать: «Вся власть кадетам и калединцам». Учредительное разогнали, потому что интересы революции стоят выше формальных прав Собрания; решение было принято, когда «соотношение буржуазной и пролетарской демократии здесь предстало перед революцией практически».

Объясняет Ленин и то, зачем большевики дезорганизовали армию — не просто «потому, что та армия не хотела воевать», но потому, что та армия служила классовым интересам, вела войну за буржуазию и по природе своей не могла терпеть рядом вооруженных рабочих. А теперь сами вооруженные рабочие стали армией, которой история выписала право на революционное насилие — и пользующейся этим правом. Сейчас эта армия защищает свое, рабочее правительство, и позже к последнему прильнут рабочие всех стран — потому что, впервые в истории, это правительство, которое не обманывает рабочих болтовней о реформах, а по-настоящему борется с эксплуататорами.

«Ренегат Каутский» — физиологическая реакция ленинского организма на покушение Каплан, антитела против кураре в пулях. Выглядящая энергичнее, злее, остроумнее и убедительнее прочих полемических вещей Ленина, эта брошюра и есть ответ на все претензии относительно права большевиков на насилие в мире, где буржуазия стреляет в него самого предположительно ядовитыми пулями; и раз так, диктатура пролетариата — неизбежный исторический период, предполагающий проведение комплексных жестоких мер: это не рыцарский поединок по правилам, а аналог уличной драки, история про «кто кого», система, применяемая в обстоятельствах, дающих право на насилие, «авторизующих» его. «Революция, — цитирует Ленин Энгельса, — есть, несомненно, самая авторитарная вещь, какая только возможна. Революция есть акт, в котором часть населения навязывает свою волю другой части посредством ружей, штыков, пушек, то есть средств чрезвычайно авторитарных».

По «Ренегату Каутскому» видно, что Ленин в октябре 1918-го, несмотря на ранение и накопленную за год усталость, находится в идеальной форме политического бойца, чей организм вырабатывает адреналин, тестостерон и эндорфины с щедростью Ниагарского водопада. Памфлет заканчивается не менее эффектно, чем «Государство и революция»: в последнем абзаце автор сообщает, что 8 ноября получил известие о начале революции в Германии, и это лучший ответ Каутскому, избавляющий его от необходимости писать к книге заключение: жизнь сама опять дописывает за Ленина эпилоги. И даже хотя революция в Германии захлебнулась, ленинское «объяснение» относительно выписанного самой историей права на насилие работает не только за 1918-й, но и за 1920 и 1921 годы — вплоть до подавления Кронштадтского мятежа, когда Ленин, пожалуй, все-таки переступил красную черту.

С ноября 1918-го уважение к Ленину повсеместно перерастало в массовое преклонение. Еще в марте на вопросы товарищей, что им говорить на выступлениях перед рабочими, он пожимал плечами: говорите, что революция в Германии неизбежна и

Брестский мир будет расторгнут. Когда осенью обещания исполнились буквально, по пунктам, эффект напоминал описанный в «Янки при дворе короля Артура»: большевиками руководит человек, который приказывает солнцу погаснуть, и оно подчиняется, каким бы невероятным это ни представлялось простым смертным; похоже, они и правда те самые люди, которые могут вывести Россию из кризиса.

Сам Ленин, убедившись в успешности своих предсказаний политических затмений, чувствует себя, судя по речам и статьям, в этот момент очень уверенно. Из его речей уходит тема разрухи, он реже перекладывает принятие решений на массы — делайте всё сами, пробуйте; похоже, государственная машина худо-бедно раскочегарилась и стала функционировать, не так остро нуждаясь в революционной самодеятельности.

Ленин даже позволяет себе нечто вроде кислой, но все же приветственной улыбки в сторону интеллигенции — и пишет заметку «Ценные признания Питирима Сорокина» — социолога, публично якобы порвавшего с правыми эсерами, поддержкой Учредительного и вообще политикой. Очень мило с его стороны; ведь с интеллигенцией, которая неизбежно мелкобуржуазна, нам все же нужна не война, а нормальные добрососедские прагматичные отношения; в партию их не зовем — но вместе трудиться — всегда пожалуйста. К 1922-му, впрочем, выяснилось, что кооперация с интеллигенцией чревата опасностями: Сорокин опубликовал социологическое исследование, снабженное комментариями, согласно которым цифра в 92 развода на 10 тысяч браков означает моральный крах большевизма в целом и большевистской семейной политики в частности; весьма скоро «защитника рабства» («Если г. Сорокину 92 развода на 10 000 браков кажется цифрой фантастической, то остается предположить, что либо автор жил и воспитывался в каком-нибудь настолько загороженном от жизни монастыре, что в существование подобного монастыря едва кто-нибудь поверит, либо что этот автор искажает правду в угоду реакции и буржуазии») посадят на поезд и отправят восвояси — к его «заокеанским спонсорам»; сам Питирим Сорокин, одержимый идеей деградации русской нации из-за большевиков, и после смерти своего обидчика продолжит свою в высшей степени научную критику: «Посмотрите на лицо Ленина. Разве это не лицо, которое можно найти в альбоме "прирожденных преступников" Ломброзо? Крайняя грубость, выраженная в безжалостных убийствах, в безжалостных резолюциях разрушить весь мир по своей личной прихоти, свидетельствует об этих зловещих чертах».

К осени 18-го относятся и попытки «прирожденного преступника» «перезапустить» отношения большевистской власти с большинством населения страны, то есть с крестьянами.

Готовность в любой момент перейти в наступление и оказать помощь восставшей Европе подразумевала создание больших запасов продовольствия и увеличение армии; и то и другое означало усиление давления на деревню, главный ресурс продуктов и живой силы. Разумеется, со стороны ленинская политика напоминала изощренную систему мер для того, чтобы под предлогом борьбы с мелкобуржуазностью вычистить русскую деревню до последнего.

На самом деле (в те моменты, когда ему требовалась поддержка непролетарских классов), Ленина беспокоил вопрос, как, наоборот, сделать крестьян богатыми — чтобы те обеспечивали экономический рост. Изобретение способа обойти этот роковой парадокс, соблюсти баланс экономической и военной выгоды большевиков в отношениях с деревней было зубной болью Ленина во все послереволюционные — не только военного коммунизма — годы. Осенью 18-го Ленин во всех выступлениях проговаривает, что советская власть в деревне держится не только на бедняках и батраках, что она не против середняка, что середняк — скорее союзник и точно не враг, если он не эксплуатирует чужой наемный труд. Вынужденный ежедневно выполнять две задачи-минимум: снабжение и распределение (кормить городской пролетариат и армию продуктами, добытыми у деревни), Ленин отчетливо осознавал, что его задача — не только отбирать хлеб, а затем ждать у моря погоды, пока деревня медленно пройдет весь длинный путь капитализма, но — стимулировать крестьян поступать на работу в высокотехнологичные, электрифицированные товарищества, где при совместном хозяйствовании производительность труда вырастает многократно. Однако шла война, действовали санкции, заграничная техника была недоступна — и надежда на то, что страна поднимется за счет разного рода социалистических коммун, оставалась призрачной. Это была очень крупная, коренная проблема. Ленин знал о ней, и магии слова «кооперация» — «сближение крестьян с рабочими на почве общих потребительских интересов» — явно не хватало, чтобы разрешить ее.

Съезды партии, на которых мучительно обсуждались способы примирения всех со всеми, проходили теперь в Сенатском дворце Кремля: изрядный прогресс по сравнению с брюссельским складом, кишащим блохами.

Постепенно советское правительство осваивает не только сам Кремль, но и ближайшие окрестности. Румянцевский музей (сам Ленин занимался здесь еще в 1890-е и очень хотел сделать из этого заведения подобие Британского музея) и Пашков дом стали заливать деньгами на приобретение новых фондов и завозили туда реквизированные у контрреволюционеров библиотеки; сразу же учредили межбиблиотечный абонемент. В ГУМе разместили комиссариат продовольствия, в здании бывшей городской думы — плодоовощебазу, на Красной площади стали проводить свои демонстрации. 1 мая 1918 года Ленину пришлось выступить там четыре (!) раза — просто потому, что пришло много народу и его могли услышать только те, кто рядом; неудивительно, что прознав об изобретении рупора-звукоусилителя, он распорядился сделать все возможное для скорейшего приобретения прибора. Куранты заставили играть «Интернационал». В момент коминтерновских шабашей — первый конгресс состоялся в марте 1919-го, на нем было пять десятков делегатов из двух десятков стран — Кремль заполнялся иностранцами; со временем увеличивалось число посланников из экзотических государств: Уругвая, Японии, Кореи.

Кремль стал своего рода коммуной, кишевшей большевиками всех мастей и размеров — от Троцкого до Демьяна Бедного и от Молотова до малолетнего племянника Ленина Виктора Дмитриевича. Все они, как и Ленин, жили и работали практически в одном и том же месте.

В коридоре всегда стоял часовой (Ленина раздражало, что тот торчал без дела — и он наказал ему читать что-нибудь; немецкий посол Мирбах, явившись в кабинет Ленина, обратил внимание, что латышский стрелок-охранник проигнорировал его присутствие, так как был углублен в чтение бебелевской «Женщины и революции»; комендант Мальков пытался бороться с этой ленинской «рационализацией» — и добился того, что читать разрешили, только когда самого Ленина в кабинете нет): ему запрещено было пропускать в «домашнюю» часть кого-либо, кроме Ульяновых, домработницы и рыжего питомца, запечатленного на знаменитой фотографии «#Ленин с котиком». Коридор ведет к служебной части: огромной приемной, где царила Лидия Фотиева, и кабинету. Свердлов и Дзержинский имели право нырять в кабинет Ленина за спиной его стола — через «аппаратную», где стояли три телеграфных аппарата и дежурили телефонисты или телефонистки, они же ночные секретари. Время от времени Ленин утром заставал кого-нибудь из них спящими у себя в кабинете — там был диван; он не ругал их за это и не сгонял, если час был ранний.

В приемной могли столкнуться самые разные люди — от Бертрана Рассела до ходоков из Бухары; визит этих последних едва не довел однажды Фотиеву до инфаркта — спустя некоторое время после того, как их выпроводили, она обнаружила, что все три двери кабинета Ленина заперты изнутри; часовой божился, что Ленин не выходил. Когда ей удалось, наконец, попасть внутрь, она обнаружила своего патрона в восточном халате и тюбетейке — тот решил примерить подарки делегации. (Ленину постоянно что-то дарили, часто что-то удивительное; в 1922-м он, к примеру, получил от дагестанского Совнаркома два пуда чистой ртути.) Разумеется, попасть сюда мечтали все; у Артема Веселого в «России, кровью умытой»: «Поеду до батьки Ленина. Не верю, чтоб на свете правды не было» — лейтмотив. В 1919-м Ленин принял у себя группу из 52 крестьянских ходоков; крестьян ошеломляла не только сама возможность напрямую выпросить у «батьки» освобождение от разверстки или динамо-машину, но и шерлоковские трюки, которые тот проделывал; так, одного из них Ленин на прощание попросил сообщить ему нечто такое, о чем тот почему-то умолчал. Озадаченный крестьянин захлопал глазами, и тогда Ленин заговорил сам: что у крестьян нет соли и что щи они едят несоленые. Тот подтвердил: точно, плохо с солью. «Затем Владимир Ильич говорит, что я хотел сказать, что у крестьян нет дегтя и оси телег мажут маслятами, поэтому телеги курлыкают, как журавли в небе, и показал пальцем на потолок». Такое не выдумаешь, и, надо признать, ленинский пилотаж впечатляет даже в пересказе. Однако представление о том, что Ленин целыми днями принимал гостей, — преувеличение: судя по записям в журнале посетителей, в среднем в месяц в его приемной оказывалось примерно 60 групп и отдельных лиц; многие из них носят иностранные фамилии, часто англосаксонские. Да и те, отводя глаза, натыкались на плакат, висевший так, чтобы его не пропустили: «Если вы пришли к занятому человеку, то скорее кончайте свое дело и уходите»; сам Ленин утверждал, что его офисная мудрость — американская. Подозрительная интенсивность контактов Ленина — пусть даже поглядывающего на часы — с разного рода американцами провоцировала слухи о том, не являются ли на самом деле большевики «проектом» США, которые были заинтересованы в том, чтобы превратить послевоенную Россию в крупнейший рынок для сбыта своей индустриальной продукции, отобрав его у Германии и Англии, а попутно изолировав Японию, не позволяя ей захватить Сибирь, на ресурсах которой та могла вырасти в грозного конкурента. Первые переговоры о торговле и концессиях для Америки Ленин провел вовсе не в «двадцатых годах», а в марте 1918-го.

К ленинской квартире примыкают шесть комнат Совнаркома; в зале заседаний о Ленине напоминает «персональное» плетеное креслице с серебряной табличкой (впечатляющий экспонат коллекции нынешних Горок). Отапливать все эти помещения было непросто — судя по воспоминаниям корреспондента американской газеты «The World», который в феврале 1920-го встретился с Лениным: тот давал интервью в костюме и в рубашке с накрахмаленным воротничком, но брюки были заправлены в «сапоги из валяной шерсти, самый теплый вид обуви»; не в каждой стране премьер-министр сидит на работе в валенках. Весь первый год после Октября Ленин проходил в единственном костюме, приобретенном в Стокгольме; затем Мальков, Свердлов и Дзержинский, обеспокоенные внешним видом председателя Совнаркома, который исполнял и представительские функции, привезли в

Кремль портного, поставив Ленина перед фактом необходимости осуществить замеры. О результатах вспоминает С. Либерман (отец будущего главного редактора издательского дома «Conde Nast»): «На Ленине был всегда один и тот же костюм темного цвета, короткие брюки в трубку, однобортный короткий пиджачок, мягкий белый воротник и поношенный галстук. У меня остался в памяти неизменный галстук — черный с белыми цветочками, немного потертый в одном месте».

Один из участников совнаркомовских совещаний у Ленина, будущий невозвращенец Нагловский, известен своим бонмо о том, что если Красин и Троцкий были людьми государственного размаха, способными стать министрами в любой стране, то Ленин ни в одной стране не мог быть министром, зато в любой мог быть главой подпольной заговорщической партии: «узкопартийный конспиратор до мозга костей», «всегда партийный заговорщик, но не глава государства». На заседания подпольной организации по атмосфере походили и совещания ленинского кабинета министров: несмотря на официальный характер этих встреч и четкий регламент, здесь позволялось — к месту, ради иллюстрации какой-то мысли (докой по этой части считался М. И. Калинин) — рассказать анекдот или случай; комиссары обычно располагались не за столом, а хаотически, кто где, больным разрешалось даже не сидеть, а полулежать — в верхней одежде, шинелях и кожаных куртках; в кресле и за столом сидели только сам Ленин и его секретарь; во время чужих выступлений и прений Ленин постоянно читал то одну, то другую книгу — но, как Цезарь, никогда не упускал нить разговора и умудрялся, диктуя постановление, включать в него все высказанные соображения, которые счел разумными.

Кто-то другой мог бы демонстрировать этим нарочито «игнорирующим» чтением дистанцию между собой и простыми смертными; разве это не иллюстрация к теме «Эволюция Ленина в сторону диктаторства»? Однако у Ленина, похоже, не было амбиций подобного рода; во всяком случае, на эксцентричные предложения коллег или знакомых по этой части он реагировал исключительно адекватно. В начале 1919-го Рожков — с подачи и при поддержке Горького! — прислал ему письмо с просьбой облачиться в тогу диктатора: «Только Ваша единоличная диктатура может пересечь дорогу и перехватить власть у контрреволюционного диктатора... Это сейчас можете делать только Вы, с Вашим авторитетом и энергией... Иначе гибель неизбежна». Ленин, знавший, чего стоит и что может дать власть, если ею хорошо распорядиться, и веривший в свое историческое предназначение — создать социалистическую Россию, отделался коротким деловым ответом, в котором нет ни малейшего признака природной предрасположенности к авторитаризму: «...на счет "единоличной диктатуры", извините за выражение, совсем пустяк. Аппарат стал уже гигантским — кое-где чрезмерным — а при таких условиях "единоличная диктатура" вообще неосуществима и попытки осуществить ее были бы только вредны». Подчинять массы для их же блага своей воле — да, безусловно, любыми, самыми жестокими средствами: наука, теория на его стороне, и поэтому сопротивление лишь объективно усугубляет положение тех, чью жизнь можно улучшить. Но диктатура — не то что единоличная, но даже и целого класса — и связанные с ней тоталитарные меры представлялись Ленину временным, неизбежным злом, не более того; в тот момент, когда общество, наконец, дозреет до стадии отмирания государства и исчезновения классов, ни о какой диктатуре не будет и речи. То, что Ленин стал восприниматься как диктатор — с культом личности, с прижизненными переименованиями заводов, с обожествлением — было исключительно инициативой масс: так уж выражалось их стремление к мировой гармонии.

Ленинский стиль управления был демократичным и авторитарным одновременно, каким бы странным это ни казалось. Совнарком, заседания которого проводились в 1918-м едва ли не ежедневно, был во многом консультативно-совещательным органом, однако (судя, например, по шпионскому отчету белогвардейца А. Бормана, проникавшего несколько раз на заседания правительства) последнее, что интересовало Ленина, — консенсус; выслушивая всех, кто имел по вопросу, например, национализации волжского флота свое мнение, Ленин «спокойно диктует секретарю свою резолюцию, совершенно отличную от обоих выслушанных мнений. Никто этому не удивляется. По-видимому, это обычный порядок. С комиссарами Ленин обращается бесцеремонно, недослушивает, обрывает, а иногда еще и прибавляет: "Ну, вы говорите глупости". Никто не думает обижаться. Властвование Ленина признано всеми». Либерман объясняет такой порядок тем, что Совнарком был чем-то вроде семьи, где Ленина не только признавали формально, по должности, но и относились к нему как к признанному главе, «старику», за которым всегда остается последнее, не подвергаемое сомнению, слово. Сам Ленин, видимо, принимал это как должное; его презрение к демократии общеизвестно: эрзац-власть дураков, у которых не нашлось способного принимать решения мудреца, род идиотизма. Зачем демократия, когда есть Сократ? Правда ли, что мудрость толпы перевешивает мудрость Сократа? Конечно, нет. Пока есть Ленин — не нужна демократия.

Как и везде, Ленин протоптал себе тропинку для ежевечерних гуляний — вокруг желтого, как сундук, Большого Кремлевского дворца, где в Андреевском зале собирались конгрессы Коминтерна, и по Тайницкому саду. Посторонних из Кремля постепенно выдавливали, но первое время там обитали кремлевские хранители, гренадеры, заведующие разными дворцами и палатами.

К сожалению или к счастью, мало кто знал, как Ленин выглядел, и его прогулки инкогнито, «кремлевским призраком» время от времени вызывали неудовольствие часовых. «После того, как я, гуляя, — кляузничал Ленин коменданту Кремля, — прошел мимо этого поста второй или третий раз, часовой изнутри здания крикнул мне: "не ходите здесь". Очевидно, мое распоряжение о точном и ясном разъяснении часовым их обязанностей выполнено Вами неудовлетворительно (ибо к этому, внутреннему, посту, правило о неприближении на 10 шагов не относится; да, кроме того, часовой и не сказал точно и ясно, что именно он объявляет запрещенным). Следующий раз я вынужден буду подвергнуть Вас взысканию более строгому». Насыщенные драматизмом встречи с Лениным в окрестностях Тайницкого сада произвели на многих курсантов неизгладимое впечатление, и в их мемуарах Ленин открывается нам с неожиданных сторон. Обычно презирающий любую дедукцию как интеллектуальное мошенничество, он интересуется, что пишут курсантам родители, какова обстановка на местах: «У нас много сусликов» — Ленин предстает настоящим Шерлоком Холмсом — правда, есть ощущение, что уже говорит со сталинским кавказским акцентом: «Значит, у вас много вредителей». — «У нас жара сильная, товарищ Ленин». — «Значит, у вас часто бывает засуха». Да? Да. «Передайте землякам, что мы скоро кончим гражданскую войну и тогда возьмемся за вредителей и поведем борьбу с засухой».

Не всегда получая удовольствие от необходимости просвещать своих телохранителей и пастись на небольшом пятачке, Ленин время от времени нарушал правила безопасности для первых лиц государства. Нередко знакомые натыкались на Ленина и за пределами Кремля — один, без провожатых, он фланировал по Воздвиженке и Моховой, прислушивался к разговорам, прогуливался вокруг Александровского сада, который в течение первого года был закрыт и завален кучами мусора и щебня. Узнав, что сад наконец расчистили, и явившись туда подышать воздухом, Ленин, к своему ужасу, обнаружил, что стволы лип и деревянные скамейки окрашены фиолетовой, малиновой и красной краской. Оказывается, Луначарский, которого уже называли за глаза Лунапаркский, разрешил каким-то горе-художникам поэкспериментировать по части декорирования городского пространства. Ленин был страшно возмущен этим «издевательством» Наркомпроса — и потребовал соскрести все это «декадентство» немедленно. Немедленно не получилось — и деревья еще несколько лет оставались малиновыми, как волосы Ивана Бабушкина (чье имя почему-то не появилось на пережившем большевистскую ревизию александровосадском монументе в честь 300-летия Романовых, где вместо «царских слуг» возникли фамилии Плеханова, Бабефа и прочих великих революционеров). Гораздо эфемернее оказалась жизнь установленного в рамках ленинской программы социалистической пропаганды памятника Робеспьеру в Александровском саду: не то созданный из некачественного бетона, не то разбитый вандалами, он рассыпался, «как плохой сахар», простояв всего четыре дня. В небеса шарахнем железобетон? Таинственная эпидемия, разразившаяся в популяции большевистских памятников уже в 1918-м, к концу 1930-х уничтожила их почти все: и «кубически стилизованную голову Перовской», пугавшую население, и «какую-то взбесившуюся фигуру» Бакунина, и Маркса с Энгельсом, запомнившихся как «бородатые купальщики»; даже по европейским меркам огромный Монумент советской Конституции, укомплектованный оригинальной статуей Свободы, — и тот еще до войны исчез с Тверской площади. Украшение города особенным — как нигде в Европе — образом было, по мысли Ленина, первым шагом к созданию безмерной красоты, превосходящей образцы прошлого; светлая идея украшать стены фресками (заимствованная у Кампанеллы) и «помещать лозунги на домах» привела к появлению на общественных зданиях озадачивающих надписей (например, на Малом театре значилось: «Обществу, где труд будет свободным, нечего бояться тунеядцев») и созданию целого списка исторических персон, подлежащих увековечиванию в красном пантеоне; в опубликованном в августе 1918-го в «Известиях» за подписью Ленина 66-именном списке, помимо очевидных Дантона с Чернышевским, фигурируют украинский философ Сковорода (явно креатура Бонч-Бруевича), погибший всего полтора месяца назад Володарский, любимый Инессой Арманд польский композитор-романтик Шопен, артист Мочалов и иконописец Андрей Рублев. Присутствие последнего опровергает представления о Ленине как об атеисте-фанатике; кстати, фрески Успенского собора в Кремле стали реставрировать по ленинской же инициативе. Сам Ленин участвовал не только в восстановительных, но и в вандалистских акциях: так, 1 мая 1918 года он помогал сваливать памятник, установленный на месте убийства Каляевым великого князя Сергея Александровича. Более нейтральным в плане обращения с арт- и сакральными объектами стал субботник 1 мая 1920 года — тот самый, что на протяжении десятков лет находился под огнем «дешевенького интеллигентского скептицизма». Ленин участвовал в нем уже как автор программной брошюры «Великий почин», где описывались перспективы систематического бесплатного труда, разъяснялась экономическая подоплека диктатуры пролетариата — увеличение производительности труда за счет сознательности, и объяснялось, что практика социализма — это не только насилие. Ленин участвовал не ради галочки: на протяжении четырех часов он таскал носилки с мусором и действительно тяжелые бревна (смешно обвинять Ленина в имитации труда — уж кто-кто, а он был трудоголиком), а еще и колол киркой щебень — после нескольких, заметим, огнестрельных ранений, с двумя неизвлеченными пулями в теле.

Попытки Ленина свободно перемещаться по Москве подверглись силовой коррекции уже на третий день его пребывания в городе. Автомобиль Ленина остановил патруль, который потребовал документы, а на сообщение о председательстве в Совнаркоме резонно отвечал, что как выглядит председатель, неизвестно, поэтому — марш в комендатуру. 7 июля 1918-го — когда в городе вылавливали мятежников-эсеров — Ленин вместе с НК поехал вечером на автомобиле осматривать бывший особняк Морозова в Большом Трехсвятительском, штаб эсеров, взявших в заложники Дзержинского (по мнению историка Фельштинского — осматривать место своего преступления: якобы сам Ленин спровоцировал эсеровский мятеж, разгромил его — и явился повздыхать о содеянном). Около Николаевского вокзала милиционеры, требуя остановить автомобиль, в котором ехал Ленин, открывают из-за угла стрельбу. Остановка, выяснение отношений: можно ехать. На этом злоключения не заканчиваются — осмотрев особняк, Ленин и Крупская, по дороге в Сокольнический парк, задерживаются дружинниками из «рабочей молодежи», которые доставляют подозрительную пару немолодых людей в ближайшее отделение милиции. После случая с Каплан охрану Ленина — и Кремля — усиливают, и ВИ запрещено кататься по Москве с одним лишь Гилем; всегда должен быть и телохранитель. Наиболее резонансным в череде дорожных конфликтов Ленина стал эпизод в начале 1919-го в Сокольниках, когда ему пришлось добираться до дома пешком — бандиты, устроившие фальшивую заставу, отобрали у него автомобиль и только чудом не убили на месте; а могли бы — пистолет к виску приставили. Охранник, что характерно, находился в машине, но еще до собственно ограбления стал жертвой некомпетентности самого Ленина: тот дал ему подержать кувшин с молоком, так что в самый ответственный момент сосуд на коленях помешал оказать сопротивление. Это приключение настолько запомнилось Ленину, что он миллион раз пересказывал байку про отобранный у него автомобиль как иллюстрацию понятия политического компромисса: на что и ради чего можно пойти при соглашении с противниками; полностью история приводится в «Детской болезни левизны».

Иногда Ленин и Крупская — возможно, в силу свойственного им «подпольного» сознания — гуляли инкогнито по Москве. Дмитрий Ильич настаивает, что в таких променадах ВИ «достигал далеких окраин Москвы», вольно или невольно, как Гарун аль-Рашид, подслушивая разговоры о себе. Появление в городе Ленина — инстанции, отдающей нелепые, неслыханные распоряжения (30 мая 1918-го, например, большевики, «в целях экономии в осветительных материалах», потребовали перевести стрелки всех часов на два часа вперед, так что уже в шесть вечера, по-старому, трамваи вставали и город замирал, «принимая какой-то странный, зловещий вид»), — озадачивало обывателей и вызывало курьезные слухи. Говорили, что «немецкий царь» потребовал от Ленина — «изведи ты мне, говорит, весь православный народ, а я тебя за это в золотом гробу похороню» (Тэффи). Какой-то крестьянин заявил не опознанным им ВИ и НК, что, в принципе, неплохо устроился в жизни, «Ленин вот только мешает. Не пойму я этого Ленина. Бестолковый человек какой-то. Понадобилась его жене швейная машинка, так он распорядился везде по деревням швейные машинки отбирать. У моей племянницы вот тоже машинку отобрали. Весь Кремль теперь, говорят, швейными машинками завален...».

Этот странный образ заваленного швейными машинками Кремля отражает, видимо, представления масс о сущности Ленина в его военно-коммунистической ипостаси: великий реквизитор всего, до чего может дотянуться его иррациональная и безжалостная новая власть: золота, хлеба, времени, ниток. Попробуем реконструировать генезис этого образа: весьма вероятно, он представляет собой искаженное эхо декрета о национализации тканей (принятого Совнаркомом 22 июля 1918 года) — который для сегодняшнего уха звучит дико: «Все изделия из тканей: готовое платье, белье, а также вязаные и трикотажные изделия и штучный товар, находящиеся в пределах г. Москвы, в муниципальной черте, объявляются национальной собственностью».

Национализировать ткани?! Зачем?!

Ленин неплохо разбирался в этом «странном» вопросе — еще с тех времен, когда сочинял листовки для торнтоновских ткачей, демонстрирующие знакомство автора с нюансами различий между «бибером» и «уралом». В крайнем случае его могла проконсультировать Анна Ильинична, которая как раз в 1917—1918 годах работала в журнале «Ткач» — «органе союза рабочих волокнистого производства». Именно Ленин был 18 июля назначен основным докладчиком на заседании по вопросу о способах проведения национализации всех имеющихся в РСФСР тканей.

К лету 1918-го все, кто мог, острили, что, похоже, единственная фабрика, действующая в России на полную катушку, — та, что выпускает таблички «Лифт не работает»; однако таблички эти стали вывешивать много раньше, с войной. Среди вставших фабрик очень многие — ткацкие, и дело не в том, что их продукцию не покупают; наоборот, она в страшном дефиците; шерсти, хлопка, льна не хватает катастрофически. Уже летом 1917-го иностранцы отмечали, что Невский наполнен странно одетыми мужчинами и женщинами — как бы нарядными, но словно с помойки. В сентябре Временное правительство приказало передавать Министерству продовольствия «60 % продукции текстильной промышленности, оставшейся после удовлетворения потребностей армии» — чтобы расплачиваться тканями за хлеб. Но фабзавкомы, несмотря на отчаянные попытки, не могли найти сырье.

Война отрезала Центр от традиционных источников как продовольствия (Украина), так и сырья (Средняя Азия, Донбасс, Кавказ). Потеря регионов усугублялась железнодорожным коллапсом, который расширялся, как раковая опухоль. Сломавшиеся локомотивы не могли ремонтироваться из-за дефицита заграничных запчастей и квалифицированных мастеров (ушедших воевать); репарации немцам (в том числе паровозами) и экономическая блокада Антанты были не менее существенными факторами. Отсутствие транспорта, среди прочего, мешало установить прочные экономические связи между «пролетарскими» и «крестьянскими» губерниями — связи прежде всего бартерные: продовольствие в обмен на промтовары. Ленин написал сотни декретов, запросов и гневных записок, пытаясь летом 1918-го организовать «помощь» рабочих в уборке урожая, но на деле эффективными оказывались лишь несанкционированные перемещения, в ходе которых рабочие обменивали «нечто железное» на «нечто съедобное». По отчетам ЧК было известно, что чаще всего в ходе облав на заставах попадаются мешочники, которые пытаются вывезти из Москвы как раз мануфактуру—валюту.

Единственный способ хоть как-то «размазать» эти дефицитные товары по обществу, доставить их тем, у кого нет денег купить их, — госраспределение «сверху». По всей стране начинается экспроприация тканей и одежды — из магазинов, швейных мастерских, с фабричных и армейских складов. Летом 1918-го в один день были опечатаны все мануфактурные склады и магазины в Москве, а затем последовал пресловутый «абсурдный» декрет. Абсурдный? Единственный способ хоть как-то помочь наладить циркуляцию товаров, денег и пищевых продуктов; сверху, в режиме ручного управления.

Необходимость распределять продукты «сверху» (и ткани, и хлеб — по карточкам) возникла потому, что невидимая рука рынка, которая обычно справлялась с этой задачей, в условиях спада производства и военного дефицита распределяла продовольствие таким образом, что если вы были бедны, жили в городе и испытывали затруднения с работой и выдачей жалованья (нередкий случай), то скорее всего, обречены были погибнуть голодной смертью. Это стало ясно еще за год до Октябрьской революции: тогда царский министр подписал указ о хлебной разверстке. Нарком продовольствия Цюрупа, как и его предшественник во Временном правительстве, также предложил заменить стихийный бартер — организованным, под госконтролем: направлять промтовары (ткани, смазочные вещества, сапоги) в хлебные регионы, а оттуда забирать хлеб (сено, дрова).

Ленин оправдывается: «ограбление» деревни большевики воспринимают как род кредита, за который они намерены расплатиться — не деньгами, которые всё равно сейчас мало что стоят, но промышленными товарами: собранный в деревнях хлеб позволит организовать промышленность, которая и снабдит крестьян; на самом деле поднять промышленность не получалось, поэтому — пока давать в деревню по крайней мере соль, керосин и, хотя б понемногу, мануфактуру.

В 1918—1919 годах Ленину пришлось отнимать еду у крестьян ради рабочих не потому, что в этом суть его концепции коммунизма; если бы Ленин был не коммунистом, а «черным полковником», директором сайентологической церкви или сотрудником Красного Креста, то действовал бы в тех обстоятельствах точно так же; термин «военный коммунизм» таким образом скорее вводит в заблуждение, чем объясняет что-то. 1919-й был годом диктатуры пролетариата, власти, основанной на насилии одного класса над другими, тогда как коммунизм подразумевает бесклассовое общество и, соответственно, воспитанную этим обществом способность обходиться без насилия вовсе.

Именно распределению Ленин и уделял в эти годы крайне много своего времени. Эта пожарная, форс-мажорная, все время на грани истерики («архискандал, бешеный скандал, что в Саратове есть хлеб, а мы не можем свезти!»), деятельность, осколки которой уцелели в записках — с просьбами выдать Скляренко шапку, или Анне Елизаровой — «три пары ботинок», или найти какому-нибудь ходоку очки, или вернуть какому-то аптекарю реквизированный велосипед — выглядит почти анекдотической, однако за каждым эпизодом больше трагического, чем смешного. Вряд ли такого рода повседневная сугубо хозяйственная деятельность — совсем не то, что раз в год во время «прямой линии» по телевизору — доставляла Ленину какое-либо удовольствие. Более того, организуя перераспределение благ, Ленин, как правило, не успевал позаботиться о себе и своих близких. Несмотря на апокрифические рассказы о кутежах отдельных большевистских лидеров — вроде Красина и финнов в «Астории», — сам Ленин проводил зимы в плохо отапливаемой (максимум плюс 15 градусов) квартире, нарком продовольствия Цюрупа падал на работе в голодный обморок, а Инесса Федоровна Арманд, чиновник высокого ранга, дрожала от холода в своей крохотной квартире с высокой температурой, не имея возможности даже и чаю-то себе вскипятить.

Еще деталь: за пару недель до принятия «нелепого» декрета убит немецкий посол Мирбах — отслеживавший, среди прочего, исполнение мартовского немецко-российского договора, по которому большевистское государство обязывалось вернуть гражданам Германии всю отторгнутую у них собственность. Зная о принятии этого закона, российские бизнесмены на протяжении всей весны 1918-го распродавали всё, что могли, — сами предприятия, сырье, имеющуюся готовую продукцию — немцам, чтобы таким образом получить за свое имущество хоть что-то. Так что еще и поэтому — чтобы бесконечно не платить немцам за свою же промышленность — большевикам приходилось быстро национализировать предприятия и склады.

Отсюда — и отсюда тоже — образ Ленина в Кремле, заваленного реквизированным и национализированным добром: «швейными машинками»; еще одна иллюстрация к тому, что нет абстрактной истины; истина всегда конкретна. В принципе, национализировать ткани плохо и абсурдно; но в данных конкретных условиях — пожалуй, хорошо и разумно.

По большей части именно к 1918—1920 годам относится богатая коллекция цитат на тему «Ленин — кровавый палач»: «повесить не меньше 100 заведомых кулаков», «неблагонадежных отправляйте в концентрационные лагеря», «перережем всех, если сожгут или испортят нефть», «перевешаем кулаков, попов, помещиков. Премия: 100 000 р. за повешенного», «нельзя ли мобилизовать еще тысяч 20 питерских рабочих, плюс тысяч 10 буржуев, поставить позади их пулеметы, расстрелять несколько сот и добиться настоящего массового напора на Юденича?». Цитаты непосредственно из написанных Лениным документов дополняются мемуарами разного рода околовоенных людей: «При рассказе о трусах и дезертирах Владимир Ильич вплотную приблизился ко мне и, смотря на меня в упор с жестким, не допускающим возражений блеском глаз, немного прищурившись, сдавленным голосом сказал: "Правильно... если необходимо, то расстрелять, чтобы видели трусы и дезертиры!"». Широко растиражирована быличка Нагловского про то, как Ленин запиской спросил Дзержинского, сколько у нас нерасстрелянных контрреволюционеров, тот ответил — 1500, и Ленин поставил на записочке крестик. Дзержинский якобы воспринял это как знак, и уже к утру все 1500 были расстреляны, а затем оказалось, Ленин просто пометил крестом записку как прочитанную. Возможно, пара нолей приписана для красного словца, но, естественно, Ленин отдавал и подтверждал приказы не только о мемориальных скульптурах, но и о казнях.

Разумеется, к портрету человека, отдающего приказания такого рода, можно пририсовать рога любой длины; никакие «компенсаторные» уверения, что Ленин чутко относился к людям и отправлял вагонами фрукты в детдома, не выглядят утешительными — особенно если знать, что одновременно по стране рыщут отряды латышей и китайцев, которые отбирают у русских крестьянских детей хлеб. Даже если Ленин использовал все эти «перевешаем» как экспрессивные выражения, аналог «ой я тебя сейчас убью» — которые затем в устах более жестоких людей превращались в перформативы, сам факт, что эти записки сохранились, — его ошибка.

20 августа 1918-го — красный террор еще не объявлен, но гражданская война идет и царская семья уже расстреляна — Ленин в письме американским рабочим признает ошибки — но объясняет их тем, что рабочий класс был сформирован в недрах старого мира — и естественно не мог идеально подготовиться к своей новой роли. «Мы не боимся наших ошибок. От того, что началась революция, люди не стали святыми»; «этот мир не рождается готовым, не выходит сразу, как Минерва из головы Юпитера».

Чтобы дать представление о кризисных решениях, которые приходилось принимать Ленину, и ответственности, далеко не курьезной, можно вспомнить май 1919-го, когда к Петрограду подходит Юденич и Ленин дает распоряжение заминировать мосты через Неву: Литейный, Охтинский, Самсониевский, Гренадерский, Соединительный железнодорожный, а заодно испортить разводные части Дворцового, Троицкого и Николаевского, а также подготовить к уничтожению оборонные заводы, например Путиловский. Непосредственно «наведением порчи» занимался откомандированный в бывшую столицу Красин — но решения принимал Ленин. Представляете, что такое отдать приказ взорвать Литейный мост? Или — потопить русский Черноморский флот: именно по приказу Ленина в июне 1918-го у Новороссийска затопили линкор «Свободная Россия» и восемь эсминцев; при том, что сложнооснащенные современные корабли всегда были таким же источником высококвалифицированных революционных кадров, как большие фабрики. Надо осознавать, что помимо приказов об истреблении людей — обычно незнакомых, от конкретных физических образов которых можно было «отстраниться», — Ленину, человеку без психопатологий, позволяющих получать удовольствие от уничтожения чужого качественного труда, чуткому и не черствому к традиционному искусству, приходилось участвовать в уничтожении культуры, внутри которой он сформировался. Это как минимум изматывает психологически; перефразируя Горького — было мало веселого и ничего смешного.

Террор при Ленине, Дзержинском и Троцком не был самоцелью; это была смазка, позволявшая большевистской государственной машине продвигаться в выбранном направлении, преодолевая естественное трение — сопротивление людей, которые, тоже по естественным причинам, не желали видеть эту машину у себя во дворе — и в целом из-за войны и разрухи не имели достаточно калорий для немедленного отклика на приказания. Чтобы распоряжения — обычно имеющие под собой разумные основания и соответствующие научной теории коммунизма — выполнялись, требовались показательные казни, децимации и прочее: расстрелять десять кулаков, попов, коррупционеров-чекистов, врангелевских офицеров; когда выяснилось, что эффект от этой грубой «смазки» есть, она стала щедро, к такому быстро привыкаешь, применяться — и для увеличения эффективности администрирования, и как наказание за саботаж: так Ленин и Дзержинский, полагавшие, и небезосновательно, что им лучше известны подлинные интересы масс, не позволяли себя игнорировать меньшинству.

Представьте, что у вас в Кремле плохо грузится Интернет и из-за этого вы теряете кучу времени, чтобы получить доступ к нужным для государственной деятельности данным; никакие увещевания не действуют, вместо того чтобы спасать голодающих крестьян, вы сидите у монитора и щелкаете мышкой; все очень и очень медленно. Поскольку вы не можете стимулировать сисадминов материально — у вас нет ресурсов увеличить им зарплату, обещать бонусы или заинтересовать их хорошей медицинской страховкой, — вы арестовываете двух из двадцати, одного расстреливаете, а другого приговариваете к высшей мере пролетарского воздействия условно. С этого момента вы обнаруживаете, что Интернет у вас «летает»; возможно, оставшиеся в живых сотрудники тщательнее выбирают будильники, чтобы те не позволяли им опаздывать на работу, и дважды думают перед тем, как уйти домой в шесть вечера — несмотря на то, что их дети и жены жалуются на то, что они видятся теперь гораздо реже. Это вульгарное, вызывающее тошноту объяснение; ну так и в большевистском терроре не было ничего романтического.

Процесс советизации регионов, «высыпавшихся» из Российской империи в октябре 1917-го, естественным образом — как и любая ситуация перераспределения власти — подразумевал сопротивление тех местных, туземных элит, организаций и конкретных лиц, которые захватили власть. Как правило, это была «буржуазия» — в разных вариациях, и буржуазия, как видно по Финляндии, где с декабря 1917-го не было русских большевиков, сама склонная к террору против левых конкурентов. Чем дальше продвигалась эта советизация, тем больше расширялись карательные органы — и параллельно размывалось их качество. Многие оказывались — докладывали Ленину ревизоры — «опьянены вседозволенностью», они напрашиваются на взятки и расстреливают не только деятельных врагов большевиков, но и идеологических противников просто за взгляды; и это разлагало ЧК, способствовало воцарению «отчаянно-преступной атмосферы».

«ЧК, наскоро создаваемые в этих местностях, совершенно неприспособлены к борьбе против контрреволюции и, что сами быть может того не желая, служат ее ферментом, ее аванпостом», — пишет Гопнер по результатам инспекции Украины.

Н. Валентинов признает: да, Ленин часто говорил, что меньшевиков надо расстреливать, однако на словах — тогда как на деле бывшие меньшевики часто работали на государство, иногда на министерских должностях, и Ленин не предпринимал никаких попыток расправиться с ними; таким образом, это была метафора — как в Лонжюмо: «встретите меньшевика, душите его» — а не руководство к действию.

Однако те, кто выполнял распоряжения Ленина, часто испытывали от пользования этой «смазкой» удовольствие; и если в московском Кремле расстреливали одного сисадмина из двадцати, то, например, в нижегородском — пятерых, а еще пятерых перед тем, как отпустить «условно», подвергали пыткам; разумеется, контролировать из одного кремля своих коллег во всех других (а ведь есть еще казанский, тобольский, ярославский и т. п.) долгое время не было возможности; право решать, сколько именно требуется «смазки», делегировалось всем обладателям чекистской лицензии.

Любая реформация застывшей общественной структуры во что-то обходится; но цифры в счете резко возрастают, если реформация запаздывает. Пример Китая в конце XIX века показывает, чтó происходит с социумами, которые сами отказались от модернизации; старый уклад подвергается уничтожению западными странами и, что обиднее, соседями, успевшими провести реформы; поэтому японцы хозяйничали в Китае. Абстрактная истина — «плохо расстреливать безоружных людей и в особенности детей» — существует внутри конкретной ситуации. Царь и его семья, при известных обстоятельствах, могли консолидировать антибольшевистские силы в архаичных слоях общества: крестьянство, казачество, часть офицерства; это был бы фактор, усугубляющий хаос, ведущий к усилению поляризации общества в условиях гражданской войны и новым жертвам.

Есть ли у вновь образованного государства право на террор — и террор какой степени?

На вопрос Горького о том, где проходит грань между необходимой и излишней жестокостью, Ленин ответил вопросом: а каким образом вы измеряете количество ударов, которые необходимо нанести в драке? Это хороший ответ политика и демагога — не отменяющий, однако, того, что случилось: в 1901-м вы рисуете на Николая Второго карикатуры в «Искре» — а через 17 лет вынуждены расстреливать его детей. Правильнее исходить из того, что Ленин — по крайней мере в первые послереволюционные месяцы — не отдавал приказов о терроре против инакомыслящих. Более того, в случавшиеся иногда «хорошие», политически благополучные для большевиков моменты он предлагал работать на свое правительство своим заклятым политическим врагам вроде Г. Алексинского и Ф. Дана (его в какой-то момент хотели включить в состав президиума ВСНХ). Расстрелял бы Ленин царя и его семью, если бы тот не просто сидел взаперти, заполняя дневник глубокомысленными рассуждениями, но изъявил желание чем-то помочь новой власти, например, в качестве военспеца? Этот трагический расстрел, классический «сопутствующий ущерб» — как убийство Лизаветы в «Преступлении и наказании», — был превращен в центральное событие — и катастрофический промах — истории революции много лет спустя. С понятием «царская семья» ассоциировалась политика, которую проводило государство в предреволюционные и военные годы, действия камарильи, одиозная аура Распутина и пр. Если уж на то пошло, эта семья была предана несколько раз — сначала в декабре придворными, потом в феврале генералитетом, затем иностранными правительствами, которые отказались забрать ее к себе, опасаясь, что Россия выйдет из войны. Эти люди не воспринимались «святыми», как сейчас, — и, соответственно, Ленину было проще «разыграть» эти фигуры, которые сами не сделали ничего, чтобы приспособиться к новым историческим условиям, на своей шахматной доске — пока их, не менее жестоко, не «разыграл» кто-то еще.

«Историческая деятельность — не тротуар Невского проспекта», — цитировал Ленин Чернышевского. Ленин был политиком, для которого «думать о людях вообще» кажется политическим обманом; людям свойственно классовое сознание — и не «люди вообще» воюют против большевиков у Каледина и Дутова, а представители буржуазии. Разумеется, Ленин ответствен за то, что страна не смогла за неделю превратиться в этот самый чисто выметенный тротуар; можно не сомневаться, что политически выгоднее Ленину было бы устроить открытый суд над Николаем Романовым — которого выпихнуло в Сибирь еще Временное правительство. В мемуарах Г. Беседовского — не вполне надежных — Войков рассказывает автору, что Ленин был против расстрела Романовых по многим соображениям, в том числе по «принципиальным»: нельзя расстреливать детей. «Ленин указывал, что Великая французская революция казнила короля и королеву, но не тронула дофина». Ленин, однако, взял на себя ответственность за это преступление и эту ошибку — задним числом: даже если окончательное решение было принято на местном уровне, присутствие Юровского в Москве, рядом с Лениным, уже через полтора месяца, — «улика», косвенно опровергающая предположение о «невинности» Ленина. Мы не знаем, горевал ли он о ком-нибудь из расстрелянных (вряд ли); вопрос о морали человека, который утверждает, что мораль — классово окрашенная система, и при альтернативе «буржуазная мораль» или «революционная необходимость» выбирает второй вариант, — непозволительная, как говорил в таких случаях сам Ленин, роскошь. «Революционная», заметим только, в условиях 1918 года означает уже не «левая», деструктивная, а напротив — стремящаяся контролировать хаос, анархию, насилие.

Вопрос о терроре — который всегда есть основания воспринимать как центральный — обречен на то, чтобы использоваться для политических спекуляций; постороннему наблюдателю очевидно, что «жестокость» Ленина всегда была обусловлена не его психикой, но обстоятельствами.

«Всякая революция — эта цитата из Ленина часто украшает входы в военные и эмвэдэшные училища — лишь тогда чего-нибудь стоит, если она умеет защищаться».

24 сентября 1920 года в Кремль пришла телеграмма: в Нальчике скончалась от холеры Инесса Арманд.

Она тоже была жертвой Гражданской войны; тоже «сопутствующий ущерб».

Тело везли в Москву несколько недель. 11 октября Ленин встречал гроб на Казанском вокзале; к вагону ВИ прибыл с Крупской и делегацией от женотдела. Шутки про «следующую станцию Диктатура Пролетариата» и «alle aussteigen» отсутствовали. Ящик погрузили на катафалк, и траурная процессия прошла за ним несколько километров пешком — от Каланчевской площади до Колонного зала Дома союзов.

Коллонтай пишет, что Ленин брел будто с закрытыми глазами, помалкивая, и они боялись, что он споткнется. На следующий день состоялись похороны — у Кремлевской стены; Ленин нес гроб. Балабанова, отметившая, что Ленин даже не выступил с траурной речью, описала его состояние как шоковое: «Не только лицо Ленина, весь его облик выражал такую печаль, что никто не осмеливался даже кивнуть ему. Было ясно, что он хотел побыть наедине со своим горем. Он казался меньше ростом, лицо его было прикрыто кепкой, глаза, казалось, исчезли в болезненно сдерживаемых слезах...» Штука еще в том, что именно он отправил ее туда, где ее подстерегала смертельная опасность.

Из лучших побуждений. Изможденная, вечно полубольная, игнорировавшая высокую температуру, запустившая себя, проводившая в своем женотделе на Воздвиженке много больше времени, чем в неубранной и нетопленой квартире на Неглинной, она могла бы поехать в отпуск к себе во Францию, но Ленин честно предупредил, что ее могут арестовать как советскую чиновницу. Так она оказалась в Кисловодске, где тотчас же возникла угроза захвата белыми. Нужно было срочно эвакуироваться — так, во всяком случае, показалось Ленину, который пытался контролировать ситуацию — и настоял на этом своими приказами. Инесса Федоровна попала сначала во Владикавказ, потом в Беслан, потом в Нальчик. Все эти города и тогда могли считаться форпостами цивилизации лишь с большими оговорками; в Нальчике она заразилась холерой и умерла за два дня — так же тяжело и в муках, как прожила все последние годы. Ленин, по мнению одного из глубочайших своих исследователей, Р. Элвуда, ощущал не просто свою ответственность, но вину за эту смерть.

Инесса Федоровна Арманд была похожа на святую с иконы: чистая, безупречная женщина, отдавшая свою жизнь идее, которая спасет мир и сделает его лучше; всё, что о ней известно, говорит о том, что она была хорошим человеком и не захотела пережить стандартную эволюцию, которая ожидала всех ее коллег: из романтических агентов революции — в «старые большевички», номенклатурщицы и аппаратчицы.

Костино
1922

6 апреля 1922 года советская делегация прибыла в Геную — на конференцию, где большевистский режим должен был получить если не пропуск-вездеход, то, по крайней мере, официальный аусвайс, позволяющий время от времени выбегать из резервации за продуктами и обратно. Большевики были, что называется, *talk of the town*; но странным образом особый ажиотаж вызывали не сами члены делегации, а три пломбированных контейнера с имуществом советской миссии. Полицейские прямо и косвенно осведомлялись о их содержимом, репортеры фотографировали ящики с таким энтузиазмом, будто им показали саркофаг Тутанхамона или Ковчег Завета; и даже носильщики повадками напоминали действующих сотрудников проекта SETI — выстукивая украдкой, кто какие горазд, сигналы.

Этот нелепый карго-культ озадачивал и раздражал русских; чтобы пресечь кривотолки, нарокминдел Чичерин распорядился раскупорить самый большой контейнер на глазах у зевак.

Двусмысленность стала основным химическим компонентом атмосферы, с самого начала сложившейся вокруг советской делегации. Официально миссией руководил глава государства, однако сама возможность его путешествия за границу решительно отметалась советскими газетами, которые захлестнул вал «народных» писем: «Ильич не должен ехать» («Не отпускать товарища Ленина в буржуазные страны!»; «Не раньше, чем туда вступит Красная Армия»). Тем не менее если Чичерин, Красин, Воровский и Литвинов после заключения торгового соглашения с Англией легко идентифицировались на Западе, то фигуры заднескамеечников, задрапированные в ничего не говорящие фамилии, возбуждали самые экстравагантные мысли о их личностях. У политики разрядки были могущественные противники; опасались отдельных покушений и едва ли не массовой резни; в последний момент якобы было предотвращено проникновение в состав охраны советской делегации террориста Бориса Савинкова с фальшивым паспортом. Страх наводили даже доброжелатели, забрасывавшие большевиков тревожными записками: «Остерегайтесь электроаппаратов, установленных в ваших комнатах, а также горячих напитков, приготовленных кем-то, помимо преданных вам ближайших людей. Мужество и осторожность».

Когда лязгнула, наконец, поддетая монтировкой крышка и луч апрельского солнца ударил в передвижную библиотеку Наркоминдела — фолианты в кожаных переплетах, рукописные свитки и папки с металлическими пряжками, заказанные Чичериным в кремлевских архивах и Румянцевке, — толпа разочарованно ахнула: «А... Ленин?!»

В новый, 1922 год Советская Россия вползла с таким наследством, что даже гарантированное отсутствие электроаппаратов-убийц и дефицит горячих напитков, помноженные на мужество и осторожность граждан, не могли снять всеобщую тревогу за будущее; надежды на разрешение многолетнего, месяц от месяца усугубляющегося кризиса казались заведомым самообманом. Советская Россия получила доступ к закавказской нефти и донбасскому углю — но железные дороги на десятках направлений закрываются из-за нехватки локомотивов и манеры восставших крестьян разбирать пути; парализованный центр не в состоянии дотянуться до окраин — и выражается это не только в военном или административном аспекте, но и в том, что эшелон с голодающими детьми из Самарской губернии идет в Петроград три недели. Бойцы Рабоче-крестьянской Красной армии во многих полках не имеют не то что обуви, но даже и одежды вообще никакой, тогда как — читаем в письме Ленину красного командира и рабочего Антона Власова — «жены Склянских, Каменевых, Таратути и прочей выше и ниже стоящей "коммунистической" публики» едут на дачи в трехаршинных, с перьями райских птиц, шляпах, в разные «Архангельские» и «Тарасовки»: нэп. Наконец, после победы над Врангелем выяснилось, что в ходе очередного, уже не позволявшего оправдать его военными условиями блицкрига против «мелкобуржуазных хозяйчиков» большевики сначала вызвали волну восстаний по всей стране, а затем, жестоко подавив их, вынуждены наблюдать, как жители обычно изобиловавшего хлебом Поволжья поедают друг друга: голод. И голод, как все знали, спровоцированный произволом продотрядов.

Принцип непоследовательности, который с озадачивающей методичностью проводился большевистскими властями на протяжении всего периода после 17-го года, в этот момент становится практически универсальным. Как совмещается тезис о диктатуре пролетариата — и массовые расстрелы рабочих в Петрограде после кронштадтских событий? Что значит ленинский лозунг «Не сметь командовать крестьянином!» — за которым в конце 1920 года последовали приказ реквизировать у крестьян не только хлеб для личного потребления, но даже и семена, — а затем предложение «учиться у крестьянина»? Почему кооперацию совсем недавно третировали как организованное торгашество — а теперь поощряют как необходимое условие построения социалистического общества и первейший способ осуществить скорейшую смычку крестьянского хозяйства с промышленностью? Как соотносится продолжавшееся годами, посредством таргетируемой инфляции в тысячу процентов, намеренное истребление денег — и неожиданно возникшее стремление правительства обзавестись твердой валютой? Запрет, под страхом репрессий, «сухаревок» — рынков, где можно было покупать еду хотя бы у спекулянтов, — и выброшенный через несколько месяцев лозунг «Учитесь торговать»?

И раз так, в самом деле, — что же Ленин, где он? У тех, кто имел возможность с близкого расстояния следить за происходящим, возникало ощущение, что где-то на самом верху произошел глухой политический надлом, который сами большевики пытаются замаскировать, выдавая экстраординарные трудности за плановые: был военный коммунизм, затем мы покончили с Врангелем, демобилизовали армию и перешли к новой экономической политике: госкапитализм — средство скорейшего достижения социализма. Возможно, задним числом это «домино» — когда костяшки — исторические этапы — выкладываются одна за другой по понятным правилам — и кажется естественным, но к началу 1922-го игроки пережили столько «рыб», что, ради продолжения игры любой ценой, в ряд подкладывались по несколько случайных костяшек. Эта катавасия усугубляла у наблюдателей ощущение, что нечто необычное происходит и с большевистской партией; ситуация с голодом показывает, что она недееспособна; из нее словно исчез кто-то, кто присматривал хотя бы за общей разумностью идеи. Обнаружить Ленина весной 1922-го среди тысяч людей, в разных точках глобуса пытающихся вытащить Советскую республику за волосы из болота, не проще, чем найти Волли на картинках Мартина Хенфорда. Он куда-то запропастился — и про него ходили самые дикие слухи: что он умер, что убит савинковцами, что арестован, что у него выросли рога, что на одном из выступлений его стащили прямо со сцены, где он понес околесицу, и увезли в сумасшедший дом, что время от времени он достает из особого шкафчика прозрачный сосуд с заспиртованной головой Николая II — полюбоваться на плоды своей деятельности, что он поехал на Генуэзскую конференцию не то под видом инженера Владимирова, не то в пломбированном — видимо, привычное для него дело — контейнере.

Попробуем воспользоваться преимуществами современной оптики и начнем панорамировать экран. Кремль? Горки? Нет. Заграница? Нет. Заход на второй круг. Нет, нет, нет... Вот: северо-восток от Москвы. Зум. Еще панорама — окраины подмосковного Королева, бывших Подлипок. Стоп. Зум. Деревня Костино.

Ленин оказался там 17 января 1922 года — и прожил несколько недель — по сути, в подполье, на конспиративной квартире, скрываясь от внешних и внутренних врагов, а возможно, и от себя самого.

Каковы бы ни были причины, заставившие ферзя ретироваться в самый угол доски, очевидным преимуществом этих координат была изолированность от внешнего мира. Даже и сейчас Костинский дом-музей — возможно, самый малоизвестный из всех действующих ленинских. То, что еще 100 лет назад представляло собой небольшую дворянскую усадьбу с липово-дубовым парком, выгороженным посреди глухих лесов на задворках Ярославского шоссе: бывшее владение Долгоруковых, а с начала XX века шоколадных фабрикантов Крафтов — похоже на что угодно, кроме собственно «усадьбы»: островок «частного сектора» в бушующем океане массовой высотной застройки. Если пройти через реденький липовый парк, окажешься у пруда, крайне неромантически выглядящего; после 1922 года в большевистской среде модно было кончать самоубийством из-за «опошления» революционного проекта — что уж говорить про 2016-й; но идея утопиться здесь вызвала бы чувство брезгливости даже у Чапаева.

Основное достоинство зеленого, снабженного мраморной досочкой, деревянного флигелька и тогда, и сейчас состоит в его неприметности — тут можно поселить хоть Ленина, хоть Ким Кардашьян, хоть Ким Чен Ына: никто не обратит внимания. Территория — ленинский домик с огороженным садиком вокруг, еще один деревянный дом и каменная оранжерея, — выгодно отличается от комплекса строений, оставшихся от большого господского дома: весь неоклассицистский шехтелевский декор, который виден на старых изображениях, снесен ветром истории; взгляду зацепиться не за что — не то лабаз, не то барак; объявление извещает, что теперь здесь храм и воскресная школа. И всё? Место историческое — в 1918-м усадьбу реквизировали, в 1919-м организовали крестьян в общее хозяйство, в 1922-м создали «Имение Костино», с 1924-го — Болшевскую коммуну, которую в 1930-м влили в совхоз. Соседняя церковь Рождества — недавно сошедший со стапелей белокаменный многокупольный фрегат с колокольней — выглядит гораздо ухоженнее не то что музея, который даже под вывеской краеведческого вряд ли протянет дольше, чем хозяйничающие в нем немолодые дамы, но и мавзолея на Красной площади; вообще, весь этот пятачок — 500 квадратных метров — идеальный «скансен», наглядно демонстрирующий нынешнюю российскую многоукладность и драматические перипетии, в которые была втянута страна на протяжении последних ста лет: за кем осталась победа на длинной дистанции, сомневаться не приходится, и даже в музее, куда время от времени заглядывают эксцентричные иностранцы (один китаец опустился перед кроватью Ленина на колени и стал целовать пол; другой, финн, поцеловал копию ленинской подписи), прялки, вышитые рушнички и глиняные поделки уже теснят генерировавший для Ленина электричество аккумулятор «роллс-ройса», копию ленинской шапки (оригинал — в Горках; опять диалектика по Лепешинскому), диван с ножками в виде львиных лап, столик и напольные часы — символ начавшегося именно здесь «обратного отсчета».

Репортажи с похорон Инессы Арманд открывают длинную череду свидетельств о нелучшем состоянии здоровья Ленина. Те, кто встречался с ним, рассказывали знакомым о своих впечатлениях по поводу его переутомления; те, кто давно не видел его живьем, задумывались о причинах его отсутствия. «Экономия» на публичных выступлениях и паблик-рилейшнз оплачивалась появлением слухов о скрываемом покушении, болезни и смерти и потенциальных наследниках. Горький и Андреева еще в 1920-м говорили, что у Ленина постоянная головная боль, бессонницы — и никакие лекарства не помогают; Нагловский вспоминает, что в 1921-м Ленин — «желтый истрепанный человек» — постоянно на заседаниях Совнаркома хватается за голову, впадает не то в прострацию, не то в полуобморок и время от времени просто уходит с заседаний домой, через коридор на квартиру; он «то и дело отмахивался от обращавшихся к нему, часто хватался за голову. Казалось, что Ленину "уже не до этого"», он «производил впечатление человека совершенно конченого»; «ни былой напористости, ни силы»; «явный не жилец».

Усталость стала эндемическим заболеванием Кремля; к началу 1920-х здоровье большевистских лидеров страдало от не меньшей разрухи, чем транспорт и жилой фонд страны; журналисты «Правды» могли зарабатывать себе на жизнь одними некрологами. Ленин, который давно должен был уйти в отпуск, продолжал урывать от работы выходные, выезжая поохотиться в разные глухие места вокруг Москвы. К Новому году ЦК официально отправил его в очередной шестинедельный отпуск: ничего криминального, Ленин и сам постоянно выпроваживал своих наркомов на принудительные каникулы. «Сосланным в совхоз на молоко» приезжать в Москву для работы запрещалось; на то, чтобы выпить шампанского в ресторане или смотаться в кино — нэп уже пришел в столицу — разрешение ЦК, конечно, не требовалось; впрочем, мало кто готов был поверить, что Ленин будет использовать отпуск для детокса: и действительно, относительное одиночество позволяло ему не столько снизить темп, сколько нарастить его; только собственноручно написанных Лениным документов в этот период сохранились многие сотни.

Генуэзским зевакам могло показаться, что большевики одержали почти все возможные победы, закрыли все внешние фронты и добились признания республики де-факто Европой и Америкой. Однако затишье начала 1922 года — мнимое; усталость от лишений и смены политических курсов накоплена такая, что большевистская страна начинает вибрировать от любого неосторожного прикосновения, — состояние, когда пловец заплыл слишком далеко и чувствует приближение судороги, которая его убьет: надо сбавить темп. Все грандиозные проекты, которые в начале 1920-го казались осуществимыми в несколько месяцев, створаживаются. Коммунисты не понимают, почему перед буржуазией раскатывают красные дорожки — ради чего они убивались сами и убивали четыре года; в партии только что прошла устроенная Лениным чистка — чтобы не превращалась в касту, внутри которой все дозволено, и у большевиков нет ни физических, ни моральных сил на серьезный рывок. Ленин виртуозно дирижирует своими оргструктурами — Совнаркомом и политбюро, но у него нет адекватного инструмента воздействия на огромную страну, которой надо не просто управлять, а безостановочно переделывать, перемалывать в социализм. И поскольку и крестьянство, и пролетариат, и буржуазия — и даже партия истощены, Ленину приходится снять ногу с педали акселератора машины, кромсающей общество; теперь ее лопасти приподняты, и они лишь время от времени выдирают отдельные ошметки и осколки костей; вынужденный простой слишком случаен, чтобы позволить организму как следует регенерироваться; но на бактерии, питавшиеся разрушением, он действует роковым образом: партийный актив костенеет и превращается в номенклатуру.

Накануне нового, 1922 года Ленин уже находился на грани своих физических возможностей — и нуждался если не в медицинском уходе, то в смене обстановки и резком уменьшении круга очного общения.

Первую неделю «отдыха», с 6 по 13 января, он проводит в Горках — но там тоже уже по сути был второй офис, и он не мог избавиться от сугубо чиновничьей работы; видимо, что-то там пошло не так и насторожило службу безопасности. Стихийные крестьянские и рабочие выступления, заставившие большевиков скорректировать амбициозные планы 1920-го, вызвали оптимизм и оживление в белоэмигрантской среде. Говорили, что эсеровские руководители засылали в страну решительных людей — назывались конкретные фамилии — с заданием «убрать Ленина»; особую тревогу в Москве вызывал Борис Савинков, давно объявивший Ленину кровную месть и засыпавший его черными метками; видимо, Костино как раз и выбрано было охраной как аналог «Трактира адмирала Бенбоу». Ровно поэтому же одновременно начинает распространяться информация, будто Ленин планирует уехать на отдых в Грузию, а наученная телефонистка, когда на болшевский телефонный узел поступал звонок из Москвы, отвечала на голубом глазу: «Горки слушают».

Одна из особенностей этого не слишком комфортного, закрытого густыми хвойными лесами санатория для Ленина состояла в том, что он был чем-то вроде подсобного хозяйства ВЧК. В управляющих состоял латыш (из «стрелков») Жанис Витте; под таким присмотром Костино с его девятью коровами не превратилось в зеленый оазис посреди сельскохозяйственной Сахары, однако кое-какая поддержка сверху капала — семенами и живым инвентарем. Дзержинский помог хозяйству восполнить дефицит лошадей — подарив, странным образом, двух верблюдов; зимой, когда колодцы замерзали, животные возили крестьянам воду издалека. Одного из верблюдов, Мишку, с которым, видимо, и контактировал ВИ, много лет потом звали «ленинским» — и пытались даже получить от него благородное потомство, но скрещивание с кобылой не удалось.

Ленину всегда была по душе романтика подполья — незаметно, на ходу, менять головные уборы, выпрыгивать из поезда, переписываться шифрами и зашивать фальшивые документы в полы пиджака. Видимо, ему было удобно править страной вот так — не с кремлевского «трона», а полуподпольно, по телефону и посредством записочек; как когда-то партией из Куоккалы, с «Вазы». По окрестностям он гулял без телохранителей, бороду в синий цвет не красил, шапку надвигал на глаза, и судя по тому, что его попытка проникнуть ради интереса на скотный двор имения закончилась неудачей, инкогнито не было раскрыто. На лыжах, с ружьишком, он мог выдать себя в деревне за кого угодно — хоть за охотника из городских, хоть за крестьянина.

Ленину-после-1921-года можно вытатуировать на лбу несколько «приговоров»: палач пролетариата, гонитель интеллигенции, мотор электрификации, локомотив госкапитализма. Но все это были в большей степени ситуативные личины, связанные с выполнением текущих миссий; представляется, что точнее всего будет описать явление словосочетанием «крестьянский Ленин».

«В силу исторических условий, — отметил в некрологе Ленину проницательный главный редактор газеты «Беднота» В. Карпинский, — наше крестьянство в революции не выдвинуло своего вождя из своей среды». Для крестьянства это оказалось очень существенной проблемой — нет своего, придется терпеть чужого, и на протяжении первых лет советской власти крестьяне вынуждены были принимать как данность, что их судьбой распоряжается человек, открыто играющий на стороне пусть не вполне враждебного, но конкурирующего в борьбе за те же ресурсы класса.

Однако между 1921 и 1922 годами ситуация меняется; видимый антагонизм между Лениным и крестьянством пропадает; похоже, впервые в жизни Ленин чувствует, что крестьянство подходит для его социализма как минимум не меньше, чем промышленный пролетариат, — и ощущает себя в отношении крестьянства «вождем» не только формальным; он даже в частных, откровенных письмах говорит о «базе социализма в крестьянской стране». Таким образом, его пребывание в костинской «деревне» оказывается не только каникулами в доступном профилактории, но и переездом в коренном, политическом смысле.

Чтобы осознать всю необычность этой трансформации, напомним, что отношения «пролетарского вождя» с крестьянством как классом никогда не были чересчур теплыми.

Всю жизнь Ленин пытался придумать, как лучше в каждой конкретной ситуации эксплуатировать этот материал для нужд пролетариата. Сначала интерес Ленина носил научный характер: как вместе с технической революцией в деревню проникает капитализм, «расслаивая» общинную массу, выдавливая проигравших — бедняков — в города, где те, «вывариваясь в фабричном котле», обретают пролетарское сознание (и попадают под прицел прожекторов РСДРП). Уже тогда ему ясно было, как капиталистические отношения будут влиять на тех крестьян, которые не уедут в город: чтобы выжить, им придется перейти из личных хозяйств в обобществленные, коллективные, где есть машины: либо увеличение производительности труда — либо голодная смерть. И поэтому до 17-го года Ленин был против того, чтобы раздавать крестьянам всю помещичью землю: не надо, будут тормозить капитализм. Важнейший момент — революция 1905 года, когда Ленин вдруг обнаруживает, что крестьянство, при всей архаичности сознания и технической отсталости, — класс, тоже обладающий революционными силами; с тех пор Ленин один из немногих марксистов, кто относится к крестьянству не как к историческому шлаку, а скорее как к руде, из которой нужно научиться добывать полезные материалы.

В 1917-м крестьян надо втянуть в революцию на стороне базового для Ленина класса — пролетариата — против буржуазии. И поэтому Ленин обещает им помещичью землю на любых устраивающих их условиях. На деле «земля — крестьянам» означало стихийное разграбление всех хозяйств без разбору — и эффективно работающих агропромышленных комплексов тоже. Не имея возможности повлиять на это, Ленин с беспокойством наблюдал, как новые владельцы либо оказываются не в состоянии обработать землю вовсе, либо, избавившись от компетентных руководителей, резко снижают производительность. С 1918 года крестьяне для Ленина — неиссякаемый источник политической энергии, продовольствия и пушечного мяса для Красной армии; унтерменши, которых нужно быстро вытряхивать из феодальной скорлупы и крестить революционным огнем и мечом. Чтобы процесс «вываривания» крестьян для нужд коммунизма непосредственно на местах, без выезда на фабрики, шел интенсивнее, Ленин (образца начала 1918 года) ведет политику разжигания среди крестьян классовой войны: беднота, расправляйся с кулаками при малейших попытках претендовать на политическую власть.

Историк С. Павлюченков показывает, что главной целью крестового похода 1918 года в деревню был не хлеб — но «меч», классовая война; хлеб можно было «купить» — обменять — на те огромные запасы товаров, которые высвободились после демобилизации царской армии. Но революция совершалась не для того, чтобы торговать с деревней; торговля была не для большевиков, а для «мелких хозяйчиков», в старом мире. Ленину нужен был пожар в деревне, а не процветание; война вызывает в относительно однородном крестьянском мире быстрое образование четких фракций: беднота — и кулаки; кто не с нами, тот против нас; а еще такая «организованная» война позволяет центру держать периферию на коротком поводке — и не дать ослабевшему государству распасться на небольшие хаотично торгующие друг с другом экономические единицы.

Меж тем «официальная» история отношений Ленина с крестьянством между 1918-м и нэпом выглядит не совсем так — и базируется скорее на нескольких периодах «отступления» Ленина — в 1918 и 1919 годах, когда он посчитал тактически правильным дать крестьянству некоторые послабления. Отсюда и «заступнические» заветы: «Не сметь командовать» и «Беречь середняка»; как часто бывает в случае с этим автором, цитаты можно найти любого свойства, но при ближайшем рассмотрении выясняется, что многие использовались лишь как временные лозунги, затем быстро снимались с повестки дня — и извлекались из нафталина задним числом, если такая версия истории соответствовала текущей политической конъюнктуре.

Видимо, изначальный, конца 1917 года, ленинский план носил фантастический характер: на то, чтобы выбить «мелкобуржуазное сознание» из крестьянских голов, отводилось несколько месяцев. Быстро выяснилось, что срезать угол с кондачка не получится, для этого потребуется несколько лет муштры. И если изобрести практические меры по поддержанию диктатуры заведомого меньшинства — индустриального пролетариата — в крестьянской на 90 процентов стране было делом техники, то большого, настоящего Плана — что делать с крестьянством, кроме как каждый год методично лишать его заработанного урожая и приплода, — похоже, не было даже и в 1919-м. Крестьянам были обещаны «электричество» («Электричество будет возить вас») и «социализм» — но без конкретных сроков; им не было объявлено об ожидающей их в будущем неминуемой насильственной коллективизации; коммуны лишь предлагались и поощрялись — так же как, допустим, кооперативное движение. Политика Ленина по отношению к крестьянству до 1921 года была сугубо ситуативной — в зависимости от длины меню в рабочих столовых и успехов Красной армии.

В 1920-м здравомыслящий Троцкий обратил внимание на то, что чисто деструктивные действия — классовая война в деревне, натиск на буржуазию, красногвардейская атака на капитал — похоже, перестают давать благотворный, способствующий укреплению диктатуры пролетариата эффект и начинают работать против нее; разумно было бы перейти от физического истребления «мелкобуржуазности» к экономической войне против нее и придумать более рыночный, чем продразверстка, способ изъятия у крестьян излишков. Теперь, когда не нужно содержать трехмиллионную армию, почему бы не отнимать у крестьян не все, а, например, половину, а остальное разрешить им продавать или обменивать на промышленную продукцию: условно, пуд муки на железный топор? Замена «продразверстки» «продналогом» дала бы крестьянам свободу экономического маневра и стимулировала бы их распахивать больше полей. Крестьяне же обеспечат мелкое кустарное производство — и быстрое насыщение рынка такого рода «кооперативными» товарами. У голодных «настоящих» рабочих — то есть занятых в крупной индустрии, производящей не лапти, а машины, — появится возможность работать не три часа в день, а восемь: сытые, они смогут увеличить выпуск условных топоров, и в стране, где любые промышленные товары — дефицит, вырастет промпроизводство.

Ленин, однако, не собирался снимать ногу с педали газа — и требовал вести «борьбу за социализм» до конца; как с Польской войной — дальше, дальше, дальше: не останавливайтесь, еще немного — и мокрый германский порох все же полыхнет. «Именно Ленин, — показывает историк С. Павлюченков, — в течение 1920 года являлся главным противником нэпа и только в начале 1921 года резко изменил свою позицию» — изменил, увидев, как в России заново вспыхнула война против большевиков — теперь уже инспирированная не буржуазией. Крестьянские восстания — сила: после того как демобилизованная армия вернулась в свои дома и обнаружила, что там нечего есть и нечем сеять, в начале 1921-го большевистская Москва оказалась в кольце. Ленину нравились инициативные люди; тамбовцы и сибиряки устроили войну; кашинцы сами поставили себе динамо-машину и осветили деревню — приехав к ним на открытие электростанции, Ленин дал понять: «Делайте, товарищи, организуйте и достигнете — а я со своей стороны вам помогу». Чужая сила, его собственный гнев или еще какие-то личные причины сыграли наибольшую роль, однако факт, что после 1921-го Ленин задумывается о крестьянстве самым серьезным образом — и перестает относиться к нему как к овцам, которых надо безжалостно стричь в пользу рабочих (и управленческого аппарата); сама неисчерпаемость этого ресурса после голода в Поволжье оказывается под вопросом. Мало того, последствия этого голода политизировались: страдания описывались в газетах и дискредитировали большевистскую власть, голод в деревне не позволял обеспечить калориями рабочих, и так минимальная производительность труда падала еще больше; это означало катастрофу самой идеи быстрой модернизации. «Советское», вместо того чтобы стать, как планировалось, знаком высокой производительности труда, превращается в синоним «плохого качества», и Ленин прекрасно знал об этом.

И вот только тогда Ленин — вынужденно; осознав свои ошибки (скорее политические, чем человеческие, например, связанные со страданиями людей от спровоцированного его решениями голода; ВИ никогда не был похож на человека, который сожалеет о массовых жертвах; революционный молох имеет право требовать пищу — два миллиона красноармейцев, еще столько же «штатских» крестьян, умерших от голода; если угодно, можно всех их «записать» на Ленина; но линия его поведения от количества жертв не меняется; на его решения влияет не мораль, а только чужая сила и собственная позиционная слабость) — начинает с крестьянством другую, более долгосрочную и менее смертельную для проигравшего партию.

Разумеется, в первую очередь он снова достает из рукавов надежные, несколько раз срабатывавшие в ситуациях, когда ему казалось выгодным опереться на крестьянскую мелкую буржуазию, демагогические лозунги вроде: «Учесть особенные условия жизни крестьянина!..» и «Учиться у крестьян способам перехода к лучшему строю». Но если раньше скоротечные «романы» Ленина с крестьянством разворачивались в рамках стратегии ведьмы из «Гензеля и Гретели», которая откармливала мальчика в клетке, оттягивая трапезу только потому, что тот протягивал ей щупать вместо упитанного пальца куриную косточку, то теперь, похоже, Ленин больше не хочет «нейтрализовывать» этот класс — но, наоборот, намерен втянуть его в свой «госкапитализм» с регулируемым рынком, более эффективный, чем традиционное сельское хозяйство; обеспечить деревне «смычку с городом». В 1921-м не просто прекращается классовая война против кулаков и стимулируется любая производительская и торговая деятельность в сельском хозяйстве; Ленин, кажется, впервые готов взять этих людей в будущее — и раз так, готов идентифицировать себя как «крестьянского вождя» тоже.

Отсюда, среди прочего, у Ленина возникает идея «Крестинтерна»; если раньше большевики не приветствовали попытки снизу сформировать общекрестьянское объединение, то теперь, после того как Ленин догадался, что будущие революции XX века на мировой периферии, в колониях и полуколониях, будут совершаться крестьянами, а не рабочими, они обсуждают идею создания — разумеется, «сверху», под контролем — Крестьянского интернационала, который превратился бы в рычаг международного влияния и советской трансформации Третьего мира — угнетаемых масс Востока, Латинской Америки и Африки. Крестинтерн упрочил бы статус Ленина как глобального «мужицкого батьки»: того, кто приспособил марксизм для аграрных феодальных наций Востока. «Всерьез и надолго»: это известное как «ленинское» обстоятельство образа действия выглядит гораздо более правдоподобным, если заменить при нем «нэп» на «крестьянство».

Ленинская «смычка между городом и деревней» есть, по сути, классическая стимуляция экономического роста за счет роста потребления: крестьяне больше продают зерна — и могут больше купить промтоваров, отсюда должна увеличиться производительность труда рабочих — и пойти вверх кривая предложения товаров. Кулаки торгуют хлебом? Ну так и вы, беднота и середняки, обогащайтесь, учитесь торговать, потребляйте; плодитесь и размножайтесь. И раз политически выгодным для ленинского проекта модернизации общества оказывается прочный союз с крестьянством, а не война с ним, то нечего ждать, что долгосрочные взаимовыгодные экономические отношения будут «складываться постепенно»; они должны быть организованы и молниеносно проведены в жизнь. Город должен «соблазнить» деревню, стимулировать ее процветание. Ленин резервирует для деревни все лучшее. Прочитав в «Известиях» о том, что где-то валяются бесхозными 770 новых авиационных двигателей с запчастями на 14 миллионов золотых рублей, Ленин устраивает скандал — но передать их намерен не на какой-то завод, а крестьянам — «для механизации сельского хозяйства».

«Крестьянский вождь»? Ну а почему бы и нет: дистанцируясь от слабеющего пролетариата — и одновременно опасаясь оживившейся при нэпе буржуазии, Ленин неизбежно вынужден перенести вес на последнюю остающуюся в его распоряжении опору.

Собственно, «окрестьянивание» Ленина — возможно, самая значительная эволюция из тех, которые он претерпел за всю свою жизнь.

Не такая уж удивительная, однако. В конце концов, при всем своем прекрасном знании рабочей среды и при заявлениях «мы, рабочие» Ленин внутренне едва ли мог отождествлять себя с «ними»; косвенно это проявляется в его персональном скепсисе относительно «особой» рабочей культуры, Пролеткульта. Да, с конца 1880-х индустриальный пролетариат представлялся ему классом, наиболее чутким к актуальности революции — и эффективным в качестве ее инструмента. Но в 1921-м «брак» Ленина с рабочими — и так постоянно омрачаемый, мягко говоря, размолвками — был скорее видимостью. Похоже, Ленин уже экстрагировал из этого класса все, что к тому времени можно было. В сущности, ему было не так уж принципиально, какой класс «вытащить в социализм»; в конце концов, при социализме никаких классов не будет, и если главным орудием транспортировки послужит пролетариат, то ему все равно когда-то придется избавиться от классовых признаков.

Рабочие понимали, что вместо обещанной Лениным диктатуры пролетариата они получили диктатуру над пролетариатом и государственный капитализм эксплуатирует их так же жестоко, как при старом режиме частный, а те полуфиктивные привилегии, которыми он за это расплачивается (доступ к образованию, бесплатные коммунальные и прочие услуги), обходятся им слишком дорого.

Так же и Ленин осознает, что управление национализированными фабриками «в интересах рабочих» скорее дискредитирует власть, которая далеко не всегда в состоянии обеспечить рабочих заказами, сырьем и калориями; что ресурс прочности промышленного пролетариата ограничен — прочности в том числе и моральной: по Европе понятно, что буржуазия быстро коррумпирует рабочий класс. В России же фабрично-заводские рабочие — недокормленные, малопроизводительные, и так уже отдавшие лучшие силы партии, Советам, армии и администрации; превратившиеся, по сути, из надежного инструмента в обузу, иждивенцев, нахлебников, — в состоянии делегировать в авангард, партию, не так уж много людей — да и те имеют тенденцию растворяться в интеллигентской (меньшевистской) среде или бюрократии. Однако главная их проблема в том, что они не готовы долго терпеть лишения и, сбитые с толку буквальным пониманием идеи «диктатуры пролетариата», слишком много начинают требовать; кронштадтские события показали Ленину, до какой степени опасным может оказаться городской пролетариат для большевиков; надо полагать, помнил Ленин и события 1918 года на Путиловском заводе — когда рабочие требовали изгнать большевиков из Советов чуть ли не единогласно.

В результате одним из аспектов новой ленинской политики 1921 года становится потеря рабочими привилегий забирать у крестьян все что вздумается именем пролетарской революции; теперь им придется платить; это должно, среди прочего, отрезвить их и научить больше рассчитывать на партию — которая, уж наверное, лучше справится с защитой их интересов. Разумеется, Ленин не собирался отменять формальную диктатуру пролетариата; благосостояние крестьянства должно, каскадом, пролиться и на промышленный пролетариат, пусть даже в первое время продукты будут обходиться горожанам дороговато.

Ленин был внуком крепостного крестьянина — хотя бы и переселившегося в город. В культурном смысле ему близки «крестьянские» Толстой и Тургенев. Его детство — по крайней мере летние сезоны — было детством помещичьего внука и племянника. Затем он сам некоторое время помещичествовал — хотя и быстро избавился от этого «токсичного актива», оставшись, однако, «в поле» в статусе наблюдателя. Ленин много, очень много времени провел в деревне; помимо Кокушкина, Алакаевки и Шушенского — в Горках, Мальце-Бродове, Костине, Корзинкине, Завидове, других деревнях вокруг Москвы, не говоря уже о швейцарских и французских сельских местностях. Не стоит преуменьшать той пусть не «мистической», но все же связи с землей, которую, судя по тому, как часто его «выносит» за город, он, как и все люди с крестьянскими, теллурическими корнями, в самом деле чувствовал — и набирался от нее силы.

Сила эта и теперь переливалась в него; ситуация в том виде, в котором Ленин мог наблюдать ее из своего костинского эрмитажа, оставалась катастрофической — но в ней чувствовалась динамика. Несколько крупных регионов по-прежнему представляют собой Помпеи после извержения, но разрешенная торговля уже набирает обороты, и есть шанс, что невидимая рука рынка успеет доставить продовольствие тем, кто выжил. Рабочие разочарованы в большевиках, обманувших их, — но мантры о диктатуре пролетариата в целом все еще действуют. Россию пригласили на Генуэзскую конференцию — и у нее появился шанс поменять статус страны-изгоя на роль полноценного торгового партнера Запада.

Крестьяне всё больше — политика доходит и до самых темных слоев населения — интересуются, «КТО ТАКОЕ ЛЕНИН»; этот «полунемой» вопрос, почти мычание, зафиксирован у многих наблюдателей — от есенинской Анны Снегиной до Пришвина в его записных книжках. Ленина теперь уже не воспринимают как злосчастный курьез, случайность, временный феномен; ясно, что за большевиками, плохо ли, хорошо ли, но выполняющими мессианскую функцию, стоит именно он; что он теперь «царь» или даже «фараон», в библейском смысле; «отец наш», как обращаются к нему в коллективных письмах. Фигура Ленина, парадоксальным образом, цементировала привыкшее к наличию жесткой самодержавной структуры крестьянское общество: большевики смогли выставить «царя», а все остальные — нет, и уже поэтому им можно было подчиняться.

Про Ленина ходят слухи разной степени дикости, но крестьяне обнаруживают в нем и эрзац-объект для религиозного поклонения, вместо истребляемых традиционных чувств.

Однако бессмертие этого объекта было под большим вопросом.

Частичный паралич и дисграфия постигнут Ленина только в мае, но все первые месяцы 1922-го он явно больше, чем когда-либо, упоминает в своей деловой переписке о разного рода недугах. В марте он отметит явное «ухудшение в болезни после трех месяцев лечения»: «меня "утешали" тем, что я преувеличиваю насчет аксельродовского состояния, и за умным занятием утешения и восклицания "преувеличиваете! мнительность!" — прозевали три месяца. По-российски, по-советски», — иронизирует он. «Я болен. Совершенно не в состоянии взять на себя какую-либо работу» (8 марта). «Я по болезни не работаю и еще довольно долго работать не буду» (6 апреля). «Нервы у меня все еще болят, и головные боли не проходят. Чтобы испробовать лечение всерьез, надо сделать отдых отдыхом» (7 апреля).

Задним числом Ленин проговаривался врачам и родственникам, что у него случаются «головокружения» — то есть кратковременные обмороки, возможно, с онемением конечностей. Возможно, именно из-за них он без предупреждения уезжает 1 марта из Костина: далековато от московских врачей, если вдруг понадобится неотложная медицинская помощь. В марте с ним занимается массажистка: лечебная физкультура.

Ему ощутимо проще общаться с людьми письменно, не входя в прямой контакт: даже жена и сестра приезжают к нему только на вечер субботы и воскресенье; меньше поводов для депрессии, меньше раздражителей. Крестинский предлагал найти ему собаку — развеяться на охоте; ответ тоже лишен какого-либо энтузиазма — «2 марта 1922 г. т. Крестинский! Насчет собаки я эту затею бросил. Нервы уже не те, и охотиться не смогу. Если не достали, прошу не доставать и все хлопоты бросить. Если достали, я вероятно подарю другому охотнику».

Что касается внешних признаков деградации организма, то они фиксируются разве что косвенно: 17 января Ленин помогал выталкивать застрявшие автосани, загнав в салон оказавшегося без валенок чекиста Уншлихта, сам очищал дорожки от снега, без устали болтался по окрестностям; только вот домработница потом вспомнила, что «товарищи из охраны много раз видели ВИ на прогулке поздно ночью: видно, бессонница сильно его беспокоила». Впрочем, и это не показатель: Ленин и до Костина любил ночные променады. Вряд ли в Генуе зрелище измученного трехдневной бессонницей человека с полотенцем на голове произвело бы благоприятное впечатление на кого-либо из партнеров и инвесторов; вероятность того, что он упадет в обморок или рухнет на пол во время выступления, также не исключалась.

Чем драматичнее противоречия, чем чудовищнее то, что происходит где-нибудь в Самарской губернии, Туркестане или на Соловках, тем более монохромной кажется жизнь самого Ленина.

Биографы могут откинуться в кресле и перевести дух — да, Ленин время от времени перемещается между Горками, Кремлем, Костином и еще несколькими подмосковными деревнями; но и только. Два наиболее ярких события первых месяцев 1922 года — домашние, относительно скромных масштабов, пожары. Первый произошел в Костине, затем через несколько недель — в Корзинкине (в районе Троице-Лыкова; Ленин провел там еще три недели): если верить шоферу Космачеву, Ленин прибежал со своего второго этажа с театральной — как из «Дживса и Вустера» («Простите, что упоминаю об этом, леди, но в доме пожар») — фразой: «Товарищи, мне кажется, мы опять горим!» Надо ли вспоминать, что и в 1918-м в Горках произошло то же самое — когда Ленин попытался, по лондонской привычке, сам растопить камин.

Среди прогулок Ленина в этот период выделяется короткое путешествие, которое он совершил на автодрезине: автомобиле с бензиновым мотором, передвигающемся не по шоссе, а по рельсам; не то чтоб экзотическое, но дорогостоящее средство передвижения для того времени. В какой-то момент Ленин пытался запустить целую кампанию по переделке грузовых автомобилей в тепловозы, способные передвигаться по рельсам, надеясь решить проблему нехватки паровозов, но быстро выяснилось, что для этого грузовики слишком маломощные.

Мы не знаем, как именно Ленин оказался на какой-то железнодорожной станции и куда поехал — судя по всему, по чьей-то жалобе; описывая впоследствии увиденное, Ленин подчеркивал, что сам был там инкогнито, «в качестве неизвестного, едущего при ВЧК».

Путешествие датируется серединой января 1922-го; возможно, оно было как-то связано с готовящейся Лениным реорганизацией ВЧК, и «ревизия» стала началом кампании, которую Ленин инициировал против Дзержинского: злополучная дрезина состояла «в совместном заведовании ВЧК и НКПС» — ведомств, которыми тот руководил одновременно. Не исключено, что «разгон ЧК» — официально утвержденный декретом ВЦИКа от 6 февраля: «Об упразднении Всероссийской чрезвычайной комиссии и правилах производства обысков, выемок и арестов» — был демонстративным жестом перед Генуей: мы уже не те, что в 1919 году, и сами избавляемся от наиболее одиозных своих органов. Впрочем, уже через несколько недель ГПУ, проигнорировав ленинское ворчание про «арестовать паршивых чекистов» и «подвести под расстрел чекистскую сволочь», вернет себе право внесудебных расправ на месте; но факт тот, что Ленин действительно намеревался урезать полномочия этой чрезвычайной, созданной для военных условий организации. Наблюдая за тем, как одновременно Ленин занимается созданием прокуратуры, мы с неизбежностью приходим к выводу, что он пытался выстроить систему сдержек и противовесов, чтобы привыкшие лезть в чужие дела ведомства вводились в режим конкуренции и оставались под контролем сверху. ВЧК должна сообразовываться с Наркомюстом и подчиняться НКВД, губернские прокуроры, осуществляющие надзор, — отчитываться не местным советским и партийным органам, а только центру.

Искал ли Ленин повод для атаки на Дзержинского и ЧК — или устроил гарун-аль-рашидовскую ревизию без задней мысли — но так или иначе состояние, в котором он «нашел автодрезины», слишком наглядно свидетельствовало о том, что происходит с советской экономикой в целом: «хуже худого. Беспризорность, полуразрушение (раскрали очень многое!), беспорядок полнейший, горючее, видимо, раскрадено, керосин с водой, работа двигателя невыносимо плохая, остановки в пути ежеминутны, движение из рук вон плохо, на станциях простой, неосведомленность начальников станций... (<...> — машины эти, видимо, "советские", т. е. очень плохие <...>), хаос, разгильдяйство, позор сплошной. К счастью, я, будучи инкогнито в дрезине, мог слышать и слышал откровенные, правдивые (а не казенно-сладенькие и лживые) рассказы служащих, а из этих рассказов видел, что это не случай, а вся организация такая же неслыханно позорная, развал и безрукость полнейшие. Первый раз я ехал по железным дорогам не в качестве "сановника", поднимающего на ноги все и вся десятками специальных телеграмм, а в качестве неизвестного, едущего при ВЧК, и впечатление мое — безнадежно угнетающее. Если таковы порядки особого маленького колесика в механизме, стоящего под особым надзором САМОГО ВЧК, то могу себе представить, что же делается вообще в НКПС! Развал, должно быть, там невероятный».

Ленин в бешенстве; и по-видимому, недовольство состоянием конкретной машины имело своей подоплекой досаду из-за чего-то большего — а именно свертывания колоссального проекта «быстрого социализма», связанного с железными дорогами.

В конце 1919-го — начале 1920-го, когда стало ясно, что Гражданская война выиграна, интервенция и санкционная блокада Антанты не представляют серьезной угрозы и силы можно перебросить на экономику — построение «быстрого социализма», перед Лениным оказалось два проекта «модернизационного блицкрига» Советской России. Оба не подразумевали необходимости выхода из режима военного коммунизма. Первый был связан с железными дорогами, второй — с электрификацией.

Проблема Большого Скачка в условиях тотального дефицита была в правильной оценке ресурсов: во-первых, способности масс терпеливо соблюдать навязанный им социальный контракт в рамках мобилизационной экономики; во-вторых, золотого запаса, сбереженного за счет того, что денежная масса на внутреннем рынке в течение нескольких лет не имела обеспечения. «После мировой войны, — с гордостью говорил Ленин в интервью американской газете, — Советская Россия остается единственной платежеспособной европейской державой». Штука в том, что восстановление железных дорог было обязательным условием, тогда как всё связанное с электрификацией — желательным; но если восстановление железных дорог подразумевало обеспечение контроля за страной, «подбирание» земель, то электрификация — принципиально новую производительность труда и качество жизни. Этот выбор, судя по документам, крайне занимал Ленина в начале 1920 года; и само соблазнительное наличие этих двух вариантов, видимо, и сбило его с толку. Проконсультировавшись со «спецами», Ленин все же рискнул запустить оба проекта сразу в надежде срезать угол и «проскочить» в будущее на инерции военного коммунизма; решение, сулившее, в случае удачи, возникновение синергического эффекта.

Что касается золотого запаса, то его решили потратить в первую очередь на железные дороги.

Солженицын не случайно назвал свою историческую эпопею о России начала XX века «Красное колесо»: красное колесо паровоза истории — наиболее очевидный символ исторического движения, безжалостной и неудержимой машины, которая затащила Россию в XX век. История первого пятилетия Советской России — это история железных дорог; железными дорогами занимались наиболее толковые большевики — зять Ленина Марк Елизаров, Красин, Троцкий, Дзержинский — и, разумеется, сам Ленин. Поезда были не просто «средством передвижения»; контроль над железными дорогами был ключом к России — обеспечивая целостность страны, связь с провинциями и возможность снабжения столиц, то есть элиты и базового для большевиков социального элемента, а также важнейшую в условиях войны возможность перераспределять дефицитные товары (продовольствие и топливо в первую очередь) с выгодой для того, кто контролирует пути. Именно поэтому, может быть, самый большой шанс свергнуть Ленина — еще в конце октября 1917-го — был у профсоюза железнодорожников, Викжеля.

Точно так же и свою золотую удачу большевики поймали, возможно, как раз в марте 1918-го — еще до начала полномасштабной гражданской войны — когда переехали в Москву и сделали именно ее своим гнездом; дальше, даже когда территория Советов будет сжиматься до минимума (осенью 1919 года под большевиками находилось не больше трети железных дорог), контроль над Московским узлом позволил сохранить власть в стране и помешать роковому для Советов соединению армий Деникина, Юденича и Колчака.

Чудовищным ударом по Советской России был захват немцами трех тысяч исправных, рабочих паровозов в 1918-м; летний кризис 1918-го — включая и покушение на Ленина (косвенно) — был связан с этим обстоятельством. Затем в течение 1918—1919 годов из-за «разрухи» и железнодорожной войны Россия потеряла еще несколько десятков процентов паровозного парка. К концу 1919-го «вымирание» локомотивов приняло масштабы эпидемии, которая усугублялась чудовищным дефицитом топлива: в конце 1919-го у большевиков не было доступа ни к углю Донбасса, ни к нефти Закавказья.

С этого момента и на ближайшие четыре года одним из ключевых сотрудников и консультантов Ленина, убедившим его выбросить лозунг «Все на транспорт!», становится один из удивительнейших русских людей XX века — инженер-железнодорожник, профессор Ю. В. Ломоносов (1876—1952), чья мало известная широкой публике фамилия появляется в ленинской деловой переписке 1919—1922 годов поразительно часто. Именно он в конце 1919-го сделал по заказу Ленина и Троцкого расчеты, из которых математически следовало: если нынешняя динамика сохранится, то в ближайшие месяцы железнодорожное сообщение в России прекратится. Это означало крах всего большевистского проекта, и эта угроза подействовала.

Если бы в распоряжении Ленина не было Красина, то на его месте, весьма вероятно, оказался бы Ломоносов; Красин был начальством и конкурентом Ломоносова, не дававшим ему развернуться в полной мере. Еще меньше Ломоносову повезло с репутацией у потомков: этот в высшей степени компетентный инженер с легкой руки некомпетентного историка Иголкина обзавелся статусом «ленинского наркома», расхищавшего — с подачи Ленина — золотой запас и стоящего, таким образом, «у истоков советской коррупции». Научная биография Ломоносова «Инженер революционной России» Энтони Хейвуда полностью опровергает это нелепое измышление (да Ломоносов и наркомом-то не был), но известна она гораздо хуже свободно циркулирующего в Интернете изделия Иголкина.

Харизматичный, амбициозный, с задатками футуролога и авантюриста, Ломоносов воплощал в себе множество черт, ценимых Лениным: он был революционер, изобретатель, прагматик, администратор — словом, тот тип практика, который оказывал на Ленина магическое воздействие. Похоже, именно Ломоносов предложил Ленину не «восстановление» разрушенного войной железнодорожного хозяйства, не ремонт и штопку уже существующих паровозов, вагонов и путей на имеющихся мощностях, а «перезапуск»: воспользовавшись наличным «обнулением» как уникальной возможностью, пустить по новой стальной колее закупленный за границей новый транспорт, который в сжатые сроки вывезет Советскую Россию в социализм, оставив капиталистов — у которых железнодорожное хозяйство разбросано по разным частным собственникам — позади. Именно сейчас — «сейчас или никогда» — и следовало создать «идеальную железнодорожную систему», и было бы лучше всего вместо очевидно устаревающих паровозов закупать и проектировать самим тепловозы на дизельной тяге, так чтобы к 1950-му вся страна оказалась покрыта «сверхмагистралями», по которым можно было бы очень быстро гонять тяжелые товарные поезда.

Ленин колеблется: это обойдется России в несколько сотен миллионов золотых рублей — 40 процентов или даже половина золотого запаса. Однако перспективы, которые открываются перед ним — и так уже увлеченным идеей быстрой модернизации через электрификацию — в случае реализации этих двух проектов, вгоняют его в состояние «es schwindelt» («голова кругом идет») — как 25 октября 1917-го, когда из жильца фофановской квартиры он в считаные часы превратился в руководителя России.

Именно этим «головокружением от возможных успехов» и объясняется крупнейшая ошибка Ленина: вера в возможность проскочить в «быстрый социализм» стиснув зубы, не сворачивая режим военного коммунизма.

Как только весной 1920-го Антанта сняла экономическую блокаду, Ленин дает большевистским брокерам отмашку: покупайте! Чтобы осознать масштабы предприятия — предполагалось приобрести за границей пять тысяч локомотивов и 100 тысяч грузовых вагонов, плюс разного рода железнодорожное оборудование, от котлов до рельсов, — надо понять, что в 1920 году даже просто восстановление двух-трех паровозов расценивалось как «огромное дело». Чтобы понять уровень технической сложности сделки — представьте, что вы Палестина или Донецкая народная республика — и собираетесь заказать в Америке огромную партию «боингов». В конце 1919 года Советская Россия была непризнанной республикой и находилась «под санкциями» — военными, торговыми, финансовыми, да еще в кольце препятствующих транзиту враждебных государств вроде «белых» Польши и Финляндии; понятно, почему Ленин прыгает от счастья, когда России удается заключить «настоящий» мирный договор с Эстонией — и заплатить по самым грабительским ставкам за возможность учредить офшор и вести через него дела любой финансовой сложности. Соответственно, ошарашивающие нули в графе «количество товара» возникают еще и потому, что из-за десятка паровозов идти на нарушение санкций — и ослабление общей позиции по большевикам — иностранцам нет смысла; а когда возникает масштаб, политические соображения могут отойти в тень; расчет Ленина состоял в том, чтобы посредством этих заказов (и концессий) втянуть капиталистов в «отношения».

По дороге в Лондон Красин заключил контракт на тысячу паровозов с шведским бюро «Nydkvyst & Holm AB (Nohab)» — они должны были поставить все машины к 1925 году; сумма контракта оценивалась в 20—25 миллионов фунтов: по-видимому, это крупнейший заказ тех лет на европейском промышленном рынке. В Стокгольме было открыто специальное бюро — Российская железнодорожная миссия, смысл которого: обговаривать нюансы приобретения, контролировать постройку, растягивать платежи и организовывать транспортировку в Россию. У миссии было 15 филиалов в Европе и Америке, руководил ею инженер Ломоносов — который пользовался привилегией писать Ленину напрямую; и тот быстро разрешал бюрократические затруднения. Одновременно предполагалось вот-вот заключить соглашение с Германским паровозостроительным союзом о постройке еще одной-двух тысяч паровозов. Полным ходом шли переговоры о производстве нескольких сотен или даже тысяч машин в английском Ньюкасле. Там же, в Англии, Красин зондировал почву на предмет возможности заказать ремонт 1500 паровозов. 230 паровозов договорились ремонтировать в Эстонии. Очень активно обрабатывалась и Америка — где готовыми ожидали своей судьбы заказанные еще царским правительством (на британские займы, что осложняло ситуацию) паровозы.

Поскольку распределить эти 300 миллионов золотых рублей в Совнаркоме и вокруг нашлось много охотников, которые теперь кусали локти, к заключенным впопыхах контрактам возникло много вопросов: почему на паровозы потратили чуть ли не все остатки золотого запаса? почему надо было закупать локомотивы за границей, а не давать работу отечественным ремонтникам? почему были выбраны не самые быстроходные и современные машины? почему закупались локомотивы, не вполне подходящие под российскую систему — якобы нарочно вредительские, вызывающие из-за самой своей массы быстрое изнашивание рельс и подвижного состава?

Ломоносовские инженеры на протяжении нескольких лет будут принимать паровозы в Швеции, на крупповских заводах в Эссене, на «Ганомагк» в Ганновере, на «Гумбольдте» под Кёльном. Но уже с октября 1920-го программа закупок импортного желдорооборудования начинает перетряхиваться. Как и в прочих областях — и здесь мы явно сталкиваемся с проявлением все того же «стиля Ленин» — любезность советской стороны оказывается прямо пропорциональной политическим успехам Советской России; в хорошие моменты количество заказанных паровозов уменьшалось, в плохие — возрастало; то же касалось и отношений с отдельными странами (например, изначально в Эстонии обещали отремонтировать 230 паровозов — но в конце концов ограничились 70). Если, согласно первому плану, предполагалось все делать через Швецию, то к 1921-му, когда торговое соглашение с Англией перестало требовать посредников, шведский заказ подвергся секвестру (цифра 1000 уполовинилась) — зато вроде бы должен был увеличиться заказ в Англии (которую следовало стимулировать вступить в Торговое соглашение) и Германии (чтобы подтолкнуть ее к заключению Рапалльского договора).

Даже с учетом зашкаливающего бюрократизма, ведомственной конкуренции и советского бардака пять тысяч локомотивов, 100 тысяч грузовых вагонов, несколько десятков тысяч тонн рельсов теоретически составляли критическую массу для того, чтобы железнодорожная индустрия России не просто восстановилась, но в самом деле стала драйвером модернизации; и еще осенью 1920-го у Ленина были основания надеяться на это (как и на торфососы Классона, «гиперболоиды» Бекаури и шишки Рабиновича).

Важно понимать, что нэп — который уже в 1921-м Ленин публично представлял в самых радужных красках как идеальный проект спасения человечества — по сути означал крест на его проектах быстрой модернизации хозяйства и казался ему в этом смысле поражением, отказом и откатом от грандиозных радикальных утопических проектов, которые планировалось реализовать на мобилизационном ресурсе военного коммунизма — «перезапустить» экономику за несколько месяцев или даже недель. Чтобы быстро перескочить в социализм, требовалось оставаться в мобилизационном режиме; «послабления» и «культ торговли» подразумевали необходимость расплачиваться за оказанные услуги и поставленные товары на внутреннем рынке настоящими деньгами — которые, по изначальному ленинскому плану, должны были вбиваться в модернизацию.

Однако в какой-то момент Ленину становится ясно, что погоня за двумя зайцами сразу в таких условиях означает перспективу поимки только самых захудалых, никудышных экземпляров.

План ГОЭЛРО, по объективным причинам, тоже несколько затормозился — ясно, что золотого запаса и на локомотивы, и на электрификацию не хватит; да и легкий доступ к закавказской нефти несколько снизил резкую нужду в альтернативной дешевой энергии. Комиссия ГОЭЛРО перерастает в Госплан — который готовит уже не «кавалерийскую», а поэтапную, систематическую, рассчитанную на годы, а не на месяцы модернизацию.

«Быстрые» проекты режутся в обеих областях. Понятно, что транспорт, да, будет восстановлен и войдет в рабочий режим, но превращение страны в высокотехнологичный Коммунистический Иерусалим прямо сейчас невозможно.

В конце 1920 года речь уже шла о покупке не пяти, а двух тысяч паровозов. К началу 1921-го заказали с проплатой 1100 — и похоже, на этом захлебнулись. Там, где можно было вернуть авансы, заказы сворачивали.

Еще в конце 1921-го Ленин поддерживает эксперименты по переоснащению железных дорог, и с его разрешения Ломоносов на сэкономленные при заказах паровозов деньги получает право заказать за границей несколько экспериментальных тепловозов.

С одной стороны, Ленин курирует и протежирует ГОЭЛРО, с другой — из двух проектов модернизации железных дорог — «тепловозного» или «электровозного», на электрической тяге, — ему, кажется, больше нравится первый. Вынужденное торможение усугубляется непоследовательностью самого Ленина, хотя и электрификация железных дорог также желательна.

Дело в том, что 1920—1921 годы — это эпопея с «Алгембой» — железной дорогой к оказавшимся вдруг доступными далеким нефтяным промыслам в районе реки Эмба. Там была живая, уже добытая нефть, и в декабре 1919-го это был единственный источник жидкого топлива, доступный большевикам; но надо было придумать способ вывезти ее — как угодно, хотя бы и караванами верблюдов, Ленину доводилось подписывать документы про «гужевую повинность». Железную дорогу Александров — Гай (Саратовская область) — Чарджуй, связавшую бы Центральную Россию с Хивой — Закаспийским нефтяным регионом, примерно на границе Туркмении и Узбекистана, близко к афганской границе — планировали построить еще при царе. «Почему же русские капиталисты ее не построили?.. Англичане не позволили?» — спрашивал, усмехаясь, Ленин. Слишком сложно, 900 километров по пустыне, солончаки. По сути, требовалось строить три проекта сразу: железнодорожное полотно, нефтепровод и водопровод — обеспечивать воду из Амударьи для паровозов; но если запустить там тепловозы, которым вода не нужна, а нефти они тратят втрое меньше? Судя по количеству упоминаний в ленинской переписке, «Алгемба» представлялась ему жизненно важной стройкой — топкой, куда можно бросать людей и деньги; но уже через год, когда выяснилось, что игра не стоит свеч, ее свернули: не получилось — поехали дальше, некогда горевать. Разумеется, «Алгемба» не была «коррупционным проектом», каким ее представляют историки-«разоблачители»: еще один масштабный советский недострой, брошенный из-за изменений политической и экономической ситуации.

Примерно в 1920 году большевики получили доступ к нефти Баку и Грозного — клондайк; и Ленин грозит «перерезать» всех местных, если те сожгут нефть или испортят промыслы; однако оказалось, что после нескольких лет Гражданской войны и интервенции сами нефтяные поля и оборудование пришли в катастрофическое состояние; заброшенным скважинам грозило обводнение, и если не начать откачивать воду прямо сейчас, объяснил Ленину Красин, то большевикам придется выстраивать всю нефтедобывающую промышленность с нуля — при том, что топливо нужно позарез и сегодня. Губкин представил Ленину альтернативное мнение: плохо, но не катастрофа, нужно просто эксплуатировать скважины хоть как-то, чтобы не затопило окончательно. Но и для этого нужно было найти оборудование — только за валюту, которой не было.

И тогда Ленин разрешил Серебрякову продавать нефть самостоятельно, под его личным контролем (в нарушение госмонополии внешней торговли): и самим себя обеспечивать, и искать возможности концессий — нужны инвестиции в промыслы.

Прямые торговые контакты молодого Советского государства с внешним миром выглядели подчас экзотично; видимо, поначалу идея Ленина состояла в том, чтобы сам акт торговли, помимо собственно прибыли, приносил выгоду еще и как успешная партизанская атака на капитализм; например, выбрасывая на внешний рынок порции дешевой закавказской нефти, вы можете обрушить нефтяной рынок, хотя бы региональный. Ушлый Серебряков принялся гонять из черноморских портов в Константинополь нефтеналивные пароходы с маслом, бензином и керосином и продавать их спекулянтам; поскольку цена была ниже рыночной, товар у него с руками отхватывали — та же тактика, которой придерживается сейчас ИГИЛ (запрещенная в России). На вырученные деньги Серебряков договорился о приобретении машин для вращательного бурения, еды, одежды, мыла для рабочих. Сами Ленин и Серебряков прекрасно осознавали как первобытный (менять богатства страны следовало не на консервы и ботинки, а на технологии), так и нелегальный характер мероприятия — по сути, то было не что иное, как государственная контрабанда; в переписке они называли это «успешно корсарствовать».

Многие коммунисты в ленинском окружении, вдохновившись успехами этих вылазок, заговорили о том, что Советская Россия в состоянии сама поднять из руин бакинскую и грозненскую «нефтянку»; Ленин, однако, боролся с таким «коммунистическим шапкозакидательством» и «вздором, который тем опаснее, что он рядится в коммунистические наряды»; он настаивал, чтобы пираты превращались в настоящих капиталистов и привлекали инвестиции, а не просто торговали с колес тем, что удалось наскрести. Потенциальные концессионеры обязаны будут расплачиваться с Советами оборудованием, превращая — в фантазии Ленина — торговые контракты в договоры о технической помощи; только так можно не просто восстановить что-то, но и «догнать (а затем и обогнать) современный передовой капитализм». Верхние строчки списка ленинских «инвесторов мечты» занимали американцы, которые не имели отношения к российским нефтепромыслам до революции и потому не станут предъявлять претензии по части возврата собственности. В идеале, писал Ленин, следует использовать нынешнюю войну между «Standard Oil» и «Shell», чтобы кто-то из них ради победы над конкурентом взял в концессию Баку — возможно, прикрывшись какой-нибудь подставной, псевдоитальянской или шведской компанией-ширмой: не создавать прецедент сотрудничества с большевиками.

Узнав о первых успехах — и главное, наполеоновских планах большевиков, — бывшие собственники в Париже объединились для защиты своих интересов — чтобы запретить как советскую «игиловскую» торговлю нефтью в Константинополе, так и воспрепятствовать концессиям.

Проблема, которую оказался не в состоянии решить даже такой энтузиаст концессий, как Ленин (которому постоянно приходилось преодолевать еще и внутреннее сопротивление: среди большевиков и даже непартийных «спецов» было множество сторонников «опоры на собственные силы» — не за тем совершалась революция, чтобы снова отдавать Россию иностранцам), состояла в обеспечении концессионерам юридической поддержки: в случае, например, нефтепромышленности речь шла об имуществе, реквизированном у старых собственников — горящих желанием вернуть ее или получить компенсацию. Отсутствие внятных правил игры приводило к тому, что либо иностранцам оказывалось неинтересно вступать в заведомо «плохой» бизнес, либо они были готовы рискнуть — но на «грабительских» условиях; тут уж несогласны были Советы. Что касается бакинской нефти, то ленинскому окружению удалось почти договориться о концессии с Барнсдальской корпорацией; американцы несколько раз приезжали в Москву и на Апшерон — но поскольку Ленин, главный идеолог и мотор концессий, к тому времени стал отходить от дел, до добытой нефти так и не дошло.

«В итоге, — вздыхает С. Либерман, — концессии почти ничего не дали. Вот уж подлинно: гора родила мышь. За период с 1921 по 1928 г. советская власть получила 2400 концессионных предложений, заключено же было всего 178 договоров».

Концессионная политика Ленина — если называть вещи своими именами — провалилась, оставшись еще одним пунктом в разделе «авантюры первых лет советской власти». Однако шумиха вокруг концессий — и размещение на Западе нескольких впечатляющих промышленных заказов, связанных с железнодорожным оборудованием, — показали Западу, что большевики «образумились»: у них появились серьезные экономические амбиции — и глупо было игнорировать их предложения. Для того чтобы предложения выглядели солидными, Советы активно создают за границей «витрины»: Советское бюро в Америке, представительства своих банков в Швеции и Прибалтике; они нанимают банкиров-иностранцев (Олаф Ашберг — директор их «Роскомбанка», он же

«Внешторгбанк») и в течение нескольких месяцев вводят у себя твердую валюту — золотой червонец. Все эти меры посылали западным инвесторам «хорошие сигналы», внушали им иллюзию, будто большевики становятся «обычными». Почему бы, раз так, не начать с ними разговаривать языком дипломатии?

Приглашение в Геную было получено не на пустом месте; оно было куплено — и куплено ловко.

Пока же, в первые месяцы 1922-го, по мере того как железнодорожный проект «сдувается», интерес Ленина к идее тает. Кроме того, видимо, в какой-то момент «железнодорожный социализм» стал восприниматься как епархия Троцкого, который с весны 1920 года был наркомом путей сообщения — настолько успешным, что «дорполиты (политотделы дорог), опираясь на авторитет Троцкого, военного ведомства и при поддержке Секретариата ЦК, начали посягать на руководство губкомами и укомами тех губерний, через которые проходили важнейшие железнодорожные и водные пути, — напрямую командовать местными органами власти». Все эти неудачи и полуудачи, накладываясь на нездоровье, изнурили Ленина; головокружение от успехов оборачивалось депрессиями и обмороками. Из соображений соблюдения политического и аппаратного баланса Ленин несколько отстраняется от этого проекта. По мнению историка С. Павлюченкова, «ленинская вертикаль ГОЭЛРО появилась, в том числе как противопоставление, как хозяйственная альтернатива путейским амбициям Троцкого».

Костино было чем-то средним между ухом лошади, куда залезает Мальчик-с-пальчик, чтобы оптимизировать управление сельхозработами, и кровавым нутром медведицы, где укрывается от враждебности мира только что убивший ее герой «Выжившего».

И дело не только в том, что «обстановка была неспокойная» — в смысле бандитизма или даже полумифических савинковских убийц, проникающих в Советскую Россию из эмиграции: все-таки уже не 18-й год. Ленина беспокоили скорее «меньшевики и полуменьшевистские шпионы», которыми «мы здесь в Москве окружены»; в переводе на человеческий язык — происки буржуазии, которая вынудила свернуть атаку на общество и хотя и организованно, но отступить.

Собственно, вся эта местность — около нынешнего Королева — представляет собой, по сути, ленинский мемориал; вот уж действительно — *si monumentum requiris, circumspice*: хочешь найти памятник, воздвигнутый ему, — оглянись вокруг. Удивительная история этой на вид ничем не примечательной территории — одно из самых убедительных доказательств способности Ленина преобразовывать окружающую действительность в масштабе от отдельного дома до целой Вселенной. Сам Ленин не мог знать о своей роли в выстраивании судьбы этих задворок Ярославки — которые, полностью в соответствии с законами исторической диалектики, оказались неисчерпаемыми, как электрон; тем любопытнее это «нечаянное» вмешательство.

Во-первых, после отъезда Ленина — только в 1924-м, но якобы по совету Ленина — в имении Крафтов, и в том числе в ленинском домике, возникла Болшевская трудовая коммуна для беспризорников с криминальными наклонностями, та самая, что показана в первом звуковом фильме «Путевка в жизнь»: про перевоспитание малолетних преступников под чекистским надзором. Юноши работали в обувном и трикотажном цехе — выпуская по 400 пар спортивной обуви в день. Деятельность одобрил побывавший здесь, среди множества других крупнокалиберных «полезных идиотов», Бернард Шоу — но если бы тут оказалась Наоми Кляйн, то, пожалуй, квалифицировала бы предприятие как потогонное — в духе камбоджийских фабрик «Найк». Когда сюда приехал Горький, мустафы и кольки-свисты встретили его вполне уместным в чекистской вотчине приказанием: «Руки вверх!» Тот подчинился — и на него тут же надели свитер: подарок. Писатель нашелся: надо же — раньше говорили «руки вверх» — и раздевали, а теперь наоборот. Это нарушение нормального алгоритма насторожило компетентные органы: в 1937-м «образцовый концлагерь» разогнали и всех кого можно пересажали.

Во-вторых, в трех километрах от ленинского домика находятся Подлипки — те самые, королёвские. Дело в том, что — собственно, по указанию Ленина — в 1918-м именно сюда эвакуировался петроградский Орудийный завод — оборудование и рабочие; распоряжение селить сюда московских рабочих, чтобы укреплять завод, подписал в 1920-м тоже Ленин. В 1922-м дела здесь обстояли крайне неважно: ни сырья, ни заказов; рабочие тратили больше времени на поиск пропитания, чем на работу. Однако через 40 лет именно на фундаменте этого предприятия развернулось ОКБ-1 Сергея Павловича Королева, которое разработало и гагаринскую ракету, и Буран, и Морской старт, и аппараты для Луны и Венеры; теперь это НПО «Энергия».

Наконец — *last but not least* — в шести километрах от костинского домика Ленина расположены «Лесные поляны» — точнее, деревня Тарасовка, появившаяся в жизни Ленина еще летом 1918-го — до того, как Сапронов нашел для него Горки. Уникальность места не в том, что это еще один уголок Подмосковья, где можно воздвигнуть статую «дачному», без галстука, Ленину, а в том, что его пребывание здесь привело к образованию некоего совхоза, и совхоза непростого; это один из тех фрагментов действительности, которые радикально преобразились уже при жизни Ленина; где было запустение, расцвели сады и зазеленели поля; не так уж много мест в деревне, которые могут похвастаться такой молниеносной трансформацией.

Перед революцией Тарасовка из дворянско-помещичьего гнезда, некогда принадлежавшего Салтычихе (той самой), превратилась в дачное место, куда переселялись на лето люди в диапазоне от режиссера Станиславского до сотрудников бельгийской миссии (съемщики соседнего дома, они закусывали губы от изумления, когда видели здесь Ленина). Тут служил управляющим отец видного большевика Скворцова-Степанова, сочинившего после революции по заказу Ленина несколько книжек, в том числе фундаментальный науч-поп о перспективах электрификации (для того, кто интересуется, что было в голове у Ленина, скворцовские тексты — страшно любопытное чтение; он явно писал их после тщательного интервьюирования ВИ). Видимо, Скворцов как раз и навел на Тарасовку Бонч-Бруевичей, а уж те стали приглашать сюда Ульяновых.

Создать на землях дачного поселка образцовый совхоз придумал Бонч-Бруевич; и он же придумал поэкспериментировать не с местным населением. Как следует пролистав свою записную книжку времен газеты «Рассвет», он принялся трансплантировать сюда сектантов. С самого начала заинтересованно наблюдавший за начинанием своего друга — и всячески поддерживавший его — Ленин полагал, что речь идет о духоборах; однако на самом деле то были члены секты «Начало века», у которых был полуторадесятилетний опыт устройства коммун. Как пишет исследователь сектантства А. Эткинд, обративший внимание на феномен «Лесных полян», ранее интересовавший только разводчиков племенного скота, «подмосковный совхоз "Лесные поляны", созданный директором Бонч-Бруевичем и кассиром Легкобытовым, стал единственным реализованным образцом великой мечты русского народничества. На рубеже 1920-х годов Бонч-Бруевич оказывается в уникальной роли посредника между двумя коммунистическими утопиями, сектантской и большевистской, и между двумя утопическими лидерами, Легкобытовым и Лениным».

Ленин приветствовал эксперименты лояльных лиц — и даже удивительное, в сущности, «совместительство», когда начальник кремлевской администрации одновременно выполняет должность директора подмосковного сельскохозяйственного предприятия: видимо, ему казалось забавным наблюдать, как способный организовать любую деятельность Бонч-Бруевич справится с «хождением в народ».

Хотя задним числом Бонч-Бруевич приписывает инициативу создания своего необычного совхоза самому Ленину летом 1918-го, похоже, в полной мере он смог развернуться в «Полянах» в 1920-м, когда дача превратилась для него во что-то вроде почетной ссылки; смещенный с должности управделами Совнаркома, Бонч смог в полной мере посвятить себя своему «сектантскому совхозу».

Из преимуществ были только доступ к Ленину и возможность взять кредит. Сначала пришлось «собирать земли» — с нуля, слепливая 500-гектарную территорию из разных фрагментов государственной, брошенной дачниками и свежеконфискованной у мелких помещиков земли. Из живого инвентаря нашлась только лошадь Васька — 24 года от роду. В Лопасне отыскали еле живых йоркширских белых свиней, настолько оголодавших, что из одиннадцати свиноматок сумели доехать восемь; очень скоро свиней было уже 500, и в год они давали приплод 10 тысяч поросят.

Мы знаем, что после октября 1917-го Ленина интересовало не столько процветание села, сколько разжигание там классовой войны. Тем не менее идея производить что-либо ударным способом всегда увлекала ВИ, и создание успешного поместья-фабрики представлялось ему заслуживающим инвестиций опытом. Гарантией того, что «Лесные поляны» — «вегетарианское», подозрительно некоммунистическое название выдумал Бонч-Бруевич — не превратятся в гнездо контрреволюционной сельской буржуазии, было участие Бонч-Бруевича.

Бонч сделал всё, чтобы в отчетах Ленину замаскировать своих сектантов — которые действительно часто поддерживали большевиков (а те еще с 1903 года пытались объяснить им, что цели у них совпадают), — под биороботов: «имеют своеобразные философские взгляды и по-своему объясняют происхождение и роль религии, но не имеют никаких обрядов, таинств, не верят ни в каких богов, святых и прочую чепуху. Все это совершенно, как говорят они, "отметают", как "детство человеческой мысли"». А уж как работают — даже при плохом пайке втрое—ввосьмеро эффективнее «обычных» людей, да еще и привозят в совхоз свое имущество. Жить коммуной подразумевало, что все общее, от денег до нижнего белья.

Для нас важно, что «Поляны» оказались витриной ленинской крестьянской утопии. Судя по письмам Бонч-Бруевича Ленину и его позднейшим мемуарам (где слово «секты», разумеется, испарилось), совхоз был чем-то средним между трудармией Троцкого и агропромышленным холдингом, прибыль от которого в первую очередь идет государству, а малая, покрывающая личное потребление и необходимые инвестиции в развитие, часть распределяется не индивидуально, а на всю общину, препятствуя таким образом развитию мелкобуржуазного сознания. Каким именно был баланс принудительности и добровольности в этом труде, мы не знаем; вряд ли он был сильно смещен в ту или иную сторону.

Окрестные крестьяне опасались: «уплывет наша земелька в совхоз» — но ни руководство, ни сектанты не были агрессивными и если и заманивали к себе, то демонстрацией возможностей техники (уже в первой пахоте участвовали три трактора), электрификацией и звездным персоналом: агрономом был Нахимов, племянник адмирала, зав скотными дворами — русский швейцарец Даувальдер; в 1925 году сектантский совхоз нанял собственного бактериолога и принялся производить айран. Удивительные урожаи давали клубничные поляны. В совхоз провели американские — без единой рытвинки — дороги.

Ленин помог выделить две тысячи золотых рублей на покупку оборудования для лесопильного завода; быстрые успехи позволили поставить пчельник на 120 ульев, открыть фабрику диетических продуктов из овса (толокно, геркулес, «русское какао») и колбасный завод на 320 пудов колбас в день.

Бонч посылал Ленину на дегустацию произведенные в «Лесных полянах» мягкие французские сырки (изначально, видимо, сектантский продукт — возможно, аналог пасхи и, очевидно, прототип нынешних глазированных сырков; именно в «Лесных полянах» находился центр, откуда затем они распространились в СССР) — и «Владимир Ильич был очень заинтересован нашими первыми опытами». Еще больше, чем сырки, Ленина в тот момент интересовали любые формы «замены» обычного, «темного» крестьянства альтернативным человеческим материалом, который смог бы увеличить за счет склонности к коллективной деятельности производительность труда и при этом был лоялен большевикам, да еще и сам вступал в потребительские сообщества; полностью управляемые команды, голубая мечта.

Не стоит недооценивать этот опыт — по-настоящему идеальный: если бы все хозяйства в России самоорганизовались по образцу «Полян», то коллективизации, пожалуй, и не понадобилось; «Поляны», электрифицированное, механизированное, «по-немецки» рационально управляемые, были островком чаемого социализма в послереволюционном океане хаоса. Подозрительной могла показаться разве что сектантская — сочувствующая, готовая вступать в коммунистическую ячейку и изучать историю партии, но апеллирующая к другому источнику морального долженствования — подоплека этого процветания.

Сектанты представляли собой авангард крестьянства — самоорганизующийся, мотивированный, не нуждающийся в экономическом стимулировании, признающий государство и уважающий его собственность; аналог партии — меньшинство, способное в кризисные моменты эффективно вести за собой большинство. И ровно поэтому они, естественные союзники, в какой-то момент должны были внушить партии опасения как потенциальные конкуренты; подавленные, но объективно существующие противоречия обычно выливаются в конфликты.

Разумеется, мнение, будто Ленин не стал бы проводить коллективизацию, — шестидесятническая иллюзия. Разумеется, нэп не был конечной точкой в его отношениях с крестьянством. Зафиксировав момент, когда крестьяне-единоличники достигнут максимума производительности и поодиночке уже не смогут обрабатывать больше земли, чем сейчас, ленинское государство неизбежно должно было вмешаться в процесс: предложить крестьянам обменивать их излишки на технику. Но чтобы использовать технику и добиваться большей производительности, крестьянам пришлось бы объединять свои хозяйства. Как же можно было оставить крестьян самих по себе, если с машинами и обобществленным хозяйством с них можно было получить объективно гораздо больше — контролируя при этом самостоятельность? Да, была и вегетарианская программа: стимулировать в этом классе лояльность, растить сознательность, прививать идеи социализма и искоренять темные инстинкты; постепенно снимать межклассовые противоречия и готовить к бесклассовому обществу. Но правда ли, что Ленину показалось бы ее достаточно? Все, что мы знаем о стиле тактики Ленина, говорит в пользу того, что он бы пошел дальше и провел бы коллективизацию — справа или слева от Сталина на шкале жесткости и жестокости: мог и там и там. Нэп был способом обеспечить быстрый экономический рост, оттолкнувшись от дна 1921 года.

Видимо, опыт «Лесных полян» оказался настолько удачным, что уже осенью 1921 года, с разрешения Ленина, было издано нечто вроде воззвания к российским и заграничным «сектантам и старообрядцам», которые, по описаниям Бонч-Бруевича, стремились построить общество, подозрительно напоминающее коммунистическое; теоретически духоборы, молокане, новоизраильцы очень сильно выиграли от революции и от отделения притеснявшей их церкви от государства. Ленин, особенно при том, что Бонч-Бруевич ненавязчиво, но методично, на протяжении многих лет, знакомил его с этим миром ересей, время от времени проявлял к нему доброжелательный интерес; мы помним, что еще в 1904-м РСДРП, под редакцией самого Бонч-Бруевича, издавала «Рассвет» — газету для сектантов. Воззвание предлагало сектантам обращаться в органы советской власти, получать землю — и браться за «творческий радостный труд».

Важно понять, что Ленин был агентом не только индустриальной модернизации, но и религиозной Реформации в России. Сам он действительно видел столько же разницы между религиями, сколько между желтым чертом и синим чертом, выражаясь его словами; однако, мысля вне религиозных рамок, он через Бонча знал о том, что большевистская революция воспринималась частью крестьян как род религиозной Реформации: как попытка перетряхнуть накопленную собственность — материальную и духовную — той части феодального государства, которая называется церковь. «Лесные поляны», куда пошли работать члены секты «Начало века», были удачным экспериментом как раз в этой области.

То, что в дальнейшем будет казаться просто «первым совхозом» или, как сейчас, просто еще одним очагом постперестроечной разрухи, было форпостом и символическим эпицентром попытки религиозной Реформации России — за которой, в прямом и переносном смысле, стоял Ленин, стремившийся не просто уничтожить частную собственность, но заменить ее некоей новой, приемлемой именно для России формой; именно поэтому превращение Ленина в обитателя мавзолея началось как раз в этой среде — и уж затем в процессе стали принимать участие более широкие слои крестьянских масс.

И тем многозначнее — и многозначительнее — его пребывание в районе станции Болшево сначала в 1918—1919-м, а затем и в 1922 году.

Ленин мог сколько угодно отрицать наличие некоего Высшего Существа, однако невозможно было игнорировать тот факт, что идея Бога широко распространена как среди городского пролетариата, так и, тем более, среди крестьянства; это была та идея, с которой ленинский марксизм неизбежно вынужден был вступить в жесткую конкуренцию. И неудивительно, что, войдя в свой «крестьянский период», Ленин вторгается если не в вопросы, то в дела религии.

Именно весной 1922 года Ленин издает свой печально известный указ об изъятии церковных ценностей под предлогом необходимости разрешить кризис с голодающими Поволжья: покупать на вырученные от продажи драгоценной утвари деньги зерно за границей. В целом изъятия проходили без одобрения, но поскольку в стране велась кампания помощи пострадавшим (и даже сам Ленин передал свою школьную золотую медаль как раз в фонд голодающих), в массовом порядке эксцессами они не сопровождались. Запоминающимся исключением стала Шуя, где попытка кесаря взять богово 19 марта 1922 года превратилась в расстрел, получивший полное одобрение Ленина, который требовал безжалостных и показательных действий против «черносотенного духовенства» — «подавить его сопротивление с такой жестокостью, чтобы они не забыли этого в течение нескольких десятилетий». Сам он в это время драпируется в давно пылившуюся без дела тогу философа и сочиняет важный для него текст «О значении воинствующего материализма», где среди прочего пропагандируется желательность навязывания материалистического взгляда на мир административными мерами. С подачи Ленина в России широко издается книга немца А. Древса «Миф о Христе», в которой «научно» доказывается, что «никакого Христа не было»; несколько раньше Ленин распорядился финансировать издание семитомника бывшего народовольца, а затем ученого-энциклопедиста (и классического «изобретателя», к каким всегда питал слабость Ленин; его тезисом было «новым людям понадобится новая история») Николая Александровича Морозова «Христос», в которой тот на основе научного анализа «Апокалипсиса» доказывал, что общепринятая хронология фальсифицирована.

По сути, события начала 1922-го есть советский аналог «тюдоровской секуляризации» — роспуска монастырей, как это сделал в Англии Генрих VIII; реформация на практике: у духовенства отнимают движимую и недвижимую собственность, передают землю и здания крестьянам и рабочим; государство забирает себе ценности, монахам предложено трудиться в статусе обычных граждан.

Известно, что Ленин — который, если верить Лепешинскому, еще лет в шестнадцать плюнул на свой нательный крестик и выбросил его — презирал и не понимал религию и не проявлял толерантности по отношению к каким-либо проявлениям религиозности у товарищей-социалистов. Церковь при большевиках, естественно, была отделена от государства. Однако пока церковь не претендовала на политическую власть, Ленин не жег молитвенники, надеясь, что они «исчезнут сами собой»; он искал возможности не искоренить религию, а «отучать крестьянские массы от обрядовых сборищ», заменить ее каким-то еще способом организации социальной и духовной жизни; поскольку все население страны не могло вступить непосредственно в партию (которая вполне годилась для осуществления эрзац-ритуалов такого рода), в разные моменты претендентами на эту роль в голове у Ленина были театр и, возможно, — если допустить, что фраза Троцкого про «важнейшее из искусств» принадлежит все-таки Ленину, — кинематограф, а также электричество («Пусть крестьянин молится электричеству, он будет больше чувствовать силу центральной власти — вместо неба») и вообще «машина» («лучше пусть у крестьян будет мистическое отношение к технике, которой овладел промышленный пролетариат, чем к земле и природе»). Таким образом, похоже, что в сознании Ленина идея существования неких прогрессивных форм религии не была табуирована: собственно, раз формой религиозной деятельности может быть пьеса «Кулак и батрак» или лампочка, то почему не могут быть какие-то сектантские — христианские или мусульманские, бунтующие против официальной, реакционной церкви — собрания; теоретически они вполне комбинируются с марксизмом.

Бердяев, проанализировавший в «Истоках и смысле русского коммунизма» феномен отношений Ленина с религией и церковью, блестяще (для человека, который не знал о существовании 29-го тома собрания сочинений ВИ) показал, что Ленин был одержим коммунизмом как идеей фактически религиозной: марксизм для него был абсолютной истиной; и поскольку эта доктрина охватывает не только технику совершения революции, но и «всю полноту жизни», то это «предмет веры». (Не случайно другой философ, А. Ф. Лосев, когда начальство в МГПИ пыталось поставить ему на вид религиозность: «Вы до сих пор верите в бога?» — срезал провокатора ответом: «Ленин утверждал, что абсолютная истина существует».) При всей брезгливости, которую Бердяев испытывает к Ленину, он признает, что в революционности Ленина ощущается моральная подоплека: органическое неприятие несправедливости. Проблема в том, что, согласно Бердяеву, впустив в себя эту идею, Ленин стал отличать добро от зла исключительно в связи с тем, насколько полезным тот или иной феномен оказывается для революции; поощрять истребление инакомыслящих, контрреволюционеров — индивидуально и в массовом порядке — при таком подходе естественно.

Рано или поздно Ленин и его группа новообращенных энтузиастов новой религии обречены были вступить в конфронтацию с альтернативными религиями (в диапазоне от христианства до капитализма) просто потому, что коммунизм сам — доктрина, строго регламентирующая социальные и духовные практики. Экономист Кейнс не случайно назвал ленинизм «странной комбинацией двух вещей, которые европейцы на протяжении нескольких столетий помещают в разных уголках своей души, — религии и бизнеса»: мистицизм и идеализм + прагматизм и материализм; вы проводите модернизацию общества не только ради оптимизации устаревших социальных и экономических решений, но и чтобы воплотить некий идеал; именно поэтому странные и непопулярные реформы можно подавать как решения, принятые «с точки зрения вечности», абсолютной истины, приближения к марксистскому раю — бесклассовому обществу. Так, в последней своей речи 1921 года Ленин призывал подходить к социализму «не как к иконе, расписанной торжественными красками», а как к бизнесу, встав на «деловую дорогу». В целом, пожалуй, Бердяев прав: большевики навязали народу, одержимому идеей избранничества и ожидающему мессию, подмену: мессией стал пролетариат, который теперь включал в себя еще и крестьянство; противоречия между ними позиционировались как несущественные.

«Нутряная» ненависть Ленина к церкви — точнее, отношение к религии как к реакционной деятельности (именно так, на самом деле, расшифровывается его безбашенная метафора: «Всякий боженька есть трупоположество») — преувеличена ради использования в политической борьбе с феноменом ленинизма. Сам Ленин хорошо знал Библию и церковное право, не срывал с членов партии крестики, до революции принимал активное участие в издании газеты «Рассвет», а после не препятствовал бонч-бруевичевским сектантам создавать коммунистические ячейки и, если уж на то пошло, даже разрешил Поместному собору 1917—1918 годов восстановить патриаршество — единственный из всех послепетровских властителей России. В Конституции 1918 года была статья о равном праве граждан на осуществление атеистической и религиозной пропаганды; в проекте программы партии 1919 года — пункт «избегать оскорбления чувств верующих». В разгар Гражданской войны Ленин подписывает декрет, освобождающий людей от обязательной воинской повинности «по религиозным убеждениям». Коммунисты — те, да, должны были и в частной жизни отказаться от религии: иначе в кризисный момент на их выбор и поведение могут повлиять посторонние факторы; двум богам служить нельзя.

К началу 1920-х, однако, Ленин не мог не обратить внимания на то, что не только крестьянские, но и рабочие массы, разочарованные политикой большевиков, но не рискующие вступать на путь прямой вооруженной борьбы, пытаются обрести утешение в религии; и вот тут церковь в глазах Ленина с нейтральной позиции переместилась в красную зону. Именно в этот момент Ленин применяет в этой области свой излюбленный прием против политических конкурентов — внесение раскола: поддерживаем лояльных советской власти попов — и расстреливаем (ссылаем) «черносотенных», да еще и «с такой жестокостью, чтобы они не забыли этого в течение нескольких десятилетий» (сам Ленин вряд ли взялся бы расстрелять даже Савонаролу, но знал, что на подчиненных действуют определенные фразы, род НЛП). Да, это предлагает тот самый человек, который совсем недавно писал: «избежать, безусловно, всякого оскорбления религии»: то, что раньше казалось правильным, сейчас — уже нет.

Отношение самой церкви к большевикам тоже было далеко не таким однозначным, как кажется по советским фильмам о Гражданской войне, где среди колчаковских или «зеленых» банд непременно присутствует склонный к истерии и алкоголизму поп; да и к Ленину поступали от священнослужителей не только анафемы, но и удивительные письма — например, «с просьбой разрешить вступить во второй брак в силу нужды в "дешевой рабочей силе... в целях улучшения собственного благосостояния", чему воспрепятствовали и патриарх Тихон, и правящий архиерей митрополит Вениамин». Дело еще и в том, что большевики сами воспринимались — прежде всего крестьянской массой — кем-то вроде первых христиан, занимающихся, пусть неосознанно, строительством Нового Иерусалима, реформаторов не только политической, но и духовной власти.

В крестьянской среде никогда не было недостатка в такого рода «мистических» толкователях, способных порассуждать о том, что Ленин освободил человечество от первородного греха, объявив, со ссылкой на напоминающего библейского Саваофа Маркса, что греховен не человек, а общество, которое формирует человека.

Сам Ленин, с его личным аскетизмом, скорее импонировал крестьянским массам; вождь рабочего класса, строгий к союзникам, да; но его «пролетарский» голос для их ушей звучал как «игуменский», и клюевский цикл, где Ленин изображается Спасителем, мессией, художественно очень убедителен. Ленин воспринимался как тот, кто очистит церковь от собственности, стяжательства, изгонит торгующих из храма — позволит разделить монастырскую землю между крестьянами. После 1924 года споры о том, кто больше сделал для человечества — Христос или Ленин, и аналогии Ленина с Моисеем, который, исполняя высший замысел, 40 лет водил свой избранный народ по пустыне, — станут в крестьянской среде обычной темой для разговоров. И ладно бы только в крестьянской: «интеллигентская» книга Бердяева «Истоки и смысл русского коммунизма» внятно демонстрирует, что большевистская прагматичная утопия легко вписывается в отечественную традицию поисков «универсальной социальной правды» — с неизбежным для них насилием, укорененным во всей русской истории.

Ленин не был от всего этого в восторге, но если марксисты воспринимают пролетариат как «мессианский» класс, то кем волей-неволей оказывается вождь этого класса? Каким бы неудобным и некомфортным все это ни было, невозможно было сделать вид, что он не понимает, о чем речь.

И все же обожествление коробило, раздражало и бесило его. Когда в 1920-м, к пятидесятилетию, Горький использовал в своем юбилейном тексте термины «священный», «легендарная фигура» и пр., политбюро вынуждено было принять постановление, где статья была квалифицирована как «антикоммунистическая». Когда летом зрители, пришедшие на концерт Шаляпина, заметили сидевшего в партере Ленина и принялись аплодировать — ему, не исполнителю — он в гневе встал и вышел из зала. Но они всё равно аплодировали — даже когда видели, что таким образом выгоняют его.

Нас не должно уже удивлять, что Ленин был готов абсолютно на любые эксперименты по преображению окружающей действительности — лишь бы возникал эффект, обеспечивающий его проекту лучшую позицию. Сектанты, рыночное хозяйство, буферные пролетарские государства (вроде созданного в 1919-м на территории Литвы и Белоруссии Литбела — где пролетариат не враждовал с буржуазией и по сути сразу действовал нэп): прекрасно, лишь бы сработало и не претендовало на политическую значимость без его ведома. «Лесные поляны» представляют собой еще одно доказательство того, что традиционная схема: военный коммунизм — нэп — коллективизация представляет собой упрощение, и практически все эти типы экономических укладов с самого начала приветствовались и практиковались, с ведома и благословения Ленина, в гибридных формах. Большевики искали, подбором, оптимальный вариант, и «Лесные поляны» стали опытной делянкой, где на человеческом материале «с повышенным октановым числом» выстраивался экспериментальный «коммунизм на стероидах», который в случае успеха мог быть распространен на всю страну. И неудивительно, что обитая в Горках, Ленин требовал посылать ему ежедневные рапортички о состоянии дел в «Полянах». После 1921-го отношения между Лениным и Бонч-Бруевичем по каким-то причинам несколько охладели, и он уже не мог так пристально следить за успехами совхоза; однако, ссылаясь на Крупскую, Бонч рассказывал, что за шесть дней до смерти Ленин хотел его увидеть «и все расспрашивал о "Лесных полянах"».

Место, ставшее полигоном, на котором уже в 1920-м стали отрабатывать нэп, сейчас выглядит как заурядный подмосковный городок, не страдающий от чересчур пристального интереса девелоперов. Признаки сектантского прошлого, если и есть где-то, прячутся в тени от новехонькой православной церкви; разве что цветники перед пятиэтажками кажутся подозрительно ухоженными.

Имя Бонч-Бруевича вычеркнуто из исторической памяти; культурный центр поселка — ухоженная вилла Станиславского «Любимовка». Войти на бывшую территорию «племенного совхоза» можно с площади рядом с «Дикси» — к которой примыкает подобие парка с коваными воротами; за оградой уцелело несколько зданий первой трети XX века: бывшая контора совхоза цвета запекшейся крови, с барельефом Ленина, и еще одно, с античными раннесоветскими крестьянками.

Женщина из общежития — как раз там, похоже, обитали в 1918-м бельгийцы — кивает на забор, за которым виден несколько барачного вида, с двумя крыльями, дом — да, ленинский, но «внутри ничего нет». Теоретически именно тут, в центре образцового участка, демонстрирующего, на что способна русская революция, снявшая многие противоречия старого мира, в точке, откуда фактически началась модернизация экономики Советской России, должен быть устроен музей «крестьянского» Ленина. Ленина — мотора крестьянства — который здесь был турбирован при помощи компрессора «Бонч-Бруевич». Перед двухметровым покосившимся железным забором — помоечное бревно для выпивания. Одна из панелей забора отогнута — к бывшему музею можно пройти, не привлекая к себе чье-либо внимание. Здание выглядит как классический дом с привидениями: как в «Томе Сойере» или «Гостье из будущего»; утопающее в бурьяне и металлоломе, с побитыми стеклами и скрипучей гнилой лестницей на второй этаж; какие мысли посещают работников разместившегося в подремонтированном крыле этого дома шиномонтажа, когда им приходится оказываться там поздно вечером?

Ленин с женой и сестрой останавливался в одном крыле, семья Бонч-Бруевича — в другом; внизу обитали охранник Рябов, шофер Гиль и М. Цыганков — «матрос для поручений, где требовались храбрость и сметка». В комнатах, где столько раз ночевал Ленин, — голые стены с ободранными обоями, печка, облицованная кафелем; в «бончевском» крыле пол напрочь отсутствует, один балочный скелет; всюду стекло, пластик и убитые покрышки; разруха, какой не было и в 1920-м. Веранды-террасы при втором этаже нет и в помине. Короткая прогулка вдоль заросших борщевиком бережков обмелевшей — скорее большой ручей, чем речушка — Клязьмы (доживи Чехов, неделями гостивший тут и описавший Любимовку в «Вишневом саде», до 18-го года — и они с Лениным удили бы — или, скорее, глушили гранатами, сообразно стилю эпохи — рыбу по разным берегам) убеждает, что связанные с Лениным — и «деленинизированные» — места скорее деградируют, чем процветают. Сложно поверить, что еще 90 лет назад здесь были райские кущи.

Нэп позволил «Лесным полянам» стать не только производителем сельхозпродукции, но и торговой организацией, легально сбывающей «излишки» в фирменном «фермерском» магазине в Охотных рядах. Этот успех был, среди прочего, следствием открытия Лениным нового «фронта», который даст государству силу для следующего рывка: «торговля и контроль за ней».

Люди редко понимают, чем именно занимался Ленин после Гражданской войны, как, собственно, проводились пресловутые нэповские «послабления».

Решение «вызвать рыночного дьявола» (Троцкий) повлекло за собой необходимость трансформации всего государственного организма; с болями, в муках государство отращивало новые кости, которые должны были принять на себя вес тела — взамен изношенных или отпиленных старых. Следовало не только отобрать у Е. Преображенского ключ от комнаты, где стоял «пулемет Наркомфина», но и придумать новые способы наполнения бюджета: ввести систему налогообложения вместо контрибуций, сформулировать условия импорта и экспорта, правила циркуляции денежных потоков между российскими и иностранными банками, организовать порядок совершения сделок между государственными организациями и частными арендаторами, правила ревизий, механизмы защиты от аферистов, коррупционеров и некомпетентных дураков.

Опасения, что при слабости пролетарской власти свободная торговля может «вернуть к власти капиталистов, усилить влияние капиталистов, капиталистического сознания в обществе», лишили сна не одного левого большевика. Однако на деле гораздо больший ущерб наносила органическая неспособность большевиков к торговле — или же отвычка от нее; некоторые члены РСДРП до 1917 года считались хорошими бизнесменами, но революционный хаос и финансово-юридическая некомпетентность большинства из них часто приводили к плачевным для золотого запаса республики последствиям. Наркомвнешторгу в Литве подсунули огромную партию поддельного неосальварсана; у Наркомфина в Эстонском банке украли на 23 тысячи золотых рублей монет; у Наркомпроса некий Чибрарио выманил 220 тысяч золотых, увы, рублей на приобретение в Америке кинопленки. Ленин страшно негодовал и запоминал все эти случаи; при каждой попытке «пострадавших» выцыганить у него еще денег он напоминал о провале: верните сначала ТЕ!

Советская внешняя торговля в первые годы выглядела как мелкомасштабная государственная контрабанда. Одним из приказчиков в этой «антиблокадной» лавке был, например, Джон Рид, который в 1918 году нелегально ввозил в Америку и Европу бриллианты, чтобы продавать их на черном рынке. К 1920-му открылись некоторые легальные лазейки, а поскольку государство не стало отменять монополию на внешнюю торговлю, Ленин не собирался упускать потенциальную выгоду из такого положения дел. Дирижировал советскими учреждениями в этой сфере Красин, и Ленин разрешил ему привлекать разного рода старорежимных дельцов — уполномоченных по закупкам, по продажам сырья и т. п.; «почти на всех ответственных постах в ВСНХ сидели меньшевики» (Либерман). Даже крайне скептичный по отношению к Ленину Н. Валентинов, пораженный тем, что буржуазия худо-бедно допущена к управлению, заявляет, что к 1921 году Ленин «освободился от множества иллюзий» и из «безответственного подпольщика-демагога» превратился в правителя, готового спокойно восстанавливать Россию; меньшевистская интеллигенция, по его словам, поверила в «здоровую эволюцию власти» вообще и Ленина в частности; эта счастливая взаимность была даже зафиксирована в резолюциях XI съезда партии в апреле 1922-го: «беречь спецов».

В этот период важным партнером Ленина становится нарком юстиции Курский, которому было поручено оформить юридические рамки дозволенного — чтобы ни у кого не возникало мысли, что невидимая рука рынка может оказаться могущественнее карающей чекистской длани: регламентированию подлежало всё, включая степень подконтрольности торговых и посреднических организаций. Ленин дирижирует целым оркестром юристов, которые должны «разыграть» его формулу: «ограничить... всякий капитализм, выходящий за рамки государственного»; именно ограничить — кошмарить бизнес средствами 19-го года, «контрибуциями с буржуев», запрещалось.

Идея Ленина — крайне неординарная; против нее выступили Наркомвнешторг, Госплан и редакция «Экономической жизни», только для того, чтобы сподобиться ленинского плевка: «Рутинерство и лжеученость. Мертвечина», — состояла в том, чтобы Госбанк активно участвовал в торгово-кредитных операциях, снабжая наличностью коммерсантов и потребителей. И даже сам торговал предметами первой необходимости — мануфактурой, скобяными изделиями, мукой, сахаром. В Костине Ленин потребовал создать ему «Сводку мнений по вопросу об активном участии банка в торговых предприятиях». В 1921—1922 годах Ленин прикладывает немало усилий, чтобы оживить, видимо, мозоливший ему глаза своей неухоженностью ГУМ: превратить его в образцовый государственный, прибыльнее частных нэпманских, магазин и источник наживы. При военном коммунизме в бывших Верхних торговых рядах обретался Наркомат продовольствия, а в 1920-м там хотели создать МУМ — Межведомственный универсальный магазин, площадку, где производители будут обмениваться своей продукцией напрямую, без денег, чистым бартером. Затем наступила эпоха, когда торговля стала казаться Ленину тем «звеном в исторической цепи событий», «за которое надо всеми силами ухватиться». В подготовительных материалах к выступлениям того времени Ленин даже записывает: сознательный коммунист должен отойти в задние ряды — а на передний план выдвинуться «прикащик»; знал ли Ленин в 1906 году, когда баллотировался в Думу от профсоюза приказчиков, что в самом деле будет представлять интересы этого профессионального сообщества? Ирония еще и в том, что события последнего пятилетия создали искусственный дефицит толковых, понимающих в коммерции администраторов. Первое начальство ГУМа, получив «на обзаведение» миллион рублей, решило вложить их — трудно поверить — в финансирование подъема затонувших судов с ценным грузом: парохода «Батум», нефтеналивника «Эльбрус» в Черном море и прочих кораблей «с сокровищами» (отсюда, видимо, и логотип ГУМа — спасательный круг; «Хватайтесь за этот спасательный круг! Доброкачественно, дешево, из первых рук!» — писал Маяковский). Что касается собственно торговли товарами, то поначалу их удавалось найти крайне мало — и ГУМ больше походил на склад, занимающийся «распродажей конфиската» или поднятых со дна предметов. Но постепенно в проект влили несколько миллионов золотых рублей, в Америке и Германии открыли представительства ГУМа, закупавшие вещи — от фонографов до автомобильных свечей, — и успешно его «перезапустили».

Спектр применявшихся Лениным в 1920—1922 годах рецептов, как «оттолкнуться от дна», впечатляет. Он инициирует и поощряет самые экстравагантные варианты взаимодействия разных классов, идеологий, верований и форм хозяйствования. Шокирующие дипломатические соглашения, привлечение сектантов, нелегальный экспорт золота посредством перечеканки царских монет в Швеции, наем иностранных инженеров и репатриация трудоспособного населения из Америки, переброска группы американских фермеров и партии тракторов без горючего в деревню Тойкино Пермской губернии, подкуп бриллиантами членов британского парламента, учреждение промышленных и внешнеторговых банков, инвестиции в разработки новых материалов (карбонид), промышленный шпионаж (попытки узнать в Германии секрет приготовления вольфрамовой нити для «лампочки Ильича»). Баку теперь — гнездо капитализма в духе Дикого Запада, «Лесные поляны» — очаг аграрного коммунизма, Москва — банковская мекка; абсолютно любые формы экономической деятельности хороши, лишь бы выйти из «штопора», гальванизировать изнуренное турбулентностью общество и экономику. Главное «правило Ленина» — одновременно «держать на коротком поводке буржуазию»: никаких политических уступок; именно поэтому, обнимаясь со спецами, он одновременно составляет черный список гуманитариев, которые представляются ему бездельниками и контрреволюционерами — и уже осенью их действительно вывезут из Советской России на двух «философских пароходах». Уже тогда этот пинок разрекламировали как гуманитарную катастрофу, однако это, мягко говоря, преувеличение: как бы скептически ни был настроен к Советам академик Иван Павлов, его оставили — да еще по указанию Ленина обеспечивали всем необходимым для работы; то же касается, например, Павла Флоренского и Густава Шпета; Ленин демонстрировал «бешенство» и непримиримость, однако у «думающей гильотины» хватало ума отделять агнцев от козлищ.

К 1922-му стало совершенно очевидно, что не только сам Ленин «отдрейфовал» в сторону крестьянства, но и эволюционировал его стиль управления. Он по-прежнему может пообещать публично, что, победив в мировом масштабе, «мы, думается мне, сделаем из золота общественные отхожие места на улицах нескольких самых больших городов мира» — но уже с некоторой самоиронией, давая понять, что кавалерийский наскок хорош на войне против буржуазии, а в экономике и строительстве железных дорог не работает. Декреты за подписью Ленина продолжают издаваться и в 1921-м — что-нибудь вроде «признать сельскохозяйственное машиностроение делом чрезвычайной государственной важности»; но Ленин больше не тот «взбесившийся принтер» 1917 года, уверенный, что можно переменить мир декретами, которые формально и декларативно вводили или отменяли какие-то законы или понятия, изменяли юридический статус вещей и людей, однако не в состоянии были заставить дрова появиться, а зиму — исчезнуть; «такая печальная штука эти декреты, которые подписываются, а потом нами самими забываются и нами самими не исполняются».

Чтобы систематически снабжать города топливом, нужно было не стучать посохом об пол — и не гоняться за отдельными якобы перспективными чудо-изобретениями, а создавать модернизированную экономическую систему, внутри которой товары и сырье перемещаются — принудительно или в силу материальной заинтересованности отправителей — в нужном направлении. Интересы Ленина образца 1922 года явно эволюционируют от отдельных технических изобретений к большим инновациям: вместо утилизации шишек он занят децентрализацией тяжелой промышленности, вместо продюсирования авральных «ударных» строек — долгосрочными проектами индустриализации целых областей на основе плана экономического районирования страны.

Манера читать на рутинных заседаниях Совнаркома только что вышедшие книги — не беллетристику, разумеется, а послания Валентинова и Питирима Сорокина, отчеты Ломоносова, доносы на Гуковского, фанаберии английской левой социалистки Панкхерст, доклады Цеткин, письма рабочих и крестьян и прочий нон-фикшн — сыграла важную роль; так однажды, в 1919-м, с подачи Красина, в руки Ленина попадает книга профессора Гриневецкого «Послевоенные перспективы русской промышленности», в которой объясняется, что есть вещи поважнее курса рубля и банковской системы; сформулированные им приоритеты — налаживание доступа к топливу, восстановление транспорта, перезапуск индустрии и увеличение производительности труда — были для ленинских ушей пением сирен. Слова «советская» и «плановая», применительно к экономике, кажутся абсолютными синонимами, однако как знать, если бы Ленин не прочел эту книгу, то и Госплана бы не возникло; на протяжении первых двух послереволюционных лет у Ленина не было никакого более конкретного плана, чем «осуществление диктатуры пролетариата с целью построения социализма». Раньше, едва появлялся доступ к тем или иным источникам энергии (нефтепромыслы, украинский или сибирский хлеб, донецкий уголь), — Ленин использовал весь свой административный ресурс, чтобы дорваться туда, быстро использовать, восполнив катастрофический дефицит в других местах, одновременно жестко контролируя потребление и распределение. Нужно было увеличить производительность труда — он сочинял теоретическую работу о важности рабочего контроля и перспективности социалистического соревнования как рода спортивного стимулирования. Все это позволяло противникам Ленина крутить пальцем у виска: этот живет в параллельном мире. Книга Гриневецкого вернула Ленина в реальность: она содержала в себе готовую программу, как восстановить и одновременно модернизировать промышленность.

Мало того, впечатления от этой книги наложились на эффект от книги Карла Баллорда «Государство будущего» — благодаря которой Ленин уже к 17-му году увлекся идеей «сделать Россию электрической» и форсировал идеи строительства электростанций. Две эти книги — широко обсуждавшиеся «в Малом Совнаркоме» — позволили Ленину переформулировать задачу. ГОЭЛРО становится «второй программой партии», коммунизм — «советской властью плюс электрификацией всей страны»; разумеется, в рукаве у Ленина было много разных лозунгов, поэтому нельзя судить по ним о его подлинных намерениях; однако факт тот, что именно к 1921 году Ленин учится планировать — неважно что именно — «всерьез и надолго»; поэтому — и поэтому тоже — ГОЭЛРО преобразуется в Госплан.

Ленин осознает, что для преодоления крестьянского кризиса 1921 года и выхода из него на лучшую позицию нужны не отдельные чудодейственные меры — «а давайте все-таки выпустим золотой червонец вместо совдензнака» или «давайте проведем в каждую крестьянскую избу свет, это увеличит авторитет большевиков» — нужен именно комплексный план. Не просто «разрешить деревне торговать» — но понимать, как, где и при чьем посредничестве будет приобретаться и производиться на потекшие по экономической системе деньги сложная техника, которая затем поможет провести коллективизацию деревни. Не просто выкачивать энергию из ставшего доступным крупного источника — но сразу проектировать инфраструктуру и заранее перераспределять человеческие ресурсы.

Надо сказать, раньше Ленин никогда ничем подобным не занимался. Он занимался политикой — например, тем, как можно быстро использовать для пролетарской борьбы политическую энергию крестьянских восстаний.

Дело не в том, что сначала Ленин был «глуп», а затем «поумнел»; мы видели, что, держа в голове утопию «Государства и революции» — вершину, которую он отчаянно хотел покорить при жизни, — он позволял себе время от времени отступать и «спускаться», если видел, что не в состоянии подняться наикратчайшим путем. Вокруг него всегда было много леваков, которых в хорошие периоды он использовал для «прощупывания» казавшейся ему перспективной ситуации — нельзя ли ее сдвинуть еще левее, а затем, в случае неуспеха, осаживал тех, кто по инерции сохранял чересчур левый настрой. Еще в 1920-м Е. Преображенский — явно имея благословение Ленина — настаивал, что деньги нужны только для того, чтобы, не собирая с буржуазии прямого налога, экспроприировать у нее посредством таргетируемой инфляции ее деньги — необходимые для гражданской войны с буржуазией же; затем обмен товарами останется, а деньги сами собой отомрут. Таким образом он «настрелял» из своего пулемета Наркомфина дензнаков на квадриллион рублей. И сам Ленин в том же 1920-м, видимо, полагал, что это хороший способ прийти к быстрому социализму; действительно, зачем обеспечивать дензнаки золотом, если оно нужно на приобретение разного дефицита (от локомотивов до кожаных подметок) для распределения, не для продажи. На самом деле речь идет не просто об изменении взглядов на природу инфляции, но об эволюции Ленина-финансиста. Если в 17-м ему представлялось, что ключ к управлению — это банки и финансы, что «власть буржуазии» подразумевает прежде всего «власть банкиров», подлинных дирижеров империалистического мирового концерта, что достаточно контролировать потоки денег — кому-то предоставлять преференции, а кого-то подвергать «революционной ассенизации» — а дальше в ходе быстрой классовой войны рабочие сами всё организуют и проконтролируют, а государство будет им помогать реквизированными у буржуазии деньгами, инвестировать в их проекты, — то теперь выяснилось, что да, банковскую систему присвоили и по сути разрушили, но толку нет; даже если залить кредитами промышленность, все равно производство застопорено: ничего нет — ни сырья, ни топлива, ни транспорта, а рабочие (на самом деле Ленин знал, что это по большей части недавние крестьяне, оказавшиеся на фабриках, чтобы уклониться от призыва в армию, — и не успевшие выработать пролетарского сознания) больше заняты тем, как продать на черном рынке металлические детали, отодранные от простаивающих станков. Деньги, реквизированные в банках, и золотой запас, отчасти захваченный в Москве, отчасти отбитый у Колчака, не позволяли вам модернизировать страну, если Донбасс отрезан, а англичане блокируют морские коммуникации. Даже и за золото вы не сможете купить хлеб, дрова, обувь, лекарства.

И вот уже в 1921-м Ленину приходится засесть за свои старые счеты, на которых он вел статистику «безлошадных хозяйств», и признать: прогресс будет обеспечиваться не быстрыми мощными точечными инъекциями золота в самые перспективные сектора экономики, но за счет постепенного экономического роста, который даст оживление торговли и переход на расчеты более традиционными, обеспеченными золотом и товарами деньгами.

В массовом сознании Ленин едва ли воспринимается как бог-покровитель международной торговли, и тем не менее одним из самых ярких направлений его деятельности в начале 1920-х стало секрецирование феромонов, которые должны были изменить поведенческие инстинкты иностранных и отечественных инвесторов, избегавших Советской России как черной дыры. Редко появляющееся в нынешнем экономическом лексиконе слово «концессия» словно бы излучало некую магию, как в середине 2010-х — «криптовалюта», — хотя, буквально переводившееся как «уступка», оно подразумевало всего лишь сдачу государством в аренду неких фрагментов госсобственности по принципу «тебе вершки, а мне корешки»: владеющая деньгами и технологиями часть акционеров — арендаторы — использует свои активы и организует производство (добычу, эксплуатацию) чего-либо, тогда как другая часть — юридические владельцы — получает половину (треть, пять процентов, один процент) прибыли предприятия. Так радужно, однако, все выглядело лишь у Ленина в голове; то, что учредить было «архижелательно», на деле оказалось архизатруднительно.

Опытный казуист, Ленин объяснял озадаченным перспективой вновь обнаружить себя опутанными капиталистическими цепями рабочим, что «нам, коммунистам, приходится платить за обучение; мы предпочитаем платить иностранцам, ибо за деньги мы всегда сможем освободиться от них, едва только мы сделаемся достаточно сильными. А кроме того, мы можем себе позволить дать им все, чего они просят: ведь через несколько лет в Европе произойдет социальная революция, и тогда все, что они принесли, достанется нам без всякой оплаты». В переводе на русский язык вся эта игривая футурология означала: золотой запас кончается, чтобы перезапустить и тем более модернизировать промышленность в условиях непрекращающегося вот уже много лет спада, нужны инвестиции и снятие с России экономической блокады; ради всего этого можно было — временно — допустить капиталистов в пустые советские закрома и продемонстрировать золотому тельцу свою лучшую улыбку и самые мирные намерения.

Концессии, приватно объяснял Ленин товарищам по партии, есть не мир, а сообразная текущим условиям экономическая война, в ходе которой большевики, стремящиеся к «завоеванию всего мира», должны нарастить свои силы. Левацкое уклонение от этой стратегии привело бы к тому, что «мы... висели бы все на разных осинах».

Идея заставить оплачивать советские счета настоящих богатых капиталистов явилась в голову Ленина еще в 1918-м; тогда им предлагали освоение Северного пути: постройку железной дороги от устья Оби до Петрограда и владение прилегающей территорией. Однако при попытке реализовать эту идею оказывалось, что в ней слишком много «иксов»: как именно можно «сдать» советских пролетариев капиталистам-иностранцам, желающим, к примеру, взять в аренду Воронежскую губернию? Получается, что люди должны либо переехать, либо оказаться кем-то вроде крепостных? Ленин пытался выпутаться: концессионные участки должны «в шахматном порядке» чередоваться с советскими, и рабочий должен иметь право выбора, куда ему устроиться. Хорошо; а если все-таки концессионер захочет эксплуатировать целую территориальную единицу?

Чуть яснее вырисовывались контуры потенциальной клиентуры. Поскольку французы не желали иметь дело с Россией, пока не будут выплачены царские долги, а сговорчивость англичан, даже при прагматичном Ллойд Джордже, не следовало переоценивать (хотя благодаря Красину большевикам таки удастся добиться торгового соглашения и англичане больше не конфисковывали любое имущество РСФСР в счет военных долгов, а республика обязалась снизить обороты своей пропаганды и не помышлять о строительстве железной дороги в Индию), основная надежда Ленина возлагалась на разоренную Германию (чье правительство ненавидело большевиков, которые едва не занесли туда на штыках революцию, но, как заметил Ленин еще в 1920-м, «интересы международного положения толкают его к миру с Советской Россией против его собственного желания», ведь Германии нужны были сырье, рынок сбыта и преодоление изгойского статуса) и, главное, — на Америку, которая не воспринималась как такой же опасный конкурент и исторический противник, как европейские державы. Речь идет не только о мирном сосуществовании двух систем. Ленин прекрасно понимает, что большевики и американцы обречены на то, чтобы бежать друг к другу навстречу с разных сторон радуги. Россия — колоссальный рынок сбыта, страдающий от дефицита товаров и технологий, а Америка нуждается в экспорте и экспансии капиталов и технологий. И хотя американские массмедиа представляли Россию как очаг Красной Угрозы и травили конкретных людей, идеи и искусство, хоть как-то связанное с коммунизмом, подлинные хозяева страны — Уолл-стрит — полагали, что Америка достаточно далеко от России, чтобы риторика большевиков по пути развеялась в воздухе. Интересуясь прибылью, они сквозь пальцы смотрели на открывшееся в Нью-Йорке Советское бюро (по сути, посольство), поставляли в Россию через третьи страны продовольствие и технику и воспринимали большевистскую Россию как потенциальную полуколонию, бесконечный ресурс, который нужно осваивать — иначе на него наложит лапы другой серьезный конкурент — не Англия, так Япония. По остроумному замечанию историка Саттона, противоположность интересов коммунизма и монополистического капитализма — вообще ложная, иллюзорная; наоборот, чтобы комфортно и эффективно эксплуатировать Россию, Америке нужна была Россия централизованная и, в идеале, с неэффективным планированием. «Только подумать — одна гигантская государственная монополия!» И если у вас есть ход к тем, кто заправляет этой монополией, — все это у вас в кармане. Ленин, надо полагать, также уловил этот парадокс — и приложил массу усилий для того, чтобы питать свою революцию американскими калориями. Вокруг него вечно крутились обладатели американских паспортов — в диапазоне от Джона Рида до банкира Томпсона, который, будучи главой миссии Красного Креста, еще в декабре 1917-го умудрился выделить «в пользу большевиков кредит в миллион долларов для распространения их учения в Германии и Австрии». Даже один из секретарей Ленина был американец — Борис Рейнштейн. Именно Америка представлялась Ленину царством «тейлоризации» (системы увеличения производительности труда), которую следовало вводить в Советской России. Ровно поэтому Ленин в 1919—1920 годах усиленно подкармливает сахаром, шоколадом и сыром героического инженера Кили, который явился «помогать» республике: объездил, по заданию Ленина, несколько промышленных центров, предоставил неутешительные наблюдения («прогулы занимают около 50%, а общий расход энергии рабочего на добывание продовольствия он исчисляет в 80%, а 20% остается на чисто производительную работу») и оригинальные рекомендации (закупать промтовары и машины на Западе), после чего, правда, выяснилось, что все накопленные сведения он планомерно пересылает и в Америку тоже, то есть, по сути, шпионит; Кили арестовали и выпустили лишь после серии отчаянных до комичности писем Ленину. В целом доброжелательное отношение Ленина к Америке привело к тому, что в 1921-м он, карамболем, через Нансена, инициировал контакт Горького с АРА — неправительственной Американской организацией помощи, даже и зная, что американцы будут не только кормить и спасать голодающих, но и, через собственный аппарат распределения продовольствия, вести политическую работу, которую можно квалифицировать как антисоветскую.

Вряд ли можно счесть обоснованной конспирологическую теорию о том, что социалистическая Россия — это вообще не что иное, как проект Уолл-стрит, а большевики — взбесившиеся марионетки клана Морганов; однако факт, что в общем-то благодаря невмешательству Америки масштабы интервенции оказались крайне скромными и затем Америка смотрела, по сути, сквозь пальцы на попытки Советской России преодолеть изоляцию. По факту Советская Россия была такой же герметичной, как пресловутый «вагон» — «пломбированным»; само наличие этих полулегальных щелей и свойственная Ленину манера охотно общаться с иностранцами и не воспринимать их как нечто заведомо враждебное помогли среди прочего хоть сколько-то смягчить ужасающий голод в Поволжье — когда сотрудники американских, шведских, норвежских и т. д. миссий спасали сотни тысяч людей (похоже, ставших жертвами некомпетентности администрации прежде всего на самом высоком уровне), пусть даже и требуя тратить кредиты на закупку продовольствия в их странах. Советская Россия изо всех сил добивалась дипломатического признания странами Запада — и Помгол плюс концессии, изначально придуманные Лениным как способ наполнения бюджета, превратились в способ «заманить» сюда иностранцев, чтобы те пролоббировали в своих правительствах признание республики.

Поскольку Советская Россия не пользовалась ни репутацией тихой гавани для потенциальных инвесторов, ни территорией с сулящим частые золотые дожди деловым климатом, на самых представительных лиц большевистского истеблишмента — Ленина, Красина, Чичерина — легла задача дать понять капиталистам, что те получают от государства какие-то гарантии и что помимо «революционной необходимости» большевики признают на своей территории и общечеловеческие правила игры. Ленин имел возможность едва ли не каждый день улучшать свой английский в беседах с разного рода визитерами с обеих сторон Атлантики.

Совнаркомовский *think-tank* составил список потенциальных концессий; газеты на каждом углу трубили о готовности обсуждать самые экзотические варианты; советские торговые атташе на Западе подтверждали любые слухи, и сам Ленин где только мог расписывал щедрость новой власти, готовой отдать в концессию едва ли не Кремль: конкретную фабрику, месторождение полезных ископаемых, дорогу, территориальную единицу.

Капиталисты вставали на задние лапы и шумно нюхали воздух: немцы облизывали губы, мечтая поучаствовать в эксплуатации закавказской нефти, англичане многообещающе щелкали пальцами, нацеливаясь на лесопромышленность, железные дороги и сельское хозяйство; в Лондоне вокруг Красина водили хороводы видные промышленники, умоляющие о протекции (однажды туда даже пришел голландец Филипс, тот самый, и предложил построить в России завод по производству лампочек — объясняя свой порыв даже не стремлением нажиться, а преклонением перед ленинским планом электрификации и родственными связями — он оказался еще и внуком Маркса). С ленинским правительством вступили в переговоры шведский спичечный король Ивар Крейгер, предлагавший за монополию на производство спичек в Советской России заем в 50 миллионов долларов, британский промышленник Уркарт, ранее владевший горнодобывающими предприятиями на Урале, все там потерявший, но готовый вновь «зайти» в Россию. Он приезжал в Москву, обещал способствовать заключению торгового договора и признанию республики Великобританией, и перед Генуей с ним почти подписали договор о концессии на 99 лет.

Рядились не только с иностранцами, но и с русскими — бывшими владельцами тех или иных предприятий или просто инвесторами; это называлось «внутренние концессии». Еще весной 1918-го некие промышленники пытались взять в аренду у большевистского правительства целый комплекс своих бывших металлургических предприятий — и все это реализовалось бы, если бы не летнее обострение политической ситуации. В 1921-м некий вернувшийся эмигрант пытался реализовать на Волге и Каме проект, напоминающий нынешние круизные лайнеры на Балтике: модернизировать пассажирское судоходство и создать туристическую инфраструктуру. В результате Москва — точнее,

«Метрополь» и «Националь» — к осени 1921-го оказалась наводнена иностранцами, и наиболее представительные из них легко могли попасть на прием к Ленину. И хотя в учебниках останутся отношения Ленина с Армандом Хаммером — «товарищем Хаммером», который уже весной 1922-го сумеет подогнать к Петрограду пароход с американской пшеницей, а затем, к взаимной выгоде, будет торговать немецким шахтерским оборудованием, эксплуатировать асбестовые шахты и строить карандашные фабрики, — самая известная история о Ленине и концессиях связана с именем американского бизнесмена Вандерлипа, чье появление в Кремле зафиксировал, среди прочих, Герберт Уэллс, оказавшийся соседом американца по гостинице. Краткая версия («Ленин чуть не продал американцам Камчатку») не является совсем уже неверной, однако отношения этих двух венчурных предпринимателей были далеко не столь однозначны; оба были себе на уме и разыгрывали скорее шахматную партию, чем крестики-нолики.

К осени 1920-го было понятно, что Камчатка, где по условиям Портсмутского договора не было русских войск, в любой момент может быть оккупирована Японией и советская власть не может ничего с этим поделать. Да и «советской» в 1920 году власть на Камчатке можно было назвать лишь условно, потому что там то и дело нарисовывались недобитые белогвардейские отряды, объявлявшие свои законы. Исходя из этой неопределенности («Как будто она является собственностью государства, которое называется Дальневосточной республикой», хмурил брови Ленин, «кому же она принадлежит в настоящее время — неизвестно»), Ленин предполагал «привлечь американский империализм против японского», чтобы Америка «прикрыла» территорию, которую большевики все равно были не в состоянии контролировать. Вандерлип импонировал Ленину тем, что имел репутацию эксперта по экономическим отношениям с Россией (еще с 1890-х годов, когда он по заданию американских компаний искал на Дальнем Востоке и Сибири месторождения золота, угля и нефти и даже выпустил книгу «В поисках сибирского Клондайка») и мог сойти за разносчика социальной эпидемии, пропагандируя в прессе и деловых кругах необходимость торговли с Советами.

Этот джентльмен предлагал несколько вариантов — от буквальной покупки, которая цинично подразумевала как денежное вознаграждение, так и признание Америкой Советской России, до права размещать военные и угольные базы и аренды на полвека — с обязательством в течение пяти лет начать работу и выплачивать два процента от прибылей. Ленин обсуждал только вариант аренды — и требовал права более раннего выкупа и соблюдения прав рабочих. Кончилось не то чтобы ничем — декларацию о намерениях (передать Америке Камчатку, часть Дальнего Востока и северо-востока Сибири на 60 лет с правом открыть военную базу) подмахнули и расстались со скептическими, но улыбками.

Ленин уклонился от того, чтобы подписать Вандерлипу свой портрет — «товарищу» писать нельзя, а как же еще, но сподобился комплимента: «"Я должен буду в Америке сказать, что у мистера Ленина (мистер по-русски — господин), что у господина Ленина рогов нет". Я не сразу понял, так как вообще по-английски понимаю плохо. — "Что вы сказали? Повторите". Он — живой старичок, жестом показывает на виски и говорит: "Рогов нет". ...В Америке все уверены, что тут должны быть рога, т. е. вся буржуазия говорит, что я помечен дьяволом».

Разумеется, Ленин принимал у себя не всех капиталистов, которые желали самолично освидетельствовать его череп на предмет наличия экзотических наростов. Вандерлип, ссылавшийся на связи в сенате, знакомство с будущим президентом Гардингом и родство с миллиардером Вандерлипом (неподтвержденное, по словам Ленина, «так как наша контрразведка в ВЧК, поставленная превосходно, к сожалению, не захватила еще Северных Штатов Америки»), попал к нему по рекомендации Литвинова и Красина.

Вандерлип обзавелся прозвищем «Хан Камчатки», а Ленин — несмотря на публичные сетования о том, что «перспектива побеседовать с такой капиталистической акулой не принадлежит к числу приятных» — упрочил свою репутацию широко мыслящего политика, готового к компромиссам, и добился того, чтобы об этом «контакте» раструбила вся мировая пресса, так что японцы оказались вынуждены выбирать, оккупировать ли им Камчатку «по-настоящему» или довольствоваться хозяйничаньем там де-факто.

Любопытно, что отношения с Вандерлипом угасли скорее из-за «той» стороны; чаще разрыв случался по инициативе — или в связи с провокационными требованиями — советских контрагентов.

Когда доходило непосредственно до «распродажи России», в которой, разумеется, обвинила Ленина белая эмиграция, выяснялось, что для инвесторов зарезервированы наиболее труднодоступные уголки российской территории и наиболее руинированные сектора промышленности. Иногда соглашения срывались по личному указанию Ленина, чье поведение в этой сфере было не вполне прогнозируемым: иногда он любезно расшаркивался перед капиталистами, иногда демонстрировал ледяные глаза, выставляя вместе с «лотами» длинные списки заведомо неприемлемых условий: вот вам лесной участок на вырубку, но он находится в тысяче верст от ближайшей железной дороги, так что, боюсь, вам придется проложить туда путь за свой счет — и затем, когда вы уйдете после первой забастовки, которую мы вам обязательно устроим, догадайтесь, кто будет его использовать.

Так, Лесли Уркарта, который, кажется, уже заглотил наживку, Ленин вычеркнул из своей записной книжки после того, как тот потребовал хотя бы символического, но возмещения старых убытков (что создало бы прецедент) и разрешения спорных вопросов в суде, а не по приговорам спецслужб (спасибо, у нас тут не Англия, а свои законы, согласно которым у ЧК много прав).

Впоследствии сам Ленин объяснял С. Либерману, почему он так непоследователен с потенциальными концессионерами: «Советская Россия не только купец, но еще и первое революционное правительство в мире, и все наши шаги за границей мы должны рассматривать в двух аспектах: в политическом и коммерческом. В зависимости от обстоятельств, одни соображения могут превалировать над другими». По сути, это означает, что лозунг «Учитесь торговать!» мог быть снят в любую минуту, как только международная обстановка поменялась бы в нужную сторону, — чтобы заменить его на «Вспоминайте, как воевать».

И хотя видимые признаки близкой революции к западу от российской границы никак не возникали, международная обстановка позволяла менять себя.

У Ленина были основания потирать руки, когда 7 января 1922 года правительство Италии прислало России приглашение на Генуэзскую конференцию. Ему даже не нужно было ехать за границу в парике и под чьей-то чужой фамилией или суфлировать Чичерину из железного ящика: имея в голове, благодаря собственному анализу, вошедшему в резонанс с еще более остроумным кейнсовским, ви́дение постверсальской ситуации, Ленин знал, как нужно разыгрывать эту не им затеянную — но, как знать, способную дать ему больше, чем основным игрокам — партию, и сумел подготовить к разным сценариям свою делегацию. В конце концов, Генуя как предприятие была затеяна Ллойд Джорджем, а это был противник, которого Ленин всегда переигрывал; «Посвящаю эту брошюру, — издевательски написал он на «Детской болезни левизны», — высокопочтенному мистеру Ллойду Джорджу в изъявление признательности за его почти марксистскую и во всяком случае чрезвычайно полезную для коммунистов и большевиков всего мира речь»; кроме того, Ллойд Джордж, похоже, рассчитывал на импровизацию, тогда как, судя по действиям Ленина в Костино, уже в январе у него был четкий план того, как могут разворачиваться события в Италии в апреле—мае.

Ленин прекрасно знал, зачем Англии понадобилась эта конференция: чтобы конкурировать с наливающейся силой Америкой, она нуждалась в европейском рынке, а ключом к его послевоенному оживлению оказывалась ленинская Россия — которая, в идеале, должна была стать объектом совместной эксплуатации Англии, Франции и Германии, к выгоде Англии. Ллойд Джорджу оставалось примирить Францию с Германией, предложив им колонизировать Россию — которая, судя по масштабу кризиса, часто звучащему на съездах партии слову «госкапитализм» и охоте за концессионерами, в которой принимали участие первые лица государства, и так готова была к такому варианту. Ленин был не против примирения и экономического процветания, но последнее, что ему нужно было, — это единая Европа, которая могла совместно давить на и так еле живую Россию.

Стратегия, выбранная Лениным для Генуи, по сути изначально была рассчитана на то, чтобы «волынить» и «динамить» Антанту, однако — в высшей степени дружелюбно. Потенциальные инвесторы должны понять, что Россия изменилась, и почувствовать себя там если не как дома, то на привычной для себя территории. ЧК? Преобразована. Армия? Сокращена минимум на четверть. Инакомыслящая интеллигенция? Имеет возможности издавать книги, собираться больше трех, высказывать альтернативные точки зрения — и сама подписывает открытые письма, предлагая Западу дружить с теми, кто предоставил ей покровительство.

Делегация, представляющая нищую страну, выдвинулась в Геную далеко не с пустыми руками. Еще в январе Ленин сколотил комиссию из экспертов, которые оценили ущерб, нанесенный Советской России интервенцией Антанты. В самом начале заседаний дипломаты вручили участникам конференции отпечатанные отдельными брошюрами встречные «Претензии», которые выглядели достаточно убедительными, чтобы цифра в 39 миллиардов золотых рублей прочно закрепилась в сознании руководителей Антанты. Это была заявка на сильную позицию, позволявшая с порога отмести все попытки кредиторов вернуть свои долги, а бывших собственников — имущество. Мало того, выяснилось, что у Советов калькулированы также претензии и к Германии; это оказалось для немецкой делегации неожиданностью — им что же, еще и русским теперь платить?

Едва распаковав подозрительные контейнеры, советская делегация обнародовала свою — изготовленную совместными усилиями Чичерина и Ленина — широкую программу, изобилующую свежими идеями в духе разрядки. На голубом, что называется, глазу предлагалось упразднить военные подводные лодки и «пламенеметы»; запретить бомбежки с воздуха и самолетные бои; в рамках проекта интернационализации путей построить сверхмагистраль Лондон — Москва — Владивосток (Пекин) — и эксплуатировать богатства Сибири совместно на взаимовыгодных началах (особенно пикантно выглядит эта задумка, если знать, что меньше года назад большевики, кажется, готовы были согласиться на Россию до Урала в обмен на поставки хлеба от крестьян восставшей Сибири); распределить по всем странам золото, «втуне» лежащее в американских банках; ввести общую золотую единицу; планомерно, с учетом текущего соотношения богатства и бедности, распределять ресурсы (топливо, продовольствие, промтовары) и заказы — чтобы, преодолев «национальные эгоизмы» и нейтрализовав хищнические инстинкты капиталистических олигархий, обеспечить экономический рост всех регионов мира — как выигравших от войны, так и разоренных; наконец, отменить все военные долги, пересмотреть Версальский договор и допустить на международные конференции «негритянские народы».

Неудивительно, что в частной переписке Ленин объяснял своим дипломатам, что России было бы выгодно, чтобы «Геную сорвали, но не мы, конечно», — и такого рода «широкая программа» едва ли могла быть воспринята сообществом стран-победительниц иначе, как изощренное издевательство.

О том, каким образом Советы провернули свой поразительный трюк — «Рапалло», — можно судить по «генуэзской» переписке Ленина с Чичериным. Если последний готов был ради возвращения страны в клуб «нормальных» стран к любым компромиссам, вплоть до признания кое-каких царских долгов и некоторых изменений в советской Конституции, то Ленин, воспринявший прощупывания Чичерина насчет Конституции как признак душевной болезни своего наркома и пригрозивший ему помещением в сумасшедший дом, хотел не столько формального признания России и даже не экономических отношений, то есть торговли и инвестиций, — а именно что усиления позиции. Для этого предполагалось избегать заключения общего соглашения, но зато «флиртовать по отдельности» (надо ли упоминать, что это формулировка самого Ленина) сначала со слабыми партнерами, а потом, по возможности, и с оппонентами помощнее; опять же не надо быть знатоком «стиля Ленин», чтобы понять, кому принадлежит идея манипулировать сильными противниками, раскалывая их.

Немцы были наиболее желанной добычей, и поэтому когда неожиданно для всех в середине апреля советской делегации удалось уединиться с немцами (теми самыми, которые убили Люксембург и Либкнехта и которых большевикам так хотелось пощупать штыком осенью 1920-го) в городке Рапалло, это уже могло считаться успехом. Однако, поставив в дверную щель только ногу, русские затем протиснулись в гостиничный номер уже всем корпусом: видимо, пообещав немцам закрыть глаза на ущерб от интервенции 1918 года, Чичерину удалось молниеносно подписать ленинский «договор мечты»: с отказом от взаимных военных претензий, восстановлением торговых и дипломатических отношений в полном объеме. Так возник шокирующий для англичан и французов блок стран-изгоев, которые заявили о том, что самостоятельно способны дирижировать Восточной Европой в качестве если не мировых, то региональных держав. А еще

Германия забирала у Англии роль страны-посредницы в отношениях с ленинской Россией. Да, возможно, это было «недогосударство», что-то вроде «Талибана», «Хезболлы» или «Аль-Каиды», но шантажировать его применением военной силы становилось все сложнее.

12 мая Ленин получил письмо от британского экономиста Дж. М. Кейнса, знающего, как высоко оценил Ленин его анализ Версальского мира, — и крепко озадаченного непредсказуемостью русских. В письме содержалась просьба написать популярную статью для «Манчестер гардиан»: почему русские темнят, что на самом деле означает Рапалльский договор и в целом нэп во внешней политике, как Советы собираются выходить из экономического кризиса, если вместо того, чтобы заключить соглашение со всеми, они вдруг раскрыли объятия только Германии?

Ленин, наслаждающийся плодами победы своих дипломатов, готовый демонстрировать противникам свою новую сильную позицию и как никогда убежденный, что «Россия нэповская будет Россией социалистической», высокомерно закрывает рукой от соседа по парте решение задачи, с которой он справился много быстрее. «No because illness. Leninn».

Нет, по болезни. Мнимые и подлинные недуги были излюбленным способом Ленина уклониться от нежелательных встреч; иногда возникает впечатление, что он нарочно носил в кармане платок, чтобы в случае чего подвязывать себе зубы и разводить руками: «опять пришлось мне надуть вас!»

Телеграмма из четырех слов означала: «спасибо — нет»; «нет» было вежливым и не подразумевавшим ничего экстраординарного.

Обычная формальная отписка.

Но то, что еще 12 мая казалось формальностью, уже через две недели больше ею не является.

25 мая, через шесть дней после официального закрытия Генуэзской конференции, с Лениным случается инсульт.

Его тело отчасти парализовано, речь нарушена, вместо фирменного *poker-face* — судорожное гримасничанье, и ни о какой работе не может быть и речи.

Он оказывается почти в контейнере.

Достучаться до него не проще, чем до инопланетян.

Горки
1922–1924

В 1897-м, перед отъездом в Шушенское, ВИ прожил несколько недель в Красноярске, ожидая начала навигации по Енисею. Юдинская библиотека, словно пещера Али-Бабы, снабжала его сокровищами; работа спорилась; этот «книжный запой» омрачился лишь одним неприятным происшествием. Над столом, за которым ВИ писал, висело — с наклоном, чтобы удобнее смотреть на себя снизу, — простеночное, между окнами, зеркало. Когда темнело, он ставил на стол лампу; ее и раньше там ставили, поэтому квартирная хозяйка не нашла в привычке своего жильца ничего предосудительного. Книг становилось все больше; каждый вечер он все дольше засиживался за работой; зеркало, нагревавшееся потоками восходящего воздуха, коробило отражение, но, увлеченный статистическими выкладками, ВИ не обращал внимания на зловещие — словно кто-то внутри пытался выбраться наружу — потрескивания. Однажды температура достигла критической отметки: поверхность пошла рябью, раздался хлопок, стекло лопнуло; осколки со звоном обрушились на стол и потушили лампу. ВИ остался в звенящей тьме, испуганный, оглохший, ослепший, сконфуженный и преисполненный — что хорошего может сулить разбитое зеркало даже и материалисту? — дурных предчувствий; состояние, которое вновь повторилось под конец его удивительной жизни — и растянулось на многие месяцы.

Мы вступаем в тот период биографии Ленина, который, несмотря на обилие документов и свидетельств, представляется наиболее таинственным из всех. Самые проверенные, «стопроцентные» свидетели оказываются ненадежными; «железные» документы — пустым звуком; манипуляторы — жертвами; каждый ящик — с двойным дном, каждая колонна — полая, каждое зеркало — гезелловское. Тот человек, который знал про Ленина больше других, Надежда Константиновна, предпочла захлопнуть створки раковины; а впрочем, и она не имела ответов на многие вопросы. Нужно ли было в апреле 1922-го удалять пулю, оставшуюся после выстрела Каплан, — и была ли болезнь вообще последствием того покушения? Действовала ли изоляция, предписанная Ленину его товарищами и врачами, во благо — или убивала его? Не становилось ли ему хуже от лекарств, лечивших нейросифилис, которого у него так никогда и не обнаружили, но говорили именно о нем — просто потому, что при непонятном диагнозе было принято подозревать сифилис? Почему, наконец, он скончался — на самом деле не столько в результате продолжительной болезни, сколько скоропостижно, в ходе острого приступа, длившегося менее дня?

Биографу Горки невольно кажутся юдолью скорби, мемориалом трагической ленинской агонии — но когда ВИ впервые попал сюда осенью 1918-го, после покушения Каплан, в его дорожной корзине лежал вовсе не саван, а полувоенный френч и резиновые сапоги для охотничьих прогулок. Он провел здесь много удачных, солнечных и дождливых, рассеянных дней. В чердак ленинской биографии, плотно оббитый войлочной звукоизоляцией и с характерной спертой атмосферой, Горки превратились задним числом. Часть своих худших, наполненных мольбами об эвтаназии недель — весну 1923-го — Ленин провел не здесь, а в кремлевской квартире; и именно там каталась по полу, истерично рыдая, жестоко оскорбленная («Ми еще пасмотрим, какая ви жена Лэнина») Надежда Константиновна; правда, по иронии судьбы обстановка и больничная духота кремлевской квартиры были впоследствии всосаны Горками — да так там и остались.

Горки «обнаружил» в 1918 году видный московский большевик Сапронов; от Кремля — 32 километра по Каширскому шоссе; даже на тех автомобилях, даже зимой — час езды; по части комфорта и средств связи это была едва ли не лучшая усадьба в Подмосковье — и не такая роскошная, как Архангельское, куда Ленин не поехал бы в принципе.

В начале осени 1918-го еще больше, чем собственно в дачном воздухе и целительных токах природы, Ленин нуждался в загородном укрытии от террористов. В Москве, даже в Кремле, он представлял собой очевидную и легко доступную мишень; в тот момент никто не мог ручаться, что произойдет через неделю; большевики вовсю фабриковали поддельные документы на случай необходимости уходить в подполье. Ногин, также участвовавший в подборе запасной резиденции, собирался поселить Ленина у какого-нибудь крестьянина под видом больного или родственника; Сапронов хотел положить его в Тушине — в деревянных домиках администрации завода «Проводник», под видом своего больного отца. Горки показались Беленькому и Малькову оптимальным по части безопасности вариантом. Планировалось поместить туда Ленина «под шумок»: сначала учредить там коммуну, одновременно устроить нечто вроде базы отдыха, куда съехались вроде как «заграничные гости» — на самом деле латыши из ЧК.

Инкогнито Ленина удалось сохранять недолго — в парке вовсю гуляла крестьянская молодежь с гармошками, играли в городки с чекистами и осваивали езду на велосипеде; рабочие совхоза узнали показывавшегося на террасе Ленина — и раззвонили о нем, принялись звать его к себе на митинги; крестьяне даже попросили преобразовать совхоз в сельхозкоммуну имени Ленина. Такие просьбы казались ВИ несуразицей и азиатчиной, но обычно он ставил резолюцию: «Не возражаю»; перевешивала политическая целесообразность — чем больше знаков того, что мир теперь стал другим, тем лучше. Коммуна после отъезда ВИ в Кремль тут же развалилась, а усадебное имущество латыши принялись «распределять» — на подводах в Прибалтику. Но Горки и сейчас остались Ленинскими.

Чаще, чем кто-либо, их сейчас видят пассажиры авиалайнеров, подлетающих к аэропорту Домодедово: это большая лесопарковая зона к югу от МКАД. К 1918 году усадьба Горки принадлежала Зинаиде Морозовой, вдове Саввы Морозова — того самого, что прятал когда-то Баумана, приятельствовал с Горьким и финансировал РСДРП; родственные связи не уберегли хозяйку поместья от реквизиции. Выйдя вторым браком за московского градоначальника Рейнбота, Морозова наняла в архитекторы Шехтеля, который превратил непримечательный большой дом и два заурядных флигелька в сложносочиненное произведение искусства, образец высокого классицизма. Даже пейзаж как будто «облагородился» — круглый партер перед главным зданием, с балюстрадой и смотровой площадкой, выглядит замечательно соразмерным ландшафту, очень русскому, с обрывом и большим прудом внизу. На другой стороне — косогор с уходящими за горизонт полями, которые теперь, правда, застроены похабными дачами.

Пропорциональный, изящный, с колоннадой, полуротондами, широкими площадками-балконами, барельефами на античные темы по фризу и сдержанным, без вычурности, проходным внутренним атриумом с двенадцатью колоннами дом не мог не понравиться ВИ с его вкусом к классическому искусству. Однако здание было на три размера больше, чем требовалось, и Ленина, разумеется, раздражало, что он, выбрав Горки, участвует в процессе ползучей реставрации дореволюционного режима; зачем тогда завешивать страну лозунгами «мир хижинам, война дворцам»? Именно поэтому ВИ отказался селиться в господском тринадцатизальном доме с зимним садом и сразу забился с семьей во флигель, на второй этаж. Да и в 1922-м, когда болезнь все же заставила его перебраться в главное здание, старался минимизировать свой контакт с морозовско-рейнботовскими вещами: мебель держали в чехлах, картины, даже выглядевшие неуместно-декадентскими, не трогали; семья строго различала «свое» и «казенное».

Объектом для телохранителей Ленин был неудобным — все время норовил ускользнуть один на прогулку. К 1922-му в охране состояло около двух десятков сотрудников ГПУ — заведомо мало, чтобы исключить возможность потери из вида изобретательного по части исчезновений главного клиента (особенно на воде: Ленин-купальщик уплывал за полверсты, причем плавал именно вдоль реки — «с легкостью рыбы»), но вполне достаточно, чтобы насторожить бдительных биографов.

Если бы экскурсоводом в Горках работал Л. Троцкий — или замещающий его историк Ю. Фельштинский, — то уже вход в усадьбу был бы украшен желто-черной ленточкой *crime scene* — место преступления, где на протяжении года намеренно изолированного Ленина убивали: то медленно, то более интенсивно, физически и психологически.

В комментариях официальных гидов музея-заповедника напрочь отсутствует тема исторических загадок, а в голосе — трагические нотки. Задача экскурсии формулируется как «погружение в атмосферу» — далекую от чего-либо готического, создаваемую предметным рядом. Это появилось «при Морозовой», это «при Ульяновых» — ни о каком убийстве, упаси бог, речи не заходит: елка для детей, тяжелая болезнь, уникальный мейсенский и кузнецовский фарфор, кресло, книги — «Ленин, как вы знаете, был полиглот и говорил на десяти языках».

Комнатой Ленина в большом доме стала угловая на втором этаже; зеркала в простенках между окнами выглядят очень «не по-ульяновски» — хотя в парижской квартире на рю-Бонье был похожий интерьер. С кровати открывался вид на обрыв и поля; в зеркалах отражался изумительный горкинский парк, который тоже воспринимался как государственное имущество; когда летом 1920-го ВИ узнал, что кем-то, с санкции заведующего санаторием «Горки», была срублена здоровая ель, он пришел в ярость — чиновник, который нанят государством беречь его активы, поступает ровно наоборот: арестовать на месяц.

Парадоксальный антагонизм Ленина, который сам выполняет функции госчиновника, — и бюрократической машины, чья деятельность дает множество примеров нелепостей, некомпетентности, обломовщины и идиотизма, в 1920—1921 годах достигает апогея. Разумеется, первейшая причина состоит в том, что любое не вполне демократически устроенное государство вынуждено содержать большой штат служащих для администрирования, с которым в других случаях справляются сами граждане и невидимая рука рынка. Однако в нэповской — но стремящейся стать социалистической — России ситуация усугублялась тем, что управлять рыночной экономикой пришлось либо дилетантам (как Луначарскому, у которого в 1921 году на содержание театров оказалось потрачено 29 миллиардов, а на все высшие учебные заведения – 17), либо командирам железных дивизий, привыкшим за четыре революционных года мыслить нигилистическими, разрушительными категориями и действовать кавалеристским наскоком. С какой стати они должны были в одночасье превратиться в расчетливых хранителей и созидателей, да еще и бить поклоны торгашам, «приказчикам»?

Особенную остроту антагонизму придавало то, что сам Ленин без видимых затруднений переключался из «партийного» в «хозяйственный» режим и в обеих своих ипостасях оказывался сообразительнее, сметливее большинства своих коллег. Быстро освоив науку управлять государством, он выполняет свою работу артистически, как экспрессивный дирижер-виртуоз — вытягивая из отдельных инструментов мыслимые и немыслимые звуки, подчеркивая неожиданные нюансы, ломая и задавая ритм; за его поведением, движениями, пластикой приятно наблюдать. Некоторые ленинские записки, пометки, реплики проникнуты комичным сарказмом и скепсисом по отношению к «советской» дури; в каждой второй даются гиперболические требования всерьез «карать за волокиту и святеньких, но безруких болванов (суд, пожалуй, повежливее выразится), ибо нам, РСФСР, нужна не святость, а умение вести дело»; «Христа ради, посадите Вы за волокиту в тюрьму кого-либо! Ей-ей, без этого ни черта толку не будет». Поневоле начинаешь думать, что предположение, будто булгаковский Филипп Филиппович Преображенский списан с Ленина, имеет под собой самые серьезные основания. Он точно так же остроумен, так же эксцентрично нетерпим к дуракам и чинодралам, так же милосерден к тем, кто обращается к нему за помощью, и так же верит в то, что разруха прежде всего — в головах и победить ее можно не разбивая старую культуру, но используя ее в качестве базиса новой.

Варварство, азиатчина, жестокость этих новых гоголевских чиновников, грубость настроек, бесчеловечность, паразитизм, абсурд и неповоротливость созданной им государственной машины доводят Ленина, европейца по воспитанию и образованию, до белого каления. В самом деле, где у Карла Маркса сказано, что нужно выгонять жителей какого-то московского дома в два часа ночи чистить снег под угрозой немедленного ареста — причем так, чтобы, выбравшись из постелей, те обнаружили, что по большей части им придется просто топтаться во дворе, потому что лопаты и совки припасены только для каждого десятого? Кто это придумал и почему так происходит?

«Наши дома — загажены подло. Закон ни к дьяволу не годен».

«Все театры советую положить в гроб. Наркому просвещения надлежит заниматься не театром, а обучением грамоте».

«Тов. Луначарский приехал! Наконец! Запрягите его, христа ради, изо всех сил на работу по профессиональному образованию, по единой трудовой школе и пр. Не позволяйте на театр!!»

«Держите его в Лондоне как можно дольше. Если поверите хоть одной его цифре, прогоним со службы. Займите его длительной литературной работой по немецким и английским материалам (если не знает, выучите английскому языку)».

Парадокс: почему «наш аппарат такая мерзость, что чинить его невозможно», — если число чиновников постоянно растет? Может быть, не те люди в них попадают — и нужно каким-то образом вмешаться в отбор, улучшить процесс? Или существует какая-то объективная закономерность, которая заставляет тех, кто становится бюрократом, демонстрировать всем остальным свое «комчванство» — что те зависимы от него и должны относиться к нему как к представителю иного, высшего сословия?

Сословия?

Для Ленина новая, искусственно, в силу необходимости созданная социальная группа — объект пристального внимания. Ему ясно, что по своей природе новая элита стремится вовсе не к реализации социалистического проекта, а к окостенению, консервации достигнутого статуса — и раз так, может и должна постоянно гальванизироваться масштабными задачами и ограничиваться в привилегиях. Иначе получается, что революция со всеми последующими победами, от восстановления территории прежней империи до электрификации, совершена ради нового господствующего класса. Осознавал Ленин и то, что сам он, объективно, — даже если его почитали за живого бога — становился для этого «нового дворянства» препятствием, плохо контролируемой силой, которая — когда все так устали от потрясений — продолжает экспериментировать. Сегодня он затевает ввести боны для оплаты продуктов в какой-то губернии (и не ради экономической выгоды, а для нового опыта — чтобы попробовать); завтра, проглотив новую порцию книжек, увлечется герцлевской еврейской утопией «обновленной земли»; послезавтра решит сфокусироваться на среднем образовании, или генетике, или выращивании кукурузы. Как далеко может простираться его политическая самодеятельность? Соединить партийные учреждения с советскими, пригнать сотню американских тракторов в Пермскую губернию и посмотреть, как они справятся, — разве это не самодурство?

Если правда, что ленинизм — это не столько русский извод марксистской идеологии, сколько комплекс стратегий и техник по захвату власти, то к 1924 году Ленин и ленинизм были не нужны новой элите. Власть держалась в ее руках весьма прочно; план модернизации экономики принят и выполняется, налоги собираются, транспорт вот-вот восстановится, электрификация поможет провести индустриализацию, крестьянство — использовав возможности кооперации или нет — отъестся и будет подвергнуто коллективизации. Ленин с его аллергией на чиновничество и неистребимым романтизмом мог только навредить. Противоречие, возникшее между ним, мотором революции, и этой группой, было объективным; Ленин изыскивал способы снять его, и он не просто так жаловался — как раз летом 1921-го — Г. Шкловскому, что партия становится неуправляемой: «"Новые" пришли, стариков не знают. Рекомендуешь — не доверяют. Повторяешь рекомендацию — усугубляется недоверие, рождается упорство. "А мы не хотим!!!"».

Посторонние раздражают и его самого. Еще в феврале 1922-го он требует вычеркнуть его телефон «абсолютно из всех бумаг и списков, чтобы никто этого номера знать не мог и не мог звонить ко мне прямо»; более того, он не хочет даже и слышать звонки и вместо звонка просит приспособить к аппарату лампочку.

С каждым следующим днем все более существенным политическим фактором становится его физиология — и он вынужден учитывать прогрессирующую «ограниченность» своих возможностей. Чувствуя, что переутомление убивает его, он сводит к минимуму личные встречи, отказывается от выступлений и литературной работы; он даже готов — впервые за пять лет, неординарное событие — выехать в отпуск, и не под Москву, а куда-то далеко, даже на Кавказ, где за два года до того умерла Инесса Федоровна. В апреле 1922-го он переписывается с Орджоникидзе, чтобы со всей тщательностью выбрать место, удобное для него и НК. Особенно он напирает на надлежащую изоляцию — чтобы не нервировали и не происходило «анекдотов». Большая высота не подойдет для НК; санаторий в Абастумане, в Грузии, — «узкая котловина, нервным негодно», похоже на «гроб»; гроб это не то, что нужно. Сходятся вроде более-менее на Боржоми — высота подходящая.

Но уехать оказалось невозможно — сначала Генуя, потом... И ладно бы только мировая политика. Несмотря на мигрени, бессонницы, ощущения онемения с «кондрашками» и обмороки с судорогами, до декабря 1922-го Ленин — непостижимо — остается машиной, которая готова тратить свое время на записки о «пересмотре вопроса во ВЦИКе о передаче шпалопропиточных заводов из Высшего совета народного хозяйства в Народный комиссариат путей сообщения», внимательное изучение «материалов о Главрыбе» и окрики из серии «виновные в самовольном расходовании валенок привлекаются к судебной ответственности за расхищение». Сам писал, своей рукой; он был трудоголиком и информационным наркоманом.

Кончится тем, что Орджоникидзе в Грузию Ленин напишет, чтобы тот распускал слухи, будто он едет туда в отпуск, но на самом деле точно не поедет; можно лишь предположить, до каких масштабов разросся бы «анекдот», если бы паралич хватил Ленина на Кавказе.

Об обмороках до мая 1922-го знала только личная охрана. Ленин запрещал болтать кому-то о подробностях, однако ипохондрическое состояние ВИ не было тайной для окружающих. Он сам часто жаловался на «чертовские бессонницы», на то, что «нервы у меня все еще болят, и головные боли не проходят». «Я болен и туп», — комментирует он свое непонимание нюансов различий между двумя сходными экономическими формами. По-немецки — еще категоричнее: 8 марта: «Ich bin krank. Absolut unmoeglich irgendwelche Arbeiten zu ubernehmen». 10 апреля: «Lieder bin Ich noch immer krank und arbeitsunfahig»*.

Словосочетание «ликвидация дел» возникнет только в декабре 1922-го, однако бурная деятельность Ленина, подозрительно напоминающая желание оставить рабочий стол чисто убранным перед долгой отлучкой, разумеется, привлекает внимание заинтересованных лиц, которые хорошо обучены смотреть на вещи в динамике; развитие ситуации — и явная невозможность участия Ленина в публичной политике (предполагающей выступления на съездах и конференциях — партии, Советов, Коминтерна, профсоюзов) грозит обернуться для них неприятностями — или новыми возможностями.

В сущности, не так уж удивительно, что его коллеги, видя, что интенсивность работы заметно ухудшает его состояние, с лета 1922-го, после первого инсульта, пытаются перекрывать ему доступ к новостям и рабочим материалам; в конце концов, сам Ленин за годы административной деятельности успел отправить своим коллегам множество строгих указаний относительно их здоровья — «обязать взять отпуск», отследить, не саботируют ли больные предписания врачей — в надежде как раз на то, что, отдохнув, его товарищи будут справляться с работой более эффективно и дольше протянут свою лямку. Вот и он, сталкиваясь с табу на новости и некоторыми признаками контроля за собой, не имел особых резонов жаловаться на товарищей.

Первый инсульт обрушивается на Ленина через два дня после прибытия в Горки — 25 мая 1922 года.

Превращение, с непостижимой скоростью, в инвалида изумляет его.

Он видит, тактильно ощущает, слышит — но как будто не может проанализировать поступающую к нему из всех этих источников информацию; какие-то импульсы проходят — какие-то нет. Он не в состоянии преобразовать зрительные образы в речевые конструкции; еще хуже дела обстоят с письмом — повреждение какого-то отдела коры головного мозга блокирует возможность генерировать графические символы; счет — умножение и деление — также вызывает у него сильнейшие затруднения. Пожалуй, визуально характер ленинской агнозии, его «демонтированную»

---

* «Я болен. Абсолютно не в состоянии выполнять какую-либо работу». «К сожалению, я по-прежнему болен и нетрудоспособен».

речь можно было бы изобразить в форме кубистского коллажа, с ломаными линиями и вздыбленными поверхностями; то «умирающие», то снова активизирующиеся участки коры обеспечивают быструю смену реакций — от гнева и слез к счастливому смеху.

Сам Ленин прекрасно осознавал необычный характер своей болезни, размышлял над фактором ее непредсказуемости, пытался понять, почему его личность подвергается разрушению и есть ли какие-то способы остановить этот процесс. Разбиравшийся в медицине лучше, чем среднестатистический человек своего времени, регулярно общавшийся с врачами, охотно — поначалу — соблюдавший все рекомендации, принявшийся летом 1922-го сам читать медицинские книги брата, врача, Ленин полагал свою болезнь чем-то вроде фантасмагорического наваждения. Видимо, для его аналитического, натренированного, безотказного ума отказ искать решение простейших задач, «error 404», был изощренной пыткой. По рассказам наблюдателей, Ленин часто повторял: «это ведь ужасно, это ведь ненормальность», «какое-то необыкновенное, странное заболевание».

Болезнь Ленина действительно была ОЧЕНЬ странная. Словосочетание «неврастения на почве сильного переутомления» перестало объяснять то, что с ним происходило, уже зимой 1922-го; и кого в Горках действительно хотелось бы увидеть в качестве экскурсовода, так это, пожалуй, покойного уже Оливера Сакса, врача-нейропсихолога, натуралиста и литератора, описавшего множество уникальных случаев поражения коры головного мозга. Одаренная личность со странной болезнью, Ленин, несомненно, заинтриговал бы в качестве пациента такого крупного охотника за психиатрическими диагнозами — и занял бы достойное место в паноптикуме из представителей редких форм жизни: между человеком, который принял свою жену за шляпу, и жертвами эпидемии летаргического сна. Но разгадал бы Сакс тайну ленинской болезни?

Инсульт, повлекший за собой дислексию, напугал ВИ надолго, но основные навыки уже через несколько дней восстановились; он вновь заговорил, причем мог изъясняться не только по-русски, но и по-немецки и по-английски, без ошибок умножать большие числа; отступил и паралич. В середине июня он вставал, ходил; «даже пробовал вальсировать» (вариант: «пустился в пляс»), хотя правая нога плохо сгибалась. Неловко усевшись однажды — почти мимо кресла, он сострил на свой счет: «Когда министр или нарком абсолютно гарантирован от падения? Когда он сидит в кресле!» Опять нарком! Чтобы отвлечь ВИ от политики, ему предложили ухаживать за нарочно выписанными в Горки кроликами, пытались заинтересовать проращиванием растений из семян, стали учить плести корзины из ивовых прутьев; с грехом пополам он сплел одну и подарил сестре. Из Берлина прислали, по словам Марии Ильиничны, «целый чемодан» настольных игр — шашки, домино, хальма; ВИ наотрез отказывался садиться за какую-либо из этих игр, полагая, что предложение потратить время на что-то подобное означает подозрение в идиотизме. Шахматы ему, видимо, не предлагали, опасаясь, что это может не столько развлечь, сколько утомить его.

В начале октября Ленин, вопреки рекомендациям врачей, возвращается в Москву — и активно восстанавливает свою долю во всех важных административных сферах и дискуссиях. По словам Троцкого, как раз в это время Ленин осознает, что нравы в Кремле переменились, бюрократический контроль центра за «местами» резко усилился; тот же источник сообщает, что Сталин, пристально следивший за состоянием здоровья Ленина, уже списал его со счетов и, пользуясь своими возможностями как генсека, пытается обращаться с ним как с «хромой уткой». Несмотря на изменения в химическом составе атмосферы, за первую пару месяцев в Москве Ленин сумел внушить коллегам идею о своем почти полном выздоровлении — вот разве что стал носить очки и, отправившись в театр на спектакль по Диккенсу, смог высидеть только первое действие; но, когда надо, он демонстрирует боевую форму. Тот, кто еще недавно сбивался в устном счете, забывал простейшие слова и не мог назвать предмет (видел, что цветок — и мог сказать это, но как называется: ромашка или незабудка, вспомнить не получалось), страдал от вербальной парафразии (хотите сказать «лимон», но произносите — «роза»), снова вел заседания Совнаркома. Один раз — на заседании Коминтерна — Ленин произнес речь на немецком, длившуюся час двадцать.

С 20-х чисел ноября меж тем начинает вестись тайный дневник секретарей — о котором Ленин даже не знал; странный — и почему-то включенный в собрание сочинений — документ. Это краткие рапорты о работе и болезненных состояниях ВИ, вносившиеся в особую тетрадь несколькими женщинами — которые занимались этим по март 1923-го, вплоть до последнего инсульта, и, видимо, осознавали, что дневник их предназначен для кого-то, кто может использовать его с разными целями; теоретически и неблаговидными для их «патрона». О том, что с секретарями уже в октябре 1922 года у ВИ возникают особые нюансы в отношениях, можно понять, например, по посланьицу, которое он отправляет Фотиевой после того, как засекает, что та перехватывает и фильтрует все направленные ему на заседании записки: «Вы, кажись, интригуете против меня? Где ответы на мои записки?» Наверное, следует предположить, что дневник было приказано вести, чтобы не упустить какие-то важные мысли больного человека, — однако там фиксируются детали, которые точно не могут быть квалифицированы как имеющие «государственное значение»: «По словам Марии Ильиничны, его расстроили врачи до такой степени, что у него дрожали губы»; «Просил Лидию Александровну заходить к нему через день. На вопрос "в котором часу", сказал, что ведь он теперь свободный человек». Позже будет замечено, что характер дневника меняется после 18 декабря — записи вносятся задним числом, и ведущие уже не довольствуются сухим деловым тоном. Само наличие дневника свидетельствует о том, что за Лениным как минимум наблюдает политбюро; кто именно — тоже, надо полагать, ясно; один из лейтмотивов дневника после 18 декабря — Сталин, который, видно по записям, вызывает у ВИ раздражение своими поступками и манерами.

С 16 декабря медицинские признаки грядущей катастрофы нарастают, а больничный режим ужесточается: снова кратковременные параличи, бессонницы и тошнота, падения на ходу, снижение работоспособности; публичные выступления как метод коммуникации для него, по сути, недоступны. Врачи и политбюро, необязательно именно в этой последовательности, запрещают передавать Ленину политическую информацию, новости; к родственникам это тоже относится. Видимо, особенно жестоким ударом было прекращение переписки; ему разрешается лишь диктовать или пробовать писать самому — но четко сказано: ответа он ждать не должен. Для того, у кого в почте сосредоточена вся жизнь, закрытие доступа к ящику «Входящие» — род сенсорной депривации, которая нервирует пациента и вызывает у него ощущение злонамеренной изоляции. В письме, которое он успевает отправить Каменеву, Рыкову и Цюрупе, ВИ сообщает, что вынужден взять отпуск — не соглашаясь, впрочем, ставить четкий срок в три месяца; вдруг раньше? До выздоровления. Физическая невозможность выступить с длинной программной речью на X Всероссийском съезде Советов — который затем должен перейти в I Всесоюзный — так его расстраивает, что он, «несмотря на свою исключительную выдержку, не мог сдержать горьких рыданий». Это не первое упоминание об абсолютно не соответствующих его образу физиологических реакциях на боль и физиологическую беспомощность; еще в октябре врачи упоминают, в связи с остро разболевшимся у него зубом и приступом «нервов», что «временами появляется желание плакать, слезы готовы брызнуть из глаз, но Владимиру Ильичу все же удается это подавить, не плакал ни разу»; впоследствии эти реакции усугубятся — и сделаются, как это ни ужасно звучит, рутинными.

Ограничения на работу с информацией распространяются всё шире и шире. Ленин — в его-то состоянии — не может перечить профессорам, которым платят большие деньги за его лечение, но его сотрудничество и лояльность омрачаются ощущением, что врачи — знающие, над какой конкретно политической проблемой он размышляет в данный момент — выполняют некие политические, исходящие от их подлинных хозяев установки. Запросы выдать ему те или иные документы намеренно и осознанно саботируются (по приказу Сталина?). Ленин, однако, умудряется кое-как выбить себе время для диктовки и продолжает работу над тем, что еще не названо «Завещанием», но все больше напоминает его по сути.

Вечнозеленый шлягер собрания сочинений Ленина — «Письмо к съезду» с «личными характеристиками» шести важных партийцев, пародийно напоминающее письмо из «Ревизора»: «городничий глуп как сивый мерин», — официально датировано концом декабря 1922 года. В нем прямо не называется имя преемника, но «объективно» рассматриваются несколько вариантов и, по сути, подразумевается, что, выбирая из нескольких неидеальных претендентов — прежде всего из Сталина и Троцкого, — Ленин за неимением лучшего сделал бы ставку на Троцкого. Бумага была продиктована как секретная, но Фотиева и Володичева якобы рассказали о ней Сталину, предав, таким образом, ВИ. Теоретически — комбинация очень в духе ВИ — он мог как раз рассчитывать на то, что подозреваемая им в двойной игре Фотиева покажет письмо Сталину — чтобы тот понял, чем ему грозит попытка низложить Ленина, и попридержал лошадей.

Вопрос о том, как трактовать больничный режим, навязанный Ленину между декабрем и мартом 1923-го, остается открытым — и обычно решается в диапазоне от «угасал под опекой родных, врачей и видных членов партии, которые делали всё, что должны были и могли, но с природой не смогли справиться» — до «был де-факто низложен, подвергнут домашнему аресту — лицами, имевшими на то мотивы и способы, и впоследствии медленно убит врачами»; мало кто отмахивается от последней — насыщенной драматизмом — версии как от галиматьи: ведь она восходит к мемуарам Троцкого, который, уж конечно, знал, что там происходило, не понаслышке — да и сам в конце концов оказался в подобной ситуации с самыми печальными для себя последствиями.

«Криминализация» предсмертного периода, однако, предполагает участие множества лиц, которые должны были рано или поздно проговориться — причем не намеками, а внятно. В рамках этой концепции подразумевается, что Ленина предали не только Сталин, Зиновьев и Каменев; психологическая достоверность даже этого неоднозначна — при всей своей двуличности, они были апостолами и учениками Ленина, добровольно пошли за ним и подчинялись ему, бывали с ним в разных переделках, делили хлеб и вино, пользовались его уважением, принимали и предоставляли ему помощь и, по сути, всем были ему обязаны. Наблюдения за «ближним кругом» едва ли могут натолкнуть на вывод, что Ленина в самом деле насильно отстранили от власти; ничего такого, что бы не вписывалось в добровольную передачу своих должностных обязанностей толковым преемникам — таким, как Цюрупа и Рыков. Чтобы обеспечивать Ленину режим тюремной изоляции, следовало посвятить в его суть как минимум охрану и всех тех, кто мог приблизиться к больному. Получается, что Ленина предал Беленький — который боготворил его и оберегал его жизнь с 1908 года, с Парижа; что не стал ему помогать А. А. Преображенский, управляющий горкинским совхозом, с которым Ленин был знаком еще по Алакаевке. Про врачей и говорить нечего — выходит, что не только Ферстер и Осипов, но и все врачи, приглядывавшие за Лениным, — от Семашко и Россолимо до последнего санитара — вступили в клуб убийц и ни разу нигде, за все годы, не заявили, что Ленин был арестован, отравлен или подвергался медленному убиению. Еще труднее допустить, что Надежда Константиновна и Мария Ильинична, обладавшие достаточно широким кругом знакомств, чтобы попытаться поднять мятеж и обратиться к массам напрямую, через головы ГПУ и политбюро, не подняли тревогу; впрочем, если были арестованы и они...

Более распространена обычная, «недетективная», и лишь самую малость конспирологическая версия, которая сводится к существованию неких негласных договоренностей, предполагающих, что между посторонними, особенно партийными чинами, и Лениным проведена «двойная сплошная», которую пересекать — себе дороже. Поэтому даже такие нечужие ему люди, как Бонч-Бруевич или Кржижановский, не делали попыток «прорваться» к Ленину; если сам Ленин, как все знали, еще с конца 21-го года стремился к изоляции, если его раздражали посторонние и он намеренно, сознательно уменьшал радиус общения — а теперь его болезнь обострилась, ну так чего ради рисковать? Что если он попробует дать какое-нибудь поручение, которое пойдет вразрез с тем, что сейчас принято? Что касается более близких и более могущественных участников тех событий, то они осознавали, что — по крайней мере, пока Ленин в слабой позиции — его временем можно распоряжаться, фильтровать поступающую к нему информацию, ограничивать передвижения; вполне возможно, тоже негласно, угрожать ухудшением позиции. Для этого не надо было надевать наручники, объявлять — «именем революции вы больше не председатель Совнаркома, всякая попытка покинуть кремлевскую квартиру/Горки будет расцениваться как побег, вам запрещены любые вмешательства в политическую жизнь». Достаточно «давать понять» ему обязательства и ограничения, связанные с конкретными позициями, с силой фигур — прошлой, нынешней и потенциальной; конь просто не может встать на соседнюю клетку, не может и все — таковы правила. Ленин больше не был ферзем — и, наверное, его и в самом деле можно было увозить из комнаты с газетами, даже если он требовал там остаться: режим есть режим. Если бы он каким-то образом вдруг полностью выздоровел, то, возможно, условия были бы пересмотрены. И разумеется, у самого Ленина тоже хватило бы авторитета в случае чего обратиться к массам или к партии напрямую — и кто бы ни контролировал его, на какие бы спецслужбы они ни опирались, у них не было бы шансов; ни партия, ни ЧК в 1923-м не были отрядами биороботов, выполнявшими любые приказания.

Многие представляют себе историю «последних деяний Ленина» как нечто вроде руководства походом с хоругвями «Против волокиты!» в сторону райских кущ, которые выглядят как отделения сети МФЦ «Мои документы» или интерфейс сайта «Госуслуги». И да, Ленин был бы в восторге от подобного рода технических инноваций и наверняка потратил бы массу усилий, чтобы «Госуслуги» не зависали слишком часто. Однако соль борьбы Ленина с бюрократией вовсе не в мечтах о реализации принципа «одного окна». Грубо говоря, Ленину нужно было сделать так, чтобы те, кто пользуются «Госуслугами», еще и контролировали их и чтобы чиновники, стоящие за «Госуслугами», не пользовались ими как аппаратом для эксплуатации масс. Не стабильное общество, где богатые заключили с бедными и бесправными договор, согласно которому первые облегчают жизнь вторых, а вторые за это не мешают обогащению первых за счет государства. Цель была — бесклассовое общество, где «народ» участвует в управлении и контролирует его.

Чтобы осуществить эту задачу, Ленину нужно было придумать, как не позволить партии — точнее, бюрократии, которая обеспечивает партии сохранение власти при нэповской экономической свободе, — превратиться в новый эксплуататорский класс.

Распространено мнение, будто Ленин после Генуи — интеллектуальный банкрот. Что в его «политическом завещании» самое ценное — «прозрения» относительно опасности Сталина, а вот никаких новых идей насчет того, как заставить экономику расти быстрее, как не провалить план электрификации, какими новыми способами осуществлять экспорт мировой революции, как поставить образование, чтобы выращивать не просто квалифицированных бюрократов, а энтузиастов социализма, когда начинать индустриализацию в условиях опоры на «крестьянскую экономику», — не обнаруживается. Фанаберии про «строй цивилизованных кооператоров»? Заведомо не решение проблемы, как строить социализм при нэпе, утопия. «Письмо к съезду»? Написано таким образом, что может спровоцировать громкую свару, но не «немую сцену». Предложение решить проблему доминирования РСФСР в новом Союзе тем, чтобы во Всесоюзном ЦИКе по очереди председательствовали русский, украинец, грузин? Анекдот, да и только. Советы, как одолеть бюрократию посредством манипуляций с составом ЦК или ЦКК? Перевешивание порток с гвоздя на гвоздок. Да уж, выходит, из гойевского

Колосса — ну или по крайней мере кустодиевского Большевика — Ленин превратился в чудака-изобретателя из тех, что носили в 1918-м в Смольный свои вечные двигатели на шнурочках.

Трудно проигнорировать и поразительную непоследовательность этого политического кулибина.

Поддержав грузин, которые не хотели растворяться в создаваемом СССР, Ленин предстает либералом: не сметь создавать СССР насильно! Хорошо, но зачем было тогда методично и насильственно годами «советизировать» разные области бывшей Российской империи — если теперь вдруг выясняется, что все они могут в любой момент выйти из состава Союза, потому что у них есть демократическое право на самоопределение? Зато в вопросе о монополии внешней торговли Ленин остается решительным государственником: какие бы выгоды ни сулило открытие торговых границ, сдать эту монополию означало бы потерять политический контроль над нэповской рыночной экономикой. То, значит, «не сметь командовать», то — «величайшая ошибка думать, что НЭП положил конец террору. Мы еще вернемся к террору и к террору экономическому. Иностранцы уже теперь взятками скупают наших чиновников и "вывозят остатки России". И вывезут. Монополия есть вежливое предупреждение: милые мои, придет момент, я вас за это буду вешать. Иностранцы, зная, что большевики не шутят, считаются с этим всерьез».

Все это отчасти правда; больше, чем лебединую песнь, реквием и попытку заглянуть за горизонт, комплекс надиктованных в декабре 1922-го — марте 1923-го текстов напоминает интриганскую деятельность, направленную на то, чтобы, лавируя между группировками Сталина и Троцкого, создать себе условия, при которых можно вернуться во власть в тот момент, когда врачи разрешат Ленину не заматывать голову холодным полотенцем.

После инсульта 10 марта 1923-го болезнь Ленина принимает страшную, душераздирающую форму. На этот раз лопнуло зеркало всей его жизни; оказавшийся в звенящей тьме, испуганный, оглохший, ослепший, сконфуженный, он испытывает настолько сильные мучения, что пытается инициировать обсуждавшийся еще 22 декабря протокол «Эвтаназия» («в случае, если паралич перейдет на речь», достать цианистый калий — «как меру гуманности и как подражание Лафаргам»). Его — по крайней мере до июля 1923-го — нельзя ни на минуту оставить одного, без сиделки: психика и моторика неустойчивы.

Он не мог заснуть и мучился от сильных мигреней; бессонницы могли длиться по несколько дней и были особенно изматывающими и для интеллекта, и для тела. Иногда ему помогало или казалось, что помогало, если его возили в кресле по комнате.

Он испытывал нервное возбуждение, гнев — и часто не находил сил контролировать свои эмоции. Время от времени он не мог сдержать слез на людях. Были моменты, когда он отчаянно жестикулировал, кричал, пел, выл — к ужасу близких, никогда не видевших ничего подобного. В эти моменты он казался сумасшедшим, одержимым демонами, слабоумным, душевнобольным, идиотом.

У него случались кошмары и галлюцинации. Нерегулярно и довольно часто он терял — на 15—20 секунд — сознание. Иногда эти обмороки сопровождались болезненными судорогами.

Он хуже слышал и хуже видел. У него были речевые расстройства. «Не мог, — пишет один из врачей, — выразить самой простой примитивной мысли, касающейся самых насущных физиологических потребностей. Не мог сказать, но в состоянии был все понять. Это ужасно. На лице его было написано страдание и какой-то стыд, а глаза сияли радостью и благодарностью за каждую мысль, понятую без слов».

Иногда он лишался возможности не только генерировать речь, но и воспринимать речь других — видимо осознавая, что к нему обращались, не мог расшифровать, что ему говорят, будто слышал слова на иностранном языке.

Почти все время он сохранял способность пользоваться хотя бы несколькими словами, «речевыми остатками»; особенно — «вот-вот» и «что-что», но у него «была богатейшая интонация, передававшая все малейшие оттенки мысли, была богатейшая мимика» — так что те, кто встречался с ним в этот период, в своих рассказах, не сговариваясь, утверждали, что Ленин «говорил» с ними. Иногда он бормотал-бубнил, напоминая булгаковского Шарика в пограничном — животно-человеческом — состоянии; те, кто пытался вычленить из этих абырвалгов нечто разумное, слышали, например: «Помогите-ах-черт-йод-помог-если-это-йод-аля-веди-гутен-морген».

Отдельные участки тела — особенно конечности — могли деревенеть, переставали сгибаться. Несистематически отнималась вся правая половина тела. Это могло произойти как в состоянии покоя, так и при ходьбе; тогда он валился на землю, больно ударяясь, лежал некоторое время беспомощно, если рядом не оказывалось мужчины, способного поднять его. Левая часть была надежнее.

Повышалась температура и учащалось дыхание.

Иногда он напрочь лишался аппетита, иногда страдал от тошноты, изжоги, чувствовал недомогание в желудке, его рвало. Иногда ел много и с удовольствием, пил кофе по утрам.

Он часто «задумывался», делая вид, что поглощен каким-то занятием, например просмотром фильма, но на самом деле уходил в себя — и начинал плакать.

Еще в 1922-м в плохие дни у него резко менялся цвет лица — врачи называют его то «землистым», то просто «плохим»; это обезображивание так же зримо свидетельствовало о страданиях, как и расширение зрачков.

Он охотно подчинялся всем видам нехимического воздействия на тело: массаж, общие и местные ванны — и с явным нежеланием принимал препараты внутренне. Уже в 1922-м, после первого инсульта, ему регулярно давали снотворное, бром, чтобы ослабить нервное возбуждение, анальгетики; кололи мышьяк, хинин, позже морфий. Его все время пытались успокоить и, в идеале, усыпить на как можно большее время.

По утрам он был спокойнее. НК рассказывала, что в это время «Володя бывает мне рад, берет мою руку, да иногда говорим мы с ним без слов о разных вещах, которым все равно нет названия».

Его раздражало и обижало, когда он чувствовал, что его воспринимают как слабоумного — отговаривают от поездки в Москву, потому что якобы дорогу развезло, или расставляют по обочинам дорожки, по которой его возили на прогулку, уже срезанные грибы — зная, что ему нравится находить их.

Окружающие — от некоторых врачей до жены и сестры — время от времени впадали в немилость, и он гнал их; НК «от этого была в отчаянии». В последние месяцы ВИ не подпускал к себе врачей вовсе, давая понять, что никто в мире уже не в состоянии излечить его разрушенный мозг. Ферстер и Осипов жили в соседней комнате — и присматривали за ним оттуда, несмотря на театральную нелепость такого устройства. Видимо, ему нужно было уединение, система ширм: так он мог спрятать свою агнозию, которую полагал своим «уродством», безобразием, патологией, монструозностью.

Один раз в июле он вдруг — сам — ушел на три дня из главного здания и поселился у А. А. Преображенского, своего алакаевского знакомого.

Его раздражало, когда за ним ухаживают медсестры: видимо, он стеснялся. Поскольку март—июль вспоминались им как кошмарные, он впоследствии старался вычеркнуть тот период из памяти — «не ходил в ту комнату, где он лежал, не ходил на тот балкон, куда его выносили первые месяцы, старался не встречаться с сестрами и теми врачами, которые за ним тогда ухаживали» (Крупская). Гораздо легче ему было с санитарами — которые и заменили медсестер.

Ленин умирал не сразу, циклами; «хорошие» периоды (в один из которых его как раз и перевезли из Кремля в Горки на автомобиле, в шины которого вместо воздуха насыпали песок, чтоб не трясло) не вполне мотивированно сменялись «плохими» (как в июле, когда в течение месяца он страдал от невыносимых болей, галлюцинаций и бессонниц), а затем опять «хорошими»; период начиная с конца июля 1923-го и до самого финала – скорее «хороший».

Видимо, в один из таких дней его увидел Е. Преображенский, наезжавший в Горки по выходным как в дом отдыха (Ленин вовсе не был единоличным жильцом усадьбы). Однажды он наблюдал из окна за Лениным, которого везли по аллее в коляске, — и вдруг ВИ, у которого развилась дальнозоркость в одном глазу, заметил его и «стал прижимать руку к груди и кричать: "Вот, вот"». НК и МИ сказали, что раз заметил, надо идти. «Я пошел, не зная точно, как себя держать и кого я, в сущности, увижу. Решил все время держаться с веселым, радостным лицом. Подошел. Он крепко мне жал руку, я инстинктивно поцеловал его в голову. Но лицо! Мне стоило огромных усилий, чтоб сохранить взятую мину и не заплакать, как ребенку. В нем столько страдания, но не столько страдания в данный момент. На его лице как бы сфотографировались и застыли все перенесенные им страдания за последнее время».

Последние месяцы Ленина — это не только его болезнь, но и история противостояния ей. ВИ предпринимает отчаянные попытки собрать себя, свою разрушенную личность из обломков, пользоваться теми моментами, когда его мозг восстанавливает свою силу и способен приказывать телу; он борется за свои способности — и то верит, то не верит в свои силы. Не следует думать, что Ленин в 1923 году обречен; ему было 53 года, он был «бычий хлоп» — «крепкий мужик», и ни возраст, ни характер болезни не обязывали его умирать. Он имел опыт противодействия болезням, обладал способностью обучаться новым навыкам и имел в своем распоряжении все средства современной медицины. Нейропсихология — «область великих чудес». Как бы тривиально это ни звучало, джек-лондоновская «Любовь к жизни», которую НК читала ему перед смертью — и которая так и лежит теперь в комнате Ленина, — такой же символ его последнего периода, как инвалидная коляска.

Это не было умирание, как в «Смерти Ивана Ильича»: болезнь не сопровождалась «воскресением души»; ВИ не уверовал, не «раскаялся», не «прозрел», не заключил союз с преследовавшими его демонами. И все же, несмотря на отсутствие «беллетристических» поворотов, болезнь была чрезвычайно «драматична», если не кощунственно говорить так. Она была чем-то вроде ужасного и непостижимого приключения, которое в любой момент могло прекратиться — а могло и оборвать жизнь; не имея возможности подчинить себе «физиологию», он все же видел, что несколько раз ему удавалось выйти из «штопора» и набрать некоторую высоту; судя по отзывам близких, которым можно доверять, ВИ до последнего дня не считал, что «столкновение с землей» неизбежно.

Если уж на то пошло, это было не толстовское, а чеховское умирание — долгое, сознательное, очень русское: умирает чиновник, в русском пейзаже, над речкой и среди курганов вятичей, в коконе, вокруг которого — безумие теперь уже советской «палаты номер шесть». Есть определенная ирония в том, что Ленин — сын чиновника — сам стал чиновником — и перед смертью пытался придумать средство, как прекратить этот цикл.

Горкинский дом, как и окружающий пейзаж, был наполнен многозначительными звуками и предметами. Особый шум производили «пустые» деревья под окном. В 1922-м по ночам, высыхая, страшно трещал недавно замененный паркет — видимо, из плохо высушенного дерева; в доме с хорошей акустикой казалось, что раздаются ружейные выстрелы; «клей-то советский!» — вздрагивая, бормотал ВИ. По отдельности невинно выглядящие предметы в совокупности составляются в жутковатый натюрморт *vanitas* — и наливаются символической тяжестью. Кинопроектор — на котором осенью 1923-го Ленину показывали «комические картины дореволюционного производства», а он делал вид, что веселится, и про себя плакал от бездарной траты времени и бессилия изменить что-либо. Стереоскоп — оставшийся от Рейнботов деревянный ящик с оптической системой внутри — для просмотра открыточных пейзажей: Европа, путешествия. Изящная модерновая ванна Морозовой — в которой ВИ обычно принимал водные процедуры и в которую, по указанию профессора Абрикосова, 21 января 1924 года положили тело для первичного бальзамирования: чтобы вынуть внутренние органы.

Из окна ленинского кабинета в главном здании видна липовая роща, в которой странным образом — буквально в 50 метрах от дома — находится курганный могильник вятичей — из сорока пяти жутковатого вида, как будто в них покоятся засыпанные землей двойники Ленина, горок-холмиков; на самый высокий протоптана серпантинная дорожка. Прогрессивные экскурсоводы со значением поднимают указательный палец: вот в таких толкиеновский Фродо наткнулся на умертвия. Странная особенность рельефа Горок да и само название усадьбы наводят на мысли не столько о «Властелине колец», сколько о «лещадках» — характерных «иконных горках», какие рисуют иконописцы на заднем плане, чтобы обозначить пейзаж; курганы дают ощущение, что ты оказался в необычном, сакральном пространстве, где даже и фон основного сюжета неслучаен, входит с ним в резонанс и подчиняется ему; намекает на то, что здесь Ленину-туристу суждено взойти на свою последнюю вершину.

Так получилось, что если не вершиной, то последними, до «Писем», вагонами бесконечного поезда 55-томного ленинского собрания сочинений оказываются две статьи: «Как нам реорганизовать Рабкрин» и примыкающее к ней «Лучше меньше, да лучше». Не стоит обманываться скрипучими, «советскими» названиями: они ценнее, чем кажется.

Этот самый Рабкрин — Рабоче-крестьянская инспекция, оригинальная, не имеющая аналогов организация, созданная в 1919 году для нужд революционного государства, — занимал голову Ленина задолго до того момента, когда всякое его соображение по текущей ситуации стало восприниматься как пункт в «Политическом завещании».

Идея, которой одержим был в 1921—1923 годах Ленин, состояла в том, чтобы из неавторитетного, «захудалого», с аморфной структурой и аппаратом под 12 тысяч человек ведомства, занимающегося финансовым и бухгалтерским контролем, сколотить авангардный отряд строительства социализма. Идея вызывала недоумение как Сталина (который долго руководил Рабкрином без какого-либо энтузиазма), так и Троцкого, полагавшего, что план воспользоваться Рабкрином как рычагом для поднятия советского госаппарата — «фантастический»: «в Рабкрине работают, главным образом, работники, потерпевшие аварию в разных областях». Размышляя над тем, как обеспечить, чтобы революционный чиновничий аппарат не стал копией царского, буржуазного, а партийцы, которых поневоле коррумпировали завоеванные ими привилегии, не превратились в касту, сословие, Ленин приходит к мысли, что единственный способ — это постоянно вкачивать в эту социальную группу свежих людей, причем намеренно втягивать в управление тех, кто по природе и социальному статусу далек от этого — «самых боязливых и неразвитых, самых робких рабочих», женщин, избегающих вступления в какую-либо партию, в Советы и вообще политики; словом, всех тех эксплуатируемых, которыми ни одна власть никогда не занималась, но для защиты которых вообще-то и совершалась революция.

Пусть эти люди начинают с того, что работают понятыми, затем участвуют в «летучих ревизиях» чиновничьих учреждений, учатся, втягиваются в политическую самодеятельность — словом, «просыпаются»; «разбудить» как можно больше тех, кто вечно остается в стороне, бить в колокола так громко, чтобы они повыползали из своих щелей, — только так можно сохранить революцию, не позволить молоку створожиться. Организация, которая должна использовать этот человеческий материал, и есть Рабкрин.

Вовлечение некомпетентных, безграмотных и от природы пассивных, безынициативных лиц в ответственную административную работу совершенно необязательно улучшало качество государственного аппарата, которое и так было хуже, чем до революции. И тем не менее постепенно — иногда через годы, иногда в следующем поколении — «самодеятельность» начнет приносить плоды. Люди, которые в принципе не имели шансов изменить свое общественное положение, повысить свой культурный уровень, защитить себя от произвола бюрократии, которым самой географией суждено было еще десять поколений прозябать в холопском сословии, получали какой-никакой, часто жестокий, связанный с гражданской войной и несправедливыми репрессиями, но опыт; им пришлось научиться проявлять инициативу и взаимодействовать с обществом, коллективом — просто для того, чтобы выживать. «Все эти губкомы, уездкомы, завкомы, комитеты бедноты и прочие организации первого периода революции были формами социальной самодеятельности, — пишет хорошо объяснивший этот феномен С. Либерман. — Принадлежность к коллективу сделалась жизненной необходимостью. Для того чтобы получить пищу, проехать по железной дороге, достать дрова, обратиться к врачу, пойти в театр или отправить сына в школу, каждый советский гражданин должен был иметь свидетельство своей принадлежности к какому-нибудь коллективу или ячейке».

Сначала Ленин описывал РКИ как совсем массовую организацию. Однако в конце 1922-го представление о ее формах приобрело несколько иной вид.

Предполагалось, что в нее войдут 400—500 самых толковых рабочих. Выполняя указания ЦК (тоже расширенного, до ста человек, за счет неискушенных, не коррумпированных пребыванием во власти рабочих и крестьян) или, в более позднем варианте, ЦКК — Центральной контрольной комиссии (способной прищучивать и ЦК тоже, в том числе самого генсека), они должны были стать чем-то вроде коллегии ревизоров: осуществлять «народный контроль» и давать бюрократам советы, приглядывать за теми из чиновников, кто саботирует строительство социализма, помогать внедрять высокоэффективные, на научных принципах, методы организации труда и вмешиваться во все выявленные случаи неадекватного поведения аппаратчиков, «поправлять» их — руководствуясь своим классовым чутьем. Корпус ревизоров, состоящий из «трехсот опытных рабочих», «советчиков», которые «держат связь с местами» и имеют полномочия отменять решения местных администраций? Попытка Ленина создать коллективного Голема — наделенного ленинской магической энергией и выполняющего его функции — кажется дикой и заведомо нереализуемой: как какие-то третьи лица могли заменить его волю, мозг и интуитивные представления о границах дозволенного? И даже если это возможно — разве не будет такой Рабкрин, хоть ты тресни, просто усугублять бюрократию, дублируя существующие чиновничьи структуры?

Последние ленинские тексты распространяли со скрипом. «Письмо к съезду» придержали на полтора года, не напечатали, да и на съезде (не том) огласили не на общем заседании, а в кулуарах. Про Рабкрин опубликовали в «Правде», но неохотно.

Куйбышев, секретарь ЦК, даже предлагал отпечатать статью в одном экземпляре, чтобы показать изолированному в Горках Ленину; сошлись на том, что из текста выкинули кусок, где Ленин говорил про учреждение механизма, позволяющего контролировать самого генсека. Эффект от этих текстов был снижен из-за слухов — которые входили в резонанс со слухами о том, что болезнь Ленина связана с последствиями не то приобретенного, не то наследственного сифилиса, — будто Ленин пребывает в полуневменяемом состоянии. Закреплению этого мнения в партийной среде способствовало то, что то ли от усталости, то ли из-за ограничений врачей на диктовку и проверку текста, то ли вследствие намеренной порчи некоторые фрагменты производят впечатление косноязычных, что очень нехарактерно для Ленина. В последней, продиктованной непосредственно перед мартовским ударом статье можно найти энигматический пассаж про «какую-нибудь полушутливую проделку, какую-нибудь хитрость, какую-нибудь каверзу или нечто в этом роде» и предложение воспользоваться ею «для того, чтобы накрыть что-нибудь смешное, что-нибудь вредное, что-нибудь полусмешное, полувредное».

Смех смехом, а авторитетных «ревизоров», по указанию Ленина, уже начали подбирать — и к осени 1922-го даже нашли первых семьдесят из трехсот. А теперь попробуйте представить себе, что произошло бы, если бы эта институция в самом деле стала действовать, причем не в качестве совещательного органа с заведомо ничтожным эффектом, а в качестве органа исполнительного — моментально вступив в конфликт с уже укоренившейся новой административной элитой, «совслужами». По сути, это означало бы ни много ни мало новый этап гражданской войны — «честных рабочих» против «должностных лиц», «пчел» против «трутней».

Гражданской войны того рода, что известна нам под названием «культурная революция», — инициированной Мао Цзэдуном в середине 1960-х в другом историческом контексте и других обстоятельствах, но ради выполнения той же задачи: не дать новой элите обособиться, заставить ее заниматься не обеспечением собственных привилегий, а «службой народу». Потому что обособление и герметизация элиты — это и есть контрреволюция, попытка украсть революцию, которая делалась не ради смены элит; это — вполне повод для новой гражданской войны. Чем, собственно, — функционально — отличались бы ленинские «300 рабочих» от цзяофаней-маоистов, задачей которых был «огонь по штабам»?

Разумеется, ни о каком «слабоумии» Ленина не может быть и речи. Ровно наоборот: по сути, между первым и третьим инсультами Ленин, видимо, колебался, не начать ли ему революцию «заново», не перевести ли ее в новую стадию. Да, нэп «всерьез и надолго»; да, для модернизации промышленности нужно хотя бы одно спокойное десятилетие; да, чтобы обеспечить лояльность пролетарских масс, нужно позволить им хотя бы восстановить свою численность и набрать калорий после семи лет войны. Но успокоение означало и окостенение — и неизбежное усиление контрреволюции с другого конца; ведь в какой-то момент эти чиновники захотят не только привилегированных пайков, но и всех благ, предоставляемых имущим классам рынком, — и сами захотят реставрировать капитализм. И раз этот сценарий объективно очень вероятен, мозг Ленина начинает сверлить мысль о том, что «цивилизованных» средств — мало. Чистки партии и переписи чиновников — мало. Создавать школы административной и хозяйственной деятельности для молодежи, выращивать смену толковых чиновников (как предлагал Троцкий) — мало. Преобразовать ЧК в ГПУ и не давать спецслужбам превращаться в «орден», в опричников с безграничными полномочиями — мало. Отсюда мысль: а не вернуться ли к идее прямой диктатуры пролетариата, теперь уже в новых условиях — когда не бюрократия будет руководить рабочими, а рабочие будут контролировать власть? Именно шагом к этому и был странный проект «Рабкрин».

Любопытно, как разворачивались бы события, если бы не болезнь Ленина: сохранил бы он сам иммунитет от «взрослой болезни левизны» и продолжил умеренную внутреннюю политику — или все же не устоял бы перед соблазном развязать Вторую Гражданскую и совершить Четвертую русскую революцию?

Главный магнит для нынешних посетителей музея находится не в доме, а в гараже: ленинский «роллс-ройс» — автосани с кузовом будто из стимпанковских комиксов, с задними колесами в гусеницах и передними на лыжах; такие произвели бы фурор и в Лас-Вегасе. Ирония в том, что к Ленину они имеют отношение лишь частично. Расследование, проведенное автомобильными журналистами, показало, что в Англии в 1922 году было куплено только шасси — а кузов самопальный, московский, как и весь «зимний пакет»; и хотя в 1923-м Ленина действительно катали на нем, в автосани «роллс-ройс» переоборудовали уже после его смерти. Зимой в распоряжении ВИ были гусеничные «паккарды».

Ленину нравилось перемещаться по доступным ему пространствам — от комнаты до парка Горок, где его возили и по аллеям, и по полям; нравилось собирать грибы и искать колышки: прошлым летом он запоем проглотил книгу про разведение белых и шампиньонов; «отправляясь гулять в парк, Владимир Ильич требовал, чтобы на том месте, где находили белый гриб и разбрасывали обрезки, ставилась отметка с записью какого числа и месяца там был найден белый гриб». Мемориальный пень от варварски срубленной ели напоминал ему о том, что конфликт относительно судьбы наследия прошлого так и не разрешен. Бешенство Ленина из-за какой-то елки понятно; каждое дерево здесь историческое: вяз — четырехсотлетний, дубу — около восьмисот; липовой аллее, по которой ему нравилось прогуливаться, — четверть тысячелетия минимум. За те годы, что ВИ провел здесь, он хорошо освоил и парк, и окрестности; судя по записям, у него наметился свой, километров на десять, маршрут — к Пахре, через Горелый пень, Барсучий овраг, Тетеревиный ток, Съяновскую опушку, Можжевеловую поляну, Мешеринский лес. Нынешние Горки и близко не дают представление о том, какой была эта местность при Ленине — живописные урочища, глухомань, где водились, как в тургеневских охотничьих рассказах, лисы, зайцы, тетерева; сейчас пространство между новостройками лихорадочно огораживается, дренируется и утилизируется, и у Горелого пня, где ВИ гулял в последний раз в январе 1924-го, едва ли удастся поохотиться.

Еще по лету 1922-го он понял, что его память обладает способностью к регенерации, — и усиленно упражнялся. Основным реаниматором была НК — которая, во-первых, читала ему: сначала книги, затем выборочно, и газеты, а также стала его логопедом и нейропсихологом: раскладывала перед ним до десяти предметов — спички, бумажки — и пыталась помочь ему сосчитать их; завела конверт с буквами, из которых выкладывала слова. В июле ВИ восстановил — условно — способность читать про себя. Похоже, это не было чтение в общепринятом смысле слова; газетная полоса представлялась ему чем-то вроде коллажной картины Баскиа — или, пожалуй, его собственного «Письма тотемами» для того, кто не знает код: шрифтовые фрагменты, изображения, силуэты, отдельные слова, обрывки заголовков, превращающиеся в каракули; что-то растекается, комбинируется, связывается, закрывает друг друга, вызывает интерес и от этого кажется таинственным и важным — та самая новость, которая вдруг все объяснит. Таким образом он «просматривал» «Правду», «Известия» и «Экономическую жизнь»; несколько раз ему пытались подсовывать старые газеты, но он отлавливал подлог, выражая гнев и обиду. Так, по каким-то расслышанным им сигналам, он узнал про умершего в апреле Мартова и убитого в мае Воровского.

С августа чтение про себя давалось ему все лучше — как и коммуникация. Так, он вычитал в книжке Троцкого «Вопросы быта» про новые имена детей — и, смеясь, показывал этот фрагмент своему санитару, у которого дочку звали Икки Попова — «Исполнительный Комитет Коммунистического Интернационала».

В августе же ВИ сам потребовал — «произнося звуки "а", "о" "и", "у"», вспоминает фельдшер, — изучать азбуку. Он забывал слова — но обладал способностью заново их выучивать или, по крайней мере, повторять за логопедом: «отраженная речь». «Рука, рот, кот, нога, рога, уха». Конец лета запомнился тем, что Ленин сам — ни за кем не повторяя — произнес слово «утка».

Дневная норма повторяемых-произносимых слов доходит до тридцати; всего ему удалось до января повторить примерно полторы тысячи.

Он мог прочесть или даже сам назвать изображенные на демонстрируемых ему рисунках предметы и слова — собака, «гав-гав»; совместить самодельный рисунок с надписью, которую надо было выбрать среди других: «песик».

Он даже мог левой рукой копировать некоторые слова — хотя не мог, конечно, писать произвольно, записывать мысли.

Его радует, когда понимают, что он хочет, — тогда он «улыбается и прикладывает руку к груди». «Вот-вот», «что-что», «иди-иди», «ага» — всё то же; но те, кто наблюдал за ним, стали надеяться, что скоро — к следующему лету? — он снова будет свободно разговаривать.

Свободно разговаривать означало, конечно, и возвращение к политической деятельности — вряд ли кто-то полагал, что свои восстановленные способности Ленин будет тратить на общение с овощами в горкинских оранжереях. Тем более зловещей выглядит роль в этот период ленинской биографии Сталина — который, безусловно, имел и мотив, и возможность — а в известном смысле и полномочия — как усугубить страдания Ленина, так и прекратить их вовсе наиболее жестоким способом — эвтаназией.

Если относительно роли Сталина в политических интригах 1922—1923 годов в обществе — «Письмо к съезду» в 1989 году все читали — существует консенсус: выбрал стратегию анаконды — не полемизировать с Лениным по навязываемым ему политическим вопросам, а заглотить его целиком — больного, изолированного и заживо мумифицированного, — то роль Сталина в развитии болезни Ленина как минимум двусмысленна.

Ситуация, в которой оказалось руководство страны, была весьма пикантной. Их власть и так не имела мировых аналогов, была новаторской, экспериментальной — а тут еще выясняется, что капитан команды забывает простейшие слова, не может умножить 24 на 7, 7/24 проводит в постели с компрессом на голове, имеет вид, свидетельствующий о чрезвычайных физических страданиях, и сам очень хочет уехать на отдых с условием, чтобы его там не дергали; да, иногда у него случаются и дни получше — в которые он фонтанирует свежими идеями о том, как будет выглядеть социалистический строй уже в следующем десятилетии.

Было бы странно, если бы в такой ситуации рано или поздно не нашелся кто-то вроде шекспировского Брута, кто, не испытывая к Ленину личную неприязнь, внушил бы себе, что Ленин со своими революционными фанабериями стал помехой тому процессу, который некогда инициировал, — и самое время было сказать — ему и себе: «прощай». «Ради общего блага»; «не оттого я это сделал, что любил Цезаря меньше, но лишь оттого, что любил Рим больше».

Психологически очень понятен и тот соблазн, перед которым оказался этот гипотетический политик: перед ним открывался коридор, прямиком ведущий к власти; и если он сам в него не войдет, кто там окажется? Естественно, его худший враг. Таким образом, выбор стратегии поведения этого человека — не будем его называть — также был ограничен.

Один из самых двусмысленных эпизодов последнего периода ленинской жизни связан с его реакцией на Сталина, наоравшего — с «недостойной бранью и угрозами» — на Крупскую за то, что та нарушила предписанный информационный режим и не то помогла Ленину отправить некое письмо Троцкому, не то вопреки указаниям врачей, положившись на собственное чутье, продолжала снабжать Ленина политическими новостями. Было ли это, по меркам грубого Сталина, замечанием вышестоящего партработника подчиненному — или же намеренным оскорблением, демонстрацией своих намерений и возможностей? Почему он решил выбрать для такого важного разговора — они к тому времени с Крупской лет двадцать были знакомы и многим друг другу обязаны — телефонный звонок: трудно, что ли, было зайти, по соседству? Что именно он все же ей сказал — и намекнул ли, как потом поговаривали, что, будучи официальной женой ВИ, она склонна преувеличивать свою близость к нему, или что даже ее семейный статус, в случае возникновения политической необходимости, не даст ей иммунитет от партийного преследования за неисполнение решений политбюро о запрете беспокоить Ленина, — до конца неясно; но Сталин, несомненно, вступая в конфликт с НК, знал, что последствия — будут. Та сможет пожаловаться на него: или официально, в политбюро, или самому Ленину, или, чтобы не волновать его, кому-то из своих давних знакомых — Каменеву, Зиновьеву. И значит, Сталин объявлял таким образом войну Ленину? Ленину, который был в тот момент не вполне работоспособен, — но Ленину в здравом уме!

Сталин не был психопат; как и Ленин, он умел воздерживаться от спонтанных реакций и тщательно дозировал проявления своих чувств — в зависимости от обстоятельств. Он продолжал поддерживать — плохие, но вполне рабочие — отношения с Троцким. В случае начала масштабной войны естественнее было бы ожидать от него не удара шахматной доской по лбу противника — заявлять жене Ленина «мы еще посмотрим, какая вы жена», — но тонко просчитанного хода сильной фигурой. Необычна и реакция НК, которая, повесив трубку, «рыдала и каталась по полу», затем написала Каменеву и Зиновьеву свое известное ламенто, а потом так или иначе спровоцировала появление убийственного для репутации адресата текста: «Уважаемый т. Сталин! Вы имели грубость позвать мою жену к телефону и обругать ее. Хотя она Вам и выразила согласие забыть сказанное, но тем не менее этот факт стал известен через нее же Зиновьеву и Каменеву. Я не намерен забывать так легко то, что против меня сделано, а нечего и говорить, что сделанное против жены я считаю сделанным и против меня. Поэтому прошу Вас взвесить, согласны ли Вы взять сказанное назад и извиниться или предпочитаете порвать между нами отношения. С уважением Ленин».

Считается, что на этот «полу-картель» Сталин отписался формальным, исполненным деланого недоумения, граничащим с презрением — извинительным письмом; если не вследствие, то после этого Ленина постиг третий инсульт — и задокументированные письменные контакты этих двоих окончательно прервались.

В следующий раз Сталин увидит Ленина — «труп пожилого мужчины, правильного телосложения, удовлетворительного питания» — почти через год, поздно вечером 21 января 1924-го. Но общение Сталина и НК, однако, никогда не прекращалось.

Печальный гудок траурного поезда, доставившего тело Ленина в Москву, гармонирует с той «минорной нотой», на которой завершилась, предполагается, его политическая биография: ведь ему не удалось обеспечить преемственность власти, уберечь партию от раскола и создать условия для ее исчезновения в тот момент, когда она вместе с диктатурой рабочих и крестьян станет обществу ненужной. Если это так — остается лишь задать ряд вопросов риторического характера. До какой степени Ленин «сам виноват» в этом? Правда ли, что все дело в его «политической жадности», помешавшей ему вступить в плотный альянс и разделить власть с адекватным и умным Троцким, отодвинув склонного к криминальной деятельности Сталина, чтобы продолжать революционные преобразования, по возможности делая процесс модернизации страны более гуманным и менее болезненным? И не есть ли заведомый самообман полагать, что Ленин, Троцкий и какие-то еще обладатели экстраординарных интеллектов и воль могли править страной по своему разумению, придавая этой мягкой глине любую форму? Не Ленин и не Троцкий начали революцию — и не им суждено было распорядиться ее плодами.

Близкий к сенсорной слепоте, полупарализованный, извергнутый из Кремля, однако время от времени собирающий свою личность до состояния «разумом зряч», Ленин с его классическим образованием наверняка ощущал «софокловский» трагизм своей ситуации и не мог не обратить внимания на сходство своего последнего местопребывания со священной рощей Евменид в Колоне. «Роща лавров и маслин, здесь вьется виноград и поют соловьи, а вдалеке — Афины».

Существует ли код, позволяющий ухватить суть того, что происходило в Кремле и Горках после марта 1923-го?

Кем был Ленин, бесповоротно утрачивающий свои интеллектуальные способности и саму жизнь?

Незадачливым героем одноименной «симбирской сказки», обнаружившим, что исполняет свою серенадку на чем-то таком, что подозрительно напоминает лисий нос?

Просто сыном своего отца, умершего в том же возрасте и с похожим диагнозом?

Эдипом в Колоне, оплакивающим свою горькую участь в размышлениях, не является ли его болезнь «проклятием богов», местью судьбы тому, кто возомнил себя ее хозяином?

Королем Лиром, неразумно доверившимся не тем людям, — и роковым образом избегавшим тех, кто любил его на самом деле?

Дон Кихотом, который перед смертью осознал, что целую жизнь гонялся за призраками, вызывая у окружающих насмешки и ненависть, — и раскаялся, наконец: «Я вижу, что все, что я сделал, было бесцельно... Теперь я только бедный испанский идальго Кехано»?

И правда ли, что если в этой трагедии в самом деле принимали участие некие противники Ленина, то они играли роль именно недоброжелателей? Не были ли они скорее кем-то вроде коллективного бакалавра Карраско, который изолировал Ленина-Дон-Кихота в Горках с самыми лучшими намерениями; и пусть сумасшедший в результате оказанной ему любезности не только излечился, но и умер, разве не означают те пять монументальных литер, которыми украсили мавзолей на Красной площади, эпитафию и отпущение грехов разом: «Он удивлял мир своим безумием, но умер, как мудрец»?

Вся эта литературная, вскрытая кодом Софокла, Шекспира и Сервантеса расшифровка финала ленинской истории, однако ж, драматически противоречит последнему завету самого ВИ: «лучше меньше, да лучше».

Безумие безумием, но не кроется ли за событиями вокруг «Завещания» нечто другое, нет ли тут все же «какой-нибудь полушутливой проделки, какой-нибудь хитрости, какой-нибудь каверзы или чего-то в этом роде»?

Интерпретация политического ленинского поведения и того, чем была занята его голова в последние месяцы, осуществляется прежде всего на основе ленинских текстов — но психологическую убедительность версии о предсмертном «прозрении» дают два конфликтных случая. И хотя сам Ленин не принимал в них участия, даже косвенная его вовлеченность в оба инцидента окрашивает формально нейтральные отношения между ним и Сталиным — в резко негативные цвета.

Второй — телефонный конфликт Сталина и Крупской. А первый?

Первый — так называемый «грузинский инцидент»; он увязывается с ленинским текстом «О национальностях или об автономизации» — и припечатывается им так, что принципиальная разница между Лениным и Сталиным видна яснее ясного: один под конец жизни, перед лицом смерти, когда ему уже не нужно было прятать свое лицо под личиной сурового большевика, оказывается в душе интеллигентом-демократом, почти либералом, тогда как второй — грубый варвар, уже тогда, в 1922-м ведущий дело к репрессиям, массовым депортациям и делу врачей.

Так получилось, что период между первым, майским, и вторым, декабрьским, 1922 года инсультами Ленина стал дедлайном для длившихся десятилетиями дискуссий о наилучшем способе создания на территории Евразии единого марксистского государства. К этому моменту уже понятны его примерные границы и проблемные зоны: Украина, Грузия, Туркестан и Дальневосточная республика. Ясно было, что есть политический центр и есть окраины, но если до 1922 года можно было взаимодействовать в зависимости от обстоятельств — в России советская власть, на Украине советская, уж как-нибудь договоримся, — то фактор Генуи заставил формализовать отношения. Ленин предупреждал, что «западные партнеры» наверняка попытаются расколоть советские республики, манипулировать ими поодиночке; и поскольку изобрести — находясь одной ногой в могиле — рецепт многонационального государства нового типа, занимающего шестую часть суши, не так-то просто, как кажется, объединением советизированных государств и пара-государств занялся тот, кто и должен был, — нарком по делам национальностей Сталин.

Всем в политбюро ясно было, к чему, в принципе, хорошо было бы прийти — к централизованному (так эффективнее переводить экономику на социалистические рельсы) государству, на всей территории которого проводилась бы одна и та же, вырабатываемая в Москве политика — конечно, с учетом местного политического и культурного колорита. Легче сказать, чем сделать; нюансов хватало. Можно ли, к примеру, отличить «настоящую» республику от «условной» только по наличию компактно проживающей национальной общины? Чувашия, к примеру, может объявить себя республикой? А Татария? А Украина? Как далеко может простираться самостоятельность республики? Можно ли республикам завязывать сепаратные дипломатические отношения с другими странами, иметь «свои» армии, банки, валюты, таможни и железные дороги, свои законы? Должны ли местные органы власти исполнять приказы центральных, даже не устраивающие их?

Проблема была еще в том, что, интегрируя окраины, надо было нажимать на них так, чтобы они не жаловались на боль: мировая революция продолжается, особенно на Востоке, и как знать, кого еще придется втягивать в орбиту. Если бы какие-нибудь республики принялись вслух вопить, что Москва их обижает, никто больше не захотел бы входить в Союз.

Маркс называл дискуссии по национальному вопросу: «щупать больной зуб», и, похоже, вся практическая стоматология, курировавшаяся Сталиным, до начала осени 1922-го устраивала Ленина. Сам он натянул белый халат и полез в рот пациенту с зеркальцем лишь в конце сентября — и, как выяснилось, оказался склонен к реализации внешне более мягкой схемы втягивания больших республик в Союз. Оставить их республиками, формально равными РСФСР, чтобы всем вместе, как бы с нуля, вступить в Союз. В каждой республике — свои наркоматы, но при этом существует и головной, московский, «всесоюзный» наркомат — и местные подчиняются московскому. То есть центр командует — но, во-первых, каждой республике предоставляется формальное право на самоопределение, то есть «развод»; во-вторых, формально в каждой республике всё, ну или почти всё свое: иностранные дела, оборону, внешнюю торговлю дублировать не имело смысла заведомо. Сталин предпочитал действовать более решительно: «всосать» республики в состав РСФСР как «автономии» — но спорить с «профессором» не стал и готов был с почтением ассистировать ему в готовящейся операции.

Марксовская метафора курьезным образом наложилась на приступы далеко не метафорической зубной боли, которые одолевали Ленина в октябре 1922-го. И тем загадочнее выглядит фраза в записке Каменеву, где сначала Ленин пишет «великорусскому шовинизму объявляю бой не на жизнь, а на смерть», затем вдруг сообщает: «Как только избавлюсь от проклятого зуба, съем его всеми здоровыми зубами», а потом продолжает свою мысль про необходимость чередования представителей разных национальностей в будущем всесоюзном ВЦИКе. «Съем его всеми здоровыми зубами» — это угроза окончательно разделаться с национальным вопросом? Объяснение, почему он сейчас не может целиком посвятить себя государственной деятельности и готов временно делегировать свои полномочия кому-то еще, например, такому компетентному человеку, как Сталин? Или — план войны со Сталиным?

Штопфер мог задеть нерв где угодно, но дернулся пациент в Грузии. Там местные коммунисты поссорились с «центральными», которых представлял Орджоникидзе, и начали выяснять, должна ли Грузия вступать в Союз как часть Закавказской федерации — или как самостоятельная единица. Нам важны не

нюансы политической истории Грузии, а то, что температура пошла вверх и однажды — не то в ходе дискуссий, не то безотносительно к ним, по частному вопросу, но в период горячих споров — «москвич» Орджоникидзе съездил по зубам одному достойному джентльмену; пострадавшие пожаловались напрямую Ленину, тот послал комиссию разбираться: да, Орджоникидзе был другом Сталина — но никогда не было установлено, что именно тот приказал ему давать зуботычину и вообще выходить за рамки своих полномочий; а еще Орджоникидзе был студентом Ленина по Лонжюмо и тем, с кем он весной обсуждал свой долгий отдых.

И вот тут оказывается, что в конце декабря — уже после того, как СССР был образован, и после того, как комиссия установила, что грузинский ЦК преувеличил неприемлемость для местных коммунистов условий центра; после того, как Рыков, присутствовавший при инциденте, засвидетельствовал, что драка была по личному вопросу и сам Орджоникидзе очень переживает из-за конфликта, — Ленин, ранее явным образом не защищавший грузинских националистов, по сути врывается в стоматологический кабинет Сталина и разносит его кувалдой — именно так выглядит теоретическая статья «Об "автономизации"», где те, кто затаскивает в Союз маленькие беззащитные республики, квалифицируются как последние мерзавцы, одержимые демонами «великорусского шовинизма»; по сути, Ленин предлагает лучше уж отказаться от создания Союза на таких условиях и такими методами, лишь бы не копировать царскую Россию, тюрьму народов.

Озадачивающий совет.

Не менее странным выглядит и инцидент номер один — телефонный конфликт Крупской со Сталиным. На деле перед нами — очередная ситуация с «эффектом Расемона»: конфликт был — но конфликт плохо датированный, непрозрачный как по сути, так и по степени драматического накала, известный по показаниям свидетелей, которых нельзя назвать надежными: Мария Ильинична видела, как после разговора по телефону со Сталиным НК каталась по полу и рыдала; Сталин не отрицал факт беседы, но настаивал на ее рабочем, приемлемом характере; Ленин ничего не видел, но, возможно, что-то слышал из своей комнаты; сама НК — о склонности которой к истеричному поведению никто раньше не сообщал — явно видела трубку телефона, написала об услышанном оттуда возмущенное письмо Каменеву и Зиновьеву — и больше никогда ни словом об этом не обмолвилась и никогда не прекращала, так или иначе, общаться со Сталиным. Загадочная история — на которой, однако, строится психологическое подтверждение того, что под конец жизни у Ленина был острейший, принципиальнейший конфликт со Сталиным.

В 2003 году вышла поразительная книга историка В. А. Сахарова «"Политическое завещание" В. И. Ленина: реальность истории и мифы политики», где высказано – и доказано – еретическое и сенсационное, но в научном смысле безупречно оформленное, подкрепленное замечательной источниковой базой, предположение, что многочисленные странные непоследовательности в политических заявлениях «Завещания» и бытовом поведении Ленина в последние месяцы жизни объясняются не его болезненным слабоумием, не нехваткой сил, чтобы последовательно придерживаться той или иной позиции и организовывать свои мысли, и не сталинскими подлогами.

Оказывается, то, что – с потолка, без согласия автора – было названо «Политическим завещанием Ленина», при ближайшем рассмотрении имеет неоднозначный провенанс.

Часть «Завещания» – опубликованная при жизни ВИ и в тот период, когда он мог по-настоящему контролировать свои тексты, – бесспорна: «Как нам реорганизовать Рабкрин», «Лучше меньше, да лучше», «О кооперации». Но есть и другая часть – «Письмо к съезду», «Письмо Троцкому», «Письмо Мдивани», «Об автономизации», «Письмо Сталину» (ультиматум про НК) – которая материализовалась в собрании сочинений из не вполне надежных источников, возникала не одновременно, меняла по ходу названия, не имеет черновиков, не зарегистрирована в ленинском секретариате и обзавелась репутацией надежной только за счет свидетельств лиц, у которых могла быть личная заинтересованность в том или ином развитии политической ситуации.

Этими текстами, в разных вариантах – черновых, беловых, опубликованных, – как минимум как-то манипулировали; и ключевым периодом оказывается не декабрь 1922-го – начало марта 1923-го, когда Ленин радикально меняет свое мнение по нескольким проблемам и диктует несколько скандальных текстов, а 1923-й – когда эти самые странные тексты появляются на свет и начинают расползаться.

Переписка Ленина со Сталиным относительно инцидента номер два не просто выглядит подозрительно-неподтвержденной в плане происхождения, но и идет вразрез с их дальнейшими действиями. «Письмо к съезду» загадочно не только по жанру (что это за абстрактные и по большей части дискредитирующие характеристики, после которых даже не названо имя преемника), но и по содержанию (в чем, собственно, проблема, что Сталин сосредоточил «необъятную власть» – ну и что, если он не коррумпирован, не иностранный шпион и не тайный контрреволюционер? почему Ленин в начале 1923 года пугает расколом – а что за раскол-то без него? Сталин и Троцкий, да, не любили друг друга, но не то чтобы не разговаривали – вполне общались, вели деловую переписку).

Все это означает, что в источниковедческом смысле эти тексты — часть «завещания» и «примыкающие» документы: несколько писем, вторая, после 18 декабря, часть Дневника секретарей — сомнительны и, похоже, созданы не Лениным, а кем-то еще. Что перед нами — фальсификация.

Задачи, стоявшие перед Лениным в 1922—1923 годах, не сводились к борьбе с неперсонифицированным «аппаратом», новой элитой; важным пунктом было вылавировать на правильный курс в конкурентных отношениях слабеющего политика с теми конкретными лицами, кто — временно или навсегда — должен будет выдвинуться на его место. Еще с 1920 года, когда в партии оказалось множество молодых бюрократов (которых мог быстро развратить нэп), Ленин опасался, что кто-то из его крупнокалиберных партнеров — Троцкий, Зиновьев, Каменев, Сталин — заключит с этой частью партии договор и сможет сместить его. В «Письме к съезду» упоминаются шестеро, но те двое, кто действительно, без всякого «Письма», беспокоили Ленина,— это Сталин и Троцкий. Чтобы эффективно использовать их таланты для строительства государства, нужен третий — сам Ленин, обладавший чертами и того и другого. Но на кого из них ориентироваться партии, когда Ленин не сможет обеспечивать этот баланс?

В целом мало кто из людей, с которыми Ленин вынужден был работать, вызывали у него настоящую приязнь; похоже, чтобы занять высокий пост в партийной иерархии — и быть эффективным работником, — нужно было обладать букетом отрицательных черт.

И Сталин, и Троцкий никогда — после смерти можно делать такие обобщения — не расставались с диктаторскими амбициями; наталкиваясь на такого заведомо более сильного конкурента, как Ленин, они могли срываться и демонстрировать ему непочтительность. Троцкий, воспользовавшись своим талантом успешно организовывать любую деятельность, пытался в 1921-м превратить Госплан в штаб хозяйственного фронта и сделаться, по сути, экономическим диктатором; Ленину, который был против такого разделения труда (партия занимается идеологией, хозяйственники — экономикой) и полагал, что оно приведет к политической катастрофе, приходилось сдерживать Троцкого — иногда демагогически, иногда манипулируя своими союзниками, натравливая их на коллегу. Однажды тот публично, на заседании политбюро, назвал Ленина «хулиганом»; Ленин побледнел: «Кажется, кое у кого тут нервы пошаливают». Сталин тоже был с норовом; Мария Ильинична рассказывала, как тот грубо, после просьбы Ленина, отказался послать деньги в Берлин больному Мартову: «Ищите себе для этого другого секретаря». Мог он и наброситься на Крупскую, если та отказывалась соблюдать разъясненные ей правила. Эволюция отношения Ленина к Сталину не вполне понятна. Она запутана политически окрашенными трактовками; похоже, Ленин ценил его прежде всего как хорошего исполнителя, организатора административной деятельности — и не вполне воспринимал как теоретика марксизма. Сестре он говорил о Сталине, что тот «вовсе не умен». Известна реплика Ленина, который, разговаривая с одним работником, вдруг прервался и указал на расхаживающего по комнате с трубкой Сталина: «Вот азиатище — только сосет!» «Тов. Сталин выколотил трубку», — одобрительно замечает мемуарист. Поскольку сцена разворачивалась в квартире самого Сталина — и Ленин вряд ли позволил бы себе личное оскорбление в таком контексте, — реплика больше похожа на шутливую, чем брезгливую; да и в целом держать Сталина в роли «полезного идиота» обошлось бы недешево; Ленин знал это и вряд ли стал бы проявлять откровенный сарказм в его присутствии.

Считается — в основном со слов Троцкого, — что Сталина избрали в генсеки едва ли не случайно, при попустительстве Ленина, который, впрочем, улучил момент процедить предупрежденьице: «Не советую, этот повар будет готовить только острые блюда»; дело было до инсульта, и Ленин, видимо, был уверен, что в случае чего у него всегда хватит сил заменить наглого повара более почтительной кухаркой, в чьей книге рецептов не упоминались ни соль, ни перец. В тот момент вообще много говорилось о том, что партии следовало отодвинуться в тень — чтобы не мешать поднимать экономику; и, видимо, для «ордена», контролируемой «опричнины», дело которой — организовывать конкуренцию между социалистическими и капиталистическими секторами и готовить молодежь, способную руководить и экономикой тоже, — Сталин был ровно то, что нужно.

Версия Троцкого — у которого не было, как у Сталина, возможности публиковать многозначительные фотографии из личного архива в жанре «вдвоем в Горках», но который обладал выдающимся литературным даром и вовсю пользовался советом Черчилля про «история будет любезна ко мне, если я изъявлю намерение сам написать ее», — выглядит так, что Ленин, обнаруживший в Сталине более опасного конкурента, принялся флиртовать с ним, Троцким, чью лояльность оценил лишь с опозданием. Он настаивает на том, что в декабре 1922-го Ленин предлагал ему создать при ЦК комиссию «по борьбе с бюрократизмом» — которая стала бы «рычагом для разрушения сталинской фракции, как позвоночника бюрократии». Ставка Ленина, сопутствующая предложению о блоке против сталинского оргбюро, — место заместителя и преемника на посту председателя Совнаркома. Троцкий, по его словам, согласился — предложение действительно лестное и, главное, оно совершенно естественно. В сознании масс Троцкий и так был второй фигурой в Советской

России; и пока Сталин, Зиновьев, Каменев, Бухарин — то есть все остальные — бегали под музыку в ожидании, когда она смолкнет, в надежде плюхнуться на заветный ленинский стул, он уже стоял, можно сказать, крепко держась руками за спинку.

Почему же Троцкий — и так без пяти минут официальный преемник, да еще и снабженный ленинской индульгенцией из «Письма к съезду» («самый способный человек в настоящем ЦК»), все же не оказался на месте, куда готовила его судьба? Считается, что, во-первых, дело в интригах Сталина, а во-вторых, в том, что Троцкий в 1922—1923 годах тоже был «хромой уткой» — и то, что ноги у нее были перебиты как раз Лениным, видимо, не слишком подогревало энтузиазм этой важной птицы помогать тому, кто долго лупил ее прикладом. Это правда: на протяжении 1920—1922 годов Ленин систематически и методично занимался разрушением и нейтрализацией популярности и авторитета Троцкого, набранных в годы Гражданской, делая всё, чтобы в партии его воспринимали как инородное тело. В такой ситуации нет ничего удивительного в ответе, который услышал на свой вопрос: правда ли, что Троцкий вот-вот будет избран заменой ВИ — нарком С. Либерман в конце 1923-го после долгой командировки в Англию: «Нет... Мы предпочитаем трех с головой поменьше, чем одного с двойной головой... Революция вошла в свою колею, и теперь нам нужны не гении, а хорошие, скромные вожди, которые будут двигать наш паровоз дальше по тем же рельсам. А с Львом Давидовичем никогда не знаешь, куда он заведет».

Отпихивая Троцкого и лавируя между разными группировками, Ленин последовательно опирался на лояльного — или имитировавшего эту лояльность в ожидании первых признаков болезни — Сталина. Кто поддержал его в «дискуссии о профсоюзах», затеянной, чтобы дискредитировать Троцкого? Правильно, Сталин. И пока Троцкий, при помощи точно рассчитанных фланговых атак, оттеснялся — Сталин наливался силой. И когда (или, точнее: и если) в 1922-м Ленину действительно понадобилась помощь Троцкого против Сталина, который якобы принялся убеждать всех, что «Ленину капут», то Троцкий, даже если у него и было желание протянуть руку столько раз предававшему его партнеру, просто лишен был такой возможности: у него не было ресурса, и по любому принципиальному вопросу его просто переголосовывали «плохие парни».

Задним числом многие бытовые анекдоты наливаются многозначительностью.

Однажды — впрочем, это тоже рассказ Троцкого, в ком литератор и политик иногда объединялись против историка, — задолго до революции, дело было то ли в Лондоне, то ли в Женеве, группа социал-демократов направилась в оперу; но пока все наслаждались пением, мемуарист испытывал невыносимые муки от того, что его ботинки были ему тесны. Штука в том, что ботинки эти принадлежали Ленину, который приобрел их в Париже, но после того, как они оказались ему малы, подарил товарищу, чья «обувь настойчиво требовала смены. Я получил эти ботинки, — вспоминал Троцкий, — и на первых порах мне на радостях показалось, что они мне в самый раз. Я решил их обновить, отправляясь в оперу. Дорога туда прошла благополучно. Но уже в театре я почувствовал, что дело неладно. Может, это и есть причина, почему я не помню, какое впечатление произвела опера на Ленина, да и на меня самого. Помню только, что он был очень расположен, шутил и смеялся. На обратном пути я уже жестоко страдал, а Владимир Ильич безжалостно подшучивал надо мною всю дорогу. Под его шутками скрывалось, однако, компетентное сочувствие: он сам, как сказано, промучился в этих ботинках несколько часов».

Надо ли говорить, что партия и пост предсовнаркома к концу 22-го очень напоминали те «ботинки», которые Ленин — якобы — решил передать Троцкому. Неудивительно, что в конце концов тот предпочел остаться босым — и не мучиться дальше с ленинской обувью: и больно, и, есть подозрение, — сегодня подарил, а завтра отберет.

Какой Золушке пришлись в конце концов впору эти туфельки?

Правильно.

Демонизация Сталина, хочешь не хочешь, идет рука об руку с индульгенцией, которую потомки, чем дальше, тем щедрее, подписывают Троцкому: тот так долго жаждал этого сердечного альянса с Лениным — и вот, наконец, ВИ понял, что никуда ему от ЛД не деться, — и раскрыл ему свои объятия, да поздно было.

Проблема в том, что при попытке проследить источники возникновения тех фактоидов, которые циркулируют в историографии и массовом сознании как бесспорные факты, касающиеся обстоятельств болезни и смерти Ленина, выясняется, что очень многие из них так или иначе ведут к мемуарным свидетельствам Троцкого — который объяснял события 1922—1923 годов убедительно, но тенденциозно. При избрании Сталина генсеком Ленин предупреждал, что «этот повар будет готовить острые блюда»; а кого предупреждал? Троцкого. Крупская, которая всегда была чрезвычайно умной женщиной, говорила в 26-м: «Если б Володя был жив, он сидел бы сейчас в тюрьме»; а кому говорила? А все ему же. Версия Троцкого кажется особенно заслуживающей доверия и потому, что он лучший в своей категории рассказчик, и потому, что по смыслу она хорошо монтируется с несколькими текстами Ленина, а психологически — со все теми же двумя яркими эпизодами; а еще лучше — с общеизвестным образом Сталина в хрущевской интерпретации. Действительно, всё сходится: Ленин прозрел и принялся активно добиваться альянса с Троцким (к которому до того относился крайне настороженно и с которым постоянно находился в состоянии рабочего конфликта) против Сталина — чей зловещий силуэт встает за всеми бедами, терзавшими Ленина под конец жизни, гигантским портретом, затмевающим горизонт, — как в «Утомленных солнцем». Он тривиализовал, утопил в бумагах, деромантизировал ленинскую революцию, запутал строителей социализма сначала в бюрократической паутине, а затем сгноил в лагерях; он изолировал Ленина, цензурировал его «Завещание», возможно, даже низложил, арестовал и отравил его, он жестоко оскорбил его жену — и, обманывая Ленина своей молчалинской услужливостью, подготовил все для того, чтобы в момент, когда Ленин не мог оказать сопротивление, перехватить у него власть — и сосредоточить ее в своем «аппарате».

Мы не имеем возможности воспроизвести здесь всю аргументацию В. Сахарова и копировать всю его доказательную базу. Но Сахаров — и через расследование происхождения документов, и посредством анализа их смысла, и методом текстологической экспертизы — демонстрирует, что статья «Об автономизации», а также письмо грузинскому коммунисту Мдивани не могут принадлежать Ленину. В поведении Сталина и Орджоникидзе при ближайшем рассмотрении также не обнаруживается ничего криминального; а вот Ленин становится, по сути, противником образования СССР — что в целом не вяжется с тем, что он говорил прежде.

При анализе того, как именно различаются тексты, фигурирующие в комплексе как «Завещание», выясняется, что все надежно подтвержденные документы свидетельствуют о прочных, взаимно доброжелательных, хороших рабочих отношениях Ленина со Сталиным, тогда как все сомнительные имеют так или иначе антисталинскую направленность и одновременно играют на руку Троцкому. (И Сталину — это выходит за рамки нашей книги, но все же — не так легко было отбивать в 1923—1924 годах атаки, связанные с попытками опубликовать — или запустить циркуляцию в партийной среде — «ленинские» документы с резкой критикой его самого, его политики, его компетентности и его манер.)

Хорошо, странное происхождение и несоответствие предшествующей ленинской линии; но зато эти документы прекрасно вписываются в известную канву событий, нет?

Не так уж и прекрасно. И прикрывать неувязки приходится откровенным сочинительством.

17 марта, через неделю после «окончательного» ленинского инсульта, Сталина вызвала Крупская и передала просьбу Ленина — который почти онемел, но все же смог произнести зловещее

словосочетание «смертельный ток» — о яде, цианистом калии; Крупская попробовала дать его мужу сама, но ей не хватило сил. Ленин, который якобы и раньше имел со Сталиным предварительные договоренности на этот счет, знал, что Крупская просит о помощи Сталина, — и дважды вызывал ее к себе, пока та вела со своим недавним обидчиком нелегкий, видимо, разговор. Чтобы подтвердить: да, именно Сталин, именно помочь ему умереть. Сталин, однако, продолжал сомневаться — и политбюро поддержало его сомнения: пусть все идет как идет, не надо вмешиваться.

По правде сказать, после истории с оскорблением жены можно было выбрать себе в качестве «доктора Смерть» кого-то полюбезнее. Получается, что Сталин подставлялся — ведь он должен был отравить того, кто оставляет после себя токсичное письмо к съезду — которое отравит его политическое будущее. Объяснение обычно сводится к тому, что все остальные заведомо не согласились бы, а Сталин был машина, не ведающая сомнений и милосердия. Объяснение, восходящее к Троцкому, еще более изощренное: история про просьбу о яде, даже если не выдумана Сталиным, была выгодна ему в любом случае — потому что подразумевала, что Ленин сам соглашается уйти, указывая — щекотливым способом — на него как на преемника; на «Письме к съезду» в этом случае можно не фокусироваться. И, по-видимому, полагал Троцкий, Сталин, который в самом деле отравил Ленина в Горках — руками Генриха Ягоды, нарочно распространял эту версию, чтобы подготовить себе алиби. Почему же тогда промолчала видевшая все Крупская? А потому, отвечает теперь уже историк Фельштинский, что, может, и не отравил, но угрожал отравлением — и, чтобы уберечь мужа от убийц хотя бы на какое-то время, Крупская пообещала держать рот на замке. Убедительно?

А убедительно ли, что письмо с требованием извинений за оскорбление жены Ленин пишет Сталину чуть ли не через три месяца после самого инцидента? Причем Сталин к тому времени уже извинился перед Крупской, что бы между ними ни было.

А «изоляция» Ленина, которая так живо описывалась Троцким, а затем была гиперболизирована историками до стадии «ареста»? Похоже, на деле она была довольно условной — то есть соответствующей рекомендациям врачей, и, пожалуй, даже недостаточной для человека, чье состояние, мы теперь знаем, неуклонно ухудшалось. Ленину так никто и не смог запретить диктовать; его формально попросили не ждать ответы на письма — но на деле в небольших, разумных объемах он мог переписываться; режим не соблюдался. Никто насильно не уволакивал его в дом, когда в октябре он вдруг захотел поехать в Москву на автомобиле.

Подробный анализ политической ситуации 1922—1923 годов и поведения основных фигур показывает, что «общеизвестный» конфликт Ленина со Сталиным не имел под собой никакой почвы и, похоже, создан искусственно, задним числом, с помощью подложных текстов. Похоже, Сталин в 1922 году не имитировал абсолютную лояльность, одновременно изолируя Ленина от руководства партией, — но в самом деле относился к Ленину с глубочайшим уважением, хотя и в их отношениях случались дождливые дни. Но и Ленин, не нарушая естественную в силу разницы культур дистанцию, воспринимал генсека как надежного товарища и свое доверенное лицо, которого он сознательно выдвинул на ответственную должность. Тогда как отношения Ленина с Троцким — описанные самим Троцким как в высшей степени доброжелательные и направленные на заключение политического союза против генсека — не слишком подтверждаются: интенсивность личных контактов между ними в конце 1922 года особо не возросла, равно как и степень близости. Что такого произошло, чтобы Ленин вдруг «прозрел», понял, что ему нужен преемник, разочаровался в Сталине и принялся распускать перья перед Троцким, которого плохо переваривал? Ничего.

И раз Ленин, умирая, вовсе не проклинал Сталина — и между ними не было ни личного, ни политического конфликта, завершившегося запиской о разрыве отношений, — значит, нарисованный XX съездом образ Сталина как извратителя ленинской идеи является мифом и фальшивкой; Сталин оказывается не трикстером, а законным наследником; и пожалуй, мы не можем сказать, что Ленина захлестнули волны сталинской «серой слизи», что она «убила» его, даже в том смысле, что «светская чернь» — Пушкина. Это не то чтобы меняет картину мира, наши представления о позднейшей деятельности Сталина остаются в силе, — однако это дает известной картине мира совсем другую рамку.

Исчезновение остро-конфликтного контекста не означает, что смерть ВИ произошла в прозаических, «неинтересных», нейтральных обстоятельствах. Напротив, с осени 1922-го вокруг него складывается некоторым образом «детективная» ситуация; оказывается, между ним и внешним миром существовал «черный кабинет», в котором шла работа с документами, ранее ускользавшая от внимания наблюдателей; с его и похожими на его — там фабриковались подложные документы, чтобы представить Ленина врагом Сталина; и эта деятельность совершалась незаконно, была преступлением.

К сожалению, в кратком пересказе может сложиться впечатление, что книга В. А. Сахарова — образчик дешевой сенсационной конспирологии. Нет ничего более далекого от истины — это очень серьезное научное исследование, получившее массу обстоятельных рецензий — не «лайков» в Сети, а аргументированных отзывов в академической среде; и если крупная работа прозорливого историка входит в оборот медленнее, чем следовало бы, то только в силу того, что ее выводы действительно революционны.

Возможно, сугубо академический характер исследования отчасти играет против автора, потому что в своих предположениях он основывается только на документах, а когда их нет — просто умолкает. Заявив о высочайшей вероятности фальсификации и доказав, что все общепринятые представления об «агонии» Ленина зиждутся на неверных представлениях, В. А. Сахаров отказывается назвать, кто именно мог быть автором текстов, замечая лишь, что если руководствоваться принципом «кому выгодно», то искать его следует «в очерченном круге политических деятелей: членов и кандидатов в члены Политбюро и политически сочувствующих им лиц из ближайшего окружения Ленина (члены семьи, секретари)», в окружении Троцкого: Радек?

Сам Троцкий? Проблема в том, что, судя по поведению Троцкого, в момент появления этих текстов — крупных козырей в игре за место Преемника — от изумления, что в пандан ему, параллельно работает некая союзная ему сила, он даже не смог сполна ими воспользоваться; они для него такая же неожиданность, как и для Сталина; он как будто не вполне доверяет Ленину, который столько раз отстранялся от него. Пожалуй, будь Троцкий — или кто-то из его окружения — автором, он мог бы разыграть эти козыри лучше.

Мало того: чтобы распространять весной 1923-го фальсифицированные документы, Троцкому надо было быть стопроцентно уверенным, что Ленин точно не выздоровеет; потому что если бы Ленин вдруг обнаружил, что от его имени рассылаются документы, которые он не создавал, то политическая карьера Троцкого на территории России была бы закончена. То же можно сказать и о любом другом авторе.

О любом — кроме, может быть, единственного человека, который мог пойти на такой феноменальный риск, обладая известным иммунитетом от ленинского гнева.

Обводя взглядом скамейку, на которой рассажены те, кто теоретически имел возможность, интерес и смелость сфабриковать — и пустить в оборот — эти тексты, понимаешь, что в этой компании есть словно слепое пятно, фигура, на которую заведомо не обращаешь внимания — просто потому, что там железное алиби, этого заведомо не может быть.

В этом размытом пятне угадывается женский силуэт — но это не Фотиева, не Володичева, не Гляссер, не Флаксерман, не Н. Аллилуева, которые работали секретарями Ленина и многое знали о нем, но не были ни публицистками, ни вообще сколько-нибудь крупными политическими фигурами.

Это...

Больше просто некому.

Это невероятно, но, похоже, это все же так.

Надежда Константиновна Ульянова.

«Соратница», безупречная супруга, превратившаяся, когда муж заболел, в заботливую сиделку и всю себя посвятившая его лечению. Да, но еще и — хранительница ленинских рукописей — и, в сущности, то бутылочное горло, через которое с декабря 1922-го проходили все документы, генерировавшиеся Лениным.

Именно она приносила ленинские «диктовки» в ЦК и удостоверяла их авторство.

Именно она могла присвоить «ленинским» текстам тот или иной статус — например, «Политического завещания» (а не «личных заметок о текущем моменте»), что она и сделала; именно она!

Именно она меняла по ходу свои показания относительно этих текстов: так, сначала характеристики членам политбюро были переданы ей в ЦК просто как ленинские записки — а через год она «вдруг заявляет, что эти записки являются ни более ни менее, как "Письмом к съезду"» — как раз к тому, который должен собраться после смерти Ленина! На этот раз Крупская определила, что «"воля Ленина" состояла в ознакомлении с "письмом" делегатов съезда» (Сахаров).

Она меняла свои показания относительно адресатов этих записок — сначала только члены ЦК, затем съезд партии, затем вся партия целиком (это очень важно — потому что Сталину обычно вменяется в вину, что он не огласил на съезде для всех то, что должен был огласить).

Она владела всеми нюансами политической обстановки, знала мелочи текущего момента.

Она была себе на уме, много кого отталкивала и бралась фильтровать — кто будет, а кто не будет общаться с ее мужем. Классический пример — с Валентиновым: «лучший биограф Ленина» был отставлен от дома из-за того, что чем-то не пришелся ей по душе; вряд ли он был исключением.

Она была писательницей — настоящей, хорошо владевшей словом, со своим узнаваемым стилем: ей принадлежат мемуары о ВИ, которые считаются беззубыми, но на деле — фееричные. Она такая же выдающаяся рассказчица, как красотка на ранних фотографиях: улыбающаяся только глазами, запоминающая шутки и забавные детали: как латали велосипеды калошами; как в Мюнхене, проводя в ресторанах серию конспиративных встреч, наелись рыбы — и у обоих пошла белая пена изо рта, и как пришел доктор, который понял, что у этого финского повара и американской гражданки что-то неладно с документами, — и содрал с них кучу денег; как фыркали, стараясь не смотреть друг на друга, когда слушали ахинею крестьянина про то, что Ленин завалил Кремль швейными машинками; как Ленин после II съезда так однажды задумался на велосипеде, что влетел в трамвай — и едва не остался без глаза; как смеялись над логотипом НВ в пивной «Хофброй» — о, «Народная воля»! как экспериментировали с каплями пота — для сведения букв из паспортов; как члены ЦК резались часами в дурака на даче «Ваза»; как Струве с женой заставляли своего ребенка кланяться портретам Маркса и Энгельса; как по ночам в Шушенском Ленин во сне доигрывал партию в шахматы...

Она знала стиль, манеру, мысли и намерения своего мужа, как, наверное, никто, — столько лет сочиняя за него ответы на письма.

И не только письма.

Тут вспоминается один из ее анкетных ответов — тянущий на признание в том, что она не первый раз незаконно, с чужим идентификационным ключом, проникала в его собрание сочинений — это была анкета для Института мозга: «Так одна статья (1912—1913 г.) в полном собрании сочинений фигурирует как его статья и к ней диаграмма с рисунками. Это не его статья и диаграмма. Это мои».

Она, и только она могла заменить на бумаге Ленина, вышедшего из строя.

Мы можем лишь предполагать, в чем состоял ее — если и в самом деле она создала эти тексты — интерес.

За время болезни Ленина — да и за все 20 лет знакомства со Сталиным — у НК могли возникнуть к нему какие-то претензии; и тогда ее попытка утопить Сталина посредством сфабрикованных писем мужа похожа на изощренную, многоходовую месть. Возможно, с помощью этих текстов нельзя было провести Троцкого в преемники — но теоретически можно было создать такой баланс сил, такую конфигурацию власти, внутри которой НК было бы комфортно после смерти мужа.

НК могла быть равнодушна к Сталину — но она имела основания претендовать на кое-что большее, чем роль статиста, и у нее могли быть свои политические представления о том, что лучше для партии и для страны.

А возможно — дважды два стеариновая свечка — она просто получала удовольствие от манипуляции сильным политиком, сама оставаясь в тени, — и теперь намеревалась продолжить эту деятельность, паразитируя на ком-то, более подходящем для этого, чем Сталин.

Что касается Ленина-политика, то, по правде сказать, утрата авторства нескольких текстов и изменения в составе союзников-противников не слишком меняют что-либо в его образе; в конце концов, ему было свойственно идти на самые экзотические альянсы и рвать с самыми близкими партнерами. Точно так же можно с уверенностью сказать, что в природе не может существовать документа, который — будь он вдруг обнаружен и введен в оборот — что-то радикально изменил бы в образе Ленина. Даже если кто-то найдет документ о работе Ленина на британскую разведку или свидетельство о его эксцентричных сексуальных пристрастиях; нет, даже и с самым тяжелым из жерновов на шее Ленин останется Лениным — революционером, сумевшим построить с нуля структуру, которая смогла захватить власть в период революционного хаоса, превратить этот хаос в нормально функционирующее государство — и стать моделью для перехвата власти в государствах Третьего мира.

Другое дело, Ленин-«человек», Ленин в частной жизни: семьянин, обладатель особенного характера и особенных вкусов.

Следует понимать, что очень значительная часть знаний об этой стороне жизни Ленина заимствована из мемуаров Крупской — которая, оказывается, умела работать не только с зашифрованными, но и с фальсифицированными документами.

В целом надо признать, что отношения ВИ с женой известны нам не более, чем это дозволено посторонним, — то есть в минимальной степени.

А. Тыркова-Вильямс, приехав к Ульяновым в Женеву в 1904 году, всматривалась в эту пару особенно пристально — ей было интересно, что такого нашла в Ленине ее гимназическая подруга. «Она была им поглощена, утопала, растворялась в нем, хотя у нее самой был свой очень определенный характер, своя личность, несходная с ним. Ленин не подавил ее, он вобрал ее в себя. Надя, с ее мягким любящим сердцем, оставалась сама собой. Но в муже она нашла воплощение своей мечты. Не она ли первая признала в нем вождя? Признала и с тех пор стала его неутомимой, преданной сотрудницей».

В свете событий 1923 года замечание про «свою личность» кажется особенно важным.

Скучная, вечно больная, безобразно одетая, вздорная, одуревшая от бездетности старуха, потолок которой — педагогическая деятельность: заставить школьников в учебное время собирать шишки на топливо?

Или все же — ошеломительно красивая, весьма остроумная, очень скрытная — и очень умная женщина, которую все — кроме, видимо, ВИ — катастрофически недооценивали?

НК, похоже, единственный человек из окружения Ленина, относившийся к нему с уважительной и деловой иронией, какая ему, можно предположить, нравилась; совершенно очевидно, что она умела подмечать не только его, понятное дело, силу, но и смешные стороны — и, видимо, имела к нему свой ключ.

Манипуляции с «Завещанием» — единственный раз за четвертьвековую историю отношений этой пары, когда в поведении НК определенно есть нечто подозрительное. Однако мы можем предположить, что она и раньше проявляла «свою личность» по некоторым вопросам.

У нее была замечательная память, она хорошо — лучше многих — разбиралась в прикладной химии. Она, как нам уже доводилось говорить, была настоящей «Энигмой», шифровальной машиной РСДРП. Она была сильной, выносливой и охотно соглашалась на авантюры; 400-километровое пешее путешествие, которое они летом 1904-го совершили вдвоем по горам Швейцарии, достаточно красноречивое свидетельство. Но мы знаем о ней гораздо меньше, чем о ВИ, — прежде всего потому, что лично про себя в мемуарах она рассказывает совсем мало — и с еще большей иронией, чем о муже.

Их переписка — разумеется, существовавшая — не опубликована и, скорее всего, уничтожена или спрятана ею самой. Можно не сомневаться, что значительная часть этой переписки была шифрованной; но и кода переписки между ней и Лениным мы не знаем.

Похоже на то, что НК была главной загадкой в хорошо известной жизни Ленина; тем топором Негоро, который постоянно лежал под его компасом — и, возможно, активировался только в какие-то исключительные моменты — однако, как видим, активировался и корректировал указания магнитной стрелки.

На протяжении четверти века рядом с главным героем этой биографии постоянно находился другой человек, который вел собственную игру, выдавая себя для посторонних за предмет обстановки. И когда «бабушка божий одуванчик», на протяжении всех двадцати пяти лет не вызывавшая у тех, кто готов был вспоминать о ней, ни малейших вопросов, кроме разве что «о господи, ну почему у нее все время такое постное выражение лица», оказывается ключевой фигурой в детективе, это означает, что в истории Ленина появляется финальный твист.

Спасибо, Надежда Константиновна; вы самый интересный человек в этой очень густонаселенной эпопее.

Можно с уверенностью сказать, что ничья жизнь не была исследована полнее, чем ленинская; и надо было быть Лениным — профессиональным заговорщиком, конспиратором и шифровальщиком, — чтобы, даже и так, оставить после себя столько тайн, чтобы хватило на всех исследователей с запасом.

У Ленина было много биографов — от детского писателя Н. Носова (который, к несчастью, не успел написать книгу) до генерала Волкогонова (которому, возможно, не следовало торопиться с публикацией).

Ленину очень везло с биографами — от П. Керженцева и М. Шагинян до С. Есина и В. Бушина; и, несмотря на естественный в сегодняшних политических условиях упадок интереса к Ленину, в мире существует целая плеяда не просто знатоков, но проницательнейших критиков, в гегелевско-марксовском смысле, ленинской биографии: Картер Элвуд, Роберт Сервис, Владлен Логинов, Тамаш Краус и др.

Можно без преувеличения сказать, что РСДРП была партией литераторов, которой была свойственна высочайшая литературная культура; М. Горький вовсе не был в этой организации белой вороной; в партии состояло множество интеллигентов, которые замечательно чувствовали язык — и ценили не только идеи К. Маркса и Ф. Энгельса (неудивительно, при такой-то конкуренции, литературный стиль самого ВИ, далеко не самый тусклый, никогда не считался образцовым; впрочем, РСДРП вообще была высококонкурентным образованием), но и многому научились у них как у великих публицистов. И речь не только об условном «первом ряде» писателей-марксистов: Плеханов, Троцкий, Парвус, П. Аксельрод, Мартов, А. Богданов, Луначарский, но и об — еще более условном — «втором»: Засулич, Бухарин, Сталин, Каменев, Зиновьев, Потресов, А. Мартынов, В. Бонч-Бруевич, Крупская, Валентинов, Суханов, Лепешинский, Горев, Либерман, Литвинов, Г. Алексинский, Т. Алексинская, Бабушкин, Е. Преображенский, Стеклов, Скворцов-Степанов, Кржижановский, Л. Аксельрод, да даже и Демьян Бедный (высоко ценившийся не только Лениным: популярность его в 1920-е годы напоминала сегодняшнюю группы «Ленинград», и не случайно; Б. Пастернак, как известно, полагал Бедного современным Гансом Саксом и ставил выше большинства советских поэтов). Именно благодаря самой «литературности» этой среды в нашем распоряжении оказались сотни выдающихся образцов мемуаристики.

Библия любого ленинского биографа — мемуары Н. К. Крупской; замечательные воспоминания оставили сестры и брат ВИ — Анна Ильинична Ульянова, Мария Ильинична Ульянова и Дмитрий Ильич Ульянов.

Точно не меньше, чем с биографами, Ленину повезло с историками и толкователями — так что, помимо базы показаний свидетелей, мы должны особо отметить несколько книг, без которых эта биография была бы невозможной. Это исследования М. Штейна, касающиеся родословной ВИ; исследование В. Сахарова о последних работах Ленина; книги историка С. Павлюченкова; блестящий анализ Кевина Андерсона ленинских конспектов Гегеля (буквально раскрывший автору этой книги глаза на Ленина, так что «эпизод о 29-м томе» является результатом знакомства с книгой «Lenin, Hegel and Western Marxism») — и множество, множество других.

Автор заранее приносит извинения за то, что не смог вместить в список «рекомендуемой» им литературы все мемуары о Ленине, которые можно назвать «захватывающими»; исключительно потому, что этот список — только названия — расширился бы до размеров отдельной книги.

В списке «Ленин-100» следует сделать акцент на его условности — это в высшей степени субъективная, никоим образом не претендующая на всеохватность, принципиально эклектичная подборка тех книг, которые особенно запомнились или особенно пригодились автору этой биографии.

Автор не стал включать в список работы из серии «Ленин в...» (Лондоне, Финляндии, Швеции и т. п.) — не потому, что они «устарели» или что автор не счел нужным проштудировать их; но только потому, что это совсем уж не беллетристика, и трудно представить, чтобы кто-то стал читать эти серьезные труды для своего удовольствия.

В заключение автор должен заметить, что ничто не может облегчить ленинскому биографу жизнь так, как сайт leninism. su, на котором выложены 55-томник ПСС, 12-томная Биохроника и значительное количество мемуаров; автор также выражает глубокую и искреннюю признательность владельцу блога yaroslav1985.livejournal.com, благодаря энергичной деятельности которого фигура Ленина методично очищается от множества нелепостей.

1. *Алексинская Т.* Из записок русской социал-демократки // Новый журнал. N.-Y., 1968. № 90—94.

2. *Багоцкий С.* Встречи с Лениным в Польше и Швейцарии. М., 1958.

3. *Балабанова А.* Моя жизнь — борьба. Мемуары русской социалистки. 1897—1938. М.: Центрполиграф, 2007.

4. Большевики: Документы по истории большевизма с 1903 по 1916 год бывшего Московского Охранного Отделения / Подг. к печати, предисл. М. А. Цявловского. М.: Задруга, 1918.

5. *Бонч-Бруевич В. Д.* Избранные сочинения. В 3 т. М., 1959.

6. *Буренин Н.* Памятные годы. Воспоминания. Л.: Лениздат, 1967.

7. *Бурнашева Ю., Нафигов Р. И.* Ленин в Казанском университете. Казань: Изд-во Казанского университета, 1987.

8. *Валентинов Н.* Недорисованный портрет... Встречи с Лениным. Малознакомый Ленин. Ранние годы Ленина. М.: Терра, 1993.

9. *Ватлин А. Ю.* Коминтерн: Идеи, решения, судьбы. М.: РОССПЭН, 2009.

10. *Верхотуров Д.* Созидатели будущего. Возникновение планирования в СССР. М., 2013.

11. *Вольский Н.* Новая экономическая политика и кризис партии после смерти Ленина — годы работы в ВСНХ во время НЭПа. Воспоминания. М., 1991.

12. *Генкина Э. Б.* Государственная деятельность В. И. Ленина. 1921—1923 гг. М., 1969.

13. *Гиль С.* Шесть лет с Лениным. М.: Молодая гвардия, 1957.

14. *Гимпельсон Е.* НЭП и советская политическая система. 20-е гг. М., 2000.

15. *Гиндин А.* Как большевики национализировали частные банки. М.: Госфиниздат, 1962.

16. *Голубков А. П.* На два фронта (Из эпохи реакции). М.: Старый большевик, 1933.

17. *Горев Б. И.* Из партийного прошлого. Воспоминания, 1895—1905. Л.: Госиздат, 1924.

18. *Горький М.* В. И. Ленин (разные издания).

19. *Жижек С.* 13 опытов о Ленине. М.: Ад Маргинем, 2003.

20. *Зеликсон-Бобровская Ц.* Незабываемые встречи. Воспоминания о Ленине. М.: ОГИЗ, 1947.

21. *Зубов Н.* Они охраняли Ленина. М.: Молодая гвардия, 1981.

22. *Иглтон Т.* Почему Маркс был прав. М.: Карьера Пресс, 2012.

23. *Измозик В., Старков Б., Павлов Б., Рудник С.* Подлинная история РСДРП — РКПб — ВКПб. Краткий курс. Без умолчаний и фальсификаций. СПб.: Питер, 2009.

24. Из архива А. Н. Потресова / Сост., коммент, предисл., послесл. Н. В. Макарова, М. В. Михайлова. М.: Памятники исторической мысли, 2007.

25. *Ильенков Э.* Ленинская диалектика и метафизика позитивизма. М.: Политиздат, 1980.

26. *Иоффе Г.* Семнадцатый год. М.: Наука, 1995.

27. *Каганова Р.* Ленин во Франции. М.: Мысль, 1977.

28. *Каневский Е., Марголин Л.* У истоков советской торговли. М.: Экономика, 1971.

29. *Карамышев А.* Симбирская гимназия в годы учения В. И. Ленина. Ульяновск, 1958.

30. *Карр Э.* История Советской России. М.: Прогресс, 1990.

31. *Краус Т.* Ленин. Социально-теоретическая реконструкция. М.: Наука, 2011.

32. *Крупская Н. К.* Воспоминания о Ленине. М.: Политиздат, 1989.

33. *Крутикова Н.* На крутом повороте. М.: Политиздат, 1963.

34. *Ларсонс М. Я.* На советской службе: Записки спеца. Париж: La Source, 1930.

35. *Левин М.* Советский век. М.: Европа, 2008.

36. Ленин. Петербургские годы. По воспоминаниям современников и документам / Сост. А. И. Иванский. М.: Политиздат, 1972.

37. *Лепешинский П.* На повороте. 3-е изд. М.: Старый большевик, 1935.

38. *Либерман С.* Дела и люди (На советской стройке). N.-Y.: New Democracy Books, 1944.

39. *Лозгачев-Елизаров Г.* Незабываемое. Саратов, 1957.

40. *Логинов В.* Владимир Ленин. Выбор пути. М.: Республика, 2005.

41. *Логинов В.* Неизвестный Ленин. М.: Эксмо, 2010.

42. *Лопухин Ю. М.* Болезнь, смерть и бальзамирование Ленина. М.: Республика, 1997.

43. *Лукач Д.* Ленин. Исследовательский очерк о взаимосвязи его идей. М.: Международные отношения, 1990.

44. *Мальков П. Д.* Записки коменданта Кремля. М.: Молодая гвардия, 1968.

45. *Мартов Ю.* Записки социал-демократа. М.: РОССПЭН, 2004.

46. *Нагловский А. Д.* Ленин // Новый журнал. № 88. N.-Y., 1968.

47. Неизвестный Богданов / Под ред. Г. А. Бордюгова. В 3 кн. М.: ИЦ Аиро-XX, 1995.

48. *Николаевский Б.* Тайные страницы истории. М.: Издательство гуманитарной литературы, 1995.

49. *О'Коннор Т.* Инженер революции: Л. Б. Красин и большевики. 1870–1926. М.: Наука, 1993.

50. *Павлюченков С. А.* Военный коммунизм в России: власть и массы. М.: Русское книгоиздательское товарищество, 1997.

51. *Павлюченков С. А.* Крестьянский брест, или Предыстория большевистского НЭПа. М.: Русское книгоиздательское товарищество, 1996.

52. *Павлюченков С. А.* «Орден меченосцев». Партия и власть после революции. 1917—1929. М.: Собрание, 2008.

53. *Панцов А. В.* Тайная история советско-китайских отношений: Большевики и китайская революция (1919—1927). М.: ИД «Муравей-Гайд», 2001.

54. *Персиц М. А.* Застенчивая интервенция: О советском вторжении в Иран и Бухару в 1920—1921 гг. М.: ИД «Муравей-Гайд», 1999.

55. *Петренко Н.* Ленин в Горках — болезнь и смерть (Источниковедческие заметки) // Минувшее. Исторический альманах. 1986. № 2.

56. *Пианзола М.* Ленин в Швейцарии. М.: Политиздат, 1958.

57. *Поддубная Р.* Ульяновы. Самарские страницы жизни. Самара: Офорт, 2009.

58. *Познер С.* Боевая группа при ЦК РСДРП (1905—1907). М.; Л., 1927.

59. *Попова С.* Между двумя переворотами. Документальные свидетельства о событиях лета 1917 г. в Петрограде (По французским и российским архивным источникам). М., 2010.

60. *Протасов Л.* Всероссийское Учредительное собрание: История рождения и гибели. М.: РОССПЭН, 1997.

61. *Рабинович А.* Большевики приходят к власти: Революция 1917 года в Петрограде. М.: Прогресс, 1989.

62. *Рабинович А.* Большевики у власти. Первый год советской эпохи в Петрограде. М.: АИРО-XXI; Новый хронограф, 2008.

63. *Раппопорт Х.* Из воспоминаний. М.; Л.: Государственное социально-экономическое издательство, 1931.

64. *Саттон Э.* Уолл-стрит и большевицкая революция. М.: Русская идея, 1998.

65. *Сахаров В.* «Политическое завещание» Ленина. Реальность истории и мифы политики. М.: Издательство МГУ, 2003.

66. *Семашко Н.* О В. И. Ленине. Сборник статей и воспоминания. М.: Партиздат, 1933.

67. *Сервис Р.* Ленин. М.: Попурри, 2002.

68. *Сильвин М. А.* Ленин в период рождения партии. Л., 1958.

69. *Синельников А. В.* Шифры и революционеры России // http://www.hrono.info/libris/lib_s/shifr00.html

70. *Соболев Г.* Тайный союзник. Русская революция и Германия. СПб.: СПбГУ, 2009.

71. *Соломон (Исецкий) Г.* Ленин и его семья (Ульяновы). М.: Директ-медиа, 2015.

72. *Соломон Г.* Среди красных вождей. Париж, 1930.

73. *Старцев В.* Немецкие деньги и русская революция: Ненаписанный роман Фердинанда Оссендовского. 3-е изд. СПб.: Крига, 2006.

74. *Степанов В.* Ленин и русская организация «Искры». М.: Мысль, 1968.

75. *Стерник И.* В. И. Ленин юрист: Юридическая деятельность В. И. Ульянова (Ленина). Узбекистан, 1969.

76. *Суханов Н..* Записки о революции. М.: Республика, 1991—1992.

77. *Тахтарев К.* Рабочее движение в Петербурге 1893—1901 гг. Л.: Прибой, 1924.

78. *Трофимов Ж.* Илья Николаевич Ульянов. М.: Молодая гвардия, 1981 (серия «ЖЗЛ»).

79. *Троцкий Л.* Моя жизнь. М.: Вагриус, 2007.

80. 1917: частные свидетельства о революции в письмах Луначарского и Мартова / Под ред. Г. А. Бордюгова, Е. А. Котеленец; сост. Н. С. Антонова, Л. А. Роговая. М.: АИРО XXI, 2005.

81. *Тютюкин С.* Г. В. Плеханов. Судьба русского марксиста. М.: РОССПЭН, 1997.

82. Утро Страны Советов. Воспоминания участников и очевидцев революционных событий в Петрограде 25 октября (7 ноября) — 10 марта 1918 г. / Сост. М. Ирошников. Л.: Лениздат, 1988.

83. *Ушаков Г.* Ленин в Шушенском. Шушенское: Историко-этнографический музей-заповедник «Шушенское», 2015.

84. *Фельштинский Ю.* Вожди в законе. М.: Терра-Книжный клуб, 1999.

85. *Фельштинский Ю.* Крушение мировой революции. Брестский мир. Октябрь 1917 — ноябрь 1918. М.: Терра, 1992.

86. *Фельштинский Ю., Чернявский Г.* Лев Троцкий. М.: Центрполиграф, 2012.

87. *Хейвуд Э.* Инженер революционной России. Юрий Владимирович Ломоносов (1876—1952) и железные дороги. М.: Учебно-методический центр по образованию на железнодорожном транспорте, 2013.

88. *Хобсбаум Э.* Эпоха крайностей: короткий двадцатый век (1914—1991). М.: Издательство «Независимой газеты», 2004.

89. *Хейфец А.* Ленин — великий друг народов Востока. М.: Издательство восточной литературы, 1960.

90. *Цеткин К.* Воспоминания о Ленине. М.: Партиздат, 1933.
91. *Хитцер Ф.* Под именем доктора Иорданова: Ленин в Мюнхене. М.: Политиздат, 1981.
92. *Чураков Д.* Революция, государство, рабочий протест: Формы, динамика и природа массовых выступлений в Советской России. 1917—1918 гг. М.: РОССПЭН, 2004.
93. *Шанин Т.* Революция как момент истины. Россия 1905—1907 гг. 1917—1922 гг. М., 1997.
94. *Шотман А.* Записки старого большевика. Новая Москва, 1925.
95. *Штейн М. Г.* Ульяновы и Ленины. Тайны родословной и псевдонима. СПб.: ВИРД, 1997.
96. Aline «Lénine à Paris (souvenirs inédits)». La librairie matérialiste. Paris, 1929.
97. *Anderson Kevin B.* Lenin, Hegel, and Western Marxism: A Critical Study. Chicago: University of Illinois Press, 1995.
98. *Elwood Ralph Carter.* The Non-Geometric Lenin. Essays on the Development of the Bolshevik Party 1910—1914. Anthem Press, 2011.
99. *Elwood Ralph Carter.* Inessa Armand: Revolutionary and Feminist. Cambridge: Cambridge Univ. Press, 1992.
100. *Rothshtein A.* Lenin in Britain. London, 1970.

Сцена после титров

Представление о подлинных масштабах истории Ленина могут дать только титры — когда после слова «КОНЕЦ» по воображаемому экрану ползут сотни и сотни фамилий участников. Глядя на эту пропасть народу, испытываешь изумление: господи, сколько же их здесь, и какие это имена, какие это все титаны, колоссы, великаны, про каждого — тома бы писать, забить ими серию «ЖЗЛ» на сто лет вперед: Фриц Платтен, Иван Бабушкин, Юлий Мартов, Аполлинария Якубова, Николай Бауман, Цецилия Зеликсон-Бобровская, Герман Ушаков, Елена Стасова, Иннокентий Дубровинский — сотни и сотни, ползут и ползут трапецией в свои далекие-предалекие галактики, и их, кажется, столько, сколько звезд на небе.

Парад планет, да; тут вспоминаешь, что И. Н. Ульянов, отец ВИ, в середине 1850-х защитил в Казанском университете работу об астрономическом методе немецкого ученого Ольберса.

Именем этого самого Ольберса названа одна удивительная космологическая загадка — так называемый фотометрический парадокс Ольберса. Суть его в том, что во вселенной, которая бесконечна, повсюду, равномерно, во все стороны от нас, рассеяны звезды, количество которых неисчислимо, и раз все они излучают свет, то, глядя на небо, мы должны видеть бесконечное количество лучей, ослепительную стену света, как, глядя на лес, видим не отдельные стволы, а стену деревьев.

Должны.

Но тем не менее ночью — темно.

У этого парадокса есть разные объяснения, в том числе современное, на основе релятивистской теории эволюционирующей вселенной.

Большой Взрыв Революции наполнил пространство поразительным количеством людей, которые, впервые в мировой истории, засияли так, что их видно на другом конце вселенной. От каждого остались книги, идеи, биографии, поступки; нет ни малейшего сомнения, что никакая физическая смерть, переход из органического состояния в неорганическое, не в состоянии отменить сам источник излучения — термоядерные реакторы, вулканами выбрасывающие струи плазмы. Как было написано в одном из «народных» некрологов января 1924-го — «товарищ Ленин напоминает бомбу, всегда полную взрывчатых веществ, которые постоянно взрываются и никогда не исчерпываются». Свет от этих бесчисленных взрывов должен залить всё и навсегда; однако ж сто лет спустя мы вновь поднимаем голову вверх и видим — мерцание, да, отдельных звезд, но, положа руку на сердце, — всё то же, что и раньше: темноту. Что пошло не так? Почему такое количество всех этих раскаленных, излучающих свет и энергию небесных тел сияет — но лишь еле-еле, на черном фоне?

Ольберс объяснял это тем, что между звездами существует пелена, облака космической пыли — но современная физика говорит, что если и так, то пылинки нагрелись бы и сами светились, как звезды.

Попытки уподобить космологию и феномены повседневной жизни часто приводят к гротескным результатам, однако для современников Ленина — которые восприняли его исчезновение с политического небосклона как вселенскую, космическую катастрофу, — «соляризация» вождя выглядела абсолютно естественной, истинной и само собой разумеющейся; биографам оставалось лишь подыскать наиболее точную метафору, отражающую их собственное участие в солярном культе, — и рассказать о «жизни Ленина» как о своем мистическом опыте взаимодействия с сакральным существом, дарующим тепло, свет и плодородие. Так, например, Маяковский создал для себя образ лодки, неизбежно зарастающей дрянными ракушками и водорослями вульгарного быта; лодки, которую, чтобы плыть дальше в Океан Революции, нужно отчистить от всего слишком человеческого и высушить от медузьей слизи под Лениным-солнцем.

«Новому человеку, — говорил автор книги «Христос» народоволец Н. Морозов, — понадобится новая история», — и, надо полагать, новая биография Ленина; но то ли круизы по революционным водоемам потеряли былую рентабельность, то ли интенсивность термоядерных реакций поуменьшилась, то ли вера в Ленина как в надежного энергопоставщика была подорвана событиями 1989 года, то ли (на это еще Есенин жаловался: «хладная планета! Ее и Солнцем-Лениным пока не растопить») во всем виноваты пылевые облака — но простое повторение эксперимента по исследованию мистических свойств Ленина на добровольце из нового поколения больше не выглядит ни достаточно зрелищным, ни перспективным в качестве опыта, который транслирует суть феномена Ленина.

Феномена, который, в качестве массивного светящегося тела, проявляющего несанкционированную и непрогнозируемую активность, остается неиссякающим источником беспокойства: достаточно включить телевизор, чтобы обнаружить, что право сохранять или уничтожать памятники Ленину расценивается значительными коллективами людей как базовое для их политической суверенности и вообще жизнеспособности как социума.

Люди по-прежнему готовы воевать друг с другом — из-за Ленина; и неспособность организма — который сумел секретировать кислоты, позволившие переварить фигуры Сталина, Гитлера и даже Божены Рынски, — найти консенсус относительно фигуры Ленина крайне озадачивает.

Где тот Доктор Стрэндж, который умеет пользоваться книжным колдовством на практике, — и сколько раз должен он повторить свое «Дормамму, я пришел договориться», чтобы Дормамму, наконец, сдался и понял, что сделка — и в его интересах тоже?

На каких основаниях общество может заключить «мирный договор о Ленине»?

Как должна выглядеть «окончательная» биография Ленина — которая позволит нам преодолеть невроз, вызванный подавленной психотравмой?

Просто объективная «история»? Не работает: кажется идеологически ангажированной.

Мистическое откровение? Неубедительно: выглядит слишком субъективно.

Или, может быть, компромисс: исследование «материи», «физики» Ленина — но на основе личного опыта.

Что, например, произойдет при столкновении одного тела с другим: обычного, сегодняшнего, сформированного пропагандой, поп-культурой и контекстной рекламой человека — с кубометром темно-синих томов ленинского Полного собрания сочинений?

Эта биография Ленина начиналась как эксперимент — устроенный по известной, есть целый жанр такого рода нон-фикшн литературы, модели: кто-то рассказывает о том, как в течение определенного времени проводит над собой некий опыт. Один человек целый год ел только в «Макдоналдсе»; другой год не покупал товары, на которых значилось «Made in China»; третий методично, от А до Z, читал Британскую энциклопедию. Обычно на обложке книг таких авторов написано, что они устроили себе «интеллектуальное приключение»; но вообще-то люди делают это просто ради интереса — посмотреть, что с ними будет, как они изменятся; ведь даже самые отчаянные консерваторы втайне хотят, чтобы завтра было не таким, как сегодня. Исчерпывающее знакомство с пятьюдесятью пятью томами Ленина и турне по всем местам, где он побывал, позволит осуществить тотальную ревизию жизни и творчества Ленина — и снять всякий макияж с его подлинного лица; так ведь?

Что я ошибся — роковым образом — с масштабом и общими контурами явления, выяснилось далеко не сразу — а когда, естественным образом, к собранию сочинений примагнитились 12 томов Биохроники, потом 40 книг Ленинских сборников, груда томиков из серии «Ленин в...» (Лондоне, Швеции, Польше...), 8 томов основных воспоминаний, отдельные тома Маркса и Энгельса, переписка «Искры», переписка Ленина с комитетами РСДРП... Оглядываясь назад, я понимаю, что стал классической жертвой «эскимосской охоты». Эскимосы, как известно, бросают в снег окровавленный нож. Животные приходят на запах крови, лижут — «просто ради интереса», ага — лезвие, разрезают себе язык — но продолжают лизать его, не соображая, что пьют уже свою собственную кровь. Они даже не улавливают тот момент, когда просто падают на снег.

Порочным оказался сам выбранный метод; возможно, если бы я читал Британскую энциклопедию и разъезжал по всем макдоналдсам, которые только есть в мире, это бы сработало — но в случае с Лениным простое накапливание научных сведений и подсчет калорий не позволяют проникнуть в суть явления.

Процедура создания того или иного эпизода моей книги требовала выполнения алгоритма, который выглядел примерно так: чтобы понять статью «Итоги дискуссии о самоопределении», мне нужно доехать до Флумса, подняться восемь километров вверх до Флюмсерберга, точнее, до пансиона «Чудивизе», где она написана, совершить восхождение хотя бы на одну из тамошних горных вершин, которые Ленин исследовал на протяжении двух месяцев (не забыть взять с собой альпийские, в идеале похожие на те, в которых Ленин приехал на Финляндский вокзал из Швейцарии, ботинки!), поискать по дороге назад грибы — те самые, из-за которых Ульяновы в начале сентября 1916-го пропустили поезд в Цюрих, и не забыть захватить с собой, помимо 30-го, «чудивизевского», тома, 24, 26, 29 и 45-й — где заходит речь о национальном вопросе, чтобы, сравнив тексты, понять, была ли связана неоднозначность позиции Ленина с естественной эволюцией его взглядов, как это было с аграрным вопросом, или он «вычислил» позицию через Гегеля, то есть ключ к ней — в «Философских тетрадях», и есть ли основания полагать, что стержневой для этой темы текст — «К вопросу о национальностях или об "автономизации"», следует все же проигнорировать вовсе как, скорее всего, фальсификацию?

У программистов есть хороший термин для таких слишком длинных, слипающихся, вываливающихся из отведенного для них объема, изобилующих исключениями и логическими неувязками программ — беда которых в том, что они изначально плохо спроектированы; «спагетти-код».

Вот именно.

Мало того, на моих спагетти нигде не было сказано, сколько их варить.

Сколько, а, нужно еще прочесть, объехать, узнать, перевести, чтобы сказать себе — стоп, готово!

Когда — и где — следовало остановиться?

Через месяц? Год? Пять лет? Десять?

Говорят, у поваров есть старый способ, как проверить, готовы ли спагетти, — их нужно бросить в стену: если прилипли, значит, сварились. Так я в какой-то момент и поступил. В итоге по прошествии пяти лет, посвященных «эксперименту», я обнаружил себя в помещении, где на стене было налеплено нечто очень странное, черта с два отдерешь... и вообще все вокруг выглядело далеко не так, как раньше. Что характерно, многих из тех, в чьем обществе я начинал варить эти спагетти, в помещении уже не было; выяснилось, что интерес к ленинизму действительно приводит — трагедия 1989-го повторилась со мной как фарс — общество к экономическому краху, да и отдельные его ячейки — не будем уж тут вдаваться в ненужные подробности — тоже оказались в руинах; иногда итоги дискуссии о самоопределении выглядят так удручающе, что лучше отложить размышления о них на тот момент, когда закончишь книгу.

Изменился ли автор? О да, и, похоже, уже окончательно.

Что же касается переговоров об «окончательном статусе Ленина», то они, видимо, еще продолжатся, и вот тут еще можно надеяться на благоприятный исход. Как сказал однажды сам ВИ. Что такое переговоры? Это начало соглашения! А что такое соглашение? Это конец переговоров!

Титры идут и идут, и вот уже, кроме основных действующих лиц и исполнителей, названы и фамилии самых последних ассистентов, секретарей, водителей... Вообще-то титры считаются технической частью, на них потихоньку зажигается свет в зале, входят уборщицы, чтобы подмести рассыпанный попкорн — знак зрителям, что сеанс окончен и пора по домам.

Однако некоторые упорно сидят на своих местах — или стоят и ругаются, обычно родители и дети, родители пытаются уйти — всё ведь кончилось, пора! — а дети, привыкшие к марвеловским фильмам, хватают их за рукав, подожди, сейчас еще будет. Ну что, что будет?! Дети жмут плечами — неизвестно, и понимают, что рискуют: если ничего не будет, скандала не избежать, взрослые не любят оказываться в глупом положении.

И иногда ничего-таки не происходит, но бывает — вдруг — действительно, титры прерываются — и на экране вновь появляется кто-то из персонажей. Это называется «сцена-после-титров», и прогнозировать, как она будет выглядеть, невозможно. Какой-то смешной или странный — весьма вероятно — эпизод. Или — так называемая «четвертая стена» неожиданно разрушается, и кто-то из персонажей вдруг обращается к зрителям напрямую (как в «Добро пожаловать, или Посторонним вход запрещен»: «А че это вы тут делаете? Кино-то уже — кончилось!»). Иногда это какой-то комментарий (как в «Карнавальной ночи» после слова «Конец» вдруг опять появляется Огурцов и говорит: «Товарищи! Одну минуточку!.. Официально заявляю, что за всё, что здесь сегодня было, я лично никакой ответственности не несу!»). Или трейлер будущего фильма, или мини-презентация нового персонажа, или сцена, проливающая свет на прошлое кого-то из героев, или мост в параллельную вселенную, где тоже разворачивается какая-то — связанная с уже известной — но своя — жизнь, намек на то, что показанные события имеют и некую другую, ускользнувшую от нас сторону — которой еще только предстоит быть раскрытой.

Смысл сцены-после-титров — в том, что все нарушают правила: режиссер намекает на что-то такое, о чем не должен бы говорить, а вы продолжаете сидеть в зале, когда все уже ушли, преодолевая неуютное ощущение, что, наверно, выглядите идиотом; да не наверно — точно; явно ведь ничего больше уже не будет.

И вдруг — вдруг — титры прекращаются и вновь наступает темнота.

Тьма.

Берег реки — это Енисей; слышатся струение воды, всплески, треск костра и, время от времени, звуки ныряющего и выскакивающего наверх поплавка — выставлены удочки, это рыбалка.

Вокруг костерка расположились трое.

Один — Строганов, молодой еще человек, владелец сельской лавки в Шушенском, еще не выбравший, кем быть — деревенским капиталистом или либеральным интеллигентом; начинающий шахматист.

Его очередь быть костровым, но он задремал. Он приподнимается на локте, продирает глаза, потягивается и идет смотреть удочки.

На одной, ого, обнаруживается крупный — килограмма на полтора — налим.

Живой, извивающийся, жутковатый — морда страшная — телом как сом, но поуже, мурено-, скорее, подобный.

В руках он кажется Строганову слишком ценной добычей, чтобы просто оглушить его камнем и бросить на траву, чтобы долежал до завтрашней ухи.

Таким и напугать — ого-го.

Рыбалка — занятие скучноватое, кукуешь себе часами на берегу, и Строганову приходит в голову мысль подшутить над своими товарищами.

Сосипатыч спит, ладно подобравшись, плотно укутавшись в свою крестьянскую одежду, к такому и захочешь не подступишься.

А вот Владимир Ильич, да, накрыт полушубком, но он городской, опыт ночевок на природе у него меньше, и он подраспахнут, разметался во сне.

Вообще-то он не только сосед, но еще и наставник — познакомившись со Строгановым, ВИ оценил его высокий интеллект и за пять сеансов обучил лавочника играть в шахматы, чтобы иметь под рукой серьезного партнера.

Строганов смотрит на своего учителя, решительно подшагивает, поднимает полу у полушубка и недолго думая запихивает туда, к ВИ в нутро, рыбину.

Пока ВИ продолжает спать, Строганов скорее бежит на свое место с другой стороны костра, ложится, прикрывает глаза, делая вид, что он ни при чем.

С той стороны костра сначала ничего не происходит — но вдруг налим всковыривается и, пытаясь найти выход, проскальзывает ВИ под рубашку.

Дальше тихая фаза заканчивается.

ВИ во сне чувствует, что по нему ползет что-то мокрое и холодное. Он вскакивает, начинает орать на весь Енисей — ему кажется, что к нему за пазуху залезла змея, — и начинает отлеплять, отдирать от себя рубаху, чтобы то, что там, за пазухой, перестало быть на нем, отвязалось, слезло. Он инстинктивно боится залезать рукой за пазуху и дотрагиваться, поэтому пытается выпростать рубаху из штанов, чтобы живая тварь выпала через щель, по возможности не причинив ему вреда, не тронула его.

Наконец ему удается оттопырить от себя рубаху, втянуть живот — и вот в просвет выпадает что-то: живое склизкое бурое усатое чешуйчатое длинное узкое с широким ртищем на морде.

Ошалев, ВИ сначала отпрыгивает от него — а потом понимает, что это — рыба, с ужасом смотрит на нее, поднимает голову, чтобы сообщить товарищам о своем удивительном открытии — рыба! Ко мне! Сама! Заползла!

Он видит:

Сосипатыч, проснувшийся, конечно, тоже с расширенными зрачками смотрит на все это, не понимая, что происходит, и должен ли он как-то вмешаться, и может ли как-то помочь.

И Строганов — уже рыдающий, стонущий, захлебывающийся от смеха.

ВИ смотрит на костер, на Сосипатыча, на Строганова, на реку, на удочки, на вихляющуюся рыбину, на усыпанное, наверное, звездами небо — и только тут, наконец, возвращается в явь, соображает — что разыграли, что рыба — просто рыба, не какое-то сверхъестественное существо, сломавшее все его представления о мире, всю ламарковскую лестницу, всю дарвиновскую эволюцию, весь марксовский атеизм, все намерения познать природу; что самые умные ученики, да, ведут себя иногда глупо, дурачатся, но что мир по-прежнему познаваемый — и смешной, и сулит всякому, кто увидит его несуразность, бесконечное количество возможностей.

Звезды в этот момент вспыхивают и сияют так ослепительно, что на миг становится так светло, как днем; встает стена света.

ВИ запускает большие пальцы под мышки, закрывает глаза — и начинает хохотать — отбросившись назад, потом согнувшись пополам туда-сюда, туда-сюда — заливисто заразительно ярко раскатисто как колокольчик.

Хахахахахаа-хахахахахаха-хахахахаха.

СОДЕРЖАНИЕ

Данилкин Л. А.

Д 18   Ленин: Пантократор солнечных пылинок / Лев Данилкин. — М.: Молодая гвардия, 2017. — 783[1] с.:

ISBN 978-5-235-03985-8

Ленин был великий велосипедист, философ, путешественник, шутник, спортсмен и криптограф. Кем он не был, так это приятным собеседником, но если
Бог там, на небесах, захочет обсудить за шахматами политику и последние новости — с кем еще, кроме Ленина, ему разговаривать?

Рассказывать о Ленине — все равно что рассказывать истории «Тысячи и одной ночи». Кроме магии и тайн, во всех этих историях есть логика: железные
«если... — то...».

Если верим, что Ленин в одиночку устроил в России революцию — то вынуждены верить, что он в одиночку прекратил мировую войну.

Если считаем Ленина взломавшим Историю хакером — должны допустить,
что История несовершенна и нуждается в созидательном разрушении.

Если отказываемся от Ленина потому же, почему некоторых профессоров математики не пускают в казино: они слишком часто выигрывают — то и сами не
хотим победить, да еще оказываемся на стороне владельцев казино, а не тех, кто
хотел бы превратить их заведения в районные дома пионеров.

Снесите все статуи и запретите упоминать его имя — история и география
сами снова генерируют «ленина».

КТО ТАКОЕ ЛЕНИН? Он — вы.

Как написано на надгробии архитектора Кристофера Рена:
«Читатель, если ты ищешь памятник — просто оглядись вокруг».

УДК 94(47)(092)"18/19"
ББК 63.3(2)53-8

знак информационной
продукции   **16+**

Данилкин Лев Александрович
ЛЕНИН: ПАНТОКРАТОР СОЛНЕЧНЫХ ПЫЛИНОК

Редактор **А. А. Юрьев**
Художественный редактор **И. И. Суслов**
Технический редактор **М. П. Качурина**
Корректоры **Л. С. Барышникова, Т. И. Маляренко, Г. В. Платова**

Сдано в набор 06.02.2017. Подписано в печать 09.03.2017. Формат 60х100/16. Бумага
офсетная № 1. Печать офсетная. Гарнитура «NewBaskerville». Усл. печ. л. 53,9.
Тираж 10 000 экз. Заказ 2440.

Издательство АО «Молодая гвардия». Адрес издательства: 127055, Москва, Сущев-
ская ул., 21. Internet: http://gvardiya.ru. E-mail:dsel@gvardiya.ru

Отпечатано с готовых файлов заказчика
в АО «Первая Образцовая типография»,
филиал «УЛЬЯНОВСКИЙ ДОМ ПЕЧАТИ»
432980, г. Ульяновск, ул. Гончарова, 14

ISBN 978-5-235-03985-8